EXPRESSION

DICTIONNAIRE DES

difficultés du français d'aujourd'hui

Daniel PÉCHOIN
directeur de la rédaction

Bernard DAUPHIN
ancien chef-correcteur des Éditions Larousse
conseiller éditorial

LAROUSSE

21, RUE DU MONTPARNASSE 75283 PARIS CEDEX 06

Directeur de la rédaction
Daniel Péchoin

Conseiller éditorial
Bernard Dauphin
ancien chef-correcteur des éditions Larousse

Rédaction
Bénédicte Gaillard
Isabelle Métayer
Dorine Morel
Yves Nespoulous
Marie-Gabrielle Slama
Alice Vilar

Responsable éditoriale Larousse
Noëlle Degoud

Collaboration rédactionnelle Larousse
Patricia Maire

Composition et mise en pages
Études et réalisations éditoriales

Maquette
Jean-Marc Eldin
Anne Jacob
Abigaïl Nuñes
Massimo Miola

Couverture
Olivier Caldéron

Coordination de la fabrication
Claudine Ridouard

Distributeur exclusif au Canada : Havas Canada

ISBN 2-03-340-908-2

SOMMAIRE

AVANT-PROPOS

UN dictionnaire des difficultés du français représente pour un lexicographe une sorte de gageure. Dans la réalisation des dictionnaires généraux qui constituent son ordinaire, le lexicographe s'applique à être, en conscience, un « greffier de l'usage ». Il enregistre de manière clinique ce qui se dit et s'écrit dans les circonstances diverses – banales, occasionnelles ou extrêmes – de la communication : conversation de café, émission télévisée, discours à l'Assemblée, article de quotidien, débat politique, roman, flirt d'amoureux, thèse de doctorat, querelle d'automobilistes, film publicitaire…

Dans un dictionnaire des difficultés, l'optique est sensiblement différente. Le lexicographe y est convoqué non pas pour donner un panorama de la diversité des usages, mais pour répondre aux questions concrètes de son lecteur : puis-je employer tel mot ou telle tournure, dois-je m'abstenir de tel ou telle autre ? M'exposerai-je au jugement d'autrui (« il n'a pas d'orthographe », « elle parle vulgairement », « c'est quelqu'un qui ne sait pas le français »), voire à ses railleries, par une entorse au « bon usage » ou à ce qui est considéré comme tel ?

On croit communément que répondre à cette question est simple : le surmoi grammatical des Français est vigoureux et fait bon ménage avec une conception selon laquelle la langue s'ancre dans une sorte d'idéal platonicien auquel on pourrait se référer pour trancher à tout coup du « correct » et de « l'incorrect ». Or, rien n'est changeant comme la norme.

Quelques exemples ?

L'emploi au masculin d'*alvéole* était la règle il y a trente ans à peine. Dire *une alvéole* vous jugeait son homme… Aujourd'hui, le mot s'emploie bien encore parfois au masculin, mais *un alvéole* sonne bizarrement aux oreilles de beaucoup, et c'est *une alvéole* qui est l'usage majoritaire, en attendant d'être la règle.

Il y a vingt ans, les correcteurs d'imprimerie biffaient systématiquement le mot *mégot* dans les épreuves et proposaient à la place *bout de cigarette.* Combien de Français, parmi les plus jeunes – les moins de trente ans, disons –, tiennent encore *mégot* pour un mot quasi argotique, en tout cas familier ?

Il y a dix ans, *évènement,* avec un accent grave, hérissait encore les puristes – assez bizarrement d'ailleurs, puisque le deuxième *e* du mot se prononçait ouvert depuis déjà bien longtemps – : c'est *événement,* avec deux accents aigus, qu'il fallait écrire. Aujourd'hui, *évènement* avec accent grave est admis, et même de plus en plus souvent recommandé, pour mettre la graphie en harmonie avec la prononciation.

On voit qu'en l'espace d'une génération seulement le sentiment que nous avons de ce qui peut ou non se dire ou s'écrire s'est modifié : les langues, comme les espèces animales, évoluent. C'est l'une des conditions de leur survie. Mesuré à l'aune de la « correction », le français n'est à tout prendre qu'une immense faute de latin. N'empêche. On le parle et on l'écrit.

La conscience de la relativité de toute norme conduit à se garder des jugements péremptoires. Aussi nous sommes-nous efforcé d'user avec modération de mots tels que « incorrect », « à proscrire », « à bannir », « la bonne langue exige que… », etc.

Pour autant, il n'était pas question de nous dérober aux attentes de nos lecteurs : la personne qui écrit une lettre de candidature à un emploi, celle qui met en forme un rapport dont dépendront des décisions importantes, celle qui prépare une allocution dont chaque terme doit être pesé, toutes sont en droit d'exiger des réponses sans ambiguïté aux questions qu'elles posent. Aussi le point de vue que nous avons adopté est-il celui des registres, ou des circonstances de communication : nous nous sommes efforcé de distinguer, chaque fois que cela nous a paru nécessaire, entre ce qui est admis dans l'usage non surveillé ou courant, et ce qui est préférable dans l'expression soignée ou le registre soutenu. Sans identifier pour autant l'oral au relâché et l'écrit au soutenu, car, dans bien des cas, l'écriture est familière (lettre à un proche, par exemple) et la parole contrôlée (entretien d'embauche). Chaque fois qu'une recommandation explicite devait être formulée, nous l'avons fait figurer après le mot RECOMM., imprimé en majuscules et dans un caractère différent, plus gros que le texte courant.

L'introduction, dans le corps du dictionnaire, des graphies proposées par le Conseil supérieur de la langue française dans son rapport paru au Journal officiel du 6 décembre 1990 sur les rectifications de l'orthographe, a fait l'objet d'un débat avec l'éditeur. On se rappelle que ce rapport avait, en son temps, déclenché une vive polémique. Les arguments échangés par les tenants et les opposants des « rectifications » avaient parfois frôlé l'invective… Tout cela reposait, nous semble-t-il, sur un vaste malentendu : la prétendue « réforme de l'orthographe » ne visait nullement à contraindre quiconque à écrire en sabir phonétique, comme on aurait pu le croire à entendre ses contempteurs les plus acharnés. Bien plus sagement, elle proposait quelques simplifications de bon sens dont tout usager du français restait libre d'apprécier le bien-fondé et qu'il pouvait, à son choix, faire siennes ou non : l'usage trancherait. La polémique étant maintenant apaisée, et les incohérences orthographiques auxquelles le Conseil supérieur de la langue française souhaitait remédier n'ayant pas pour autant disparu, il nous semblait intéressant d'indiquer au lecteur, sous chaque entrée concernée, la rectification proposée. Les éditions Larousse, par souci de cohérence avec l'ensemble de leurs dictionnaires, et notamment avec le plus connu d'entre eux, le Petit Larousse, ont préféré la formule du renvoi systéma-tique au texte des Recommandations, placé en tête de l'ouvrage. On trouvera donc, sous chaque entrée présentant une difficulté mentionnée dans ces recom-mandations, le renvoi : → R.O. 1990.

Nous nous sommes efforcé d'éviter le rigorisme austère qui était naguère de mise dès que l'on parlait d'usage et de norme, et qui paraît aujourd'hui bien rebutant. Nous n'en espérons pas moins répondre utilement aux questions que se posent les usagers du français sur les pièges que leur tend parfois leur propre langue. Puisse ce *Dictionnaire des difficultés du français d'aujourd'hui*, successeur du *Dictionnaire des difficultés* de Thomas, ne pas leur sembler indigne de son illustre aîné.

Avril 1998   D. P.

Structure des articles

La zone entrée

Elle comporte systématiquement les variations orthographiques de l'entrée (formes du féminin, du pluriel, etc.) et l'indication de la catégorie grammaticale. Certaines entrées sont multiples (doubles, triples), et indiquent, séparées par une barre oblique, plusieurs formes ou plusieurs mots présentant une difficulté commune (choix possible, confusion à éviter, etc.).

Les variantes orthographiques en usage sont toujours mentionnées dans l'entrée. Les variantes orthographiques anciennes, s'il en existe, sont signalées dans une remarque dans le corps de l'article.

Les renvois

Seule la catégorie grammaticale est indiquée, toute autre information se trouvant à l'entrée vers laquelle on renvoie.

Les homographes

Ils sont distingués par un chiffre utilisé dans le renvoi à cette entrée.

Les rubriques

Les articles sont structurés visuellement à l'aide de onze rubriques qui annoncent les domaines de difficultés : accord, anglicisme, conjug. (conjugaison), constr. (construction), emploi, genre, nombre, orth. (orthographe d'usage), prononc. (prononciation), registre (niveau de langue, situation de communication), sens. Ces rubriques sont parfois combinées.

Prononciation

La prononciation est presque toujours donnée sous une forme double : transcription en alphabet phonétique international (voir p. IX), équivalence ou comparaison avec un autre mot français.

---

acquis, e adj. et **acquis** n.m. / **acquit** n.m. ♦ **Orth. et sens.** Ne pas confondre ces deux mots malgré leur prononciation identique. **1.** *Acquis* adj. et n.m. (du verbe *acquérir*) = qui a fait l'objet d'une acquisition, détenu, possédé. *Des connaissances acquises ; l'inné et l'acquis.* **2.** *Acquit* n.m. (du verbe *acquitter*) = reconnaissance écrite d'un paiement ; quittance. → **acquit**

aérolithe, aérolite n.m. ♦ **Genre.** Masculin. ♦ **Orth.** Avec ou sans *h*.

aéroport n.m. → aérodrome

1. avant n.m. ♦ **Accord.** Plur. : *avants*. *Les avants, au rugby.*

2. avant adj. ♦ **Accord.** Toujours invariable. *Les pattes avant.*

♦ **Conjug.**

♦ **Constr.**

♦ **Orth.**

♦ **Prononc.**

♦ **Emploi et registre.**

bayou n.m. ♦ **Prononc.** [baju] comme dans *caillou.*

Orthographe
Sous cette rubrique sont mentionnées les difficultés concernant l'orthographe d'usage et les pluriels.

Anglicisme
Les anglicismes sont signalés. S'il existe un équivalent français recommandé par une commission ministérielle de terminologie, il est systématiquement mentionné.

Accord
La rubrique Accord peut concerner le mot donné en entrée ou son environnement syntaxique (compléments, etc.).

Conjugaison
Les difficultés courantes de conjugaison des verbes sont brièvement rappelées. Tous les verbes irréguliers font l'objet d'un renvoi au tableau des conjugaisons donné en annexe, p. 643.

Genre
Rappelé de manière systématique pour tous les mots sur lesquels il peut y avoir hésitation.

Nombre
Concerne surtout les mots qui s'emploient seulement au pluriel ou seulement au singulier.

Registre
Indique le registre de communication dans lequel le mot est usité. Les mots familiers sont souvent accompagnés d'une recommandation proposant un ou plusieurs équivalents préférables dans l'expression soignée.

bénédicité n.m. ◆ **Orth.** Avec un accent aigu sur chacun des *e*. - Plur. : *des bénédicités.*

black-out n.m. ◆ **Orth.** On écrit *black-out,* avec un trait d'union. → R.O. 1990. ◆ **Anglicisme.** RECOMM. OFF. : *occultation* (pour la lumière), *silence radio* (pour les émissions d'ondes électromagnétiques).

bredouille adj. ◆ **Accord.** *Bredouille* est adjectif et non adverbe, il s'accorde : *ils sont revenus bredouilles.*

botte n.f. ◆ **Accord.** On écrit : *une botte de paille* (= de la paille liée en botte), mais *une botte d'asperges, de poireaux* (= des asperges, des poireaux liés en botte).

cadencer v.t. ◆ **Conjug.** Le *c* devient *ç* devant *o* et *a : je cadence, nous cadençons ; il cadença.* → annexe, tableau 9

camélia n.m. ◆ **Genre.** Masculin : *un camélia.*

catacombes n.f. plur. ◆ **Nombre.** Ne s'emploie qu'au pluriel : *les catacombes romaines.*

causant, e adj. ◆ **Registre.** Dans le sens « qui parle volontiers », le mot est familier. RECOMM. Dans l'expression soignée, préférer les équivalents : *loquace, disert, bavard, volubile, communicatif.* - La tournure négative *pas causant, peu causant,* peut être remplacée par les équivalents positifs : *taciturne, silencieux, muet.*

clignotant n.m. / **clignoteur** n.m.
◆ **Emploi.** Au sens de « indicateur de
changement de direction », *clignotant* a
supplanté *clignoteur.* REM. *Clignoteur* reste
employé en Belgique et dans les régions
françaises limitrophes.

claquage n.m. / **claquement** n.m.
◆ **Sens.** Ne pas confondre ces deux
mots. **1.** *Claquage* = distension d'un
muscle ou d'un tendon. **2.** *Claquement*
= bruit produit par ce qui claque.

comparer v.t. ◆ **Constr.** *Comparer
à, comparer avec* s'emploient indifféremment. On dit aussi *comparer deux
choses entre elles.* RECOMM. Éviter le
pléonasme *comparer deux choses
ensemble.

concurremment adv. [...] ◆ **Constr.**
*Concurremment avec. Agir concurremment
avec quelqu'un.* RECOMM. Éviter la
construction incorrecte *concurremment à.

compensation n.f. ◆ **Constr.** *En
compensation de* = pour compenser.
*Accepter une chose en compensation d'une
autre.*

Abréviations et signes conventionnels

→	se reporter à	part.	participe
adj.	adjectif	plur.	pluriel
adv.	adverbe	préf.	préfixe
conj.	conjonction	prép.	préposition
conjug.	conjugaison	pron.	pronom
constr.	construction	prononc.	prononciation
inv.	invariable	v.	verbe *ou* voir
loc.	locution	v.i.	verbe intransitif
loc. adj.	locution adjectivale	v. impers.	verbe impersonnel
loc. conj.	locution conjonctive	v.pr.	verbe pronominal
loc. adv.	locution adverbiale	v.t.	verbe transitif
n.	nom (masculin et féminin)	v.t.ind.	verbe transitif indirect
n.f.	nom féminin	R.O. 1990	Rectifications de
n.m.	nom masculin		l'orthographe publiées au
orth.	orthographe		Journal officiel du 06/12/90

Prononciation du français

Les signes utilisés dans cet ouvrage pour les transcriptions phonétiques sont ceux du tableau des sons du français de l'Association phonétique internationale, simplifié.

consonnes

[p]	*p*	dans *p*as, dé*p*asser, ca*p*
[t]	*t*	dans *t*u, é*t*aler, lu*tt*e
[k]	*c, k, qu*	dans *c*aste, a*cc*ueillir, *k*épi, *qu*e
[b]	*b*	dans *b*eau, a*b*îmer, clu*b*
[d]	*d*	dans *d*ur, bro*d*er, ble*d*
[g]	*g*	dans *g*are, va*g*ue, zig*z*ag
[f]	*f*	dans *f*ou, a*ff*reux, che*f*
[v]	*v*	dans *v*ite, ou*v*rir
[s]	*s*	dans *s*ouffler, cha*ss*e, héla*s*
[z]	*z* ou *s*	dans *z*one, ga*z*, rai*s*on
[ʃ]	*ch*	dans *ch*eval, mâ*ch*er, Au*ch*
[ʒ]	*j* ou *g*	dans *j*ambe, â*g*é, pa*g*e
[l]	*l*	dans *l*arge, mo*ll*esse, ma*l*
[ʀ]	*r*	dans *r*ude, ma*r*i, ou*vr*ir
[m]	*m*	dans *m*aison, a*m*ener, blê*m*e
[n]	*n*	dans *n*ourrir, fa*n*al, dolme*n*
[ɲ]	*gn*	dans a*gn*eau, bai*gn*er
[x]	*j*	espagnol dans *j*ota
[ŋ]	*ng*	anglais dans planni*ng*, ri*ng*

voyelles orales

[i]	*i*	dans *i*l, hab*i*t, d*î*ner
[e]	*é*	dans th*é*, d*é*

[ɛ]	*è*	dans être, procès, da*i*s
[a]	*a*	dans *a*voir, P*a*ris, p*a*tte
[ɑ]	*a*	dans *â*ne, p*â*te, m*â*t
[ɔ]	*o*	dans *o*r, r*o*be
[o]	*o*	dans d*o*s, chev*au*x
[u]	*ou*	dans *ou*vrir, c*ou*vert, l*ou*p
[y]	*u*	dans *u*ser, t*u*, s*û*r
[œ]	*eu*	dans c*œu*r, p*eu*r, n*eu*f
[ø]	*eu*	dans f*eu*, j*eu*, p*eu*
[ə]	*e*	dans l*e*, pr*e*mier

voyelles nasales

[ɛ̃]	*in*	dans *in*térêt, p*ain*, s*ein*
[œ̃]	*un*	dans al*un*, parf*um*
[ɑ̃]	*an, en*	dans bl*an*c, *en*trer
[ɔ̃]	*on*	dans *on*dée, b*on*, h*on*te

semi-voyelles ou semi-consonnes

[j]	*y*	+ voyelle dans *y*eux, l*i*eu
[ɥ]	*u*	+ voyelle dans h*u*ile, l*u*i
[w]	*ou*	+ voyelle dans *ou*i, Lo*u*is

Le *h* initial dit « aspiré » empêche les liaisons. Il est précédé du signe [°] dans le présent dictionnaire.

LES RECTIFICATIONS DE L'ORTHOGRAPHE
CONSEIL SUPÉRIEUR DE LA LANGUE FRANÇAISE

Rapport publié au Journal officiel du 6 décembre 1990

INTRODUCTION

Dans son discours du 24 octobre 1989, le Premier ministre a proposé à la réflexion du Conseil supérieur cinq points précis concernant l'orthographe :
– le trait d'union ;
– le pluriel des mots composés ;
– l'accent circonflexe ;
– le participe passé des verbes pronominaux ;
– diverses anomalies.

C'est sur ces cinq points que portent les présentes propositions. Elles ne visent pas seulement l'orthographe du vocabulaire existant, mais aussi et surtout celle du vocabulaire à naître, en particulier dans les sciences et les techniques.

Présentées par le Conseil supérieur de la langue française, ces rectifications ont reçu un avis favorable de l'Académie française à l'unanimité, ainsi que l'accord du Conseil de la langue française du Québec et celui du Conseil de la langue de la Communauté française de Belgique.

Ces rectifications sont modérées dans leur teneur et dans leur étendue.

En résumé :

> – *le trait d'union :* un certain nombre de mots remplaceront le trait d'union par la soudure (exemple : **portemonnaie** comme **portefeuille**) ;
> – *le pluriel des mots composés :* les mots composés du type **pèse-lettre** suivront au pluriel la règle des mots simples (des **pèse-lettres**) ;
> – *l'accent circonflexe :* il ne sera plus obligatoire sur les lettres **i** et **u**, sauf dans les terminaisons verbales et dans quelques mots (exemples : **qu'il fût, mûr**) ;
> – *le participe passé :* il sera invariable dans le cas de **laisser** suivi d'un infinitif (exemple : **elle s'est laissé mourir**) ;
> – *les anomalies :*
> – mots empruntés : pour l'accentuation et le pluriel, les mots empruntés suivront les règles des mots français (exemple : un **imprésario**, des **imprésarios**) ;
> – séries désaccordées : des graphies seront rendues conformes aux règles de l'écriture du français (exemple : **douçâtre**), ou à la cohérence d'une série précise (exemples : **boursouffler** comme **souffler**, **charriot** comme **charrette**).

Ces propositions sont présentées sous forme, d'une part, de règles d'application générale et de modifications de graphies particulières, destinées aux usagers et à l'enseignement, et, d'autre part, sous forme de recommandations à l'usage des lexicographes et des créateurs de néologismes.

PRINCIPES

La langue française, dans ses formes orales et dans sa forme écrite, est et doit rester le bien commun de millions d'êtres humains en France et dans le monde. C'est dans l'intérêt des générations futures de toute la francophonie qu'il est nécessaire de continuer à apporter à l'orthographe des rectifications cohérentes et mesurées qui rendent son usage plus sûr, comme il a toujours été fait depuis le XVIIᵉ siècle et comme il est fait dans la plupart des pays voisins.

Toute réforme du système de l'orthographe française est exclue : nul ne saurait affirmer sans naïveté qu'on puisse aujourd'hui rendre « simple » la graphie de notre langue, pas plus que la langue elle-même. Le voudrait-on, beaucoup d'irrégularités qui sont la marque de l'histoire ne pourraient être supprimées sans mutiler notre expression écrite.

Les présentes propositions s'appliqueront en priorité dans trois domaines : la création de mots nouveaux, en particulier dans les sciences et les techniques, la confection des dictionnaires, l'enseignement.

Autant que les nouveaux besoins de notre époque, le respect et l'amour de la langue exigent que sa créativité, c'est-à-dire son aptitude à la néologie, soit entretenue et facilitée : il faut pour cela que la graphie des mots soit orientée vers plus de cohérence par des règles simples.

Chacun sait la confiance qu'accordent à leurs dictionnaires non seulement écrivains, journalistes, enseignants, correcteurs d'imprimerie et autres professionnels de l'écriture, mais plus généralement tous ceux, adultes ou enfants, qui écrivent la langue française. Les lexicographes, conscients de cette responsabilité, jouent depuis quatre siècles un rôle déterminant dans l'évolution de l'orthographe : chaque nouvelle édition des dictionnaires faisant autorité enregistre de multiples modifications des graphies, qui orientent l'usage autant qu'elles le suivent. Sur de nombreux points, les présentes propositions entérinent les formes déjà données par des dictionnaires courants. Elles s'inscrivent dans cette tradition de réfection progressive et permanente. Elles tiennent compte de l'évolution naturelle de l'usage en cherchant à lui donner une orientation raisonnée et elles veillent à ce que celle-ci soit harmonieuse.

L'apprentissage de l'orthographe du français continuera à demander beaucoup d'efforts, même si son enseignement doit être rendu plus efficace. L'application des règles par les enfants (comme par les adultes) sera cependant facilitée puisqu'elles gagnent en cohérence et souffrent moins d'exceptions. L'orthographe bénéficiera d'un regain d'intérêt qui devrait conduire à ce qu'elle soit mieux respectée, et davantage appliquée.

A l'heure où l'étude du latin et du grec ne touche plus qu'une minorité d'élèves, il paraît nécessaire de rappeler l'apport de ces langues à une connaissance approfondie de la langue française, de son histoire et de son orthographe et par conséquent leur utilité pour la formation des enseignants de français. En effet, le système graphique de français est essentiellement fondé sur l'histoire de la langue, et les présentes rectifications n'entament en rien ce caractère.

Au-delà même du domaine de l'enseignement, une politique de la langue, pour être efficace, doit rechercher la plus large participation des acteurs de la vie sociale, économique, culturelle, administrative. Comme l'a déclaré le Premier ministre, il n'est pas question de légiférer en cette matière. Les édits linguistiques sont impuissants s'ils ne sont pas soutenus par une ferme volonté des institutions compétentes et s'ils ne trouvent pas dans le public un vaste écho favorable. C'est pourquoi ces propositions sont destinées à être enseignées aux enfants – les graphies rectifiées devenant la règle, les anciennes demeurant naturellement tolérées ; elles sont recommandées aux adultes, et en particulier à tous ceux qui pratiquent avec autorité, avec éclat, la langue écrite, la consignent, la codifient et la commentent.

On sait bien qu'il est difficile à un adulte de modifier sa façon d'écrire. Dans les réserves qu'il peut avoir à adopter un tel changement, ou même à l'accepter dans l'usage des générations montantes, intervient un attachement esthétique, voire sentimental, à l'image familière de certains mots. L'élaboration des présentes propositions a constamment pris en considération, en même temps que les arguments proprement linguistiques, cet investissement affectif. On ne peut douter pourtant que le même attachement pourra plus tard être porté aux nouvelles graphies proposées ici, et que l'invention poétique n'y perdra aucun de ses droits, comme on l'a vu à l'occasion des innombrables modifications intervenues dans l'histoire du français.

Le bon usage a été le guide permanent de la réflexion. Sur bien des points il est hésitant et incohérent, y compris chez les plus cultivés. Et les discordances sont nombreuses entre les dictionnaires courants, ne permettant pas à l'usager de lever ses hésitations. C'est sur ces points que le Premier ministre a saisi en premier lieu le Conseil supérieur, afin d'affirmer et de clarifier les règles et les pratiques orthographiques.

Dans l'élaboration de ces propositions, le souci constant a été qu'elles soient cohérentes entre elles et qu'elles puissent être formulées de façon claire et concise. Enfin, les modifications préconisées ici respectent l'apparence des textes (d'autant qu'elles ne concernent pas les noms propres) : un roman contemporain ou du siècle dernier doit être lisible sans aucune difficulté. Des évaluations informatiques l'ont confirmé de manière absolue.

Ces propositions, à la fois mesurées et argumentées, ont été acceptées par les instances qui ont autorité en la matière. Elles s'inscrivent dans la continuité du travail lexicographique effectué au cours des siècles depuis la formation du français moderne. Responsable de ce travail, l'Académie française a corrigé la graphie du lexique en 1694, 1718, 1740, 1762, 1798, 1835, 1878 et 1932-1935. En 1975, elle a proposé une série de nouvelles rectifications, qui ne sont malheureusement pas passées dans l'usage, faute d'être enseignées et recommandées. C'est dans le droit-fil de ce travail que le Conseil a préparé ses propositions en sachant que, dans l'histoire, des délais ont toujours été nécessaires pour que l'adoption d'améliorations de ce type soit générale.

En entrant dans l'usage, comme les rectifications passées et peut-être plus rapidement, elles contribueront au renforcement, à l'illustration et au rayonnement de la langue française à travers le monde.

ANALYSES

1. *Le trait d'union*

Le trait d'union a des emplois divers et importants en français :

– Des emplois syntaxiques : inversion du pronom sujet (*exemple :* **dit-il**), et libre coordination (*exemples :* la ligne **nord-sud**, le rapport **qualité-prix**). Il est utilisé aussi dans l'écriture des nombres, mais, ce qui est difficilement justifiable, seulement pour les numéraux inférieurs à cent (*exemple :* **vingt-trois**, mais **cent trois**). (Voir Règle 1.)

– Des emplois lexicaux dans des mots composés librement formés (néologismes ou créations stylistiques, *exemple :* **train-train**) ou des suites de mots figées (exemples : **porte-drapeau, va-nu-pied**).

Dans ces emplois, la composition avec trait d'union est en concurrence, d'une part, avec la composition par soudure ou agglutination (*exemples :* **portemanteau, betterave**), d'autre part, avec le figement d'expressions dont les termes sont autonomes dans la graphie (*exemples :* **pomme de terre, compte rendu**).

Lorsque le mot composé contient un élément savant (c'est-à-dire qui n'est pas un mot autonome : **narco-, poly-**, etc.), il est généralement soudé (*exemple :* **narcothérapie**) ou, moins souvent, il prend le trait d'union (*exemple :* **narco-dollar**). Si tous les éléments sont savants, la soudure est obligatoire (*exemple :* **narcolepsie**). Dans l'ensemble, il est de plus en plus net qu'on a affaire à un seul mot, quand on va de l'expression figée au composé doté de trait d'union, et au mot soudé.

Dans une suite de mots devenue mot composé, le trait d'union apparaît d'ordinaire :

a) lorsque cette suite change de nature grammaticale (*exemple :* il intervient **à propos**, il a de l'**à-propos**). Il s'agit le plus souvent de noms (un **ouvre-boîte**, un **va-et-vient**, le **non-dit**, le **tout-à-l'égout**, un **après-midi**, un **chez-soi**, un **sansgêne**). Ces noms peuvent représenter une phrase (exemples : un **laissez-passer**, un **sauve-qui-peut**, le **qu'en-dira-t-on**). Il peut s'agir aussi d'adjectifs (*exemple :* un décor **tape-à-l'œil**).

b) lorsque le sens (et parfois le genre ou le nombre) du composé est distinct de celui de la suite de mots dont il est formé (*exemple :* un **rouge-gorge** qui désigne un oiseau). Il s'agit le plus souvent de noms (un **saut-de-lit**, un **coq-à-l'âne**, un **pousse-café**, un **à-coup**) dont certains sont des calques de mots empruntés (un **gratte-ciel**, un **franc-maçon**).

c) lorsque l'un des éléments a vieilli et n'est plus compris (exemples : un **rez-dechaussée**, un **croc-en-jambe**, à **vau-l'eau**). L'agglutination ou soudure implique d'ordinaire que l'on n'analyse plus les éléments qui constituent le composé dans des mots de formation ancienne (exemples : **vinaigre, pissenlit, chienlit, portefeuille, passeport, marchepied, hautbois, plafond** etc.).

d) lorsque le composé ne respecte pas les règles ordinaires de la morphologie et de la syntaxe, dans des archaïsmes (la **grand-rue**, un **nouveau-né, nu-tête**) ou dans des calques d'autres langues (**surprise-partie, sud-américain**).

On remarque de très nombreuses hésitations dans l'usage du trait d'union et des divergences entre les dictionnaires, ce qui justifie qu'on s'applique à clarifier la question, ce mode de construction étant très productif. On améliorera donc l'usage du trait d'union en appliquant plus systématiquement les principes que l'on vient de dégager, soit à l'utilisation de ce signe, soit à sa suppression par agglutination ou soudure des mots composés. (Voir Graphies 1, 2, 3 ; Recommandations 1, 2.)

2. *Les marques du nombre*

Les hésitations concernant le pluriel de mots composés à l'aide du trait d'union sont nombreuses. Ce problème ne se pose pas quand les termes sont soudés (exemples : un **portefeuille**, des **portefeuilles** ; un **passeport**, des **passeports**).

Bien que le mot composé ne soit pas une simple suite de mots, les grammairiens de naguère ont essayé de maintenir les règles de variation comme s'il s'agissait de mots autonomes, notamment :

– en établissant des distinctions subtiles : entre des **gardes-meubles** (hommes) et des **garde-meubles** (lieux), selon une analyse erronée déjà dénoncée par Littré ; entre un **porte-montre** si l'objet ne peut recevoir qu'une montre, et un **porte-montres** s'il peut en recevoir plusieurs ;

– en se contredisant l'un l'autre, voire eux-mêmes, tantôt à propos des singuliers, tantôt à propos des pluriels : un **cure-dent**, mais un **cure-ongles** ; des **après-midi**, mais des **après-dîners**, etc.

De même que **mille-feuille** ou **millefeuille** (les deux graphies sont en usage) ne désigne pas mille (ou beaucoup de) feuilles, mais un gâteau, et ne prend donc pas d'*s* au singulier, de même le **ramasse-miettes** ne se réfère pas à des miettes à ramasser, ni à l'acte de les ramasser, mais à un objet unique. Dans un mot de ce type, le premier élément n'est plus un verbe (il ne se conjugue pas) ; l'ensemble ne constitue donc pas une phrase (décrivant un acte), mais un nom composé. Il ne devrait donc pas prendre au singulier la marque du pluriel. À ce nom doit s'appliquer la règle générale d'accord en nombre des noms : pas de marque au singulier, *s* ou *x* final au pluriel. (Voir Règle 2.)

3. *Le tréma et les accents*

3.1. Le tréma :

Le tréma interdit qu'on prononce deux lettres en un seul son (*exemple :* lait mais **naïf**). Il ne pose pas de problème quand il surmonte une voyelle prononcée (*exemple :* **maïs**), mais déroute dans les cas où il surmonte une voyelle muette (*exemple :* **aiguë**) : il est souhaitable que ces anomalies soient supprimées. De même l'emploi de ce signe doit être étendu aux cas où il permettra d'éviter des prononciations fautives (exemples : **gageure, arguer**). (Voir Graphies 4, 5.)

3.2. L'accent grave ou aigu sur le *e* :

L'accent aigu placé sur la lettre *e* a pour fonction de marquer la prononciation comme « *e* fermé », l'accent grave comme « *e* ouvert ». Il est nécessaire de rappeler ici les deux règles fondamentales qui régissent la quasi-totalité des cas :

Première règle :

La lettre *e* ne reçoit un accent aigu ou grave que si elle est en finale de la syllabe graphique : **é/tude** mais **es/poir, mé/prise** mais **mer/cure, inté/ressant**, mais **intel/ligent**, etc.

Cette règle ne connaît que les exceptions suivantes :

– l'*s* final du mot n'empêche pas que l'on accentue la lettre *e* qui précède : **accès, progrès** (avec *s* non prononcé), **aloès, herpès** (avec *s* prononcé), etc.

– dans certains composés généralement de formation récente, les deux éléments, indépendamment de la coupe syllabique, continuent à être perçus chacun avec sa signification propre, et le premier porte l'accent aigu. Exemples : **télé/spectateur** (contrairement à **téles/cope**), **pré/scolaire** (contrairement à **pres/crire**), **dé/stabiliser** (contrairement à **des/tituer**), etc.

Deuxième règle :

La lettre *e* ne prend l'accent grave que si elle est précédée d'une autre lettre, et suivie d'une syllabe qui comporte un *e* muet. D'où les alternances : **aérer, il aère ; collège, collégien ; célèbre, célébrer ; fidèle, fidélité ; règlement, régulier ; oxygène, oxygéner**, etc. Dans les mots **échelon, élever**, etc., la lettre *e* n'est pas précédée d'une autre lettre.

A cette règle font exception : les mots formés à l'aide des préfixes **dé-** et **pré-** (se **démener, prévenir**, etc.) ; quelques mots, comme **médecin, ère** et **èche**. L'application de ces régularités ne souffre qu'un petit nombre d'anomalies (exemples : un **événement, je considérerai, puissé-je**, etc.), qu'il convient de réduire. (Voir Règle 3 ; Graphies 6, 7 ; Recommandation 3.)

3.3. L'accent circonflexe :

L'accent circonflexe représente une importante difficulté de l'orthographe du français, et même l'usage des personnes instruites est loin d'être satisfaisant à cet égard.

L'emploi incohérent et arbitraire de cet accent empêche tout enseignement systématique ou historique. Les justifications étymologiques ou historiques ne s'appliquent pas toujours : par exemple, la disparition d'un *s* n'empêche pas que l'on écrive **votre, notre, mouche, moite, chaque, coteau, moutarde, coutume, mépris**, etc., et à l'inverse, dans **extrême** par exemple, on ne peut lui trouver aucune justification. Il n'est pas constant à l'intérieur d'une même famille : **jeûner, déjeuner ; côte, coteau ; grâce, gracieux ; mêler, mélange ; icône, iconoclaste**, ni même dans la conjugaison de certains verbes (**être, êtes, était, étant**). De sorte que des mots dont l'histoire est tout à fait parallèle sont traités différemment : **mû**, mais **su, tu, vu**, etc. ; **plaît**, mais **tait**.

L'usage du circonflexe pour noter une prononciation est loin d'être cohérent **bateau, château ; noirâtre, pédiatre ; zone, clone, aumône ; atome, monôme**. Sur la voyelle *e*, le circonflexe n'indique pas, dans une élocution normale, une valeur différente de celle de l'accent grave (ou aigu dans quelques cas) : comparer il **mêle**, il **harcèle** ; **même, thème ; chrême, crème ; trêve, grève ; prêt, secret ; vêtir, vétille**. Si certains locuteurs ont le sentiment d'une différence phonétique entre *a* et *â, o* et *ô, è* ou *é* et *ê*, ces oppositions n'ont pas de réalité sur les voyelles *i* et *u* (comparer **cime, abîme ; haine, chaîne ; voûte, route, croûte ; huche, bûche ; bout, moût**, etc.). L'accent circonflexe, enfin, ne marque le timbre ou la durée des voyelles que dans une minorité de mots où il apparaît, et seulement en syllabe accentuée (tonique) ; les distinctions concernées sont elles-mêmes en voie de disparition rapide.

Certes, le circonflexe paraît à certains inséparable de l'image visuelle de quelques mots et suscite même des investissements affectifs (mais aucun adulte, rappelons-le, ne sera tenu de renoncer à l'utiliser).

Dès lors, si le maintien du circonflexe peut se justifier dans certains cas, il ne convient pas d'en rester à la situation actuelle : l'amélioration de la graphie à ce sujet passe donc par une réduction du nombre de cas où le circonflexe est utilisé. (Voir Règle 4; Recommandation 4.)

4. *Les verbes en* -eler *et* -eter

L'infinitif de ces verbes comporte un « e sourd » qui devient « e ouvert » dans la conjugaison devant une syllabe muette (exemples : **acheter**, j'**achète** ; **ruisseler**, je **ruisselle**).

Il existe deux procédés pour noter le « e ouvert » ; soit le redoublement de la consonne qui suit le e (*exemple :* **ruisselle**) ; soit le e accent grave, suivi d'une consonne simple (*exemple :* **harcèle**).

Mais, quant au choix entre ces deux procédés, l'usage ne s'est pas fixé, jusqu'à l'heure actuelle : parmi les verbes concernés, il y en a peu sur lesquels tous les dictionnaires sont d'accord. La graphie avec è présente l'avantage de ramener tous ces verbes au modèle de conjugaison de **mener** (il **mène**, elle **mènera**).

Quelques dérivés en **-ement** sont liés à ces verbes (*exemple :* **martèlement** ou **martellement**).

On mettra fin sur ce point aux hésitations, en appliquant une règle simple. (Voir Règle 5.)

5. *Le participe passé des verbes en emplois pronominaux*

Les règles actuelles sont parfois d'une application difficile et donnent lieu à des fautes, même chez les meilleurs écrivains.

Cependant, il est apparu aux experts que ce problème d'orthographe grammaticale ne pouvait être résolu en même temps que les autres difficultés abordées. D'abord il ne s'agit pas d'une question purement orthographique, car elle touche à la syntaxe et même à la prononciation. Ensuite il est impossible de modifier la règle dans les participes de verbes en emplois pronominaux sans modifier aussi les règles concernant les emplois non pronominaux : on ne peut séparer les uns des autres, et c'est l'ensemble qu'il faudrait retoucher. Il ne sera donc fait qu'une proposition, permettant de simplifier un point très embarrassant : le participe passé de **laisser** suivi d'un infinitif, dont l'accord est pour le moins incertain dans l'usage. (Voir Règle 6.)

6. *Les mots empruntés*

Traditionnellement, les mots d'emprunt s'intègrent à la graphie du français après quelque temps. Certains, malgré leur ancienneté en français, n'ont pas encore subi cette évolution.

6.1. Singulier et pluriel :

On renforcera l'intégration des mots empruntés en leur appliquant les règles du pluriel du français, ce qui implique dans certains cas la fixation d'une forme de singulier.

6.2. Traitement graphique

Le processus d'intégration des mots empruntés conduit à la régularisation de leur graphie, conformément aux règles générales du français. Cela implique qu'ils perdent certains signes distinctifs « exotiques », et qu'ils entrent dans les régularités de la graphie française. On tiendra compte cependant du fait que certaines graphies étrangères, anglaises en particulier, sont devenues familières à la majorité des utilisateurs du français.

On rappelle par ailleurs que des commissions ministérielles de terminologie sont chargées de proposer des termes de remplacement permettant d'éviter, dans les sciences et techniques en particulier, le recours aux mots empruntés. (Voir Règle 7 ; Graphies 8, 9 ; Recommandations 4, 5, 7, 8, 9.)

7. *Les anomalies*

Les anomalies sont des graphies non conformes aux règles générales de l'écriture du français (comme **ign** dans **oignon**) ou à la cohérence d'une série précise. On peut classer celles qui ont été examinées en deux catégories

7.1. Séries désaccordées

Certaines graphies heurtent à la fois l'étymologie et le sentiment de la langue de chacun, et chargent inutilement l'orthographe de bizarreries, ce qui n'est ni esthétique, ni logique, ni commode. Conformément à la réflexion déjà menée par l'Académie sur cette question, ces points de détail seront rectifiés. (Voir Graphies 10, 11, 12, 13 ; Recommandation 6.)

7.2. Dérivés formés sur les noms qui se terminent par **-on** et **-an**

La formation de ces dérivés s'est faite et se fait soit en doublant le *n* final du radical, soit en le gardant simple. L'usage, y compris celui des dictionnaires, connaît beaucoup de difficultés et de contradictions, qu'il serait utile de réduire.

Sur les noms en **-an** (une cinquantaine de radicaux) ; le *n* simple est largement prédominant dans l'usage actuel. Un cinquième des radicaux seulement redouble le *n* (pour seulement un quart environ de leurs dérivés).

Sur les noms en **-on** (plus de 400 radicaux, et trois fois plus de dérivés), la situation actuelle est plus complexe. On peut relever de très nombreux cas d'hésitation, à la fois dans l'usage et dans les dictionnaires. Selon qu'est utilisé tel ou tel suffixe, il peut exister une tendance prépondérante soit au *n* simple, soit au *n* double. On s'appuiera sur ces tendances quand elles existent pour introduire plus de régularité. (Voir Recommandation 10.)

II. - RÈGLES

1. **Trait d'union** : on lie par des traits d'union les numéraux formant un nombre complexe, inférieur ou supérieur à cent.

Exemples : elle a **vingt-quatre** ans, cet ouvrage date de l'année **quatre-vingt-neuf**, elle a **cent-deux** ans, cette maison a **deux-cents** ans, il lit les pages **cent-trente-deux** et **deux-cent-soixante-et-onze**, il possède **sept-cent-mille-trois-cent-vingt-et-un** francs. (Voir Analyse 1.)

2. **Singulier et pluriel des noms composés comportant un trait d'union** : les noms composés d'un verbe et d'un nom suivent la règle des mots simples, et prennent la marque du pluriel seulement quand ils sont au pluriel, cette marque est portée sur le second élément.

Exemples : un **pèse-lettre**, des **pèse-lettres**, un **cure-dent**, des **cure-dents**, un **perce-neige**, des **perce-neiges**, un **garde-meuble**, des **garde-meubles** (sans distinguer s'il s'agit d'homme ou de lieu), un **abat-jour**, des **abat-jours**.

Il en va de même des noms composés d'une préposition et d'un nom. Exemples : un **après-midi**, des **après-midis**, un **après-ski**, des **après-skis**, un **sans-abri**, des **sans-abris**.

Cependant, quand l'élément nominal prend une majuscule ou quand il est précédé d'un article singulier, il ne prend pas de marque de pluriel. Exemples : des **prie-Dieu**, des **trompe-l'oeil**, des **trompe-la-mort**. (Voir Analyse 2.)

3. **Accent grave** : conformément aux régularités décrites plus haut (Analyse 3.2) :
a) On accentue sur le modèle de **semer** les futurs et conditionnels des verbes du

type **céder** : je c**è**derai, je c**è**derais, j'all**è**gerai, j'alt**è**rerai, je consid**è**rerai, etc.

b) Dans les inversions interrogatives, la première personne du singulier en *e* suivie du pronom sujet **je** porte un accent grave : **aimè-je, puissè-je,** etc. (Voir Analyse 3.2; Graphies 6, 7; Recommandation 3.)

4. **Accent circonflexe :**

Si l'accent circonflexe placé sur les lettres *a. o* et *e.* peut indiquer utilement des distinctions de timbre (**mâtin** et **matin** ; **côte** et **cote** ; **vôtre** et **votre** ; etc.), placé sur *i* et *u* il est d'une utilité nettement plus restreinte (**voûte** et **doute** par exemple ne se distinguent dans la prononciation que par la première consonne). Dans quelques terminaisons verbales (passé simple, etc.), il indique des distinctions morphologiques nécessaires. Sur les autres mots, il ne donne généralement aucune indication, excepté pour de rares distinctions de formes homographes. En conséquence, on conserve l'accent circonflexe sur *a, e* et *o*, mais sur *i* et sur *u* il n'est plus obligatoire, excepté dans les cas suivants :

a) Dans la conjugaison, où il marque une terminaison :
– Au passé simple (première et deuxième personnes du pluriel) :
nous **suivîmes**, nous **voulûmes**, comme nous **aimâmes** vous **suivîtes**, vous **voulûtes**, comme vous **aimâtes**.
– À l'imparfait du subjonctif (troisième personne du singulier) :
qu'il **suivît**, qu'il **voulût**, comme qu'il **aimât**.
– Au plus-que-parfait du subjonctif, aussi nommé parfois improprement conditionnel passé deuxième forme (troisième personne du singulier) :
qu'il **eût suivi**, qu'il **eût voulu**, comme qu'il **eût aimé**.

Exemples :
Nous **voulûmes** qu'il **prît** la parole
Il **eût** préféré qu'on le **prévînt**.

b) Dans les mots où il apporte une distinction de sens utile : **dû, jeûne,** les adjectifs **mûr** et **sûr**, et le verbe **croître** (étant donné que sa conjugaison est en partie homographe de celle du verbe **croire**). L'exception ne concerne pas les dérivés et les composés de ces mots (*exemple :* **sûr** mais **sûreté** ; **croître** mais **accroître**). Comme c'était déjà le cas pour **dû**, les adjectifs **mûr** et **sûr** ne prennent un accent circonflexe qu'au masculin singulier.

Les personnes qui ont déjà la maîtrise de l'orthographe ancienne pourront, naturellement, ne pas suivre cette nouvelle norme. (Voir Analyse 3.3 , Recommandation 4.)

Remarques :
– cette mesure entraîne la rectification de certaines anomalies étymologiques, en établissant des régularités. On écrit désormais **mu** (comme déjà **su, tu, vu, lu**), **plait** (comme déjà **tait, fait**), **piqure, surpiqure** (comme déjà **morsure**), **traine, traitre,** et leurs dérivés (comme déjà **gaine, haine, faine**), et **ambigument, assidument, congrument, continument, crument, dument, goulument, incongrument, indument, nument** (comme déjà **absolument, éperdument, ingénument, résolument**).

– sur ce point comme sur les autres, aucune modification n'est apportée aux noms propres. On garde le circonflexe aussi dans les adjectifs issus de ces noms (exemples : **Nîmes, nîmois**).

5. **Verbes en -eler et -eter**

L'emploi du *e* accent grave pour noter le son « *e* ouvert » dans les verbes en **eler** et en **eter** est étendu à tous les verbes de ce type.

On conjugue donc, sur le modèle de **peler** et d'**acheter** : elle **ruissèle**, elle **ruissèlera**, j'**époussète**, j'**étiquète**, il **époussètera**, il **étiquètera**.

On ne fait exception que pour **appeler** (et **rappeler**) et **jeter** (et les verbes de sa famille), dont les formes sont les mieux stabilisées dans l'usage.

Les noms en **-ement** dérivés de ces verbes suivront la même orthographe : **amoncèlement, bossèlement, chancèlement, cisèlement, cliquètement, craquèlement, cuvèlement, dénivèlement, ensorcèlement, étincèlement, grommèlement, martèlement, morcèlement, musèlement, nivèlement, ruissèlement, volètement.** (Voir Analyse 4.)

6. **Participe passé** : le participe passé de **laisser** *suivi d'un infinitif* est rendu invariable : il joue en effet devant l'infinitif un rôle d'auxiliaire analogue à celui de **faire**, qui est toujours invariable dans ce cas (avec l'auxiliaire **avoir** comme en emploi pronominal).

Le participe passé de **laisser** suivi d'un infinitif est donc invariable dans tous les cas, même quand il est employé avec l'auxiliaire **avoir** et même quand l'objet est placé avant le verbe. (Voir Analyse 5.)

Exemples :

Elle **s'est laissé** mourir (comme déjà elle **s'est fait** maigrir);

Elle **s'est laissé** séduire (comme déjà elle **s'est fait** féliciter)

Je **les ai laissé** partir (comme déjà je **les ai fait** partir) ;

La maison qu'elle **a laissé** saccager (comme déjà la maison qu'elle **a fait** repeindre).

7. **Singulier et pluriel des mots empruntés** : les noms ou adjectifs d'origine étrangère ont un singulier et un pluriel réguliers : un **zakouski**, des **zakouskis** ; un **ravioli**, des **raviolis** ; un **graffiti**, des **graffitis** ; un **lazzi**, des **lazzis** ; un **confetti**, des **confettis** ; un **scénario**, des **scénarios** ; un **jazzman**, des **jazzmans**, etc. On choisit comme forme du singulier la forme la plus fréquente, même s'il s'agit d'un pluriel dans l'autre langue.

N°	Ancienne orthographe	Nouvelle orthographe
1	vingt-trois, cent trois.	vingt-trois, cent-trois.
2	un cure-dent(s).	un cure-dent.
	des cure-ongle(s)	des cure-ongles.
	un cache-flamme(s)	un cache-flamme.
	des cache-flamme(s)	des cache-flammes
3a	je céderai, j'allégerais.	je cèderai, j'allègerais.
3b	puissè-je, aimé-je.	puissè-je, aimè-je.
4	il plaît, il se tait	il plait, il se tait
	la route, la voûte.	la route, la voute.
5	il ruisselle, amoncèle.	il ruissèle, amoncèle.
6	elle s'est laissée aller.	elle s'est laissé aller.
	elle s'est laissé appeler.	elle s'est laissé appeler.
7	des jazzmen, des lieder.	des jazzmans, des lieds.

Ces mots forment régulièrement leur pluriel avec un s non prononcé (exemples : des **matchs**, des **lands**, des **lieds**, des **solos**, des **apparatchiks**). Il en est de même pour les noms d'origine latine (exemples : des **maximums**, des **médias**). Cette proposition ne s'applique pas aux mots ayant conservé valeur de citation (*exemple :* des **mea culpa**).

Cependant, comme il est normal en français, les mots terininés par *s, x et z* restent invariables (*exemples :* un **boss**, des **boss** ; un **kibboutz**, des **kibboutz** un **box**, des **box**).

Remarque : le pluriel des mots composés étrangers se trouve simplifié par la soudure (*exemples :* des **covergirls**, des **bluejeans**, des **ossobucos**, des **weekends**, des **hotdogs**). (Voir Analyse 6; Graphies 8, 9; Recommandations 4, 5, 7, 8, 9.)

Ill. - GRAPHIES PARTICULIÈRES FIXÉES OU MODIFIÉES

Ces listes, restreintes, sont limitatives.

Il s'agit en général de mots dont la graphie est irrégulière ou variable ; on la rectifie, ou bien l'on retient la variante qui permet de créer les plus larges régularités. Certains de ces mots sont déjà donnés par un ou plusieurs dictionnaires usuels avec la graphie indiquée ici : dans ce cas, c'est une harmonisation des dictionnaires qui est proposée.

1. Mots composés : on écrit soudés les noms de la liste suivante, composés sur la base d'un élément verbal généralement suivi d'une forme nominale ou de « tout ».

Les mots de cette liste, ainsi que ceux de la liste B ci-après (éléments nominaux ou divers), sont en général des mots anciens dont les composants ne correspondent plus au lexique ou à la syntaxe actuels (**chaussetrappe**) ; y figurent aussi des radicaux onomatopéiques ou de formation expressive (**piquenique, passepasse**), des mots comportant des dérivés (**tirebouchonner**), certains mots dont le pluriel était difficile (un **brisetout**, dont le pluriel devient des **brisetouts**, comme un **faitout**, des **faitouts**, déjà usité), et quelques composés sur **porte-**, dont la série compte plusieurs soudures déjà en usage (**portefaix, portefeuille**, etc.). Il était exclu de modifier d'un coup plusieurs milliers de mots composés, l'usage pourra le faire progressivement. (Voir Analyse 1 ; Recommandations 1, 2.)

Liste A

arrachepied (d').
boutentrain.
brisetout.
chaussetrappe.
clochepied (à).
coupecoupe.
couvrepied.
crochepied.
croquemadame.
croquemitaine.
croquemonsieur.
croquemort.

croquenote.
faitout.
fourretout.
mangetout.
mêletout.
passepartout.
passepasse.
piquenique.
porteclé.
portecrayon.
portemine.
portemonnaie.

portevoix.
poucepied.
poussepousse.
risquetout.
tapecul.
tirebouchon.
tirebouchonner.
tirefond.
tournedos.
vanupied.

2. Mots composés : on écrit soudés également les noms de la liste suivante, composés d'éléments nominaux et adjectivaux. (Voir Analyse 1 ; Recommandations 1, 2)

Liste B

arcboutant.	bassecourier.	cinéroman.	millepatte.	saufconduit.
autostop.	basselisse.	hautecontre.	millepertuis.	téléfilm.
autostoppeur,	basselissier.	hautelisse.	platebande.	terreplein.
euse.	bassetaille.	hautparleur.	potpourri.	vélopousse.
bassecontre.	branlebas.	jeanfoutre.	prudhomme.	véloski.
bassecontriste.	chauvesouris.	lieudit.	quotepart.	vélotaxi.
bassecour.	chèvrepied.	millefeuille.	sagefemme.	

3. Onomatopées : on écrit soudés les onomatopées et mots expressifs (de formations diverses) de la liste suivante (voir Analyse 1 ; Recommandations 1, 2.)

Liste C

blabla.	kifkif.	tamtam.
bouiboui.	mélimélo.	tohubohu.
coincoin.	pêlemêle.	traintrain.
froufrou.	pingpong.	troutrou.
grigri.	prêchiprêcha.	tsétsé.

4. Tréma : dans les mots suivants, on place le tréma sur la voyelle qui doit être prononcée : **aigüe** (et dérivés, comme **suraigüe**, etc.), **ambigüe, exigüe, contigüe, ambigüité, contigüité, cigüe**. Ces mots appliquent ainsi la règle générale : le tréma indique qu'une lettre (*u*) doit être prononcée (comme voyelle ou comme semi-voyelle) séparément de la lettre précédente (*g*). (Voir Analyse 3.A1.)

5. Tréma : le même usage du tréma s'applique aux mots suivants où une suite -gu- ou -gueu- conduit à des prononciations défectueuses (il **argue** prononcé comme il **nargue**). On écrit donc : il **argüe** (et toute la conjugaison du verbe **argüer**) : gageüre, mangeüre, rongeüre, vergeüre. (Voir Analyse 3.1.)

6. Accents : on munit d'un accent les mots de la liste suivante où il avait été omis, ou dont la prononciation a changé. (Voir Analyse 3.2. ; Règle 3 ; Recommandation 3.)

Liste D

asséner.	québécois.	réclusionnaire.
bélitre.	recéler.	réfréner.
bésicles.	recépage.	sèneçon.
démiurge.	recépée.	sénescence.
gélinotte.	recéper.	sénestre.

7. Accents : l'accent est modifié sur les mots de la liste suivante qui avaient échappé à la régularisation entreprise par l'Académie française aux XVIIIᵉ et XIXᵉ siècles, et qui se conforment ainsi à la règle générale d'accentuation. (Voir Analyse 3.2 ; Règle 3 ; Recommandation 3.)

Liste E

abrègement.	crèmerie.	féverole.	sècherie.
affèterie.	crèteler.	hébètement.	sènevé.
allègement.	crènelage.	règlementaire.	vènerie.
allègrement.	crèneler.	règlementairement.	
assèchement.	crènelure.	règlementation.	
cèleri.	empiètement.	règlementer.	
complètement (nom).	évènement.	sècheresse.	

8. Mots composés empruntés : on écrit soudés les mots de la liste suivante, composés d'origine latine ou étrangère, bien implantés dans l'usage et qui n'ont pas valeur de citation. (Voir Analyse 6 ; Règle 7 ; Recommandations 4, 5, 7, 8, 9.)

Liste F
Mots d'origine latine (employés comme noms - *exemple :* un **apriori**)

apriori.
statuquo.
exlibris.

vadémécum.
exvoto.

Mots d'origine étrangère

baseball.	chowchow.	handball.	motocross.	volleyball.
basketball.	covergirl.	harakiri.	ossobuco.	weekend.
blackout.	cowboy.	hotdog.	pipeline.	
bluejean.	fairplay.	lockout.	sidecar.	
chichekébab.	globetrotteur.	majong.	striptease.	

9. Accentuation des mots empruntés : on munit d'accents les mots de la liste suivante, empruntés à la langue latine ou à d'autres langues, lorsqu'ils n'ont pas valeur de citation. (Voir Analyse 6 ; Règle 7; Recommandations 4, 5, 7, 8, 9.)

Liste G
Mots d'origine latine

artéfact.	duodénum.	média.	satisfécit.	vélarium.
critérium.	exéat.	mémento.	sénior.	vélum.
déléatur.	exéquatur.	mémorandum.	sérapéum.	véto.
délirium	facsimilé.	placébo.	spéculum.	
trémens.	jéjunum.	proscénium.	tépidarium.	
désidérata.	linoléum.	référendum.	vadémécum.	

Mots empruntés à d'autres langues

allégretto.	condottière.	pédigrée.	sombréro.
allégro.	décrescendo.	pérestroïka.	téocalli.
braséro.	diésel.	péséta.	trémolo.
candéla.	édelweiss.	péso.	zarzuéla.
chébec.	imprésario.	piéta.	
chéchia.	kakémono.	révolver.	
cicérone.	méhalla.	séquoia.	

10. Anomalies : des rectifications proposées par l'Académie (en 1975) sont reprises, et sont complétées par quelques rectifications de même type. [Voir Analyse 7 et notes (a ; b ; c…) page suivante.]

Liste H

absout, absoute (participe, au lieu de *absous, absoute*).
appâts (au lieu de *appas*).
assoir, rassoir, sursoir (au lieu de *asseoir,* etc.) (a).
bizut (au lieu de *bizuth*) (b).
bonhommie (au lieu de *bonhomie*).
boursoufflement (au lieu de *boursouflement*).
boursouffler (au lieu de *boursoufler*).
boursoufflure (au lieu de *boursouflure*).
cahutte (au lieu de *cahute*).
charriot (au lieu de *chariot*).
chaussetrappe (au lieu de *chausse-trape*).
combattif (au lieu de *combatif*).
combattivité (au lieu de *combativité*).
cuisseau (au lieu de *cuissot*).
déciller (au lieu de *dessiller*) (c).
dissout, dissoute (au lieu de *dissous, dissoute*).
douçâtre (au lieu de *douceâtre*) (d).
embattre (au lieu de *embatre*).
exéma (au lieu de *eczéma*) et ses dérivés (e).
guilde (au lieu de *ghilde*, graphie d'origine étrangère).
homéo- (au lieu de *homoeo-*).
imbécilité (au lieu de *imbécillité*).
innommé (au lieu de *innomé*).
levreau (au lieu de *levraut*).
nénufar (au lieu de *nénuphar*) (f).
ognon (au lieu de *oignon*).
pagaille (au lieu de *pagaie, pagaye*) (g).
persifflage (au lieu de *persiflage*).
persiffler (au lieu de *persifler*).
persiffleur (au lieu de *persifleur*).
ponch (boisson, au lieu de *punch*) (h).
prudhommal (avec soudure) (au lieu de *prud'homal*).
prudhommie (avec soudure) (au lieu de *prud'homie*).
relai (au lieu de *relais*) (i).
saccarine (au lieu de *saccharine*) et ses nombreux dérivés.
sconse (au lieu de *skunks*) (j).
sorgo (au lieu de *sorgho*, graphie d'origine étrangère).
sottie (au lieu de *sotie*).
tocade (au lieu de *toquade*).
ventail (au lieu de *vantail*) (k).

Notes :
(a) Le *e* ne se prononce plus. L'Académie française écrit déjà j'**assois** (à côté de j'**assieds**), j'as-**soirai**, etc. (mais je **surseoirai**). Assoir s'écrit désormais comme **voir** (ancien français **veoir**), **choir** (ancien français **cheoir**), etc.
(b) À cause de **bizuter, bizutage.**
(c) À rapprocher de **cil.** Rectification d'une ancienne erreur d'étymologie.
(d) **Cea** est une ancienne graphie rendue inutile par l'emploi de la cédille.
(e) La suite **cz** est exceptionnelle en français. **Exéma** comme **examen.**
(f) Mot d'origine arabo-persane. L'Académie a toujours écrit **nénufar**, sauf dans la huitième édition (1932-1935).
(g) Des trois graphies de ce mot, celle-ci est la plus conforme aux règles et la moins ambiguë.
(h) Cette graphie évite l'homographie avec punch (**coup de poing**) et l'hésitation sur la prononciation.
(i) Comparer **relai-relayer**, avec **balai-balayer, essai-essayer,** etc.
(j) Des sept graphies qu'on trouve actuellement, celle-ci est la plus conforme aux règles et la moins ambiguë.
(k) À rapprocher de **vent** ; rectification d'une ancienne erreur d'étymologie.

11. Anomalies : on écrit en -**iller** les noms suivants anciennement en -**illier**, où le *i* qui suit la consonne ne s'entend pas (comme **poulailler, volailler**) joailler, marguiller, ouillère, quincailler, serpillère. (Voir Analyse 7.)

12. Anomalies : on écrit avec un seul *l* (comme **bestiole, camisole, profiterole**, etc.) les noms suivants : **barcarole, corole, fumerole, girole, grole, guibole, mariole,** et les mots moins fréquents : **bouterole, lignerole, muserole, rousserole, tavaïole, trole.** Cette terminaison se trouve ainsi régularisée, à l'exception de **folle, molle,** de **colle** et de ses composés. (Voir Analyse 7.)

13. Anomalies : le *e* muet n'est pas suivi d'une consonne double dans les mots suivants, qui rentrent ainsi dans les alternances régulières (*exemples :* **lunette, lunetier,** comme **noisette, noisetier ; prunelle, prunelier,** comme **chamelle, chamelier,** etc) : **interpoler** (au lieu de **interpeller**) ; **dentelière** (au lieu de **dentellière**) ; **lunetier** (au lieu de **lunettier**) ; **prunelier** (au lieu de **prunellier**). (Voir Analyse 7.)

Liste des graphies rectifiées

abrègement.
absout.
affèterie.
aigüe.
allègement.
allégrement.
allegretto.
allegro.
ambigüe.
ainbiguïté.
appâts.
apriori.
arcboutant.
argüer.
arrachepied (d').
artéfact.
assèchement.

asséner.
assoir.
autostop.
autostoppeur, euse.
barcarole.
baseball.
basketball.
bassecontre.
bassecontriste.
bassecour.
bassecourier.
basselisse.
basselissier.
bassetaille.
bélitre.
besicles.

bizut.
blabla.
blackout.
bluejean.
bonhommie.
bouiboui.
boursoufflement
boursouffler.
boursoufflure.
boutentrain.
bouterole.
branlebas.
brasero.
brisetout.
cahutte.
candéla.
cèleri.

charriot.
chaussetrappe.
chauvesouris.
chébec.
chéchia.
chèvrepied.
chichekébab.
chowchow.
cicérone.
cigüe.
cinéroman.
clochepied (à).
coincoin.
combattif.
combattivité.
complètement.
condottière.

contigüe.
contigüité.
corole.
coupecoupe.
couvrepied.
covergirl.
cowboy.
crèmerie.
crènelage.
crèneler.
crènelure.
crèteler.
critérium.
crochepied.
croquemadame.
croquemitaine.
croquemonsieur.
croquemort.
croquenots.
cuisseau.
déciller.
décrescendo.
déléatur.
délirium trémens.
démiurge.
dentelière.
désidérata.
diésel.
dissout.
douçâtre.
duodénum.
édelweiss.
embattre.
empiètement.
évènement.
exéat.
exéma.
exéquatur.
exigüe.
exigüité.
exlibris.
exvoto.
facsimilé.
fairplay.
faitout.
féverole.
fourretout.
froufrou.

fumerole.
gageüre.
gélinotte.
girole.
globetrotteur.
grigri.
grole.
guibole.
guilde.
handball.
harakiri.
hautecontre.
hautelisse.
hautparleur.
hébétement.
homéo-.
hotdog.
imbécilité.
imprésario.
innommé.
interpoler.
jeanfoutre.
jéjunum.
joailler.
kakémono.
kifkif
levreau.
lieudit.
lignerole.
linoléum.
lockout.
lunetier.
majong.
mangetout.
mangeüre.
marguiller.
mariole.
média.
méhalla.
méletout.
mélimélo.
mémento.
mémorandum.
millefeuille.
millepatte.
millepertuis.
motocross.
muserole.

nénufar.
ognon.
ossobuco.
ouillère.
pagaille.
passepartout.
passepasse.
pédigrée.
pêlemêle.
pérestroika.
persifflage.
persiffler.
persiffleur.
péséta.
péso.
piéta.
pingpong.
pipeline.
piquenique.
placébo.
platebande.
ponch.
porteclé.
portecrayon.
portemine.
portemonnaie.
portevoix.
potpourri.
poucepied.
poussepousse.
prêchiprêcha.
proscénium.
prudhommal.
prudhomme.
prudhommie.
prunelier.
québécois.
quincailler.
quotepart.
rassoir.
recéler.
recépage.
recépée.
recéper.
réclusionnaire.
référendum.
réfréner.
règlementaire.

règlementaire-
ment.
réglementation.
règlementer.
relai.
revolver.
risquetout.
rongeüre.
rousserole.
saccarine.
sagefemme.
satisfecit.
saufconduit.
sconse.
sècheresse.
sècherie.
sèneçon.
sénescence.
sénestre.
sénevé.
sénior.
séquoia.
sérapéum.
serpillère.
sidecar.
sombréro.
sorgo.
sottie.
spéculum.
statuquo.
striptease.
suraigüe.
sursoir.
tamtam.
tapecul.
tavaïole.
téléfilm.
téocalli.
tépidarium.
terreplein.
tirebouchon.
tirebouchonner.
tirefond.
tocade.
tohubohu.
tournedos.
traintrain.
trémolo.

trôle.	vélarium.	vénerie.	weekend.
troutrou.	vélopousse.	ventail.	zarzuéla.
tsétsé.	véloski.	vergeüre.	
vadémécum.	vélotaxi.	véto.	
vanupied.	vélum.	volleyball.	

IV. - RECOMMANDATIONS AUX LEXICOGRAPHES ET CRÉATEURS DE NÉOLOGISMES

Les recommandations qui suivent ont pour but d'orienter l'activité des lexicographes et créateurs de néologismes de façon à améliorer l'harmonie et la cohérence de leurs travaux. **Elles ne sont pas destinées dans un premier temps à l'utilisateur, particulier ou professionnel, ni à l'enseignement.**

1. Trait d'union : le trait d'union pourra être utilisé notamment lorsque le nom composé est employé métaphoriquement : b**arbe-de-capucin, langue-de-bœuf** (en botanique), **bonnet-d'évêque** (en cuisine et en architecture) ; mais on écrira **taille de guêpe** (il n'y a métaphore que sur le second terme), **langue de terre** (il n'y a métaphore que sur le premier terme), **langue de bœuf** (en cuisine, sans métaphore). (Voir Analyse 1.)

2. Mots composés : quant à l'agglutination, on poursuivra l'action de l'Académie française, en recourant à la soudure dans les cas où le mot est bien ancré dans l'usage et senti comme une seule unité lexicale. Cependant, on évitera les soudures mettant en présence deux lettres qui risqueraient de susciter des prononciations défectueuses ou des difficultés de lecture (1). (Voir Analyse 1.)

L'extension de la soudure pourra concerner les cas suivants :

a) Des noms composés sur la base d'un élément verbal suivi d'une forme nominale ou de tout (voir plus haut, liste A, les exemples dès maintenant proposés à l'usage général).

b) Des mots composés d'une particule invariable suivie d'un nom, d'un adjectif ou d'un verbe ; la tendance existante à la soudure sera généralisée avec les particules *contre, entre* quand elles sont utilisées comme préfixes, sur le modèle de *en, sur, supra,* et de la plupart des autres particules, qui sont déjà presque toujours soudées. L'usage de l'apostrophe sera également supprimé par la soudure.

Exemples : **contrechant** (comme **contrechamp**), à **contrecourant** (comme à **contresens**), **contrecourbe** (comme **contrechâssis**), **contrefeu** (comme **contrefaçon**), **contrespionnage** (comme **contrescarpe**), **contrappel** (comme **contrordre**), **entraide** (comme **entracte**), **entreligne** (comme **entrecôte**), **s'entrenuire** (comme **s'entrechoquer**), **s'entredévorer** (comme **s'entremanger**), etc.

Notes :

1. Il y a risque de prononciation défectueuse quand deux lettres successives peuvent être lues comme une seule unité graphique, comme les lettres *o* et *i, a* et *i, o* et *u, a* et *u.* Exemples : **génito-urinaire, extra-utérin.** Pour résoudre la difficulté, la terminologie scientifique préfère parfois le tréma au trait d'union (**radioïsotope,** sur le modèle de **coïncidence**). Toutefois l'Académie a estimé qu'on pouvait conserver le trait d'union en cas de contact entre deux voyelles (**contre-attaque,** ou **contrattaque** avec élision comme dans **contrordre**). De même elle a jugé utile le recours éventuel au trait d'union dans les mots formés de plus de deux composants, fréquents dans le vocabulaire scientifique. Par ailleurs, on rappelle que le s placé entre deux voyelles du fait de la composition se prononce sourd : **pilosébacé, sacrosaint.**

c) Des mots composés au moyen des préfixes latins : *extra, intra, ultra, infra.*
Exemples : **extraconjugal** (comme **extraordinaire**), **ultrafiltration, infraso-nore,** etc.

d) Des noms composés d'éléments nominaux et adjectivaux, devenus peu ana-lysables aujourd'hui. Voir plus haut, liste B, les exemples dès maintenant propo-sés à l'usage général.

e) Des mots composés à partir d'onomatopées ou similaires, sur le modèle de la liste C (voir plus haut).

f) Des noms composés d'origine latine ou étrangère, bien implantés dans l'usage, employés sans valeur de citation. Voir plus haut, liste F, les exemples dès maintenant proposés à l'usage général.

g) Les nombreux composés sur éléments « savants » (en particulier en o). On écrira donc par *exemple :* **aéroclub, agroalimentaire, ampèreheure, audiovisuel, autovaccin, cardiovasculaire, cinéclub, macroéconomie, minichaine, mono-atomique, néogothique, pneumohémorragie, psychomoteur, radioactif, rhino-pharyngite, téléimprimeur, vidéocassette,** etc.

Remarque : le trait d'union est justifié quand la composition est libre, et sert précisément à marquer une relation de coordination entre deux termes (noms propres ou géographiques) : les relations **italo-françaises** (ou **franco-italiennes**), les contentieux **anglo-danois,** les mythes **gréco-romains,** la culture **finno-ougrienne,** etc.

3. Accentuation des mots empruntés : on mettra un accent sur des mots empruntés au latin ou à d'autres langues intégrés au français (exemples : **artéfact, brasero**), sauf s'ils gardent un caractère de citation (*exemple :* un **requiem**). Voir plus haut, liste G, les exemples dès maintenant proposés à l'usage général. Certains de ces mots sont déjà accentués dans des dictionnaires. (Voir Analyses 3.2 et 6 , Règle 3 , Graphies 6, 7.)

4. Accentuation des mots empruntés et des néologismes : on n'utilisera plus l'accent circonflexe dans la transcription d'emprunts, ni dans la création de mots nouveaux (sauf dans les composés issus de mots qui conservent l'accent). On peut par exemple imaginer un **repose-flute,** mais un **allume-dôme,** un **protège-âme.** (Voir Analyses 3.3 et 6 ; Règle 4.)

TABLEAU SYNOPTIQUE DES CORRESPONDANCES entre analyses, règles, graphies et recommandations			
Analyses	Règles	Graphies	Recommandations
1	1	1, 2, 3	1, 2
2	2		
3.1 3.2 3.3	3 4	4, 5 6, 7	3 4
4	5		
5	6		
6	7	8, 9	4, 5, 7, 8, 9
7		10, 11, 12, 13	6, 10

5. Singulier et pluriel des noms empruntés : on fixera le singulier et le pluriel des mots empruntés conformément à la règle 7 ci-dessus. (Voir Analyse 6 ; Règle 7 ; Graphies 8, 9.)

6. Anomalies : on mettra fin aux hésitations concernant la terminaison -otter ou -oter, en écrivant en -otter les verbes formés sur une base en -otte (comme **botter** sur **botte**) et en -oter les verbes formés sur une base en -ot (comme **garroter** sur **garrot**, **greloter** sur **grelot**) ou ceux qui comportent le suffixe verbal -oter (*exemples :* **baisoter, frisoter, cachoter, dansoter, mangeoter,** comme **clignoter, crachoter, toussoter,** etc.). Dans les cas où l'hésitation est possible, on ne modifiera pas la graphie (*exemples :* **calotter** sur **calotte** ou sur **calot, flotter** sur **flotte** ou sur **flot,** etc.), mais, en cas de diversité dans l'usage, on fixera la graphie sous la forme -oter. (Voir Analyse 7 ; Graphies 10, 11, 12, 13.)

Les dérivés suivront le verbe (exemples : **cachotier, grelotement, frisotis,** etc.)

7. Emprunts : on francisera dans toute la mesure du possible les mots empruntés en les adaptant à l'alphabet et à la graphie du français. Cela conduit à éviter les signes étrangers (diacritiques ou non) n'appartenant pas à notre alphabet (par exemple, *à*), qui subsisteront dans les noms propres seulement. D'autre part, des combinaisons inutiles en français seront supprimées : **volapük** deviendra **volapuk, muesli** deviendra **musli** (déjà usité), **nirvâna** s'écrira **nirvana,** le *ö* pourra, selon la prononciation en français, être remplacé par *o* (**maelström** deviendra **maelstrom,** déjà usité) ou *oe* (**angström** deviendra **angstroem,** déjà usité, **röstis** deviendra **roestis,** déjà usité). Bien que les emplois de *gl* italien et de *ñ, ll* espagnols soient déjà familiers, on acceptera des graphies comme **taliatelle** (tagliatelle), **paélia** (paella), **lianos** (llanos), **canyon** qui évitent une lecture défectueuse. (Voir Analyse 6 ; Graphies 8, 9.)

8. Emprunts : dans les cas où existent plusieurs graphies d'un mot emprunté, on choisira celle qui est la plus proche du français (exemples : des **litchis,** un enfant **ouzbek,** un **bogie,** un **canyon,** du **musli,** du **kvas, cascher,** etc.). (Voir Analyse 6 ; Graphies 8, 9.)

9. Emprunts : le suffixe nominal -er des anglicismes se prononce tantôt comme dans **mer** (*exemples :* **docker, revolver, starter**), et plus souvent comme dans notre suffixe **-eur** (*exemples :* **leader, speaker**) ; parfois, deux prononciations coexistent (*exemples :* **cutter, pull-over, scooter**). Lorsque la prononciation du -er (final) est celle de -eur, on préférera ce suffixe (*exemple :* **debatter** devient **débatteur**). La finale en **-eur** sera de règle lorsqu'il existe un verbe de même forme à côté du nom (*exemples :* **squatteur,** verbe **squatter ; kidnappeur,** verbe **kidnapper,** etc.). (Voir Analyse 6 ; Graphies 8, 9.)

10. Néologie : dans l'écriture de mots nouveaux dérivés de noms en **-an,** le *n* simple sera préféré dans tous les cas ; dans l'écriture de mots nouveaux dérivés de noms en **-on,** le *n* simple sera préféré avec les terminaisons suffixales commençant par *i, o* et *a.* On écrira donc, par exemple : **-onite, -onologie, -onaire, -onalisme,** etc. (Voir Analyse 7.)

Remarque générale. - Il est recommandé aux lexicographes, au-delà des rectifications présentées dans ce rapport et sur leur modèle, de privilégier, en cas de concurrence entre plusieurs formes dans l'usage, la forme la plus simple : forme sans circonflexe, forme agglutinée, forme en *n* simple, graphie francisée, pluriel régulier, etc.

A

a forme de *avoir* / **à** prép. ◆ **Orth.** *A,* 3ᵉ personne du singulier du présent du verbe *avoir* (*il a le choix*) ne prend pas d'accent. La préposition *à* (*il va à Bordeaux*) s'écrit avec un accent grave.

à prép.
◆ **Emploi.**
1. *Répétition de à.* La préposition *à* doit être répétée devant chaque complément : *on nous a donné à boire et à manger ; une loi utile à l'agriculture, à l'industrie, à l'économie* (et non : **on nous a donné à boire et manger ;* **une loi utile à l'agriculture, l'industrie, l'économie*). Toutefois, si les compléments désignent des personnes ou des choses appartenant à une même catégorie ou à des catégories voisines, on peut ne pas répéter *à* : *elle a annoncé la bonne nouvelle à ses parents, amis et connaissances ; cette disposition s'applique aux ascenseurs, monte-charge et élévateurs.*
2. *Aller à / aller chez.* Devant un nom de lieu, on emploie *aller à : aller à la poste.* Devant un nom de personne, on emploie *aller chez : aller chez le médecin, chez le coiffeur.* **RECOMM.** Éviter le tour populaire *aller au médecin, au coiffeur.*
3. *À* ou *de* exprimant la possession ou la parenté. ❑ La construction du complément de nom avec *à,* fréquente dans la langue populaire *(la femme au boulanger, la voiture à Jacques, le chat à Margot),* est à éviter dans l'expression soignée. **RECOMM.** Dire : *la femme du boulanger, la voiture de Jacques, le chat de Margot.* ❑ Lorsque le complément est un pronom personnel, il se construit avec *à : un ami à moi, une idée à vous.* ❑ La construction avec *à* est admise dans les expressions toutes faites comme *une bête à bon Dieu, un fils à papa,* etc.
4. *À* ou *de* après un nom de récipient. Le sens détermine l'emploi de *à* ou *de.* ❑ *Un pot à eau* = un pot pour mettre de l'eau. ❑ *Un pot d'eau* = un pot contenant de l'eau, ou le contenu d'un pot à eau.
5. *À* ou *de* devant un complément de prix. *Un timbre à cinq francs / un timbre de cinq francs.* Les deux constructions sont correctes. *À* est plus fréquent. *De* est neutre *(un loyer de deux mille francs),* mais *à* peut prendre, en fonction du contexte, une nuance soit péjorative, soit distributive : *des chaussures à deux mille francs la paire ; il achète en gros, à cinq francs le mille.*
6. *À* ou *en* devant le nom d'un moyen de transport. En principe, on doit utiliser *à* quand il s'agit d'un véhicule que l'on enfourche *(aller à vélo, à moto)* et *en* quand il s'agit d'un véhicule à l'intérieur

duquel les passagers se trouvent *(aller en voiture, en bateau)*. Il faut donc dire *aller à vélo* et non *en vélo*. Cependant, dans l'usage familier, *en* tend à supplanter *à*. **RECOMM.** Dans l'expression soignée, dire ou écrire : *promenade à bicyclette, y aller à vélo, partir à moto,* etc.

7. *À* ou *en* devant un nom de pays, de ville, d'île.
❑ **Devant un nom de pays.** Les noms de pays féminins se construisent toujours avec *en* (*en Autriche, en Suède*). Les noms de pays masculins se construisent avec *au* quand ils commencent par une consonne (*au Danemark*), avec *en* quand ils commencent par une voyelle (*en Iran*) sauf au pluriel (*aux États-Unis*).
❑ **Devant un nom de ville.** Les noms de villes se construisent toujours avec la préposition *à*, même quand ils commencent par un *a* : *à Aix , à Besançon, à Charleville.* **REM.** Les calques du provençal *en Arles* et *en Avignon* sont fréquents, mais on dit plus correctement *à Arles, à Avignon.*
❑ **Devant un nom d'île.** Devant un nom d'île qui ne prend jamais l'article (comme *Cuba* ; on dit *Cuba est un producteur de sucre* et *une ville de Cuba*) on emploie *à* : *à Cuba, à Malte, à Madagascar.* Devant un nom d'île qui prend toujours l'article (comme *la Réunion* ; on dit *la Réunion est un département français* et *une ville de la Réunion*), on emploie *à* : *à la Martinique, à la Réunion.* Devant un nom d'île qui prend ou non l'article (comme *la Corse* ; on dit *la Corse est très belle* mais *une ville de Corse*), on emploie *en* : *en Corse, en Sardaigne, en Islande.*

9. *À* ou *par* après *je l'ai entendu dire.* Les deux constructions sont correctes *(je l'ai entendu dire à Sophie* ou *je l'ai entendu dire par Sophie)* mais l'emploi de *par* évite toute ambiguïté *(je l'ai entendu dire à Sophie* = Sophie l'a dit *ou* on l'a dit à Sophie). **REM.** L'emploi de *à* précédant l'agent est normal dans un certain

nombre d'expressions figées (par exemple : *une veste mangée aux mites ; une raison à elle seule connue*).

8. *À* ou *ou* entre deux nombres, pour exprimer l'approximation. *À* ne doit être employé pour exprimer l'approximation que si les nombres qu'il sépare ne se suivent pas *(de six à huit francs ; de six à huit personnes)* ou s'ils se rapportent à des quantités susceptibles d'être divisées *(de six à sept francs* ; ce peut être six francs cinquante). Sinon, c'est *ou* qu'il faut employer : *six ou sept personnes.* **REM.** 1. Cette règle s'impose dans l'expression soignée, même s'il arrive à de bons écrivains de ne pas l'observer. 2. Dans le registre courant, on omet souvent *de* : *ça peut coûter six à huit francs.*
10. *À ce que* ou *que* après un verbe. La construction sans *à* est généralement considérée comme plus élégante : *aimer que, consentir que, prendre garde que* (de préférence à : *aimer à ce que, consentir à ce que, prendre garde à ce que,* etc.)
❑ Les verbes *aimer, s'attendre, consentir, demander* se construisent avec *que : j'aime qu'on soit à l'heure ; il s'attend qu'on le choisisse ; consens-tu qu'il parte ? ; demandez qu'on vous prévienne.*
❑ Les verbes *s'accoutumer, s'appliquer, condescendre, contribuer, s'habituer, s'intéresser, s'opposer, se refuser, tenir, travailler, veiller, voir,* et certaines locutions avec *avoir, y avoir, être, trouver* (comme *avoir intérêt, y avoir de l'intérêt, y avoir de l'utilité, être attentif, trouver quelque chose d'étonnant,* etc.) se construisent avec *à ce que.*
❑ *De façon à ce que / de façon que →* **façon.**
❑ *De manière à ce que / de manière que.* → **manière.**
11. *C'est à vous à, c'est à vous de* (+ infinitif). Les deux constructions sont correctes : *c'est à vous à jouer, de jouer.* **REM.** 1. *C'est à vous de* est d'un registre plus soutenu. 2. *À* entraîne plutôt une idée de « tour », *de* une idée de « devoir » : *c'est à vous à distribuer ; c'est à vous de tenir vos engagements.*

12. *Partir à Marseille / pour Marseille* →
partir.
13. *D'ici à /d'ici* → ici

abaisse-langue n.m. ◆ **Orth.** Avec
un trait d'union. - Plur. : *des abaisse-
langues* ou *des abaisse-langue.* → R.O.
1990

abaque n.m. ◆ **Genre.** Masculin : *un
abaque.*

abasourdir v.t. ◆ **Prononc.** [abazuʀdiʀ]
comme *musique*, avec un *z*. Ne pas se
laisser influencer par *sourd*. REM. Les
mots *abasourdir* et *sourd* n'appartiennent
pas à la même famille : *abasourdir* vient
d'un mot d'argot ancien, *basourdir,* signifiant « tuer ».

abat-jour n.m. inv. ◆ **Orth.** Avec un
trait d'union. - Plur. : *des abat-jour* (invariable). → R.O. 1990

abat-son, abat-sons n.m. ◆ **Orth.**
Au singulier : *un abat-son* ou *un abat-sons*
(avec ou sans *s* à *son*). → R.O. 1990. -
Plur. : *des abat-sons* (avec *s* à *son*).

abats n.m. plur. / **abattis** n.m. plur.
◆ **Sens.** Ne pas confondre ces deux
mots. **1.** *Abats* = concerne un animal de
boucherie (bœuf, veau, mouton, etc.).
2. *Abattis* = concerne la volaille.

abattage n.m. ◆ **Orth.** Avec deux *t,*
comme *abattre* et tous ses dérivés. REM.
La graphie *abatage* n'est plus usitée.

abattis → abats

abattre v.t., v.i., v.pr. ◆ **Conjug.**
Comme *battre.* → annexe, tableau 63

abat-vent n.m. inv. ◆ **Orth.** Avec un
trait d'union. - Plur. : *des abat-vent* (invariable). → R.O. 1990

abat-voix n.m. inv. ◆ **Orth.** Avec un
trait d'union. - Plur. : *des abat-voix* (invariable).

abbé n.m. ◆ **Orth.** Avec deux *b.*
◆ **Genre.** Le féminin d'*abbé* est *abbesse.*
REM. *Abbé* et ses dérivés sont les seuls
mots d'usage courant commençant par
ab- qui s'écrivent avec deux *b.*

abcéder (s') v.pr. ◆ **Conjug.** Attention
à l'accent, tantôt grave, tantôt aigu :
ce phlegmon s'abcède, il s'abcédera.
→ annexe, tableau 11 et R.O. 1990

abdomen n.m. ◆ **Prononc.** [abdɔmɛn]
comme *chêne.* L'adjectif correspondant
est *abdominal* (avec un *i*). REM. *Abdomen*
est un mot savant tardivement
emprunté au latin (comme *cérumen*),
dont il a gardé la prononciation.

abduction n.f. / **adduction** n.f. ◆
Sens. Ne pas confondre ces deux termes
d'anatomie de sens opposés.
1. *Abduction* (composé avec *ab-*) =
mouvement qui écarte un membre de
l'axe longitudinal du corps. **2.**
Adduction (composé avec *ad-*) = mouvement qui rapproche un membre de
l'axe longitudinal du corps. REM. On
reconnaît les préfixes opposés : *ab-*
(éloignement) et *ad-* (approche).

abeille n.f. → nid-d'abeilles

abhorrer v.t. ◆ **Orth.** Avec un *h* et
deux *r* comme *horreur* et *horrible.*

abîme n.m. ◆ **Orth.** Avec un accent
circonflexe sur le *i.* → R.O. 1990. REM.
Cet accent représente un ancien *s* (le
latin populaire *abismus* a d'abord donné
le français *abisme*) que l'on retrouve
dans *abysse.*

abject, e adj. ◆ **Prononc.** On prononce le *c* et le *t* : [abʒɛkt], comme dans
secte.

abjurer v.t. / **adjurer** v.t. ◆ **Sens.** Ne
pas confondre ces deux mots proches
par la prononciation mais éloignés par
le sens. **1.** *Abjurer* (avec *ab-*) = renoncer

solennellement à (une religion, une opinion). *Abjurer l'arianisme.* **2. *Adjurer*** (avec *ad-*) = prier avec instance, supplier. *Adjurer qqn de dire la vérité.*

aboiement n.m. ◆ **Orth.** Avec un *e* muet intérieur (substantif correspondant à un verbe du 1er groupe, *aboyer,* comme on a *apitoiement, atermoiement, broiement ;* mais *braiment,* correspondant à *braire,* verbe du 3e groupe, s'écrit sans *e* intérieur).

abord (d') loc. adv. ◆ **Orth.** S'écrit en deux mots (comme *d'ailleurs*), à la différence de *davantage.*

aborder v.t. → accoster

aborigène adj. et n. ◆ **Orth. et pronon.** Attention : *aborigène* et non **arborigène* (le mot vient du latin *ab origine,* depuis l'origine). ◆ **Emploi.** *Aborigène / autochtone / indigène. Aborigène* et *autochtone* signifient l'un et l'autre : « originaire du pays où il vit ». *Autochtone* est plus courant qu'*aborigène,* terme savant que l'on emploie surtout à propos des peuples qui vivaient en Australie avant l'arrivée des Européens. *Indigène* (étymologiquement « originaire du pays »), qui comporte une nuance péjorative, est aujourd'hui peu usité. REM. *Indigène* est un mot marqué par son histoire. Il est utilisé dès le XVIIIe s., parfois de manière neutre, mais souvent avec une intention condescendante ou méprisante, pour désigner les personnes originaires d'un territoire colonisé.

aboucher v.t. ◆ **Constr. 1.** *Aboucher* (+ noms de personnes). Plusieurs constructions sont possibles : *aboucher une personne et une autre, à une autre, avec une autre.* REM. La construction directe (*aboucher deux personnes ; il les a abouchés*) est aujourd'hui littéraire et vieillie. **2.** *Aboucher* (+ noms de choses). Plusieurs constructions sont possibles :

aboucher un conduit à un autre, avec un autre ; aboucher deux conduits **3. *S'aboucher*** v.pr. Après la forme pronominale du verbe, *avec* et *à* sont également corrects : *s'aboucher avec qqn, à qqn.*

aboutir v.t.ind. ◆ **Constr.** *Aboutir à ce que* (+ indicatif) : *cela a abouti à ce qu'il a pris un autre train.*

aboyer v.i., v.t.ind. ◆ **Conjug.** Attention au *i* après le *y* aux première et deuxième personnes du pluriel, à l'indicatif imparfait et au subjonctif présent : (*que*) *nous aboyions,* (*que*) *vous aboyiez.* → annexe, tableau 7. ◆ **Constr.** *Aboyer contre / aboyer après.* Les deux constructions sont également correctes : *le chien aboie après les passants* ou *contre les passants.* REM. La construction *aboyer à qqn, à qqch.,* fréquente dans la langue classique, n'est plus usitée que dans l'expression figée *aboyer à la lune.*

abrègement n.m. ◆ **Orth.** Avec un accent grave. → R.O. 1990

abréger v.t. ◆ **Conjug.** Attention à l'alternance *é/è* et au *g* qui devient *-ge-* devant *a* et *o* : *abréger ; j'abrège, nous abrégeons ; il abrégea.* → annexe, tableau 15

abréviations → annexe, grammaire § 4 à 11

Abribus n.m. ◆ **Orth.** En un seul mot et toujours avec une majuscule (nom déposé).

abri-sous-roche n.m. ◆ **Orth.** Avec deux traits d'union. - Plur. : *des abris-sous-roche* (avec un *s* uniquement à *abri*).

abriter v.t. et v.pr. ◆ **Constr.** *Abriter, s'abriter de / abriter, s'abriter contre.* Les deux constructions sont correctes : *abriter (s'abriter) du soleil* ou *abriter (s'abriter) contre le soleil.*

abrivent n.m. ◆ **Orth.** En un seul mot.

abroger v.t. ◆ **Conjug.** Le *g* devient *-ge-* devant *a* et *o* : *j'abroge, nous abrogeons ; il abrogea.* → annexe, tableau 10. ◆ **Sens.** *Abroger* ne peut s'employer qu'avec un complément désignant un texte (loi, décret, règlement, etc.). Si l'on veut parler de la suppression d'un usage, il faut employer *abolir* : *abolir l'esclavage.*

abrupt, e adj. ◆ **Prononc.** Le *p* et le *t* se prononcent comme dans *rupture.*

abscisse n.f. ◆ **Orth.** Attention au groupe *-sc-* (comme dans *scission*) et à la finale *-sse.* ◆ **Genre.** *Une abscisse,* toujours au féminin.

absent, e adj. et n. ◆ **Constr.** *Absent de / absent à.* Avec un complément de lieu, il faut dire *absent de : il était absent de son travail.* Avec un complément de temps, *absent à* est correct : *il était absent à l'heure du déjeuner, à l'appel* (= à l'heure de l'appel). **RECOMM.** Acceptable dans le registre courant, la construction avec *à* suivi d'un complément de lieu doit être évitée dans l'expression soignée.

absolu, e adj. ◆ **Emploi.** Quand il signifie « complet, sans réserve, total » *(une confiance absolue), absolu* n'admet en principe ni comparatif (*une confiance plus absolue/moins absolue) ni superlatif (*une confiance très absolue). Mais, quand il signifie « entier dans ses opinions ou ses jugements, radical », *absolu* admet les degrés de l'adjectif : *sa ferveur est intacte, mais il est moins absolu que dans sa jeunesse.*

absolument adv. ◆ **Orth.** Sans *e* intérieur et sans accent circonflexe (à la différence de *indûment*).

absorption n.f. ◆ **Orth.** Attention, s'écrit avec *-pt- (absorption)* et non avec *b* (comme *absorber*).

absorption n.f. / **adsorption** n.f. ◆ **Emploi.** Ne pas confondre ces deux mots, proches par le sens et par la prononciation, mais dont les domaines d'emploi sont bien distincts. **1.** *Absorption* appartient à la langue courante : *ivresse par absorption massive d'alcool.* **2.** *Adsorption* est un terme de la langue scientifique et technique : *adsorption des gaz toxiques par le charbon de bois.*

absoudre v.t. ◆ **Conjug. 1.** Le *d* de *absoudre* ne se conserve que devant le *r* du futur *(j'absoudrai)* et du conditionnel *(j'absoudrais).* Bien écrire *j'absous,* sans *d* (à la différence de *je couds* et *je mouds*), et *il absout,* avec un *t* (à la différence de *il coud, il moud*). → annexe, tableau 67. **2.** Participe passé : *absous, absoute.* → R.O. 1990. ❑ *Absoudre* et *résoudre* diffèrent au participe passé → **résoudre.** En revanche, *dissoudre* se conjugue exactement comme *absoudre.*

abstenir (s') v.pr. ◆ **Conjug.** Comme *tenir.* → annexe, tableau 28

abstract n.m. ◆ **Anglicisme.** Dans une publication savante, résumé d'un article, souvent placé en tête de l'article lui-même. **RECOMM.** N'employer le mot que dans son sens strict, et non dans le sens général de « résumé ». **REM.** Ce mot est aujourd'hui consacré par l'usage dans la communauté scientifique : c'est un terme de métier.

abstraction n.f. ◆ **Sens.** Ne pas confondre *faire abstraction* et *abstraire.* **1.** *Faire abstraction de* = ne pas faire entrer en ligne de compte dans un calcul, un raisonnement. *Faire abstraction des inconvénients.* **2.** *Abstraire* = isoler par la pensée pour considérer à part. *Abstraire un événement de son contexte.*

abstraire v.t. et v.pr. ◆ **Conjug.** Comme *extraire.* → annexe, tableau 92. ◆ **Sens.** Ne pas confondre *abstraire* et *faire abstraction de* → **abstraction**

abuser v.t.ind. et v.t. ◆ **Constr. et sens.** Deux constructions sont possibles, correspondant chacune à un sens différent du verbe. **1.** *Abuser de* = user mal ou avec excès. *Abuser de sa force ; abuser de la bonté de qqn, de qqn.* ❑ *Abuser d'une femme* = la violer. **2.** *Abuser qqn* = le tromper, le duper. *Il nous a abusés avec des mensonges.*

abysse n.m. ◆ **Orth.** Avec un *y* → abîme

acabit n.m. ◆ **Orth. et prononc.** [akabi], avec un seul *c* et avec un *t* final qui ne se prononce pas, comme dans *habit*.

acacia n.m. ◆ **Orth.** Aucun *c* n'est doublé. ◆ **Genre.** Masculin : *un acacia*.

Académie, académie n.f. ◆ **Orth.** Avec ou sans majuscule, selon le sens. **1.** *L'Académie.* Toujours une majuscule quand le mot désigne une institution unique : *l'Académie française* (ou *l'Académie*), *l'Académie des sciences, l'Académie des beaux-arts, l'Académie des sciences morales et politiques, l'Académie des inscriptions et belles-lettres.* REM. Mais on écrit toujours *les académiciens.* **2.** *Une académie.* Jamais de majuscule quand le mot désigne un organisme ou une administration qui existe sous la même forme en plusieurs endroits différents : *l'académie de Rennes, un inspecteur d'académie.*

acajou n.m. et adj. ◆ **Orth.** Avec un seul *c*. ◆ **Accord.** Au pluriel, le nom prend un *s* : *des acajous* ; l'adjectif est invariable en genre et en nombre : *des chevelures acajou.*

acanthe n.f. ◆ **Orth. 1.** *Acanthe,* avec un seul *c* et *-th-*. **2.** *Des feuilles d'acanthe,* sans *s* à *acanthe*.

a cappella loc. adv. ◆ **Orth.** En deux mots, sans accent sur le *a*, avec deux *p* et deux *l.* REM. On rencontre également la forme *a capella* (avec un seul *p*), correcte mais moins fréquente.

acariâtre adj. ◆ **Orth.** Avec un seul *c*.

acarien n.m. ◆ **Orth.** Avec un seul *c*.

acaule adj. ◆ **Orth.** Avec un seul *c*.

accabler v.t. ◆ **Orth.** Avec deux *c*.

accaparer v.t. ◆ **Orth.** Avec deux *c* mais avec un seul *p*. ◆ **Constr.** *Accaparer qqch* : *il a accaparé ces terrains, mais ils ne lui appartiennent pas.* RECOMM. Ne pas se laisser influencer par *s'emparer de.* Éviter *s'accaparer qqch, s'accaparer de qqch.* REM. La construction *s'accaparer de* est usitée en Belgique.

accéder v.t.ind. ◆ **Conjug.** Comme *céder*. Attention à l'accent, tantôt grave, tantôt aigu : *j'accède, nous accédons ; il accédera.* → annexe, tableau 11 et R.O. 1990

accelerando adv. et n.m. ◆ **Orth.** Sans accent (mot italien). - *Des accelerando* (sans *s*). REM. Plus souvent adverbe, le mot n'a pas été francisé.

accélérer v.t. et v.pr. ◆ **Conjug.** Attention à l'accent sur le deuxième *e*, tantôt grave, tantôt aigu : *j'accélère, nous accélérons ; il accélérera.* → annexe, tableau 11 et R.O. 1990

accents → annexe, grammaire § 12 à 17

acceptation n.f. / **acception** n.f. ◆ **Sens.** Ne pas confondre ces deux mots. **1.** *Acceptation* = action d'accepter. *Marquer son acceptation d'un signe de tête.* **2.** *Acception* = sens particulier d'un mot. *C'est un chef-d'œuvre, dans toute l'acception du terme.* ❑ *Sans acception de* = sans tenir compte de, sans accorder de préférence à. *La loi s'applique sans acception de personne* (et non *sans acceptation de personne*).

accidenté, e adj. ◆ **Registre.** Le mot est aujourd'hui admis dans la langue courante, aussi bien pour les personnes que pour les choses : *le conducteur accidenté a été secouru par les pompiers* ; *l'avion accidenté n'a toujours pas été retrouvé.* RECOMM. Dans l'expression soignée, préférer les équivalents *blessé, commotionné, contusionné, meurtri,* etc., pour les personnes et *endommagé, détruit,* pour les choses. REM. L'emploi du verbe *accidenter* demeure déconseillé, v. ci-dessous.

accidenter v.t. ◆ **Emploi.** *Accidenter qqn, qqch :* appartient à la langue relâchée, même si le participe passé et adjectif *accidenté* (v. ci-dessus) est aujourd'hui admis dans le registre courant.

acclamation n.f. ◆ **Orth.** Avec deux *c*. ❏ *Par acclamation.* Toujours au singulier (le sens du mot implique en lui-même l'idée de collectivité) : *voter par acclamation.*

acclimatation n.f. / **acclimatement** n.m. ◆ **Orth.** Avec deux *c*. ◆ **Sens.** Une nuance de sens sépare ces deux mots. 1. *L'acclimatation* = l'action d'habituer un animal ou une plante à un nouveau milieu. 2. *L'acclimatement* = le fait, pour un animal ou une plante, de s'habituer à un nouveau milieu. REM. L'acclimatation suppose l'intervention de l'homme, c'est un ensemble d'opérations provoquées et contrôlées. L'acclimatement est spontané et naturel, ou résulte de l'acclimatation (dans laquelle la volonté du sujet acclimaté, animal ou végétal, n'intervient pas).

acclimater v.t. ◆ **Orth.** Avec deux *c*. ◆ **Emploi.** Un même verbe, *acclimater,* pour deux substantifs, *acclimatation* et *acclimatement.*

accointances n.f. plur. ◆ **Orth.** Avec deux *c*. ◆ **Nombre.** N'est usité qu'au pluriel : *des accointances.*

accoler v.t. ◆ **Orth.** Avec deux *c* mais un seul *l,* ainsi que *accolade* et *accolement.* REM. Les mots de cette famille sont issus de *col,* cou, et n'ont aucun rapport avec *colle,* contrairement à ce que le sens pourrait laisser supposer.

acolyte n.m. ◆ **Orth.** Avec un seul *c* et un *y*.

accommodant, e adj. ◆ **Orth.** Avec deux *c* et deux *m*. ◆ **Sens.** → accomodant/arrangeant

accommodant, e adj. / **arrangeant, e** adj. ◆ **Sens.** Une nuance de sens sépare ces deux adjectifs. 1. *Accommodant* = qui est toujours disposé à aplanir les difficultés. *Avec lui, tout est facile, il est accommodant.* 2. *Arrangeant* = qui se montre, dans une occasion précise, disposé à aplanir les difficultés. *L'affaire a été vite conclue, il a été très arrangeant.* REM. *Accommodant* renvoie à un trait de caractère, *arrangeant* à une attitude particulière à un moment donné.

accommodation n.f. / **accommodement** n.m. ◆ **Orth.** Avec deux *c* et deux *m*. ◆ **Sens.** Ne pas confondre ces deux mots. 1. *Accommodation* = adaptation de certains organes (l'œil, en particulier). *L'accommodation permet la vison distincte à des distances différentes.* 2. *Accommodement* = compromis, arrangement. *Cet accommodement a permis de concilier les points de vue.*

accommoder (s') v.pr. ◆ **Orth.** Avec deux *c* et deux *m*. ◆ **Constr.** Deux constructions sont possibles, avec *à* ou avec *de,* selon le sens du verbe. 1. *S'accommoder à* = s'adapter à. *S'accommoder à un nouveau genre de vie.* 2. *S'accommoder de* = accepter, se contenter de. *Prenez ce qui vous plaît, je m'accommoderai du reste.*

accord de l'adjectif, du participe passé, du verbe → annexe, grammaire, respectivement § 93 à 99 ; 107 à 110 ; 101 à 103

accordailles n.f. plur. ◆ **Nombre.** Toujours au pluriel : *les accordailles* (comme *les fiançailles, les épousailles, les retrouvailles, les funérailles,* etc.). REM. Ces mots désignent une cérémonie unique mais comportant des formes d'apparat multiples et distinctes (c'est ce que certains grammairiens appellent un pluriel « interne »). ◆ **Emploi.** Le mot, vieilli, n'est plus employé que par plaisanterie : *et quand donc ces tourtereaux célébreront-ils leurs accordailles ?* (= leurs fiançailles).

accoster v.t. et v.t.ind. ◆ **Constr.** *Accoster à qqch. / accoster qqch.* Les deux constructions sont également correctes : *le paquebot a accosté au quai de la gare maritime,* ou, moins courant, *a accosté le quai de la gare maritime.* ◆ **Sens et emploi.** *Accoster qqn / aborder qqn* = s'approcher de qqn pour lui parler. Dans la langue parlée courante, les deux mots sont synonymes. Dans le style soigné, en particulier à l'écrit, *accoster* implique souvent une idée de brusquerie et de sans-gêne, tandis qu'*aborder* est neutre : *un inconnu m'a accosté et m'a demandé l'heure sans même me dire bonjour ; il a abordé le président avec beaucoup de déférence.*

accoter v.t. / **accotoir** n.m. / **accotement** n.m. ◆ **Orth.** Deux *c,* pas d'accent circonflexe sur le *o.* REM. Ces trois mots sont de la même famille que *coude* et n'ont aucun rapport avec *côté,* contrairement à ce que leur sens pourrait laisser supposer.

accoucher v.t. et v.i. ◆ **Conjug.** Le verbe se conjugue avec l'auxiliaire *avoir* ou l'auxiliaire *être,* mais les deux constructions expriment des nuances différentes : avec *avoir,* on insiste sur l'action; avec *être,* on insiste sur l'état

qui résulte de l'action. Ainsi on dira : *elle a accouché sous péridurale ; elle est accouchée depuis deux heures.* ◆ **Constr. et sens.** 1. *Ma sœur a accouché* = elle a donné naissance à un enfant. 2. *Cette sage-femme a accouché ma sœur* = elle a aidé à l'accouchement. 3. *Ma sœur a accouché d'une petite fille* = elle a donné naissance à une petite fille. ◆ **Emploi.** Ce verbe ne s'emploie pas pour les animaux. Utiliser *mettre bas* ou les verbes précis selon les espèces : *agneler* (pour la brebis), *faonner* (pour la biche, la daine et la chevrette), *chatter* (pour la chatte), *chevroter* ou *chevreter* (pour la chèvre), *chienner* (pour la chienne), *poulainer* (pour la jument), *lapiner* (pour la lapine), *cochonner* (pour la truie), *vêler* (pour la vache).

accouplement n.m. ◆ **Orth.** Deux *c.* ◆ **Constr.** Les compléments du nom peuvent être réunis indifféremment par *et, à* ou *avec* : *l'accouplement de l'objectif et du boîtier, l'accouplement du mâle à la femelle, l'accouplement du vice avec la vertu.* ◆ **Emploi.** Ce terme s'emploie de façon générale et uniquement pour les choses ou les animaux. Pour les humains, le terme est dépréciatif lorsqu'il est employé hors d'un contexte technique (biologie, médecine, etc.). Pour les animaux, il existe des termes plus précis selon les espèces : la *monte* ou la *saillie* (pour le taureau, le verrat, l'étalon et l'âne), la *lutte* (pour le bélier), etc.

accoupler v.t. et v.pr. ◆ **Orth.** Deux *c.* ◆ **Constr.** Les compléments du verbe peuvent être réunis par *et, à* ou *avec* : *accoupler l'objectif et le boîtier, accoupler le mâle à la femelle, accoupler le vice avec la vertu.* ◆ **Emploi.** Ce verbe s'emploie normalement pour les choses et les animaux. Pour les humains il est dépréciatif, comme le substantif correspondant *accouplement,* lorsqu'il est employé hors d'un contexte technique (biologie, médecine, etc.). Pour les animaux, il existe des termes plus précis selon les espèces : *monter* ou *saillir* (pour le taureau, le verrat, l'étalon et l'âne), *lutter* (pour le bélier), *baudouiner* (pour l'ânesse), *assortir* (pour la jument), *béliner* ou *hurtebiller* (pour la brebis), *se lier* (pour le chien et la chienne), *jumeler* (pour la chienne), *bouquiner* (pour le lapin ou le lièvre), *jargauder* (pour l'oie), *côcher* (pour l'oiseau de basse-cour mâle), *s'apparier* (pour les oiseaux), *frayer* (pour les poissons), *couvrir* (pour les vivipares).

accourir v.i. ♦ **Orth.** Deux *c,* un seul *r.* ♦ **Conjug.** Comme *courir. Accourir* se conjugue avec l'auxiliaire *avoir* ou l'auxiliaire *être,* mais les deux constructions expriment des nuances différentes : avec *avoir,* on insiste sur l'action ; avec *être,* on insiste sur l'état qui résulte de l'action. Ainsi on dira : *j'ai accouru dès que je l'ai entendu crier ; je suis accouru pour assister à l'événement.* La langue courante utilise plus fréquemment la construction avec *avoir.* → annexe, tableau 33

accoutumée (à l') loc. adv. ♦ **Orth.** Finale en *-ée.* ♦ **Registre.** *À l'accoutumée* = d'habitude. *Nous nous retrouvions à l'accoutumée dans un café près de chez moi.* Registre soutenu.

accoutumer v.t. et v.pr. ♦ **Constr. et sens.** Plusieurs constructions possibles. **1.** *Accoutumer qqn à* (+ substantif ou infinitif) = l'habituer à. *Ce genre de vie l'a accoutumé au travail, à travailler.* **2.** *Être accoutumé à* (+ substantif ou infinitif) = être habitué à. *Il est accoutumé au réveil matinal, à se réveiller tôt .* **3.** *S'accoutumer à* (+ substantif ou infinitif) / *à ce que* (+ subjonctif) = s'habituer à. *Tu t'accoutumes à la vie à la campagne, à vivre à la campagne ; il s'accoutume à ce qu'elle doive s'absenter souvent.* **4.** *Avoir accoutumé de* (+ infinitif) = avoir l'habitude de. *Il avait accoutumé de sortir tous les matins à huit heures.* Registre littéraire.

accro adj. et n. ♦ **Orth.** Invariable en genre, variable en nombre : *elles sont accros.* ♦ **Registre.** Familier. **RECOMM.** Dans l'expression soignée, préférer, selon le contexte, les équivalents *drogué* ou *toxicomane* pour le sens propre et *fervent, fanatique, passionné* pour le sens figuré.

accroc n.m. ♦ **Prononc.** La finale *-c* ne se prononce pas : [akʀo].

accroche- élément de composition ♦ **Accord.** Mots composés avec *accroche-* (verbe *accrocher*). *Accroche-* est toujours invariable : *un accroche-cœur, des accroche-cœur* ou *des accroche-cœurs ; un accroche-plat, des accroche-plat* ou *des accroche-plats.* → R.O. 1990

accrocher v.t. et v.pr. ♦ **Constr.** *Accrocher à : accrocher un tableau au mur ; c'est encore un bébé qui s'accroche aux jupes de sa mère.* **RECOMM.** Éviter *accrocher après,* *s'accrocher après.* ♦ **Sens.** À cause de l'adjectif *accrocheur, accrocher* a récemment pris aussi le sens de « captiver, retenir l'attention de » : *accrocher le public.*

accroître v.t. et v.pr. ♦ **Conjug.** Se conjugue comme *croître,* mais ne prend d'accent circonflexe sur le *î* devant le *t* qu'à la 3e personne du singulier de l'indicatif présent, à toutes les personnes du futur et du conditionnel, et à l'infinitif. Pas d'accent circonflexe sur le *u* du participe passé *accru,* à la différence de *crû,* participe passé de *croître.* → annexe, tableau 74 et R.O. 1990. **REM.** L'emploi intransitif est vieux : *ses biens ont accru.* « *Les revenus du roi, c'est-à-dire de l'État, sont accrus depuis* » (Voltaire).

accueil n.m. ♦ **Orth.** Deux *c* et finale en *-ueil* comme dans *cercueil, orgueil.* ♦ **Emploi. 1.** *Réserver (tel) accueil à qqn* (qui n'est pas encore arrivé) : *qu'il vienne,*

je lui réserve un bon accueil. **2.** *Faire (tel)*
accueil à qqn (à son arrivée) : *on lui a fait
un bon, un mauvais accueil.*

accueillir v.t. ◆ **Conjug.** Comme
cueillir. → annexe, tableau 29

acculer v.t. ◆ **Orth.** Avec deux *c.*

acculturation n.f. ◆ **Orth.** Avec deux
c. ◆ **Sens et emploi.** *Acculturation* a le sens
positif ou neutre d'« adaptation d'une
personne à une culture autre que la
sienne ». Ne pas confondre avec *inculture* (= absence de culture intellectuelle).

accusé n. et adj. / **inculpé** n. et adj. /
prévenu n. et adj. ◆ **Sens.** Ces mots,
souvent employés l'un pour l'autre
dans la langue courante, ont dans la
langue juridique des sens précis et distincts. **1.** *Accusé* = personne qui a fait
l'objet d'un *arrêt de mise en accusation* la
renvoyant devant une cour d'assises. **2.**
Prévenu = personne traduite devant un
tribunal de police ou un tribunal cor-
rectionnel pour répondre d'une infraction ou d'un délit. **3.** *Inculpé* = personne
mise en cause dans une procédure
d'instruction concernant un délit ou un
crime. **RECOMM.** *Inculpé* est aujourd'hui
remplacé dans la langue du droit par
l'expression *mis en examen,* qui souligne
la présomption d'innocence dont bénéficie toute personne concernée par l'action de la justice.

à ce que → à

acérer v.t. ◆ **Conjug.** Attention à l'accent, tantôt grave, tantôt aigu : *j'acère,
nous acérons ; il acérera.* → annexe, tableau
11 et R.O. 1990

acétal n.m. ◆ **Orth.** Plur. : *des acétals.*

achalandage n.m. ◆ **Sens.** *Achalandage* = clientèle. *L'achalandage et la
réputation de l'enseigne justifient le prix du*
fonds. **RECOMM.** Le mot a parfois été utilisé au sens de « marchandise proposée
aux clients », mais cet emploi est déconseillé. **REM.** Vient du vieux verbe *achalander,* attirer les chalands, les clients.
→ achalandé. ◆ **Registre.** Le mot est
aujourd'hui littéraire et rare.

achalandé, e adj. ◆ **Sens.** **1.**
Achalandé = qui a de nombreux clients,
en parlant d'un magasin, d'un commerce, ou de la personne qui le tient. *La
boutique, située dans une rue passante, est
très achalandée. Un marchand bien achalandé.* **RECOMM.** Dans l'expression soignée, n'employer le mot que dans ce
sens. **2.** *Achalandé* (abusif mais courant) : qui est bien approvisionné,
fourni de marchandises abondantes et
variées. Un magasin qui attire de nombreux clients est en principe bien approvisionné. C'est donc par un glissement
du sens de l'effet à la cause que, dans la
langue courante, *achalandé* a fini par
signifier « approvisionné, fourni ».
L'Académie, dans la 9ᵉ édition de son
Dictionnaire, enregistre cette extension
de sens, aujourd'hui courante, en précisant qu'il s'agit d'un abus de langage.
→ achalandage.

acharner (s') v.pr. ◆ **Constr.** **1.**
S'acharner à (+ infinitif ou nom d'action) = employer toute son énergie à.
*S'acharner à jouer, à travailler ; s'acharner
au jeu, au travail.* **2.** *S'acharner sur* ou
contre (+ nom ou pronom) = poursuivre
avec violence, hostilité, dureté. *Le fauve
s'acharne sur sa proie ; le sort s'acharne contre
eux.* **RECOMM.** Éviter **s'acharner après.*

acheter v.t. ◆ **Conjug.** Attention à l'alternance *e/è* : *acheter ; j'achète, il achète,*
mais *nous achetons ; il achètera ; qu'il achète*
mais *que nous achetions.* → annexe,
tableau 12. ◆ **Constr.** *Acheter qqch à*
qqn. Le sens du complément introduit
par *à* peut être ambigu : *j'ai acheté un livre*

à Pierre (= Pierre me l'a vendu, ou = je l'ai acheté pour le donner à Pierre). **RECOMM.** Si le contexte ne permet pas d'éviter l'ambiguïté, employer la construction *acheter pour. J'ai acheté un livre pour Pierre.* - *Acheter à bon marché* → **marché**. ♦ **Registre.** 1. *Acheter / prendre.* Dans l'expression soignée, on dit *acheter* pour les choses dont on devient propriétaire, mais *prendre* pour les choses dont on n'a que momentanément la jouissance : *acheter une marchandise, une voiture, un droit, un billet de loterie* mais *prendre un billet de train, une place au théâtre, un permis de pêche.* Dans le registre courant, on emploie *acheter* dans les deux cas. 2. *Acheter français,* calqué sur *parler français,* est du langage commercial ou publicitaire. **RECOMM.** Dans le style soigné, dire ou écrire plutôt *acheter des produits français, des marchandises françaises.*

achever v.t. ♦ **Conjug.** Attention à l'alternance *e/è* : *achever ; j'achève, il achève,* mais *nous achevons ; il achèvera ; qu'il achève* mais *que nous achevions.* → annexe, tableau 12

achopper v.i. ♦ **Orth.** Avec deux *p,* ainsi qu'*achoppement.* ♦ **Constr.** *Achopper à / sur.* Les deux constructions sont également correctes : *achopper à une difficulté, un obstacle ; achopper sur un mot.* ♦ **Registre.** Le mot est du style soutenu. Équivalents courants : *buter (sur), se heurter (à).*

aciérer v.t. ♦ **Conjug.** Attention à l'accent, tantôt grave, tantôt aigu : *j'acière, nous aciérons ; il aciérera.* → annexe, tableau 11 et R.O. 1990

acmé n.m. ou n.f. ♦ **Sens.** Point culminant ; apogée. Ne pas confondre avec *acné* → **acné**. ♦ **Genre.** Masculin ou féminin, également corrects. **REM.** L'Académie ne le donne que comme féminin. ♦ **Registre.** Le mot est soit littéraire, soit technique (terme de médecine : *l'acmé d'une maladie,* le moment où les symptômes sont le plus aigus).

acné n.f. ♦ **Genre et orth.** Féminin sans *e* final : *une acné disgracieuse.* ♦ **Sens.** Affection de la peau. Ne pas confondre avec *acmé* → **acmé**

acolyte n.m. ♦ **Orth.** Avec un seul *c* et sans *h* après le *t.* - Noter aussi le *y.* ♦ **Genre.** L'emploi au féminin, pour désigner une femme, est rare, mais n'est pas incorrect. ♦ **Sens.** Le mot a deux sens, l'un neutre, l'autre nettement péjoratif. 1. Servant du prêtre à l'autel. 2. Personne qui en assiste une autre dans des activités peu recommandables. *Je préférerais ne pas trop le voir traîner par ici avec son acolyte.* ♦ **Emploi.** *Acolyte / comparse / complice.* Ces trois mots figurant souvent dans les mêmes contextes expriment des nuances dans le degré de participation à une affaire suspecte : alors qu'un *complice* y prend une part active, le *comparse* n'y joue qu'un rôle sans importance et l'*acolyte* se borne à accompagner le meneur.

acompte n.m. ♦ **Orth.** En un seul mot ; avec un seul *c.* ♦ **Emploi.** *Acompte / à compte.* Ne pas confondre le substantif *acompte* et la locution *à compte* dont il est dérivé : *demander un acompte sur son salaire ;* mais : *recevoir 500 francs à compte sur les 1000 francs qui étaient dus.* **REM.** *Acompte* s'est écrit *à-compte* jusqu'en 1877. ♦ **Sens.** *Acompte / arrhes.* Ne pas confondre ces deux mots. 1. *Acompte* = paiement partiel à valoir sur une somme due, et qui peut le cas échéant être remboursé : *verser un acompte à la commande d'un article.* 2. *Arrhes* n.f. plur. = somme versée en garantie d'un contrat, non remboursable. → à-valoir

acoustique n.f. ♦ **Orth.** Avec un seul *c,* comme *écouter.* ♦ **Genre.** Féminin : *l'acoustique de la salle est excellente.*

acquéreur n.m. ◆ **Genre.** Pas de forme féminine ; le mot peut désigner une femme : *c'est Mme Martine Balto qui est l'acquéreur de la maison.*

acquérir v.t. ◆ **Orth.** Noter le groupe *acqu-* que l'on retrouve dans les mots de la même famille : *acquéreur, acquêt, acquis, acquisition,* etc. ◆ **Conjug.** Attention à la conjugaison de ce verbe capricieux (→ annexe, tableau 27), et particulièrement au présent de l'indicatif : *j'acquiers* (et non *j'acquerre), *nous acquérons, ils acquièrent* ; au futur : *j'acquerrai* ; au subjonctif : *que j'acquière* et au passé composé : *j'ai acquis* (et non *j'ai acquéris). ◆ **Emploi.** Au sens de « obtenir, arriver à avoir », *acquérir* ne se dit que de choses avantageuses pour l'acquéreur , ou censées l'être : *on acquiert des connaissances, de l'expérience, de l'habileté* (mais non la rougeole ou des ennuis).

acquiescer v.i. et v.t.ind. ◆ **Conjug.** Le *c* devient *ç* devant *o* et *a* : *j'acquiesce, nous acquiesçons ; il acquiesça.* → annexe, tableau 14

acquis, e adj. et **acquis** n.m. / **acquit** n.m. ◆ **Orth. et sens.** Ne pas confondre ces deux mots malgré leur prononciation identique. 1. *Acquis* adj. et n.m. (du verbe *acquérir*) = qui a fait l'objet d'une acquisition, détenu, possédé. *Des connaissances acquises ; l'inné et l'acquis.* 2. *Acquit* n.m. (du verbe *acquitter*) = reconnaissance écrite d'un paiement ; quittance. → acquit

acquit n.m. ◆ **Orth. et sens.** Ne pas confondre avec *acquis* → **acquis.** ◆ **Emploi.** 1. *Pour acquit,* formule pour certifier un paiement. 2. *Par acquit de conscience* = pour avoir la conscience quitte de ses obligations ou de ses scrupules. *Je vais vérifier par acquit de conscience.*

acre n.f. ◆ **Orth.** *Acre* (= ancienne mesure agraire) s'écrit sans accent circonflexe. Ne pas confondre avec *âcre* → **âcre**

âcre adj. ◆ **Orth.** Avec *â* comme *âcreté,* mais à la différence de *acrimonie,* bien que ces mots aient la même racine latine (*acer, acris,* piquant). Ne pas confondre avec *acre* → **acre.** ◆ **Sens.** *Âcre / âpre.* Ne pas confondre. 1. *Âcre* = qui a une odeur forte et irritante. *Une fumée âcre.* - Au figuré = qui exprime la rancœur, l'amertume. *Des propos âcres.* 2. *Âpre* (latin *asper*) = qui a une saveur acide et rude au palais (sens moins fort). *Un vin âpre, des fruits âpres.* - Au figuré = rude, acharné. *Une âpre lutte.*

acrimonie n.f. ◆ **Orth.** Sans accent circonflexe sur le *a,* comme *acrimonieux, acrimonieusement,* et malgré *âcre* → **âcre.** ◆ **Registre.** Langue soutenue ou littéraire. S'oppose, dans le même registre, à *aménité.*

acrostiche n.m. ◆ **Genre.** Masculin : *un ingénieux acrostiche.*

activer v.t. et v.pr. ◆ **Emploi.** La forme pronominale *s'activer* (= s'affairer), naguère critiquée, fait aujourd'hui partie de l'usage courant. **RECOMM.** Dans l'expression soignée, surtout à l'écrit, préférer les équivalents *s'affairer, se dépenser, abattre de la besogne,* etc. ◆ **Registre.** *Active ! Activez !* (= dépêche-toi ! dépêchez-vous !) est familier.

acupuncteur, trice n. / **acuponcteur, trice** n. ◆ **Orth.** Les deux orthographes (de même pour *acupuncture, acuponcture*) sont correctes, la première est la plus usitée. **RECOMM.** Préférer *acupuncteur, acupuncture,* avec un *u.* **REM.** Les graphies *acupuncteur, acupuncture,* sont issues du latin médical *acupunctura, de acus,* aiguille et *punctura,* piqûre ; elles correspondent à la racine latine *punctum* dont elles ont gardé le *u*. Les graphies *acuponcteur* et *acuponcture* ont été formées par analogie avec le français *point*, lui-même issu du latin *punctum* (même radical que *ponctuel, ponctuer, ponction*). ◆ **Prononc.** [akypõktœʀ], [akypõktuʀ], avec le son *on* comme dans *ponctuel*, quelle que soit la graphie.

adagio adv. et n.m. → allegro

addenda n.m. inv. ◆ **Prononc.** [adɛ̃da] avec *-en-* prononcé *in* comme dans *examen*. ◆ **Genre.** Masculin. *Cette note est un addenda tardif.* ◆ **Orth.** Mot invariable *(rédiger un addenda, des addenda)*, contrairement à *agenda (un agenda, des agendas)*, pourtant de formation similaire. ◆ **Sens.** Texte ou ensemble de textes ajouté à un ouvrage pour le compléter. REM. *Addenda* est un pluriel latin qui peut en français désigner plusieurs textes aussi bien qu'un seul. On trouve parfois le singulier latin *addendum,* désignant un ajout unique. *Un addendum, des addenda.* → annexe, grammaire § 52

adduction n.f. → abduction

adénome n.m. ◆ **Orth. et prononc.** Sans accent circonflexe sur le *o,* malgré une prononciation avec *o* fermé. REM. Prononciation avec *o* fermé, comme pour tous les termes médicaux en *-ome* : *angiome, lymphome, sarcome, syndrome,* etc.

adepte n. / **disciple** n. ◆ **Sens.** Bien distinguer les sens proches, mais distincts, de ces deux mots. 1. *Adepte* = partisan convaincu d'une croyance, d'une doctrine. *Les adeptes d'une secte.* 2. *Disciple* = personne qui reçoit un enseignement d'un maître : *les disciples de Pasteur, de Freud.*

adéquat, e adj. ◆ **Prononc.** Au masculin, prononcer [adekwa], sans faire entendre le *t,* comme pour rimer avec

quoi. ◆ **Constr.** 1. *Adéquat à : une réponse adéquate à la question posée.* 2. *Adéquat* signifiant « qui est exactement adapté à son objet », il n'admet pas de degré de comparaison : quelque chose est *adéquat* ou ne l'est pas. Toutefois, *adéquat* peut être accompagné d'un adverbe de manière : *c'est merveilleusement adéquat.*

adhérence n.f. / **adhésion** n.f. ◆ **Orth.** Noter le *h* après le *d*. ◆ **Sens et emploi.** Ne pas confondre ces deux mots. 1. *Adhérence* = état d'une chose qui tient à une autre, qui est fortement attachée, collée. 2. *Adhésion* = approbation, ralliement à une idée, à une organisation : *ce projet a recueilli de nombreuses adhésions ; bulletin d'adhésion.* REM. 1. *Adhésion* avait aussi naguère le sens d'« adhérence ». 2. Ces deux substantifs correspondent à un verbe unique, *adhérer* : *l'étiquette adhère à son support ; Monique a récemment adhéré à un club de sport.*

adhérent, e adj. et n. / **adhérant** participe présent ◆ **Orth. et emploi.** Ne pas confondre ces deux mots. 1. *Adhérent, e* adj. (correspond au substantif *adhérence*) = qui adhère, qui colle à qqch. *Retirer la pellicule adhérente.* 2. *Adhérent, e* adj. et n. (correspond au substantif *adhésion*) = membre d'une organisation, d'un parti politique. *Tarif réservé aux adhérents.* 3. *Adhérant*, participe présent du verbe *adhérer*, dont il a les deux sens : *adhérant à ces idées, il n'allait pas tarder à les mettre en pratique ; la graisse chargée d'oxyde, adhérant fortement aux pièces mécaniques, y forme le cambouis.*

adhérer v.t.ind. ◆ **Conjug.** Attention à l'accent, tantôt grave, tantôt aigu : *j'adhère, nous adhérons ; il adhérera.* → annexe, tableau 11 et R.O. 1990

adieu n.m. ◆ **Orth.** *Un dîner d'adieux,* (au pluriel) de préférence à *un dîner d'adieu,* puisqu'on y fait *ses adieux* (et non *un adieu, son adieu*). Mais *un mot d'adieu, un discours d'adieu* (au singulier) si l'on considère qu'on y fait *un adieu, son adieu*. On écrit toujours *sans adieu* (au singulier).

à Dieu vat → aller

adjectif (accord de l') → annexe, grammaire § 93 à 99

adjoindre v.t. et v.pr. ♦ **Conjug.** Comme *joindre* → annexe, tableau 62. ♦ **Emploi**. Se dit des personnes et des choses : *on lui a adjoint un stagiaire pour la seconder ; il a fallu adjoindre une aile au corps du bâtiment.* → joindre

adjoint, e adj. et n. ♦ **Orth**. Se juxtapose sans trait d'union au nom qui le précède : *directrice adjointe ; des sous-secrétaires adjoints ; secrétaire général adjoint.* ♦ **Constr.** 1. *Adjoint, e* adj. L'adjectif se construit habituellement avec *à* : *documents adjoints à un dossier.* 2. *Adjoint, e* n. Le substantif se construit avec *de (l'adjoint du directeur),* sauf, par usage, dans l'expression *l'adjoint au maire.*

adjudicataire n. / **adjudicateur, trice** n. ♦ **Sens.** Ne pas confondre ces deux mots formes proches par la prononciation, mais de sens opposés. 1. *Adjudicataire* = bénéficiaire d'une adjudication. 2. *Adjudicateur, trice* = personne ou organisme qui met en adjudication.

adjuger v.t. et v.pr. ♦ **Conjug.** Le *g* devient *-ge-* devant *a* et *o* : *j'adjuge, nous adjugeons ; il adjugea.* → annexe, tableau 10

adjurer v.t. → abjurer

admettre v.t. ♦ **Conjug.** Comme *mettre.* → annexe, tableau 64. ♦ **Constr. et emploi.** 1. *Admettre que.* ❑ Dans le sens de « reconnaître pour vrai », *admettre que* se construit avec l'indicatif s'il n'y a pas de négation : *j'admets que*

vous avez raison ; il faut admettre que ces enfants sont bruyants. Avec une négation, *admettre que* se construit avec le subjonctif : *il n'admet pas que vous ayez raison.* ❑ Dans le sens de « supposer » ou de « accepter, tolérer » *admettre que* se construit avec le subjonctif : *admettons que vous ayez raison ; il faut admettre que des enfants soient bruyants.* 2. *Admettre dans / admettre à* ❑ *Admettre dans* quand le complément est le nom d'un lieu ou de qqch. qui peut être conçu comme un lieu : *aucun spectateur ne sera admis dans la salle après le début du spectacle ; admettre qqn dans un milieu, une société, un groupe.* ❑ *Admettre à* quand le complément désigne qqch. qui ne peut pas être conçu comme un lieu : *admettre qqn aux honneurs, aux plus hautes fonctions ; admettre au nombre des élus.* - La distinction entre *admettre dans* et *admettre à* n'est pas toujours facile à établir, et bien souvent c'est l'usage seul qui décide de la préposition à employer. 3. *Admettre parmi.* Cette construction implique une idée de nombre : *nous l'avons admis parmi les membres du comité ; quand l'avez-vous admis parmi vous ?* ❑ *Admettre entre.* N'est guère usité qu'avec *tous* : *il a été admis entre tous.* 4. *Admettre à* (+ infinitif) : *le président l'a admis à siéger à ses côtés ; le général Martin a été admis à faire valoir ses droits à la retraite.*

admirer v.t. ♦ **Constr. et emploi.** 1. *Admirer que* (+ subjonctif) = s'étonner que. *J'admire qu'on puisse tout quitter ainsi.* Emploi littéraire et vieilli. 2. Au passif, **admiré de** ou **admiré par** s'emploient presque indifféremment. ❑ *Admiré de* s'emploie plutôt quand *admiré* a valeur d'adjectif et exprime un état durable : *un écrivain admiré de tous.* ❑ *Admiré par* s'emploie plutôt comme passif suivi d'un complément d'agent : *il fut admiré par ceux qui vécurent dans son intimité.* → de (de / par)

adonner (s') v.pr. ◆ **Constr.** *S'adonner à : s'adonner à la lecture.* ◆ **Sens.** *S'adonner / se donner.* **1.** *S'adonner à* = se livrer habituellement à. *S'adonner au sport, à la peinture ; s'adonner à la boisson.* **2.** *Se donner à* = se livrer tout entier, s'abandonner (sens plus fort). *Se donner à l'étude, au sport.* ◆ **Emploi.** En raison de ses nombreux emplois dans des contextes tels que *s'adonner au vice, au jeu, à la boisson, à l'opium,* etc., *s'adonner* a pris le sens péjoratif de « céder à, se complaire dans ». Dans un contexte neutre, on peut le remplacer par ses équivalents : *se livrer, se consacrer, s'appliquer à* ou *se passionner pour.*

adorer v.t. ◆ **Constr. 1.** *Adorer* (+ infinitif) : *il adore lire, jouer, plaisanter.* REM. *Adorer de* est littéraire et vieilli. **2.** *Adoré par / adoré de.* ❏ *Adoré par* = se dit d'une divinité à laquelle un culte est rendu. *Les pharaons étaient adorés par les anciens Égyptiens.* ❏ *Adoré de* = très aimé par. *Une institutrice adorée de ses élèves.* → **de** (de /par)

adosser v.t. ◆ **Constr.** *Adossé à / adossé contre.* Les deux constructions sont correctes : *adosser une échelle, s'adosser à un mur* ou *contre un mur.*

adsorption n.f. ◆ **Orth.** Avec *-pt-* malgré le *b* d'*adsorber.* ◆ **Emploi.** Ne pas confondre avec *absorption* → **absorption**

adultérer v.t. ◆ **Conjug.** Attention à l'accent, tantôt grave, tantôt aigu : *j'adultère, nous adultérons ; il adultérera.* → annexe, tableau 11 et R.O. 1990

advenir v.i. ◆ **Conjug.** Comme *venir.* Se conjugue avec l'auxiliaire *être* et n'est usité qu'à l'infinitif, au participe passé et aux 3e personnes : *que va-t-il advenir de lui ? Quoi qu'il advienne ; il faudra faire face aux évènements qui adviendront.* → annexe, tableau 28. ◆ **Constr.** *Il advient que.* **1.** Suivi du subjonctif pour exprimer une simple possibilité : *il advient quelquefois qu'on se fasse agresser en rentrant chez soi.* **2.** Suivi de l'indicatif pour marquer la réalité d'un fait : *il advint qu'il se fit agresser en rentrant chez lui.* ◆ **Registre.** Littéraire. ◆ **Emploi.** Le participe présent *advenant* s'emploie surtout dans la langue juridique : *le cas advenant que l'un des conjoints décède.* REM. *Avenir,* ancienne forme d'*advenir,* usuelle jusqu'au XVIe s., se rencontrait encore au XVIIe s. Ses adjectifs dérivés *avenant* et *avenu* sont des survivances : *des manières avenantes ; ces conclusions sont nulles et non avenues.*

adventice adj. / **adventif, ive** adj. ◆ **Sens.** Ne pas confondre ces deux mots proches par leur prononciation. **1.** *Adventice* = qui survient accidentellement, qui s'ajoute accessoirement. *Circonstances adventices ; remarques, notes adventices.* ❏ Qui croît sur un terrain cultivé sans avoir été semé : *le chiendent, l'ivraie sont des plantes adventices.* **2.** *Adventif, ive* = qui se développe en un point où ne se trouvent pas habituellement d'organes de même nature, en parlant de certains organes végétaux. *Bourgeons adventifs.* ◆ **Registre.** *Adventice* est littéraire ou technique ; *adventif* est technique.

aérer v.t. ◆ **Conjug.** Attention à l'accent, tantôt grave, tantôt aigu : *j'aère, nous aérons ; il aérera.* → annexe, tableau 11 et R.O. 1990

aéro- préf. ◆ **Orth.** *Aéro-* se soude à l'élément qui le suit (*aérodynamique, aéronaval, aéroplane,* etc.), sauf dans *aéro-club.* ◆ **Sens.** *Aéro- / aréo-.* Attention à la place du *r*. **1.** *Aéro-,* du latin *aer* ou du grec *aêr,* air, entre dans la composition de nombreux mots en rapport avec l'air, l'atmosphère ou l'aviation. **2.** *Aréo-* → **aréo-**

aéro-club n.m. ◆ **Orth.** Avec un trait d'union, au contraire de tous les autres mots formés avec *aéro-* → **aéro-**

aérodrome n.m. ◆ **Genre.** Masculin. ◆ **Sens.** *Aérodrome / aérogare / aéroport.* Ne pas confondre ces trois mots. **1.** *Aérodrome* = terrain équipé pour le décollage et l'atterrissage des avions. **2.** *Aérogare* n.f. = ensemble de bâtiments réservés aux passagers et aux marchandises transportés par air (une aérogare peut être très éloignée de l'aérodrome qu'elle dessert et lui être reliée par fer ou par route). **3.** *Aéroport* n.m. = ensemble de bâtiments et d'équipements nécessaires au trafic aérien et à son administration.

aérodynamique adj. ◆ **Sens et emploi.** Le sens « qui est spécialement conçu pour offrir peu de résistance à l'air » est aujourd'hui admis : *carrosserie aérodynamique.* REM. Cet emploi a été longtemps critiqué (le sens « qui utilise la force de l'air » était considéré comme seul correct).

aérogare n.f. ◆ **Genre.** Féminin (comme *gare,* sur lequel il est formé). ◆ **Sens.** *Aérogare / aérodrome / aéroport* → aérodrome

aérolithe, aérolite n.m. ◆ **Genre.** Masculin. ◆ **Orth.** Avec ou sans *h.*

aéromètre n.m. / **aréomètre** n.m. ◆ **Sens.** Ne pas confondre. **1.** *Aéromètre* (du grec *aêr,* air) = instrument servant à mesurer la densité ou la pression de l'air. **2.** *Aréomètre* (du grec *araios,* peu dense) = instrument servant à mesurer la densité d'un liquide. REM. Selon sa destination, l'*aréomètre* (ou *densimètre*) se nomme *alcoomètre, pèse-lait, pèse-moût,* etc.

aéronautique n.f. / **astronautique** n.f. ◆ **Emploi.** Ne pas confondre ces deux mots de sens voisin. **1.** *Aéronautique* = science de la navigation aérienne. (→ **aéro**-). **2.** *Astronautique* = science et technique de la navigation dans l'espace.

aéronef n.m. ◆ **Genre.** Masculin (bien que *nef,* sur lequel il est formé, soit féminin). REM. C'est probablement sous l'influence d'*aéroplane* et d'*aérostat,* l'un et l'autre masculins, que ce mot naguère féminin a changé de genre. ◆ **Emploi.** N'est employé aujourd'hui que dans la langue administrative pour désigner un appareil capable de s'élever ou de circuler dans les airs.

aéroplane n.m. ◆ **Genre.** Masculin. → aéronef. ◆ **Emploi.** Ce mot vieilli n'est plus employé que par plaisanterie.

aéroport n.m. → aérodrome

affable adj. ◆ **Constr. 1.** *Affable avec / affable envers :* les deux constructions sont usuelles et correctes. *Un homme affable avec* ou *envers tout le monde.* **2.** *Affable à* est aujourd'hui sorti de l'usage : « *Doux, humbles, patients, affables à tout le monde* » (Bourdaloue). ◆ **Registre.** Littéraire.

affabulation n.f. / **fabulation** n.f. ◆ **Sens et emploi.** La distinction entre ces deux mots n'est pas toujours nette. **1.** *Affabulation* = manière dont un récit de fiction est organisé ; cette fiction elle-même (terme technique de critique littéraire). RECOMM. Pour désigner un récit inventé, plus ou moins mensonger, préférer les équivalents *invention, mensonge, fiction.* **2.** *Fabulation :* invention de faits imaginaires que le sujet présente comme réels (terme technique de psychologie et de psychiatrie).

affaire n.f. ◆ **Orth. 1.** *Toutes affaires cessantes* (= sans délai), s'écrit de préférence au pluriel : *je dois lui parler, toutes affaires cessantes.* **2.** Avec ou sans majuscule, selon le sens. ❑ *Les Affaires étrangères, les Affaires maritimes,* avec un *A* majuscule, parce qu'il s'agit d'une administration centrale ; mais *les affaires municipales, les affaires de* *l'État*, sans majuscule, *affaires* désignant simplement ici ce qui fait l'objet d'une gestion publique. ❑ *L'affaire Dreyfus* (sans majuscule) mais, pour la désigner absolument : *l'Affaire* (que l'on peut prononcer : « *l'Affaire, avec un grand A* »). **3.** *Avoir affaire / avoir à faire,* en un mot ou en deux mots. Bien distinguer ces deux expressions. ❑ *Avoir affaire à* = trouver devant soi. *Tu auras affaire à moi* (formule de menace) *; il a eu affaire au directeur* (= c'est le directeur qu'il a rencontré) *; nous avons affaire à un cas rare* (= nous nous trouvons en présence d'un cas rare). ❑ *Avoir à faire (qqch) / avoir à faire* = être dans l'obligation de faire qqch. ; devoir s'acquitter de plusieurs obligations : *j'ai à faire une course, j'ai une course à faire ; j'ai beaucoup à faire, j'ai fort à faire* et, absolument, *j'ai à faire.*

affairer (s') v.pr. ♦ **Emploi.** La forme pronominale, jadis critiquée, est désormais admise dans le registre courant : *elle s'affaire du matin au soir.* RECOMM. Dans l'expression soignée, préférer *s'empresser.*

affect n.m. ♦ **Prononc.** [afɛkt] comme dans *secte* et contrairement à *aspect.*

affecter v.t.→ affectionner

affection n.f. / **infection** n.f. ♦ **Sens.** Ne pas confondre les sens médicaux de ces deux mots. **1.** *Affection* = trouble, maladie. *Cette affection n'est pas due à un microbe, mais à un manque de vitamines.* **2.** *Infection* = développement de microbes dans l'organisme. *Combattre une infection au moyen d'antibiotiques.*

affectionner v.t. / **affecter** v.t. ♦ **Sens.** Ne pas confondre ces deux verbes. **1.** *Affectionner qqn, qqch.* = l'aimer particulièrement. *Elle affectionne le cinéma américain des années 1950.* RECOMM. À réserver au registre familier. **2.** *Affecter un sentiment* = l'afficher sans

le ressentir, le feindre. *Il affecte la joie.* REM. Dans la langue classique, *affecter* (lat. *affectare,* chercher à atteindre) signifiait « rechercher vivement une chose», comme dans cet exemple : « *Il affecte un repos dont il ne peut jouir* » (Racine).

afférent, e adj. ♦ **Constr.** *Afférent à : la part afférente à un héritier.* ♦ **Emploi.** Ce terme est employé surtout dans la langue juridique.

afféterie n.f. ♦ **Prononc.** [afɛtri] comme dans *lunetterie* malgré l'accent aigu. → R.O. 1990. ♦ **Registre.** Littéraire. « *Elle passe sous les ramures assombries / Avec mille façons et mille afféteries.* » (P. Verlaine)

affidé, ée n. et adj. / **affilié, ée** adj. et n. ♦ **Sens.** Ne pas confondre ces deux mots. **1.** *Affidé* n. et adj. = personne qui participe à une action secrète et le plus souvent illégale. *Un affidé du complot.* REM. À l'origine, *affidé* (lat. *affidare,* donner en gage) avait une valeur positive et signifiait « homme de confiance ». Aujourd'hui, en revanche, le mot est toujours péjoratif. **2.** *Affilié* adj. et n. = qui appartient à une organisation. *Elle est affiliée au club de sport local.* REM. Le mot n'est pas péjoratif.

affilée (d') loc. adv. ♦ **Orth.** En deux mots ; finale en *-ée : travailler dix heures d'affilée.*

affilé, ée adj. / **effilée, ée** adj. ♦ **Emploi.** Ne pas confondre ces deux adjectifs. **1.** *Affilé* = aiguisé, tranchant. *Un couteau affilé.* - Au figuré. *Avoir la langue bien affilée* = avoir de la répartie. **2.** *Effilé* = allongé, étiré. *Des pics rocheux effilés.*

affilié adj. et n. Ne pas confondre avec *affidé.* → affidé

affiner v.t. / **raffiner** v.t. et v.i. ♦ **Sens et emploi.** Les deux verbes signifient

« rendre plus fin » mais *raffiner* s'emploie surtout à propos d'opérations industrielles de purification. *Cet écrivain a affiné son sa pensée et son style. Raffiner du sucre, du pétrole.*

affirmer v.t. et v.pr. ◆ **Constr. 1.** *Affirmer* (+ infinitif). *Il affirme savoir.* **2.** *Affirmer que* (+ indicatif). *J'affirme que je l'ai vu.* **3.** *S'affirmer comme* : *il s'affirme comme l'un des compositeurs les plus doués de sa génération* (ou, moins courant : *il s'affirme l'un des compositeurs...*). REM. La forme pronominale, naguère critiquée, est aujourd'hui admise.

affleurer v.t. et v.i. / **effleurer** v.t. ◆ **Emploi.** Ne pas confondre ces deux mots. **1.** *Affleurer* v.t. et v.i. = mettre de niveau ; apparaître au niveau, à fleur de. *Le fleuve affleure les berges.* **2.** *Effleurer* v.t. = toucher à peine, légèrement. *Effleurer un tissu du bout des doigts.*

affliger v.t. et v.pr. ◆ **Conjug.** Le *g* devient *-ge-* devant *a* et *o* : *j'afflige, nous affligeons ; il affligea.* → annexe, tableau 10. ◆ **Constr. 1.** *Être affligé* ou *s'affliger de* (+ nom ou proposition infinitive) / *s'affliger que* (+ subjonctif) : *je m'afflige de sa disparition, de le voir disparaître, qu'il ait disparu.* **2.** *Être affligé* ou *s'affliger de ce que* (+ indicatif) : *je m'afflige de ce qu'il a disparu.* RECOMM. Éviter la construction avec *de ce que,* correcte, mais lourde.

affluant participe présent / **affluent,e** adj. et **affluent** n.m. ◆ **Accord.** *Affluant* reste invariable, contrairement à *affluent. La foule affluant, nous sommes partis. Des rivières affluentes.* REM. Pour la distinction participe présent / adjectif verbal → annexe, grammaire § 57, 58

afflux n.m. ◆ **Prononc.** [afly], le *x* final ne se prononce pas.

affres n.f. plur. ◆ **Nombre.** Toujours au pluriel. *Être dans les affres de l'agonie, de la passion.* ◆ **Genre.** Féminin. ◆ **Registre.** Littéraire. « *À la sécurité (...) succédèrent toutes les affres de voir prendre le royaume à l'envers* » (Saint-Simon).

affréter v.t. / **fréter** v.t. ◆ **Conjug.** Attention à l'accent, tantôt grave, tantôt aigu : *j'affrète (je frète), nous affrétons (nous frétons) ; il affrétera (il frétera).* → annexe, tableau 11 et R.O. 1990. ◆ **Sens.** Ces deux verbes ont des sens opposés. **1.** *Affréter :* prendre à louage (un navire, un avion ; plus rarement : un véhicule terrestre). *La société a affrété un avion pour rapatrier son personnel dans les vingt-quatre heures.* **2.** *Fréter* : donner à louer (un navire, un avion ; un véhicule terrestre). *L'armement Dupuy a frété un bananier à la Société fruitière caraïbe.*

affût n.m. ◆ **Prononc.** [afy], le *t* final ne se prononce pas. ◆ **Orth.** Avec un accent circonflexe. → R.O. 1990

aficionado n.m. ◆ **Orth.** Un seul *f* et un seul *n.*

afin prép. ◆ **Emploi.** *Afin de* ou *que* / *pour* ou *pour que.* **1.** Quand le sujet de la principale est une personne (douée de volonté), on emploie *afin de, afin que* ou *pour, pour que,* qui expriment dans ce cas l'intention, la volonté d'obtenir un résultat ou d'atteindre un but. : *elle est allée à la bibliothèque afin d'emprunter* (ou *pour emprunter*) *les livres dont elle a besoin.* - *Afin* appartient à la langue soignée, *pour* est de tous les registres ; mais si on veut insister sur l'intention, on emploie de préférence *afin.* **2.** Quand le sujet de la principale n'est pas une personne (en d'autres termes, si l'être qu'il désigne n'est pas doué de volonté), on emploie toujours *pour, pour que* (et jamais *afin*), qui n'expriment que le résultat obtenu ou l'effet produit : *il faut mille centimètres cubes pour faire un litre* (et non : **afin de faire un litre*) ; *l'escargot a une coquille pour se protéger* (et non : **afin de se protéger*).

◆ **Constr. 1.** *Afin de* (+ infinitif), *afin que* (+ subjonctif) : *je suis rentrée afin de me reposer ; « ce livre est toujours sur le bureau, afin qu'on puisse le consulter »* (P. Larousse).

a fortiori loc. adv. ◆ **Prononc.** [afɔRsjɔRi], avec le *t* prononcé *s,* comme dans *caution.* ◆ **Orth.** En deux mots, sans accent sur le *a,* comme *a priori* et *a posteriori.* REM. Cette locution est empruntée au latin, dont elle a gardé l'orthographe.

agacement n.m. / **agacerie** n.f. ◆ **Sens.** Ne pas confondre ces deux mots. 1. *Agacement* = irritation, impatience. 2. *Agacerie* = mine, parole, regard destinés à provoquer, à aguicher. ◆ **Emploi.** *Agacement* s'emploie au singulier ou au pluriel, *agacerie* surtout au pluriel : *« Elle m'écrit mille douceurs et mille agaceries pour lui. »* (Mme de Sévigné) ◆ **Registre.** *Agacement* est de tous les registres, *agacerie* est littéraire.

agacer v.t. ◆ **Conjug.** Le *c* devient *ç* devant *o* et *a : j'agace, nous agaçons ; il agaça.* → annexe, tableau 9

agacerie n.f. Ne pas confondre avec *agacement.* → agacement

agape n.f. ◆ **Genre.** Féminin. *Une agape.* ◆ **Nombre. 1.** *Une agape* = un repas pris en commun, chez les premiers chrétiens. 2. *Des agapes* = un repas joyeux et copieux entre amis. Toujours au pluriel dans ce sens. ◆ **Registre.** Le mot appartient au registre littéraire. Il est surtout employé par plaisanterie : *la fête annuelle réunira les anciens élèves pour de fraternelles agapes.*

agate n.f. ◆ **Genre.** Féminin. *Une agate transparente.* ◆ **Orth.** Sans *h* pour la pierre, contrairement au prénom féminin *Agathe.*

âge n.m. ◆ **Genre.** Masculin. REM. À l'époque classique, on hésitait souvent

entre féminin et masculin. Le genre est aujourd'hui fixé au masculin, mais le féminin survit dans quelques régionalismes (*la belle âge,* par exemple). ◆ **Constr.** *L'âge de la pierre taillée, l'âge de la pierre polie, l'âge du bronze, l'âge du fer* (noms de différentes époques préhistoriques) : le complément se construit avec l'article défini. - *L'âge d'or, l'âge d'argent, l'âge d'airain, l'âge de fer* (noms des différentes époques qui, au dire des Anciens, divisaient l'histoire du monde) : le complément n'est pas précédé de l'article défini. ◆ **Orth.** S'agissant de la période historique, on écrit *Moyen Âge,* avec majuscules et sans trait d'union. REM. C'est la règle classique pour l'orthographe des périodes historiques (*la Renaissance, le Terreur*), bien qu'on trouve parfois le mot écrit sans majuscules ou avec trait d'union.

agencer v.t. ◆ **Conjug.** Le *c* devient *ç* devant *o* et *a : j'agence, nous agençons ; il agença.* → annexe, tableau 9

agenda n.m. ◆ **Orth.** Plur. : *des agendas* → annexe, grammaire § 52. ◆ **Prononc.** Le groupe *-en-* se prononce *in,* comme dans *examen.* ◆ **Emploi.** *Noter dans son agenda :* l'agenda constituant un volume, on dit dans l'expression soignée *noter dans son agenda* (*noter sur son agenda,* fréquent dans l'expression orale relâchée, est à éviter dans l'expression soignée, en particulier à l'écrit).

agent n.m. ◆ **Genre.** Toujours masculin, même pour désigner une femme : *la belle danseuse était un agent secret.* RECOMM. Lorsqu'il est nécessaire de préciser que l'*agent* appartient au sexe féminin, utiliser une tournure avec *femme : l'hôpital a recruté trois agents de service femmes.* REM. *Agente* a été utilisé jusqu'au XIXe s. avec une valeur péjorative : *« Dans cette intrigue, elle était la principale agente »* (Littré).

agglomérer v.t. ♦ **Conjug.** Attention à l'accent, tantôt grave, tantôt aigu : *j'agglomère, nous agglomérons ; il agglomérera.* → annexe, tableau 11 et R.O. 1990. ♦ **Orth.** Avec deux *g*.

agio n.m. ♦ **Orth.** Plur. : *des agios.* - ♦ **Emploi.** Dans l'usage courant, s'emploie le plus souvent au pluriel : *payer des agios, des frais d'agios.* ♦ **Prononc.** La prononciation de ce terme emprunté à l'italien a été francisée, le *g* se prononce [ʒ], comme dans *agitation.*

agir v.i. ♦ **Conjug.** Le participe passé se termine par un *i* : *il a agi avec beaucoup de prudence.* → annexe, tableau 21. ♦ **Emploi.** *En agir* = se conduire, est déconseillé. RECOMM. Employer *agir* ou *en user : il a agi ainsi avec moi* (et non : *il en a agi ainsi...*). *Vous en usez bien légèrement avec lui* (et non : *vous en agissez bien légèrement...*). ♦ **Constr. 1.** *Agir* v.t. : *c'est ce qui l'agit* (= ce qui le fait agir). La construction transitive est rare, mais elle est attestée depuis le XVIIᵉ siècle. Elle appartient au registre littéraire ou soutenu. REM. On trouve également on passif, dans le même registre : « *De fait, beaucoup vivent dans l'illusion que leur vie amoureuse est subie et non agie.* » (F. Quéré). **2.** *Il s'agit de* (+ nom, pronom ou infinitif) = il est question de. ❑ La tournure impersonnelle *il s'agit* est toujours accompagnée d'un complément introduit par *de : il s'agit d'une bonne surprise ; de quoi s'agit-il ? ; « Tant qu'il ne s'était agi que de science »* (J. Romains). ❑ Si elle est précédée d'un pronom relatif, ce pronom relatif est *dont : l'affaire dont il s'agit* (et non *qu'il s'agit*). ❑ Avec le présentatif *c'est*, on dit : *c'est ce dont il s'agit* ou *c'est de cela qu'il s'agit.* RECOMM. Éviter la tournure incorrecte *c'est de cela dont il s'agit.* **3.** *Il s'agit de* (+ infinitif), *il s'agit que* (+ subjonctif) = il faut, il faut que. *Il s'agit de se dépêcher, maintenant ; il s'agit que cela devienne une habitude.* Ces constructions appartiennent à la langue familière. RECOMM. Dans l'expression soignée, surtout à l'écrit, préférer *il faut : il faut se dépêcher, maintenant ; il faut que cela devienne une habitude.* **4.** *S'agissant de* = étant donné qu'il s'agit de. « *Le choix de ces aliments s'imposait, s'agissant d'instituer un sacrifice non sanglant* » (P. Valéry). Registre soutenu. ❑ Au sens plus neutre de « quant à, en ce qui concerne », cette locution est aujourd'hui courante : *s'agissant de cette question, je suis tenu à la discrétion.*

agissements n.m. plur. ♦ **Nombre.** S'emploie surtout au pluriel : *il a été victime des agissements d'un escroc.* ♦ **Emploi.** Péjoratif. RECOMM. Pour un emploi neutre, utiliser les équivalents : *activité, façon d'agir, manières,* etc.

agneler v.i. ♦ **Conjug.** Attention à l'alternance *-ll-/-l- : la brebis agnelle ; elle agnelait ; elle agnela ; elle agnellera.* → annexe, tableau 16 et R.O. 1990

agonir v.t. / **agoniser** v.i. ♦ **Conjug.** *Agonir :* comme *finir* → annexe, tableau 21. ♦ **Sens.** Ne pas confondre ces deux mots. **1.** *Agonir* v.t. = accabler (d'injures, de reproches). *On l'a montré du doigt, insulté, agoni d'injures.* **2.** *Agoniser* v.i. = être à l'agonie, sur le point de s'éteindre. *Le malade agonisait lorsque le médecin est arrivé.* ♦ **Emploi.** *Agonir* s'emploie surtout à l'infinitif et aux temps composés.

agora n.f. ♦ **Genre.** Féminin : *une grande agora est prévue au centre de la ville nouvelle.*

agrafe n.f. ♦ **Orth.** Avec un seul *g* et un *f*. RECOMM. Ne pas se laisser influencer par les mots en *-graphe* (du grec *graphein*, écrire) : *paragraphe, stylographe,* etc., avec lesquels *agrafe* n'a aucun rapport.

agréer v.t. et v.t.ind. ♦ **Conjug.** Attention à la succession de *é* et de *e* dans certaines des formes de la conjugaison de ce verbe difficile : *sa demande a été agréée ; il espérait qu'on l'agréerait.* → annexe, tableau 8. ◆ **Constr. et emploi. 1.** *Agréer qqch.* = approuver, accepter. *Agréer une demande.* Fréquent, dans ce sens, dans les formule de politesse, à la fin des lettres : *veuillez agréer, Monsieur, mes salutations les plus distinguées.* **2.** *Agréer à qqn* = lui plaire, être à son gré. Cette construction est fréquente avec un pronom : *si cela vous agrée ; cette réponse ne saurait lui agréer.* «*Elle* (ma comédie) *a eu le bonheur d'agréer aux augustes personnes...* » (Molière). ◆ **Registre.** Soutenu.

agréger v.t. et v.pr. ◆ **Conjug.** Attention à l'alternance *é/è* et au *g* qui devient *-ge-* devant *a* et *o* : *agréger ; j'agrège, nous agrégeons ; il agrégea.* → annexe, tableau 15

agrément n.m. ◆ **Orth.** Contrairement aux autres dérivés en *-ment* des verbes dont le radical se termine par une voyelle (comme *gréer - gréement*), *agrément* s'écrit sans *e* muet intermédiaire.

agrès n.m. plur. ◆ **Nombre.** Dans la langue courante, non technique, le mot ne s'emploie qu'au pluriel et désigne « l'ensemble des appareils utilisés par les gymnastes » (et, à l'origine, les voiles, les cordages, les poulies, etc., d'un navire). ❏ Dans la langue technique des gymnastes, l'emploi au singulier n'est pas rare : *la poutre est son agrès préféré ; c'est à cet agrès qu'elle a eu la meilleure note au concours de gymnastique.*

agresser v.t. ◆ **Registre.** *Agresser* est aujourd'hui d'usage courant. REM. Longtemps considéré comme un néologisme inutile, *agresser* est aujourd'hui non seulement admis, mais encore ressenti comme nécessaire. Il correspond au substantif *agression,* au même titre

que *attaquer* correspond au substantif *attaque.*

agresseur n.m. ◆ **Genre.** Toujours masculin, même pour désigner une femme : *il savait que c'était elle son agresseur.*

agressif, ive adj. ◆ **Anglicisme.** *Agressif* = obstiné et persuasif. Calque de l'anglais *agressive* (= dynamique, efficace) : *un vendeur agressif.* RECOMM. Dans le style soigné, préférer les équivalents *convaincant, efficace, persuasif.* REM. Cet emploi tend à se répandre dans la langue commerciale, mais *agression* et les mots de la même famille gardent en français une valeur nettement négative, évoquant des attitudes de violence, de brutalité.

agriculteur, trice n. ◆ **Emploi.** Le féminin *agricultrice* est aujourd'hui fréquent : *elle est agricultrice dans le Morvan.*

agripper v.t. ◆ **Orth.** Un seul *g* et deux *p* (penser à *grippe*).

agrume n.m. ◆ **Genre.** Masculin. REM. Le genre de *agrume* ne s'est fixé qu'au cours du XXᵉ s. : les premiers dictionnaires Larousse en faisaient un nom féminin. ◆ **Nombre.** Est le plus souvent employé au pluriel : *la culture des agrumes.* Mais le singulier est aujourd'hui admis pour désigner une espèce du genre : *la mandarine est un agrume.*

aguets n.m. plur. ◆ **Nombre et emploi.** N'est employé qu'au pluriel, dans la locution *aux aguets.*

ah interj. / **ha** interj. ◆ **Orth.** L'interjection est toujours suivie d'un point d'exclamation : *ah ! si j'avais su ! ah bon ! je ne savais pas !* ◆ **Emploi.** *Ah* est aujourd'hui beaucoup plus fréquent. *Ha* n'est plus employé couramment que répété, pour marquer le rire : *ha ! ha !*

aide n.f. / **aide** n. ◆ **Emploi. 1.** *Aide* n.f. = soutien, assistance, secours. *Votre présence a été pour moi une aide précieuse.* **2.** *Aide* n. = personne qui assiste, qui aide. Masculin ou féminin selon qu'il s'agit d'un homme ou d'une femme : *c'est une aide compétente ; elle est assistée d'un aide très efficace.*

aide- élément de composition ◆ **Orth.** Les mots composés avec *aide* s'écrivent avec un trait d'union : *un aide-comptable, une aide-soignante ; un aide-mémoire,* ◆ **Accord.** Chacun des éléments du mot composé avec *aide-* prend la marque du pluriel si *aide* représente le nom (= personne qui aide) : *des aides-soignantes, des aides-comptables.* Mais les deux éléments sont invariables si *aide* représente le verbe *aider* : *des aide-mémoire* (= ce qui aide la mémoire). → R.O. 1990

aider v.t. et v.t.ind. ◆ **Constr. 1.** *Aider qqn :* construction courante. REM. *Aider à qqn* est une tournure littéraire, courante à l'époque classique, mais aujourd'hui sortie de l'usage. « *Aucun n'aide aux chevaux à se tirer d'affaire* » (La Fontaine). **2.** *Aider* (+ nom, le nom désigne ce qui bénéficie de l'aide) : *le calcium aide les os à se fortifier.* **3.** *Aider à* (+ nom, le nom désigne le résultat obtenu grâce à l'aide) : *le calcium aide à la fortification des os.*

aïeul, e n. ◆ **Orth.** Tréma sur le *i (ï)* pour ce mot et ses dérivés : *bisaïeul, trisaïeul.* ◆ **Nombre et sens.** Pluriel double. *Les aïeuls* = les grands-parents. *Les aïeux* = les ancêtres (sens plus large).

aigle n.m. / **aigle** n.f. ◆ **Genre et sens.** Le sens du mot est différent selon qu'il est masculin ou féminin. **1.** *Aigle* n.m. = oiseau de proie (uniquement pour désigner le mâle de l'espèce). *Un aigle royal.* ❑ *Aigle* est masculin et s'écrit avec une majuscule dans le nom de certains ordres de chevalerie : *l'ordre de l'Aigle blanc.* **2.** *Aigle* n.f. = femelle de l'oiseau de proie ; enseigne militaire des Romains ; figure héraldique : *une aigle et ses aiglons ; les aigles romaines ; une aigle éployée.* **3.** *L'Aigle* n.f. = constellation de l'hémisphère boréal. Avec une majuscule. *La nuit était claire et l'Aigle resplendissante.*

aigu, uë adj. ◆ **Orth.** Tréma sur le *e* au féminin : *une note aiguë.* → R.O. 1990

aiguilleter v.t. ◆ **Conjug.** Attention à l'alternance *-tt-/ -t-* : *il aiguillette, nous aiguilletons ; il aiguilletait ; il aiguilleta ; il aiguillettera.* → annexe, tableau 16 et R.O. 1990

aiguiser v.t. ◆ **Prononc.** Se prononce aujourd'hui **[egize]**, comme dans *guitare* et non plus **[eguize]** comme dans *aiguille.* De même pour les dérivés *aiguiseur, aiguisoir, aiguisage.*

ail n.m. ◆ **Orth.** Plur. : *des ails* (pluriel courant) ou *des aulx* (vieux ou régional). REM. *Ail* s'emploie rarement au pluriel (on dit *des gousses d'ail, des têtes d'ail*).

ailleurs adv. ◆ **Emploi.** *Par ailleurs* (au sens de « d'ailleurs, d'un autre côté ») est aujourd'hui admis.

aimer v.t. ◆ **Constr. 1.** *Aimer* (+ infinitif), *aimer que* (+ subjonctif) : *j'aime voyager ; elle aime que vous veniez souvent.* Ces deux constructions sont les plus courantes. **2.** *Aimer à* (+ infinitif) : *j'aime à flâner le long des berges ; il aime à penser que son œuvre lui survivra.* Cette construction n'est pas rare, mais elle appartient à un registre plus soutenu que les deux précédentes. **3.** *Aimer de* (+ infinitif). Cette construction vieillie et recherchée ne se rencontre plus que dans l'usage écrit. « *J'aime de voyager avec Fabrice* » (A. Gide). **4.** *Aimer que* (+ subjonctif) : *il aime qu'on soit à l'heure.* La proposition complément se construit sans préposition. **RECOMM.** Éviter la construction avec *à* (**il aime à ce qu'on soit à l'heure*). **5.** *Aimer mieux* □ *Aimer mieux* (+ infinitif) : *j'aime mieux m'en aller.* □ *Aimer mieux* (+ infinitif) *que* ou *que de* (+ infinitif) : *j'aime mieux partir maintenant que rester là à l'attendre* ou *que de rester là à l'attendre.* Ces deux constructions sont correctes ; *que de* se rencontre surtout dans le registre soutenu. □ *Aimer mieux que* (+ subjonctif) : *j'aime mieux qu'il ait parlé franchement.* **RECOMM.** La succession de deux *que* (**j'aime mieux qu'il parle franchement que qu'il dissimule la vérité*) n'est pas possible. S'il est nécessaire d'exprimer une comparaison, tourner la phrase autrement, par exemple : *j'aime mieux qu'il parle franchement plutôt que de dissimuler la vérité ; j'aime mieux qu'il parle franchement plutôt que de le voir dissimuler la vérité ; j'aime mieux qu'il parle franchement que s'il dissimulait la vérité.*

aîné, e adj. et n. ◆ **Orth.** S'écrit avec un accent circonflexe sur le *i.* De même pour le dérivé *aînesse.* → R.O. 1990

ainsi adv. ◆ **Constr.** *Ainsi* en tête de phrase. En tête de phrase, *ainsi* est suivi d'une virgule, sauf s'il y a inversion du sujet : *ainsi, vous avez réussi à le convaincre* ; mais : *ainsi avez-vous réussi à le convaincre.* ◆ **Emploi.** *Ainsi donc* est admis pour marquer le mécontentement, la surprise : *ainsi donc, il a refusé de me rencontrer !* **REM.** *Ainsi donc* ne fait pas pléonasme, car *donc* n'a pas, dans une phrase comme celle-là, valeur de conclusion. La phrase équivaut à : *ainsi, il a donc refusé de me rencontrer !* **RECOMM.** Éviter **ainsi par conséquent* et **ainsi par exemple* (*ainsi* signifiant, en soi, « par conséquent » ou « par exemple »). ◆ **Accord.** *Ainsi que* réunissant deux mots. **1.** *Ainsi que* = de la même façon que. L'accord se fait avec le premier terme de la comparaison, et *ainsi que* est précédé d'une virgule. *Magali, ainsi qu'une enfant, ne pouvait cacher son enthousiasme* (= telle une enfant, verbe au singulier). **2.** *Ainsi que* = et. L'accord se fait au pluriel, et *ainsi que* n'est pas précédé d'une virgule. *Il tient cachés sous son manteau un litre de vin ainsi qu'un demi-pain.* **REM.** C'est le sens qui décide souvent de l'accord, soit au singulier, soit au pluriel, et de la ponctuation : *l'adjectif brave, ainsi que l'adjectif barbare, se rattache à la famille du grec barbaros ; l'adjectif brave ainsi que l'adjectif barbare se rattachent à la famille du grec barbaros.*

air n.m. ◆ **Accord.** *Avoir l'air* (+ adjectif). **1.** *Avoir l'air,* sujet nom de chose. L'adjectif qui suit *avoir l'air* s'accorde avec le sujet. *Les projets ont l'air bien conçus. Cette laitue a l'air fraîche.* **2.** *Avoir l'air,* sujet nom de personne. Si *air* n'est pas déterminé par un complément, l'accord se fait le plus souvent avec le sujet de *avoir. Elle a l'air sérieuse* (= elle paraît sérieuse). **REM.** L'accord avec *air,* moins fréquent, n'est pas incorrect : *elle a l'air sérieux* (= son air est sérieux, elle a un air, un aspect sérieux). □ *Avoir l'air* (+ complément). Si *air* est déterminé par un complément, l'adjectif s'accorde obligatoirement avec *air. Elle a l'air sérieux d'une femme d'affaires.*

Airbag n.m. ◆ **Orth.** Toujours avec une majuscule (nom déposé). - Plur. : *des Airbags.*

aisance n.f. ◆ **Orth.** S'écrit au pluriel dans *fosse d'aisances, lieux d'aisances.*

aise n.f. ◆ **Genre.** Féminin : *il prend toutes ses aises.* **REM.** *Aise* a longtemps hésité entre masculin et féminin. Aujourd'hui, il est employé le plus souvent dans des expressions où le genre est indiscernable : *à l'aise, à son aise, d'aise…*

ajourner v.t. ◆ **Emploi.** *Ajourner* = remettre à plus tard. **RECOMM.** Éviter le pléonasme *ajourner à plus tard*. Mais *ajourner à bien plus tard* (degré d'intensité) est admis.

ajustage n.m. / **ajustement** n.m. ◆ **Emploi.** Ces deux noms issus du verbe *ajuster* ont des domaines d'emploi différents. 1. *Ajustage* = mise aux dimensions exactes d'une pièce mécanique pour qu'elle s'adapte à une autre (terme technique). *L'ajustage du piston et du cylindre.* 2. *Ajustement* = adaptation, mise en rapport (mot du vocabulaire général). *Ajustement des salaires et du pouvoir d'achat ; « Le choix, l'ajustement et la mise en rapport des termes »* (G. Duhamel).

alaise, alèse ou **alèze** n.f. ◆ **Orth.** Les trois orthographes sont correctes. *Alaise* est la plus courante.

albâtre n.m. ◆ **Genre.** Masculin : *l'albâtre gypseux est un albâtre très blanc.* ◆ **Orth.** Accent circonflexe sur le deuxième *a*.

albinos adj. et n. ◆ **Prononc.** [albinos], le *s* final se prononce.

albumen n.m. ◆ **Prononc.** [albymɛn], comme dans *peine*. Ce terme scientifique a gardé sa prononciation latine.

albumine n.f. ◆ **Emploi.** *Avoir de l'albumine* appartient à la langue courante (= avoir de l'albumine dans les urines). RECOMM. Dans l'expression soignée, préférer *présenter de l'albuminurie.*

alcoolique adj. / **alcoolisé** adj. ◆ **Sens et emploi.** En principe, ces deux mots doivent être distingués. 1. *Alcoolique* = qui contient naturellement de l'alcool. *Le rhum est une boisson alcoolique.* 2. *Alcoolisé* = à quoi on a ajouté de l'alcool. *Le punch est une boisson alcoolisée.* REM. *Alcoolisé* est de plus en plus employé dans le sens d'*alcoolique.*

Alcootest n.m. ◆ **Orth.** Toujours avec une majuscule (nom déposé). RECOMM. Pour désigner un appareil mesurant le taux d'alcool dans l'air expiré, quelle que soit sa marque, utiliser les noms communs *éthylomètre* ou *éthylotest.*

alcôve n.f. ◆ **Genre.** Féminin : *une alcôve profonde.*

aléa n.m. ◆ **Sens.** Hasard (bon ou mauvais), incertitude due au hasard. RECOMM. Éviter d'employer ce mot au sens de « difficulté, ennui ». ◆ **Emploi.** Le plus souvent au pluriel : *les aléas de la météorologie.*

alêne n.f. ◆ **Orth.** Accent circonflexe sur le *e.*

alentour adv. ◆ **Orth.** *Alentour / à l'entour.* Aujourd'hui, l'orthographe en un seul mot, *alentour,* est la seule admise. ◆ **Emploi.** 1. *Alentour* adv. = aux environs. *Les bois alentour* ou *d'alentour.* Registre soutenu. 2. *Alentour de* ou *à l'entour de* loc. prép. = autour de. « *Il tourne à l'entour du troupeau* » (La Fontaine). Cette locution prépositive, usuelle dans la langue classique, est sortie de l'usage. Elle n'est plus employée que dans la langue littéraire, pour produire un effet d'archaïsme : « *Alentour de la ville, de grands champs de céréales* » (A. Gide). On dirait aujourd'hui : *il tourne autour du troupeau ; aux alentours de la ville, de grands champs de céréales.*

alèse n.f. → alaise

aléser v.t. ◆ **Conjug.** Attention à l'accent, tantôt grave, tantôt aigu : *j'alèse, nous alésons ; il alésera.* → annexe, tableau 11 et R.O. 1990

alezan, ane adj. et n. ◆ **Orth.** 1. L'adjectif est variable quand il désigne la couleur de la robe d'un cheval *(des juments alezanes),* sauf en composé : *des* *chevaux alezan brûlé.* - On dit, on écrit : *la couleur alezan.* **2.** *Un alezan, une alezane :* un cheval alezan, une jument alezane.

alèze n.f. → alaise

algèbre n.f. ♦ **Genre.** Féminin. *« Les femmes (...) expliquent, par une algèbre qu'elles ont inventée, le merveilleux lui-même »* (A. Dumas père).

algorithme n.m. ♦ **Orth.** Avec un *i* et *-th-,* comme dans *logarithme* (sans rapport avec *rythme).* REM. Ce mot, qui désigne une suite d'opérations mathématiques, vient du nom d'un mathématicien arabe du IXe s., modifié sous l'influence du grec *arithmos,* nombre.

aliéner v.t. et v.pr. ♦ **Conjug.** Attention à l'accent, tantôt grave, tantôt aigu : *j'aliène, nous aliénons ; il aliénera.* → annexe, tableau 11 et R.O. 1990

allécher v.t. ♦ **Conjug.** Comme *lécher.* Attention à l'accent, tantôt grave, tantôt aigu : *ce fumet l'allèche, l'alléchera.* → annexe, tableau 11 et R.O. 1990

allée n.f. ♦ **Orth.** On écrit : *des allées et venues* (finale en *-ée,* à la différence de *aller* dans *aller et retour).*

allègement, allégement n.m. ♦ **Orth.** Les deux graphies, *allègement* et *allégement,* sont aujourd'hui admises (on a longtemps écrit uniquement avec un accent aigu). → R.O. 1990. RECOMM. Préférer *allègement,* conforme à la prononciation avec *è* ouvert.

alléger v.t. ♦ **Orth.** Avec deux *l,* contrairement à *alourdir.* ♦ **Conjug.** Attention à l'alternance *é/è* et au *g* qui devient *-ge-* devant *a* et *o : alléger ; j'allège, nous allégeons ; il allégea.* → annexe, tableau 15

allègrement adv. ♦ **Orth.** Avec un accent grave sur le premier *e.* REM.

« Pourquoi l'Académie met-elle un accent aigu à allégrement ? » se demandait Littré au siècle dernier. En effet, ce mot vient *d'allègre* et se prononce avec un *è* ouvert, comme *maigre.* Incohérence aujourd'hui corrigée par l'adoption générale de l'accent grave. → aussi R.O. 1990

allegro adv., **allégro** n.m. / **allegretto** adv., **allégretto** n.m. ♦ **Orth. 1.** Employés comme adverbes, ces mots italiens ne prennent pas d'accent et restent invariables : *jouez les vingt premières mesures* allegro, allegretto. → R.O. 1990. REM. Dans cet emploi, *allegro* et *allegretto* sont généralement imprimés en italique (ou en romain dans un texte en italique, comme dans l'exemple ci-dessus). **2.** Employés comme substantifs, *allégro* et *allégretto* sont francisés ; ils prennent un accent aigu et la marque pluriel : *des allégros, des allégrettos.* Mais, suivis d'un adverbe italien, ils gardent leur forme italienne : *des allegro assai.* → annexe, grammaire § 50

alléguer v.t. ♦ **Conjug.** Attention à l'accent, tantôt grave, tantôt aigu : *j'allègue, nous alléguons ; il alléguera.* → annexe, tableau 11 et R.O. 1990

1. **aller** v.i. et v.pr.
♦ **Conjug.**
1. Avec l'auxiliaire *être* → annexe, tableau 20
2. *S'en aller* **aux temps composés.** Aux temps composés, *s'en aller* peut se conjuguer : *je m'en suis allé, tu t'en es allé, elle s'en est en allée... ;* ou : *je me suis en allé, tu t'es en allé, elle s'est en allée. Je m'en suis allé* appartient au registre soutenu, *je me suis en allé* est la conjugaison courante.
♦ **Orth.**
1. La 2e personne du singulier de l'impératif est *va,* mais on lui ajoute un *s* euphonique dans *vas-y.* Ce *s* euphonique disparaît si *y* est complément d'un autre verbe : *la montagne n'est pas*

loin, va y respirer l'air pur (*y* est ici complément de *respirer*).

2. Dans *va-t-en*, impératif de la forme pronominale *s'en aller*, le *t* représente la forme élidée de *te*. Au pluriel, on écrit : *allons-nous-en, allez-vous-en*.

3. On dit : *j'y vais, j'y allais*, mais *j'irai* pour *j'y irai, afin d'éviter l'hiatus.

4. *À Dieu vat !* = à la grâce de Dieu ! Exclamation figée dans laquelle le *t* se prononce.

♦ **Emploi.**

1. *Être allé / avoir été.* Dans le registre familier et à l'oral, *aller* est souvent remplacé par *être* aux temps composés : *j'ai été me promener* (= je suis allé me promener). **RECOMM.** Dans l'expression soignée, en particulier à l'écrit, employer *aller : je suis allé me promener*.

2. *J'allai / je fus.* Au passé simple (et à l'imparfait du subjonctif) *être* pouvait autrefois remplacer *aller : je fus lui rendre visite* (= j'allai lui rendre visite) *; je m'en fus lui annoncer la bonne nouvelle*. Cet emploi ne se rencontre plus que dans la langue littéraire.

3. *En allé* **employé seul.** Se rencontre parfois dans la langue poétique : *ses amours en allées et sa jeunesse enfuie.*

♦ **Constr.**

1. *Aller* (+ infinitif) **exprimant le futur proche** (emploi comme semi-auxiliaire) : *je vais partir, j'allais partir* (= je suis, j'étais sur le point de partir). *Il va faire de l'orage. Nous allions commencer.* Cet emploi n'est possible qu'au présent et à l'imparfait de l'indicatif de *aller*.

❏ *S'en aller* (+ infinitif), employé dans le même sens, est familier : *je m'en vais vous le dire.* **REM.** Cette tournure est surtout employée à l'indicatif présent et à la première personne du singulier.

2. *Aller sur* (+ nombre d'années d'âge). *Elle va sur soixante-treize ans, sur ses soixante-treize ans* (= son prochain anniversaire sera celui de ses soixante-treize ans) est correct mais légèrement familier.

3. *Aller pour* (+ infinitif) marque l'interruption dans une action : *il va pour sortir, puis se ravise.*

4. *Faire s'en aller* (= faire partir) est correct. *Le bruit a fait s'en aller le gibier.* **RECOMM.** Dans l'expression soignée, éviter l'ellipse du pronom (*le bruit a fait en aller le gibier*), qui appartient à la langue orale relâchée.

5. *Aller à / aller chez ; aller à / aller en* → **à**

2. aller n.m. ♦ **Orth.** Plur. : *deux allers simples.* ❏ *Aller et retour, aller-retour* prennent la marque du pluriel : *des allers et retours, des allers-retours.* **REM.** Quelques grammairiens considèrent *aller et retour* et *aller-retour* comme invariables.

alliance n.f. ♦ **Constr.** On peut dire : *l'alliance d'une chose, d'une personne à une autre* ou *avec une autre.* Mais on dit toujours : *faire alliance avec.*

allier v.t. ♦ **Constr.** *Allier à / avec / et.* On emploie indifféremment *à, avec, et,* dans la construction du verbe *allier.* En parlant d'un alliage, on dit plutôt : *allier le cuivre et le zinc* ou *allier le cuivre avec le zinc.* En parlant des liens du mariage, on dit : *il s'est allié à une vieille famille de la région.* **REM.** Naguère, on employait *à* dans le cas d'une alliance entre deux éléments naturellement compatibles et *avec* dans le cas d'une alliance entre deux éléments de nature opposée. Cette distinction n'est plus observée dans la langue courante.

allonger v.t., v.i. et v.pr. / **rallonger** v.t. et v.i. ♦ **Conjug.** Le *g* devient *-ge-* devant *a* et *o : j'allonge (je rallonge), nous allongeons (nous rallongeons) ; il allongea (il rallongea).* → annexe, tableau 10. ♦ **Emploi. 1.** *Allonger* = rendre plus long ou faire paraître plus long. *Ce détour allonge le trajet ; cette robe allonge sa silhouette.* ❏ *Rallonger* = rendre plus long en ajoutant quelque chose. *Rallonger un pantalon.* REM. La langue usuelle ne fait plus guère la distinction et emploie volontiers les deux verbes l'un pour l'autre. **2.** *Allonger une sauce* = en augmenter le volume par adjonction d'un liquide. **3.** *Les jours allongent* (opposé à *diminuent*), *s'allongent* (s'accroissent) ou, familièrement, *rallongent,* en parlant de la durée du jour.

allume- élément de composition ♦ **Orth.** Mots composés avec *allume-* (du verbe *allumer*) : *un allume-cigare* (ou *un allume-cigares*), *des allume-cigares ; un allume-feu, des allume-feu* (ou *des allume-feux*) ; *un allume-gaz, des allume-gaz* (inv.). → R.O. 1990

alors adv. ♦ **Emploi. 1.** *Jusqu'alors* = jusqu'à ce moment-là. **RECOMM.** N'utiliser *jusqu'alors* qu'en référence au passé : *jusqu'alors, tout avait semblé lui réussir* ; pour le présent, employer *jusqu'à maintenant, jusqu'à présent, jusque là* : *jusqu'à maintenant, tout semble lui réussir.* Éviter le pléonasme : *puis alors, et puis alors.* **2.** *Ou alors* = sinon. *Vous devez partir maintenant, ou alors vous serez obligé de rester jusqu'à demain.*

alourdir v.t. ♦ **Orth.** Avec un seul *l*, ainsi que pour *alourdissement,* contrairement à *alléger, allègement.* → **alléger**

aloyau n.m. ♦ **Prononc.** [alwajo], comme dans *boyau.*

altérer v.t. ♦ **Conjug.** Attention à l'accent, tantôt grave, tantôt aigu : *j'altère, nous altérons ; il altérera.* → annexe, tableau 11 et R.O. 1990

alternance n.f. → **alternative**

alternatif, ive adj. ♦ **Sens et emploi. 1.** Qui se produit selon une alternance : *présidence alternative, courant alternatif.* **2.** Qui propose une alternative, un choix entre deux possibilités. *Une obligation alternative.* **3.** Qui constitue une

solution de remplacement, de rechange par rapport à des conceptions traditionnelles : *les médecines alternatives, l'école alternatives, les mouvements politiques alternatifs.* REM. Cet emploi est critiqué malgré sa fréquence.

alternative n.f. ♦ **Sens et emploi. 1.** Choix entre deux possibilités : *fuir ou se rendre, telle était l'alternative dans combat inégal.* **RECOMM.** Ne pas dire, en donnant à *alternative* le sens de « solution, possibilité » (calque de l'anglais *alternative*) : **je ne vois qu'une seule alternative : partir,* ou : **il y a deux alternatives possibles : rester ou partir* (deux alternatives offrent le choix entre quatre possibilités), ou encore : **je n'ai pas d'autre alternative que de partir.* Dire : *je ne vois qu'une seule possibilité, partir ; il y a deux choix* (ou : *deux solutions,* etc.) *possibles : rester ou partir ; je n'ai pas d'autre possibilité que partir.* **2.** Succession de deux états, de deux choses qui reviennent tour à tour : *il connaissait des alternatives de joie et de découragement.* Sens vieilli. **RECOMM.** Préférer *alternance* dans ce sens : *des alternances de joie et de découragement.*

altocumulus n.m. inv. **/ altostratus** n.m. inv. ♦ **Orth.** En un seul mot, comme *fractocumulus,* et à la différence de *strato-cumulus, cumulo-nimbus, nimbo-stratus.* REM. *Stratus, cumulus* et *nimbus* désignent des types de nuages. *Alto-* et *fracto-* sont de simples éléments de composition (signifiant, respectivement, « élevé » et « fractionné ») qui s'écrivent soudés au mot qu'ils précèdent.

alunir v.i. ♦ **Orth.** Un seul *l,* comme *amerrir* n'a qu'un *m,* et contrairement à *atterrir.* REM. Le préfixe *ad-* est contracté en *a* devant *lune* et *mer,* mais assimilé en *at-* devant *terre.* ♦ **Emploi.** *Alunir* et son dérivé *alunissage* sont employés couramment. **RECOMM.** Préférer *atterrir sur la Lune, atterrissage sur la Lune.* REM. *Terre a* dans *atterrir* le sens de « sol » et non celui de « Monde, sphère terrestre ».

alvéole n.f. ◆ **Genre.** Féminin. REM. Le mot a longtemps été masculin et son emploi au féminin était naguère tenu pour fautif. Aujourd'hui, le féminin est si répandu que c'est le masculin qui paraît vieilli (mais l'Académie continue à considérer le mot comme masculin).

amadou n.m. ◆ **Orth.** Plur. : *des amadous* (pratiquement inusité).

amande n.f. ◆ **Orth. 1.** Ne pas confondre *amande,* graine (avec *a*) et *amende,* peine pécuniaire (avec *e*). REM. On cite souvent à propos de l'orthographe de ces deux mots le dicton plaisant : « se mange avec un *a* et se paie avec un *e* ». **2.** *...d'amande / ...d'amandes.* On peut écrire indifféremment *huile, lait, pâte,* etc., *d'amande* ou *d'amandes.*

amarante n.f., n.m. et adj. ◆ **Genre et orth. 1.** Le nom *amarante* est féminin quand il désigne la plante aux fleurs pourpres et masculin quand il désigne la couleur : *une amarante en pot ; un amarante profond.* **2.** L'adjectif est invariable : *des draperies amarante.*

amateur n.m. ◆ **Genre.** Toujours masculin, même pour désigner une femme : *elle est cycliste amateur ; ma fille est amateur d'art* ou *est un amateur d'art.* REM. Les tentatives de féminisation du mot (*amateuse, *amatrice) sont jusqu'à présent restées sans suite.

ambages n.f. plur. ◆ **Nombre.** *Sans ambages,* toujours au pluriel.

ambassadeur, drice n. ◆ **Emploi.** *Elle a été nommée ambassadeur / elle a été nommée ambassadrice.* Pour désigner une femme assumant la fonction d'ambassadeur, on peut employer le masculin ou le féminin : *madame l'am-bassadeur ; madame l'ambassadrice.* REM. Jusqu'à une époque récente, seule la forme masculine *ambassadeur* était admise (*ambassadrice* ne valant que pour désigner l'épouse de l'ambassadeur ou dans le sens figuré : *une ambassadrice de la chanson française*).

ambiant, e adj. ◆ **Emploi.** Éviter le pléonasme *milieu ambiant* (*ambiant* qualifie précisément le milieu où l'on vit).

ambigu, uë adj. / **ambivalent, e** adj. ◆ **Orth.** *Ambigu, uë.* Tréma sur le *e* au féminin : *une attitude ambiguë.* → R.O. 1990. ◆ **Sens.** Une nuance de sens sépare ces deux mots. **1.** *Ambigu, uë* = qui présente plusieurs sens ou plusieurs interprétations possibles. « *Je l'ai entendu dire à Sophie* » *est une phrase ambiguë.* **2.** *Ambivalent, e* = qui paraît être contradictoire, avoir un sens double. *Un discours ambivalent, à la fois laxiste et moralisateur.*

ambiguïté n.f. ◆ **Prononc.** [ãbigyite] avec le son *-ui-* que l'on entend dans *aujourd'hui.* ◆ **Orth.** Attention, le tréma est sur le *i* et non sur le *u* : *ambiguïté.* → R.O. 1990.

ambre n.m. ◆ **Genre.** Masculin : *de l'ambre naturel, de l'ambre gris.*

amen n.m. inv. ◆ **Orth.** Toujours invariable : *des amen.*

aménager v.t. / **emménager** v.i et v.t. ◆ **Conjug.** Le *g* devient *-ge-* devant *a* et *o* : *j'aménage (j'emménage), nous aménageons (nous emménageons) ; il aménagea (il emménagea).* → annexe, tableau 10. ◆ **Sens.** Ne pas confondre ces deux mots. **1.** *Aménager* v.t. = arranger, organiser (un espace) pour un usage déterminé. *Aménager une aire de jeu.* **2.** *Emménager* v.i. et v.t. = s'installer dans un nouveau logement. *Ils viennent de signer le bail, ils emménagent dans un mois.*

amener v.t. ♦ **Conjug.** Comme *mener*. Attention à l'alternance *e/è* : *amener ; j'amène, il amène,* mais *nous amenons ; il amènera ; qu'il amène* mais *que nous amenions ; amené.* → annexe, tableau 12. ♦ **Registre.** *S'amener* = venir. Très familier. ♦ **Sens et emploi. 1.** *Amener* v.t. / *apporter* v.t. Ne pas confondre ces deux mots souvent employés l'un pour l'autre dans la langue orale familière. ❑ *Amener* = faire venir avec soi, conduire, entraîner. *Amener un enfant à l'école. Je vous amènerai des amis* ❑ *Apporter* = porter avec soi. *Le facteur a apporté un colis.* (On *apporte* des objets inertes.) RECOMM. Dans le style soigné, en particulier à l'écrit, éviter : *le facteur a amené un colis.* **2.** *Amener* v.t. / *emmener* v.t. ❑ *Amener* = faire venir avec soi. *Amener qqn chez un ami* ❑ *Emmener* = faire partir, faire quitter un lieu avec soi. *Emmener qqn à l'étranger.*

aménité n.f. ♦ **Sens et emploi.** *Aménité,* qui signifie « amabilité, douceur », se rencontre surtout dans l'expression *sans aménité* (= rudement). ♦ **Registre.** Langue soutenue. S'oppose, dans le même registre, à *acrimonie.*

aménorrhée n.f. ♦ **Orth.** Avec deux *r* et un *h.*

amerrir v.i. ♦ **Orth.** Avec deux *r.* REM. *Amerrir* vient de *mer* : les deux *r* ne s'expliquent que par l'influence d'*atterrir* (de *terre*).

améthyste n.f. ♦ **Orth.** Bien noter le groupe *-thy-.* ♦ **Genre.** Féminin : *une améthyste.* ♦ **Accord.** Employé comme adjectif de couleur, *améthyste* est toujours invariable : *des robes améthyste.*

ami, e adj. ♦ **Constr. et registre.** *Ami avec / ami de.* La langue courante emploie volontiers la construction *être ami avec qqn.* RECOMM. Dans l'expression soignée, surtout à l'écrit, il est pré-férable d'employer *ami de* : *il est ami de mon frère* (ou *c'est l'ami de mon frère*) *depuis 15 ans.*

amidonner v.t. ♦ **Orth.** Avec deux *n.* ♦ **Sens.** *Amidonner / empeser.* Ces deux verbes sont presque synonymes. ❑ *Amidonner* = enduire d'amidon (cru) ❑ *Empeser* = enduire d'empois (amidon cuit). ♦ **Emploi. 1.** *Amidonner* est aujourd'hui plus fréquent qu'*empeser.* **2.** *Empeser* se rencontre beaucoup plus souvent qu'*amidonner* dans des emplois figurés, en particulier au participe passé : *un style empesé* (= qui manque de naturel).

ammonal n.m. ♦ **Orth.** Pluriel : *des ammonals.*

ammoniac n.m. / **ammoniaque** n.f. ♦ **Orth.** Avec deux *m.* ♦ **Sens.** Ne pas confondre ces deux homonymes. *Ammoniac,* avec un *c,* pour le composé gazeux. *Ammoniaque,* avec *-que-,* pour la solution aqueuse.

amollir v.t. / **ramollir** v.t. et v.i. ♦ **Orth.** Avec deux *l.* ♦ **Constr.** *Ramollir,* à la différence d'*amollir,* peut s'employer sans complément au sens de « devenir mou » : *le beurre a ramolli.* ♦ **Emploi. 1.** Au sens propre (« rendre mou »), *ramollir* est plus fréquent qu'*amollir,* légèrement vieilli : *faire ramollir de la cire.* **2.** Au sens figuré, *amollir* appartient à une langue recherchée ou littéraire alors que *ramollir* est familier : « *[...] le plaisir [...] amollit le cœur* » (Baudelaire) ; *les vacances l'ont ramolli.*

amonceler v.t. ♦ **Conjug.** Attention à l'alternance *-ll-/-l-* : *il amoncelle, nous amoncelons ; il amoncelait ; il amoncela ; il amoncellera.* → annexe, tableau 16 et R.O. 1990

amont n.m. / **aval** n.m. ♦ **Sens.** Ne pas confondre ces deux mots de sens opposés. **1.** *Amont* = partie d'un cours d'eau comprise entre un point donné et la source. ❏ *En amont* = avant, dans un processus. **2.** *Aval* = partie d'un cours d'eau comprise entre un point donné et l'embouchure. ❏ *En aval* = après, dans un processus. REM. Étymologiquement *amont* signifie « vers la montagne » et *aval* « vers la vallée ».

amoral, e adj. / **immoral, e** adj. ◆ **Sens.** Ne pas confondre ces deux mots souvent employés l'un pour l'autre dans la langue courante. **1.** *Amoral* = qui est étranger à la morale, qui ne prend pas la morale en considération. *Pour être impartial, l'observateur des mœurs doit être amoral.* **2.** *Immoral* = contraire à la morale. « *Cela devenait immoral d'encourager ainsi le vice* » (E. Zola).

amorcer v.t. ◆ **Conjug.** Le *c* devient *ç* devant *o* et *a* : *j'amorce, nous amorçons ; il amorça.* → annexe, tableau 9

amour n.m. ◆ **Genre. 1.** Au singulier, le mot est masculin : *un amour fervent.* REM. L'emploi du féminin singulier *(une belle amour)* relève d'une recherche stylistique délibérée (effet d'archaïsme ou plaisanterie, notamment). **2.** Au pluriel, le mot est masculin dans le registre courant *(elle a eu des amours ardents et des passions jalouses),* féminin dans le style soutenu ou poétique (« *le vert paradis des amours enfantines* » Ch. Baudelaire). **3.** Quand il s'agit des représentations du dieu Amour (en peinture, sculpture, etc.) *amour* est toujours masculin, au singulier comme au pluriel : *des amours sculptés.*

amour-propre n.m. ◆ **Orth.** Avec un trait d'union. - Plur. : *amours-propres* (avec *s* à chaque élément).

amphi- préf. ◆ **Orth.** Avec un *i.* Se soude toujours à l'élément qui le suit, sans trait d'union : *amphibologie, amphithéâtre.*

amphi n.m. ◆ **Orth.** Pluriel : *des amphis.* ◆ **Registre.** Familier (abréviation de *amphithéâtre*).

amphitryon n.m. ◆ **Orth.** Attention : avec *i* puis *y* (ne pas les intervertir).

ampleur n.f. / **amplitude** n.f. ◆ **Sens.** Ne pas confondre ces deux mots. **1.** *Ampleur* = caractère de ce qui est ample, large. *L'ampleur d'une jupe, d'un geste.* **2.** *Amplitude* = écart entre deux valeurs extrêmes d'une grandeur, en physique, en astronomie, etc. *L'amplitude de la marée.* ◆ **Registre.** *Ampleur* appartient au vocabulaire courant, alors qu'*amplitude* est un terme technique.

amuse-gueule n.m. ◆ **Orth.** Plur. : *des amuse-gueule* (invariable) ou *des amuse-gueules* (avec *s* à *gueule*). → R.O. 1990. ◆ **Registre.** Familier. → **bouche**

amygdale n.f. ◆ **Orth. et prononc.** Avec un *y* et un *g* qui ne se prononce pas : [amidal]. REM. La prononciation [amigdal], faisant entendre le *g*, était autrefois considérée comme la seule correcte. Aujourd'hui, elle est presque sortie de l'usage.

an n.m. ◆ **Orth.** Avec une majuscule dans les expressions *le jour de l'An, le Nouvel An, le premier de l'An* (fête) ; avec une minuscule dans *l'an mille, au gui, l'an neuf !*

an n.m. / **année** n.f. ◆ **Emploi. 1.** *Il a dix ans / il est dans sa dixième année.* Pour indiquer un âge, on emploie toujours *an* avec un numéral cardinal (*dix ans*) et *année* avec un numéral ordinal (*dixième année*). **2.** *L'an prochain / l'année prochaine.* Avec les adjectifs comme *premier, dernier, passé, prochain* (qui indiquent une chronologie), on emploie indifféremment *an* ou *année* : *l'année prochaine, l'an prochain.* **3.** *Pendant dix ans /*

pendant dix années. Pour exprimer une durée, on emploie *an* ou *année* : *année* insiste sur l'écoulement du temps (*pendant dix années*) tandis que *an* est plus neutre (*pendant dix ans*). **4.** *Dix longues années*. Avec un adjectif qualificatif, c'est toujours *année* qui est utilisé : *dix belles années* (et non *dix beaux ans*).

anachorète n.m. / **cénobite** n.m. ◆ **Prononc.** *Anachorète :* [anakɔʀɛt], avec le son *k* comme dans *Christ*. ◆ **Sens.** Ne pas confondre ces deux mots qui désignent des religieux observant des règles de vie opposées. **1.** *Un anachorète* = un religieux qui vit seul, en ermite. **2.** *Un cénobite* = un religieux qui vit en communauté. REM. *Anachorète* est un synonyme savant (emprunt tardif au grec) d'*ermite*.

anachronisme n.m. / **archaïsme** n.m. ◆ **Prononc.** *Anachronisme* [anakʀɔnism,] avec le son *k* comme dans *chronomètre*. ◆ **Sens.** Ne pas confondre ces deux mots. **1.** *Anachronisme* = erreur de dates, confusion entre des époques différentes. *Un film historique plein d'anachronismes.* **2.** *Archaïsme* = tournure, mot anciens qu'on emploie alors qu'ils ne sont plus en usage (par plaisanterie, pour obtenir un effet de style, etc.). *Moult est un archaïsme qui signifie « beaucoup ».*

anacoluthe → lexique

anagramme n.f. ◆ **Orth.** Avec deux *m* comme tous les mots en -*gramme* (*programme*, *télégramme*, etc.). REM. Cet élément -*gramme* représente le grec *gramma* qui signifie « lettre, écriture ». ◆ **Genre.** Féminin : *une anagramme*.

analogie n.f. ◆ **Constr.** *Analogie entre* / *analogie avec*. On dit *une analogie entre* (*il y a une analogie entre telle chose et telle autre*) mais *par analogie avec* (*passames est devenu* passâmes *par analogie avec* passâtes).

analogique adj. / **analogue** adj. ◆ **Constr.** *Analogique de* / *analogue à*. On dit *analogique de* (*l'accent circonflexe de* nous passâmes *est analogique de celui de* vous passâtes) mais *analogue à* (*des opinions analogues aux tiennes*).

analogue adj. / **identique** adj. / **homologue** adj. ◆ **Sens.** Ne pas employer l'un pour l'autre ces trois mots de sens distincts. **1.** *Analogue* = comparable, ressemblant. *Des idées analogues à celles qu'on pouvait avoir au siècle dernier.* **2.** *Identique* = parfaitement semblable. *Un bâtiment identique au précédent.* **3.** *Homologue* = équivalent, correspondant. *Un capitaine de vaisseau est l'homologue dans la marine d'un colonel dans l'armée de terre.* → semblable, similaire

analphabète adj. et n. / **illettré** adj. et n. ◆ **Sens.** Dans la langue courante, les deux termes sont synonymes. Dans leur emploi technique (en sociologie notamment), ils ne sont pas tout à fait équivalents. **1.** *Analphabète* = qui ne sait ni lire ni écrire. **2.** *Illettré* = qui est incapable de maîtriser la lecture d'un texte simple. REM. *Illettré* a longtemps signifié « inculte, ignorant, qui n'a pas de lettres » (= de connaissances générales). Ce sens est aujourd'hui vieilli.

ananas n.m. ◆ **Prononc. et registre.** [anana] comme *tas* (registre soutenu), ou [ananas] comme *as*, en faisant entendre le s final (registre courant). ◆ **Genre.** Masculin : *un ananas*.

anarchique adj. / **anarchiste** adj. et n. ◆ **Sens.** Ne pas confondre ces deux mots. **1.** *Anarchique* adj. = qui relève de l'anarchie, au sens propre (doctrine politique) ou au sens figuré (grand désordre). **2.** *Anarchiste* adj. et n. = partisan de l'anarchie au sens politique du terme.

ancêtre n. ◆ **Genre.** Le féminin *une ancêtre* est rare.

anche n.f. ◆ **Orth.** Sans *h* initial pour désigner la languette vibrante de certains instruments à vent. *L'anche d'une clarinette.* Ne pas confondre avec *la hanche* (partie du corps).

ancien, enne adj. ◆ **Orth. 1.** *Les Anciens.* Toujours une majuscule pour désigner les personnages ou les auteurs de l'Antiquité gréco-romaine. *Imiter les Anciens.* **2.** *L'Ancien Régime.* Toujours avec majuscules. **3.** *L'Ancien Testament, le Nouveau Testament.* Toujours avec majuscules. ◆ **Sens.** *Ancien* n'a pas le même sens suivant qu'il est placé avant ou après le nom. **1.** *Ancien* placé avant le nom = qui n'existe plus. *Un ancien modèle.* **2.** *Ancien* placé après le nom = qui existe depuis longtemps. *Un modèle ancien.*

ancillaire adj. ◆ **Prononc.** [ɑ̃silɛʀ], avec le groupe *-ll-* prononcé *l,* comme pour rimer avec *galère.*

andante adv. / **andante** n.m. ◆ **Prononc.** [ɑ̃ndɑ̃nte], à l'italienne, en marquant les *n* et avec *té* à la fin ou [ɑ̃dɑ̃t] à la française. REM. En général, l'adverbe se prononce soit à l'italienne soit à la française. En revanche le substantif *(un andante)* se prononce presque toujours à la française. ◆ **Orth.** Pluriel : *des andantes* (avec *s*).

androgyne adj. et n.m. ◆ **Orth.** Avec un *y* comme dans *gynécologie.* ◆ **Genre.** *Un androgyne* (= un être androgyne) toujours au masculin : *la statue représente un androgyne endormi.* ◆ **Sens.** *Androgyne* = qui tient des deux sexes. RECOMM. Ne pas faire de ce mot un contraire de *misogyne.* REM. L'élément *andro-* représente le grec *anêr,* homme ; l'élément *-gyne* représente le grec *gunè,* femme.

anéantir v.t. / **annihiler** v.t. ◆ **Orth.** *Anéantir* avec un seul *n,* mais *annihiler* avec deux *n.* REM. Le préfixe *ad* s'est

contracté dans *anéantir,* assimilé à l'initiale dans *annihiler.* ◆ **Emploi.** Les deux mots ont étymologiquement la même signification, « réduire à rien » (*anéantir* est formé sur *néant, annihiler* sur le latin *nihil,* rien). Mais ils n'ont pas les mêmes emplois. **1.** *Anéantir* convient pour une destruction matérielle (*la bombe a anéanti la population de trois villages*) ou psychologique (*ce deuil l'a anéanti*). **2.** *Annihiler* est plus abstrait (et plus proche d'*annuler*). Il s'applique à des choses non matérielles : *annihiler les résultats d'une recherche, les efforts de qqn, les décisions prises antérieurement,* etc. Il ne convient guère pour une personne sauf dans un sens moral : *l'angoisse l'annihile* (= paralyse sa volonté).

anesthésiant, e adj. / **anesthésique** adj. ◆ **Emploi.** Ces deux adjectifs de même sens (= qui anesthésie) ont des emplois différents. **1.** *Anesthésiant* peut s'employer au sens figuré : *une oisiveté anesthésiante.* **2.** *Anesthésique* ne peut s'employer que dans son sens technique, médical. *Les propriétés anesthésiques de l'éther.*

anévrisme, anévrysme n.m. ◆ **Orth.** Les deux orthographes sont admises. *Anévrisme* est la forme courante, *anévrysme* est la forme la plus employée dans les textes médicaux.

angiome n.m. ◆ **Orth. et prononc.** Sans accent circonflexe, mais prononcé avec *o* fermé : [ɑ̃ʒjom], comme *paume* ou *cône.* REM. Prononciation avec *o* fermé, comme pour tous les termes médicaux en *-ome* : *adénome, lymphome, sarcome, syndrome,* etc.

anglais (prononciation et pluriel des mots ~) → annexe, grammaire § 50

angora adj. et n. ◆ **Orth.** Varie en nombre (*des chats angoras, des angoras*) mais pas en genre (*une chatte angora, une angora*).

angulaire adj. / **anguleux, euse** adj. ◆ **Sens.** Ne pas confondre ces deux mots. 1. *Angulaire* = qui forme un angle. *Distance angulaire de deux points.* 2. *Anguleux, euse* = qui présente des angles accusés, des formes pointues. *Un visage anguleux.*

anicroche n.f. ◆ **Orth.** *Sans anicroche.* Toujours au singulier. ◆ **Genre.** Féminin : *une petite anicroche.*

anis n.m. ◆ **Orth. et prononc.** Avec un *s* final prononcé : [anis] ou non : [ani].

annal, e adj. / **annuel, elle** adj. ◆ **Sens et registre.** Ne pas confondre ces deux mots. 1. *Annal, e* = qui ne dure qu'un an. *Location annale.* Terme du vocabulaire juridique. 2. *Annuel, elle* = qui dure un an *(une charge annuelle)* ou qui revient chaque année *(congé annuel)*. Mot courant.

année n.f. ◆ **Orth.** *Les années trente.* Le chiffre reste invariable : *les années trente, les année soixante,* etc. ◆ **Emploi.** 1. *Année / an* → an. 2. *Année de lumière* → année-lumière

année-lumière n.f. ◆ **Orth.** Plur. : *des années-lumière* (sans *s* à *lumière*). ◆ **Emploi.** *Année-lumière / année de lumière.* Les deux sont corrects, mais les scientifiques emploient plus volontiers *année de lumière.*

anneler v.t. ◆ **Conjug.** Attention à l'alternance *-ll-/-l-* : *il annelle, nous annelons ; il annelait ; il annela ; il annellera.* → annexe, tableau 16 et R.O. 1990

annexé (ci-) adj. ◆ **Accord.** 1. *Ci-annexé invariable. Ci-annexé* reste invariable quand il se trouve en tête de phrase : *ci-annexé les déclarations fiscales ;* ou, à l'intérieur de la phrase, devant un nom sans déterminant (ni article, ni démonstratif, ni possessif) : *vous trouve-rez ci-annexé déclarations fiscales attestées conformes et certificats de dédouanement.* 2. *Ci-annexé accordé avec le nom. Ci-annexé* s'accorde dans tous les autres cas : devant un nom précédé d'un article, d'un démonstratif ou d'un possessif : *vous trouverez ci-annexées les déclarations fiscales attestées conformes ;* après un nom : *les déclarations fiscales ci-annexées n'ont pas été attestées conformes.*

annihiler v.t → anéantir

anniversaire n.m. ◆ **Emploi.** RECOMM. Ne pas dire *commémorer un anniversaire* (l'anniversaire est en soi une commémoration), mais *fêter, célébrer, marquer un anniversaire.*

annoncer v.t. et v.pr. ◆ **Conjug.** Le *c* devient *ç* devant *o* et *a* : *j'annonce, nous annonçons ; il annonça.* → annexe, tableau 9

annuler v.t. ◆ **Orth.** Avec deux *n* mais un seul *l* (ainsi que les dérivés *annulabilité, annulable, annulatif, annulation*).

anoblir v.t. / **ennoblir** v.t. ◆ **Orth.** Un seul *n* pour *anoblir,* deux *n* pour *ennoblir.* REM. Dans *anoblir,* le préfixe *ad* s'est contracté. Mais, à l'origine, on écrivait *annoblir,* avec deux *n* et on prononçait *an-noblir* comme *enfant.* ◆ **Sens.** 1. *Anoblir* = conférer la noblesse à. *Sous l'Ancien régime, certaines charges anoblissaient.* 2. *Ennoblir* = rendre moralement plus noble, plus digne. *Un récit qui ennoblit la réalité.*

anomal, e adj. → anormal

anomalie n.f. / **anormalité** n.f. ◆ **Emploi et registre.** 1. *Anomalie* est le substantif usuel correspondant à la fois à l'adjectif *anormal* (courant) et à l'adjectif *anomal* (savant) : *il y a des anomalies dans ce témoignage ; l'anomalie du pluriel de* œil. → anormal. 2. *Anormalité* est le substantif correspondant à l'adjectif *anormal* dans la langue soutenue.

anonyme adj. / **apocryphe** adj.
◆ **Sens.** Ne pas confondre ces deux mots.
1. *Anonyme* = dont on ne connaît pas
l'auteur. *Lettre anonyme ; roman anonyme.*
REM. Un document peut être anonyme,
non signé, mais authentique. **2.**
Apocryphe = dont l'origine est douteuse ;
qui n'est pas authentique. *Citation apocryphe attribuée à Jules Renard.*

anormal, e adj. / **anomal, e** adj.
◆ **Sens et registre.** Ne pas confondre ces
deux mots. **1.** *Anormal* = contraire à la
norme, à la règle ; inhabituel. *Une réaction
anormale pour une personne sensée.* Mot courant. **2.** *Anomal* = irrégulier (notamment :
en sciences et en grammaire). *Queue ano-
male d'une comète ; pluriel anomal* (celui de
œil, par exemple). Terme technique.

antagoniste n. / **protagoniste** n.
◆ **Sens.** Ne pas confondre ces deux mots.
1. *Antagoniste* = adversaire. *Il a fallu séparer les deux antagonistes.* **2.** *Protagoniste* =
personne qui a le rôle principal dans une
affaire. « *La vraie histoire dont nous sommes
tous les protagonistes dans cette salle...* »
(F. Mauriac). REM. On reconnaît le préfixe
anti- (« contre ») et *pro-* (« en avant, en première ligne »).

antan (d') loc. adv. ◆ **Sens.** D'autrefois,
du temps passé. REM. *D'antan* a d'abord
signifié « de l'année passée » (*ante,* avant,
annum, année). ◆ **Registre.** Littéraire.

anté- préf. / **anti-** préf. ◆ **Sens.** Bien distinguer ces deux préfixes souvent
confondus, l'un d'origine latine, l'autre
d'origine grecque. **1.** *Anté-* (du latin *ante,*
avant) = avant (*antédiluvien, antécédent,
antéposition*). ❏ *Anti-* se rattache à *anté-* dans
antichambre (de l'italien *anticamera,*
chambre de devant) et *antidate* (date antérieure mise pour la vraie date). **2.** *Anti-* (du
grec *anti,* en face de, contre) = contre (*anti-
militariste, antibrouillard),* à l'opposé de (*anti-
héros*). ❏ *Anté-* se rattache à *anti-* dans
antéchrist (= ennemi du Christ, faux

Messie), déformation, en latin médiéval,
du grec *antikhristos,* ennemi du Christ.

antéchrist n.m. ◆ **Sens et orth.**
L'Antéchrist (= le faux Messie de
l'Apocalypse), nom propre, avec une
majuscule. *L'antéchrist* (= celui qui nie la
divinité du Christ), nom commun, avec
une minuscule.

antérieur, e adj. ◆ **Emploi.** RECOMM.
Ne pas dire **plus antérieur* ou **moins
antérieur.* En revanche, on peut dire *très
antérieur, bien antérieur, de beaucoup antérieur.* REM. Comme *postérieur, antérieur* (issu
d'un comparatif latin) implique, par sa
signification même (= avant par rapport à
un autre) une comparaison, et ne doit pas
être utilisé avec *plus* et *moins.* Mais on peut
l'utiliser avec des adverbes marquant l'intensité (*très, peu,* etc.). ◆ **Constr.** *Antérieur
à : ces évènements sont bien antérieurs à votre
arrivée.*

anthrop-, anthropo- préf. ◆ **Orth.**
Avec *-th- : anthropien, anthropomorphisme,
anthropologie,* etc.

anti- préf. ◆ **Orth.** Emploi du trait
d'union dans les composés avec *anti-.*
Les mots composés avec *anti-* s'écrivent
en général sans trait d'union (*antialcoolique, antiallergénique, antibiotique,* etc.),
sauf si le deuxième élément commence
par *i* (*anti-inflammatoire*) ou s'il est lui
même un composé (*anti-sous-marin*). Les
créations occasionnelles, non figées
(*une anti-télévision, un anti-dictionnaire*) et
les noms géographiques (*Anti-Atlas,
Anti-Liban*) s'écrivent avec trait d'union.
◆ **Accord.** Les mots composés avec *anti-*
peuvent être formés avec un radical
adjectif (*antialcoolique*) ; ils s'accordent
alors en genre et en nombre selon la règle
générale. Ils peuvent également être formés avec un radical substantif (*antibrouillard*) *;* l'accord de ces composés pose
difficulté. **1. Mots scientifiques.** Les
mots scientifiques composés avec *anti-,*

Accord des mots composés avec *anti-*

Adjectifs invariables

Un mur antibruit, des murs antibruit
La loi anticasseurs, des législations anticasseurs
(toujours avec s)
Une peinture anticorrosion, des peintures anticorrosion
Une contrôle antidopage, des contrôles antidopage
Un médicament antidouleur, des médicaments antidouleur
Un alliage antifriction, des alliages antifriction
Une combinaison anti-g, des combinaisons anti-g
La brigade antigang, des brigades antigang
Une mesure antigrève, des mesures antigrève
Une mesure antihausse, des mesures antihausse
Un dispositif antilacet, des dispositifs antilacet
Une arme antimissile, des armes antimissile
Un centre antipoison, des centres antipoison
Une mesure antipollution, des mesures antipollution
Un verre antireflet, des verres antireflet
Une arme antisatellite, des armes antisatellite
Une association antitabac, des associations antitabac
Une loi antitrust, des lois antitrust

Adjectifs invariables et noms masculins variables

Des phares antibrouillard ; des antibrouillards
Des produits antifumée ; des antifumées
Des produits antihalo ; des antihalos
Des produits antimite ; des antimites
Des produits antiparasite ; des antiparasites
Une crème antirides ; des antirides
Des produits antirouille ; des antirouilles
Des dispositifs antivol ; des antivols

Adjectifs prenant la marque du pluriel

Une lessive anticalcaire, des lessives anticalcaires
Une grenade antichar, des grenades antichars
Une montre antichoc, des montres antichocs
Une grenade anti-sous-marine, des grenades anti-sous-marines

---

comportant le plus souvent l'idée d'une action ou d'une nature opposée et symétrique (*antiatome, anticathode, anticyclone,* etc.), prennent la marque du pluriel : *des antiatomes, des anticathodes, des anticyclones,* etc. **2. Mots composés avec *anti-* à la fois adjectifs et noms.** Quand un mot composé avec *anti-* est à la fois adjectif et nom, en principe, il reste invariable comme adjectif (*des phares antibrouillard*) mais s'accorde comme nom (*des antibrouillards*). On a ainsi : *des substances antifumée, des antifumées ; des peintures antirouille, des antirouilles ; des dispositifs antivol, des antivols,* etc. REM. Dans certains cas, le nom précédé d'*anti* est toujours au pluriel : *une crème antirides, un antirides.* **3. Adjectifs composés d'*anti-* et d'un nom.** La plupart des adjectifs composés d'*anti-* et d'un nom, comme *antibruit,* restent invariables : *des murs antibruit, des médicaments antidouleur, des centres antipoison* (mais *des fauteuils antichocs*). REM. Dans

certains cas, le nom précédé d'*anti-* est toujours au pluriel : *la loi anticasseurs.*

antidater v.t. / **postdater** v.t. ◆ **Sens.** Ne pas confondre ces deux mots de sens opposés. **1.** *Antidater* = dater d'une date antérieure à la date réelle (par exemple, dater du 15 une lettre écrite le 16). REM. L'élément *anti-* de *antidater* se rattache au préfixe *anté-* → **anté.** **2.** *Postdater* = dater d'une date postérieure à la date réelle (dater du 16 un chèque émis le 15).

antidote n.m. ◆ **Genre.** Masculin : *un antidote.* ◆ **Constr.** *Antidote à / antidote de* : *un antidote à la mélancolie ; la vitamine B 12 est un antidote du cyanure.* RECOMM. Éviter de dire *un antidote contre* (*anti-* et *contre-* expriment la même idée).

antienne n.f. ◆ **Prononc.** [ãtjɛn], avec le son *t,* comme dans *Étienne.*

antiquité n.f. ◆ **Orth.** Jamais de majuscule (*des antiquités ; de toute antiquité ; un mur celtique de la plus haute antiquité*), sauf pour désigner la période historique allant de la fin de la préhistoire à la chute de l'Empire romain (476 après J.-C.) : *un spécialiste de l'Antiquité romaine.*

antisepsie n.f. / **asepsie** n.f. ◆ **Sens.** Ne pas confondre ces deux mots. **1.** *Antisepsie* = ensemble des méthodes qui visent à combattre les infections en détruisant les microbes introduits dans l'organisme. **2.** *Asepsie* = absence de tout germe infectieux. *Opérer sous une rigoureuse asepsie.* REM. On reconnaît les préfixes *anti-* (opposition à, action contre) et *a-* (absence de).

août n.m. ◆ **Prononc.** Dans *août* on ne prononce pas le *a* ([ut] comme *outil*), mais on le prononce dans *aoûtat* [auta] et dans l'adjectif *aoûtien* [ausjɛ̃] *aoûtienne*. ◆ **Orth.** Accent circonflexe sur le *u*. → R.O. 1990. REM. Noter qu'on dit *aoûtien* mais *juillettiste.*

apanage n.m. ◆ **Orth.** Avec un seul *p*. ◆ **Genre.** Masculin : *un apanage.* ◆ **Emploi.** RECOMM. Éviter le pléonasme *apanage exclusif (*apanage* = ce qui appartient en propre à qqn).

apartheid n.m. ◆ **Orth.** Avec *-th-*. ◆ **Genre.** Masculin : *l'apartheid draconien qui régnait en Afrique du Sud est aujourd'hui aboli.*

apercevoir v.t. et v.pr. ◆ **Orth.** Avec un seul *p*. ◆ **Conjug.** Comme *recevoir.* → annexe, tableau 39

à-peu-près n.m. / **à peu près** loc. adv. ◆ **Orth.** Toujours un trait d'union pour le nom (*nous ne pouvons plus nous contenter de demi-certitudes et d'à-peu-près*), jamais pour la locution adverbiale (*il est maintenant à peu près tiré d'affaire*).

aphte n.m. ◆ **Genre.** Masculin : *un aphte.*

à-pic n.m. / **à pic** loc. adv. ◆ **Orth. 1.** Toujours un trait d'union pour le nom (*l'à-pic d'une montagne*), jamais pour la locution adverbiale (*tomber à pic*). **2.** *À-pic* n.m. Plur. : *des à-pics* (avec s) ou *des à-pic* (invariable). RECOMM. L'invariabilité est souvent préconisée, mais le pluriel *à-pics*, conforme au pluriel *à-coups,* est préférable.

apitoyer v.t. et v.pr. ◆ **Orth.** Avec un seul *p*. ◆ **Conjug.** Attention au *i* après le *y* aux première et deuxième personnes du pluriel, à l'indicatif imparfait et au subjonctif présent : (*que*) *nous apitoyions,* (*que*) *vous apitoyiez.* → annexe, tableau 7

aplanir v.t. ◆ **Orth.** Avec un seul *p*.

aplatir v.t. ◆ **Orth.** Avec un seul *p*.

apporter v.t. ◆ **Sens.** Ne pas confondre avec *amener* → amener

apocryphe adj. ◆ **Sens.** Ne pas confondre avec *anonyme* → anonyme

apogée n.m. ◆ **Genre.** Masculin. REM. *Apogée* est un mot masculin à finale en *-ée,* comme vingt-deux autres mots dont les plus usuels sont : *apogée, caducée, gynécée, lycée, mausolée, musée, périgée, périnée, scarabée, trophée.* ◆ **Emploi.** Le mot signifiant « le plus haut degré » (*être à l'apogée de sa gloire*), éviter le pléonasme *au summum, au maximum de son apogée.

apologie n.f. ◆ **Sens. 1.** *Apologie / panégyrique* → panégyrique. **2.** *Apologie / apologue* Ne pas confondre ces deux mots. ❑ *Apologie* n.f. = discours visant à défendre ou à justifier qqn ou qqch. ❑ *Apologue* n.m. = petite fable comportant souvent un enseignement moral.

apologue n.m. → apologie

a posteriori loc. adv. et adj. inv. ◆ **Orth.** Sans accent ni sur le *a* ni sur le *e* (locution latine). ◆ **Accord.** Invariable : *des jugements a posteriori.*

apostrophe n.f. ◆ **Genre.** Féminin : *une apostrophe.* ◆ **Emploi de l'apostrophe.** → annexe, grammaire § 23 à 26

apothéose n.f. ◆ **Genre.** Féminin : *une apothéose.*

apôtre n.m. ◆ **Orth.** Jamais de majuscule *(les douze apôtres, l'apôtre Jean, les Actes des apôtres)* sauf dans le surnom de saint Paul : *l'Apôtre des gentils.*

apparaître v.i. ◆ **Orth.** Avec deux *p.* ◆ **Conjug.** Comme *paraître,* mais attention aux deux *p.* → annexe, tableau 71 et R.O. 1990. ❑ *Il est apparu / il a apparu.* En principe, *apparaître* se conjugue, suivant le sens, avec *avoir* ou *être.* Avec *avoir* pour insister sur l'action *(des traces ont apparu à la surface),* avec *être* pour insister sur l'état *(les traces qui sont apparues à la surface y sont encore).* L'auxiliaire *être* tend cependant à remplacer l'auxiliaire *avoir* dans tous les cas. ◆ **Sens.** *Apparaître / paraître.* → paraître. ◆ **Constr.** *Cela apparaît impossible / cela apparaît comme impossible.* Les deux constructions sont correctes. *Apparaître comme* est plus fréquent, en particulier avec un nom *(cela lui apparaissait comme une chose impossible).*

appareiller v.t. / **apparier** v.t. ◆ **Conjug.** *Apparier.* Attention au redoublement du *i* aux première et deuxième personnes du pluriel, à l'indicatif imparfait et au subjonctif présent : *(que) nous appariions, (que) vous appariiez.* → annexe, tableau 5. ◆ **Sens.** Ne pas confondre ces deux mots dans le sens d'« assortir ». **1.** *Appareiller* = assortir dans un ensemble. *Appareiller le mobilier.* REM. Dans ce sens, le substantif correspondant est *appareillement,* à ne pas confondre avec *l'ap-*

pareillage électrique ou *l'appareillage* d'un navire. **2.** *Apparier* = assortir par paires. *Apparier des chaussettes.* REM. Le substantif correspondant est *appariement.*

apparenter v.t. et v.pr. / **apparenté** adj. ◆ **Constr.** *S'apparenter à, apparenté à : ce fruit s'apparente à la pomme ; un fruit apparenté à la pomme.* RECOMM. L'emploi de *avec,* fréquent dans la langue parlée, est à éviter.

apparier v.t. ◆ **Sens.** Ne pas confondre avec *appareiller* → appareiller. ◆ **Constr.** *Apparier une chose à une autre / avec une autre / et une autre.* Les trois constructions sont correctes.

appartenir v.t.ind. et v.pr. ◆ **Conjug.** Comme *tenir.* → annexe, tableau 28

appât n.m. / **appas** n.m. plur. ◆ **Sens. 1.** *Appât* = ce qui est destiné à attirer dans un piège *(mordre à l'appât) ;* ce qui incite à, pousse vers *(l'appât du gain).* Dans ce dernier sens, *appât* est le plus souvent au singulier. **2.** *Appas* (toujours au pluriel) = les charmes physiques d'une femme *(dévoiler ses appas)* ou les charmes d'une chose *(les appas de la gloire).* Registre littéraire. → R.O. 1990. ❑ *Appât* et *appas* représentent deux formes du même mot. *Appas* est un ancien pluriel d'*appât,* spécialisé dès le XVIIe s. dans le sens figuré (attraits d'une femme ou de qqch).

appel n.m. ◆ **Orth.** Avec deux *p.*

appeler v.t., v.t. ind. et v.pr. ◆ **Conjug.** Attention à l'alternance *-ll-/-l- : il appelle, nous appelons ; il appelait ; il appela ; il appellera.* → annexe, tableau 16 et R.O. 1990

appellation n.f. ◆ **Orth.** Avec deux *p* et deux *l.*

appendice n.m. ◆ **Prononc.** [apɛ̃dis], le *en* se prononce *in* (*pin*) comme dans examen.◆ **Genre.** Masculin : *un appendice*.◆ **Emploi.** *Appendice / appendicite.* L'*appendicite* est une inflammation de l'*appendice* (organe). RECOMM. Ne pas dire *enlever l'appendicite* (pour *enlever l'appendice*) et, en dépit de l'usage courant, préférer *opérer de l'appendice* à *opérer de l'appendicite,* surtout dans le style soigné.

appendre v.t. ◆ **Conjug.** Comme *pendre.* → annexe, tableau 59

appentis n.m. ◆ **Prononc.** [apɑ̃ti], avec le son *en* comme dans *apprenti.* ◆ **Orth.** Toujours avec *s* à la fin : *un appentis, des appentis.*

applicable adj. ◆ **Orth.** Avec un *c* comme *application* (et à la différence d'*appliquer, appliqué* et *applique*).

appointements n.m. plur. ◆ **Orth.** Deux *p.* ◆ **Nombre.** Toujours au pluriel. *Verser ses appointements à un employé.* ◆ **Sens.** *Appointements,* par opposition à *honoraires, salaire, traitement, etc.* → **salaire**

apporter v.t. ◆ **Sens et emploi** 1. *Apporter / emporter* ❑ *Apporter qqch. à qqn* = le lui porter en allant jusqu'à lui. *Il m'a apporté deux livres en cadeau.* ❑ *Emporter qqch* = le prendre avec soi en partant. *Sur une île déserte, il n'emporterait que des livres.* REM. On a le même rapport entre *amener* et *emmener.* 2. *Apporter / amener.* → **amener**

appréhender v.t. ◆ **Constr.** *Appréhender* se construit comme *craindre* ou *redouter* quand il en a le sens. 1. *Appréhender* (+ nom) : *j'appréhende son départ.* 2. *Appréhender de* (+ infinitif) : *j'appréhende de la voir partir.* 3. *Appréhender que* (+ subjonctif) : *j'appréhende qu'elle parte, qu'elle ne parte.*

apprendre v.t. ◆ **Conjug.** Comme *prendre.* → annexe, tableau 61

approche n.f. ◆ **Emploi.** *Approche,* au sens de « manière d'envisager ou de traiter une question », est un calque de l'anglais *approach : une approche réaliste des problèmes.* Cet anglicisme est désormais admis dans la langue courante. RECOMM. Dans l'expression soignée, préférer les équivalents *point de vue, manière de voir, optique, méthode,* etc., en fonction du contexte. ◆ **Nombre et sens.** 1. *L'approche* = l'arrivée, la proximité. *L'approche de la nuit. À l'approche de l'hiver, on rentre du bois.* 2. *Les approches* = les environs, les abords. *Les approches de la ville sont couvertes de neige.*

approcher (s') v.pr. ◆ **Sens et emploi.** *S'approcher de* = venir plus près de. RECOMM. Éviter le pléonasme *s'approcher près de.* En revanche, *s'approcher plus près, très près, tout près,* marquant le degré, sont corrects.

approuvé participe passé. ◆ **Accord.** *Approuvé* employé comme une préposition en tête de phrase. Dans cet emploi, le mot est invariable : *approuvé les délibérations du conseil* (mais : *les délibérations approuvées, on leva la séance*). REM. Cet emploi est également celui, par exemple, de *vu* dans *vu la situation.*

appui- / appuie- élément de composition ◆ **Orth.** Ces deux formes se rencontrent comme premier élément de mots composés. *Appui-* représente le nom (= soutien) et prend la marque du pluriel, *appuie-* représente le verbe (= ce qui sert à appuyer, à s'appuyer) et reste invariable. → R.O. 1990. RECOMM. Préférer la forme *appuie.*

appui-bras, appuie-bras n.m. ◆ **Orth.** Plur. : *des appuis-bras ; des appuie-bras* (inv.). → R.O. 1990

appui-main, appuie-main n.m. ◆ **Orth.** Plur. : *des appuis-main ; des appuie-main* (inv.). → R.O. 1990.

appui-tête, appuie-tête n.m. ◆
Orth. Plur. : *des appuis-tête ; des appuie-tête* (inv.). → R.O. 1990

appuyer v.t., v.i. et v.pr. ◆ **Conjug.**
Attention au *i* après le *y* aux première et deuxième personnes du pluriel, à l'indicatif imparfait et au subjonctif présent :
(que) nous appuyions, (que) vous appuyiez.
→ annexe, tableau 7. ◆ **Constr.** *Appuyer qqch à, contre, sur : s'appuyer aux meubles ; appuyer une échelle contre un mur ; appuyer la tête sur ses mains.*

âpre adj. ◆ **Orth.** Avec un accent circonflexe sur le *â*, ainsi que pour *âpreté, âprement.* ◆ **Sens** → âcre

après prép. ◆ **Emploi.** 1. *Après* marquant la postériorité dans le temps ou dans l'espace. Ces emplois sont corrects et normaux : *le jour de l'An vient après Noël ; la boulangerie est après le carrefour ; je passerai après vous.* 2. *Après* employé pour *à, contre, sur.* Ces emplois sont fréquents dans la langue orale relâchée : *accrocher sa veste après le porte-manteau, crier après ses enfants, la clé est après la porte.* RECOMM. Préférer les constructions correctes : *accrocher sa veste au porte-manteau, crier contre ses enfants, la clé est sur la porte.* 3. *Demander, être, attendre après qqn.* Ces emplois relèvent également de la langue orale relâchée. RECOMM. Dire ou écrire : *demander qqn, s'en prendre à qqn, attendre qqn.* - *Attendre après qqn* est admis pour insister sur la nécessité ou la longueur de l'attente. *Il a fallu attendre pendant deux heures après le directeur qui nous avait imposé ce rendez-vous.* 3. *Et puis après.* Cette locution est très courante dans la langue orale familière pour souligner la répétition dans une succession *(et puis après il me demandera ça, et puis après ce sera autre chose)* ou pour marquer le scepticisme, le doute ironique *(il m'en fera le reproche, bon, et puis après ?).* RECOMM. À

éviter dans le style soigné, surtout à l'écrit.

après-demain adv. ◆ **Orth.** 1. Avec trait d'union. 2. Invariable en emploi substantif : *nous risquons de payer ces lendemains joyeux par des après-demain désenchantés.*

après-dîner n.m. ◆ **Orth.** Plur. : *des après-dîners.* REM. On trouve aussi *après-dînée.* → R.O. 1990. ◆ **Registre.** Le mot est vieilli.

après-guerre n.m. ou n.f. ◆ **Orth.** Plur. : *des après-guerres.* On écrit *l'après-guerre,* mais *l'après guerre froide.* ◆ **Genre.** Le mot s'emploie au féminin et au masculin.

après-midi n.m. inv. ou n.f. inv. ◆ **Orth.** Avec un trait d'union. - Plur. : *de beaux* (ou *de belles*) *après-midi d'hiver* (invariable) → R.O. 1990. REM. Quand on souhaite non pas nommer la demi-journée qui commence à midi, mais marquer qu'un fait a lieu après cette heure de la journée, on écrit *après midi : n'arrivez pas après midi, je risque d'être parti* (*après* est, dans ce cas, une préposition). ◆ **Genre** Le mot s'emploie au féminin et au masculin. *Une belle après-midi* ou *un bel après-midi.*

après que loc. conj. ◆ **Constr.** *Après que* (+ indicatif ou, éventuellement, conditionnel) : *après que cette parole a été prononcée, nous redoutons que... ; après que cette parole aurait été prononcée, nous aurions à redouter que...* REM. Le subjonctif est aujourd'hui très fréquent dans les propositions introduites par *après que* (par analogie avec *avant que*). Néanmoins, la construction est à éviter dans l'expression soignée, même si elle se rencontre chez de bons écrivains : « *Un siècle et demi après que cette parole ait été prononcée, nous savons que le bonheur en Europe est une illusion perdue* » (F. Mauriac).

après-rasage n.m. et adj. inv. ♦ **Orth.** Plur. : *des après-rasages* (n.m.) mais *des lotions après-rasage* (adj. inv.). → R.O. 1990

après-ski n.m. ♦ **Orth.** Plur. : *des après-skis* → R.O. 1990

après-soleil n.m. ♦ **Orth.** Plur. : *des après-soleils* → R.O. 1990

après-vente adj. inv. ♦ **Orth.** Toujours invariable. *Des services après-vente.*

a priori loc. adv., adj. inv. et n.m. inv. ♦ **Orth.** Sans accent sur le *a*. ♦ **Accord.** Invariable dans tous les cas. *Des jugements a priori. Des a priori.* → R.O. 1990

à-propos n.m. / **à propos** prép. ou adv. ♦ **Orth.** 1. *À-propos,* avec un trait d'union : *elle a eu beaucoup d'à-propos dans ses réponses.* 2. *À propos de qqch., à propos,* sans trait d'union : *à propos de politique, avez-vous lu le journal ? à propos, vous connaissez la nouvelle ?*

apte adj. ♦ **Constr.** *Apte à : être apte à un emploi.*

aptitude n.f. ♦ **Constr.** *Aptitude à / aptitude pour.* Les deux constructions sont correctes : *son aptitude à la négociation en fait un allié précieux ; il a une grande aptitude pour les travaux manuels.*

apurer v.t. / **épurer** v.t. ♦ **Sens** Ne pas confondre ces deux verbes. 1. *Apurer un compte* = le vérifier et l'arrêter définitivement (terme de comptabilité, de technique financière). 2. *Épurer* = purifier. *Épurer de l'eau.*

à quia loc. adv. ♦ **Prononc.** On prononce [akɥija], comme dans *il a cuit.* ♦ **Orth.** Il s'agit bien de la préposition *à,* qui prend donc un accent. ♦ **Sens et registre.** *Être réduit à quia,* c'est n'avoir plus d'argument à faire valoir (littérale-ment, en être réduit à répondre « parce que », *quia* en latin). L'expression appartient à la langue écrite soutenue.

arac, arack n.m. → arak

araignée n.f. ♦ **Orth.** *Toile d'araignée :* au pluriel, l'expression s'écrit en général *des toiles d'araignées,* avec *s* à *araignées* (l'idée est : il y a plusieurs toiles, donc plusieurs araignées), mais *des toiles d'araignée* (= propres à l'araignée) n'est pas incorrect.

arak, arac ou **arack** n.m. ♦ **Orth.** S'écrit le plus souvent avec un *k* → R.O. 1990

arboretum n.m. ♦ **Orth.** Le *-um* final se prononce [ɔm], comme dans *mini-mum.* ♦ **Orth.** Ce mot emprunté au latin s'écrit sans accent → R.O. 1990

arcane n.m. ♦ **Orth. et sens.** *Arcane* = mystère ; carte du tarot divinatoire. Avec un seul *n* dans ce sens (à distin-guer de *arcanne,* couleur en poudre). ♦ **Genre** Masculin. *Les arcanes majeurs et les arcanes mineurs du tarot.*

arc-boutant n.m. ♦ **Orth.** Avec trait d'union. → R.O. 1990. - Plur. : *des arcs-boutants.*

arc-en-ciel n.m. ♦ **Prononc.** [aʀkɑ̃sjɛl], sans faire entendre par une liaison le *s* du pluriel (on prononce comme dans *arquant*). ♦ **Orth.** Plur. : *des arcs-en-ciel.*

archaïsme adj. ♦ **Prononc.** [aʀkaism], *-ch-* se prononce comme un *k.* Les mots de la famille d'*archaïsme (archaïque, archaïsant)* se prononcent de la même façon. ♦ **Sens.** *Archaïsme / anachronisme* → anachronisme

archal n.m. ♦ **Prononc.** [aʀʃal], comme pour rimer avec *maréchal.*

arché-, archéo- préf. ♦ **Prononc.** [aʀke], [aʀkeo], *-ch-* se prononce comme un *k*. REM. Ce préfixe (du grec *arkhê*, commencement, ou *arkhaios*, ancien) entre dans la composition de nombreux mots savants : *archéologie, archégone, archéomagnétisme, archéoptéryx, archétype,* etc.

archi- préf. ◆ **Orth.** Ce préfixe est toujours accolé au mot avec lequel il entre en composition, sauf s'il s'agit d'un composé librement formé dans lequel *archi-* est un équivalent de « très » : *c'est archi-difficile, j'en suis archi-sûr,* etc. REM. 1. Les composés ainsi formés sont familiers. 2. Le préfixe *archi-* est aujourd'hui en concurrence dans cet emploi avec le préfixe *super-*.

archiatre n.m. ◆ **Prononc.** [aRkjɑtR], *-ch-* se prononce *k*, comme dans *psychiatre*.

aréo- préf. ◆ **Orth.** *Aréo-* se soude à l'élément qui le suit *(aréomètre, aréostyle).* ◆ **Sens.** *Aréo- / aéro-.* Attention à la place du *r*. 1. *Aréo-,* du grec *araios,* peu dense, rare. 2. *Aéro-,* du latin *aer* ou du grec *aêr,* air. → **aéro-**

aréomètre n.m. / **aéromètre** n.m. → aéromètre

aréopage n.m. ◆ **Prononc. et orth.** Attention à la place du *r : a-ré-o-page*. REM. *Aréopage* vient d'un mot grec qui signifie « colline d'Arès ».

argile n.f. ◆ **Genre.** Féminin : *une argile blanche*.

arguer v.t. et v.t.ind. ◆ **Prononc.** [aRg e], on prononce le *u* distinctement comme dans *aiguille* ou [aRge] sans prononcer le u. ◆ **Orth. et conjug.** Attention au tréma : *j'arguë, tu arguës, nous arguïons* → annexe, tableau 4. -L'Académie, en 1975, a décidé de faire passer le tréma sur le *u*. Elle écrit donc *il argüe, nous argüions, vous argüiez*. Cette graphie n'est pas encore passée dans l'usage. → aussi

R.O. 1990. ◆ **Constr.** 1. *Arguer qqch. de qqch.* = l'en inférer, l'en déduire. *Descartes argüe l'être de la conscience.* 2. *Arguer de* = prétexter, invoquer. *Il argüe de raisons médicales pour expliquer son absence.*

aria n.m. / **aria** n.f. ◆ **Genre et sens.** 1. *Aria* n.m. = souci, ennui, tracas. Le mot est vieilli. 2. *Aria* n.f. = mélodie vocale ou instrumentale. *Une aria de Bach.*

arien, enne adj. et n. / **aryen, enne** adj. et n. ◆ **Sens.** 1. *Arien* adj. et n. = d'Arius, hérétique chrétien du IIIᵉ s. 2. *Aryen* adj. et n. = relatif à un groupe humain répandu en Iran et dans le nord de l'Inde à partir du XVIIIᵉ s. av. J.-C.

armée n.f. ◆ **Orth.** 1. Au singulier dans *corps d'armée, général d'armée,* mais au pluriel dans *commandant d'armées, groupe d'armées.* 2. Avec la majuscule dans *Armée rouge, le Grande Armée, l'Armée du salut* (noms propres).

arôme n.m. ◆ **Orth.** Avec accent circonflexe sur l'*o* (à la différence de *atome*). ❑ Les mots dérivés de *arôme* s'écrivent sans accent circonflexe sur le *o* : *aromate, aromatique, aromatisation, aromatiser.*

arpéger v.t. ◆ **Conjug.** Attention à l'alternance *é/è* et au *g* qui devient *-ge-* devant *a* et *o : arpéger ; j'arpège, nous arpégeons ; il arpégea.* → annexe, tableau 15

arrache- élément de composition ◆ **Orth.** Les mots composés avec *arrache* prennent tous un trait d'union. Au pluriel, *arrache-* est invariable, tandis que le deuxième élément prend un *s*. *Des arrache-clous.*

arrache-pied (d') loc. adv. ◆ **Orth.** Avec un trait d'union → R.O. 1990

arranger v.t. et v.pr. ◆ **Conjug.** Le *g* devient *-ge-* devant *a* et *o : j'arrange, nous arrangeons ; il arrangea.* → annexe, tableau 10

arrérages n.m. plur. **/ arriéré** adj. et n.m. ◆ **Nombre. 1.** *Arrérages.* Toujours pluriel : *des arrérages.* **2.** *Arriéré.* Au singulier ou au pluriel : *acquitter un arriéré ; les arriérés se montent à...* ◆ **Sens et emploi. 1.** *Arrérages* n.m. pl. = intérêts d'une rente, d'une pension ; ce qui reste dû d'un revenu quelconque. **2.** *Arriéré* n. m. = somme qui n'a pas été payée à la date convenue ; retard. *Acquitter un arriéré ; avoir beaucoup d'arriéré dans sa correspondance.* REM. La confusion, fréquente, entre ces deux mots, s'explique par leur proximité de sens.

arrêt n.m. ◆ **Emploi. 1.** *Arrêt complet (d'un véhicule) :* cette expression forme pléonasme, car un arrêt , au sens de « cessation du mouvement » est nécessairement « complet » : s'il y a encore mouvement, c'est que précisément il n'y a pas arrêt. RECOMM. Employer *arrêt* seul. REM. Cette expression contestable est employée dans l'avis traditionnel aux voyageurs des chemins de fer français : « *ne pas ouvrir les portières avant l'arrêt complet du train* » (= avant que le train ne soit immobilisé). **2.** *Arrêt complet (d'une activité) :* l'expression forme également pléonasme. Néanmoins, il est habituel de distinguer aujourd'hui entre *l'arrêt complet du travail* (lors d'une grève) et *l'arrêt partiel* (qui ne touche que certains secteurs de la production, certains ateliers, certains dépôts, etc.). Dans l'usage courant, *arrêt complet* (d'une activité), par opposition à *arrêt partiel* peut donc être accepté. RECOMM. Dans l'expression soignée, on peut recourir à des équivalents et opposer par exemple *l'arrêt temporaire de l'activité* à son *arrêt prolongé.*

arrêt n.m. **/ arrêté** n.m. ◆ **Emploi.** Ne pas confondre ces deux mots de sens proche. **1.** *Arrêt* = décision rendue par une juridiction supérieure. *Arrêt de la Cour de cassation, du Conseil d'État.*

2. *Arrêté* = décision de certaines autorités administratives. *Arrêté municipal, préfectoral.*

arrêter v.t. ◆ **Sens. 1.** *Arrêter de* = cesser de. REM. Cette construction naguère critiquée fait aujourd'hui partie de l'usage courant. Dans l'expression soignée, on peut la remplacer par *cesser de : j'ai cessé de fumer.* **2.** *Arrêter que* (+ indicatif) = décider que. *Le maire arrête que le stationnement est interdit sur la place les jours de marché.* REM. Dans ce sens, les constructions *arrêter de* (+ infinitif) et *arrêter que* (+ subjonctif), fréquentes dans la langue classique, sont aujourd'hui littéraires et vieillies.

arrhes n.m. plur. **/ acompte** n.m. ◆ **Orth.** Le mot *arrhes* est toujours au pluriel. ◆ **Sens** → acompte

arrière n.m. et adj. inv. ◆ **Orth. 1.** Dans les mots composés, *arrière* est invariable, mais le second élément s'accorde. *Des arrière-boutiques.* ❑ On écrit traditionnellement *des arrière-grand-mères, des arrière-petit-neveux* → R.O. 1990. **2.** En emploi isolé, le nom prend normalement la marque du pluriel : *comparer les arrières de deux voitures ; les arrières d'une équipe de handball.* **3.** L'adjectif est invariable : *les roues arrière d'un véhicule.*

arrière-goût n.m. ◆ **Orth.** Avec un accent circonflexe sur le *u.* → R.O. 1990.

arriéré n.m. → arrérages

arriver v.i. et v. impers. ◆ **Conjug.** Avec l'auxiliaire *être.* ◆ **Constr.** *Il arrive que* (+ indicatif ou subjonctif). Les deux constructions sont correctes, toutefois l'emploi de l'indicatif est un peu vieilli et très soutenu, sauf dans des phrases au passé : *il arrivait que des hommes quittaient leur village.* Le subjonctif est plus courant : *il arrive que le puits soit à sec.*

♦ **Registre.** *Arriver* = venir, est très familier. *Arrive un peu, qu'on s'explique !* RECOMM. Dans l'expression soignée, employer *arriver* dans le sens de « parvenir à destination » et non dans celui de « venir »

arroger (s') v.pr. ♦ **Conjug.** Le *g* devient *-ge-* devant *a* et *o* : *je m'arroge, nous nous arrogeons ; il s'arrogea.* → annexe, tableau 10

arsouille n.m. ou n.f. ♦ **Genre.** Au féminin comme au masculin, *arsouille* peut désigner un homme. Le mot s'applique très rarement à une femme, mais dans ce cas, il est plutôt employé au féminin. ♦ **Registre.** Ce mot est populaire.

artefact n.m. ♦ **Orth.** Ce mot d'origine latine emprunté à l'anglais ne prend pas d'accent sur le *e* : *un artefact* → R.O. 1990

artérite n.f. / **arthrite** n.f. ♦ **Sens** Ne pas confondre ces deux mots. 1. *Artérite* = inflammation des artères. 2. *Arthrite* = inflammation d'une articulation.

artériosclérose n.f. / **athérosclérose** n.f. ♦ **Sens** Ne pas confondre ces deux termes médicaux dont les sens sont proches mais distincts. 1. *Artériosclérose* = maladie de l'artère caractérisée par un épaississement diffus de sa paroi. 2. *Athérosclérose* = maladie de l'artère causée par la formation d'un dépôt (athérome) sur sa paroi.

artichaut n.m. ♦ **Orth.** Avec *t* final (ne pas se laisser influencer par *chaud*).

artisan, e n. et adj. ♦ **Genre.** Le féminin, quoique rare, est normal dans le sens concret. *C'est une artisane spécialisée dans la restauration de poupées anciennes.* En revanche, dans le sens abstrait, seul le masculin est usité. *Elle a été l'artisan de sa réussite.*

aryen, enne adj. et n. → arien, ienne

ascendant n.m. ♦ **Orth.** Attention au groupe *-sc-*, qui apparaît dans tous les mots de la famille : *ascenseur, ascension* et leurs dérivés.

asepsie n.f. / **antisepsie** n.f. → antisepsie

aspect n.m. ♦ **Prononc.** [aspɛ] : on ne prononce pas les consonnes finales *-ct*, comme dans *respect, suspect.*

asperger v.t. ♦ **Conjug.** Le *g* devient *-ge-* devant *a* et *o* : *j'asperge, nous aspergeons ; il aspergea.* → annexe, tableau 10

asphalte n.m. ♦ **Orth.** Avec *-ph-* (pas de *f*). ♦ **Genre.** Masculin : *l'asphalte luisant de pluie du trottoir.*

asphodèle n.m. ♦ **Genre.** Masculin. *Des asphodèles blancs.*

assaillir v.t. ♦ **Conjug.** Se conjugue comme *défaillir*, avec le futur et le conditionnel formés sur l'infinitif : *j'assaillirai, nous assaillirons ; j'assaillirais, nous assaillirions* → annexe, tableau 35

assassin n.m. et adj. ♦ **Genre.** 1. *Assassin* n. m. = personne (homme ou femme) coupable d'un assassinat. *Elle est l'assassin de son mari.* REM. Cet emploi pour une femme, quoique normal, est plutôt rare. *Meurtrière* est plus fréquent dans un tel contexte. 2. *Assassin, ine* adj. Comme adjectif, *assassin* fait *assassine* au féminin : *une œillade assassine.* ♦ **Emploi.** *Assassin / meurtrier / homicide / criminel.* → assassinat

assassinat n.m. / **meurtre** n.m. / **homicide** n.m. / **crime** n.m. ♦ **Sens et emploi. 1.** Dans la langue courante, ces mots sont souvent employés l'un pour l'autre ; en particulier, *crime* est employé, notamment dans les médias, comme synonyme de *meurtre* ou d'*assassinat*. **2.** Dans la langue juridique, chacun de ces mots a un sens précis. ❏ *Crime* = infraction très grave (meurtre, pillage, incendie, viol, etc.) qui, sauf exception, est de la compétence de la cour d'assises. ❏ *Homicide* = action de tuer, volontairement ou non, un être humain. ❏ *Meurtre* = homicide volontaire sans préméditation. ❏ *Assassinat* = homicide volontaire avec préméditation.

assèchement n.m. ◆ **Orth**. Avec un accent grave *(-è-),* malgré le *-é-* de *assécher.*

assécher v.t. et v.pr. ◆ **Conjug**. Comme *sécher.* Attention à l'accent, tantôt grave, tantôt aigu : *j'assèche, nous asséchons ; il asséchera.* → annexe, tableau 11 et R.O. 1990. ◆ **Sens**. *Assécher / dessécher* → dessécher

asséner, assener v.t. ◆ **Orth. et pronon**. Les deux graphies, *asséner* ou *assener,* sont admises. *Asséner* est aujourd'hui plus courant, parce que plus conforme à sa prononciation ([asene], avec le son *é,* pour les deux formes). - L'Académie a admis les deux formes en 1975, puis, revenant sur sa décision en 1987, a voulu imposer la forme ancienne *assener.* Dans la 9ᵉ édition de son Dictionnaire, elle n'enregistre plus que la forme *asséner.* → aussi R.O. 1990. ◆ **Conjug**. *Asséner.* Attention à l'alternance *è/é : j'assène, nous assénons ; il assénera.* → annexe, tableau 11 et R.O. 1990. - *Assener.* Attention à l'alternance *e/è : assener ; j'assène, il assène,* mais *nous assenons ; il assènera ; qu'il assène* mais *que nous assenions ; assené.* → annexe, tableau 12

asseoir v.t. et v.pr. ◆ **Orth**. Avec un *e* avant le *o.* → R.O. 1990. ◆ **Conjug**. *Asseoir* a la particularité de présenter deux formes de conjugaison → annexe, tableau 51. La première forme, qui change le radical en *-ie- (j'assieds)* ou en *-ey- (nous asseyons),* est plus courante au

sens propre. La seconde forme, qui garde le son *-oi-* du radical, mais supprime le *-e-* muet de l'infinitif, est souvent employée avec le sens figuré d'«établir » : *j'assois, j'assoyais, j'assoirai, que j'assoie.* - Noter qu'il n'y a qu'une forme au passé simple, au participe passé et à l'imparfait du subjonctif. ◆ **Emploi**. *Place assise* → place

assertion n.f. ◆ **Orth. et prononc**. Finale en *-tion* prononcée [sjõ] comme dans *nation.*

asservir v.t. ◆ **Conjug**. Se conjugue comme *finir* et non pas comme *servir : j'asservis, nous asservissons.* → annexe, tableau 21

assidûment adv. ◆ **Orth**. Avec un accent circonflexe sur le *u* (mais on écrit *assidu* et *assiduité).* → R.O. 1990

assiéger v.t. ◆ **Conjug**. Attention à l'alternance *é/è* et au *g* qui devient *-ge-* devant *a* et *o : assiéger ; j'assiège, nous assiégeons ; il assiégea.* → annexe, tableau 15

associer v.t. et v.pr. ◆ **Constr**. **1**. *Associer des choses* = les réunir, les mettre ensemble. Dans ce sens, *associer* demande un complément pluriel : *associer des mots, des sons, des couleurs.* **2**. *Associer une chose à une autre / avec une autre*. On dit plus souvent aujourd'hui *associer une chose à une autre.* REM. Littré faisait une distinction entre ces deux constructions : « *Associer avec,* c'est former société ; *associer à,* c'est joindre. *Il associait le courage à la prudence,* cela veut dire qu'il avait l'une et l'autre de ces qualités ; *il associait le courage avec la prudence,* cela veut dire qu'il formait une union de ces deux qualités ». **3**. *S'associer* v.pr. ❏ *S'associer qqn* = le prendre comme collaborateur. ❏ *S'associer à qqn, avec qqn* = former avec lui une société. ❏ *S'associer à qqch* (sujet désignant une personne) = y prendre part. *S'associer à la joie de qqn.* ❑ *S'associer à qqch* (sujet désignant une chose) = s'allier, s'accorder. *Le charme s'associe à la beauté.*

assonance n.f. ◆ **Orth**. Avec un seul *n*, ainsi que pour *assonant, assoner,* comme *consonance, dissonance, résonance.* → resonner

assortir v.t. et v.pr. ◆ **Conjug**. Se conjugue comme *finir*, et non comme *sortir : j'assortis, nous assortissons.* → annexe, tableau 21. ◆ **Constr**. *Assortir à, avec* ou *de*, selon le sens. **1**. *Assortir à* ou *avec* = harmoniser. *Assortir des chaussures à* (ou *avec*) *un sac. Sa robe s'assortit à* (ou *avec*) *la couleur de ses yeux.* **2**. *Assortir de* = accompagner, compléter. *Il a assorti ces encouragements de quelques conseils.*

assujettir v.t. ◆ **Orth**. Avec deux *s* et deux *t*.

assumer v.t. ◆ **Orth**. Avec un seul *m* (à la différence de *assommer*).

assurance n.f. ◆ **Orth**. **1**. *Une compagnie d'assurances, un agent d'assurances,* au pluriel, parce qu'ils traitent de toutes sortes d'assurances ; mais *une prime d'assurance, une police d'assurance,* au singulier, parce qu'il s'agit d'une assurance, d'un contrat unique. REM. *Compagnie d'assurance* est parfois sans *s* à *assurance*. **2**. *Assurance-*, élément de composition. *Assurance-* est joint par un trait d'union à l'élément qui le suit : *une assurance-vie, des assurances-vie ; une assurance-maladie, des assurances-maladie ; une assurance-vol, des assurances-vol.* Mais : *une assurance-crédit, des assurances-crédits.* - *Une assurance tous risques* s'écrit sans trait d'union car *tous risques* a valeur d'adjectif invariable. REM. L'usage n'a pas suivi l'Académie, qui écrit sans trait d'union *assurance vie, assurance automobile* comme formes elliptiques de *assurance (sur la vie, relative à l'automobile).*

assurer v.t. ◆ **Constr**. **1**. *Assurer à qqn que* (+ indicatif) = affirmer, certifier, garantir. *Je vous assure que je viendrai.* **2**. *Assurer qqn de qqch* = l'engager à le croire, à s'y fier. *Je vous assure, cher Monsieur, de mon entier dévouement.*

astérisque n.m. ◆ **Genre**. Masculin : *dans le présent ouvrage, les tournures incorrectes sont signalées par un astérisque.* Symbole : *.

astéroïde n.m. ◆ **Genre**. Masculin, comme *astre : un astéroïde est un petit astre.*

asthme n.m. ◆ **Genre**. Masculin. ◆ **Prononc**. [asm], comme pour rimer avec *fantasme* (le groupe *-th-* ne se prononce pas). De même, *asthmatique* [asmatik], comme pour rimer avec *fantasmatique.*

astrakan n.m. ◆ **Orth**. Avec *k*, sans *h*, à la différence de la ville d'*Astrakhan* (= la capitale du khan) : *un manteau d'astrakan bordé de vison.*

astreindre v.t. et v.pr. ◆ **Conjug**. Comme *teindre*. → annexe, tableau 62

astronaute n. / **cosmonaute** n. / **spationaute** n. ◆ **Emploi**. Ces mots désignent tous trois une personne embarquée à bord d'un engin spatial, mais s'emploient dans des situations différentes. **1**. *Astronaute* s'emploie plutôt en parlant des Américains. **2**. *Cosmonaute*, plutôt en parlant des Russes. **3**. *Spationaute*, plutôt en parlant des Français. REM. Ces distinctions tendent à s'effacer avec la multiplication des vols spatiaux réunissant des membres d'équipage de nationalités différentes et *astronaute* devient plus fréquent que ses deux synonymes.

astronautique n.f. → aéronautique

asymétrie n.f. ◆ **Orth. et prononc**. Avec un seul *s* prononcé [s], car il s'agit du mot *symétrie* et du préfixe privatif *a-*.

◆ **Sens et emploi.** *Asymétrie / dissymétrie.* Ces deux mots, souvent employés l'un pour l'autre dans la langue courante, ont dans leur sens strict des définitions différentes. **1.** *Asymétrie* = absence de symétrie (préfixe *a-*, sans). *L'architecte a voulu l'asymétrie de la façade.* **2.** *Dissymétrie* = défaut dans la symétrie (préfixe *dis-*, séparé de). *La dissymétrie de son visage lui donne du charme sans la rendre laide.*

atemporel, elle adj. / **intemporel, elle** adj. ◆ **Sens.** Ne pas confondre ces deux mots proches par la prononciation et par le sens. **1.** *Atemporel, elle* = qui est hors du temps, qui n'a pas de rapport avec le temps (préfixe privatif *a-*). *Le décor, atemporel, sert pour la pièce de Molière et pour celle de Beckett.* **2.** *Intemporel, elle* = qui n'est pas touché par le temps, immuable, éternel (préfixe négatif *in-*). *Des vérités intemporelles.*

atermoiement n.m. ◆ **Orth.** Avec un seul *t* et avec un *e* muet intérieur. *Atermoiement* correspond à *atermoyer,* verbe du 1er groupe (comme *aboiement* correspond à *aboyer,* → aussi **aboiement**).

atermoyer v.i. ◆ **Orth.** Avec un seul *t.* ◆ **Conjug.** Attention, toujours *i* devant *e* muet : *j'atermoie, j'atermoierai* mais *nous atermoyons.* - Attention au *i* après le *y* aux première et deuxième personnes du pluriel, à l'indicatif imparfait et au subjonctif présent : *(que) nous atermoyions, (que) vous atermoyiez.* → annexe, tableau 7

athée adj. et n. ◆ **Orth.** Le masculin se rattache à la famille des mots masculins en *-ée,* comme *apogée, lycée, musée,* etc.

athérosclérose n.f. ◆ **Orth.** Avec un *h* après le *t.* ◆ **Sens.** → artériosclérose

athlète n. ◆ **Orth.** Attention au *h* après le *t.* ◆ **Genre.** S'emploie au masculin ou au féminin : *un athlète, une athlète.*

atlante n.m. / **cariatide, caryatide** n.f. Ne pas confondre ces deux termes d'architecture désignant l'un et l'autre des statues servant de support. **1.** *Atlante* = statue d'homme (du nom du géant *Atlas*). **2.** *Cariatide* ou *caryatide* n.f. = statue de femme. REM. *Une caryatide* désigne parfois une statue d'homme.

atmosphère n.f. ◆ **Orth.** Pas de *h* après le *t.* - Noter le *-ph-* de *sphère.* ◆ **Genre.** Féminin, comme *une sphère,* à la différence de *un hémisphère : une atmosphère transparente.*

atome n.m. ◆ **Orth.** Sans accent circonflexe sur le *o* malgré la prononciation du *o* fermé (ne pas se laisser influencer par *arôme*).

atomique adj. ◆ **Orth.** Sans accent circonflexe sur le *o.* → atome. ◆ **Emploi.** *Atomique / nucléaire.* **1.** *Atomique* = relatif à l'atome. *Masse, poids atomique.* **2.** *Nucléaire* = relatif au noyau de l'atome et à l'énergie dégagée par sa fission. *Physique nucléaire. Réacteur nucléaire.* REM. Dans les années qui ont suivi la mise au point des armes utilisant la fission de l'atome, on employait *atomique* dans le sens qu'a aujourd'hui à *nucléaire : la première bombe atomique a détruit Hiroshima.* Cet emploi est maintenant un peu vieilli.

-âtre / -iatre suffixes ◆ **Orth. et sens.** Ne pas confondre ces suffixes de consonance voisine. **1.** *-âtre,* avec accent circonflexe, apporte une nuance péjorative ou une idée de ressemblance imparfaite : *bellâtre, jaunâtre, marâtre.* **2.** *-iatre,* sans accent circonflexe, indique celui qui soigne (du grec *iatrós,* médecin) : *pédiatre, psychiatre.*

atteindre v.t. et v.t. ind. ◆ **Conjug.** Le *d* n'est présent qu'à l'infinitif, au futur et au conditionnel : *atteindre, j'atteindrai,*

j'atteindrais. → annexe, tableau 62. ◆
Constr. et registre. 1. *Atteindre qqch =*
toucher, parvenir à (langue courante).
Atteindre une cible ; ils atteindront le Pôle
nord dans trois mois ; ce chien a atteint la
taille adulte ; atteindre un âge avancé.
2. *Atteindre à qqch* = même sens (style
soutenu). *Atteindre à un haut niveau spiri-*
tuel ; atteindre au bonheur.

atteler v.t. et v.pr. ◆ **Conjug.** Attention
à l'alternance *-ll-/-l-* : *il attelle, nous atte-*
lons ; il attelait ; il attela ; il attellera. →
annexe, tableau 16 et R.O. 1990

attendre v.t., v.i. et v.pr. ◆ **Conjug.**
Comme *tendre* : le *d* est conservé dans
toute la conjugaison. → annexe, tableau
59. ◆ **Constr. 1.** *Attendre demain* se dit
aujourd'hui plus couramment qu'*at-*
tendre à demain ou *attendre jusqu'à*
demain, qui restent cependant corrects :
il attend toujours (à) la dernière minute pour
faire son travail. ❑ *Attendre après qqn* ou
qqch est admis pour marquer le besoin
ou l'impatience : *on attend après lui*
depuis maintenant deux heures. → **après.**
2. *Attendre de* (+ infinitif) : *j'attends de*
savoir ce que vous allez me dire ; ils attendent
pour partir d'en avoir reçu l'ordre.
3. *Attendre que* (+ subjonctif) = rester
jusqu'à ce que : *j'attends qu'il ait fini pour*
partir ❑ *Attendre que* (+ subjonctif) =
espérer que, compter que. *N'attendez*
pas qu'il vous réponde avant deux mois (v.
s'attendre, ci-dessous). **4.** *S'attendre que*
ou *à ce que* (+ subjonctif). Les deux
constructions sont correctes. On
emploie plus souvent *à ce que* dans la
langue courante et *que* dans un registre
soutenu : *je m'attends à ce qu'il m'écrive ; il*
s'attend qu'on le choisisse → **à.** REM.
S'attendre que (+ indicatif) est une
construction de la langue classique qui
ne s'emploie plus. **5.** *S'attendre à* (+
nom ou + infinitif) : *il ne s'attend pas à*
mon départ ; tu ne t'attendais sûrement pas
à réussir. RECOMM. À l'impératif, on dit

pour des raisons d'euphonie, *attends-toi*
à cela, attendez-vous à cela, de préférence
à *attends-t-y et *attendez-vous-y,
théoriquement corrects mais inusités.

attendu prép. ◆ **Orth.** *Attendu*
employé sans auxiliaire devant un
nom. Dans cet emploi, *attendu* est considéré comme une préposition et reste
invariable : *attendu ces circonstances favo-*
rables, on peut espérer une issue heureuse. ◆
Constr. *Attendu que* (+ indicatif) : *attendu*
que les circonstances sont favorables, on peut
espérer une issue heureuse.

attente n.f. ◆ **Constr. et emploi.** *Dans*
l'attente de. Cette formule de conclusion concerne le sujet du verbe qui suit.
Il faut donc écrire : *dans l'attente d'une*
réponse, je vous prie d'agréer... et non *dans
l'attente d'une réponse, veuillez
agréer..., qui laisse entendre que c'est
l'interlocuteur qui attend la réponse.
REM. Il en est de même pour *en atten-*
dant, en espérant, etc. → lexique, anacoluthe

attenter v.t. ind. ◆ **Constr.** *Attenter à*
est la construction usuelle : *attenter à*
l'honneur de qqn ; attenter à ses jours. ❑
Attenter contre est aujourd'hui vieilli,
sauf dans quelques emplois juridiques :
attenter contre la sûreté de l'État. ❑ *Attenter*
sur, fréquent dans la langue classique
(ainsi chez Racine : « *De quel droit sur*
vous-même osez-vous attenter ? »), n'est
plus en usage.

attentif, ive adj. ◆ **Constr.** *Attentif à.*
Être attentif à qqch, à faire qqch. ◆ **Sens.**
Attentif / attentionné. Ces deux adjectifs
ont, dans certains de leurs emplois, des
sens très proches. **1.** *Attentif, ive* = qui
porte attention à autrui, et en particulier
à ses proches. *Une mère attentive.*
2. *Attentionné, e* = qui est plein d'attentions ; gentil et prévenant. *Un mari atten-*
tionné. RECOMM. Ne pas employé
attentionné dans le sens « qui porte atten-

tion à ce qu'il fait, qui témoigne d'une bonne capacité d'attention ». Ainsi *ces élèves sont attentionnés* ne signifie pas que les élèves écoutent leur professeur avec attention, mais qu'ils sont plein d'attentions à son égard.

attention n.f. ◆ **Constr. 1.** *Faire attention de* ou *à* (+ infinitif). Les deux constructions sont correctes : *fais attention de* (ou *à*) *ne pas te tromper.* **2.** *Faire attention à* (+ nom) : *faites attention à la marche.* **3.** *Faire attention que* (+ indicatif). Cette construction n'est correcte que dans le sens de « bien remarquer que » : *faites attention que c'est une probabilité et non une certitude.* **4.** *Faire attention que* ou *à ce que* (+ subjonctif) = prendre garde que, veiller à ce que : *faites attention que personne ne puisse entrer.* RECOMM. Dans l'expression soignée, employer *faire attention que* de préférence à *faire attention à ce que.* → **à.** ◆ **Emploi. 1.** *À l'attention de / à l'intention de.* Ne pas confondre ces deux formules. ❑ *À l'attention de* = spécialement destiné à (formule écrite sur un document, sur une lettre, pour marquer que le contenu est soumis à l'*attention* du destinataire). ❑ *À l'intention de* = pour, en l'honneur de : *faire une collecte à l'intention des sinistrés ; donner une fête à l'intention de qqn.* **2.** *Faute d'attention / faute d'inattention.* → **faute**

attentionné, e adj. → attentif

atterrer v.t. ◆ **Orth**. Avec deux *t* et deux *r*. REM. Ce verbe est formé du radical de *terre* et du préfixe *ad-*, avec changement du *d* en *t* devant la consonne initiale *t*, formation que l'on retrouve dans *atterrir*.

atterrir v.i. ◆ **Orth**. Avec deux *t,* alors que *alunir* a un seul *l* et *amerrir* un seul *m*. → ces mots et aussi **atterrer**

attester v.t. ◆ **Constr. 1.** *Attester qqch / de qqch* = certifier la vérité ou l'au-

thenticité de ; prouver, témoigner. Les deux constructions sont correctes : *plusieurs témoins dignes de foi ont attesté de ces événements ; montrer un document attestant son identité.* **2.** *Attester que* (+ indicatif) : *j'atteste qu'il a dit la vérité.*

attifer v.t. ◆ **Orth**. Avec deux *t* et un seul *f.*

attractif, ive adj. / **attrayant, e** adj. ◆ **Emploi. 1.** *Attractif, ive* = qui attire par son intérêt, ses qualités : *une proposition attractive.* **2.** *Attrayant, e* = qui a de l'attrait, qui plaît : *un spectacle attrayant.* REM. Ces deux adjectifs sont presque synonymes. *Attractif* était naguère plus rare et s'employait surtout dans l'expression soignée, alors qu'*attrayant* était courant ; aujourd'hui, *attractif* s'est largement répandu, notamment dans la langue commerciale et publicitaire, sous l'influence de l'anglais *attractive,* mais c'est un mot français.

attrape n.f. ◆ **Orth**. Avec deux *t* mais un seul *p*, comme *attraper.*

attrape- élément de composition ◆ **Orth**. Mots composés avec *attrape-* (du verbe *attraper*) : *un attrape-mouche, des attrape-mouches ; un attrape-nigaud, des attrape-nigauds.* - *Attrape-tout* (adj. inv.) : *un programme électoral attrape-tout, des promesses attrape-tout.*

attraper v.t. ◆ **Orth**. Avec deux *t* et un seul *p.* ◆ **Emploi**. *Attraper un rhume, une maladie.* Langue familière. RECOMM. Dans l'expression soignée, surtout à l'écrit, préférer : *prendre un rhume, contracter une maladie.*

attrayant, e adj. → attractif

attribuer v.t. ◆ **Orth**. Avec deux *t.* ◆ **Emploi**. Noter les nuances d'emploi : *on attribue* une récompense, un rôle, des crédits, des qualités, des défauts (= on accorde, on donne, on impute), mais *on décerne un* *prix* (= on accorde avec une certaine solennité), *on confère un grade* (= on accorder en vertu de l'autorité qu'on a pour le faire), *on délivre un diplôme* (= on le remet à son titulaire) et, à l'occasion d'un tirage au sort, *un lot échoit à qqn* (= lui revient, lui est attribué par le sort).

au- élément de composition ◆ **Orth**. Dans les prépositions et les adverbes, *au* se lie par un trait d'union à l'élément qui le suit, à la différence de *en* : *au-dessus, au-dehors, au-dedans, au-delà,* etc.

aubade n.f. / **sérénade** n.f. ◆ **Sens et emploi**. Ne pas confondre ces mots qui désignent l'un et l'autre « un concert donné en l'honneur de quelqu'un sous ses fenêtres ». **1.** *Aubade* (provençal *aubada*) = concert donné le matin (à l'aube). **2.** *Sérénade* (italien *serenata*, de *sera,* soir) = concert donné le soir.

aube n.f. ◆ **Orth**. On écrit : *bateau à aubes, roue à aubes* (*aubes* au pluriel).

aubergine n.f. et adj. inv. ◆ **Accord**. **1.** *Aubergine* n.f. = légume. On écrit *gratin d'aubergines* (au pluriel). **2.** *Aubergine* adj. inv. = de la couleur violet sombre des aubergines. Reste invariable : *des robes aubergine.* → annexe, grammaire § 98

auburn adj. inv. ◆ **Prononc.** [obœRn], Avec le *u* prononcé *eu,* comme on prononce *beurre.* ➢ **Accord.** Est invariable : *des cheveux auburn.* → annexe, grammaire § 97

1. aucun adj.
◆ **Emploi.**
1. *Aucun* (+ nom ou pronom) *ne...* = pas un, nul, personne ne... *Aucune victime n'est à déplorer ; aucun autre n'a été admis à le rencontrer.* C'est l'emploi le plus courant.
2. *Aucun* = quelque. « *Au détour d'aucun sentier, Balaam, n'as-tu pas vu Dieu ?* » (A. Gide). Emploi très littéraire et vieilli.

3. *Aucuns. Aucun,* adjectif, ne s'emploie au pluriel qu'avec des noms qui n'ont pas de singulier ou dont le singulier présente une opposition de sens avec le pluriel. *Aucunes fiançailles n'auront été plus somptueuses.* « *Elles non plus ne toucheraient aucuns gages* » (J. Schlumberger).
◆ **Constr.**
1. *Aucun* (+ nom ou pronom) *de* (+ adjectif). On emploie la préposition *de* devant l'adjectif qui qualifie le nom ou le pronom : *je n'ai aucune réponse de bonne ; je n'en ai aucun de prêt.*
2. *Sans aucun* (+ nom) / *sans* (+ nom) *aucun.* Employé comme adjectif avec *sans, aucun* peut se placer avant ou après le nom : *il a avoué son mensonge sans aucune gêne* ou *sans gêne aucune.*
3. *Aucun... ni aucun.* Quand *aucun* est répété, on emploie *ni : aucune pièce métallique ni aucun élément magnétique n'a été détecté* (et non : **aucune pièce métallique et aucun élément...*).
◆ **Accord.**
1. Lorsque *aucun* est répété devant plusieurs sujets juxtaposés, le verbe reste au singulier : *aucun film, aucune pièce de théâtre ne me distrait autant que le cirque.*
2. Lorsque *aucun* est répété devant plusieurs sujets liés par *ni,* le verbe se met au singulier si l'on conçoit séparément pour chacun des sujets l'action ou l'état exprimés : *aucun mot ni aucune parole ne pourra exprimer ce que j'ai ressenti.* - Le verbe se met au pluriel si l'on conçoit l'action ou l'état globalement pour les deux sujets : *aucun avion ni aucun navire ne pourront assurer la liaison.* ❑ Avec deux sujets liés par *ni,* dont le deuxième est introduit par *aucun* et englobe le premier sujet, le verbe reste au singulier : *votre explication ni aucune autre explication ne pourra me convaincre.*

2. aucun pron. ◆ **Emploi.** **1.** *Aucun* = pas un, nul, personne. Est accompagné de la négation *ne* sans *pas* ni *point* (mais admet *jamais, plus, ni*). *Il a des parents,* *mais aucun ne vient le voir. Aucun ne vient plus le voir. Aucun ne vient jamais le voir. Aucun ne vient le voir, ni le dimanche, ni en semaine.* **2. Aucun** = quelqu'un, quiconque (dans des phrases dubitatives, conditionnelles ou interrogatives). S'emploie sans la négation *ne. Je doute qu'aucun réussisse, qu'aucun d'eux réussisse. Il est parti sans qu'aucun le sache.* **3. D'aucuns** = certains, plusieurs. *D'aucuns penseront que j'exagère.* Registre soutenu. **4. Aucuns** = quelques-uns. *« Plusieurs avaient la tête trop menue / Aucuns trop grosse, aucuns même cornue »* (La Fontaine). Cet emploi est vieux.

aucunement adv. ◆ **Emploi.** N'est plus usité qu'avec une valeur négative : *je n'en ai aucunement l'intention* (= je n'en ai nullement, pas du tout l'intention). ◆ **Constr.** 1. Avec *ne* ou précédé de *sans : je n'ai aucunement l'intention de vous gêner ; sans aucunement vouloir vous gêner, je propose que...* 2. Sans négation, dans une réponse ne comportant pas de verbe exprimé : *« L'avez-vous envisagé ? - Aucunement. »* ◆ **Registre.** Légèrement familier quand il est employé comme adverbe modifiant le sens d'un adjectif : *aucunement désarçonné par l'objection, il a poursuivi.* RECOMM. Dans l'expression soignée, préférer *nullement, pas du tout.*

au-dedans adv. / **au-dehors** adv. / **au-delà** adv. / **au-dessous** adv. / **au-dessus** adv. ◆ **Orth.** Toujours avec un trait d'union, à la différence de *en dedans, en dehors,* etc. → **au-**

audio- préf. ◆ **Orth.** Se soude toujours à l'élément qui le suit, sauf si ce mot commence lui-même par un *o : audioconférence, audiogramme, audiovisuel,* etc., mais *audio-oral.*

audit n.m. ◆ **Prononc.** [odit], en faisant entendre le *t* final, comme dans *granit.* ◆ **Sens et emploi.** 1. Procédure de contrôle, en comptabilité et gestion.

2. Personne chargée d'une telle procédure. RECOMM. Dans ce sens, préférer *auditeur.*

audit, auxdits → dire (dit, dite)

auditeur n.m. → audit

auditionner v.t et v.i. ◆ **Constr.** Le verbe est transitif ou intransitif selon le sens. 1. *Auditionner qqn* v.t. = lui faire passer une audition. *Le directeur de la troupe auditionne les comédiens.* 2. *Auditionner* v.i. = passer une audition. *Chanteur, comédien qui auditionne.* ◆ **Emploi.** On *auditionne* quelqu'un mais on *écoute* un disque.

augmentation n.f. ◆ **Emploi.** On dit *l'augmentation du prix du pain, l'augmentation du coût de la vie,* de préférence à *l'augmentation du pain, de la vie* qui sont légèrement familiers. → **augmenter**

augmenter v.t. et v.i. ◆ **Emploi.** 1. *Augmenter quelqu'un* = augmenter son salaire, son traitement . 2. *Le pain augmente, la vie augmente, le gouvernement a augmenté l'essence* sont légèrement familiers. RECOMM. Dans l'expression soignée, dire ou écrire : *le prix du pain, de l'essence augmente ; le coût de la vie augmente* → **augmentation**

augural, ale, aux adj. ◆ **Orth.** Pluriel masculin : *auguraux.*

augure n.m. ◆ **Genre.** Masculin : *de bon, de mauvais augure.*

augurer v.t. ◆ **Registre.** *Augurer* est employé surtout dans l'expression soignée. ◆ **Sens et constr.** Le sens et la construction varient selon que le sujet est une chose ou une personne. 1. Avec un sujet désignant une chose. *Augurer* ou, plus courant, *laisser augurer* = laisser prévoir. *Son attitude augure* (ou *laisse augurer) de bonnes relations futures ; tout cela n'augure rien de bon.* 2. Avec un sujet désignant une personne. *Augurer de =* prévoir d'après. *Qu'augurez-vous de son attitude ? Je n'en augure rien de bon.* ❏ *Bien, mal augurer de qqch* = avoir un bon, un mauvais pressentiment à propos du déroulement de certains faits, de l'issue d'une situation. *J'augure mal du résultat de notre collaboration.*

aujourd'hui adv. ◆ **Emploi.** 1. *Au jour d'aujourd'hui* : pléonasme familier, souvent employé par plaisanterie pour souligner l'opposition entre le moment présent, l'actualité, et le passé : *au jour d'aujourd'hui, ses actions valent vingt fois ce qu'elles valaient il y a cinq ans.* REM. *Au jour d'aujourd'hui* est un double pléonasme puisque *aujourd'hui* signifie étymologiquement « à ce jour d'à présent ». 2. *Jusqu'à aujourd'hui* est maintenant couramment admis, à côté de *jusqu'au-jourd'hui* qui est d'un emploi littéraire et recherché. On dit aussi correctement *à aujourd'hui* : *l'affaire a été repoussée à aujourd'hui* 3. *D'aujourd'hui en huit* et *aujourd'hui en huit* sont tous deux corrects : *je le verrai (d') aujourd'hui en huit.* → demain. 4. *D'aujourd'hui* ou plus couramment *aujourd'hui* se disent pour « toute la journée, de toute la journée » : *il ne viendra pas d'aujourd'hui* ou *aujourd'hui.*

auprès de loc. prép. / **près de** loc.prép. ◆ **Sens.** Ces deux locutions exprimant la proximité se distinguent par une importante nuance de sens. 1. *Auprès de* = tout près de. Implique une proximité immédiate ou une durée assez longue : *passer sa vie auprès de ses parents* (= chez eux, avec eux). 2. *Près de* = non loin de. *Habiter près de chez ses parents* (= à proximité de chez eux). ◆ **Constr.** *Près de* admet les degrés de comparaison, à la différence de *auprès de* qui les exclut : *il habite plus près (moins près, aussi près) de la gare que moi.* → près. ◆ **Emploi.** 1. *Auprès* peut s'employer comme adverbe : *auprès, dans un panier,*

le chat dort. 2. *Près* ne peut être employé comme adverbe que s'il est lui même modifié par un adverbe : *tout près dans un panier, le chat dort* (mais on ne peut pas dire : **près dans un panier...*)

auquel pron. → lequel

au revoir interj. et n.m. inv. ◆ **Orth.** En deux mots, sans trait d'union, même dans l'emploi substantif. *Ce n'est qu'un au revoir.* - Plur. : *des au revoir.*

auriculaire adj. et n.m. ◆ **Orth.** Avec *au-*, à la différence de *oreille.* REM. *Auriculaire* est un mot de formation savante issu du latin *auricula* (et non du français *oreille,* lui-même venu de *auricula,* qui a donné *oreiller, oreillette, oreillard, oreillons*). ❏ Finale en *-aire,* comme pour *articulaire, globulaire, mammaire, musculaire.*

aurochs n.m. ◆ **Prononc.** [ɔRɔk], comme dans *roc.* ◆ **Orth.** Avec un *s* final, même au singulier.

aurore n.f. et adj. inv. ◆ **Accord.** Comme adjectif (signifiant « d'un rose orangé évoquant le soleil à son lever »), le mot est invariable : *des soies aurore.* → annexe, grammaire § 98

auspices n.m. plur. ◆ **Genre.** Masculin. ◆ **Nombre.** Toujours au pluriel ◆ **Registre.** Ce mot appartient à la langue soutenue. ◆ **Sens.** Signes, présages qui permettent d'envisager l'avenir (ne pas confondre avec *hospice,* établissement qui reçoit des invalides, des indigents) : *d'heureux, de funestes auspices ; organiser une fête sous les auspices de la municipalité* (= avec son appui, sa protection).

aussi adv. et conj.
◆ **Sens.**
Aussi / ainsi.
❏ *Aussi* = c'est pourquoi (introduit une explication). *Il était tôt, aussi n'y avait-il personne.*

❏ *Ainsi* = par conséquent (introduit une conclusion, une conséquence) : *ainsi pouvons-nous déduire que les deux quantités sont égales.*

◆ **Emploi.**

1. *Aussi / non plus.* Exprimant l'identité, au sens de « pareillement, également, de même ».

❏ *Aussi* s'emploie dans des phrases affirmatives : *si vous partez, moi aussi je partirai ; si vous partez, je partirai aussi.* ❏ *Non plus* s'emploie dans des phrases négatives : *vous ne partez pas, moi non plus.*

2. *Aussi / si.*

❏ *Aussi* exprimant la **comparaison.** Quand la proposition est affirmative, seul *aussi* est employé pour exprimer la comparaison. : *je suis aussi rapide que toi.* Quand la proposition est négative ou interrogative, *aussi* et *si* peuvent s'employer indifféremment : *il n'est pas aussi* (ou *si*) *rapide que son frère ; est-il aussi* (ou *si*) *malin qu'on le dit ?*

❏ *Aussi* exprimant la **concession.** Pour exprimer la concession, *aussi* et *si* s'emploient indifféremment (avec le subjonctif) : *aussi* (ou *si*) *brillant qu'il soit...*

3. *Aussi que / autant que.* ❏ *Aussi* (+ adjectif, participe ou adverbe) : *tu es aussi fou que lui ; il n'est pas aussi avancé que toi dans son travail ; c'est aussi bien que possible.*

❏ *Autant* (+ nom ou verbe) : *il a autant de devoirs que son frère ; il ne s'amuse pas autant que toi.*

4. *J'ai aussi faim (soif, peur,* etc.*) que vous.* → envie

◆ **Constr.**

1. *Aussi* (+ adjectif) *que...* : *elle est aussi belle que sa mère.* **RECOMM.** Ne pas remplacer *que* par *comme* dans ce type de tournures comparatives.

2. *Aussi* = c'est pourquoi, entraîne souvent l'inversion du pronom sujet ou la répétition du sujet sous la forme d'un pronom personnel ; *aussi* n'est pas suivi d'une virgule. *Elle est timide, aussi n'ose-t-elle pas lui parler. Leur famille va s'agrandir, aussi nos voisins vont-ils déménager.* On peut également

écrire, avec une virgule après *aussi* : *je suis content de lui, aussi, je recommande ses services.*

◆ **Accord.**

Après deux sujets au singulier liés par *aussi bien que,* le verbe est au singulier si *aussi bien que* introduit une incise entre virgules : *le père, aussi bien que la mère, est un passionné de cinéma.* Mais si les sujets sont simplement coordonnés, sans être séparés par une virgule, le verbe est au pluriel : *le père aussi bien que la mère sont des passionnés de cinéma.*

aussitôt adv. ◆ **Emploi. 1.** *Aussitôt* (+ nom). *Aussitôt* ne peut être suivi d'un nom que si ce nom est lui même suivi d'un participe passé : *aussitôt votre coup de téléphone reçu, ils se sont mis en route.* **RECOMM.** Éviter : **aussitôt votre coup de téléphone, ils se sont mis en route.* **2.** *Aussitôt* (+ participe passé) : *aussitôt connue, la nouvelle a fait le tour de la ville ; aussitôt suggérée, l'idée fut adoptée* (on dit aussi, mais moins couramment et moins bien : *aussitôt que suggérée, l'idée fut adoptée*). **3.** *Aussitôt dit, aussitôt fait* est une expression figée. On trouve aussi dans le même sens, mais moins couramment : *aussitôt fait que dit.* ◆ **Sens.** *Aussitôt / aussi tôt.* Ne pas confondre. **1.** *Aussitôt que* = dès que, au moment même où. *Je suis venue aussitôt que j'ai pu.* **2.** *Aussi tôt que* = d'aussi bonne heure que : *je ne suis pas venue aussi tôt que vous* (s'oppose à *aussi tard*).

austral, e, als ou **aux** adj. ◆ **Orth.** Deux pluriels masculins : *australs* ou *austraux.* Le pluriel *austraux* est pratiquement inusité, probablement pour des raisons d'euphonie.

autan n.m. ◆ **Orth.** Jamais de majuscule ; pas de *t* final, contrairement à l'adverbe *autant* : *le vent d'autan.*

autant adv.

◆ **Emploi.**

1: *Autant / tant.* Dans une phrase affirmative exprimant une comparaison, c'est toujours *autant* qui est employé avec un nom ou un verbe : *il y avait autant de femmes que d'hommes ; il mange autant qu'un adulte*. - Dans une phrase négative ou interrogative, *autant* peut être remplacé par *tant : vous n'en feriez pas tant* (ou *autant*) *pour moi ; a-t-il tant* (ou *autant*) *de talent qu'on le dit ?* RECOMM. Éviter la tournure incorrecte *autant comme (*il mange autant comme un adulte).

2. *D'autant que, d'autant plus que* = vu que. Ces deux locutions sont correctes. « *Rien ne me pressait ; d'autant que le service militaire me serait sans doute épargné* » (F. Mauriac). « *La chaleur était suffocante, d'autant plus qu'on ne sentait pas (...) l'espace et le vent de la mer* » (A. Daudet).

3. *D'autant mieux* ne peut être employé que modifiant un verbe ou un participe : *il réussira d'autant mieux que vous croirez à son succès ; c'est d'autant mieux réussi*. REM. *D'autant mieux* représente la combinaison de la locution *d'autant plus* et de l'adverbe *bien*.

4. *Pour autant* = cependant ; pour cela, pour cette raison (qui vient d'être dite). « *Rien n'est fini pour autant, et tout recommence* » (M. Barrès). Registre soutenu.

5. *Autant (que) / aussi que* → aussi.

6. *Autant ! / Au temps !* → temps.

♦ **Constr.**

1. *Pour autant que, autant que* (+ indicatif ou conditionnel) = dans la mesure où. Dans ce sens, *pour autant que, autant que* se construisent avec l'indicatif ou avec le conditionnel, sauf dans le tour figé *pour autant que je (le) sache, que vous (le) sachiez*, etc. *Autant que je peux, que j'ai pu, qu'on pourrait en juger*. « *(...) pour autant que je pouvais interpréter les paroles sibyllines de Françoise* » (M. Proust). REM. *Pour autant que*, naguère critiqué, est aujourd'hui admis dans l'usage courant. RECOMM. Dans le registre très soutenu, en particulier à l'écrit, préférer *autant que*.

2. *Autant que* (+ subjonctif) = il est aussi bien que, il vaut mieux que. Dans ce sens, *autant que* se construit avec le subjonctif. *Autant que vous le sachiez tout de suite.*

3. *Autant* (+ infinitif) : *autant accepter maintenant*. Cette construction est admise dans le registre courant. RECOMM. Dans le registre soutenu, en particulier à l'écrit, préférer *autant vaut : autant vaut accepter maintenant*.

auteur n.m. ♦ **Genre.** Toujours masculin, même pour désigner une femme. *Marguerite Yourcenar est un grand auteur.* RECOMM. Lorsqu'il est nécessaire de préciser que l'auteur appartient au sexe féminin, dire ou écrire *femme auteur* (ou *auteur femme*). *Pierrette Leroy est une femme auteur* (ou : *un auteur femme*) *de grand talent.*

authentifier v.t. / **authentiquer** v.t. ♦ **Orth.** Attention au groupe *-th-* comme dans *authentique, authenticité*. ♦ **Sens.** Ne pas confondre ces deux verbes. **1.** *Authentifier* = déclarer authentique (mot du vocabulaire courant). *La commode, qu'un expert a authentifiée, est de Riesener.* **2.** *Authentiquer* = rendre authentique en revêtant des formes légales (terme juridique). *Authentiquer un acte officiel.* REM. *Authentifier* a également le sens d'*authentiquer* dans la langue juridique : *authentifier un document*.

1. auto- préf. ♦ Ce préfixe signifie « soi-même ; qui agit sur soi, comporte en soi son propre principe, son propre agent » (grec *autos*). → 2. **auto-.** ♦ **Orth.** Les mots composés avec le préfixe *auto-* s'écrivent en un seul mot et sans trait d'union, sauf si le second élément commence par la voyelle *i* (qui, combinée avec *o*, feraient -*oi-*) : *auto-infection, auto-induction*. ♦ **Accord.** Lorsque le composé est écrit en deux mots séparés par un trait d'union, seul le second élément prend la marque du pluriel.

2. **auto-** préf. ◆ Ce préfixe signifie « qui a rapport à l'automobile » (du français *auto[mobile]*). → 1. auto-. ◆ **Orth. et accord** → 1. auto- (les règles sont les mêmes), encore qu'on écrive plutôt *auto-école* et *auto-stop*.

autobiographique adj. / **autographique** adj. / **autographe** adj. et n.m. ◆ **Orth.** S'écrivent avec un *-ph-* comme *biographie* et *graphique*. ◆ **Sens.** Ne pas confondre ces trois mots. **1.** *Autobiographique* adj. = qui concerne la vie même de celui qui écrit. *Un roman autobiographique.* **2.** *Autographique* adj. = qui a rapport à l'autographie (procédé d'impression). *Reproduction autographique.* **3.** *Autographe* adj. = qui est écrit de la propre main de quelqu'un. *Une lettre autographe.* ◆ **Genre.** Le nom *autographe* est toujours masculin.

autocouchette, autocouchettes ou **autos-couchettes** adj. inv. ◆ **Orth.** *Un trains autocouchette, autocouchettes* ou *autos-couchettes.* - Plur. : *des trains autocouchette, autocouchettes* ou *autos-couchettes.*

autochtone adj. et n. ◆ **Prononc.** [otokton], en prononçant *-cht-* comme -*ct-* dans *octobre* (et non comme *ch* comme dans *autochenille*). ◆ **Orth.** Attention au groupe *-ch-*. ◆ **Sens.** *Autochtone / aborigène* → aborigène

autoclave adj. et n.m. ◆ **Genre.** Masculin.

autocrate n.m. ◆ **Genre.** Pas de féminin, en dépit de cet exemple de Voltaire : « *On n'a exécuté aucun criminel sous l'empire de l'autocratrice Élisabeth.* »

auto-école n.f. ◆ **Orth.** Plur. : *des auto-écoles.* On trouve aussi *une autoécole,* sans trait d'union. → R.O. 1990

autogire n.m. ◆ **Orth.** S'écrit avec un *i* comme *giratoire* et contrairement à *gyro-*

phare. REM. Le mot est formé avec des éléments d'origine grecque, mais il a été créé en espagnol *(autogiro).* ◆ **Genre.** Masculin.

autographe adj. et n.m. → autobiographique

autographique adj. → autobiographique

automatique adj. ◆ **Registre.** Au sens d'« inévitable », le mot est familier. RECOMM. Préférer les équivalents *fatal, inéluctable, inévitable : les rumeurs de dévaluation font s'effondrer les cours, c'est inévitable* (plutôt que : *c'est automatique*).

automnal, ale, aux adj. ◆ **Prononc.** [otɔnal], comme pour rimer avec *terminal,* sans faire entendre le *m.* ◆ **Accord.** Pluriel masculin : *automnaux.* REM. Cet emploi est rare pour des raisons d'euphonie et à cause de possibles calembours *(aux tonneaux,* etc.).

automne n.m. ◆ **Prononc.** [otɔn], comme pour rimer avec *tonne,* sans faire entendre le *m.* ◆ **Registre.** Le sens figuré (« déclin de la vie ») est littéraire : « *Mais le veuvage avait été pour lui un automne précoce* » (G. Rodenbach).

autoradio n.m. ◆ **Genre.** Masculin (bien que le mot soit formé sur le nom féminin *radio*) : *un autoradio.*

autorail n.m. ◆ **Genre.** Masculin : *un autorail.*

autoroute n.f. ◆ **Genre.** Féminin : *une autoroute.*

auto-stop n.m. ◆ **Orth.** La graphie avec trait d'union est la plus fréquente, mais on trouve aussi *autostop,* sans trait d'union. De même pour le dérivé *auto-stoppeur, auto-stoppeuse,* parfois écrit *autostoppeur, autostoppeuse.* → R.O. 1990

autour adv. → alentour

autre adj. et pron.
♦ **Constr.**
**1. À un autre qu'à moi / à un autre que
moi.** Lorsque *autre* ou *autre chose* est précédé par une préposition et suivi par
que, la répétition de la préposition est
facultative : *dites cela à d'autre qu'à moi* ou
*à d'autres que moi ; il ne l'a pas fait pour
autre chose que pour l'argent* ou *pour autre
chose que l'argent.*
2. Autre qu'il était / autre qu'il n'était.
Les deux constructions sont correctes ;
le *ne* est facultatif : *le paysage est autre qu'il
était* ou *qu'il n'était avant la construction du
barrage.*
♦ **Accord.**
1. Autre chose. Quand *autre chose* peut
être considéré comme un composé
indéfini (dans lequel *chose* ne signifie
pas « objet » ou « fait »), l'accord se fait
au masculin. *Donnez-moi autre chose de
meilleur. Autre chose sera fait. Y a-t-il autre
chose de nouveau ? C'est autre chose que
vous m'avez dit.* (Mais on dit, on écrit : *les
autres choses exposées sont assez belles ;
d'autres choses peu communes se sont passées depuis*).
2. Tout autre. → tout.
3. L'un l'autre, l'un ou l'autre. → un.
♦ **Registre.**
1. Entre autres. En principe, *entre autres*
doit se rapporter à un nom ou à un pronom exprimé avant ou après cette
expression : *j'ai revu plusieurs camarades
de promotion, Martin, entre autres.* Dans
l'expression orale courante, *entre autres*
est souvent employé dans le sens de
« notamment, en particulier » et ne se
rapporte pas à un nom ou à un pronom
exprimé : *il m'a annoncé, entre autres, qu'il
allait se marier.* RECOMM. Dans l'expression soignée, en particulier à l'écrit, préférer *entre autres choses* ou un adverbe de
sens équivalent : *il m'a annoncé, entre
autres choses* (ou : *en particulier*) *qu'il allait
se marier.* REM. Bien que critiqué, l'emploi de *entre autres* ne se rapportant pas
à un nom ou à un pronom est très

répandu, même chez de grands écrivains : « *Je me souviens, entre autres, que
M. Dubois nous récitait...* » (Stendhal).
2. ...et autres. *Et autres,* employé seul
après une énumération de noms, est
familier : *n'oubliez pas votre briquet, vos
clés, vos lunettes et autres.* Et autres,
employé seul après une énumération
d'adjectifs, est admis : *tenez compte des
facteurs politiques, économiques, sociaux et
autres qui sont en jeu.* RECOMM. Après une
énumération de noms, faire suivre *et
autres* d'un nom de sens plus général
que chacun des termes de l'énuméra-
tion : *les rats, les souris, les mulots et autres
rongeurs* (et non : *les rats, les mulots et
autres souris*).
3. Comme dit l'autre, employé en citant
une phrase proverbiale ou senten-
cieuse, ou pour atténuer l'effet d'un
mot qui pourrait paraître déplacé, est du
registre familier. *Comme dit l'autre, c'est
bonnet blanc et blanc bonnet.*
4. Nous autres, vous autres, est familier
sauf devant une apposition : *pour nous
autres marins, la solidarité n'est pas un vain
mot.*
5. À d'autres ! (= racontez-le à d'autres,
je n'en crois rien) est familier.
6. Rien autre, personne autre sont vieillis
ou employés dans la langue littéraire
pour créer un effet d'archaïsme (on dit
aujourd'hui *rien d'autre, personne d'autre*).

autrefois adv. / **naguère** adv. ♦ **Orth.**
Autrefois. En un seul mot, contrairement
à *une autre fois.* ♦ **Sens.** *Autrefois /
naguère.* Ne pas confondre ces deux
mots souvent employés l'un pour
l'autre. **1.** *Autrefois* = il y a longtemps,
jadis. Renvoie à un temps éloigné dans
le passé. **2.** *Naguère* = dans un passé
assez récent (littéralement : « *il n'y a guère*
de temps »). Renvoie à un passé proche.

autrement adv. ♦ **Constr.**
1. *Autrement* (+ adjectif) = bien plus. *Il
est autrement grand.* RECOMM. Ne pas

employer *autrement plus (=* bien plus plus) qui constitue un pléonasme. **2.** *Autrement... que... ne...* Le *ne* est facultatif si la première proposition est affirmative ou interrogative : *cela s'est passé autrement que je le pensais* ou *que je ne le pensais ; faisons-nous autrement que nous avions promis* ou *que nous n'avions promis ?* En revanche, jamais de *ne* si la première proposition est négative : *Il ne pense pas autrement que pensaient ses ancêtres.*

autrui pron. ◆ **Emploi. 1.** *Autrui* avec un possessif. *Autrui* étant par nature singulier ne peut être employé qu'en corrélation avec *son, sa, ses : Il rend scrupuleusement son dû à autrui* (et non : **il rend scrupuleusement leur dû à autrui).* **2.** *Autrui* en fonction de sujet. Cet emploi est aujourd'hui admis « *En société, ce n'est pas autrui qui me fatigue et qui m'irrite ; c'est moi-même.* » (A. Gide). REM. En ancien français, *autrui* était la forme de *autre* en fonction de complément (« cas régime ») ; aussi n'a-t-il été longtemps admis que comme complément.

auxiliaire n. / **assistant, e** n. / **adjoint, e** n. et adj. ◆ **Prononc.** *Auxiliaire.* [ɔksiljɛr], comme dans *biliaire* et contrairement à *cuillère.* ◆ **Sens.** Ne pas confondre ces trois mots souvent employés l'un pour l'autre. **1.** *Auxiliaire* n. = personne qui fournit une aide accessoire ou provisoire. REM. Les expressions *auxiliaire de justice* (personne qui participe à l'administration de la justice : huissier, greffier, etc.) et *auxiliaire médical* (professionnel de santé qui traite des malades par délégation du médecin : infirmier, kinésithérapeute, pédicure, sage-femme, etc.) correspondent à des qualifications professionnelles reconnues. **2.** *Assistant, e* n. = personne qui en seconde une autre en permanence. **3.** *Adjoint, e* n. et adj. = personne qui seconde une autre personne à qui elle est subordonnée. REM.

Adjoint insiste sur la position hiérarchique.

aval n.m. ◆ **Accord.** Plur. : *avals. Les avals nécessaires nous ont été donnés.*

à-valoir n.m. ◆ **Orth.** S'écrit en deux mots liés par un trait d'union, contrairement à *acompte.* ◆ **Accord.** Invariable. *Des à-valoir.* ◆ **Emploi.** Ne pas confondre le nom *à-valoir* avec la locution infinitive *à valoir : voici votre à-valoir* (à distinguer de : *voici un chèque à valoir sur la totalité de la somme).*

avance (à l') loc. adv. ◆ **Emploi.** *À l'avance, d'avance, en avance, par avance* sont également corrects. REM. *À l'avance,* autrefois critiqué, est aujourd'hui admis. RECOMM. Éviter d'employer *à l'avance, d'avance, en avance, par avance* avec un verbe impliquant une anticipation de l'avenir, comme *avertir, prévoir, prévenir, prédire, pressentir,* etc. Ces emplois font pléonasme. En revanche, on peut dire : *prévenir quelqu'un longtemps (bien, peu,* etc.) *à l'avance.* ◆ **Registre.** *La belle avance !* = vous êtes bien avancé ! Cette expression ironique n'est employée que dans la langue soutenue.

avancer v.t., v.i. et v.pr. ◆ **Conjug.** Le *c* devient *ç* devant *o* et *a* : *j'avance, nous avançons ; il avança.* → annexe, tableau 9. ◆ **Registre** L'emploi d'*avancer* au sens de « avantager » *(ça t'avance à quoi ?)* est familier.

avanie n.f. / **avarie** n.f. ◆ **Sens.** Ne pas confondre ces deux mots. **1.** *Une avanie* = un affront, une humiliation. *Il n'est pas près d'oublier l'avanie qu'il a subie.* **2.** *Une avarie* = un dommage, une détérioration. *Le navire a subi d'importantes avaries dans la collision.*

1. avant n.m. ◆ **Accord.** Plur. : *avants. Les avants, au rugby.*

2. avant adj. ◆ **Accord.** Toujours invariable. *Les pattes avant.*

Mots composés avec *avant-*

avant-bassin n. m.	*avant-garde* n. f.	*avant-port* n.m.
avant-bec n.m.	*avant-gardisme* n.m.	*avant-poste* n.m.
avant-bras n.m. inv.	*avant-gardiste* adj. et n.	*avant-première* n.f.
avant-clou n.m.	*avant-goût* n.m.	*avant-projet* n.m.
avant-contrat n.m.	*avant-guerre* n.m. ou n.f.	*avant-propos* n.m. inv
avant-corps n.m. inv.	*avant-hier* adv.	*avant-scène* n.f.
avant-cour n.f.	*avant-main* n.m.	*avant-toit* n.m.
avant-coureur adj.m.	*avant-mont* n.m.	*avant-train* n.m.
avant-creuset n.m.	*avant-pays* n.m.	*avant-trou* n.m.
avant-dernier, dernière adj. et n.	*avant-plan* n.m.	*avant-veille* n.f.

---

3. avant prép. et adv. ◆ **Emploi. 1.** *Avant / devant* ❑ *Avant* prép. = indique une position qui précède dans l'espace ou le temps (s'oppose à *après*). *Vous trouverez la poste à main droite, juste avant la gare. C'était avant la guerre. L'évènement a eu lieu bien avant le règne de Louis XIII.* ❑ *Devant* prép. = indique une position qui précède dans l'espace, sans référence à une quelconque idée de mouvement (s'oppose à *derrière*). *La terrasse qui se trouve devant la maison.* **2.** *À l'avant de / en avant de* ❑ *À l'avant de* loc. prép. = à la partie antérieure de. *Le moteur est placé à l'avant de la voiture.* ❑ *En avant de* loc. prép. = à la place, dans la situation qui précède (qqn, qqch), devant. *Il marche en avant de la troupe.* **3.** *D'avant* loc. adj. = précédent. *Le jour d'avant.* (et non *le jour avant*). ◆ **Registre. 1.** *Avant* employé seul comme adverbe *(nous sommes partis vers midi, mais nous avons déjeuné avant)* : cet emploi est usuel dans l'expression orale courante. RECOMM. Dans l'expression soignée, en particulier à l'écrit, préférer *auparavant* ou *d'abord : nous sommes partis vers midi, mais nous avions déjeuné auparavant.* **2.** *Avant* employé comme adverbe et suivi d'un complément de temps ou de lieu, ou accompagné d'un adverbe d'intensité ou de manière. Cet emploi adverbial est possible : *j'étais déjà allé bien avant dans ce travail lorsque j'ai reçu de nouvelles informa-* tions ; *nous sommes fort avant, très avant dans le XXᵉ siècle.*

4. avant- préf. ◆ **Orth.** Les composés avec *avant* prennent tous un trait d'union entre le premier et le second élément. Le tableau ci-dessus donne la liste des mots les plus courants formés avec ce préfixe. ◆ **Accord.** C'est le second élément seul qui prend la marque du pluriel, sauf pour *avant-centre* (plur. : *des avants-centres*), car il s'agit du nom *un avant*. ◆ **Genre.** Le composé prend le genre du second élément. Exceptions : *avant-main* n.m., *avant-midi* n.m. ou n.f. et *avant-guerre* n.m. ou n.f.

avantage n.m. / **davantage** adv. → davantage

avantager v.t. ◆ **Conjug.** Le *g* devient -ge- devant *a* et *o* : *j'avantage, nous avantageons ; il avantagea.* → annexe, tableau 10

avant-centre n.m. ◆ **Orth.** Avec un trait d'union. - Plur. : *des avants-centres.*

avant-coureur adj.m. ◆ **Genre.** Cet adjectif n'a pas de forme féminine et ne s'emploie qu'avec des noms masculins, notamment avec *signe : les signes avant-coureurs de la crise.* REM. *Avant-courrière*, féminin de *avant-courrier*, est parfois employé, dans le registre littéraire, à la place du féminin manquant de *avant-*

coureur : *les manifestations avant-courrières de la crise.*

avant-guerre n.m. ou n.f. ◆ **Genre.** Masculin (plus courant) ou féminin : *l'avant-guerre a été fécond* (ou *féconde*) *en évènements artistiques.* ◆ **Orth.** Plur. : *des avant-guerres.*

avant-main n.m. ◆ **Genre.** Masculin. *Cheval de picador avec un avant-main protégé d'un caparaçon.* ◆ **Orth.** Plur. : *des avant-mains.*

avant-midi n.m. inv. ou n.f. inv. ◆ **Genre.** Masculin (plus courant) ou féminin. ◆ **Orth.** Plur. : *des avant-midi.* (invariable). → R.O. 1990. ◆ **Emploi.** Rare en France (où l'on dit plutôt *matin, matinée*) ; assez fréquent en Belgique et au Québec.

avatar n.m. ◆ **Sens.1.** Transformation, changement dans la situation, le sort de qqn, de qqch. *Ce ministère nouvellement créé n'est qu'un avatar de l'ancien secrétariat d'État du même nom.* C'est le sens originel du mot : au sens propre, *avatar* désigne chacune des incarnations du dieu Vishnu, dans la religion hindoue. REM. C'est sans doute par confusion avec *avarie* et *aventure* que *avatar* est souvent employé aujourd'hui à tort dans le sens de « incident, mésaventure ». **2.** Emploi courant mais abusif : évènement fâcheux. RECOMM. Employer dans ce sens les équivalents *accident, incident, malchance, mésaventure, tribulations.*

à vau-l'eau loc. adv. ◆ **Orth.** Avec un seul trait d'union. REM. *Vau* est une variante ancienne de *val* (= vallée).

Ave n.m. / **avé** n.m. ◆ **Sens et orth. 1.** *Un Ave* = une prière. Avec une majuscule, comme les autres noms de prières ; garde sa graphie latine, sans accent sur le *e.* - Plur. : *des Ave.* **1.** *Un avé* = un grain de chapelet. Avec une minus-

cule et avec un accent aigu sur le *e.* - Plur. : *des avés. Les cent cinquante avés et les quinze paters du rosaire.* ◆ **Prononc.** *Ave* se prononce toujours avec [e], comme dans *avéré,* malgré l'absence d'accent.

avec prép.
◆ **Emploi et registre.**
1. *Avec* employé sans complément (emploi dit adverbial) : *il a pris la clé, il est parti avec ; pendant son stage, elle a rencontré un jeune homme et elle s'est marié avec.* Emploi courant, mais familier. RECOMM. Dans l'expression soignée, faire suivre *avec* d'un complément, surtout quand s'il s'agit d'une personne : *pendant son stage, elle a rencontré un jeune homme et elle s'est marié avec lui ;* on peut aussi tourner la phrase autrement : *il a pris la clé et il l'a emportée.* REM. En Belgique et dans les régions françaises limitrophes, *tu viens avec ?* (pour : *tu viens avec moi ?*) est fréquent.
❏ *Faire avec, vivre avec,* pour « se contenter de qqch., supporter qqch. », sont des expressions familières.
2. *Avec* employé pour *de* après *déjeuner, dîner : déjeuner avec un sandwich, dîner avec une soupe.* Emploi courant, mais familier. RECOMM. Dans l'expression soignée, surtout à l'écrit, employer *déjeuner de, dîner de : j'ai déjeuné d'un sandwich ; elle dîne d'une soupe.* REM. *Déjeuner avec, dîner avec* se rencontrent cependant chez de grands auteurs : « *Il dînait avec du pain et des pommes de terre* » (V. Hugo).
3. *Avec* employé pour *par : avec ce mauvais temps, il fait bon rester chez soi ; commencer avec un discours ; arriver avec le train.* Emplois admis dans l'expression courante. RECOMM. Dans le registre soutenu, surtout à l'écrit, préférer *par : par ce mauvais temps, il fait bon rester chez soi ; commencer par un discours ; arriver par le train.*
4. *Avec ça* = en plus. *Il est arrivé en retard et, avec ça, il n'avait pas pris le bon dossier.* Emploi familier. RECOMM. Dans l'ex-

pression soignée, préférer les équivalents *de plus, en outre, de surcroît, pour comble* : *...et, pour comble, il n'avait pas pris le bon dossier.*

❏ *Avec ça que* = sans compter que. *Avec ça que j'ai déjà trop de travail.* Expression relâchée. **RECOMM.** Dans l'expression soignée, tourner la phrase autrement : *sans compter que j'ai déjà trop de travail, comme si je n'avais pas déjà trop de travail,* etc.
5. *D'avec* **marquant la séparation :** *séparer le bon grain d'avec l'ivraie ; « Mais ces différences d'avec notre nature, c'est encore notre nature qui les imagine »* (M. Proust). Registre soutenu. Dans le registre courant, on emploie plutôt *de* ou *avec* : *séparer le bon grain de l'ivraie ; ces différences avec notre nature, c'est encore...*
♦ **Accord.**
Après deux noms ou deux pronoms au singulier réunis par *avec,* le verbe se met au singulier si *avec* introduit un complément du premier terme : *la ville avec son château se reflète dans les eaux du lac.* L'ensemble *avec* + complément est généralement placé entre virgules : *la ville, avec son château, se reflète...*
Lorsque les deux termes ont la même importance (*avec* = et), ils sont considérés l'un et l'autre comme sujets et le verbe se met au pluriel : *« Le singe avec le léopard / Gagnaient de l'argent à la foire »* (La Fontaine).

avenant, e adj. / **avenu, e** adj.
→ advenir

avènement n.m. ♦ **Orth.** Avec un accent grave sur le premier *e.*

Avent n.m. ♦ **Orth.** Avec une majuscule et avec un *e* : bien distinguer l'*Avent,* temps de la liturgie catholique qui précède Noël, de la préposition *avant.* **REM.** *Avent* est issu du latin *adventus,* venue, arrivée (penser à *venir*).

aventure n.f. ♦ **Orth.** On écrit au pluriel : *un roman d'aventures, un film d'aven-*

tures. ♦ **Emploi et registre.** *Par aventure / d'aventure.* On emploie indifféremment *par aventure* ou *d'aventure* dans le sens de « par hasard » : *quand d'aventure il viendrait* (ou *quand par aventure...*). Registre soutenu.

aventuré, e adj. / **aventureux, euse** adj. / **aventurier, ère** n. ♦ **Sens et emploi.** Ne pas confondre ces trois mots dont les deux premiers sont adjectifs et le troisième substantif. **1.** *Aventuré* = hasardeux, douteux (registre soutenu). *Une hypothèse aventurée.* **2.** *Aventureux* = qui aime l'aventure ; plein d'aventures. *Un homme, un esprit aventureux ; elle a toujours mené une vie aventureuse.* **3.** *Aventurier, ère* = personne qui aime l'aventure. *Il a réuni pour cette expédition quelques aventuriers dans son genre.* **REM.** *Aventurier* est souvent employé dans le sens péjoratif de « homme qui vit d'expédients, de moyens peu recommandables ». - *Aventurière* signifiait au XIXe s. « femme qui use de tous les moyens, et notamment de ses charmes, pour réussir ». Cet emploi est aujourd'hui vieilli.

avenue n.f. → rue

avérer (s') v.pr. ♦ **Conjug.** Attention à l'accent, tantôt grave, tantôt aigu : *il s'avère, il s'avérera.* → annexe, tableau 11 et R.O. 1990. ♦ **Emploi. 1.** *S'avérer* = se faire reconnaître pour vrai. *Cette hypothèse s'est avérée.* Registre soutenu (emploi assez rare). **2.** *S'avérer* (+ adjectif), *s'avérer que* (+ indicatif) = apparaître, se révéler, se montrer. *Ce remède s'avère très efficace ; il s'est avéré que ce n'était pas très difficile.* C'est l'emploi le plus fréquent. **RECOMM.** Éviter *s'avérer vrai, il s'est avéré que c'était vrai* (pléonasme) et *s'avérer faux, il s'est avéré que c'était faux* (non-sens). **REM.** Les emplois fautifs *s'avérer vrai* et *s'avérer faux,* fréquents de nos jours, marquent l'affaiblissement du sens du mot, dans lequel le radical *ver-* (latin *verus,* vrai) n'est plus perçu.

aversion n.f. ◆ **Constr.** *Aversion pour, contre, à l'égard de : il a toujours montré une grande aversion pour ces comportements* (ou *contre, à l'égard de ces comportements*). **RECOMM.** Éviter la construction avec *de* dans les contextes où elle présente un risque d'ambiguïté (*l'aversion des hypocrites* = l'aversion que les hypocrites éprouvent ou l'aversion que les hypocrites suscitent).

avertir v.t. ◆ **Sens.** *Avertir* = mettre en garde contre ce qui peut survenir. **RECOMM.** Éviter le pléonasme *avertir à l'avance* (→ **avance**). En revanche, *avertir peu à l'avance, longtemps à l'avance* sont corrects.

aveu n.m. ◆ **Orth.** On écrit au singulier : *un homme sans aveu.* **REM.** Cet emploi correspond à un sens aujourd'hui disparu de *aveu* : « acte par lequel un seigneur reconnaissait qqn pour son vassal ». ◆ **Emploi.** On dit *passer aux aveux* et non **passer des aveux.* **REM.** *Passer des aveux,* fréquent dans l'écriture journalistique (*le suspect a passé des aveux complets*) semble s'être formé sur le modèle de *passer des accords.*

aveugle n. ◆ **Emploi.** Seule la locution *en aveugle* (sens figuré) est usitée aujourd'hui : *dégustation en aveugle* (= sans que l'origine ou la marque des produits soit connue de ceux qui les dégustent). *À l'aveugle* ne s'emploie plus (on dit aujourd'hui *à l'aveuglette*).

aveuglement n.m. / **aveuglément** adv. ◆ **Orth.** Le nom et l'adverbe ne se distinguent que par l'accent : *son aveuglement l'empêche de se rendre à l'évidence ; il lui fait aveuglément confiance.*

aveugle-né, e n. ◆ **Orth.** Avec un trait d'union. - Plur. : *des aveugles-nés, des aveugles-nées.*

avion n.m. ◆ **Orth. 1.** Les noms composés avec *avion* s'écrivent avec un trait d'union : *un avion-citerne, un avion-cargo.* Chacun des éléments prend la marque du pluriel : *des avions-citernes.* **2.** On écrit sans trait d'union les locutions formées avec *avion* (+ adjectif) : *avion ravitailleur, avion remorqueur, avion torpilleur.* **3.** Les dérivés de *avion* s'écrivent avec deux *n* (*avionneur, avionnette, avionnerie,* etc.), à l'exception de *avionique,* formé avec la finale de *électronique.*

avis n.m. ◆ **Constr. 1.** *Être d'avis de* (+ infinitif), *être d'avis que* (+ subjonctif) = juger opportun, préférable de. *Je suis d'avis d'attendre encore un peu, que nous attendions encore un peu.* **2.** *Être d'avis que* (+ indicatif) = croire que, penser que. *Je suis d'avis que toute nouvelle expérience a un côté positif.* ◆ **Registre.** *M'est avis que.* Familier et vieilli. « *M'est avis que, depuis La Rochefoucauld, et à sa suite, nous nous sommes fourrés dedans* » (A. Gide).

aviser v.t. et v.t.ind. ◆ **Constr.** Plusieurs constructions sont possibles en fonction des différents sens du verbe. **1.** *Aviser qqn, qqch.* = apercevoir, découvrir subitement. *Il a avisé une connaissance au fond de la salle et l'a apostrophée ; avisant un fusil, il s'en saisit.* **2.** *Aviser qqn de qqch.* = l'en prévenir, l'en avertir. *Je l'ai déjà avisée de notre visite.* - Fréquent au passif : *vous serez avisés des résultats par voie d'affichage.* ❑ *Aviser qqn que* (+ indicatif ou conditionnel) : *nous l'avons avisé qu'il serait prochainement muté.* **3.** *Aviser à qqch* = parer à, pourvoir à, veiller à. *Nous aviserons au bon déroulement de l'opération.* ❑ *Aviser à ce que* + (subjonctif) : *avisons à ce que tout soit prêt à temps.* ❑ *Aviser à* (+ infinitif) : *avisons à organiser le départ.* ❑ Dans ce sens, la construction sans complément est plus fréquente : *la situation devient préoccupante, il serait temps d'aviser.* **4.** *S'aviser de qqch.* = s'apercevoir subitement de. *Elle s'est avisée de son oubli.* ❑ *S'aviser que* (+ indicatif ou conditionnel). « *Il s'avisa que*

rien ne valait de boire frais » (M. Aymé).
RECOMM. Éviter *s'aviser de ce que*, qui est lourd. **5.** *S'aviser de* (+ infinitif) = oser témérairement, être assez audacieux pour. *Elle s'était avisée de lui faire un reproche.* Fréquent pour exprimer une menace (à l'impératif ou avec *si*) : *ne t'avise pas de recommencer ; si tu t'avises de recommencer, tu auras affaire à moi.*

avocat, e n. ◆ **Genre.** Le féminin *avocate* est admis pour désigner la personne, mais le titre est toujours masculin : *mon amie Marie Deluc est avocate ; Maître Marie Deluc, avocat à la Cour.*

avoir v.t. ◆ **Conjug.** → annexe, tableau 1. ❏ *Avoir* est le seul verbe, avec *être*, à ne pas avoir de *i* aux deux premières personnes du pluriel du subjonctif présent *(que nous ayons, que vous ayez)* et à avoir un *t* et non un *e* comme terminaison de la 3ᵉ personne du singulier du subjonctif présent *(qu'il ait).* ❏ Distinguer *il eut* (passé simple) de *il eût* (subjonctif ou conditionnel). **RECOMM.** Pour savoir à quelle forme on a affaire, mettre le verbe à un autre temps ou au pluriel : *il eut l'occasion de le rencontrer (ils eurent… :* passé simple) ; *on eût dit un épouvantail (on aurait dit… :* conditionnel) ; *il fallait toujours qu'il eût raison (…qu'il ait raison :* subjonctif). ◆ **Accord.** *Avoir à* (+ infinitif) = devoir. Dans cette construction, le participe passé *eu* est invariable, car le complément d'objet direct est complément de l'infinitif et non de *avoir : les éléments que j'avais eu à coordonner* (je coordonne les éléments). Ne pas confondre cette construction avec des tours tels que *j'ai eu de la peine à le convaincre, quelle peine j'ai eue à le convaincre.* ◆ **Registre.** *En avoir à (après, contre) qqn* = être fâché contre qqn. Registre familier. **RECOMM.** Dans l'expression soignée, préférer les équivalents *en vouloir à, s'emporter contre, s'en prendre à,* etc. ◆ **Emploi. 1.** *Avoir affaire,*

avoir l'air. → **affaire, air. 2.** *N'avoir cesse de* ou *que.* → **cesse. 3.** *Eu égard à.* → **égard. 4.** *N'avoir garde de.* → **garde**

avoisiner v.t. ◆ **Orth.** Un seul *n.* ◆ **Constr.** *Avoisiner qqch. : sa maison avoisine la mienne.* Contrairement à *voisine* dont les compléments sont introduits par la préposition *avec, avoisiner* se construit sans préposition.

avorter v.i. ◆ **Constr.** *Avorter une femme* (pour *faire avorter*). Cette construction transitive, naguère critiquée, est aujourd'hui d'un emploi courant. **RECOMM.** Dans l'expression soignée, préférer des tournures incontestées comme *faire avorter* ou *interrompre la grossesse de.*

axer v.t. ◆ **Constr. 1.** *Axer sur* = placer, orienter selon un axe. *La perspective est axée sur la pièce d'eau.* **2.** *Axer sur, axer autour de* = organiser en fonction de (un thème, une idée essentielle). « *Cette vaste composition, axée autour d'un caractère très dessiné* » (R. Martin du Gard). « *Toute pensée réactionnaire est axée sur le passé* » (A. Malraux).

axiome n.m. ◆ **Orth. et prononc.** Pas d'accent circonflexe sur le *o,* malgré la prononciation avec un *o* fermé, comme dans *dôme.*

ayant cause n. / **ayant droit** n. ◆ **Orth.** Sans trait d'union. - Plur. : *des ayants droit, des ayants cause.* **REM.** La marque du pluriel au premier élément est une trace de l'ancien usage, dans lequel le participe présent s'accordait en genre et en nombre.

azalée n.f. ◆ **Genre.** Féminin : *une azalée.*

azimut n.m. ◆ **Orth. 1.** Pas de *h* après le *t* (ne pas se laisser influencer par des mots tels que *bismuth, bizuth, zénith*).

2. *Tous azimuts* loc. adj. Toujours au pluriel : *une défense tous azimuts.*

azote n.m. ◆ **Genre.** Masculin : *l'azote est présent dans l'air.*

aztèque adj. et n. ◆ **Prononc.** Le *z* doit être prononcé [z], comme dans *azur.* REM. La prononciation relâchée laisse entendre un [s], comme dans *pastèque,* à cause du *t,* qui tend à assourdir le *z.*

azulejo n.m. ◆ **Prononc.** Se prononce à l'espagnole [asulexo] : *azu-* se prononce comme dans *assouvir* et *j* correspond à un son que le français ne connaît pas, qui est voisin du *r,* comme dans le nom de danse *la jota.* ◆ **Orth.** Plur. : *des azulejos.* → R.O. 1990

azur n.m. ◆ **Orth. 1.** Comme de nombreux noms désignant une couleur, *azur* tend à s'employer comme adjectif ; il est alors invariable : *des étendards azur, des banderoles azur.* **2.** *Côte d'Azur,* avec deux majuscules.

azyme adj. et n. ◆ **Orth.** Attention au groupe *-zy-.* ◆ **Emploi.** Est surtout employé comme adjectif dans la locution *pain azyme* et comme nom dans *la fête des Azymes* (avec une majuscule dans ce cas).

B

baba adj. ◆ **Accord.** Invariable en genre et en nombre : *elles en étaient toutes baba.* ◆ **Registre.** Très familier.

babil n.m. ◆ **Orth. et prononc.** La prononciation [babil] faisant entendre le *l,* comme dans *habile,* est aujourd'hui la plus fréquente.

bâbord n.m. ◆ **Orth.** Avec un accent circonflexe sur le *a.* REM. Le *d* final correspond au *d* de *bord.* ◆ **Sens.** *Bâbord* = côté gauche d'un navire (quand on regarde vers l'avant). REM. Moyens mnémotechniques souvent cités : le *a* de *bâbord* est dans *gauche,* le *i* de *tribord* dans *droite* ; bâbord à gauche, tribord à droite, comme dans le mot *batterie.*

baby- élément de composition ◆ **Orth.** Les noms composés avec *baby* s'écrivent avec un trait d'union : *baby-sitter, baby-foot.* ❑ Dans les noms composés, *baby* ne prend pas la marque du pluriel *(des baby-booms, des baby-sitters, des baby-sittings)* ; *baby-beef* et *baby-foot* sont invariables : *des baby-beef, des baby-foot.* → R.O. 1990. ◆ **Prononc.** On prononce le plus souvent avec [e] (*é* fermé, comme dans *bébé*), sauf pour *baby-foot,* qui se prononce le plus souvent avec [a]. REM. La prononciation avec [a] n'est incorrecte pour aucun des composés de *baby.*

bac n.m. ◆ **Orth.** Dans la construction *bac à* (+ nom), le complément est au singulier s'il désigne quelque chose qui ne peut pas être compté ou s'il a une valeur collective : *bac à glace, à vaisselle, bac à poisson, à viande.* Dans le cas contraire, le complément est au pluriel : *bac à fleurs, bac à légumes, bac à glaçons*

bacante n.f. → bacchante

baccara n.m. / **baccarat** n.m. ◆ **Sens et orth.** Ne pas confondre ces deux homonymes. 1. *Baccara* = jeu de casino. Sans *t* final. 2. *Baccarat* = objet en cristal de la manufacture de Baccarat. Avec un *t* final.

bacchanales n.f. plur. ◆ **Orth.** Avec deux *c* et un *h,* comme dans *Bacchus.* ◆ **Prononc.** [bakanal], comme dans *baccalauréat.*

bacchante n.f. / **bacchante** ou **bacante** n.f. ◆ **Sens et orth.** Ne pas confondre ces deux mots. 1. *Bacchante* = prêtresse de Bacchus, dans l'Antiquité. 2. *Bacchante* ou *bacante* = moustache (mot familier). Les deux graphies sont admises. ◆ **Emploi.** *Bacchantes* au sens de « moustaches » est plus fréquent au pluriel. *Porter les bacchantes retroussées.*

bâche

bâche n.f. ◆ **Orth.** Avec un accent circonflexe sur le *a*. De même pour les dérivés : *bâchage, bâcher.*

bachique adj. ◆ **Prononc.** [baʃik], comme dans *hachis.* ◆ **Orth.** Avec un seul *c,* bien que le mot soit issu du nom propre *Bacchus,* dans lequel -*cch*- se prononce comme *k.*

bachoter v.i. ◆ **Orth.** Avec un seul *t,* comme les dérivés *bachotage* et *bachoteur.*

bacille n.m. ◆ **Orth.** Avec un seul *c* et deux *l.* ◆ **Prononc.** [basil] comme dans *facile* (et non [j] comme dans *famille*). De même pour les dérivés : *bacillaire, bacilliforme,* etc.

background n.m. ◆ **Anglicisme.** Ce mot signifie soit « cadre (d'une action, d'un évènement) », soit « acquis personnels et professionnels, bagage». RECOMM. Préférer pour le premier sens les équivalents français : *arrière-plan, contexte, situation, toile de fond,* etc., et, pour le second : *acquis, antécédents, bagage, expérience, passé,* etc.

bâcler v.t. ◆ **Orth.** Avec un accent circonflexe sur le *a.* De même pour les dérivés : *bâclage, débâcle,* etc.

bacon n.m. ◆ **Prononc.** On prononce le plus souvent à l'anglaise, [bekɔn] avec le *a* articulé comme le *é* de *béquille,* et -*on* comme dans *donne.* REM. La prononciation à la française, [bakɔ̃], comme pour rimer avec *balcon,* est possible, mais elle est rare, probablement pour des raisons d'euphonie.

badaud, e n. ◆ **Orth.** Avec *d* final. ◆ **Genre.** Le féminin *badaude* est rare.

badminton n.m. ◆ **Prononc.** [badmintɔn], les deux *n* se font entendre, comme dans *mine* et *tonne.*

baffe n.f. / **baffle** n.m. ◆ **Genre.** 1. *Baffe* (= gifle) : féminin. *Elle lui a* retourné *une baffe.* Registre familier. 2. *Baffle* (= enceinte acoustique) : masculin. *Quatre gros baffles sont posés sur le devant de la scène.* ◆ **Sens.** *Baffle* 1. Élément d'un haut-parleur (sens technique). 2. Haut-parleur, enceinte acoustique (emploi courant, mais abusif en technique).

bafouer v.t. ◆ **Orth.** Un seul *f.*

bafouiller v.i. et v.t. ◆ **Orth.** Un seul *f.*

bâfrer v.t. ◆ **Orth.** Avec un accent circonflexe sur le *a* et un seul *f.* ◆ **Registre.** Familier. ◆ **Constr.** *Bâfrer* a la même construction que *manger : il a tout bâfré, il bâfre sans arrêt.* Mais, sans doute par confusion avec son synonyme *se goinfrer,* on trouve parfois la forme pronominale *se bâfrer.*

bagage n.m. ◆ **Orth.** 1. Sans *u* après le *g* (ne pas confondre avec *baguage,* action de baguer : *le baguage des oiseaux migrateurs*). 2. Reste au singulier dans *plier bagage,* mais se met au pluriel dans *voyager sans bagages, chariot à bagages, bulletin de bagages, avec armes et bagages.*

bagou, bagout n.m. ◆ **Orth.** Les deux graphies *bagou* et *bagout* sont admises. *Bagou* est plus courant aujourd'hui. REM. Pas d'accent circonflexe sur le *u* (vient de l'ancien français *bagouder,* parler à tort et à travers. Sans rapport avec *goût*).

baguage n.m. ◆ **Orth.** Dérivé du verbe *baguer.* Conserve le *u* devant *a.* → bagage

bai, baie adj. ◆ **Orth.** Féminin : *baie. Un trotteur à la robe baie.*

bail n.m. ◆ **Orth.** Plur. : *des baux.* Mais on écrit : *des crédits-bails* et *des cessions-bails.*

bâillement n.m. ◆ **Orth.** Accent circonflexe sur le *a,* ainsi que pour les autres mots de la famille : *bâiller, bâillon, bâillonner,* etc.

bailler v.t. / **bayer** v.i. / **bâiller** v.i.
♦ **Orth. et sens.** Ne pas confondre ces trois verbes homonymes. **1.** *La bailler belle* (ou *bonne*) *à qqn* = lui en faire accroire. *Bailler* (sans accent) ne s'emploie que dans cette expression littéraire et vieillie. **2.** *Bayer aux corneilles* = regarder niaisement en l'air, bouche bée ; rêvasser. *Bayer* (avec *y* et sans accent), ne s'emploie que dans cette expression courante. **3.** *Bâiller* = faire une longue inspiration involontaire. *Bâiller* (avec accent circonflexe sur le *a*, → **bâillement**) est le seul de ces trois verbes qui peut être employé en dehors d'une expression figée.

bailleur, eresse n. / **bâilleur, euse** n. ♦ **Orth. et sens.** Ne pas confondre ces deux mots que leur orthographe et leur forme féminine permettent de distinguer. **1.** *Bailleur, bailleresse* = personne qui donne un bien à bail (sans accent circonflexe sur le *a*). **2.** *Bâilleur, bâilleuse* = personne qui bâille (avec un accent circonflexe sur le *a*).

bailliage n.m. ♦ **Orth.** Avec *i* après *-ll-* REM. Vient de *bailli.*

bâillon n.m. → bâillement

bâillonner v.t. → bâillement

bain n.m. ♦ **Orth. 1.** On écrit *bain,* au singulier, dans *maillot de bain, peignoir de bain, serviette de bain ; sels de bain.* ❑ On écrit *bains,* au pluriel, dans *salle de bains, établissement de bains, garçon de bains.* **2.** Les compléments sont au singulier dans *bain de boue, bain de mousse, bain de soleil, bain de vapeur* et dans *bain de bouche, bain de siège.* Ils sont au pluriel dans *bain de sels* et *bain de pieds.*

bain-marie n.m. ♦ **Orth.** Avec une minuscule à *marie.* - Plur. : *des bains-*

marie. REM. *Marie* représente ici le nom de la sœur de Moïse, auteur supposé d'un traité d'alchimie.

baïonnette n.f. ♦ **Orth.** Avec un tréma sur l'*i* (bien que le mot soit issu du nom propre *Bayonne*).

baisemain n.m. ♦ **Orth.** En un seul mot. - Plur. : *des baisemains.*

baisoter v.i. ♦ **Orth.** Avec un seul *t,* comme *tricoter,* à la différence de *frisotter.*

baisser v.t. et v.i. ♦ **Emploi.** *La viande a baissé, la rivière a baissé.* Emplois fréquents dans l'expression courante. RECOMM. Dans l'expression soignée, en particulier à l'écrit, préférer : *le prix de la viande a baissé, le niveau de la rivière a baissé.*

balade n.f. / **ballade** n.f. ♦ **Orth.** Ne pas confondre ces deux mots. **1.** *Balade* (= promenade), un seul *l,* comme dans les dérivés *baladeur, se balader.* **2.** *Ballade* (= poème), deux *l.*

baladeur n.m. ♦ **Emploi.** Mot recommandé pour remplacer *Walkman.* → Walkman

baladin n.m. ♦ **Orth.** Avec un seul *l.* REM. Vient du provençal *balar,* danser (faussement rattaché par l'étymologie populaire à *se balader*). ♦ **Sens.** *Baladin / paladin.* → paladin

balafre n.f. ♦ **Orth.** Aucune consonne double. De même pour les dérivés *balafré, balafrer.*

balai n.m. ♦ **Orth.** Finale en *-ai,* comme *délai,* et à la différence de *relais.* ❑ Plur. des noms composés : *des balais-brosses, des voitures-balais.* ❑ On écrit *des coups de balai, des manches à balai.* REM. Ne pas confondre avec l'adjectif masculin *balais,* rose, employé dans l'expression *rubis balais* (le mot vient du nom d'une région voisine de Samarcande où l'on trouvait beaucoup de rubis).

balancer v.t., v.i. et v.pr. ◆ **Conjug.** Le *c* devient *ç* devant *o* et *a* : *je balance, nous balançons ; il balança.* → annexe, tableau 9

balayer v.t. **Conjug.** Les formes conjuguées du verbe peuvent s'écrire avec un *y* ou avec un *i* devant *e* muet : *il balaie* ou *il balaye, il balaiera* ou *il balaiera.* On écrit plus souvent aujourd'hui *il balaie, il balaiera.* - Attention au *i* après le *y* aux première et deuxième personnes du pluriel, à l'indicatif imparfait et au subjonctif présent : *(que) nous balayions, (que) vous balayiez* → annexe, tableau 6

balbutiement n.m. ◆ **Prononc.** Le groupe -*ti*- se prononce [si]. De même pour *balbutier.* ◆ **Orth.** Avec un *e* muet intérieur. *Balbutiement* correspond à *balbutier,* verbe du 1er groupe (comme *aboyer* correspond à *aboiement* → aussi **aboiement**).

baleine n.f. ◆ **Emploi.** Compte tenu des techniques de capture, il est plus exact de dire et d'écrire *chasser la baleine, chasse à la baleine* que *pêcher la baleine, pêche à la baleine.*

ballade n.f. → balade

ballon n.m. ◆ **Orth.** Invariable en emploi adjectif : *des verres ballon, des pneus ballon.*

ballotin n.m. ◆ **Orth.** S'écrit aujourd'hui le plus souvent avec un seul *t* : *un ballotin de chocolat.* REM. *Ballotin* est issu de *ballot.*

ballotter v.i. ◆ **Orth.** Avec deux *l* et deux *t.*

ballottine n.f. ◆ **Orth.** Avec deux *l* et deux *t.* REM. *Ballottine* (= petite pièce de farce et de viande roulée) est de la même famille que *ballottage* (la *ballotte* était la boule qui servait à voter).

ball-trap n.m. ◆ **Orth.** Plur. : *des ball-traps.*

balluchon, baluchon n.m. ◆ **Orth.** Les deux graphies, *balluchon* et *baluchon,* sont admises.

balustrade n.f. ◆ **Orth.** Un seul *l,* comme *balustre.* ◆ **Genre.** Féminin, alors que *balustre* est du masculin.

ban n.m. / **banc** n.m. ◆ **Orth. et sens.** Ne pas confondre ces deux mots. 1. *Ban* = condamnation à l'exil, au bannissement (n'est plus employé que dans les expressions *être en rupture de ban* et *être mis au ban de la société*). 2. *Banc,* avec un *c* = siège. *Être au banc* (ou *sur le banc*) *des prévenus, des accusés.*

banal, e adj. ◆ **Orth. et sens.** Deux pluriels différents selon le sens. 1. *Banal* = ordinaire. - Masc. plur. : *banals. Des propos banals.* 2. *Banal* = soumis au droit de banalité (terme d'histoire). - Masc. plur. : *banaux. Fours banaux, moulins banaux.*

bancable, banquable adj. ◆ **Orth.** Les deux graphies, *bancable* (comme *bancaire*) et *banquable* (comme *banque*), sont admises.

bancaire adj. ◆ **Orth.** Avec un *c,* contrairement à *banque.*

bancal, e, als adj. ◆ **Orth.** Masc. plur. : *bancals.*

bande n.f. ◆ **Orth.** Tous les noms composés avec *bande* s'écrivent avec un trait d'union. 1. *Bande-annonce.* - Plur. : *des bandes-annonces.* 2. *Bande-son, bande-vidéo.* - Plur. *des bandes-son, des bandes-vidéo* (*s* seulement à *bande*).

banderillero n.m. ◆ **Orth. et prononc.** Avec deux *e* sans accent qui se prononcent comme des *é.* → R.O. 1990.

Banderillero a gardé sa graphie espagnole, à la différence de *boléro*.

banderole n.f. ◆ **Orth.** Avec un seul *l*.

bandoulière n.f. ◆ **Orth.** Avec un seul *l*. ◆ **Prononc.** Se prononce avec un [l], comme dans *familière*.

banque n.f. ◆ **Orth.** 1. *Banque de, du.* Les compléments s'écrivent au singulier dans *banque de crédit* et *banque d'émission*, ainsi que dans *banque de* (ou *du*) *sang, banque de* (ou *du*) *sperme* ; ils s'écrivent au pluriel dans *banque d'affaires* ainsi que dans *banque d'organes* et *banque d'yeux* (ou *des yeux*). L'usage hésite entre *banque de dépôt* et *banque de dépôts*. 2. On écrit avec -*qu*- les dérivés *banquer, banquier*, avec -*c*- les dérivés *bancaire, bancarisation*. *Bancable* et *banquable* sont corrects l'un et l'autre.

banqueter v.i. ◆ **Conjug.** Attention au redoublement de *t* devant *e muet* : *il banquette, il banquettera* mais *nous banquetons ; il banquetait.* → annexe, tableau 16, et R.O. 1990

baobab n.m. ◆ **Prononc.** Faire entendre le *b* final.

baptiste n. et adj. ◆ **Orth.** Avec un *p*, comme dans *baptême : le mouvement baptiste*. Ne pas confondre avec *batiste* (tissu). → **batiste**

baraque n.f. ◆ **Orth.** Avec un seul *r*. De même pour les dérivés *baraqué* et *baraquement*.

baratte n.f. ◆ **Orth.** Avec un seul *r* et deux *t*. De même pour les dérivés *barattage, baratter, baratteuse*.

barbecue n.f. ◆ **Prononc.** Se prononce le plus souvent à l'anglaise, avec le *u* prononcé *iou* comme dans *pioupiou*. La prononciation à la française avec le *u* prononcé comme dans *cru,* est généralement évitée à cause de la rime malséante avec *cul.* ◆ **Orth.** Plur. : *des barbecues.*

barbital n.m. ◆ **Orth.** Plur. : *des barbitals,* comme *des chacals.*

barboter v.i. ◆ **Orth.** Avec un seul *t*. Les mots de la même famille : *barbotage, barboteur, barboteuse, barbotière* et *barbotine* ne prennent qu'un seul *t* également.

barcarolle n.f. ◆ **Orth.** On écrit *barcarolle,* avec deux *l*. → R.O. 1990

barème n.m. ◆ **Orth.** Avec un seul *r*, et un accent grave sur le *e*, comme dans *crème*. **REM.** Le mot ne prend qu'un seul *r*, bien qu'il soit issu du nom propre *Barrême*.

baréter v.i. ◆ **Conjug.** Attention à l'accent, tantôt grave, tantôt aigu : *je barète, nous barétons ; il barétera*. → annexe, tableau 11 et R.O 1990

baril n.m. ◆ **Orth.** Avec un seul *r* et un *l* final. ◆ **Prononc.** On prononce ou non le *l*. La prononciation [baril], comme dans *avril,* est la plus courante.

barmaid n.f. / **barman** n.m. ◆ **Orth.** Plur. : *des barmaids ; des barmans* ou *des barmen*. **RECOMM.** Préférer *des barmans*. → R.O. 1990. ◆ **Emploi.** *Serveur* et *serveuse,* parfois proposés pour remplacer ces anglicismes, ne sont pas des équivalents stricts : le barman et la barmaid ont une qualification professionnelle reconnue, ils préparent notamment les cocktails, et ne servent qu'au bar. Le serveur et la serveuse apportent les consommations aux tables des clients.

baron, onne n. ◆ **Orth.** Avec un seul *r* ; deux *n* à *baronne,* comme pour les mots de la même famille : *baronnage, baronnie, baronnet*. **REM.** *Baronnet* (titre de noblesse britannique) s'écrit également *baronet*.

barrage n.m. ◆ **Orth.** Avec deux *r.* ❑ On écrit : *des barrages-coupoles, des barrages-poids, des barrages-voûtes.* ❑ On écrit : *des matchs de barrage, des tirs de barrage.*

barzoï n.m. ◆ **Orth.** Plur. : *des barzoïs.*

bas, basse adj. ◆ **Emploi. 1.** *En bas de / au bas de.* Ces deux locutions sont synonymes : *signer au bas de la page* ou *en bas de la page.* **RECOMM.** Éviter le pléonasme *descendre en bas. Mais on peut dire ou écrire : *descendre plus bas, descendre très bas,* etc. **2.** *À bas de* est aujourd'hui vieilli. *« Fabrice se jeta à bas de son cheval »* (Stendhal). **3.** *Bas suivi d'un nom propre.* Ne constitue un nom composé avec majuscule et trait d'union que dans la désignation d'une unité administrative ou d'une période historique : *le Bas-Rhin, Basse-Terre, le Bas-Empire ;* mais *la basse Bretagne, la basse Loire.*

bas-, basse- élément de composition ◆ **Orth.** *Bas* s'emploie comme premier élément de mots composés écrits avec un trait d'union. Le deuxième élément, ainsi que *basse* au féminin, prennent la marque du pluriel, sauf dans *basse-contre* : *des bas-reliefs, des basses-cours.*

bas-bleu n.m. ◆ **Genre.** Masculin, bien que le mot désigne une femme. ◆ **Emploi.** Vieilli.

base-ball n.m. ◆ **Prononc.** Se prononce à l'anglaise [bezbɔl], *base-* comme dans *bésigue* et *-ball* comme *bol.* ◆ **Orth.** En deux mots : *base-ball.* → R.O. 1990

bas-fond n.m. ◆ **Orth.** Avec un trait d'union. ◆ **Sens.** *Bas-fond* = partie élevée du fond de la mer ou d'un cours d'eau ou, au contraire, fond éloigné de la surface de l'eau. REM. *Haut-fond,* plus courant, est synonyme de *bas-fond* dans son acception « partie élevée du fond ». ◆ **Nombre.** Toujours au pluriel dans le sens figuré « lieux de déchéance, où règnent des mœurs plus ou moins crapuleuses ». *Les bas-fonds de Chicago, au temps de la prohibition.*

baser v.t. ◆ **Emploi.** *Baser sur* est devenu courant dans la langue de tous les jours : *son analyse est basée sur une enquête minutieuse.* **RECOMM.** Dans l'expression soignée, en particulier à l'écrit, préférer *fonder sur : son analyse est fondée sur une analyse minutieuse.*

Basic n.m. / **basique** adj. ◆ **Orth.** Ne pas confondre ces deux mots. **1.** *Basic,* n.m. (= langage de programmation), avec majuscule et *c* final. Terme d'informatique. **RECOMM.** Même si le mot est parfois écrit avec une minuscule comme un nom commun, préférer *Basic,* avec une majuscule (nom propre). **2.** *Basique,* adj. (= qui a les propriétés d'une base), avec *-que.* Terme de chimie. ◆ **Registre.** La langue courante fait un usage de plus en plus fréquent de l'adjectif *basique,* calque de l'anglais *basic : français basique, garde-robe basique.* **RECOMM.** Dans l'expression soignée, en particulier à l'écrit, préférer *fondamental* ou *de base : français fondamental, garde-robe de base.*

basket-ball n.m. ◆ **Prononc.** Se prononce à l'anglaise [basketbɔl], *-ball* comme *bol.* ◆ **Orth.** En deux mots : *basket-ball.* → R.O. 1990

basquaise adj. ◆ **Emploi.** On dit indifféremment *poulet à la basquaise* ou *poulet basquaise.* Dans tous les cas, *basquaise* reste au singulier : *des poulets à la basquaise* ou *des poulets basquaise.*

bas-relief n.m. ◆ **Orth.** On écrit : *un bas-relief* mais *une sculpture en bas relief.*

basse- élément de composition → bas

basse-contre n.f. ◆ **Orth.** On écrit *basse-contre,* avec un trait d'union. → R.O. 1990. - Plur. : *des basses-contre.*

◆ **Genre.** Mot féminin, bien qu'il désigne un chanteur (chanteur ayant la voix de basse la plus grave).

basse-cour n.f. ◆ **Orth.** On écrit *basse-cour,* avec un trait d'union. - Plur. : *des basses-cours.* → R.O. 1990

basse-taille n.f. ◆ **Orth.** On écrit *basse-taille,* avec un trait d'union. - Plur. : *des basses-tailles.* → R.O. 1990

bastingage n.m. ◆ **Orth.** Pas de *u* avant le *a,* comme dans *bagage.*

baston n.m. ou n.f. ◆ **Genre.** L'usage est hésitant quant au genre : on dit *la baston* ou *le baston.* ◆ **Registre.** Mot d'argot. ◆ **Orth.** Noter le *s,* comme dans *bastonner* et à la différence de tous les autres mots de la famille de *bâton* → **bâton.**

bateaux (genre et emploi des noms de ~) → annexe, grammaire § 34

bat-flanc n.m. inv. ◆ **Orth.** Avec un *t* final à *bat.* - Plur. : *des bat-flanc* → R.O. 1990. REM. Le mot vient de *battre* et de *flanc,* et désigne à l'origine une pièce de bois séparant deux chevaux dans une écurie.

bath adj. ◆ **Orth.** Invariable en genre. - Plur. : *bath* ou *baths.* REM. L'origine du mot est obscure ; on n'explique pas le *h* final. ◆ **Registre.** Familier et vieilli.

batifoler v.i. ◆ **Orth.** Toutes les consonnes de ce verbe *(t, f, l)* sont simples, à toutes les formes de la conjugaison.

batiste n.f. ◆ **Orth.** Sans *p* après le *a :* *un mouchoir de batiste.* Ne pas confondre avec *baptiste : le mouvement religieux baptiste.* → **baptiste.** REM. La batiste est une toile de lin très fine et très serrée, utilisée en lingerie ; le mot vient probablement du radical de *battre* (selon certaines sources, du nom du premier fabricant, Baptiste).

bâton n.m. ◆ **Orth.** Les mots formés sur *bâton* s'écrivent tous avec un *â* : *bâtonnat, bâtonner, bâtonnet, bâtonnier.* Ils comportent tous deux *n.* REM. *Bastonnade,* volée de coups de bâton, ne vient pas de *bâton* mais de *bastonata,* mot italien. *Baston,* bagarre, est issu de *bastonner,* forme dialectale de *bâtonner,* battre avec un bâton.

battre v.t. ◆ **Orth.** *Battre* s'écrit avec deux *t* ainsi que la plupart des mots de la famille. Font exception *bataille* et ses dérivés, ainsi que *combatif et combativité.* ◆ **Conjug.** → annexe, tableau 63. ◆ **Emploi. 1.** *À l'heure battante.* On dit, on écrit plutôt *à l'heure battante, à dix heures battantes* (= à l'heure juste) que *à l'heure battant, à dix heures battant.* **2.** *Battant neuf* = tout neuf. L'usage est partagé sur l'accord. RECOMM. Laisser *battant* invariable et accorder l'adjectif qui suit : *des habits battant neufs ; une tenue battant neuve.* **2.** *Battre son plein* = être au plus fort de son activité. Le possessif s'accorde normalement avec le sujet du verbe. *Les soldes battent leur plein.* REM. L'expression vient du vocabulaire maritime (*la mer bat son plein* = est haute).

baume n.m. ◆ **Orth. et sens.** *Baume* = pommade apaisante, s'écrit avec *-au-* (ne pas confondre avec *bôme,* terme de marine). Il en est de même pour *embaumer* et pour ses dérivés *embaumeur* et *embaumement.* REM. On trouve dans quelques noms propres du sud de la France un nom féminin d'origine gauloise et signifiant « grotte », qui s'écrit de la même façon : *la Sainte-Baume.*

bayer v.i. → bailler

bayou n.m. ◆ **Prononc.** [baju] comme dans *caillou.*

bazar n.m. ◆ **Orth.** Il n'y a pas de *d* à la fin de *bazar,* malgré l'existence du verbe familier *bazarder,* probablement formé par analogie avec des paires régulières telles que *hasard / hasarder.*

bazooka n.m. ◆ **Prononc.** [bazuka], comme pour rimer avec *choucas.* ◆ **Anglicisme.** RECOMM. : *lance-roquettes.*

béant, e adj. / **béat, e** adj. ◆ **Sens.** Ne pas confondre ces deux mots. **1.** *Béant* adj. = largement ouvert. *Un trou béant.* **2.** *Béat* adj. = qui manifeste un contentement un peu niais. *Un sourire béat.* REM. Les deux mots n'ont pas de parenté étymologique. *Béat* vient du latin *beatus,* heureux, alors que *béant* est le participe présent du verbe *béer.* La confusion vient d'emplois comme *rester béant d'admiration, être béat d'admiration,* qui renvoient aussi à l'expression *bouche bée.* → **bée.**

1. beau, bel, belle adj. ◆ **Orth.** *Beau / bel* Devant un nom masculin commençant par une voyelle ou un *h* muet, on emploie la forme *bel. Un bel enfant. Quel bel été !* On peut aussi rencontrer, dans le registre soutenu, *un bel et charmant enfant,* mais *un enfant beau et charmant* est plus courant de nos jours. On trouve aussi la forme *bel* dans quelques expressions figées comme la locution adverbiale **bel et bien.** *Il a bel et bien disparu.* REM. Les adjectifs *fou / fol, mou / mol, nouveau / nouvel, vieux / vieil* présentent une alternance de formes similaire.

2. beau-, belle- élément de composition ◆ **Orth.** Les mots composés commençant par l'adjectif *beau-, belle-,* comportent tous un trait d'union. Les deux éléments prennent la marque du pluriel : *des belles-mères, des beaux-pères, des belles-sœurs, des beaux-frères.* → **belle** pour les noms composés formés avec le nom *belle- (belle-de-nuit).* ◆ **Emploi.** L'adjectif *beau* est le plus souvent placé devant le nom qu'il qualifie. *C'est un beau travail.*

beaucoup adv.
◆ **Emploi.**
1. *Beaucoup / bien.* Ces deux adverbes sont en concurrence dans un certain nombre d'emplois.
❑ **Devant un adjectif à la forme positive,** on emploie *bien : vous êtes bien gentil ; elle est bien jolie.* Mais, si l'adjectif est repris par le pronom *l',* beaucoup remplace *bien : gentil, vous l'êtes beaucoup ; jolie, elle l'est beaucoup.* On peut dire *gentil, vous l'êtes bien ; jolie, elle l'est bien,* mais le sens est alors : « gentil, vous l'êtes en effet », « jolie, elle l'est en effet » et non « vous êtes très gentil », « elle est très jolie ».
❑ **Devant un adjectif à la forme comparative,** on peut employer indifféremment *beaucoup* ou *bien : vous êtes beaucoup plus gentil* (ou *bien plus gentil) que lui ; elle est bien plus jolie* (ou *beaucoup plus jolie) que moi.*
❑ **Devant les comparatifs** *meilleur* et *pire,* on emploie de préférence *bien : il est bien meilleur dans le répertoire classique que dans le jazz ; la perte est bien moindre qu'on ne le craignait ; la situation est bien pire que la dernière fois.* Mais, après le comparatif, *de beaucoup* est de rigueur : *il est meilleur, de beaucoup, dans le répertoire classique que dans le jazz ; la perte est moindre, de beaucoup, qu'on ne le craignait ; la situation est pire, de beaucoup, que la dernière fois.*
❑ **Devant les adverbes** *mieux, trop, plus, moins,* on emploie indifféremment *beaucoup* ou *bien.*
2. *Beaucoup / de beaucoup.*
❑ **Avec un verbe ou un comparatif,** on emploie *de beaucoup* pour insister sur ce qui est dit : *une voiture plus rapide de beaucoup* (plus fort que : *une voiture beaucoup plus rapide, bien plus rapide) ; le bâtiment dépasse de beaucoup les toits voisins* ou *dépasse les toits voisins de beaucoup* (plus fort que : *le bâtiment dépasse beaucoup les toits voisins).*
❑ **Avec un superlatif relatif,** on utilise *de beaucoup : il est de beaucoup le plus fort.* Placé après le superlatif, *de beaucoup*

renforce l'insistance : *il est le plus fort, de beaucoup* (aussi : *il est le plus fort, et de beaucoup*).

♦ **Accord.**

Accord du verbe employé avec *beaucoup.*

1. *Beaucoup* employé seul (pour « beaucoup de choses, de personnes »). Le verbe est au pluriel : *quelques tableaux ont pu être sauvés ; beaucoup ont brûlé. Beaucoup regretteront ton départ.*

2. *Beaucoup* avec un nom au singulier. Le verbe est au singulier : *beaucoup d'eau a passé sous les ponts ; beaucoup de misère reste sans secours.*

3. *Beaucoup* avec un nom au pluriel. Le verbe est au pluriel : *beaucoup de personnes voudront sans doute venir.* Dans certains cas, c'est le groupe *beaucoup de* (+ nom au pluriel) qui est pris globalement pour sujet du verbe. L'accord se fait alors au singulier : *beaucoup de personnes implique une excellente organisation* (ce ne sont pas des personnes, en tant que telles, qui impliquent une excellente organisation, mais un nombre élevé de personnes).

bébé-éprouvette n.m. ♦ **Orth.** Plur. : *des bébés-éprouvette.*

bec n.m. ♦ **Orth.** Dans les mots composés commençant par *bec-de-,* seul *bec* prend la marque du pluriel. *Des becs-de-cane. Des becs-de-lièvre.*

bec-fin n.m. ♦ **Orth.** Plur. : *des becs-fins.* → R.O. 1990

béchamel n.f. ♦ **Orth.** On écrit avec une minuscule *une béchamel,* mais avec une majuscule *une sauce Béchamel, une sauce à la Béchamel.* REM. C'est Louis de Béchamel, gourmet de la fin du XVIIe s., qui a laissé son nom à cette sauce. Si le nom s'est conservé, le souvenir de l'homme s'est perdu, ce qui explique que l'on rencontre souvent les graphies

sans majuscule : *sauce béchamel* et *sauce à la béchamel.*

becquée, béquée n.f. ♦ **Orth.** Les deux graphies, *becquée* et *béquée,* sont admises. La première est plus courante.

becquet n.m. → béquet

becqueter, béqueter v.t. ♦ **Orth.** Les deux graphies, *becqueter* et *béqueter,* sont admises. La première est plus courante. ♦ **Conjug. 1.** *Becqueter.* Attention au redoublement de *t* devant *e muet : il becquette, il becquettera* mais *nous becquetons ; il becquetait.* → annexe, tableau 16, et R.O. 1990. **2.** *Béqueter.* Attention à l'alternance *è/e : je béquète, il béquète,* mais *nous béquetons ; il béquètera ; il béquèterait ; qu'il béquète* mais *que nous béquetions.* → annexe, tableau 12

bée adj. ♦ **Emploi.** Cet adjectif ne s'emploie que dans l'expression *bouche bée.* REM. *Bée* vient du verbe *béer* = être grand ouvert.

beefsteak n.m. → bifteck

bégaiement n.m. ♦ **Orth.** Avec un *e* muet intérieur. REM. *Bégaiement* correspond à *bégayer,* verbe du 1er groupe → aboiement

bégayer v.i. et v.t. ♦ **Conjug.** Les formes conjuguées du verbe peuvent s'écrire avec un *y* ou avec un *i* devant *e* muet : *il bégaie* ou *il bégaye, il bégaiera* ou *il bégaiera.* On écrit plus souvent aujourd'hui *il bégaie, il bégaiera.* - Attention au *i* après le *y* aux première et deuxième personnes du pluriel, à l'indicatif imparfait et au subjonctif présent : *(que) nous bégayions, (que) vous bégayiez.* → annexe, tableau 6

beige adj. ♦ **Orth.** On écrit : *des manteaux beiges,* mais *des manteaux beige clair.* → annexe, grammaire § 97, 99

beignet n.m. ◆ **Orth.** *Beignets de...* Lorsque le nom complément de *beignets* désigne qqch. qui peut être compté, il prend la marque du pluriel : *des beignets de pommes, d'aubergines.* Lorsqu'il désigne qqch. qui ne peut pas être compté, il s'écrit au singulier : *des beignets de semoule, de fromage.*

bélître adj. ◆ **Orth.** On écrit *bélître,* avec un accent circonflexe sur l'*i,* comme dans *huître.* → R.O. 1990

bel adj. → **beau**

belle- élément de composition ◆ **Orth.** **1.** Les mots composés formés sur l'adjectif *belle,* comme *belle-mère,* prennent la marque du pluriel aux deux éléments : *des belles-mères.* **2.** Dans les mots composés formés sur le nom *belle,* comme *belle-de-nuit,* seul *belle* prend la marque du pluriel : *des belles-de-nuit.* → aussi **beau**

bénédicité n.m. ◆ **Orth.** Avec un accent aigu sur chacun des *e.* - Plur. : *des bénédicités.*

bénéficier v.t.ind. ◆ **Constr.** *Bénéficier de* = tirer un profit, un avantage de (le sujet désigne la personne ou la chose qui tire profit). *J'ai bénéficié de son aide. Les vendanges ont bénéficié d'un temps sec.* **RECOMM.** Éviter la construction inverse, avec la préposition *à* (**le temps sec a bénéficié aux vendanges*). Pour inverser le sujet et le complément, employer le verbe *profiter : le temps sec a profité aux vendanges.*

benêt adj. et n.m. ◆ **Orth.** Pas d'accent sur le premier *e,* un accent circonflexe sur le second. ◆ **Emploi. 1.** *Benêt* n'a pas de forme féminine et ne s'emploie pas pour parler d'une femme. **2.** L'emploi comme adjectif (*il est bien benêt, ce garçon ; je me suis trouvé tout benêt*) est moins courant que l'emploi comme nom (*un gros benêt ; quel grand benêt tu fais !*).

bengali adj. et n. ◆ **Prononc.**[bɛ̃gali], la syllabe *ben-* se prononce comme *bain.*

bénin, igne adj. ◆ **Orth. et prononc.** Attention à la forme féminine *bénigne,* à prononcer [benin] comme pour rimer avec *digne.* **REM.** L'adjectif *malin* présente la même alternance : *il est malin, elle est maligne.*

béni, e part. passé et adj. / **bénit, e** adj. ◆ **Sens et orth. 1.** *Béni, e* part. passé et adj. = sur qui ou sur quoi la protection divine a été appelée, s'étend. *Le prêtre a béni les mariés ; « ... et Jésus le fruit de vos entrailles est béni »* (Ave Maria) ; *peuple béni des dieux ; c'est un jour béni.* **2.** *Bénit, e* adj. = qui a rituellement reçu la bénédiction d'un prêtre ; consacré. *Eau bénite, pain bénit, buis bénit.* **REM. 1.** *Béni* et *bénit* peuvent également s'analyser comme les deux formes que prend le participe passé du verbe *bénir.* **2.** La distinction entre *bénit* « lorsqu'il s'agit de la bénédiction des prêtres » et *béni* « lorsqu'il s'agit de la bénédiction de Dieu ou des hommes » (Littré) ne s'est imposée qu'au XIXᵉ s. Jusque-là, on écrivait toujours *bénit.* ◆ **Constr. 1.** *Béni.* Le complément se construit avec *de : une contrée bénie du ciel.* **2.** *Bénit.* Le complément se construit avec *par : les drapeaux du régiment ont été bénits par l'archevêque.*

béni-oui-oui n.m. inv. ◆ **Orth.** Plur. : *des béni-oui-oui* (mot invariable). **REM.** Mot formé sur le pluriel arabe *beni* = fils de..., ce qui explique l'absence de *s* au pluriel.

benoît, e adj. ◆ **Orth.** Avec un accent circonflexe sur le *i.* De même pour le dérivé *benoîtement* → R.O. 1990

benthos n.m. ◆ **Prononc.** [bɛ̃tos], la syllabe *ben-* se prononce comme *bain.* De même pour le dérivé *benthique.*

bentonite n.f. ◆ **Prononc.**[bɛntɔnit], la syllabe *ben-* se prononce comme *benne.*

REM. Le mot *bentonite* a gardé la prononciation du nom de la localité des États-Unis, *Fort Benton,* dont il est issu.

benzène n.m. ◆ **Prononc.** [bɛ̃zɛn], la syllabe *ben-* se prononce comme *bain.* De même pour les autres mots de cette famille : *benzénique, benzidine, benzine,* etc.

béquée n.f. → becquée

béquet, becquet n.m. ◆ **Orth.** Les deux graphies, *béquet* et *becquet,* sont admises. La première est la plus courante pour ce terme d'imprimerie.

béqueter v.t. → becqueter

bercail n.m. ◆ **Emploi.** S'emploie surtout au singulier. - Plur. : *bercails* (pratiquement inusité).

bercer v.t. et v.pr. ◆ **Conjug.** Le *c* devient ç devant *o* et *a : je berce, nous berçons ; il berça.* → annexe, tableau 9

bergamote n.f. ◆ **Orth.** Un seul *t.*

bernard-l'ermite n.m. inv. ◆ **Orth.** On écrit *bernard-l'ermite* sans *h* (comme *ermite).* - Plur. : *des bernard-l'ermite* (mot invariable). REM. La variante *bernard-l'hermite* est vieillie.

bésicles, besicles n.f. plur. ◆ **Prononc. et orth.** *Bésicles,* avec *é :* [bezikl], la première syllabe est prononcée comme celle de *bélier. Besicles,* avec *e :* [bəzikl], la première syllabe est prononcée comme celle de *belette.* - Les deux graphies, *bésicles* ou *besicles,* sont admises. La première est plus courante. → R.O. 1990. ◆ **Emploi.** Ce mot vieilli n'est plus employé que par plaisanterie : *chausser ses bésicles* (= mettre ses lunettes).

besoin n.m. ◆ **Emploi. 1.** *Avoir besoin de* (le sujet désigne un être vivant) : *l'homme a besoin de liberté ; les plantes ont besoin d'eau.* RECOMM. Dans l'expression soignée, en particulier à l'écrit, éviter d'employer *avoir besoin de* avec un sujet ne désignant pas un être vivant, comme le fait la langue familière. Écrire : *il faudrait repeindre cette pièce* et non *cette pièce aurait besoin d'être repeinte.* **2.** *Il est besoin* = il est nécessaire. Cette tournure impersonnelle appartient au registre soutenu. Elle est employée le plus souvent dans des phrases négatives ou interrogatives *(il n'est point besoin d'espérer pour entreprendre ; est-il besoin de vous dire que…)* ou sous la forme *s'il en est besoin, si besoin est : je vous ferai parvenir de nouvelles instructions s'il en est besoin, si besoin est.* ◆ **Constr. 1.** *Avoir besoin de* (+ nom ou infinitif) : « *un malade a besoin de douceur* » (A. Camus) ; *j'ai besoin de m'absenter mardi.* **2.** *Avoir besoin que* (+ subjonctif) : *j'ai besoin que vous me souteniez.*

best-seller n.m. ◆ **Orth.** Plur. : *des best-sellers.* ◆ **Emploi.** Cet anglicisme désignant un grand succès de librairie, un livre à gros tirage, est aujourd'hui d'un usage courant. Si on souhaite néanmoins l'éviter, on peut recourir, selon les contextes, aux équivalents *meilleure vente, livre à succès, gros tirage.*

bétail n.m. sing. / **bestiaux** n.m. plur. / **bestiau** n.m. sing. ◆ **Sens et emploi.** Ne pas confondre ces trois mots proches par la forme et par le sens. **1.** *Bétail* n.m. sing. (nom collectif) = ensemble des animaux élevés dans une exploitation agricole, à l'exception de la volaille. *Gros, petit bétail.* **2.** *Bestiaux* n.m. plur. = animaux de gros bétail. *Foire aux bestiaux, wagon à bestiaux.* REM. Au singulier, on dit : *une bête.* **3.** *Un bestiau* n.m. sing. = un animal quelconque (emploi familier, souvent par plaisanterie). *Son chien, un bestiau de cinquante kilos.*

bétonnière n.f. / **bétonneuse** n.f. ◆ **Emploi.** *Bétonnière* est le terme propre *bey*

utilisé dans le bâtiment et les travaux publics. *Bétonneuse* (formé sur *bétonner*), d'un emploi courant, est impropre en tant que terme technique.

bey n.m. ◆ **Orth.** Jamais de majuscule : *le bey de Tunis* ; employé avec un nom propre, *bey* se place derrière celui-ci sans trait d'union : *Hassan bey* → aussi **dey, pacha**

bi- préf. ◆ **Orth.** Les mots formés avec *bi-* (= deux) s'écrivent sans trait d'union.

bibelot n.m. / **bimbelot** n.m. ◆ **Sens.** Ne pas employer l'un pour l'autre ces deux mots de forme proche, mais de sens distincts. **1.** *Bibelot* = petit objet décoratif (qui peut avoir une grande valeur). REM. *Bibelot* a donné les dérivés *bibelotier, bibeloteur,* amateur de bibelots, et *bibelotage,* fait de collectionner les bibelots. **2.** *Bimbelot* = colifichet, petit objet de faible valeur. REM. Ce mot est sorti de l'usage, mais ses dérivés *bimbeloterie* (= fabrication des colifichets, des articles de Paris) et *bimbelotier* (= fabricant de colifichets) sont encore vivants.

Bible, bible n.f. ◆ **Sens et orth. 1.** *La Bible* (avec une majuscule) = le livre sacré des juifs et des chrétiens. *Jurer sur la Bible.* **2.** *Une bible* (avec une minuscule) = un exemplaire de ce livre ; un ouvrage qui fait autorité. *Une bible reliée en maroquin rouge ; le* Larousse gastronomique, *c'est sa bible.* **3.** *Papier bible.* Employé comme adjectif, *bible* s'écrit sans majuscule et reste invariable : *du papier bible, des papiers bible.*

1. **bien** adv. ◆ **Emploi. 1.** *Bien / beaucoup* → beaucoup. **2.** *Bien / mieux.* Le comparatif de supériorité de *bien* est *mieux : il chante bien ; en tout cas, il chante mieux que moi.* **3.** *Bien de* (+ nom) = beaucoup de. *Bien* est toujours suivi de *du, de la, des,* sauf devant *autres. Il a bien de la peine. J'ai eu bien du plaisir à vous ren-

contrer. Je connais bien des gens qui s'en contenteraient. Il a bien d'autres soucis en ce moment.* ◆ **Constr.** *Bien que* loc. conj. **1.** *Bien que* (+ subjonctif) : *bien qu'elle soit très fatiguée, elle n'en laisse rien paraître.* Cette construction est la plus courante. REM. Dans le registre littéraire, on rencontre également les constructions *bien que* (+ indicatif), pour souligner l'opposition entre deux faits : « *Mélanie et Gertrude* [furent arrêtées] *bien qu'elles criaient qu'elles n'avaient rien fait* » (R. Rolland) et *bien que* (+ conditionnel), pour marquer l'éventualité : « *À l'heure actuelle, Mirabeau ne remuerait personne, bien que sa corruption ne lui nuirait point* » (Chateaubriand). Ces deux constructions sont vieillies. **2.** *Bien que* (+ adjectif, participe ou nom) : *bien que pauvre, il reste digne ; bien que partant très tôt demain, Paul passera ce soir ; bien qu'honorée de nombreuses distinctions, Mme X est restée très simple ; bien que médecin, il se croit toujours malade.* **3.** **Bien que j'en aie.* Tournure à éviter. RECOMM. Dire ou écrire : *malgré que j'en aie (que tu en aies, qu'il en ait,* etc.) → **malgré**

2. **bien** adj. inv. ◆ **Orth.** Invariable en genre et en nombre : *des gens bien ; des filles bien.* ◆ **Emploi.** Le comparatif de supériorité de *bien* est *mieux : elle est bien, mais son amie est encore mieux.* ◆ **Registre.** Courant. RECOMM. Cet adjectif passe-partout est très utilisé dans la langue parlée courante. Dans l'expression soignée, en particulier à l'écrit, employer un adjectif plus précis, en fonction du contexte : *beau, joli, savoureux, sympathique, honorable, efficace, réussi,* etc.

bien- élément de composition ◆ **Orth.** Dans les mots composés avec *bien,* adverbe, celui-ci reste invariable ; le second élément prend la marque du pluriel *(des bien-pensants, des bien-aimés)* sauf si cet élément est un verbe à l'infinitif *(des bien-être).*

bienfaisance n.f. ◆ **Prononc.** [bjɛ̃fəzɑ̃s], *-ai-* se prononce comme le *e* de *pesant.* De même pour l'adjectif *bienfaisant.*

bien-fonds n.m. ◆ **Orth.** Plur. : *des biens-fonds.* REM. Dans *bien-fonds, bien* est un nom (= un bien, une maison, un terrain).

biennal adj. → bisannuel

bientôt adv. ◆ **Orth.** *Bientôt / bien tôt.* Ne pas confondre ces deux formes. **1.** *Bientôt* = sous peu, dans peu de temps ; en peu de temps. *Il arrive bientôt. L'affaire fut bientôt conclue.* **2.** *Bien tôt* = très tôt (s'oppose à *bien tard*). *Il est parti bien tôt aujourd'hui, bien plus tôt que d'habitude.* ◆ **Registre.** *Très bientôt* appartient à l'usage courant. RECOMM. Dans l'expression soignée, en particulier à l'écrit, préférer *sous peu, dans très peu de temps.*

bienvenu, e adj. ◆ **Orth.** *Bienvenu / bien venu.* Ne pas confondre ces deux formes. **1.** *Bienvenu* = qui arrive à propos, qui est bien accueilli. *L'orage est bienvenu, votre visite est bienvenue* (ou, substantivement, *il est le bienvenu, elle est la bienvenue*). **2.** *Bien venu* = né, apparu, produit dans de bonnes conditions. *Un enfant bien venu et robuste ; le blé est bien venu cette année; sa réplique est bien venue,* opportune, judicieuse.

bifteck n.m. ◆ **Orth.** On écrit *bifteck,* avec un *i. Bifteck,* est la forme francisée de l'anglais *beefsteack,* « tranche de bœuf ». ◆ **Emploi.** On dit aussi *steack.* RECOMM. En parlant de viandes autres que celle du bœuf, employer *steack* : *un steack de cheval.*

bigouden n. et adj. ◆ **Orth. et prononc.** L'orthographe est la même pour le masculin et le féminin *(un Bigouden, une Bigouden ; le pays bigouden, la coiffe bigouden),* mais le masculin se prononce [ɛ̃], comme dans *examen,* et le féminin

[ɛn] comme dans *amen.* - Plur. : *des Bigoudens.*

bihebdomadaire adj. et n.m. ◆ **Sens.** *Bihebdomadaire* = qui se produit, qui paraît deux fois par semaine. *Parution, journal bihebdomadaire ; un bihebdomadaire.* RECOMM. Ne pas dire *bihebdomadaire* pour *bimensuel* (= qui se produit, qui paraît deux fois par mois).

bijou n.m. ◆ **Orth.** Plur. : *des bijoux* (avec un *x*), comme *des cailloux, des choux, des genoux, des hiboux, des joujoux, des poux.*

bilan n.m. ◆ **Emploi.** *Bilan* (de l'italien *bilancio,* balance) signifie « état de l'actif et du passif d'une entreprise » et, par extension, «somme des aspects positifs et négatifs de qqch., résultat global » : *faire, dresser le bilan d'une situation, d'une action ; le bilan de la journée est excellent.* RECOMM. Éviter dans l'expression soignée l'emploi au sens de « chiffre », courant dans le style journalistique *(le bilan de l'accident est de cent morts).* Tourner la phrase autrement *(on déplore cent victimes, cent personnes ont trouvé la mort dans l'accident,* etc.).

bileux, euse adj. / **bilieux, euse** adj. ◆ **Sens.** Ne pas confondre ces deux mots. **1.** *Bileux* = enclin à l'anxiété, porté à « se faire de la bile » (familier) : *il n'est pas bileux.* **2.** *Bilieux* = qui indique un excès de bile. *Teint bilieux.*

billet n.m. / **ticket** n.m. ◆ **Emploi.** C'est aujourd'hui l'usage qui détermine l'emploi de *billet* ou de *ticket.* On dit : *un billet de théâtre, de cinéma, de chemin de fer, d'avion, de loto,* mais : *un ticket de métro, d'autobus, de tiercé.* REM. On distinguait naguère *billet,* terme générique pour « imprimé constituant la marque matérielle d'un droit » et *ticket,* petit billet imprimé, découpé dans du carton ou du papier fort. Cette distinction n'a plus cours.

billon n.m. / **billion** n.m. ◆ **Prononc.**
1. *Billon* : [bijɔ̃], comme pour rimer avec
sillon. 2. *Billion* : [biljɔ̃], comme pour
rimer avec *lion*. ◆ **Sens.** Ne pas
confondre ces deux mots. 1. *Billon* :
monnaie divisionnaire (pièces, jetons).
2. *Billion* : un million de millions (mille
millions avant 1961).

bimbeloterie n.f. → bibelot

bimensuel, elle adj. et n.m. /
bimestriel, elle adj. et n.m. ◆
Emploi. Ne pas confondre ces deux
mots. 1. *Bimensuel* = qui a lieu, qui
paraît deux fois par mois. → aussi **bihebdomadaire.** 2. *Bimestriel* = qui a lieu, qui
paraît tous les deux mois.

binôme n.m. ◆ **Orth.** Avec un accent
circonflexe sur le *o*.

bio- préf. ◆ **Orth.** Les mots composés
avec le préfixe *bio-* s'écrivent en un seul
mot, sauf quand le deuxième élément
commence par un *i (bio-industrie)*.

biparti, e adj. / **bipartite** adj. ◆ **Orth.**
Biparti fait au féminin *bipartie*. ◆ **Sens.**
Biparti et *bipartite* sont donnés comme
synonymes par la plupart des dictionnaires, aux sens de « divisé en deux,
composé de deux parties » ou « qui
concerne deux partis politiques » : *une
feuille bipartie ; un gouvernement bipartite*.
◆ **Emploi.** *Biparti* (et *bipartition*) tend de
plus en plus à être appliqué à ce qui est
constitué de deux éléments *(un organe
biparti)* tandis que *bipartite* (et *bipartisme*)
prédomine dans le domaine politique :
une réunion bipartite, un accord bipartite.

bipasse n.m. → by-pass

biquotidien, enne adj. ◆ **Sens.** Qui
a lieu deux fois par jour : *médicament
prescrit en prise biquotidienne*.

bis, e adj. / **bis** adv. ◆ **Prononc.**
L'adjectif *bis, bise* se prononce au mas-

culin [bi], sans faire sonner le *s* : *du pain
bis* (prononcer comme pour rimer avec
lubie). En revanche, on articule le *s* dans
l'adverbe *bis* : *il habite au 3 bis* (prononcer comme pour rimer avec *iris*).

bisaïeul, e n. → aïeul

bisannuel, elle adj. / **biennal, ale**
adj. ◆ **Sens et emploi.** Ne pas confondre
ces deux mots de sens voisin. 1. *Biennal*
= qui revient tous les deux ans. *(exposi-
tion biennale)* ; qui dure deux ans *(fonction,
magistrature biennale)*. 2. *Bisannuel* = qui
revient tous les deux ans *(fête bisan-
nuelle)* ; qui a un cycle vital de deux ans,
en parlant d'un végétal *(plante bisan-
nuelle)*. **RECOMM.** Pour qualifier ce qui a
lieu deux fois par an, employer *semestriel*.

bisexué, e adj. ◆ **Orth. et prononc.** Le
s n'est pas redoublé, mais il se prononce
[s], comme dans *sexe* et *unisexe,* et non
[z]. De même pour l'adjectif *bisexuel* et
le nom *bisexualité*.

bissecteur, trice adj. ◆ **Orth.** Avec
deux *s,* comme dans *bissection,* de la
même famille.

bissextile adj. f. ◆ **Orth.** Avec deux *s.*
De même pour *bissexte*.

bistre n.m. et adj. inv. ◆ **Orth.**
Invariable quand il est adjectif de couleur : *des tentures bistre ;* mais *des bistres
obtenus avec des terres*.

bistrot, bistro n.m. ◆ **Orth.** Les deux
graphies *bistro* et *bistrot* sont admises ; la
première est plus répandue. ◆ **Registre.**
Le féminin *bistrote* (= tenancière de café)
est populaire.

bitumer v.t. / **bituminer** v.t. / **bituminiser** v.t. ◆ **Sens.** Ne pas confondre
ces trois mots. 1. *Bitumer, bituminer* =
recouvrir de bitume. 2. *Bituminiser* =
transformer en bitume. ◆ **Emploi.**

Bitumer s'emploie pour les voies, les chaussées, *bituminer* pour des matériaux de construction légers (feutre, papier). *Bitumer* est un mot courant, *bituminer* et *bituminiser* sont des termes techniques.

bitumeux, euse adj. / **bitumineux, euse** adj. ◆ **Sens.** Ne pas confondre ces deux mots. **1.** *Bitumeux* = fait avec du bitume. *Revêtement bitumeux.* **2.** *Bitumineux* = qui contient du bitume. *Schiste bitumineux.*

bizut, bizuth n.m. ◆ **Prononc.** [bizy], comme pour rimer avec *cousu.* ◆ **Orth. 1.** Les deux formes, *bizut* et *bizuth,* sont admises ; la première est plus courante. → R.O. 1990. **2.** Les dérivés s'écrivent sans *h* : *bizutage, bizute, bizuter.*

bla-bla, bla-bla-bla n.m. inv. ◆ **Orth.** Les deux formes, *bla-bla* et *bla-bla-bla,* avec, respectivement, un et deux traits d'union, sont admises. → R.O. 1990

black-out n.m. ◆ **Orth.** On écrit *black-out,* avec un trait d'union. → R.O. 1990. ◆ **Anglicisme. RECOMM. OFF.** : *occultation* (pour la lumière), *silence radio* (pour les émissions d'ondes électromagnétiques).

blanc, blanche adj. et n. ◆ **Orth.** *Blanc, blanche* n. Prend une majuscule quand il désigne une personne à la peau blanche *(les Blancs d'Afrique du Sud),* un monarchiste de l'Ouest (vendéen, breton, etc.) pendant la Révolution française *(la guerre de harcèlement que les Blancs menaient contre les Bleus)* ou un adversaire des bolcheviques en Russie après 1917 *(un colonel de l'armée des Blancs prisonnier des Rouges).* ◆ **Accord.** → annexe, grammaire § 97, 98, 99. ◆ **Emploi.** *Blanc comme...* On dit : *blanc comme l'ivoire, comme la neige (blanc comme neige,* au figuré) mais *blanc comme un cygne, comme un lis, comme un linge.*

blanchiment n.m. ◆ **Orth.** Pas de *e* muet entre le *i* et le *m*. **REM.** *Blanchiment* correspond à *blanchir,* verbe du 2ᵉ groupe.

blanchiment n.m. / **blanchissage** n.m. / **blanchissement** n.m. ◆ **Sens et emploi.** Ne pas confondre ces trois mots. **1.** *Blanchiment* = action de blanchir ; son résultat. *Blanchiment d'un mur, du coton.* Au figuré : *blanchiment d'argent sale.* **2.** *Blanchissage* = action de nettoyer, de blanchir du linge ou de rendre du sucre blanc. **3.** *Blanchissement* = fait de blanchir : *blanchissement des cheveux;* au figuré : *blanchissement d'un accusé* (rare).

blanc-seing n.m. → seing

blasé, e adj. ◆ **Constr.** *Blasé de* (plus fréquent) ou *blasé sur : il est blasé de tout ; je suis blasé depuis longtemps sur ce chapitre.*

blasphémer v.i. et v.t. ◆ **Conjug.** Attention à l'accent, tantôt grave, tantôt aigu : *je blasphème, nous blasphémons ; il blasphémera.* → annexe, tableau 11 et R.O. 1990. ◆ **Constr.** *Blasphémer contre qqn, contre qqch.,* est courant. La construction directe *(blasphémer le saint nom de Dieu),* assez rare, est littéraire.

blatérer v.i. ◆ **Conjug.** Attention à l'accent, tantôt grave, tantôt aigu : *il blatère, nous blatérons ; il blatérera.* → annexe, tableau 11 et R.O. 1990

blême adj. ◆ **Orth.** Avec un accent circonflexe sur le *e*. De même pour *blêmir, blêmissement.*

bléser v.i. ◆ **Conjug.** Attention à l'accent, tantôt grave, tantôt aigu : *je blèse, nous blésons ; il blésera.* → annexe, tableau 11 et R.O. 1990

blessé, e adj. et n. ◆ **Registre.** *Blessé grave, grand blessé, blessé léger.* Emplois courants. **RECOMM.** Dans l'expression soignée, en particulier à l'écrit, employer plutôt les équivalents : *légèrement blessé, grièvement blessé* pour l'adjectif et *blessé légèrement atteint* (ou *touché*), *blessé grièvement atteint* (ou *touché*) pour le nom.

bleu n.m. ◆ **Orth.** *Un Bleu* n.m., avec une majuscule = un soldat des armées de la République, pendant la Révolution. → **blanc**

bloc n.m. ◆ **Orth.** Mots composés avec *bloc.* Les mots composés avec *bloc-* pour premier élément s'écrivent avec un trait d'union ; mais on écrit sans trait d'union *bloc opératoire* (*opératoire* est adjectif). Si le second élément du composé désigne une chose qui peut être comptée (une cuisine, une douche, un évier, etc.), les deux éléments s'accordent au pluriel ; si le second élément du composé désigne une chose qui ne peut pas être comptée (la cuisson, l'eau), il ne prend pas la marque du pluriel mais *bloc* prend un *s* ; enfin, deux composés, *bloc-cylindres* et *bloc-notes*, s'écrivent toujours avec un *s* au deuxième élément.

Graphies et pluriels des mots composés avec *bloc-*

Un bloc-cuisine, des blocs-cuisines
Un bloc-cuisson, des blocs-cuisson
Un bloc-cylindres, des blocs-cylindres
Un bloc-diagramme,
*   des blocs-diagrammes*
Un bloc-douche, des blocs-douches
Un bloc-eau, des blocs-eau
Un bloc-évier, des blocs-éviers
Un bloc-moteur, des blocs-moteurs
Un bloc-notes, des blocs-notes
Un bloc-porte, des blocs-portes

---

blocage n.m. ◆ **Orth.** Avec un *c,* à la différence de *bloquer.*

blue-jean, blue-jeans n.m. ◆ **Prononc.** *Blue-jean :* [bludʒin], comme si on écrivait **blou-djinn. Blue-jeans* se

prononce de la même façon, mais en faisant entendre le *s* final. ◆ **Orth.** Les deux graphies, *blue-jean* ou *blue-jeans,* sont admises. → R.O. 1990. ◆ **Emploi.** Cet anglicisme très courant reste sans équivalent français. Son abréviation courante, *jean* (*un jean,* prononcé comme *un djinn*) témoigne de son assimilation au lexique français.

body n.m. ◆ **Orth.** Plur. : *des bodys* (pluriel français) ou *des bodies.* (pluriel à l'anglaise). **RECOMM.** Préférer *des bodys.* ◆ **Emploi.** Cet anglicisme courant, qui désigne un vêtement féminin, n'a pas d'équivalent français.

boer n. et adj. ◆ **Prononc.** [bur], comme *bourre.* ◆ **Orth.** Pas de marque du féminin : *une femme boer.* Le substantif prend une majuscule : *la guerre des Boers.*

bohème n. et adj. / **bohémien, enne** n. ◆ **Sens. 1.** *Un bohème,* plus rarement *une bohème* = celui ou celle qui mène une vie au jour le jour, en marge du conformisme social. *C'est un bohème, qui se soucie peu de faire carrière ;* adjectivement : *elle est un peu bohème.* ❑ *La bohème :* le genre de vie mené par les bohèmes (à ne pas confondre avec *la Bohême,* région d'Europe centrale). **2.** *Un bohémien, une bohémienne* (mot familier, souvent employé avec une intention péjorative et méprisante) : un rom, un membre du peuple nomade dit aussi *gitan, tsigane,* que l'on croyait autrefois venu de Bohême. **REM.** *Rom* est la dénomination commune que se sont choisie en 1971, à leur premier congrès fédérateur, les différents groupes composant ce peuple.

boire v.t. ◆ **Conjug.** → annexe, tableau 88

boisson n.f. ◆ **Orth.** Au pluriel dans *débit de boissons.*

boîte n.f. ◆ **Orth. 1.** Avec un accent circonflexe sur le *i*, comme pour ses dérivés *boîtier, emboîter, déboîter*, etc. → R.O. 1990. ◆ **Constr. 1.** *Boîte à.* On dit, on écrit : *boîte à ouvrage, à malice, à surprise* mais *boîte à idées, à cigares, à gants, à ordures ; boîte à lettres* ou *aux lettres.* **2.** *Boîte de.* On dit, on écrit : *boîte de nuit ; boîte de résistance (électrique)* mais *boîte d'allumettes, de vitesses, de sardines.*

boiter v.i. ◆ **Orth.** Sans accent circonflexe sur le *i*, comme pour les mots de la même famille : *boiterie, boiteux, boiteuse, boitiller.*

boléro n.m. ◆ **Orth.** Mot espagnol francisé, avec un *é*, contrairement à *brasero* et *torero.*

bôme n.f. ◆ **Sens et orth.** *Bôme* (= pièce du gréement d'un voilier) s'écrit avec ô. Ne pas confondre avec *baume.* → baume

bon, bonne adj. et adv. ◆ **Orth. 1.** *Bon enfant.* Ne varie pas en nombre, peut varier en genre. *Ils sont très gentils, très bon enfant. Une ambiance bon enfant. « La galanterie courtoise et bonne enfant du prince »* (A. Theuriet). **2.** *Bon prince.* Ne varie pas en genre, peut varier en nombre. *Elles se sont montrées bon prince. « Je croyais les savants d'aujourd'hui plus dédaigneux ; mais je vois que vous êtes bons princes »* (A. France). **3.** *Bon premier :* l'expression varie en genre et en nombre. *Elles sont arrivées bonnes premières.* ◆ **Emploi. 1.** *Bon / meilleur / plus bon.* Le comparatif de *bon* est *meilleur* ; cependant, on emploie *plus bon* dans un certain nombre de tours. ❑ Quand il s'agit d'une comparaison entre *bon* et un autre adjectif : *elle est plus bonne qu'autoritaire.* ❑ Quand *bon* a le sens d'« indulgent, humain » ou de « naïf » : *vous êtes bien bon de ne pas le juger et encore plus bon de l'aider* (le deuxième *bon*, inélégant, peut être supprimé). ❑ Avec les expressions figées *bon enfant, bon prince, bon vivant : il est plus bon vivant que son père.* ❑ Avec la locution *plus ou moins*, dont les éléments sont inséparables : *il est plus ou moins bon.* **2.** **Place de** *bon. Un bon homme* = un homme simple, crédule (emploi vieilli). *Un homme bon* = un homme doué de bonté, généreux, compatissant. **3.** *Bon* adverbe. Après les verbes *faire, sentir, tenir, coûter, bon* est employé adverbialement ; il est alors invariable : *il fait bon ; ces fleurs sentent bon ; tenez bon ; coûter bon* (= coûter cher ; emploi vieilli). ◆ **Constr. 1.** *Il est bon de* (+ infinitif), *il est bon que* (+ subjonctif) : *il est bon de se renseigner; il est bon que vous le sachiez.* **2.** *Il fait bon* (+ infinitif sans *de*) : *il fait bon marcher dans la campagne ; il ne fait pas bon lui résister.* ◆ **Registre.** *Pour de bon, pour tout de bon* = sérieusement, véritablement. Emploi familier. *C'était un coup pour rien, maintenant on joue pour de bon. Il est parti pour tout de bon.* **RECOMM.** Dans l'expression soignée, en particulier à l'écrit, préférer *tout de bon : il s'est fâché tout de bon.*

bonace n.f. / **bonasse** adj. **Orth. et sens.** Ne pas confondre ces deux homonymes. **1.** *Bonace* n.f. = calme de la mer avant ou après une tempête. **2.** *Bonasse* adj. = trop bon, bon par faiblesse.

bonbon n.m. ◆ **Orth.** Avec un *n* devant le deuxième *b* (ce mot est formé par redoublement de *bon*).

bonbonne, bombonne n.f. ◆ **Orth.** Les deux graphies, *bonbonne* et *bombonne,* sont admises. La forme *bombonne* est vieillie.

bonhomie n.f. ◆ **Orth.** Avec un seul *m*, bien que ce mot vienne de *bonhomme.* → R.O. 1990

bonhomme n.m. et adj. ◆ **Orth.** L'orthographe du pluriel varie selon que le mot est employé comme nom ou comme adjectif. **1. *Bonhomme*** n.m. Plur. : *bonshommes. De drôle de petits bonshommes.* **2. *Bonhomme*** adj. Plur. : *bonhommes. Il prend des airs bonhommes.*

boni n.m. ♦ **Orth.** Plur. : *des bonis.* REM. Terme de finance (= excédent de la dépense prévue par rapport à la dépense réelle), qui n'est pas le pluriel de *bonus.* → **bonus**

boniche n.f. → **bonniche**

bonjour n.m. / **bonsoir** n.m. ♦ **Orth.** *Bonjour* et *bonsoir* prennent un *s* au pluriel : *de timides bonjours, de gais bonsoirs.*

bonneterie n.f. ♦ **Prononc.** [bɔnɛtʀi], avec le premier *e* prononcé comme dans *bonnet*, malgré l'absence d'accent, ou [bɔntʀi], sans prononcer ce *e* (prononciation considérée comme plus soignée). ♦ **Orth.** Deux *n* et un seul *t* (à la différence de *robinetterie*).

bonniche, boniche n.f. ♦ **Orth.** Les deux graphies, *bonniche* et *boniche,* sont admises. La première est plus courante. ♦ **Emploi.** Ce mot très familier pour désigner une employée de maison, une bonne à tout faire, est péjoratif et méprisant.

bonsoir n.m.→ **bonjour**

bonus n.m. ♦ **Orth.** Plur. : *des bonus.* REM. Mot courant (= réduction de la prime d'assurance automobile ; différence favorable, dans un compte), qui n'est pas le singulier de *boni.* → **boni**

boogie-woogie n.m. ♦ **Prononc.** [bugiwugi], avec les *g* prononcés comme *gu* dans *gui.* Le pluriel se prononce en français comme le singulier. ♦ **Orth.** Plur. : *des boogie-woogies.* REM. Sans rapport avec *bogie,* terme du vocabulaire ferroviaire.

boom n.m. / **boum** n.m. ♦ **Emploi.** L'anglicisme *boom* signifie « forte hausse, soudaine expansion », notamment dans le domaine commercial et boursier. On parle de *boom économique,* de *boom des naissances* (en anglais *baby boom*). On dit aussi qu'une affaire est *en plein boom* quand elle connaît une croissance très rapide, et qu'on est *en plein boum* quand on déborde d'activité. Les deux mots, de sens proche, sont souvent employés l'un pour l'autre.

bordeaux n.m. ♦ **Orth.** Avec une minuscule pour le vin : *un verre de bordeaux* (mais : *un vin de Bordeaux,* du vignoble bordelais).

boréal, e, als ou **aux** adj. ♦ **Orth.** Plur. : *boréals (les deux pôles boréals, le géographique et le magnétique)* ou *boréaux.* ♦ **Emploi.** L'emploi au pluriel est rare. Le pluriel *boréaux* est pratiquement inusité.

borgne adj. et n. ♦ **Orth.** Une même forme, *borgne,* pour le masculin et pour le féminin : *un homme, une femme borgne ; un, une borgne.* REM. Le nom féminin *une borgnesse* n'est plus en usage.

borne n.f. ♦ **Orth. 1.** On écrit le plus souvent *bornes,* au pluriel, dans les expressions de sens négatif *sans bornes, (qui n'a) pas de bornes : il est d'une grossièreté sans bornes ; son audace ne connaît plus de bornes.* **2.** On écrit sans trait d'union : *borne frontière, borne témoin.*

borne-fontaine n.f. ♦ **Orth.** Avec un trait d'union. - Plur. : *des bornes-fontaines.*

bornoyer v.i. et v.t. ♦ **Conjug.** Attention au *i* après le *y* aux première et deuxième personnes du pluriel, à l'indicatif imparfait et au subjonctif présent : *(que) nous bornoyions, (que) vous bornoyiez.* → annexe, tableau 7

bosse n.f. ♦ **Orth.** On écrit *en ronde bosse,* sans trait d'union *(sculpture en ronde bosse),* mais *une ronde-bosse, des rondes-bosses,* avec un trait d'union.

bossellement n.m. ◆ **Orth.** On écrit *bossellement*, avec deux *l* → annexe, tableau 16, et R.O. 1990.

bosseler v.t. / **bossuer** v.t. ◆ **Conjug.** *Bosseler.* Attention au redoublement de *l* devant *e* muet : *il bosselle, il bossellera* mais *nous bosselons ; il bosselait.* → annexe, tableau 16, et R.O. 1990. ◆ **Sens** **1.** *Bosseler* = travailler en bosse, en relief, des ouvrages en métal *(plateau en cuivre bosselé)* ou déformer par des bosses *(le choc a bosselé la carrosserie en plusieurs endroits).* **2.** *Bossuer* = déformer par des bosses « *Sur le revers d'une de ces collines décharnées qui bossuent les Landes...* » (Th. Gautier). ◆ **Registre.** *Bosseler* est plus courant, *bossuer* plus littéraire.

bot, bote adj. ◆ **Orth. 1.** *Un pied bot, une main bote* (rare au féminin) = affectés d'une déformation congénitale. Sans trait d'union. **2.** *Un pied-bot, une pied-bot* = une personne affligée d'un pied bot. Avec trait d'union.

botte n.f. ◆ **Accord.** On écrit : *une botte de paille* (= de la paille liée en botte), mais *une botte d'asperges, de poireaux* (= des asperges, des poireaux liés en botte).

botteler v.t. ◆ **Conjug.** Attention au redoublement de *l* devant *e* muet : *il bottelle, il bottellera* mais *nous bottelons ; il bottelait.* → annexe, tableau 16, et R.O. 1990

Bottin n.m. ◆ **Orth.** Avec une majuscule (nom déposé) - Plur. : *des Bottins.* ◆ **Emploi.** Au sens strict, un Bottin est un annuaire édité par la société Bottin (beaucoup de ces annuaires ne sont pas des annuaires téléphoniques) ; par extension, *bottin* (écrit abusivement sans majuscule) désigne un annuaire téléphonique. Dans ce sens, le mot est aujourd'hui vieilli.

bouche n.f. / **gueule** n.f. ◆ **Emploi.** **1.** À propos d'animaux. ❑ *Bouche* est employé en général pour les animaux de selle, de trait, de bât et de pâture (cheval, âne, mulet, bœuf, chameau, éléphant, mouton…) et pour la plupart des animaux aquatiques (poissons, grenouille…). ❑ On dit *gueule* pour les animaux carnassiers (chien, chat, fauves, grands reptiles, poissons prédateurs, etc.). ❑ En zoologie, on emploie *bouche* dans les deux cas. **2.** À propos de l'homme. ❑ *Bouche* est l'emploi correct et général. ❑ *Gueule* est très familier, voire vulgaire, quand il désigne la bouche de l'homme en tant qu'elle lui sert à parler ou à manger. Ainsi dans des expressions telles que : *ouvrir, fermer sa gueule, une sauce qui emporte la gueule, avoir la gueule de bois.* En revanche, les expressions *fine gueule* (gourmet) et *amuse-gueule* (menue friandise servie avec l'apéritif), sont admises dans le registre familier (mais en général les restaurants, surtout les plus prestigieux, annoncent des *amuse-bouche* plutôt que des *amuse-gueule* dans leurs menus). ❑ *Gueule* = visage, est familier : *une jolie petite gueule, casser la gueule à qqn ; il a ce qu'on appelle une gueule* (un visage typé, aux traits vigoureusement dessinés). En revanche, il est neutre et correct dans la locution *gueule cassée,* ancien combattant mutilé de la face, d'emploi traditionnel depuis la Première Guerre mondiale.

bouche-trou n.m. ◆ **Orth.** Plur. : *des bouche-trous.*

bouchot n.m. ◆ **Sens.** Parc à moules constitué de pieux : *des moules de bouchot.* REM. Dans l'expression *moules de bouchot, bouchot* est souvent pris à tort pour un lieu de provenance, comme l'est *Marennes* dans *huîtres de Marennes.*

bouder v.i. et v.t. ◆ **Constr. et emploi.** **1.** *Bouder qqn, contre qqn.* Les deux constructions sont admises dans tous les registres : *il me boude, depuis quelque temps ; elle boude contre Alfred qui ne lui a* *pas souhaité son anniversaire.* - La forme pronominale réciproque est également correcte : *Pierre et Aline se boudent.* **2. Bouder contre qqch.** Cette construction est admise dans tous les registres. Elle est courante dans la locution semi-figée *bouder contre (son appétit, son plaisir, etc.)* = ne pas manger alors que l'on a faim, ne pas se réjouir de circonstances heureuses, etc. REM. *Bouder à qqch.* n'est plus en usage. **3. Bouder qqch.** est fréquent dans le registre non surveillé : *les critiques ont encensé la pièce, mais le public l'a boudée* (= ne l'a pas aimée, n'est guère venu la voir). RECOMM. Dans l'expression soignée, préférer *bouder contre.*

boueur, boueux n.m. → éboueur

bouffe adj. ◆ **Orth.** On écrit avec ou sans trait d'union : *un opéra-bouffe, un opéra bouffe.* - Plur. *des opéras-bouffes, des opéras bouffes.*

bouffon, onne adj. et n.m. ◆ **Genre.** Le substantif est masculin : *un bouffon* ; l'adjectif est employé aux deux genres : *un récit bouffon, une histoire bouffonne.* ◆ **Orth.** Deux *f,* et, pour le féminin, deux *n.* Les dérivés *bouffonner* et *bouffonnerie* prennent deux *n.*

bougainvillée n.f. / **bougainvillier** n.m. ◆ **Prononc.** *Bougainvillée* : [bugɛ̃vile], comme pour rimer avec *piler.* - *Bougainvillier :* [bugɛ̃vilje], comme pour rimer avec *pilier.* ◆ **Genre et emploi.** On dit *une bougainvillée* ou, plus rarement, *un bougainvillier.* REM. C'est Louis Antoine de Bougainville, navigateur français (1729-1811), qui a donné son nom à cette plante.

bougeotte n.f. ◆ **Orth.** Avec un *e* muet après le *g* et avec deux *t* (à la différence de *jugeote*).

bouger v.i., v.t. et v.pr. ◆ **Conjug.** Le *g* devient *-ge-* devant *a* et *o : je bouge, nous* bougeons ; il bougea.* → annexe, tableau 10. ◆ **Sens et registre.** *Bouger* = sortir, s'éloigner de chez soi, est familier : *je n'ai pas bougé de la journée ; vous comptez bouger, pour les fêtes ?* ❏ *Se bouger* = se remuer, agir, est familier.

bougnat n.m. ◆ **Orth.** Avec un *t* final.

boui-boui n.m. ◆ **Orth.** On écrit *boui-boui,* avec un trait d'union. → R.O. 1990. - Plur. : *des bouis-bouis.* ◆ **Emploi et registre.** Ce mot, souvent employé avec une intention péjorative, appartient au registre familier.

bouillir v.i. ◆ **Conjug.** Attention au présent *il bout* (et non *il bouille), ils bouillent* (et non *ils bouent) ;* au futur *il bouillira* (et non *il bouillera, *il bouera) ;* au conditionnel *il bouillirait,* au subjonctif *qu'il bouille* (et non *qu'il boue) ;* le participe passé est *bouilli* (et non *bouillu)* → annexe, tableau 36. REM. La forme fautive *bouillu* est employée dans le dicton populaire, souvent cité par plaisanterie, *café bouilli, café foutu.*

boulanger v.i. et v.t. ◆ **Conjug.** Le *g* devient *-ge-* devant *a* et *o : je boulange, nous boulangeons ; il boulangea.* → annexe, tableau 10

boulevard n.m. ◆ **Emploi.** On dit : *il habite boulevard Victor Hugo* (et non : *sur le boulevard Victor Hugo) ; les fenêtres donnent sur le boulevard ; la troupe a défilé sur le boulevard* (= sur la chaussée du boulevard).

bouleverser v.t. ◆ **Orth. et prononc.** Ne pas omettre à l'écrit le *e* intérieur, qui ne se prononce pas. De même pour *bouleversant, bouleversement.*

boulon n.m. ◆ **Sens.** Ensemble d'une vis et de l'écrou qui s'y adapte. RECOMM. Ne pas dire *boulon* pour *écrou* ou pour *vis.*

boum n.m. → boom

bourdon n.m. ◆ **Orth.** *Faux bourdon / faux-bourdon.* Ne pas confondre ces deux formes. **1.** *Faux bourdon* (sans trait d'union) = mâle de l'abeille. **1.** *Faux-bourdon* (avec trait d'union) = chant d'église à trois voix, note contre note.

bourgogne n.m. ◆ **Orth.** Avec une minuscule pour le vin : *une bouteille de vieux bourgogne* (mais : *un vin de Bourgogne,* du vignoble bourguignon).

Bourse, bourse n.f. ◆ **Sens et orth.** *La Bourse / une bourse.* Deux sens distingués par une initiale majuscule ou minuscule. **1.** *La Bourse* = le marché public où s'effectuent les opérations financières. *Bourse du commerce, société cotée en Bourse , la Bourse est en baisse.* **2.** *Une bourse* = un porte-monnaie (*une bourse en cuir ;* au figuré : *tenir les cordons de la bourse*) ; une allocation d'étude ou de recherche (*elle a obtenu une bourse d'un an dans une université américaine*).

boursoufler v.t. ◆ **Orth.** Avec un seul *f* (ainsi que pour *boursouflure, boursouflement*), à la différence de *souffler.* → R.O. 1990

boute-en-train n.m. inv. ◆ **Orth.** Avec deux traits d'union. → R.O. 1990. - Plur. : *des boute-en-train* (invariable). ◆ **Genre.** Masculin. *Clémentine est le joyeux boute-en-train de la petite bande.*

boutefeu n.m. ◆ **Orth.** En un seul mot. - Plur. : *des boutefeux.*

bouteille n.f. ◆ **Orth.** On écrit *mettre du vin en bouteilles* (*bouteilles,* au pluriel) mais *servir du vin en bouteille* (*bouteille* au singulier).

bouterolle n.f. ◆ **Orth.** On écrit *bouterolle,* avec deux *l.* → R.O. 1990.

bouteur n.m. ◆ **Emploi.** Recommandation officielle pour *bulldozer ;* mais le mot reste pratiquement inusité. → bulldozer

bouton-d'argent n.m. ◆ **Orth.** Avec un trait d'union. - Plur. : *des boutons-d'argent* (avec un *s* à *bouton*).

bouton-d'or n.m. ◆ **Orth. 1.** Avec un trait d'union. - Plur. : *des boutons-d'or* (avec un *s* à *bouton*). **2.** Invariable quand il est employé comme adjectif de couleur : *des chemisiers bouton-d'or.*

bouton-poussoir n.m. ◆ **Orth.** Avec un trait d'union. - Plur. : *des boutons-poussoirs.*

bouton-pression n.m. ◆ **Orth.** Avec un trait d'union. - Plur. : *des boutons-pression* (avec un *s* uniquement à *bouton*).

bowling n.m. ◆ **Prononc.** [bolin] *bowl-* comme dans *bolide* et *-ing* comme dans *ring,* ou [bulin] *bowl-* comme dans *boule.* RECOMM. Préférer la première prononciation. ◆ **Orth.** S'écrit toujours *bowl-,* quelle que soit la prononciation (ne pas écrire comme *boule*).

bow-string n.m. ◆ **Orth.** Plur. : *des bow-strings* (avec un *s* à *string*).

bow-window n.m. ◆ **Orth.** Plur. : *des bow-windows* (avec un *s* à *window*). ◆ **Genre.** Masculin : *un bow-window.*

box n.m. ◆ **Orth.** Plur. : *des box* (à la française) ou *des boxes* (à l'anglaise). RECOMM. Préférer *des box.*

box-calf n.m. ◆ **Orth.** Plur. : *des box-calfs* (avec un *s* à *calf*).

boxer v.i. et v.t. ◆ **Registre 1.** *Boxer* v.i. = pratiquer la boxe. Correct dans tous les registres. *Il boxe régulièrement.* **2.** *Boxer qqn* v.t. = lui donner des coups de poing, le rosser. Familier.

box-office n.m. ◆ **Orth.** Plur. : *des box-offices* (avec un *s* à *office*).

boycottage, boycott n.m. ♦
Emploi. Les deux formes, *boycottage* et
boycott, sont admises. **RECOMM.** Dans
l'expression soignée, en particulier à
l'écrit, préférer la forme francisée *boycottage* (correspondant au verbe *boycotter*).

boy n.m. ♦ **Orth.** Plur. : *des boys.*

boy-scout n.m. ♦ **Orth.** Plur. : *des boy-
scouts* (avec un *s* uniquement à *scout*).

bracelet-montre n.m. ♦ **Orth.**
Plur. : *des bracelets-montres.*

brachi- préf. ♦ **Prononc.** [bʀaki], avec
-ch- prononcé *k,* comme dans *Christ.*
♦ **Orth.** Le préfixe *brachi-* (du latin *bra-
chium,* bras) s'écrit avec un *i ;* il est toujours soudé à l'élément qui suit :
brachiocéphalique, brachiopode, etc.

brachy- préf. ♦ **Prononc.** [bʀaki], avec
-ch- prononcé *k,* comme dans *Christ.*
♦ **Orth.** Le préfixe *brachy-* (du grec *bra-
khus,* court) s'écrit avec un *y ;* il est toujours soudé à l'élément qui suit :
brachycéphale, brachycère, etc.

braconner v.i. ♦ **Orth.** Avec deux *n,*
ainsi que pour *braconnage, braconnier.*

brader v.t. / **solder** v.t. ♦ **Sens.** Ne
pas confondre ces deux mots. 1. *Brader*
= vendre à très bas prix. 2. *Solder* =
vendre au rabais. **REM.** *Solder* implique
un rabais par rapport à un prix initial.

brahmane n.m. ♦ **Orth.** Attention à
la place du *h* (après le premier *a*).

braiment n.m. ♦ **Orth.** Attention, pas
de *e* muet intérieur. *Braiment* vient de
braire, verbe du troisième groupe et non
du premier comme *payer* (qui donne
paiement) ou *aboyer* (qui donne *aboiement*).

brainstorming n.m. ♦ **Orth.** Sans
trait d'union. - Plur. : *des brainstormings.*

♦ **Anglicisme.** La recommandation officielle, *remue-méninges,* n'est guère utilisée que par plaisanterie.

brain-trust n.m. ♦ **Orth.** Avec un trait
d'union. - Plur. : *des brain-trusts* (avec *s* à
trust). ♦ **Anglicisme.** Cet anglicisme
désignant une équipe d'experts n'a pas
d'équivalent français.

braire v.i. ♦ **Conjug.** Se conjugue
comme *traire,* mais n'est guère usité
qu'à la troisième personne. → annexe,
tableau 92. ♦ **Prononc.** Les formes en
bray- (l'âne brayait) se prononcent [bʀɛ]
comme dans *brai* (et non [bʀaj], comme
dans *braille*).

branle-bas n.m. inv. ♦ **Orth.** On écrit
branle-bas, avec un trait d'union. → R.O.
1990. - Plur. : *des branle-bas* (invariable).

braquage n.m. ♦ **Orth.** Avec *-qu-*
comme *braquer* (et non *c*).

bras n.m. ♦ **Orth. 1.** Avec un trait
d'union : *à-bras-le-corps ; un fier-à-bras.* **2.**
Sans trait d'union : *à tour de bras ; à bras
raccourcis ; à bras ouverts ; bras dessus, bras
dessous ; bras croisés ; un bras de fer ; un gros
bras.* ♦ **Emploi.** *En bras de chemise, en
manches de chemise.* Les deux expressions sont admises. ♦ **Constr.** Les tournures du type *elle a le bras cassé, il m'a
cassé le bras,* excluent l'emploi de l'adjectif possessif (on ne dit pas : *elle s'est
cassé son bras, il m'a cassé mon bras*).

brasero n.m. ♦ **Prononc.** [bʀazeʀo]
avec le son *é.* ♦ **Orth.** Sans accent aigu
(mot espagnol non francisé). → R.O.
1990. - Plur. : *des braseros.*

brasse n.f. ♦ **Orth.** *Brasse papillon.*
Jamais de trait d'union. - Plur. : *des
brasses papillon* (sans *s* à *papillon*).

brave adj. ♦ **Constr. et sens.** Place de
brave. Un brave homme = un homme

bon, bienveillant. ***Un homme brave*** = un homme courageux.

break n.m. ◆ **Orth.** Attention, pas de *c* devant le *k*. ◆ **Sens.** ***Faire le break / faire un break.*** Ne pas confondre ces deux expressions. **1.** ***Faire le break*** = au tennis, prendre un avantage significatif à la marque. REM. Ce terme de tennis reste sans équivalent français. **2.** ***Faire un break*** = prendre un court repos (familier). **RECOMM.** Dans l'expression soignée, préférer *faire une pause.*

brèche n.f. ◆ **Orth.** Avec un accent grave (ne pas se laisser influencer par *bêche*).

bredouille adj. ◆ **Accord.** *Bredouille* est adjectif et non adverbe, il s'accorde : *ils sont revenus bredouilles*.

brème n.f. ◆ **Orth.** Avec un accent grave. Ne pas se laisser influencer par le nom de la ville allemande *Brême.*

bretzel n.m. ou n.f. ◆ **Prononc.** [bretzel] avec un *t*. ◆ **Genre.** Masculin ou féminin. Le masculin est plus fréquent.

breveter v.t. ◆ **Conjug.** Attention au redoublement de *t* devant *e* muet : *il brevette, il brevettera* mais *nous brevetons ; il brevetait.* → annexe, tableau 16 et R.O. 1990

bric-à-brac n.m. inv. ◆ **Orth.** Attention aux traits d'union. - Plur. : *des bric-à-brac* (invariable).

bric et de broc (de) loc. adv. et adj. ◆ **Orth.** Sans trait d'union. Ne pas se laisser influencer par *bric-à-brac.*

bridger v.i. ◆ **Conjug.** Le *g* devient *-ge-* devant *a* et *o : je bridge, nous bridgeons ; il bridgea.* → annexe, tableau 10

brie n.m. ◆ **Orth.** Avec une minuscule pour le fromage : *manger du brie* (mais *du fromage de Brie,* produit en Brie).

briefing n.m. ◆ **Orth.** Bien noter le *e* muet intérieur. ◆ **Anglicisme.** Réunion de travail au cours de laquelle sont données des informations ou des instructions. REM. D'abord employé dans l'armée de l'air au sens de « réunion où sont données les dernières instructions avant une mission », le terme s'est progressivement généralisé. Il est aujourd'hui employé dans presque tous les milieux professionnels et a donné le dérivé *briefer* (= mettre au courant, donner des instructions à).

brimbaler, bringuebaler, brinquebaler v.t. et v.i. ◆ **Orth.** Attention, un seul *l* (comme *trimbaler* et non comme *emballer*). ◆ **Emploi.** Les trois formes sont admises. *Bringuebaler* et *brinquebaler* sont plus usitées que *brimbaler* (légèrement vieilli).

brique n.f. ◆ **Orth.** ***Un mur de*** (ou ***en***) ***brique / un mur de*** (ou ***en***) ***briques.*** *En brique* et *de brique* se mettent en général au singulier, mais le pluriel n'est pas fautif (on peut comprendre : « construit en argile cuite » ou « fait de parallélépipèdes d'argile cuite »). ❑ ***Un mur de*** (ou ***en***) ***briques creuses.*** Dans ce cas, il ne peut s'agir que d'éléments multiples, et *briques* prend un *s*. REM. Noter que tout adjectif n'est pas propre à lever l'ambiguïté. Ainsi on pourrait écrire *un mur de brique ocre* aussi bien que *un mur de briques ocres.* → aussi **pierre.** ◆ **Accord.** Invariable en emploi adjectif : *des habits brique* (= d'un rouge ocré évoquant la brique).

briqueter v.t. ◆ **Conjug.** Attention au redoublement de *t* devant *e* muet : *il briquette, il briquettera* mais *nous briquetons ; il briquetait.* → annexe, tableau 16 et R.O. 1990

briqueterie n.f. ◆ **Prononc.** [bʀikɛtʀi], avec le premier *e* prononcé comme dans *briquet*, ou [bʀiktʀi], sans prononcer ce *e* (prononciation considérée comme plus soignée). ◆ **Orth.** Sans accent quelle que soit la prononciation.

briscard, brisquard n.m. ◆ **Orth.** Les deux formes, *briscard* et *brisquard*, sont admises. *Briscard*, avec un *c*, est plus fréquent.

brise-béton n.m. inv. ◆ **Orth.** Plur. : *des brise-béton* (invariable). → R.O. 1990

brise-bise n.m. inv. ◆ **Orth.** Plur. : *des brise-bise* (invariable). → R.O. 1990

brise-copeaux n.m. inv. ◆ **Orth.** Attention, *copeaux* est toujours au pluriel : *un brise-copeaux, des brise-copeaux.* → R.O. 1990

brise-fer n. inv. ◆ **Orth.** Plur. : *des brise-fer* (invariable). → R.O. 1990

brise-glace, brise-glaces n.m. inv. ◆ **Orth.** Les deux graphies, *brise-glace* et *brise-glaces,* sont admises au singulier. La première est plus fréquente. - Plur. *des brise-glace* (invariable) ou *des brise-glaces* (avec *s* à *glaces*). → R.O. 1990

brise-jet n.m. ◆ **Orth.** Plur. : *des brise-jet* (sans *s*) ou, plus couramment, *des brise-jets* (avec *s*). → R.O. 1990

brise-lames n.m. inv. ◆ **Orth.** Avec un *s* à *lames,* même au singulier : *un brise-lames, des brise-lames.* → R.O. 1990

brise-mottes n.m. inv. ◆ **Orth.** Avec un *s* à *mottes,* même au singulier : *un brise-mottes, des brise-mottes.* → R.O. 1990

brise-soleil n.m. inv. ◆ **Orth.** Plur. : *des brise-soleil* (invariable). → R.O. 1990

brise-tout n. inv. ◆ **Orth.** Plur. : *des brise-tout* (invariable). → R.O. 1990

brise-vent n.m. inv. ◆ **Orth.** Plur. : *des brise-vent* (invariable). → R.O. 1990

brisquard n.m. → briscard

broc n.m. ◆ **Prononc.** [bʀo], comme pour rimer avec *do* (sans prononcer le *c*, comme dans *croc*). → aussi **croc**

brocard n.m. / **brocart** n.m. ◆ **Sens.** Ne pas confondre ces deux mots. **1.** *Brocard* (avec un *d*) = moquerie blessante. **2.** *Brocart* (avec un *t*) a deux sens : chevreuil, cerf ou daim d'un an, dont les bois (ou « broches ») ne sont pas ramifiés ; étoffe de soie brochée d'or ou d'argent.

broiement n.m. / **broyage** n.m. ◆ **Orth.** *Broiement :* bien noter le *e* intérieur (vient de *broyer* comme *aboiement* d'*aboyer, poudroiement* de *poudroyer,* etc.). ◆ **Emploi.** *Broiement / broyage.* Les deux termes renvoient à l'action de *broyer,* mais *broyage* évoque davantage l'action ou l'opération et *broiement* son résultat. En outre, *broyage* est courant dans le vocabulaire de nombreuses industries de transformation (*le broyage des couleurs, des minerais,* etc.), tandis que *broiement* n'a guère d'emploi technique qu'en chirurgie (= écrasement d'un segment du corps atteignant tous les éléments anatomiques).

brome n.m. ◆ **Prononc. et orth.** [bʀom], avec un *o* fermé, comme dans *cône,* alors qu'il s'écrit sans accent circonflexe (comme *atome, chrome,* etc.).

broncho- préf. ◆ **Prononc.** [bʀɔ̃ko], avec -*ch*- prononcé *k,* comme dans *Christ.* Bronchi- (dans *bronchite, bronchiole,* etc.) se prononce en revanche avec le son *ch.* ◆ **Orth.** Le préfixe *broncho-* (de *bronche*) se soude à l'élément qui le suit ou en est séparé par un trait d'union en fonction du sens du mot composé. **1.** Les composés ayant trait aux bronches seules s'écrivent en un seul mot : *bronchocèle, bronchoconstriction, broncholithe, bronchorrhée, bronchoscope, bronchoscopie,* etc. **2.** Les composés ayant trait aux bronches et à un autre organe s'écrivent en deux mots joints par un trait d'union : *broncho-pneumonie, broncho-pneumopathie*. L'élément *broncho-* est invariable.

brouiller v.t. ◆ **Orth.** Bien noter le *i* après *-ill-* à l'imparfait et au subjonctif présent : *(que) nous brouillions, (que) vous brouilliez.*

brouillon n.m. ◆ **Orth.** *Cahier de brouillon* ou *de brouillons*. Les deux orthographe sont admises. On écrit plus souvent *cahier de brouillon,* avec *brouillon* au singulier.

brouhaha n.m. ◆ **Orth.** Plur. : *des brouhahas.*

broussaille n.f. ◆ **Orth.** *En broussaille.* Toujours au singulier : *des cheveux, des sourcils en broussaille. - Un feu de broussailles.* Toujours au pluriel.

broyage n.m. ◆ **Sens.** *Broyage / broiement* → broiement

broyer v.t. ◆ **Conjug.** Attention au *i* après le *y* aux première et deuxième personnes du pluriel, à l'indicatif imparfait et au subjonctif présent : *(que) nous broyions, (que) vous broyiez.* → annexe, tableau 7

bru n.f. ◆ **Orth.** *Une bru,* sans *e* ni accent circonflexe. REM. *Bru* est l'un des quatre noms féminins *(bru, glu, tribu, vertu)* avec finale en *u*. ◆ **Emploi.** *Bru* est légèrement vieilli ; *belle-fille* est plus usuel.

bruire v.i. / **bruisser** v.i. ◆ **Conjug.** *Bruire* ne s'emploie qu'à la troisième personne du présent *(il bruit, ils bruissent),* de l'imparfait *(il bruissait, ils bruissaient)* et du subjonctif présent *(qu'il bruisse, qu'ils bruissent),* et au participe présent *(bruissant)* → annexe, tableau 105. RECOMM. Les formes inexistantes de *bruire* (futur, passé simple, passé composé, etc.), sont remplacées par les formes corres-

pondantes de *bruisser,* verbe régulier du 1er groupe. REM. *Bruisser* a été créé au XIXe s. sur *bruissant.* Longtemps dénoncé comme un barbarisme, il est aujourd'hui admis. (On le rencontre notamment chez P. Loti, A. Gide, A. de Saint-Exupéry, H. Bazin.)

brûle-gueule n.m. inv. ◆ **Orth.** Plur. : *des brûle-gueule* (invariable). → R.O. 1990

brûle-parfum, brûle-parfums n.m. inv. ◆ **Orth.** Les deux graphies, *brûle-parfum* et *brûle-parfums,* sont admises. La première est plus courante. - Plur. *des brûle-parfum* ou *des brûle-parfums* → R.O. 1990

brûle-pourpoint (à) loc. adv. ◆ **Orth.** Bien noter le trait d'union. ◆ **Sens.** Brusquement, sans préparation. REM. *À brûle-pourpoint* veut dire aujourd'hui « brusquement, sans qu'on s'y attende ». L'expression a d'abord signifié « tout près, au point de pouvoir brûler le pourpoint » en parlant d'une arme à feu dont on pointe le canon sur l'adversaire : *tirer sur qqn à brûle-pourpoint* (on dirait aujourd'hui *à bout portant*).

brûler v.t. et v.i. ◆ **Orth.** Avec un accent circonflexe sur le *u* (ainsi que dans les mots de la même famille : *brûlerie, brûleur, brûlis, brûloir, brûlot* et *brûlure*).

brun, e adj. ◆ **Accord.** *Des cheveux bruns,* mais *des cheveux brun clair, des chevelures brun foncé.* → annexe, grammaire § 97, 99

brunch n.m. ◆ **Orth.** Plur. : *des brunchs* (à la française) ou *des brunches* (à l'anglaise). RECOMM. Préférer *des brunchs.* REM. Cet anglicisme désignant un repas pris dans la matinée et tenant lieu de petit déjeuner et de déjeuner reste sans équivalent français.

brunissage n.m. / **brunissement** n.m. ◆ **Sens.** Ne pas confondre ces deux mots. **1.** *Brunissage* = action de brunir (= polir) un métal. **2.** *Brunissement* = action de brunir la peau ; fait de devenir brun de peau, de bronzer.

Brushing n.m. ◆ **Orth.** Avec une majuscule (nom déposé). - Plur. : *des Brushings.*

brut, e adj. et adv. ◆ **Prononc.** Au masculin, [bʀut], comme le féminin *brute*, en prononçant le *t* final. ◆ **Orth.** *Peser vingt kilos brut.* Toujours invariable comme adverbe : *ils pèsent vingt kilos brut, ils pèsent brut vingt kilos.* ❑ L'adjectif s'accorde : *des manières brutes ; des diamants bruts.*

bu, e part. passé de *boire* ◆ **Registre.** *Être bu* = être ivre. Emploi populaire ou dialectal.

bûche n.f. ◆ **Orth.** Avec un accent circonflexe sur le *u* (ne pas se laisser influencer par *ruche*). De même pour les dérivés *bûcher, bûcheron, bûchette.*

bucrane n.m. ◆ **Orth.** Sans accent circonflexe sur le *a,* en dépit du sens du mot et de son origine (= ornement sculpté en forme de crâne de bœuf).

budgétaire adj. ◆ **Orth.** Avec un accent aigu, alors que *budget* s'écrit sans accent. De même pour *budgéter, budgétisation, budgétiser, budgétivore.*

budgéter, budgétiser v.t. ◆ **Conjug.** *Budgéter.* Attention à l'alternance *é/è* : *je budgète, il budgète, nous budgétons.* → annexe, tableau 11. ❑ *Budgétiser.* → annexe, tableau 3. ◆ **Emploi.** Les deux formes, *budgéter* et *budgétiser* (= inscrire au budget), sont admises. *Budgéter* est plus fréquent.

buffle n.m. ◆ **Orth.** Avec deux *f.* De même pour les dérivés *bufflesse, buffleterie, buffletin, bufflon, bufflonne.*

buggy n.m. ◆ **Orth.** Plur. : *des buggys.*

building n.m. ◆ **Prononc.** [bildiŋ]. La première syllabe se prononce *bil-* comme dans *bilan* et non *buil-* comme dans *buis.* ◆ **Orth.** Plur. : *des buildings.* ◆ **Emploi.** Cet anglicisme désignant un vaste immeuble comportant de nombreux étages est employé surtout à propos des États-Unis : *les buildings de Manhattan.* Pour les immeubles de même type construits en France, on emploie plutôt aujourd'hui le mot *tour : les tours de la Défense, dans la région parisienne.*

bulbe n.m. ◆ **Genre.** Masculin : *un bulbe.* REM. Jusqu'au XIXᵉ s., *bulbe* était féminin quand il désignait l'oignon d'une plante *(une bulbe de tulipe)* et masculin quand il désignait la partie renflée d'un organe *(le bulbe rachidien).* Cette distinction n'a plus cours.

bulbaire adj. / **bulbeux, euse** adj. ◆ **Sens.** Ne pas confondre ces deux mots. **1.** *Bulbaire* = qui se rapporte à un bulbe anatomique, en particulier au bulbe rachidien. *Réflexe bulbaire.* **2.** *Bulbeux, euse* = pourvu ou formé d'un bulbe *(plante bulbeuse)* ; en forme de bulbe.

bulldozer n.m. ◆ **Prononc.** [byldɔzɛʀ] avec un *è* ouvert comme dans *ver* ou [byldɔzœʀ] avec la finale prononcée à l'anglaise, comme pour rimer avec *doseur.* ◆ **Anglicisme.** Encore très usuel malgré la recommandation officielle *bouteur.* RECOMM. Dans l'expression soignée, préférer les équivalents français : *bouteur, engin de terrassement, tracteur à chenilles.*

bulle adj. inv. et n.m. ◆ **Orth.** *Des papiers bulle. Bulle* est un adjectif invariable dans *des enveloppes bulle, des papiers bulle.* ❑ C'est un substantif masculin dans : *du bulle* (= du papier bulle). - Plur. : *des bulles.*

bull-finch n.m. ◆ **Orth.** Plur. : *des bull-finchs* (à la française) ou *des bull-finches* (à l'anglaise). **RECOMM.** Préférer *des bull-finchs.*

bull-terrier n.m. ♦ **Orth.** Plur. : *des bull-terriers* (avec un *s* uniquement à *terrier*).

bungalow n.m. ♦ **Prononc.** [bœ̃galo], avec *bun* prononcé comme dans *brun* et sans faire entendre le *w* final (prononcer comme *allô*). ♦ **Orth.** Plur. : *des bungalows.*

bureau n.m. ♦ **Orth.** On écrit : *un bureau de vote, un bureau de placement,* sans *s* au complément, mais : *un bureau d'études,* avec un *s* à *étude.*

burnous n.m. ♦ **Prononc.** [byʀnu], comme *nous*, sans faire entendre le *s* final ou [byʀnus], comme pour rimer avec *mousse.* **REM.** La prononciation avec *s* final est conforme à l'étymologie arabe. ♦ **Emploi.** *Burnous / cafetan / djellaba / gandoura.* Ces vêtements portés tous les quatre dans le monde arabo-musulman, ont chacun des fonctions et des formes différentes. **1.** *Burnous* = grand manteau de laine sans manches, à capuchon (porté dans tout le Maghreb). **2.** *Cafetan* = robe d'honneur et d'apparat portée par les hommes (notamment en Turquie du XIIIe au XIXe s.). **3.** *Djellaba* = longue blouse formée d'une pièce d'étoffe rectangulaire dont les bords sont cousus de manière à former un fourreau, auquel sont souvent rapportés des manches échancrées et un capuchon (porté principalement au Maghreb). **4.** *Gandoura* = tunique sans manches portée sous le burnous (surtout en Algérie et au Maroc).

business n.m. ♦ **Prononc.** [biznɛs], avec *busi-* prononcé *biz,* comme dans *biz-zare.* ♦ **Registre.** Familier. ♦ **Anglicisme.** Très courant aujourd'hui dans le monde des affaires : *faire du business, il aime le business, un bon business,* etc. **RECOMM.**

Dans l'expression soignée, préférer le mot français, *les affaires.* De même, préférer *école de commerce* ou *école supérieure d'administration des affaires* à *business-school.*

businessman n.m. ♦ **Orth.** Plur. : *des businessmans* (à la française) ou *des businessmen* (à l'anglaise). **RECOMM.** Préférer *des businessmans* ♦ **Emploi.** Cet anglicisme tend à vieillir. On dit plutôt aujourd'hui : *homme d'affaires, entrepreneur, chef d'entreprise.*

but n.m. ♦ **Prononc.** [byt], comme *butte,* ou [by], sans faire entendre le *t* final. La première prononciation est plus courante. ♦ **Orth.** *De but en blanc.* Attention, ne pas se laisser influencer par le *t* de liaison : on n'écrit pas **de butte en blanc,* mais *de but en blanc.* **REM.** Ici *but* est une orthographe vieillie de *butte.* L'expression fait référence à la butte de tir et au blanc de la cible. - *Être en butte à* → butte. ♦ **Emploi.** **1.** *Dans le but de.* Cette expression est courante dans l'expression non surveillée, notamment à l'oral. **RECOMM.** Dans l'expression soignée, en particulier à l'écrit, préférer *dans l'intention de, afin de, pour, en vue de.* **REM.** On trouve *dans le but de* notamment chez Balzac, Hugo, Flaubert, Bernanos, Montherlant. **2.** *Poursuivre un but.* L'expression est courante, mais critiquée (*poursuivre* ne convenant, en principe, qu'à ce qui bouge). **RECOMM.** Dans l'expression soignée, en particulier à l'écrit, préférer *tendre vers un but, chercher à atteindre un but* ou *viser à un but.* **3.** *Remplir un but.* L'expression est critiquée (en principe, on ne peut *remplir* qu'un récipient ou un trou). **RECOMM.** Dans l'expression soignée, en particulier à l'écrit, préférer *atteindre un but.* **4.** *Avoir pour but / avoir pour objet.* *Avoir pour but* s'emploie quand le sujet est un nom de personne : *il a pour but de doubler son chiffre* *d'affaires*. *Avoir pour objet* s'emploie quand le sujet est un nom de chose : *l'opération a pour objet de rétablir l'irrigation normale du cœur.*

buté, e adj. ◆ **Orth.** *Buté* (= obstiné), avec un seul *t*.

buter v.t.ind. / **butter** v.t. ◆ **Orth. et sens.** Ne pas confondre ces deux verbes. **1.** *Buter contre, sur qqch.* (= heurter ou appuyer sur) s'écrit avec un seul *t*. **2.** *Butter une plante* (= l'entourer d'une butte de terre), s'écrit avec deux *t*.

buter, butter v.t. ◆ **Orth.** Pour le sens argotique de « tuer », les deux graphies, *buter* et *butter*, sont admises. *Buter* (avec un seul *t*) est plus fréquent.

buteur n.m. / **butteur** n.m. ◆ **Orth.** Ne pas écrire *buteur* (= joueur de football qui marque des buts; avec un seul *t*) comme *butteur* (charrue). → **buttoir**

butoir n.m. / **buttoir** n.m. ◆ **Orth.** Ne pas écrire *butoir* (= dispositif d'arrêt sur lequel vient buter qqch.; avec un seul *t*) comme *buttoir* (charrue). → **buttoir**

butte n.f. ◆ **Orth.** *Être en butte à.* Avec deux *t* à *butte* (ne pas écrire *but* dans cette expression). REM. *Butte* désignait autrefois le tertre portant la cible, dans les exercices de tir ; *être en butte à* signifie « être la cible de » : *il est en butte à l'animosité de certains collègues.* → aussi **but**

buttoir, butteur n.m. ◆ **Orth.** Les deux formes, *buttoir* et *butteur*, sont admises pour ce mot qui désigne une petite charrue à butter les plantes.

buvard n.m. ◆ **Orth.** *Papier buvard.* - Plur. : *des papiers buvards*, avec *s* à chaque mot. → **papier**

buzzer n.m. ◆ **Prononc.** [bœzœʀ] ou [bœdzœʀ] : *bu-* prononcé *beu-* comme dans *beurre*, suivi de *-z-* ou de *-dz-* (chacune des deux consonnes se fait entendre), et de *-eur* comme dans *sœur*. REM. Cet emprunt à l'anglais a donné le verbe *buzzer*, prononcé [bœze] (comme *beu-zé*), ce qui témoigne de son assimilation au lexique français.

by-pass n.m. inv. / **bipasse** n.m. ◆ **Prononc.** *By-pass* : [bipɑs], à la française, avec le son *i*, ou [bajpɑs], à l'anglaise, avec le son *aille*. ◆ **Orth.** Deux orthographes possibles : *un by-passe*, *des by-passe* (invariable) ou *un bipasse*, *des bipasses* (avec *s*). ◆ **Anglicisme.** Circuit d'évitement, déviation sur le trajet d'un fluide. RECOMM. On peut employer, selon le contexte, les équivalents : *dérivation* (technique générale, bâtiment) ; *évitement* (industrie pétrolière) ; *pontage*, *dérivation* ou *anastomose* (médecine).

C

ça pron. dém. / **çà** adv. et interj. ◆
Orth. Le pronom *ça* (forme contractée
de *cela)* s'écrit sans accent : *comme ça.*
Bien distinguer le pronom démonstratif
ça de *çà,* adverbe de lieu *(çà et là)* ou
interjection *(ah çà !),* qui s'écrit avec un
accent grave.

ça pron. dém. ◆ **Emploi. 1.** *Ça / cela.*
Ça remplace *cela* dans la langue parlée
non surveillée (*comme ça* pour *comme
cela, à part ça* pour *à part cela,* etc.).
RECOMM. À l'écrit, il est préférable de
n'employer que *cela,* sauf si des
relations de familiarité sont bien
établies avec la personne à qui l'on
s'adresse (dans une lettre à un parent
ou à un ami, par exemple).
2. *Un enfant, ça pleure.* Quand il
s'applique à une personne, *ça* prend
une valeur péjorative ou affectueuse
suivant le contexte : *c'est mignon, ça,
madame ! Ça ne sait rien et ça veut donner
des conseils !*
3. *Comme ci comme ça.* L'expression est
familière : *ça va comme ci comme ça* (=
modérément).
4. *Et vous allez où comme ça ?* Dans un
sens vague (« ainsi, de la sorte, tel
quel »), *comme ça* est souvent employé
dans la langue familière comme
locution de remplissage (les linguistes

parlent de « fonction phatique ») : *c'est
un type, tu vois, je veux dire, il est comme ça,
naturel. On y va comme ça, sans se presser.*

cabale n.f. → kabbale

cabas n.m. ◆ **Orth.** Avec *s* final.

câble n.m. ◆ **Orth.** Avec un accent
circonflexe sur le *a.* De même pour
tous les dérivés (*câbler, câblerie,
câbleur, câblier,* etc.), sauf *encablure.*

cabriole n.f. ◆ **Orth.** Avec un seul *l.*

cacahouète, cacahuète n.f.
◆ **Prononc. et orth.** Les deux graphies,
cacahouète et *cacahuète,* sont admises.
On prononce [kakawet] dans les deux
cas (*ou* ou *u* prononcés comme *ou* dans
couette).

cacao n.m. / **cacaoyer, cacaotier**
n.m. ◆ **Emploi.** *Cacao* désigne la graine,
cacaoyer (ou *cacaotier)* l'arbre qui la
produit. On dit donc : *planter, cultiver,*
etc., *le cacaoyer* (et non *le cacao)* et *récolter
le cacao.* ◆ **Orth.** *Cacaoyer, cacaotier.* Les
deux formes sont admises. - De même,
pour une plantation de cacaoyers (ou
cacaotiers) on parle d'une *cacaoyère* (ou
d'une *cacaotière).*

cache n.f. / **cache** n.m. ◆ **Sens.** Ne pas confondre *une cache* et *un cache*. **1.** *Une cache* n.f. = une cachette. *Une cache d'armes*. **2.** *Un cache* n.m. = un dispositif (écran, masque, etc.) destiné à cacher. *À la photocopie, les noms ont été couverts d'un cache pour préserver l'anonymat des personnes.*

cache- élément de composition ◆ **Orth.** Composés avec *cache-* (verbe *cacher*). *Cache-* reste invariable. V. tableau ci-dessous et R.O. 1990

Graphies et pluriels des mots composés avec *cache-*

Un cache-brassière, des cache-brassières ou *des cache-brassière.*
Un cache-cache, des cache-cache (invariable).
Un cache-col, des cache-cols ou *des cache-col.*
Un cache-cœur, des cache-cœurs ou *des cache-cœur.*
Un cache-entrée, des cache-entrées ou *des cache-entrée.*
Un cache-flamme, des cache-flammes ou *des cache-flamme.*
Un cache-misère, des cache-misère (invariable).
Un cache-nez, des cache-nez (invariable).
Un cache-pot, des cache-pots ou *des cache-pot.*
Un cache-poussière, des cache-poussière (invariable).
Un cache-prise, des cache-prises ou *des cache-prise.*
Un cache-radiateur des cache-radiateurs ou *des cache-radiateur.*
Un cache-sexe, des cache-sexes ou *des cache-sexe.*
Un cache-tampon, des cache-tampons ou *des cache-tampon.*

---

cachère adj. inv. ◆ **Orth.** → kasher

cachet n.m. ◆ **Emploi.** *Cachet / comprimé.* Ces deux mots, souvent employés l'un pour l'autre dans la langue courante, ont dans le vocabulaire technique des pharmaciens et des médecins un sens précis. **1.** *Cachet* = capsule, enveloppe de pain azyme dans laquelle on enferme un médicament en poudre. **2.** *Comprimé* = pastille d'un médicament aggloméré. REM. Dans la langue de tous les jours, *cachet* est souvent employé pour *comprimé* : *un cachet d'aspirine*. RECOMM. Dans l'expression soignée, n'employer *cachet* que dans son sens strict. **3.** *Cachet, salaire, appointements, honoraires.* → salaire

cache-sexe n.m. → cache-

cache-tampon n.m. → cache-

cacheter v.t. ◆ **Conjug.** Attention à l'alternance *-tt-/ -t-* : *il cachette, nous cachetons ; il cachetait ; il cacheta ; il cachettera.* → annexe, tableau 16 et R.O. 1990

cachotterie n.f. ◆ **Orth.** Avec deux *t*, de même que *cachottier,* n.m. REM. Au XVIIe s., il existait un verbe *cachotter,* tenir secret.

cachou n.m. et adj. inv. ◆ **Orth.** Le nom prend la marque du pluriel *(une boîte de cachous)* mais l'adjectif de couleur reste invariable *(des pulls cachou).*

cadavéreux adj. / **cadavérique** adj. ◆ **Sens.** **1.** *Cadavéreux* = qui évoque un cadavre. *Un visage cadavéreux.* **2.** *Cadavérique* = propre au cadavre. REM. Dans l'expression non surveillée, *cadavérique* est fréquemment employé au sens de *cadavéreux* : *elle travaille trop, elle ne sort jamais, elle a un teint cadavérique.* RECOMM. Dans l'expression soignée, utiliser chacun de ces deux adjectifs dans son sens strict : *tu as l'air fatigué, tu as un teint cadavéreux ; la rigidité cadavérique.*

caddie, caddy n. / **Caddie** n.m. ◆ **Sens et orth. 1.** *Caddie, caddy* =

personne qui porte les clubs d'un joueur de golf. Avec une minuscule. Les deux graphies, *caddie* et *caddy,* sont admises, mais *caddie* est plus fréquent. - Plur. : *des caddies* ou *des caddys*. **2. Caddie** n.m. = chariot de supermarché. Toujours avec une majuscule (nom déposé). - Plur. : *des Caddies*.

cadeau n.m. ◆ **Orth.** *Paquet cadeau.*
→ paquet

cadencer v.t. ◆ **Conjug.** Le *c* devient *ç* devant *o* et *a : je cadence, nous cadençons ; il cadença.* → annexe, tableau 9

cadran n.m. / **quadrant** n.m. ◆ **Sens et orth.** Ne pas confondre ces deux mots. **1.** *Cadran* = surface portant les divisions d'une grandeur. *Cadran d'une montre, d'un appareil de mesure.* **2.** *Quadrant* = région du plan limitée par deux demi-droites de même origine, en mathématiques. → aussi cadrature

cadrature n.f. / **quadrature** n.f. ◆ **Sens et orth.** Ne pas confondre ces deux mots. **1.** *Cadrature* = ensemble des pièces qui meuvent les aiguilles, dans les montres mécaniques. Terme d'horlogerie. **2.** *Quadrature* = terme d'astronomie et de géométrie employé également dans la locution courante *quadrature du cercle* (= au figuré, problème impossible à résoudre).

cadre n.m. ◆ **Emploi.** *Dans le cadre de* = en vertu de, dans les limites de (sens strict). *Dans le cadre de ses pouvoirs de police, le maire a ordonné la fermeture de l'établissement.* Cette locution est souvent employée aujourd'hui dans le sens « à l'occasion de » : *dans le cadre du festival, plusieurs expositions sont prévues.* **RECOMM.** Dans l'expression soignée, en particulier à l'écrit, préférer les équivalents : *à l'occasion de, en liaison avec, pendant,* etc.

caduc, caduque adj. ◆ **Orth.** Attention au féminin : *une loi caduque* (avec *-que*). ◆ **Sens.** Employé en sciences naturelles dans le sens « qui tombe chaque année, en parlant du feuillage » : *un arbre à feuilles caduques.*

café n.m. / **caféier** n.m. ◆ **Emploi.** *Café* désigne la graine, *caféier* l'arbre qui la produit. On dit donc : *planter, cultiver,* etc., *le caféier* (et non *le café*) et *récolter le café.*

café-au-lait adj. inv. / **café au lait** loc. nom. ◆ **Orth.** Traits d'union pour la couleur *(une peau café-au-lait)*, pas de trait d'union pour la boisson *(boire un café au lait)*. - Plur. : *des peaux café-au-lait* (invariable) *; les cafés au lait de notre enfance.*

café-concert n.m. ◆ **Orth.** Avec un trait d'union. - Plur. : *des cafés-concerts.*

café crème n.m. ◆ **Orth.** Sans trait d'union. - Plur. : *des cafés crème,* sans *s* à *crème* (= café avec de la crème).

cafétéria n.f. ◆ **Orth.** Avec deux accents aigus (même si le mot est d'origine hispano-américaine).

café-théâtre n.m. ◆ **Orth.** Avec un trait d'union. - Plur. : *des cafés-théâtres* (avec *s* à chaque élément).

cahot n.m. / **chaos** n.m. ◆ **Prononc.** *Cahot* et *chaos* se prononcent l'un et l'autre [kao], comme dans *kaolin.* ◆ **Sens.** Ne pas confondre ces deux mots. **1.** *Cahot* = rebond, soubresaut d'un véhicule sur une route inégale. *La suspension absorbe bien les cahots.* À *cahot* correspond l'adjectif *cahoteux : chemin cahoteux.* **2.** *Chaos* = grand désordre, confusion générale. *Le sous-développement et la misère enfoncent ce pays dans le chaos.* À *chaos* correspond l'adjectif *chaotique : situation chaotique.*

cahute n.f. ♦ **Orth.** Avec un seul *t,* à la différence de *hutte.* → R.O. 1990.

caillebotis n.m. ♦ **Orth.** Avec un seul *t* et un *s* final (qui reste muet, comme dans comme *clafoutis*).

caillebotte n.f. ♦ **Orth.** Avec deux *t,* comme dans *botte.*

cailler v.t. et v.i. ♦ **Conjug.** Attention au *i* après *-ill-* à l'imparfait et au subjonctif présent : *(que) nous caillions, (que) vous cailliez.*

caillou n.m. ♦ **Orth.** Plur. : *des cailloux* (avec un *x*), comme *des bijoux, des choux, des genoux, des hiboux, des joujoux, des poux.*

cajoler v.t. ♦ **Orth.** On écrit *cajoler,* sans accent circonflexe sur le *o* (à la différence d'*enjôler*).

cal n.m. ♦ **Orth.** Plur. : *des cals.*

calamar n.m. ♦ **Orth.** → calmar

calcédoine n.f. ♦ **Orth.** Attention, *calcédoine* avec *c* à l'initiale (et non *ch-*). REM. Le mot, issu de *Chalcédoine,* ville de Bithynie, s'écrivait autrefois avec *ch-* ; cette orthographe est aujourd'hui abandonnée.

caleçon n.m. ♦ **Nombre.** S'emploie aujourd'hui au singulier : *être en caleçon* (et non *en caleçons*). REM. Auparavant, *caleçons* s'employait au pluriel (comme *pantalons*) pour désigner un vêtement unique.

calembour n.m. ♦ **Orth.** Attention, finale en *r.* Ne pas se laisser influencer par *bourg.*

cale-pied n.m. ♦ **Orth.** Plur. : *des cale-pieds* (avec *s* à *pied*).

calepin n.m. ♦ **Orth.** Bien noter le *e,* qui n'est en général pas prononcé.

califourchon (à) loc. adv. ♦ **Orth.** Attention, sans *s* final (ne pas se laisser influencer par des expressions comme *à reculons, à tâtons* ou *à croupetons,* qui s'écrivent avec *s*).

calleux, euse adj. ♦ **Orth.** On écrit *calleux* et *callosité,* avec deux *l.*

call-girl n.f. ♦ **Orth.** Plur. : *des call-girls* (avec *s* à *girl*).

calmar, calamar n.m. ♦ **Orth.** Les deux formes, *calmar* et *calamar,* sont admises. *Calmar* est plus fréquent.

calomnie n.f. ♦ **Sens.** Ne pas employer ce mot à la place de *médisance.* → médisance

calorifuger v.t. ♦ **Conjug.** Le *g* devient *-ge-* devant *a* et *o* : *je calorifuge, nous calorifugeons ; il calorifugea.* → annexe, tableau 10

calotte n.f. ♦ **Orth.** Avec deux *t,* ainsi que *calotter.* REM. Bien qu'issu de *calotte,* coiffure liturgique du clergé catholique, le dérivé familier et péjoratif *calotin* s'écrit avec un seul *t* ♦ **Sens.** *Calotte / gifle.* Au sens strict, *la calotte* (= tape) se donne sur la tête et *la gifle* sur la joue. Mais les deux mots sont souvent employés l'un pour l'autre.

calquer v.t. / **décalquer** v.t. ♦ **Sens.** Ne pas confondre ces deux mots. 1. *Calquer* = reproduire les contours d'un dessin sur un calque, un papier transparent. 2. *Décalquer* : reporter sur un support non transparent le dessin reproduit préalablement au calque. ♦ **Emploi.** 1. *Calquer* connaît aussi un emploi figuré (= imiter) : « *Quand vous viendrez à bout de calquer exactement un homme de génie...* » (V. Hugo). 2. *Décalquer* ne s'emploie qu'au sens concret : *vous n'aurez qu'à décalquer le contour d'après l'original.*

calvados n.m. ◆ **Orth.** Avec une minuscule pour l'eau-de-vie : *un vieux calvados,* mais une majuscule pour la région (et département) d'où elle provient : *eau-de-vie du Calvados.*

calvitie n.f. ◆ **Prononc.** [kalvisi] avec -*tie* prononcé -*si* (comme dans *facétie, péripétie*).

camée n.m. ◆ **Genre.** Masculin : *un camée.* Mot masculin à finale en -*ée,* comme *apogée, lycée, musée, périnée, périgée,* etc.

camélia n.m. ◆ **Genre.** Masculin : *un camélia.*

camelote n.f. ◆ **Orth.** Avec un seul *t.*

camembert n.m. ◆ **Orth.** Jamais de majuscule : *un camembert bien fait.* REM. Ce fromage a pris le nom du village de Camembert, dans l'Orne, où il a été fabriqué pour la première fois.

caméra n.f. ◆ **Orth.** Avec un accent aigu sur le *e.* - Plur. : *des caméras.*

cameraman n.m. ◆ **Orth.** Sans accent aigu sur le *e,* à la différence de *caméra.* - Plur. : *des cameramans* (à la française) ou *des cameramen* (à l'anglaise). ◆ **Emploi.** RECOMM. OFF. : *cadreur.*

camion-citerne n.m. ◆ **Orth.** Plur. : *des camions-citernes* (avec *s* à chaque élément).

camoufler v.t. ◆ **Orth.** Avec un seul *f.*

camp n.m. ◆ **Orth.** *Camp volant.* Jamais de trait d'union.

campanile n.m. ◆ **Genre.** Masculin : *un campanile.*

campos, campo n.m. ◆ **Prononc.** *Campos* [kãpo], sans faire entendre le *s,*

comme pour rimer avec *chapeau.* ◆ **Orth.** Les deux graphies, *campos* et *campo,* sont correctes. *Campos* est plus fréquent.

campus n.m. ◆ **Emploi.** RECOMM. Éviter le pléonasme *campus universitaire,* malgré sa fréquence (*campus* signifie « ensemble universitaire regroupant unités d'enseignements et résidences étudiantes »).

canapé-lit n.m. ◆ **Orth.** Plur. : *des canapés-lits* (avec *s* à chaque élément).

cancérigène, cancérogène adj. ◆ **Orth.** Les deux formes, *cancérigène* et *cancérogène,* sont aujourd'hui admises. *Cancérigène* est plus courant, *cancérogène* plus technique.

candela n.f. ◆ **Orth. et prononc.** Ne prend pas d'accent, en dépit de la prononciation avec un *é* fermé, comme pour rimer avec *(il) héla.* → R.O. 1990

cane n.f. / **canne** n.f. ◆ **Orth.** Ne pas écrire *la cane* (= femelle du canard) comme *la canne* (= le bâton). REM. *Canard, caneton, canette* s'écrivent avec un seul *n,* comme *cane.*

canette, cannette n.f. ◆ **Orth.** Les deux graphies, *canette* et *cannette,* sont admises. *Canette* (avec un seul *n*) est la forme la plus courante, aussi bien pour la boîte de boisson gazeuse que pour la bobine de la machine à coudre ou du métier à tisser.

canevas n.m. ◆ **Prononc.** [kanva], comme pour rimer avec *pas,* sans faire entendre le s final.

cangue n.f. / **gangue** n.f. ◆ **Sens.** Ne pas confondre ces deux mots. 1. *Cangue* (avec un *c*) = carcan enserrant le cou et les poignets, en usage dans la Chine ancienne.

2. *Gangue* (avec un *g*) = substance qui entoure une pierre précieuse dans un gisement.

cannelle n.f. et adj. inv. ◆ **Orth.** **1.** *Pomme cannelle.* Avec *cannelle* toujours invariable : *des pommes cannelle.* **2.** *Des soies cannelle.* Comme adjectif de couleur, *cannelle* reste invariable.

cannelloni n.m. ◆ **Orth.** Avec deux *n* au début, deux *l,* et un seul *n* à la dernière syllabe. - Plur. : *des cannellonis* (avec *s,* à la française) ou *des cannelloni* (à l'italienne, sans *s*). RECOMM. Préférer *des cannellonis.* → R.O. 1990

cannibale adj. et n. ◆ **Orth.** Avec deux *n.* ◆ **Emploi.** *Cannibale / anthropophage.* Les sens de ces mots sont proches, mais distincts. **1.** *Cannibale* = qui mange les êtres de sa propre espèce. *La mante religieuse, certaines araignées sont cannibales.* **2.** *Anthropophage* = qui mange de la chair humaine, en parlant de l'homme. REM. Il découle de ces définitions que tout anthropophage est cannibale, mais qu'un être vivant ne peut être qualifié d'anthropophage que s'il appartient à l'espèce humaine (on ne dirait pas, par exemple, d'un tigre mangeur d'hommes qu'il est anthropophage).

canoë n.m. ◆ **Orth.** Avec un tréma sur le *e.*

canoéiste n.m. ◆ **Orth.** *Canoéiste* (= personne qui pratique le canoë) s'écrit avec un accent aigu, à la différence de *canoë* (avec *ë*).

canoë-kayak n.m. ◆ **Orth.** Avec un trait d'union. - Plur. : *des canoës-kayaks* (avec *s* à chaque mot).

canon n.m.◆ **Orth.** Attention aux dérivés. **1.** *Canon,* au sens de « règle de

l'Église », donne des dérivés avec un seul *n* : *canonial, canonicat, canonicité, canonique, canoniser, canoniste.* **2.** *Canon,* au sens de « pièce d'artillerie », donne des dérivés avec deux *n* : *canonnade, canonnage, canonner, canonnier, canonnière.*

cantal n.m. ◆ **Orth.** Avec une minuscule pour le fromage : *un morceau de cantal* (mais : *du fromage du Cantal,* produit dans ce département).

cantatrice n.f. ◆ **Emploi.** *Cantatrice / chanteuse* → chanteuse

canton n.m. ◆ **Orth.** Attention aux dérivés. **1.** Un seul *n* : *cantonade, cantonal.* **2.** Deux *n* : *cantonnement, cantonner, cantonnier.*

canular n.m. ◆ **Orth.** Attention, se termine par *r* (pas de *d* ni de *t*).

canut, use adj. et n. ◆ **Orth.** Au féminin : *une canuse.*

canzone n.f. ◆ **Orth.** Plur. : *des canzones* (à la française) ou *des canzoni* (à l'italienne). RECOMM. Préférer *des canzones.* → R.O. 1990

cap n.m. ◆ **Orth.** *De pied en cap : cap* (qui signifie ici « tête ») ne prend pas de *e* à la fin (ne pas confondre avec *cape* = manteau sans manches). REM. *Cap,* mot provençal, vient du latin *caput,* tête (qui a donné *chef* en langue d'oïl,.voir *couvre-chef, opiner du chef,* etc.)

capable adj. → susceptible

caparaçonner v.t. ◆ **Orth.** Ne pas intervertir le *p* et le *r : ca-pa-ra-çon-ner.* REM. Le mot vient de *caparaçon* (= housse de cheval) et n'a aucun rapport avec *carapace.*

capeler v.t. ◆ **Conjug.** Attention à l'alternance *-ll-/ -l-* : *il capelle, nous capelons ; il capelait ; il capela ; il capellera.* → annexe, tableau 16 et R.O. 1990

cap-hornier n.m. ◆ **Orth.** Avec un trait d'union. - Plur. : *des cap-horniers* (avec *s* seulement à *hornier*).

capillaire adj. ◆ **Prononc. et orth.** Avec un seul *p* et deux *l* prononcés [l] comme dans *filaire*. De même pour les dérivés *capillarité, capilliculture, capilliculteur*.

capitales (emploi des ~) → annexe, grammaire § 27 à 32

capiteux, euse / captieux, euse adj. ◆ **Sens.** Ne pas confondre ces deux mots. 1. *Capiteux* = qui fait tourner la tête, qui enivre. *Un vin, un parfum capiteux*. 2. *Captieux* = qui cherche à induire en erreur, fallacieux. *Des arguments captieux*. Registre littéraire.

capter v.t. / **captiver** v.t. / **capturer** v.t. ◆ **Sens.** Ne pas confondre ces trois mots. 1. *Capter* = recueillir ; recevoir. *Capter l'eau d'une source, capter une émission de télévision*. 2. *Captiver* = retenir l'attention de, passionner *C'est un roman qui m'a captivée*. 3. *Capturer* = s'emparer par la force de (un être vivant ; qqch. de mobile). *Capturer un renard. Capturer un navire*.

captieux, euse → capiteux

caquet n.m. ◆ *Rabattre le caquet à qqn / de qqn.* Les deux constructions sont admises. REM. Dans *rabattre le caquet à qqn*, *à* ne marque pas la possession (ce qui serait un emploi fautif) mais introduit le complément d'objet indirect (= « je rabats le caquet à lui »).

caquetage, caquètement n.m. ◆ **Orth.** Les deux formes, *caquetage* et *caquètement,* sont admises. *Caquetage* est plus courant.

caqueter v.i. ◆ **Conjug.** Attention à l'alternance *-tt-/ -t-* : *il caquette, nous caquetons ; il caquetait ; il caqueta ; il caquettera.* → annexe, tableau 16 et R.O. 1990

car conj. / **parce que** loc. conj. ◆ **Emploi.** Ces deux mots de sens proche ne peuvent pas toujours être employés l'un pour l'autre. 1. *Car* introduit l'explication, la justification de ce qui vient d'être dit. *Martine a un bon salaire, car elle peut louer un grand appartement.* (*Car* équivaut ici à *puisque*). 2. *Parce que* suppose un lien de cause à effet entre ce qui vient d'être énoncé et ce qui va suivre : *Martine a un bon salaire parce qu'elle est fort compétente et très diplômée* (mais on ne pourrait pas dire *Martine a un bon salaire parce qu'elle peut louer un grand appartement :* ce n'est pas la location d'un grand appartement qui permet à Martine de bénéficier d'un bon salaire, mais bien l'inverse). REM. *Parce que* répond à *pourquoi* : « *Pourquoi est-il parti ? -Parce qu'il était en retard* » (et non : « *- Car il était en retard* ») ◆ **Constr. 1.** *Car* ne peut jamais être placé en tête de phrase (**car elle peut louer un grand appartement, Martine a un bon salaire*) et suit nécessairement l'assertion expliquée. *Car* peut aussi être placé en incise : *je ne vous demande pas de vous excuser pour cette erreur, car c'est bien une erreur, mais simplement de la réparer.* 2. *Parce que* peut suivre ou précéder l'explication de la cause : *parce que la masse de la Lune exerce sa force d'attraction, les marées existent* ou *les marées existent parce que la masse de la Lune exerce sa force d'attraction.* 3. *Car,* à la différence de *parce que,* est toujours précédé d'une virgule. 4. *Car en effet* n'est admis que dans le cas très rare où *en effet* signifie « dans la réalité, dans les faits » : *il peut l'imposer,*

car en effet et non plus seulement en théorie il en a maintenant le pouvoir. Dans tous les autres cas, *car en effet* est considéré comme un pléonasme à éviter. Dire, écrire : *il est heureux, car il a réussi* ou *il est heureux, en effet il a réussi* (et non *il est heureux car en effet il a réussi*).

caracal n.m. ◆ **Orth.** Plur. : *des caracals.*

carafe n.f. ◆ **Orth.** Avec un seul *f*.

caravansérail n.m. ◆ **Orth.** Plur. : *des caravansérails.*

carbonade, carbonnade n.f. ◆ **Orth.** Les deux graphies, *carbonade* et *carbonnade,* sont correctes. La première est plus courante.

carcinome n.m. ◆ **Prononc. et orth.** [karsinom], avec un *o* fermé, comme dans *dôme,* malgré l'absence d'accent circonflexe. → **adénome**

cardinaux (orthographe des points ~) → annexe, grammaire § 32

cardio- préf. ◆ **Orth.** Le préfixe *cardio-* (du grec *kardia,* cœur) se soude à l'élément qui le suit ou en est séparé par un trait d'union en fonction du sens du mot composé. **1.** Les composés ayant trait au cœur seul s'écrivent en un seul mot : *cardiogramme, cardiologie, cardiomyopathie, cardiotonique,* etc. **2.** Les composés ayant trait au cœur et à un autre organe ou un autre système anatomique s'écrivent en deux mots joints par un trait d'union : *cardio-pulmonaire, cardio-rénal, cardio-respiratoire, cardio-vasculaire,* etc. C'est le deuxième élément qui prend la marque du pluriel : *les maladies cardio-vasculaires.*

carême n.m. ◆ **Orth.** Avec une minuscule et un accent circonflexe sur le *e* : *observer le carême.*

caréner v.t. ◆ **Conjug.** Attention à l'accent, tantôt grave, tantôt aigu : *je carène, nous carénons ; il caréna.* → annexe, tableau 11 et R.O. 1990

caresse n.f. ◆ **Orth.** Avec un seul *r,* comme *paresse.*

cariatide n.f. → caryatide

carmin n.m. et adj. inv. ◆ **Orth.** Comme nom, *carmin* prend la marque du pluriel : *des carmins diversement nuancés.* Comme adjectif, il est invariable : *des ongles carmin.* → annexe, grammaire § 97, 98

carnassier, ère adj. **/ carnivore** adj. et n. ◆ **Sens.** Ces deux mots ont des sens proches mais distincts. REM. Ils ont la même origine latine *caro, carnis,* chair. **1.** *Carnassier, ère* = qui se nourrit excusivement de chair crue, de proies vivantes. *Le lion, le tigre sont des animaux carnassiers.* **2.** *Carnivore* = qui se nourrit notamment, mais non exclusivement, de viande. *L'homme est carnivore.* - *Plante carnivore,* à laquelle des insectes, capturés par des organes spécialement adaptés, fournissent les substances nécessaires à la vie. REM. En zoologie, les *carnivores* (n.m.) constituent un ordre de mammifères terrestres adaptés à un régime dans lequel prédomine la viande.

carnaval n.m. ◆ **Orth.** Plur. : *des carnavals.*

carnet n.m. ◆ **Emploi.** On note quelque chose *dans* ou *sur un carnet.*

carnivore adj. et n. ◆ **Emploi.** Ne pas confondre avec *carnassier* → **carnassier**

carotène n.m. ◆ **Orth.** Avec un seul *r* et un seul *t,* à la différence de *carotte.*

carotte n.f. ◆ **Orth.** Avec un *r* et deux *t*. De même pour les dérivés (*carottage,*

98

carotter, carotteur, carottier) à l'exception de *carotène*, qui ne prend qu'un *t*.

carpelle n.m. ◆ **Genre.** Masculin. *Les carpelles soudés des fleurs forment le pistil.*

carreler v.t. ◆ **Conjug.** Attention à l'alternance *-ll-/ -l- : il carrelle, nous carrelons ; il carrelait ; il carrela ; il carrellera.* → annexe, tableau 16 et R.O. 1990

carriole n.f. ◆ **Orth.** Avec deux *r* et un seul *l*.

carrosse n.m. ◆ **Orth.** Avec deux *r* et deux *s*. De même pour les dérivés : *carrossable, carrossage, carrosser, carrosserie, carrossier.*

carrousel n.m. ◆ **Orth. et prononc.** Avec deux *r* et un seul *s,* qui se prononce [z], comme pour rimer avec *zèle.*

carte n.f. ◆ **Orth.** Mots composés avec *carte-.* Les deux éléments prennent la marque du pluriel : *une carte-lettre, des cartes-lettres ; une carte-réponse, des cartes-réponses.*

carton n.m. ◆ **Orth.** Mots composés avec *carton-.* Les deux éléments prennent la marque du pluriel : *du carton-cuir, des cartons-cuirs ; du carton-feutre, des cartons-feutres ; du carton-paille, des cartons-pailles ; du carton-pâte, des cartons-pâtes ; du carton-pierre, des cartons-pierres.*

cartouche n.f. / **cartouche** n.m. ◆ **Genre.** Ce mot est féminin ou masculin selon le sens. 1. *Cartouche* n.f. = charge d'une arme à feu ; étui, emballage : *une cartouche de chasse ; une cartouche de cigarettes.* REM. De l'italien *cartoccio,* nom masculin ; le mot était encore masculin en français dans ce sens au XVIIIᵉ s. 2. *Cartouche* n.m. = ornement destiné à recevoir

une inscription. Terme d'art et d'archéologie.

caryatide, cariatide n.f. ◆ **Orth.** Les deux graphies, *caryatide* et *cariatide,* sont admises. REM. Le mot vient du latin *caryatides,* du grec *Karuatides,* féminin pluriel, désignant les femmes de Carye, captives dont les architectes grecs sculptèrent les formes dans les colonnes de certains édifices. ◆ **Sens.** Ne pas confondre avec *atlante* → atlante

cas n.m. ◆ **Orth.** *En tout cas* = quoi qu'il en soit, de toute façon. *J'essaierai de vous voir à mon retour ; en tout cas, je vous donnerai de mes nouvelles.* ◆ **Emploi.** *En tout cas,* avec valeur d'insistance, est familier : *en tout cas, il n'avait pas à se mêler de mes affaires.* ◆ **Constr.** 1. *Au cas où, dans le cas où, pour le cas où* (+ conditionnel) : *prenez un parapluie, au cas où (dans le cas où, pour le cas où) il pleuvrait.* 2. *En cas que, au cas que* (+ subjonctif), en usage dans la langue classique, paraîtrait aujourd'hui affecté, surtout à l'oral : *« Je fais moi-même préparer des instructions que je leur expédierai au cas que la guerre vienne à éclater »* (Chateaubriand).

cash n.m. ◆ **Anglicisme.** Argent liquide. ◆ **Registre.** *Payer cash,* fréquent dans la langue courante, est familier. RECOMM. Dans l'expression soignée, préférer les équivalents : *payer comptant ; payer en liquide* ou *en espèces.*

cash-flow n.m. ◆ **Orth.** Plur. : *des cash-flows.* ◆ **Emploi.** Anglicisme très répandu dans le langage financier pour désigner la capacité d'autofinancement d'une entreprise ; il est parfois remplacé par *marge brute d'auto-financement* (M.B.A.).

casse- élément de composition ◆ **Orth.** Mots composés avec *casse-*

casserole

(verbe *casser*). *Casse-* est toujours suivi d'un trait d'union et ne prend jamais la marque du pluriel. Le second élément, au singulier ou au pluriel, varie ou non selon l'usage. → V. tableau ci-dessous et R.O. 1990

Graphies et pluriels des mots composés avec *casse-*

Invariables avec le second élément toujours au singulier

Un casse-cou, des casse-cou
Un casse-croûte, des casse-croûte
Casse-cul (adj.), plur. *casse-cul*
Un casse-graine, des casse-graine
Casse-gueule (adj.), plur. *casse-gueule*
Un casse-tête, des casse-tête
Un casse-vitesse, des casse-vitesse

Invariables avec le second élément toujours au pluriel

Un casse-noisettes, des casse-noisettes
Un casse-noix, des casse-noix
Un casse-pattes, des casse-pattes
Un casse-pieds, des casse-pieds

Invariables, avec ou sans le *-s* du pluriel au second élément

Un casse-pierre ou *un casse-pierres*, plur.
des casse-pierre ou *des casse-pierres*
Un casse-pipe ou *un casse-pipes,* plur.
des casse-pipe ou *des casse-pipes*

---

casserole n.f. ◆ **Orth.** Avec un seul *l*.

cassis n.m. ◆ **Prononc.** Le *s* final se prononce ou non selon le sens. 1. *Cassis* (= arbuste, fruit et liqueur) se prononce [kasis] en faisant entendre le *s,* comme dans *pastis*. 2. *Cassis* (= brusque dénivellation) se prononce [kasi] sans faire entendre le *s* final, comme pour rimer avec *asti*.

cassolette n.f. ◆ **Orth.** Avec deux *s* et deux *t*, mais un seul *l*, comme *casserole*.

cassonade n.f. ◆ **Orth.** Avec deux *s* mais un seul *n*.

casting n.m. ◆ **Prononc.** [kastiŋ], finale comme dans *ring* et dans *camping*.

◆ **Orth.** Plur. *Des castings*. ◆ **Anglicisme.** Courant dans le milieu du spectacle au sens de « sélection des acteurs, des figurants d'une production ». **RECOMM. OFF. :** *distribution, distribution artistique*.

cataclysme n.m. ◆ **Orth.** Avec un *y* (latin *cataclysmos*, grec *kataklusmos*, inondation).

catacombes n.f. plur. ◆ **Nombre.** Ne s'emploie qu'au pluriel : *les catacombes romaines*.

catadioptre n.m. ◆ **Genre.** Masculin. → aussi **cataphote**

catafalque n.m. / **cénotaphe** n.m. ◆ **Orth.** Noter le son [f] : avec un *f* dans *catafalque* et *-ph-* dans *cénotaphe*. ◆ **Sens et emploi.** Ne pas confondre ces deux mots. 1. *Catafalque* = estrade décorative élevée pour recevoir un cercueil, réel ou simulé, lors d'une cérémonie funéraire. 2. *Cénotaphe* = tombeau vide, monument élevé à la mémoire d'un mort (du grec *kenos*, vide et *taphos*, tombeau).

catalogage n.m. ◆ **Orth.** Le *u* de *catalogue*, maintenu dans toute la conjugaison du verbe *cataloguer*, disparaît dans le substantif *catalogage*.

Cataphote n.m. ◆ **Orth.** Avec une majuscule (nom déposé).

catarrhe n.m. ◆ **Orth.** Avec un *h* après les deux *r*, comme dans *catarrhal, catarrheux*. ◆ **Emploi.** Terme médical pour « rhume ». Ne pas confondre avec *cathare* → **cathare**

catastropher v.t. ◆ **Registre.** Ce verbe, dérivé de *catastrophe*, appartient au langage familier. De même pour le participe passé *catastrophé*. **RECOMM.** Dans l'expression soignée, préférer les équivalents *consterner, navrer, désoler,* *abattre, décourager* et leurs participes passés.

catéchisme n.m. ◆ **Orth.** Sans *h* après le *t*, comme tous les mots de la même famille.

catéchumène n.m. ◆ **Prononc.** [katekymɛn], avec -*ch*- prononcé [k], comme dans *catéchuménat*, à la différence de *catéchisme* et des autres mots de la même famille. → aussi **catéchisme**

caténaire adj. et n.f. ◆ **Genre.** Le nom est féminin : *une caténaire* (substantivation de *suspension caténaire*).

cathare adj. et n. ◆ **Orth.** Avec -*th*- et un seul *r* ◆ **Emploi.** Se dit d'une doctrine religieuse répandue au Moyen Âge. Ne pas confondre avec *catarrhe* → **catarrhe**

catholique adj. ◆ **Registre.** Dans les tournures négatives *pas très, peu, plus ou moins catholique* (= douteux, suspect) le mot est familier : *des procédés pas très catholiques.*

cauchemar n.m. ◆ **Orth.** Finale en -*ar*. Ne pas se laisser influencer par les dérivés *cauchemarder, cauchemardeux* et *cauchemardesque.* REM. Ces dérivés, issus de l'ancienne forme *cauchemaresque*, ont subi l'influence de paires en -*ard/-arder*, comme *bavard / bavarder, hasard / hasarder*, etc.)

causal, e, als ou **aux** adj. ◆ **Emploi et orth.** Le masculin pluriel est rare et peut avoir les deux formes *causals* ou *causaux* ; cette dernière forme est pratiquement inusitée, probablement pour des raisons d'euphonie.

causant, e adj. ◆ **Registre.** Dans le sens « qui parle volontiers », le mot est familier. RECOMM. Dans l'expression

soignée, préférer les équivalents : *loquace, disert, bavard, volubile, communicatif.* - La tournure négative *pas causant, peu causant*, peut être remplacée par les équivalents positifs : *taciturne, silencieux, muet.*

cause n.f. ◆ **Orth.** 1. *Être cause de, que.* Dans cette locution, *cause* reste invariable : *ses retards répétés sont cause de son renvoi ; ses retards répétés sont cause qu'il a été renvoyé.* 2. *Avoir pour cause* ou *pour causes.* On écrit *cause* au singulier quand il n'y a qu'une seule cause : *son renvoi a pour cause ses retards répétés.* On écrit *causes* au pluriel quand il y a plusieurs causes : *son renvoi a pour causes son inexactitude et ses absences répétées.* ◆ **Emploi.** 1. *À cause de* (+ nom ou pronom) loc. prép. : *elle est partie à cause du mauvais temps.* 2. *À cause que* (+ proposition subordonnée) : « *ils ne découvrent pas la lumière à cause qu'ils détournent les yeux* » (Bossuet). Cette construction n'est plus employée. On emploie aujourd'hui *parce que* : *elle est partie parce qu'il faisait mauvais temps* (et non : *à cause qu'il faisait mauvais temps*).

1. causer v.t. ◆ **Emploi.** *Causer* = être la cause de, occasionner. N'admet que des compléments désignant des choses, à l'exclusion des personnes : *cette affaire m'a causé du souci ; l'incendie a causé de grands dégâts.* Mais non : **l'inondation a causé des sinistrés.*

2. causer v. t. ind. ◆ **Emploi.** 1. *Causer* = s'entretenir. Cet emploi est correct : *elles ont causé pendant une heure.* 2. *Causer* = parler (*il reste là, sans causer*). Cet emploi populaire est à éviter dans la langue soignée. RECOMM. utiliser simplement le verbe *parler* : *il reste là sans parler.* ◆ **Constr.** 1. *Causer de qqch., causer avec qqn de qqch.* Cette construction est correcte : *j'ai causé de politique avec un vieil ami, nous avons causé* *de politique.* Le tour elliptique *causer affaires, causer politique* est correct également. **2.** *Causer à qqn.* Par analogie avec la construction du verbe *parler (parler à qqn),* l'emploi de *causer à* est fréquent dans la langue populaire : *elle en a causé à sa copine ; réponds quand je te cause !* RECOMM. Éviter cette construction. Dire *parler à qqn, s'adresser à qqn.* **3.** *Causer* (+ nom de la langue parlée). Ce tour populaire (*causer anglais, *causer patois) est à éviter. En revanche on peut dire : *causer en anglais, causer en patois,* RECOMM. Dire *parler anglais* (ou *l'anglais), parler en anglais, s'entretenir en anglais,* etc.

CD-ROM ou **CD-rom** n.m. inv. ◆ **Prononc.** [sederɔm]. ◆ **Orth.** Nom invariable formé sur le sigle anglais *compact disc read only memory,* disque compact à mémoire morte. L'anglicisme *CD-rom* est de plus en plus souvent écrit *cédérom* (Académie). - Plur. : *des cédéroms.* RECOMM. OFF. disque optique compact (*D.O.C.*), peu usité.

1. **ce, cet, cette, ces** adj. démonstratif. ◆ **Accord.** *Un(e) de ces.* → **un.** ◆ **Emploi.** *Cet / ce.* **1.** *Cet* devant un mot masculin singulier commençant par une voyelle ou un *h* muet (voir 2, ci-après, pour les exceptions). *Cet homme. Cet horrible mal.* **2.** *Ce* devant : *huit, huitième ; onze, onzième ; ouistiti ; ululement ; yack, yankee, yaourt, yard, yatagan, yawl, yearling, yen, yeoman, yod, yoga, yogourt, yougoslave, youyou, yo-yo, yucca.*

2. **ce, c', ç'** pron. démonstratif.
◆ **Emploi.**
1. *Ce / c' / ç* devant les auxiliaires *être* et *avoir.* ❑ *Ce* lorsque l'auxiliaire est à une forme qui commence par une consonne. *Si peu que ce soit. Si peu que ce fût.* ❑ *C'* (*c* sans cédille) lorsque l'auxiliaire est à une forme

commençant par *a* ou *e. C'est bien. C'eût été dommage. Ç'allait être une découverte appelée à faire grand bruit.* REM. Cette règle s'applique surtout à l'écrit et à l'oral de registre soutenu. Dans l'usage oral courant, *ça* est souvent substitué à *ç'* et fait hiatus avec la voyelle de l'auxiliaire : *ça avait été un très bel automne ; ça a pu convenir autrefois.*
2. *Ce / cela* ❑ Devant *être, ce* et *cela* peuvent être employés l'un et l'autre. *Ce* est courant, *cela* est d'un registre plus soutenu. *Ce sera une fête grandiose. Cela sera magnifique.* ❑ Devant un pronom personnel complément d'attribution précédant le verbe *être, ce* et *cela* peuvent être employés l'un et l'autre. *Cela lui est indifférent. Ce me serait bien utile.* REM. Dans cette position et dans cette fonction, l'usage oral remplace le plus souvent aujourd'hui *ce* et *cela* par *ça : ça lui est indifférent ; ça me serait bien utile.* → aussi **ça.**
3. *Ce qui / ce que.* Dans l'interrogation indirecte, on emploie *ce qui* ou *ce que : dis-moi ce qui te ferait plaisir ; dis-moi ce que tu veux.* RECOMM. Éviter *dis-moi qu'est-ce qui te ferait plaisir* et *dis-moi qu'est-ce que tu veux.*
4. *Ce qui / ce qu'il.* ❑ *Il fait ce qui lui plaît* ou *ce qu'il lui plaît.* Les deux tournures sont correctes l'une et l'autre, mais elles présentent une nuance de sens. *Il fait ce qui lui plaît* = ce qui lui plaît, il le fait. *Il fait ce qu'il lui plaît* = il lui plaît de faire cela, il le fait. REM. La langue parlée familière donnant aujourd'hui à *il* la prononciation de *y,* cette distinction vaut surtout pour l'écrit. Elle n'est plus que rarement perceptible à l'oral. ❑ *Faites ce qui vous semble bon* ou *ce qu'il vous semble bon.* Les deux tournures sont correctes l'une et l'autre. REM. L'une (*ce qui*) représente une construction personnelle, l'autre (*ce qu'il*) une construction impersonnelle, comme dans *il fait ce qui lui plaît, il fait ce qu'il lui plaît,* v. ci-dessus.

5. C'est / ce sont ❑ C'est nous, c'est vous. L'emploi de *c'est* devant *nous* et *vous* est correct et normal : *c'est nous qui gagnons ; c'est vous qui avez arrangé cela tous les trois.* ❑ *Ce sont eux, ce sont elles.* Devant *eux* et *elles,* on emploie *ce sont* dans les phrases affirmatives. Dans les phrases négatives et interrogatives, *c'est* est admis. *Ce n'est pas eux qui ont pris l'initiative. Est-ce vraiment eux qui ont pris l'initiative ?* **REM.** Ces règles valent surtout à l'écrit et à l'oral de style soutenu. Dans l'usage oral familier, *c'est eux* et *c'est elles* sont très fréquents. ❑ *C'est cent francs, c'est huit heures de marche.* Devant une indication de quantité, on emploie habituellement *c'est* : *c'est mille francs de gagnés ; pour obtenir ce certificat, c'est deux heures d'attente. Ce sont,* qui n'est pas incorrect, met l'accent sur le nombre : *ce sont mille francs qu'il va falloir payer ; ce sont deux heures qui paraîtront bien longues.* ❑ *Ce sont des histoires / c'est des histoires.* Dans l'expression soignée, on accorde le verbe au pluriel et l'on dit : *ce sont des histoires.* Dans l'expression orale non surveillée, *c'est* est souvent employé devant un nom au pluriel : *c'est des fariboles, tout ça !* ❑ *C'est* (ou *ce sont*) *le héros, la belle et ses amis qui finissent par avoir le dessus.* Le verbe *être* peut être au singulier ou au pluriel lorsque le premier terme de l'énumération qui suit est au singulier et que tous les termes de l'énumération sont sujets d'un autre verbe. ❑ *Le système solaire compte neuf planètes : ce sont...* Devant une énumération sans verbe, expliquant ou développant un mot qui précède, on emploie *ce sont.*

◆ **Constr.**

1. C'est à l'amour que je pense/ c'est l'amour auquel je pense. Les deux tournures sont également correctes. **RECOMM.** Ne pas mêler les deux tournures ; éviter : **c'est à l'amour auquel je pense.*

2. C'est d'elle que je parle / c'est elle dont je parle. Les deux tournures sont également correctes. **RECOMM.** Ne pas mêler les deux tournures ; éviter : **c'est d'elle dont je parle.*

3. C'est une erreur de croire cela / c'est une erreur que de croire cela. Les deux tournures sont également correctes. **REM.** *C'est une erreur que croire cela* ne se dit plus.

4. Ce n'est pas que (+ subjonctif) : *ce n'est pas que je veuille vous décourager, mais cela me paraît difficile.* **RECOMM.** Éviter : **ce n'est pas que je veux vous décourager...*

5. C'est lui qui réclamait / c'était lui qui réclamait. *C'est,* au présent, peut être suivi d'une proposition introduite par *qui* ou *que* dont le verbe est à un autre temps : *c'est en Angleterre que cette invention connaîtra le développement le plus rapide ; c'est en avril 1789 qu'éclata à Paris une émeute qui préfigurait la Révolution.* Mais, dans l'expression soignée, la correspondance des temps est fréquente : *ce sera en Angleterre que cette invention connaîtra... ; ce fut en avril 1789 qu'éclata...*

6. C'est à vous de jouer / c'est à vous à jouer. Les deux constructions sont admises. *C'est à vous de* est préférable à l'écrit et dans l'expression orale soignée.

céans adv. ◆ **Emploi.** *Céans* (= ici, en ces lieux) ne se dit plus que par plaisanterie, notamment dans la locution *le maître de céans* (= le maître de maison).

ceci pron. démonstratif / **cela** pron. démonstratif ◆ **Emploi.** *Ceci / cela.* **1.** *Ceci* renvoie à ce qui suit (dans le discours) ou à ce qui est le plus rapproché (dans l'environnement de qui parle et de qui écoute) : *écoutez bien ceci : votre salaire est doublé ; c'est une voiture, ceci.* ❑ *Cela* renvoie à ce qui précède ou à ce qui est le plus éloigné : *votre salaire est doublé, cela va peut-être vous surprendre ; regardez cela : étoile ou planète ?* **2.** *Cela dit* doit être employé pour renvoyer aux paroles qui viennent d'être prononcées. **RECOMM.** Éviter *ceci dit* qui, en dépit de sa fréquence dans l'expression orale relâchée, reste déconseillé. **3.** *Ceci... cela...* est fréquemment employé pour opposer deux propos qui précèdent, *ceci* reprenant le premier et *cela* le second : *elle a été licenciée, mais la société concurrente l'a immédiatement engagé : ceci compense cela.* **4.** *Cela,* en dehors des oppositions mentionnées ci-dessus, est employé dans l'expression orale soignée de préférence à *ceci.* Dans l'expression orale courante ou relâchée, *cela* est de plus en plus souvent remplacé par *ça.* ◆ **Constr. 1.** *Cela, ce sont des mensonges ; ceci, ce sont des affaires personnelles.* Ces formules d'insistance fréquemment employées sont correctes. **RECOMM.** Éviter **cela sont des mensonges ; *ceci sont des affaires personnelles.* **REM.** Les phrases neutres, sans expression d'insistance, seraient : *ce sont des mensonges ; ce sont des affaires personnelles.*

céder v.t., v.t.ind. et v.i. ◆ **Conjug.** Attention à l'accent, tantôt grave, tantôt aigu : *je cède, nous cédons ; il céda.* → annexe, tableau 11 et R.O. 1990. Au futur et au conditionnel, l'Académie écrit *je cèderai, je cèderais,* avec un accent grave, conformément à la prononciation la plus répandue.

cédérom n.m. ◆ **Emploi.** Cette graphie recommandée par l'Académie pour l'anglicisme *CD-ROM* est de plus en plus usitée. - Plur. : *des cédéroms.* → CD-ROM

ceindre v.t. ◆ **Conjug.** Comme *craindre.* Attention au groupe *-gni-* aux

première et deuxième personnes du pluriel, à l'indicatif imparfait et au subjonctif présent : *(que) nous ceignions, (que) vous ceigniez.* → annexe, tableau 62

cela pron. ◆ **Orth.** Jamais d'accent grave sur le *a.* → aussi **ça** et **ceci**

céladon n.m. et adj. inv. ◆ **Accord.** *Céladon,* adjectif de couleur, est invariable : *des abat-jour céladon.* → annexe, grammaire § 98

célébrer v.t. ◆ **Conjug.** Attention à l'accent sur le deuxième *e,* tantôt grave, tantôt aigu : *je célèbre, nous célébrons ; il célébra.* → annexe, tableau 11 et R.O. 1990

celer v.t. ◆ **Prononc.** [səle], comme *peler.* ◆ **Orth.** Sans accent sur le *e* ; ne pas confondre *celer* avec *sceller.* ◆ **Conjug.** Attention à l'alternance *e/è : celer ; je cèle, il cèle,* mais *nous celons ; il cèlera ; qu'il cèle* mais *que nous celions ; celé.* → annexe, tableau 12

céleri n.m. ◆ **Orth.** Avec un accent aigu sur le *e,* malgré sa prononciation souvent ouverte, *è.* → R.O. 1990. - On écrit : *sel de céleri, branches de céleri,* avec *céleri* au singulier. - On écrit *céleri-rave,* avec un trait d'union. - Plur. : *des céleris-raves.*

Cellophane n.f. ◆ **Genre.** Féminin. ◆ **Orth.** Avec une majuscule (nom déposé).

Celluloïd n.m. ◆ **Orth.** Avec une majuscule (nom déposé).

celui, celle, ceux, celles pron. démonstratif. ◆ **Emploi. 1.** *Celui, celle, ceux, celles* précédant un participe ou un adjectif, ou un complément introduit par une préposition autre que *de.* Cette construction, longtemps critiquée, est aujourd'hui admise : *je joins à mes propres remarques celles* envoyées par un lecteur ; le beau temps dont vous jouissez n'est pas celui régnant aujourd'hui à Londres ; les accusations portées contre nous, et particulièrement celles contre notre collègue. **RECOMM.** Dans l'expression soignée, en particulier à l'écrit, préférer la construction avec *qui* ou *que* : *je joins à mes propres remarques celles que m'a envoyées un lecteur* ou *celles qui m'ont été envoyées par un lecteur.* **2.** *Celui-ci* → ci. **3.** *Celui-là* → là

cendre n.f. ◆ **Orth.** *Le mercredi des Cendres* ou *les Cendres*, avec une majuscule.

cendré, e adj. ◆ **Orth. et emploi.** *Des grues cendrées, des cheveux cendrés,* mais *des cheveux blond cendré.* → annexe, grammaire § 99

cénobite n.m. / **anachorète** n.m. → anachorète

cénotaphe n.m. / **catafalque** n.m. → catafalque

censé, e adj. / **sensé, e** adj. ◆ **Sens et orth.** Ne pas confondre ces deux homonymes. **1.** *Censé* = supposé, considéré comme. Avec un *c* (latin *censere,* juger) ; est toujours accompagné d'un complément, le plus souvent un infinitif : *nul n'est censé ignorer la loi ; ce projet est censé améliorer nos conditions de vie.* **2.** *Sensé* = qui a du bon sens, raisonnable. Avec un *s* (même famille que *sens*) : *elle a l'air d'une personne sensée ; des propos sensés.*

cent adj. numéral et n.m. ◆ **Orth.** Contrairement aux autres adjectifs numéraux, qui sont invariables, *cent* peut prendre le *s* du pluriel. → aussi **vingt. 1.** *Deux cents pages. Cent* prend un *s* lorsqu'il est multiplié par un nombre et qu'il n'est pas suivi d'aucun autre adjectif numéral : *deux cents pages* mais *deux cent dix pages ; mille trois cents*

francs mais *mille cent dix francs ; tous les deux cents mètres* mais *tous les cent mètres ; mille trois cents hommes* mais *trois cent mille hommes.* – *Millier, million, milliard* ne sont pas des adjectifs numéraux, mais des noms ; on écrit : *deux cents millions de francs.* **3.** *Page deux cent.* Quand *cent* signifie *centième,* il est invariable : *numéro deux cent ; en l'an mille neuf cent.* **4.** *Des mille et des cents.* Quand *cent* est employé comme nom, il prend la marque du pluriel : *des mille et des cents.* REM. *Cent* pouvait autrefois être employé au sens de « centaine » et prenait alors la marque du pluriel : *trois cents d'huîtres.* (Cet emploi subsiste dans la locution figée *être maigre comme un cent de clous.*) ◆ **Accord.** *Soixante pour cent de la population sont satisfaits / est satisfaite.* Lorsque l'expression d'un pourcentage est suivie d'un complément, l'accord peut se faire soit avec le nombre exprimant le pourcentage (masculin en genre), soit avec le complément : *soixante pour cent de la population sont satisfaits* ou *soixante pour cent de la population est satisfaite* (mais avec l'article *les,* l'accord se fait nécessairement au pluriel : *les soixante pour cent de la population qui sont satisfaits*). *Un pour cent de la population n'est pas satisfait* ou *n'est pas satisfaite.* ◆ **Registre.** *Dix pour cent / dix du cent.* L'emploi de *du* au lieu de *pour* dans un pourcentage *(un prêt à huit du cent)* appartient au registre relâché. **RECOMM.** Dans l'expression soignée, dire *huit pour cent, dix pour cent.* ◆ **Emploi.** *Dix-neuf cents* ou *mille neuf cents* → mille

centenaire n.m. et adj. ◆ **Emploi** *Le centenaire / le centième anniversaire.* On emploie indifféremment *le centenaire* (n.m.) ou *le centième anniversaire,* tout comme on dit *le cent cinquantenaire, le bicentenaire, le tricentenaire, le quadricentenaire* pour *le cent cinquantième, le deux centième, le trois centième* ou *le* *quatre centième anniversaire.* Au-delà, seules les expressions avec *centième* sont possibles.

central n.m. / **centrale** n.f. ◆ **Genre et sens.** Ne pas confondre *un central,* n.m. et *une centrale,* n.f. **1.** *Un central (téléphonique)* = un lieu où les lignes du réseau public aboutissent et peuvent être mises en communication. **2.** *Une centrale* (+ adjectif) = une usine. *Une centrale éléctrique, une centrale à béton.*

centre n.m. ◆ **Orth. 1.** Les termes de politique composés avec *centre* s'écrivent sans trait d'union : *député du centre droit, du centre gauche* (et, en emploi épithète : *les députés centre droit, les députés centre gauche*). **2.** Dans la langue du sport, on écrit avec trait d'union : *un avant-centre, un demi-centre.* Au pluriel : *des avants-centres* mais *des demi-centres* → demi

centre-ville n.m. ◆ **Orth.** Avec trait d'union. - Plur. : *des centres-villes.*

centrifuger v.t. ◆ **Conjug.** Le *g* devient *-ge-* devant *a* et *o* : *je centrifuge, nous centrifugeons ; il centrifugea.* → annexe, tableau 10

cep n.m. ◆ **Prononc.** [sɛp], en faisant entendre le *p* final. ◆ **Orth. 1.** *Cep / cèpe* Ne pas confondre ces deux mots. **1.** *Cep* (sans accent, sans *e* final) = pied de vigne. **2.** *Cèpe* (accent et *e* final) = champignon comestible.

cependant adv. ◆ **Emploi. 1.** *Cependant* = pourtant, néanmoins. C'est l'emploi courant de nos jours. REM. *Cependant* au sens de « pendant ce temps » n'est plus en usage : « *Je m'en vais voir ce qu'elle me dira, cependant promenez-vous ici.* » (Molière, cité par Littré). **2.** *Cependant que* (+ indicatif) = pendant que. « *Didier me regardait, cependant que je prononçais ce petit*

discours » (G. Duhamel). Littéraire et rare.

cercueil n.m. ◆ **Prononc.** [sɛrkœj] : la finale *-ueil* se prononce comme *œil.* ◆ **Orth.** Attention au *u* placé après le *c* (et non après le *e*), comme dans *accueil, cercueil.*

cérémonial n.m. ◆ **Orth.** Plur. : *des cérémonials.*

cérémonieux, euse / cérémoniel, elle adj. ◆ **Sens et registre. 1.** *Cérémonieux* = qui fait trop de cérémonies, de politesses. *Un ton cérémonieux ; un pédant cérémonieux.* Registre courant. **2.** *Cérémoniel* = qui a trait à une cérémonie, aux cérémonies. *Les pratiques cérémonielles d'une religion.* Registre soutenu.

cerf n.m. ◆ **Prononc.** [sɛr], le *f* final ne prononce pas, ni dans le mot simple, ni dans le composé *cerf-volant.* Ne pas confondre avec *serf* (= paysan attaché à une terre, au Moyen Âge) qui, lui, peut faire entendre ou non le *-f* final.

cerise n.f. ◆ **Orth. 1.** *Tarte aux cerises* est au pluriel, car *cerise* est un nom comptable : il y a plusieurs cerises sur la tarte. Mais on écrit indifféremment *confiture, liqueur de cerise* (= faite avec de la cerise) ou *de cerises* (= faite avec des cerises). **2.** *Cerise,* employé comme adjectif de couleur, est invariable : *des rouges à lèvres cerise.* → annexe, grammaire § 98

certain, e adj. ◆ **Sens.** *Certain* n'a pas le même sens selon qu'il est placé après ou avant le nom auquel il se rapporte. **1.** *Un succès certain.* Placé après le nom, *certain* est adjectif qualificatif et signifie « sûr, indubitable » : *Magali a remporté un succès certain.* **2.** *Un certain succès.* Placé avant le nom, *certain* est adjectif indéfini et signifie « relatif, difficile à

déterminer, quelconque, modeste… » : *Magali a remporté un certain succès.*
◆ **Constr. *Être certain que…*** Lorsque le complément de *certain* est une proposition, on emploie l'indicatif (ou le conditionnel) si *certain* est dans une proposition affirmative : *Natacha est certaine qu'il est venu ; il est certain qu'il faudrait partir plus tôt.* Si *certain* est dans une proposition interrogative ou négative, on emploie le plus souvent le subjonctif : *Alice n'est pas certaine qu'il soit venu ; est-il certain qu'il faille partir plus tôt ?* On peut également employer l'indicatif, qui exprime moins fortement le doute que le subjonctif : *elle n'est pas certaine qu'il est venu ; est-il certain qu'il faut partir plus tôt ?*

certainement adv. ◆ **Constr. 1.** Placé en début de phrase, *certainement* (contrairement à *sans doute* et *peut-être*) n'entraîne pas l'inversion du sujet : *certainement il viendra demain* (comparer à : *sans doute, peut-être viendra-t-il demain*). **2. *Certainement que…*** Sur le modèle de *peut-être que, sans doute que,* la langue familière emploie souvent *certainement que* en tête de phrase : *certainement qu'il va pleuvoir.* **RECOMM.** Dans l'expression soignée, préférer *certainement* employé seul : *il va certainement pleuvoir ; certainement, il va pleuvoir.*

certes adv. ◆ **Registre.** Langue soutenue. Dans le registre courant, on dit plutôt : *certainement, bien sûr.*

cessant, e adj. ◆ **Orth.** *Toutes affaires cessantes* → **affaire**

cesse n.f. ◆ **Sens.** *N'avoir de cesse* ou *n'avoir pas (point) de cesse* signifie « ne pas trouver de repos » (d'où *n'avoir de cesse que* = ne pas s'arrêter avant que).
◆ **Constr.** *N'avoir de cesse de* (+ infinitif), *n'avoir de cesse que* (+ sub-

jonctif). Les deux constructions sont correctes. La proposition au subjonctif se construit avec *ne* explétif (→ **ne**) : *il n'aura de cesse de clamer son innocence ; il n'aura de cesse qu'il n'obtienne satisfaction.*
REM. On trouve également avec *que : n'avoir de cesse que de* (moins courant).

cesser v.t.ind. ◆ **Constr.** *Ne cesser de / ne pas cesser de.* Si *ne pas cesser de* a le sens de « se poursuivre sans interruption », *pas* peut être omis : *un après-midi où il n'avait cessé de pleuvoir.* Si *ne pas cesser de* signifie « ne pas arrêter de, ne pas interrompre », *pas* est nécessaire : *Pierre n'a toujours pas cessé de fumer, alors que Paul, lui, s'est arrêté.*

cession n.f. / **session** n.f. → session

c'est → ce

c'est-à-dire loc. conj. ◆ **Orth.** S'écrit toujours avec deux traits d'union. L'abréviation garde les deux traits d'union et s'écrit avec un point après *c* et après *d : c.-à-d.*

ch symbole ◆ **Orth. et sens.** *ch* = symbole du cheval-vapeur. Sans point abréviatif. Ne pas confondre avec *CV,* symbole du *cheval fiscal : une voiture de 5 CV qui a un moteur de 45 ch.*

chacal n.m. ◆ **Orth.** Plur. : *des chacals.*

chacun, e pron. indéfini ◆ **Emploi. 1.** *Ils partent chacun de son côté / chacun de leur côté.* Le possessif ou le pronom personnel employé en corrélation avec *chacun* peut être au singulier ou au pluriel : *ils vont chacun vers sa destination* ou *chacun vers leur destination ; ils retournent chacun chez soi* ou *chacun chez eux.* **2.** *Mille francs chacun, un échantillon de chacun.* Ces constructions sont correctes : *les vases sont vendus mille francs chacun ; ces parfums sont nouveaux, la maison offre un échantillon de chacun.*

RECOMM. Éviter de dire ou d'écrire *mille francs chaque, *un échantillon de chaque : *chaque*, adjectif, ne peut être employé qu'avec un nom. **3.** *Ménager un espace après chacun, avant chacun ; attendez un jour après chacune, avant chacune.* Pour marquer un intervalle de temps ou d'espace, ces expressions sont considérées comme plus correctes que : *ménager un espace entre chacun, attendez un jour entre chacune.* RECOMM. *Entre chacun, entre chacune* sont très fréquents à l'oral. Néanmoins, *entre* étant normalement suivi de deux substantifs ou d'un substantif au pluriel *(laissez passer un jour entre le vernissage et le ponçage ; ménagez un espace entre les rangées),* il est préférable de les éviter dans l'expression soignée, surtout à l'écrit. **4.** *Tout un chacun.* Cette expression est fréquente à l'oral : *l'histoire est connue de tout un chacun. C'est accessible à tout un chacun...* RECOMM. Dans l'expression soignée, en particulier à l'écrit, employer plutôt *chacun, tous, tout le monde : l'histoire est connu de chacun, de tous ; c'est accessible à tout le monde.*

chah n.m. ◆ **Orth.** Préférer l'orthographe française, avec *ch-*, à l'orthographe anglaise, avec *sh-*.

chai n.m. ◆ **Orth.** Sans *s* au singulier : *un chai ; vin élevé en nos chais.*

chaîne n.f. ◆ **Orth. 1.** Avec un accent circonflexe sur le *î*. De même pour les dérivés : *chaînage, chaînette, chaînon, enchaîner,* etc. → R.O. 1990. **2.** *Chaîne de* (+ nom). Le nom complément est au singulier s'il désigne qqch. qui ne peut être compté ou s'il a une valeur collective : *chaîne de fabrication, chaîne de solidarité, chaîne de télévision.* Dans le cas contraire, le nom complément est au pluriel : *chaîne de montagnes, chaîne de restaurants.*

chair n.f. / **chaire** n.f. / **chère** n.f. ◆ **Sens et orth.** Ne pas confondre ces trois noms féminins. **1.** *Chair* (avec *a,* sans *e* final) = tissu musculaire ; viande. *La lame a entamé la chair. Chair crue, cuite.* **2.** *Chaire* (avec *a* et *e* final) = tribune, estrade ; poste de professeur d'université. *Elle est titulaire d'une chaire à la faculté de Caen.* **3.** *Chère* (avec un *è* et un *e* final) = nourriture. *Aimer la bonne chère.* Registre soutenu. REM. Ne pas confondre non plus avec l'adj. *cher, chère* (→ **cher**).

chaland n.m. → **achalander**

challenge n.m. ◆ **Anglicisme.** Cet emprunt à l'anglais, devenu très courant (en particulier dans le vocabulaire du sport et dans celui des affaires), peut être remplacé dans l'expression soignée par les équivalents *défi* et *gageure.*

chalet n.m. ◆ **Orth.** Avec un *a* sans accent, à la différence de *châle, châlit.*

chaloir v. impers. ◆ **Conjug.** Ce verbe n'existe plus qu'à l'infinitif, pratiquement sorti de l'usage, et dans la locution figée *peu me (te, lui,* etc.) *chaut* ou *peu m'en chaut* = peu m'importe. Registre soutenu.

chamarrer v.t. ◆ **Orth.** Avec deux *r.*

chambranle n.m. ◆ **Genre.** Masculin : *un chambranle.*

champ n.m. ◆ **Orth. 1.** *À tout bout de champ* = à tout instant, à tout propos (familier). Sans trait d'union. **2.** *Sur-le-champ* = tout de suite. Avec deux traits d'union. ◆ **Sens.** Ne pas confondre avec *chant* → **chant**

champagne n.m. ◆ **Orth. 1.** Avec une minuscule pour le vin : *des champagnes millésimés* (mais : *les vins de Champagne,* du vignoble champenois).

2. *Champagne,* employé comme adjectif de couleur, est invariable : *des soies champagne.* → annexe, grammaire § 98. ◆ **Emploi.** *Sabrer le champagne* → sabrer

champignonnière n.m. ◆ **Orth.** Les dérivés de *champignon* s'écrivent avec deux *n* : *champignonnière, champignonniste.*

champion, onne n. ◆ **Orth.** Avec deux *n* au féminin : *championne.* ◆ **Genre.** Le féminin est courant pour désigner une sportive : *la championne de France de judo.* En revanche, l'usage est hésitant quant au genre dans le sens de « ardent défenseur » : *elle est le champion* (ou, moins courant, *la championne*) *de cette cause.* ◆ **Registre.** L'emploi adjectif *(pour le bricolage, il est champion)* est familier.

champlever v.t. ◆ **Conjug.** Comme *lever.* → annexe, tableau 12

chance n.f. ◆ **Orth.** *Par chance.* Toujours au singulier. ◆ **Emploi.** 1. *Chance* = probabilité, hasard heureux ou malheureux. *Il a une chance sur deux de réussir, d'échouer.* Le mot n'est plus employé en ce sens que dans l'expression soignée. 2. *Chance* = hasard heureux. *C'est une chance de vous rencontrer.* Ce sens est aujourd'hui le plus courant. REM. C'est le premier sens qui était autrefois le plus fréquent, et la chance pouvait être qualifiée de *bonne* ou *mauvaise.* ◆ **Constr.** 1. *C'est une chance que, il y a des chances que* (+ subjonctif) : *c'est une chance que vous me trouviez, j'allais partir ; il y a des chances qu'il y parvienne.* 2. *Avoir la chance que* (+ subjonctif) : *il a eu la chance que nous passions par là.* 3. *C'est une chance de, avoir la chance de* (+ infinitif) : *c'est une chance d'avoir si beau temps ; il a eu la chance de bénéficier d'une subvention.*

chanceler v.i. ◆ **Conjug.** Attention à l'alternance *-ll-/ -l-* : *il chancelle, nous chancelons ; il chancelait ; il chancela ; il chancellera.* → annexe, tableau 16 et R.O. 1990

chanceux, euse adj. ◆ **Sens et registre.** 1. Qui semble favorisé par la chance, en parlant d'une personne. Emploi courant. 2. Hasardeux, douteux, improbable, risqué. *Réussir dans de telles conditions me paraît bien chanceux.* Emploi littéraire, devenu rare aujourd'hui.

change n.m. ◆ **Orth.** On écrit *change* au singulier dans *agent, bureau, lettre de change* et dans *gagner au change.*

changer v.t., v.i., v.t.ind. et v.pr. ◆ **Conjug.** 1. Le *g* devient *-ge-* devant *a* et *o* : *je change, nous changeons ; il changea.* → annexe, tableau 10. 2. *Changer,* verbe intransitif, s'emploie avec *avoir* pour exprimer l'action et avec *être* pour exprimer l'état résultant de l'action : *le temps a changé depuis hier ; le temps est changé aujourd'hui.* ◆ **Constr.** 1. *Changer en* = transformer en. *L'irrigation a changé le désert en plaine fertile.* 2. *Changer contre, changer pour* = échanger. *Changer cinq francs contre un dollar* ou *pour un dollar.* REM. 1. *Changer contre* est plus fréquent, sauf dans certaines locutions proverbiales, notamment *changer son cheval borgne pour un aveugle.* 2. La langue classique usait également de la construction *changer au,* disparue aujourd'hui : « *L'humble toit devient temple, et ses murs / Changent leur frêle enduit aux marbres les plus durs* » (La Fontaine). ◆ **Sens.** *Changer / échanger. Changer* peut signifier aussi « céder (une chose) contre (une autre) », comme *échanger,* mais *échanger* insiste sur le consentement mutuel qui préside à l'échange.

chant n.m. ◆ **Sens et orth.** On écrit : *poser un madrier de chant, sur chant* (sur sa face la plus étroite), et non *de champ, *sur champ.

chanteuse n.f. / **cantatrice** n.f. ◆ **Emploi. 1.** *Chanteuse* = femme qui chante ou qui fait profession de chanter (s'emploie pour tous les styles de musique). **2.** *Cantatrice* = chanteuse lyrique. REM. Si *chanteuse d'opéra* n'est pas fréquent (on dit le plus souvent *cantatrice*), l'usage en revanche a consacré le masculin *chanteur d'opéra*.

chaos n.m. → cahot

chape n.f. ◆ **Orth.** Un seul *p*.

chapitre n.m. ◆ **Orth.** Pas d'accent circonflexe sur le *i*. Ne pas se laisser influencer par *épître*.

chaque adj. indéfini→ chacun

char n.m. ◆ **Orth. 1.** On écrit les compléments au singulier dans *char à voile, char à foin* et au pluriel dans *char à bœufs, char à bancs*. **2.** Les mots de la famille de *char* s'écrivent avec deux *r*, sauf *chariot* et ses dérivés.

charger v.t. et v.pr. ◆ **Conjug.** Le *g* devient *-ge-* devant *a* et *o* : *je charge, nous chargeons ; il chargea*. → annexe, tableau 10

chariot n.m. ◆ **Orth.** Avec un seul *r*, ainsi que les dérivés *charioter, chariotage*. → R.O. 1990

charisme n.m. ◆ **Prononc.** [kaʀism], avec *ch-* prononcé *k*. De même pour *charismatique*.

charlatan n.m. ◆ **Genre.** Toujours masculin, même pour désigner une femme : *ne va pas la voir, c'est un charlatan*. REM. Le féminin *charlatane* se rencontre chez Voltaire et chez Furetière. ◆ **Orth.** Les dérivés s'écrivent avec un seul *n* : *charlatanerie, charlatanesque, charlatanisme*.

charrette n.f. ◆ **Orth.** Avec deux *r* : *une charrette lourdement chargée*.

charroyer v.t. ◆ **Conjug.** Attention, *y* devient *i* devant *e* muet : *je charroie, je charroierai* mais *je charroyais, nous charroyions*. - Bien noter le *i* après le *y* aux première et deuxième personnes du pluriel, à l'indicatif imparfait et au subjonctif présent : *(que) nous charroyions, (que) vous charroyiez*. → annexe, tableau 7

charter n.m. ◆ **Prononc.** La finale se prononce [ɛʀ], comme dans *terre*.

chasse n.f. ◆ **Constr.** Le complément introduit par *à* désigne aussi bien l'animal chassé que l'arme ou la technique utilisée : *la chasse aux canards, aux papillons ; la chasse au fusil, au filet*. Pour éviter toute confusion, on utilise *de* devant le nom de l'animal chassé et *à* devant le nom de la technique de chasse ou de l'arme : *la chasse du canard à l'affût, la chasse de la baleine au harpon*.

chasseur, euse n. ◆ **Genre.** Le féminin courant de *chasseur* est *chasseuse : elle est excellente cavalière et chasseuse passionnée*. *Chasseresse* appartient à la langue poétique : « *Grande et svelte et marchant comme une chasseresse* » (Ch. Baudelaire).

châssis n.m. ◆ **Orth. et prononc.** Avec un accent circonflexe sur le *a* et une finale en *-is* dont le *s* ne se fait pas entendre dans la prononciation.

châtaignier n.m. ◆ **Orth.** Attention à l'accent circonflexe sur le *a* et au *i* après le groupe *-gn-*. REM. Le groupe *-gn-* appartient au radical et *-ier* est le suffixe servant à former le nom des arbres (cf. *poirier, pommier*).

châtain adj. ♦ **Orth.** Avec un accent circonflexe sur le *a* (famille de *châtaigne*). ♦ **Accord.** *Des cheveux châtains ; des cheveux châtain clair.* → annexe, grammaire § 99. ♦ **Genre.** Dans l'usage courant, on emploie la même forme pour le masculin et pour le féminin : *un épi châtain, une mèche châtain*. REM. Le féminin *châtaine* est rare et littéraire « *une paire de moustaches châtaines* » (A. Gide).

château n.m. ♦ **Orth. 1.** Avec un accent circonflexe sur le *a*. **2.** *Château fort* s'écrit sans trait d'union.

chateaubriand n.m. ♦ **Orth.** On préfère aujourd'hui écrire ce terme de cuisine comme le nom de l'écrivain, sans accent circonflexe sur le *a* et avec un *d* (*un chateaubriand aux pommes*) mais on rencontre aussi *châteaubriant*.

châtiment n.m. ♦ **Orth.** S'écrit sans *e* muet intérieur, à la différence de *remerciement*.

chatoiement n.m. ♦ **Orth.** Avec un *e* muet intérieur. *Chatoiement* correspond à *chatoyer,* verbe du 1er groupe (comme *aboiement* correspond à *aboyer* → aboiement)

chaton n.m. ♦ **Orth.** S'écrit sans accent circonflexe (comme *chat*) et avec un seul *t*.

chatoyer v.i. ♦ **Conjug.** Attention, *y* devient *i* devant *e* muet : *cette étoffe chatoie,* mais *elle chatoyait*. - Bien noter le *i* après le *y* aux première et deuxième personnes du pluriel, à l'indicatif imparfait et au subjonctif présent : *(que) nous chatoyions, (que) vous chatoyiez.* → annexe, tableau 7

chauffe- élément de composition ♦ **Orth.** Mots composés avec *chauffe-* (verbe *chauffer*). Ces mots sont toujours masculins. Au pluriel, *chauffe-* reste invariable et le second élément prend la marque du pluriel, sauf dans *chauffe-eau* : *un chauffe-eau, des chauffe-eau.* → R.O. 1990

chauffe-eau n.m. → chauffe-

chausse-pied n.m. ♦ **Orth.** Plur. : *des chausse-pieds.*

chausse-trappe, chausse-trape n.m. ♦ **Orth.** Les deux graphies, *chausse-trappe* et *chausse-trape,* sont aujourd'hui admises. → R.O. 1990. - Plur. : *des chausse-trappes ; des chausses-trapes.*

chauve-souris n.f. ♦ **Orth.** Avec un trait d'union. → R.O. 1990. - Plur. : *des chauves-souris,* avec un *s* à chaque élément.

chebec, chebek n.m. ♦ **Orth. et prononc.** Ne prend pas d'accent, malgré les *e* prononcés comme pour rimer avec *Québec.* → R.O. 1990.

chaut forme conjuguée → chaloir

chéchia n.f. ♦ **Orth. et prononc.** Avec un accent aigu.

check-up n.m. inv. ♦ **Prononc.** [ʃɛkœp], à la française, avec le son *ch* à l'initiale comme dans *chèque,* ou [tʃɛkœp], à l'anglaise, avec le son *tch* à l'initiale comme dans *tchèque.* ♦ **Orth.** Avec un trait d'union. - Plur. : *des check-up* (invariable). → R.O. 1990. ♦ **Anglicisme.** A pour équivalents *examen, bilan de santé.* **RECOMM. OFF. :** *examen de santé.*

chef n.m. ◆ **Genre.** Toujours masculin, même pour désigner une femme : *elle est chef de projet ; elle est le chef de l'équipe.* REM. *Cheftaine* est un terme de scoutisme. ◆ **Orth.** *Chef* dans les noms composés désignant des métiers, des fonctions, des grades. **1.** *Chef* après le nom. *Chef* est joint au nom par un trait d'union : *adjudant-chef, sergent-chef, médecin-chef.* - Plur. : *des adjudants-chefs, des sergents-chefs, des médecins-chefs.* **2.** *Chef* avant le nom. *Chef* n'est jamais suivi d'un trait d'union : *chef cuisinier, chef mécanicien.* - Plur. : *des chefs cuisiniers, des chefs mécaniciens.*

chef-d'œuvre n.m. ◆ **Prononc.** [ʃɛdœvr], le *f* de *chef* ne se prononce pas. ◆ **Orth.** Avec un seul trait d'union et une apostrophe. - Plur. : *des chefs-d'œuvre.*

chef-lieu n.m. ◆ **Prononc.** Contrairement à *chef-d'œuvre,* le *f* final se prononce. ◆ **Orth.** Plur. : *des chefs-lieux.*

cheik n.m. ◆ **Orth.** On écrit habituellement *cheik,* avec un *k,* mais la finale en *kh,* sous l'influence du mot arabe originel, tend à se répandre. REM. L'extension de cette graphie en *kh* entraîne celle de la prononciation [ʃɛx], avec la consonne finale articulée comme l'initiale du mot espagnol *jota.*

chelem n.m. ◆ **Prononc.** [ʃlɛm], le premier *e* ne se fait pas entendre. ◆ **Orth.** On trouve également la graphie *schelem,* moins courante.

chélidoine n.f. ◆ **Prononc.** [kelidwan], *ch-* se prononce *k,* comme dans *choléra.*

chemin n.m. ◆ **Orth.** Reste au singulier dans les expressions *bandit de grand chemin, se mettre en chemin* et *par voie et par chemin* (langue littéraire). REM. On trouve aussi : *par voies et par chemins.*

chemin de fer n.m. ◆ **Orth.** S'écrit sans trait d'union. Plur. : *chemins de fer ; les chemins de fer de l'État.* ◆ **Constr.** On dit plus souvent aujourd'hui *voyager en chemin de fer,* (par analogie avec *voyager en train, en voiture,* etc.). *Voyager par chemin de fer,* considéré naguère comme plus correct, tend à vieillir. ◆ **Emploi.** *Chemin de fer* est souvent remplacé aujourd'hui par *train* quand il s'agit du véhicule et par *rail* quand il s'agit du moyen de locomotion : *nous partirons en train ou en voiture,* mais : *la concurrence de la route et du rail.*

cheminot n.m. / **chemineau** n.m. ◆ **Orth.** Ne pas confondre ces deux mots. **1.** *Cheminot* n.m. = employé des chemins de fer (finale en *-ot*). **2.** *Chemineau* n.m. = vagabond (finale en *-eau*). Mot presque entièrement sorti de l'usage.

chenal n.m. ◆ **Orth.** Plur. : *des chenaux.* **RECOMM.** Ne pas confondre *chenaux* (pluriel de *chenal*), *chêneaux* (jeunes chênes) et *chéneaux* (gouttières).

chêne-liège n.m. ◆ **Orth.** Avec un trait d'union, à la différence de *chêne vert.* - Plur. : *des chênes-lièges.*

chenil n.m. ◆ **Prononc.** Le *l* final est en général prononcé.

cheptel n.m. ◆ **Prononc.** La prononciation la plus courante aujourd'hui fait entendre le *p.*

chèque n.m. ◆ **Orth.** Mots composés avec *chèque-.* **1.** Avec trait d'union et deux minuscules : *chèque-service, chèque-ristourne* et *chèque-vacances.* - Plur. : *des chèques-services, des chèques-ristournes, des chèques-vacances.* **2.** Avec trait d'union et deux majuscules : *Chèque-Restaurant* et *Chèque-Déjeuner* (noms déposés). - Plur. : *des Chèques-Restaurant, des Chèques-Déjeuner.*

cher adj. et adv. ◆ **Accord. 1.** *Cher, ère* adj. = d'un prix élevé. S'accorde en genre et en nombre : *ces souliers sont chers, ces chaussures sont chères.* **1.** *Cher* adv. = à haut prix. Invariable : *ces tableaux coûtent cher ; ils ont été vendus cher.*

chère n.f. ◆ **Orth. et sens.** Ne pas confondre avec *chair* et *chaire* : *faire bonne chère.* → **chair**

chercher v.t. et v.t.ind. ◆ **Constr. 1.** *Chercher à* (+ infinitif) : *il cherche à obtenir le meilleur résultat possible.* REM. La construction avec *de (chercher d'obtenir...)* est sortie de l'usage. **2.** *Chercher à ce que, chercher que* (+ subjonctif) : *elle cherche à ce qu'il parvienne à ce résultat* ou *elle cherche qu'il parvienne à ce résultat.* Les deux constructions sont admises. La première est plus courante ; la seconde plus soutenue. REM. Manuels et grammaires recommandent en général d'introduire la proposition complément par *que* (et non par *à ce que*) ; en réalité cette construction est rare avec le verbe *chercher*, même dans la langue littéraire. La construction avec *à ce que*, et surtout la construction avec *à* + infinitif *(elle cherche à le faire parvenir à ce résultat)* sont beaucoup plus fréquentes. ◆ **Registre. 1.** *Chercher après* → **après. 2.** *Ça va chercher dans les vingt mille.* Cette expression est courante dans le registre familier pour marquer l'approximation dans l'évaluation d'un prix (notamment d'un prix jugé élevé). RECOMM. Dans l'expression soignée, préférer : *cela coûte environ vingt mille francs, cela peut monter à vingt mille francs* ou *s'élever à vingt mille francs, cela reviendra à vingt mille francs au moins,* etc.

chercheur, euse n. et adj. ◆ **Genre.** Le féminin *chercheuse* est correct, mais dans l'usage courant, on emploie encore souvent le masculin pour désigner une femme : *elle est chercheur* (ou *chercheuse*) *à l'Institut Pasteur.*

chérif n.m. / **shérif** n.m. ◆ **Orth.** Ne pas confondre ces deux mots. **1.** *Chérif* n.m. = prince musulman (avec *ch-* ; emprunt à l'arabe) **2.** *Shérif* n.m. = officier de police élu, aux Etats-Unis (avec *sh-* ; emprunt à l'anglais).

cherry n.m. / **sherry** n.m. ◆ **Orth.** Ne pas confondre ces deux mots anglais. **1.** *Cherry* n.m. = liqueur de cerise (avec *ch-*). **2.** *Sherry* n.m. = vin de xérès (avec *sh-*).

cheval n.m. ◆ **Orth.** On écrit *une deux-chevaux* avec un trait d'union.

cheval-vapeur n.m. ◆ **Orth.** A pour symbole *ch* (sans point abréviatif). → **ch.** - Plur. : *des chevaux-vapeur.*

chevau-léger n.m. ◆ **Orth.** Pas de *x* à *chevau*, même au pluriel. ◆ **Emploi.** S'emploie surtout au pluriel pour désigner l'ancien corps de cavalerie : *les chevau-légers.* S'emploie au singulier pour désigner un membre de ce corps.

cheveu n.m. ◆ **Orth. 1.** *Cheveux d'ange* (= vermicelles très fins), sans trait d'union. **2.** *Cheveu-de-Vénus* et *cheveu-de-la-Vierge* (= plantes) avec deux traits d'union. **3.** *En cheveux* (= nu-tête, expression vieillie) toujours au pluriel : *sortir en cheveux.*

chevreau n.m. ◆ **Orth.** Attention au deuxième *e* après le *r.*

chevroter v.i. ◆ **Orth.** Avec un seul *-t.*

chez prép. ◆ **Emploi.** *Chez* n'est employé que devant un nom d'être animé. **1.** *Chez* (+ nom de personne) peut être employé dans son sens propre : *elle habite chez son ami* (= à son domicile) ou dans un sens figuré : *c'est une allusion fréquente chez cet auteur ; c'est une obsession chez lui ; chez les Romains de l'Antiquité.* **2.** *Chez* (+ nom d'un être vivant) = dans l'espèce de. *Chez la baleine, les dents sont remplacées par des fanons ; chez la droséra, ce sont des tentacules qui prennent les insectes : chez l'homme, le pouce du pied n'est pas opposable aux orteils.* ◆ **Constr.** *Chez* peut être précédé d'une préposition : *vers chez nous, devant chez lui, derrière chez mon père,* etc. ◆ **Orth.** Les noms composés *un chez-soi, mon chez-moi,* etc. s'écrivent avec un trait d'union et sont invariables.

chic adj. ◆ **Orth.** *Chic* est invariable en genre *(un chic type, une femme très chic)* mais s'accorde en nombre *(des personnes chics).* RECOMM. Éviter d'écrire **chique au féminin.

chiche-kebab n.m. ◆ **Orth.** Avec un trait d'union → R.O. 1990. *Kebab* ne prend pas d'accent (même si on l'entend souvent prononcé *kébab*). - Plur. : *des chiches-kebabs.*

chiffe n.f. ◆ **Emploi.** On dit, pour une personne sans énergie : *une chiffe molle, mou comme une chiffe* (un chiffon) et non **mou comme une chique,* qui est une déformation populaire. ◆ **Registre.** Familier.

chiffre n.m. / **nombre** n.m. ◆ **Emploi.** Un *chiffre* est un caractère servant à représenter les *nombres : nombre à trois chiffres ; le nombre 147 est formé des chiffres 1, 4 et 7.* Cependant, on emploie couramment et correctement *chiffre* au sens de « nombre » pour exprimer une valeur, un montant, une quantité : *chiffre des ventes, chiffre d'affaires, chiffre des naissances.* ◆ **Orth.** L'expression *en chiffre rond* est plus juste

au singulier (= pour former un chiffre rond).

chiper v.t. ◆ **Orth.** Un seul *p*.

chipoter v.t. et v.i. ◆ **Orth.** Un seul *p*, un seul *t*.

chips n.f. ◆ **Prononc.** Le *s* final se prononce. ◆ **Genre et nombre.** Toujours au féminin *(des chips faites à l'huile).* Le pluriel est habituel, mais pour parler d'une rondelle unique de pomme de terre frite, on peut dire : *une chips.*

chique n.f. → chiffe

chiro- préf. ◆ **Prononc.** [kiʀo], avec *ch-* prononcé *k*. ◆ **Emploi.** Ce préfixe, qui vient du grec *kheir, kheiros,* main, sert à former des mots comme *chiromancie, chiropracteur.*

choc n.m. ◆ **Prononc.** Le *c* final se prononce (contrairement à celui de *broc, accroc*). ◆ **Orth.** L'emploi comme épithète, immédiatement après le nom, est aujourd'hui fréquent. Le mot demeure invariable en genre, mais l'usage n'est pas encore fixé quant à l'accord en nombre et à l'emploi du trait d'union. On trouve *des prix choc* et *des prix-choc* aussi bien que *des prix-chocs.*

chocolat n.m. et adj. inv. ◆ **Accord.** Invariable comme adjectif de couleur : *des tissus chocolat.* → annexe, grammaire § 99

choir v.i. ◆ **Conjug.** Verbe défectif vieilli (remplacé par *tomber*) employé seulement à l'infinitif *(faire, laisser choir)* et à quelques temps composés. L'indicatif futur et le conditionnel présent ont deux formes : *je choirai* ou, vieux, *je cherrai ; je choirais* ou, vieux, *je cherrais* → annexe, tableau 58

cholestérol n.m. ◆ **Prononc.** [kɔlesteRɔl], avec *ch-* prononcé *k*. ◆ **Emploi.** *Avoir du cholestérol* se dit dans le registre courant. **RECOMM.** Dans l'expression soignée, préférer : *avoir un taux de cholestérol (ou présenter une cholestérolémie) trop élevé.*

choper v.t. / **chopper** v.i. > **Orth. et sens.** Ne pas confondre ces deux mots. 1. *Choper* = prendre, attraper : *j'ai chopé la grippe* (familier). 2. *Chopper* = buter contre un obstacle, être arrêté par une difficulté. Ce mot est sorti de l'usage : on dit aujourd'hui *achopper.* → achopper

choquer v.t. ◆ **Constr.** Au passif, *être choqué* se construit avec *que* (+ subjonctif), ou *de ce que* (+ subjonctif ou indicatif) : *je suis choqué qu'il nous fasse dire cela par un tiers ; je suis choqué de ce qu'il nous fasse dire cela par un tiers.* **RECOMM.** Employer de préférence la première construction, qui est moins lourde.

choral, e, als ou **aux** adj. / **choral, als** n.m. ◆ **Orth.** Le pluriel du nom est *chorals* ; celui de l'adjectif peut prendre les deux formes : *des chants chorals* ou *des chants choraux.*

chorizo n.m. ◆ **Prononc.** [ʃɔRizo], *cho-* ou [tʃɔRizo], *tcho-*.

chose n.f. ◆ **Orth.** 1. *Peu de chose.* Avec *chose* toujours au singulier : *c'est peu de chose.* 2. *Grand-chose.* Avec *chose* toujours au singulier et un trait d'union : *je n'ai pas trouvé grand-chose ; pensez-vous y apprendre grand-chose de nouveau ?* 3. *État de choses, toutes choses égales par ailleurs, beaucoup de choses. Choses* toujours au pluriel. ◆ **Genre et accord.** 1. *Autre chose (de), quelque chose (de), peu de chose (de), (pas) grand-chose (de).* Ces expression

entraînent l'accord de l'adjectif ou du participe au masculin singulier : *c'est autre chose que j'ai dit ; quelque chose de convaincant ; pas grand-chose de bon.* 2. *Quelque chose que* = quelle que soit la chose que. Entraîne l'accord avec *chose : quelque chose que vous puissiez dire ou faire, elle pourra être retenue contre vous.*

chou n.m. ◆ **Orth.** 1. Plur. : *des choux.* 2. **Mots composés avec** *chou-*. Ces mots prennent un trait d'union et la marque du pluriel aux deux éléments : *des choux-fleurs, des choux-navets, des choux-raves.* ◆ **Accord.** On écrit : *soupe, perdrix aux choux, pâte à choux,* mais *bête comme chou, faire chou blanc.*

chouchou, oute n. ◆ **Orth.** Plur. : *des chouchous ;* féminin : *une chouchoute.* Les dérivés sont *chouchouter, chouchoutage.* ◆ **Registre.** *Chouchou, chouchoute* (= enfant, élève préféré) est familier.

choucroute n.f. ◆ **Orth.** Pas d'accent circonflexe sur le deuxième *u*. **REM.** Ce mot vient de l'allemand *Sauerkraut,* herbe sûre, aigre ; de *sauer,* aigre, et *Kraut,* herbe ; n'a aucun rapport étymologique ni avec *chou,* ni avec *croûte.*

chow-chow n.m. ◆ **Orth.** Avec un trait d'union. → R.O. 1990. - Plur. : *des chows-chows.*

choyer v.t. ◆ **Conjug.** Attention, *y* devient *i* devant *e* muet : *je choie, je choierai* mais *je choyais, nous choyions.* - Bien noter le *i* après le *y* aux première et deuxième personnes du pluriel, à l'indicatif imparfait et au subjonctif présent : *(que) nous choyions, (que) vous choyiez.* → annexe, tableau 7

chrême n.m. ◆ **Prononc. et orth.** [kRɛm], avec *ch-* prononcé *k,* comme dans *Christ.* ◆ **Orth.** Attention à l'accent circonflexe sur le *e: le saint chrême.*

christ n.m. ◆ **Orth. et sens.** Comme nom commun, sans majuscule, désigne un objet représentant le Christ ; prend un *s* au pluriel : *des christs en ivoire.*

chrome n.m. ◆ **Orth.** Pas d'accent circonflexe sur le *o* malgré sa prononciation fermée : [kʀom], comme dans *atome.*

chronométrer v.t. ◆ **Conjug.** Attention à l'accent sur le deuxième *e*, tantôt grave, tantôt aigu : *je chronomètre, nous chronométrons ; il chronométra.* → annexe, tableau 11 et R.O. 1990

chuchoter v.t. et v.i. ◆ **Orth.** Un seul *t.*

chuter v.i. ◆ **Registre.** Familier au sens de « tomber, faire une chute ». REM. Dans le vocabulaire sportif, le mot est souvent employé au figuré avec le sens de « perdre, subir une défaite » : *en huitième de finale du championnat, X chute à domicile devant Y.*

ci adv. et pron. dém. ◆ **Orth. 1.** Comme adverbe de lieu ou de temps (du latin *ecce hic,* voici ici), *ci* est toujours lié par un trait d'union aux mots avec lesquels il entre en composition : *ci-gît, ci-joint, ci-contre, de-ci de là, par-ci par-là, celui-ci, ces jours-ci.* **2.** Comme pronom démonstratif (contraction familière de *ceci*), *ci* s'oppose à *ça* : *comme ci comme ça, fais ci, fais ça.* Pas de trait d'union dans ce cas.

ci-annexé → ci-joint

cibiste n. ◆ **Orth.** Mot formé sur la prononciation anglaise des initiales *C.B.* De *citizen's band,* bande de fréquence publique (littéralement : bande du citoyen). RECOMM. OFF. : *cébiste.*

cicérone n.m. ◆ **Orth.** Avec un accent aigu sur le premier *e : un cicérone.*

- Plur. : *des cicérones.* La forme *un cicerone, des ciceroni* est rare. REM. Mot italien, *cicerone,* « guide pour les étrangers » (par plaisanterie, à cause de la parole abondante et rapide des guides, qui évoque l'éloquence de Cicéron).

ci-contre loc. adv. ◆ **Orth.** Avec un trait d'union, à la différence de *là contre.*

ci-devant adv., adj. et n. ◆ **Orth.** Invariable en genre et en nombre : *une ci-devant baronne ; les ci-devant.* ◆ **Sens.** L'adverbe (vieux) signifie « avant, précédemment » : « *Je ne pense ni plus ni moins à votre sœur que ci-devant* » (Bossuet) ; l'adjectif signifie « précédent, d'autrefois » : « *M. de Chaudour [...] était un ci-devant jeune homme, encore mince à quarante-cinq ans* » (H. de Balzac) ; le nom, sous la Révolution, désignait un noble : « *C'était un de ces ci-devant qui servirent noblement la Réublique* » (H. de Balzac).

ciel n.m. ◆ **Orth. 1.** Le pluriel de *ciel* est *cieux* quand il désigne : l'espace au-dessus de nos têtes, le firmament *(l'immensité des cieux)* ; la région sur laquelle il s'étend, dans certaines expressions *(partir sous d'autres cieux, sous des cieux plus cléments)* ; le paradis, le siège de la divinité *(le royaume des cieux).* Dans les autres cas, le pluriel est *ciels : les ciels de Nicolas Poussin, des ciels d'été, des ciels de lit, des ciels de mine.* **2.** *Ciel* au sens de « Dieu, la Providence » s'écrit avec un majuscule : *le Ciel vous entende !*

ci-gît → gésir

ciguë n.f. ◆ **Orth.** Tréma sur le *e* et non sur le *u.* → R.O. 1990

ci-joint adj. et adv. / **ci-inclus** adj. et adv. / **ci-annexé** adj. et adv. ◆ **Accord.** Ces mots composés sont considérés parfois comme des adjectifs, parfois comme des adverbes.

1. Le participe est variable, dans le cours d'une phrase, quand il a valeur d'adjectif (épithète ou attribut) placé après le nom ou avant le nom déterminé : *veuillez examiner les documents ci-joints ; veuillez trouver ci-annexées les deux copies.* **2.** Il est invariable, avec valeur d'adverbe, en tête de phrase ou dans le cours d'une phrase devant un nom non déterminé : *ci-joint les pièces demandées ; recevez ci-inclus copie du document…* REM. L'usage se conforme souvent à une règle plus simple qui fait accorder le participe avec le nom auquel il se rapporte uniquement quand il est placé après ce nom : *ci-joint les documents, les documents ci-joints.*

cil n.m. / **sourcil** n.m. ◆ **Prononc.** Le *l* final se prononce dans *cil*, il ne se prononce pas dans *sourcil*. ◆ **Sens.** Le *cil* est un des poils qui bordent la paupière, le *sourcil* l'ensemble de ceux qui garnissent l'arcade au-dessus de l'orbite de l'œil, dite *arcade sourcilière*.

cilice n.m. ◆ **Orth.** Avec un *c* initial. Désigne un vêtement de pénitence. Ne pas écrire comme *la silice*, minéral.

cime n.f. ◆ **Orth.** Pas d'accent circonflexe sur le *i*.

cinéma n.m. ◆ **Emploi.** L'abréviation *ciné* est familière. ◆ **Orth.** On écrit les mots formés avec *cinéma* : *CinémaScope* (avec un *S* majuscule intérieur) et *Cinérama* avec majuscules initiales (noms déposés) ; *cinéroman* (plutôt que *ciné-roman*), sans trait d'union, mais *un ciné-club, des ciné-clubs ; le cinéma-vérité,* (pluriel inusité) avec trait d'union.

cinq adj. et n.m. ◆ **Prononc. 1.** Le *q* final se prononce : quand *cinq* précède un nom ou un adjectif commençant par une voyelle ou un *h* muet *(cinq ans, cinq énormes bœufs)* ; à la fin d'une phrase

(ils étaient cinq) ; dans une date *(le cinq janvier)* ; quand il s'agit du chiffre ou du nombre *cinq (un cinq de pique, cinq multiplié par deux).* **2.** On prononce le *q* dans *cinq pour cent,* mais on ne le prononce pas pas dans *vingt-cin(q), trente-cin(q) pour cent,* etc. **3.** Le *q* ne se prononce pas devant un nom ou un adjectif commençant par une consonne ou un *h* aspiré : *cin(q) camarades, cin(q) belles statues, cin(q) mille francs.* ◆ **Orth.** *En cinq sec*, loc. adv. = très rapidement. *Sec* est ici employé comme adverbe, et donc invariable. REM. On trouve aussi la graphie *en cinq secs,* qui suppose *sec* adjectif accordé avec *points*, sous-entendu.

circoncire v.t. ◆ **Conjug.** → annexe, tableau 81

circonflexe (accent ~) → annexe, grammaire § 15, 16, 17

circonscrire v.t. ◆ **Conjug.** → annexe, tableau 79

circonspect, e adj. ◆ **Prononc.** On peut prononcer ou non le groupe *-ct* final au masculin, mais la prononciation [sirkɔ̃spɛ], comme pour rimer avec *parapet*, est préférable pour éviter une confusion de genre.

circonstanciel, elle adj. ◆ **Orth.** La finale conserve le *c* de *circonstance*. REM. Fait partie des quelques dérivés qui gardent le *c* du nom de base, comme *révérenciel*, de *révérence* (alors que *substance* donne *substantiel*).

circonvenir v.t. ◆ **Conjug.** Comme *venir,* mais avec l'auxiliaire *avoir.* → annexe, tableau 28

cirrhose n.f. ◆ **Orth.** Avec deux *r* suivis d'un *h*. ◆ **Emploi.** *Cirrhose* = affection du foie. RECOMM. Éviter le pléonasme courant *cirrhose du foie.

cisaille n.f. ◆ **Nombre. 1.** *Une cisaille,* au singulier = une machine de coupe à deux lames. **2.** *Des cisailles,* généralement au pluriel = un outil en forme de pince coupante ou de gros ciseaux.

ciseau n.m. ◆ **Emploi. 1.** *Un ciseau,* au singulier = un outil à une lame servant à travailler, à sculpter le bois, la pierre, le métal. **2.** *Des ciseaux,* au pluriel = un instrument à deux lames tranchantes articulées : *des ciseaux de couturière* (ou *une paire de ciseaux de couturière*). **3.** *Un ciseau* : un mouvement de jambes comparable à celui d'une paire de ciseaux, en sport (notamment en lutte, en saut en hauteur). On écrit *faire un ciseau* mais *sauter en ciseaux.*

ciseler v.t. ◆ **Conjug.** Attention à l'alternance *e/è* : *ciseler ; je cisèle, il cisèle,* mais *nous ciselons ; il cisèlera ; qu'il cisèle* mais *que nous ciselions ; ciselé.* → annexe, tableau 12

cité n.f. ◆ **Orth.** Mots composés avec *cité.* On écrit avec un trait d'union *cité-dortoir, cité-jardin,* mais sans trait d'union : *cité ouvrière, cité universitaire, cité d'accueil, cité d'urgence.* - Plur. : *des cités-dortoirs, des cités-jardins ; des cités ouvrières, des cités universitaires, des cités d'accueil, des cités d'urgence.*

citron n.m. et adj. ◆ **Orth. 1.** *Citron,* adjectif de couleur, est invariable : *des corsages citron ; des papiers jaune citron* → annexe, grammaire § 98. **2.** Les dérivés de *citron* s'écrivent avec deux *n* : *citronnade, citronné, citronnelle, citronnier.*

civil, e adj. / **civique** adj. ◆ **Emploi.** Distinguer les droits *civils,* garantis à la personne, et les droits *civiques,* attachés à la qualité de citoyen. *Le droit d'acheter et de vendre est un droit civil ; le droit de vote est le principal droit civique.*

clafoutis n.m. ◆ **Orth.** Avec un *s* final.

claire-voie n.f. ◆ **Orth.** Avec un trait d'union. - Plur. : *des claires-voies,* mais *des cloisons à claire-voie.*

clair-obscur n.m. ◆ **Orth.** Avec un trait d'union. - Plur. : *des clairs-obscurs.*

clairsemé adj. ◆ **Orth.** En un seul mot.

claquage n.m. / **claquement** n.m. ◆ **Sens.** Ne pas confondre ces deux mots. **1.** *Claquage* = distension d'un muscle ou d'un tendon. **2.** *Claquement* = bruit produit par ce qui claque.

claqueter v.i. ◆ **Conjug.** Attention à l'alternance *-tt-/ -t- : il claquette, nous claquetons ; il claquetait ; il claqueta ; il claquettera.* → annexe, tableau 16 et R.O. 1990

clarinette n.f. ◆ **Emploi.** *Une clarinette* peut désigner un ou une clarinettiste mais n'est jamais employé au masculin, contrairement à *trompette (un trompette* = un trompettiste).

clash n.m. ◆ **Orth.** Plur. : *des clashs* ou *des clashes.* ◆ **Anglicisme.** Désaccord soudain et violent. Familier.

claveter v.t. ◆ **Conjug.** Attention à l'alternance *-tt-/ -t- : il clavette, nous clavetons ; il clavetait ; il claveta ; il clavettera.* → annexe, tableau 16 et R.O. 1990

clé, clef n.f. ◆ **Prononc.** [kle], quelle que soit la graphie (le *f* de *clef* ne se prononce pas). ◆ **Orth. 1.** Les deux graphies sont correctes, mais *clé* tend de plus en plus à remplacer *clef* dans l'usage contemporain. **2.** Employé comme épithète, peut s'écrire avec ou sans trait d'union : *mot clé* ou *mot-clé, poste clé* ou *poste-clé, secteur clé* ou *secteur-clé,* etc. REM. Les plus fréquents de ces composés tendent à être perçus comme formant une seule unité et s'écrivent plutôt avec trait d'union que sans. C'est le cas notamment pour *mot-clé* et *poste-clé*. **3.** *Clé en main* = vendu prêt à être utilisé, peut s'écrire avec *clé* au singulier ou au pluriel. *Usine, maison, voiture clé* (ou *clés*) *en main*.

clenche n.m. ♦ **Orth.** Avec *-en-*, comme *déclencher, enclencher*.

cleptomane → kleptomane

clerc n.m. ♦ **Prononc.** Le *c* final ne se prononce pas.

clic clac onomat. / **clic-clac** n.m. ♦ **Orth. 1.** Comme onomatopée, sans trait d'union. Comme nom (invariable), avec un trait d'union : « *L'action [...], égayée par les bourrades de la servante [...] et le clic-clac de ses gifles* » (J.-K. Huysmans). **2.** *Clic-Clac* (nom déposé d'un canapé convertible en lit) s'écrit avec deux majuscules et un trait d'union.

clignotant n.m. / **clignoteur** n.m. ♦ **Emploi.** Au sens de « indicateur de changement de direction », *clignotant* a supplanté *clignoteur*. REM. *Clignoteur* reste employé en Belgique et dans les régions françaises limitrophes.

climatique adj. / **climatérique** adj. ♦ **Sens.** Ne pas confondre ces deux mots. **1.** *Climatique* = relatif au climat. **2.** *Climatérique* = qui est un multiple de 7 ou de 9, en parlant d'une année de la vie humaine (une telle année était jugée critique par les Anciens).

clin d'œil loc. nom. ♦ **Orth.** *Un clin d'œil, des clins d'œil* (ou parfois *des clins d'yeux*, comme *des clignements d'yeux*).

cliques n.f. plur. ♦ **Emploi.** Uniquement dans l'expression familière *prendre ses cliques et ses claques* (= ra-masser tout ce que l'on a pour partir). Ne pas confondre avec *clic* et *clac* de l'onomatopée.

cliqueter v.i. ♦ **Conjug.** Attention à l'alternance *-tt-/-t-* : *il cliquette, nous cliquotons ; il cliquetait ; il cliqueta ; il cliquettera.* → annexe, tableau 16 et R.O. 1990

cloche-pied (à) loc. adv. ♦ **Orth.** Avec un trait d'union. → R.O. 1990

cloître n.m. ♦ **Orth.** Avec un accent circonflexe sur le *i*. → R.O. 1990

clopin-clopant loc. adv. ♦ **Orth.** Avec un trait d'union. Invariable : *ils s'en vont clopin-clopant*.

clore v.t. / **clôturer** v.t et v.i. ♦ **Orth.** *Clore* ne comporte pas d'accent circonflexe, *clôturer* en prend un sur le *o*. ♦ **Conjug.** *Clore* est défectif et d'une conjugaison complexe. → annexe, tableau 93. ♦ **Sens et emploi. 1.** *Clore* = fermer *(clore un passage)*, entourer d'une clôture *(clore un parc)* ou arrêter, mettre un terme à *(clore un compte, une discussion)*. **2.** *Clôturer* = entourer d'une clôture. Ce sens de *clôturer* était naguère le seul admis. Néanmoins, *clore* étant défectif, *clôturer* s'est progressivement substitué à lui partout où les formes conjuguées de *clore* faisaient défaut. Ainsi dit-on : *ils clôturèrent le passage, clôturez mon compte,* etc. Ces emplois sont aujourd'hui si répandus, en particulier dans les médias, qu'il n'est plus possible de les tenir pour des fautes (les comptes-rendus des séances boursière, par exemple, mentionnent quotidiennement les valeurs qui ont *clôturé* à la hausse ou à la baisse). Dans l'expression soignée, on peut, si on le juge absolument nécessaire, recourir aux équivalents : *fermer, interdire l'accès à ; arrêter (un compte), mettre un terme à (une discussion),* etc.

cloué part. passé / **clouté** adj. ◆ **Sens.** Ne pas confondre ces deux mots. 1. *Cloué* = fixé avec des clous. *Planches solidement clouées.* 2. *Clouté* = garni de clous, décoré avec des clous : *blouson en cuir noir clouté.*

co- préf. ◆ **Prononc.** Le préfixe *co-* est toujours articulé en tant que syllabe et ne forme jamais diphtongue avec la voyelle qui suit. ◆ **Orth.** Se lie sans trait d'union au mot avec lequel il entre en composition. Lorsque ce mot commence par un *i*, ce dernier se tranforme en *ï* (*i* tréma) : *coïncidence, coïnculpé.*

coasser v.i. / **croasser** v.i. ◆ **Emploi.** La grenouille *coasse*, le corbeau *croasse*.

cocagne n.f. ◆ **Orth.** Sans majuscule : *pays de cocagne* (où tout se trouve à profusion), *mât de cocagne* (auquel on grimpe pour décrocher des objets suspendus).

coccyx n.m. ◆ **Prononc.** [kɔksis], comme pour rimer avec *le coq six.*

Cocotte-Minute n.f. ◆ **Orth.** Majuscule aux deux éléments (nom déposé d'une marque d'autocuiseurs).

coffre-fort n.m. ◆ **Orth.** Avec un trait d'union. - Plur. : *des coffres-forts.*

cognac n.m. et adj. ◆ **Orth.** Avec une minuscule pour l'eau-de-vie : *des cognacs veillis en fût de chêne* (mais : *les eaux-de-vie de Cognac,* produites à Cognac et dans sa région).

coi, coite adj. ◆ **Orth.** Le féminin *coite* est rare. - Plur. : *ils se tiennent cois, elles se tiennent coites.*

coin n.m. ◆ **Orth.** On écrit *coin cuisine, coin salon, coin fenêtre* sans trait d'union. - Plur. : *des coins cuisines, des coins salons,* mais *des coins fenêtre.*

coincer v.t. et v.pr. ◆ **Conjug.** Le *c* devient *ç* devant *o* et *a* : *je coince, nous coinçons ; il coinça.* → annexe, tableau 9

coin-coin interj. et n.m. ◆ **Orth.** Avec un trait d'union. → R.O. 1990

coïncidant part. présent / **coïncident, e** adj. ◆ **Orth.** Bien distinguer le participe présent du verbe *coïncider,* invariable *(nos vues coïncidant, nous sommes tombés d'accord)* avec l'adjectif *(des dates coïncidentes).*

cola → kola

colère n.f. ◆ **Constr.** On dit : *être, se mettre en colère contre quelqu'un,* et non *après quelqu'un. ◆ **Emploi.** L'emploi adjectival *(ils étaient colères)* est vieilli et n'est plus guère employé aujourd'hui que par plaisanterie.

coléreux, euse adj. / **colérique** adj. ◆ **Emploi.** De ces synonymes, *coléreux* est le plus moderne et le plus employé. REM. Ne pas confondre *colérique* et son homonyme *cholérique,* « atteint par le choléra », qui a la même étymologie.

colimaçon n.m. ◆ **Emploi.** *Escalier en colimaçon* → escalier

collaborer v.i. ◆ **Emploi.** Éviter le pléonasme *collaborer ensemble.

collatéral, e, aux adj. ◆ **Orth.** Avec deux *l.*

collation n.f. ◆ **Sens.** Bien distinguer les trois sens de ce mot. 1. Repas léger. REM. Le verbe correspondant, *collationner,* prendre une collation, est vieilli. 2. Action de conférer un titre, un grade universitaire. 3. Comparaison de textes, de documents. On dit plutôt *collationnement.* Le verbe dérivé est *collationner.* Ne pas confondre avec *collection.*

collectif (accord du verbe après un nom ~) → annexe, grammaire § 103

collégial, e, aux adj. ◆ **Orth.** Plur. : *collégiaux. Des accords collégiaux.*

collègue n. / **confrère** n.m. ◆ **Emploi. 1.** *Collègue* s'emploie pour désigner une personne travaillant dans la même entreprise qu'une autre *(des collègues de bureau)*, un fonctionnaire appartenant à la même administration *(un collègue diplomate en poste à Pékin)* ou au même corps *(deux collègues députés)* qu'un autre. REM. Le mot est également d'usage entre participants d'un même colloque universitaire : *comme l'a si finement analysé notre distingué collègue dans sa communication...* **2.** *Confrère* désigne un membre d'une profession libérale ou indépendante, d'une société savante, d'une confrérie, d'une corporation par rapport à ses semblables (médecins, avocats, journalistes, académiciens, etc.). REM. On peut être à la fois *collègues* et *confrères* (deux médecins sénateurs). ◆ **Genre.** Au féminin on dit *une collègue,* mais *une consœur.* REM. L'emploi de *consœur,* équivalent féminin de *confrère,* n'est pas absolument fixé dans l'usage : un médecin, en parlant d'une femme, dira aussi bien *mon confrère, Mme X* que *ma consœur, Mme X.*

colleter (se) v.pr. ◆ **Conjug.** Attention à l'alternance *-tt-/-t-* : *il se collette, nous nous colletons ; il se colletait ; il se colleta ; il se collettera.* → annexe, tableau 16 et R.O. 1990

colliger v.t. ◆ **Conjug.** Le *g* devient *-ge-* devant *a* et *o* : *je collige, nous colligeons ; il colligea.* → annexe, tableau 10

collision n.f. / **collusion** n.f. ◆ **Sens.** Ne pas confondre ces deux mots. **1.** *Collision* = choc de deux corps en mouvement. **2.** *Collusion* = entente secrète au préjudice d'un tiers.

collocation n.f. / **colocation** n. f. ◆ **Orth. et sens.** Ne pas confondre ces deux mots. **1.** *Collocation,* avec deux *l* = classement des créanciers dans l'ordre de recouvrement de leur créance (terme de droit). **2.** *Colocation,* avec un seul *l* = location en commun d'un même local

colloquer v.t. ◆ **Sens.** *Colloquer* = inscrire (des créanciers) dans l'ordre dans lequel ils seront payés (terme de droit, sans rapport avec *colloque*).

collusion → collision

colocation → collocation

côlon n.m. ◆ **Orth. et prononc.** Avec un accent circonflexe sur le premier *o* (à la différence de *colon,* habitant d'une colonie). Les mots formés avec *côlon* prennent aussi un accent *(dolichocôlon, mégacôlon)* et se prononcent [-ko-], comme dans *côte.* Les dérivés *(colite, colopathie, colique, coloscopie)* ne prennent pas d'accent et se prononcent [-kɔ-], comme dans *col.*

colonnade n.f. ◆ **Orth.** Un *l* et deux *n,* comme *colonne.*

colophane n.f. ◆ **Orth.** Un seul *l.* ◆ **Genre.** Féminin : *la colophane est le résidu solide de la distillation de la térébenthine.*

colorer v.t. / **colorier** v.t. / **coloriser** v.t. ◆ **Sens. 1.** *Colorer* = donner une couleur à : *colorer un bois ; teint coloré.* Le substantif correspondant est *coloration.* **2.** *Colorier* = appliquer des couleurs sur : *album à colorier.* Le substantif correspondant est *coloriage.* **3.** *Coloriser* = mettre en couleurs les images d'un film en noir et blanc. Le substantif correspondant est *colorisation.*

col-vert, colvert n.m. ◆ **Orth.** Les deux graphies sont correctes. - Plur. : *des cols-verts* ou *des colverts.*

combatif

combatif, ive adj. ◆ **Orth.** Avec un seul *t*, contrairement à *combattre, combattant*. De même pour le dérivé *combativité*. → R.O. 1990

combattre v.t. et v.i. ◆ **Conjug.** Comme *battre*. → annexe, tableau 63

combien adv. et n.m. inv. ◆ **Accord.** 1. *Combien de* (+ sujet ou complément au pluriel) fait accorder le verbe avec le sujet ou le complément : *combien d'hommes étaient-ils ? Combien d'hommes as-tu vus ?* 2. *Combien* (précédé d'un sujet au pluriel) *en* (+ verbe à un temps composé) ne commande pas, en général, l'accord du participe : *de ces histoires, combien j'en ai lu !* La règle est ici imprécise, et les auteurs et les grammairiens restent partagés → **en.** 3. *Combien,* avec valeur de pronom, employé seul, commande le pluriel : *combien sont morts, combien encore vivants ?* ◆ **Constr.** L'inversion du sujet dans une phrase introduite par *combien* marque l'interrogation : *combien de succès a-t-il connus ?* La construction contraire marque l'exclamation : *combien de succès il a connus !* ◆ **Emploi.** L'emploi de *combien* comme substantif masculin est courant dans l'expression orale non surveillée : *le combien sommes-nous ? Le train passe tous les combien ? Du combien chaussez-vous ?* **RECOMM.** Dans l'expression soignée, tourner la phrase autrement : *quel jour du mois sommes-nous ? quel est l'intervalle entre les trains* ou *quand le prochain train passe-t-il ? quelle est votre pointure ?* Éviter dans tous les cas le barbarisme **combientième* → **quantième**

combiner v.t. ◆ **Constr.** On dit correctement *combiner une chose avec une autre* ou *combiner une chose et une autre.*

come-back n.m. inv. ◆ **Orth.** Avec un trait d'union ; invariable.

◆ **Anglicisme.** Retour au premier plan d'une personnalité, d'un artiste, après une période d'oubli plus ou moins longue. **RECOMM.** Dans l'expression soignée, préférer le mot français *retour* (selon le contexte : *retour à la scène, retour à l'écran, retour à la vie politique,* etc.).

comme conj. et adv.
◆ **Accord.**
Après deux noms ou deux pronoms au singulier réunis par *comme,* le verbe se met au singulier si *comme* introduit un complément du premier terme ; l'ensemble *comme* (+ complément) est placé entre virgules : *ma fille, comme la sienne, est blonde.* Lorsque les deux termes ont la même importance (*comme* = et), ils sont considérés l'un et l'autre comme sujets et ne sont pas séparés par une virgule ; le verbe se met au pluriel : *ma fille comme la sienne sont blondes.*
◆ **Constr.**
Comme si. 1. *Comme si* (+ indicatif imparfait ou plus-que-parfait) : *il réagit comme s'il s'en moquait.* Construction la plus courante. 2. *Comme si* (+ subjonctif plus-que-parfait) : *il réagissait comme s'il se fût moqué de nous.* Registre littéraire ou très soutenu. 3. *Comme si* (+ conditionnel), employé dans une phrase exclamative pour exprimer une nuance de doute ironique : *comme si on devrait être à ses ordres !* **RECOMM.** Employer de préférence l'indicatif. 4. *Comme si… et (ou) que* (+ subjonctif) : *il réagit comme s'il s'en moquait ou qu'il veuille changer de conversation.*
◆ **Emploi.**
1. *Comme / comment. Comme* peut remplacer *comment* dans le discours indirect : *vous savez comme il se nomme ? Vous savez comme il a agi.* Registre soutenu. 2. *Considérer quelqu'un comme* (+ attribut) est correct : *on le considère comme doué.* 3. *Comme prévu, comme convenu :* tours elliptiques

122

admis, courants dans la langue des affaires et la correspondance commerciale. **4.** *Comme par exemple* est un pléonasme, sauf quand *par exemple*, employé en incise (entre virgules à l'écrit), souligne un élément parmi d'autres qui sont cités : *les animaux à sang chaud sont les mammifères terrestres, les mammifères marins, comme, par exemple, la baleine et le dauphin, et les oiseaux.* **5.** Sont familiers : *quelque chose comme* (= environ) ; *comme qui dirait* (= à ce qu'il semble, pour autant que l'on puisse en juger) ; *comme de raison, comme de juste, comme de bien entendu* (= comme on pouvait le penser, s'y attendre) ; *comme tout* (= très) : *il est vilain comme tout* ; *c'est tout comme* (= c'est comme si...) : *ils ne sont pas mariés, mais c'est tout comme* (= c'est comme s'ils l'étaient).

commémoraison n.f. **/**
commémoration n.f. ◆ **Sens.** Ne pas confondre ces deux mots. **1.** *Commémoraison* = mention secondaire d'un saint dans la liturgie catholique. ◆ **2.** *Commémoration* = fête pour rappeler le souvenir de quelque chose.

commémorer v.t. ◆ **Sens** = *Commémorer* = rappeler avec plus ou moins de solennité le souvenir de. *Commémorer la libération du pays.* - **RECOMM.** On doit dire non pas *commémorer un souvenir, un anniversaire (pléonasme), mais *célébrer, fêter un anniversaire.*

commencer v.t. ◆ **Conjug.** → annexe, tableau 69. ◆ **Constr.** **1.** *Commencer à, de* (+ infinitif). Les deux constructions sont correctes ; *commencer à* est courant, *commencer de* appartient au registre soutenu ou littéraire : *je commence à expliquer ce point* (comparer à : *je commence d'expliquer ce point*). **2.** *Commencer par* (+ infinitif).

Cette construction est correcte lorsque l'infinitif exprime une action qui en précède d'autres : *elle commence par allumer la radio, ensuite elle se lève et elle prépare son petit déjeuner.* **RECOMM.** Éviter cette construction pour exprimer la montée de l'irritation ou de l'impatience (*ce robinet qui goutte commence par m'énerver). Employer dans ce cas *commencer à* : *ce robinet qui goutte commence à m'énerver.*

comment → comme

commentaire n.m. ◆ **Orth.** Le mot reste au singulier dans les expressions *sans commentaire* et *pas de commentaire.*

commercer v.t.ind. ◆ **Conjug.** Le *c* devient *ç* devant *o* et *a* : *je commerce, nous commerçons* ; *il commerça.* → annexe, tableau 9

commettre v.t. et v.pr. ◆ **Conjug.** Comme *mettre.* → annexe, tableau 64

commis greffier n.m. ◆ **Orth.** Sans trait d'union.

commis voyageur n.m. ◆ **Orth.** Sans trait d'union. - Plur. : *des commis voyageurs.* Aujourd'hui, on dit plutôt *V.R.P.* (pour *voyageur représentant placier*) ou *représentant de commerce.*

commissaire n.m. ◆ **Genre** Toujours masculin, même pour désigner une femme. *Madame le commissaire. Le commissaire Marie Dubosc a été nommé à la tête de la brigade.*

commissaire-priseur n.m. ◆ **Orth.** Avec un trait d'union. - Plur. : *des commissaires-priseurs.* ◆ **Genre** Toujours masculin, même pour désigner une femme. *Mlle Vanessa Leforest, un commissaire-priseur expert en ivoires anciens, a procédé à l'estimation.*

communicant, e adj. **/ communiquant** participe présent ◆ **Orth.** L'adjectif s'écrit avec un *c*, le participe avec -*qu*-. *Les vases communicants. On a découvert un souterrain communiquant avec le château.*

communiquer v.t. et v. t. ind. ◆ **Orth.** Avec -*qu*-. Les mots de la même famille s'écrivent avec un *c : communicable, communicant* (v. ce mot), *communication, communicatif, communication* et ses dérivés.

Compact Disc n.m. ◆ **Anglicisme.** Disque compact. ◆ **Orth.** Avec deux majuscules (nom déposé). - Plur. : *des Compact Discs.* L'abréviation *C.D.* s'écrit avec deux majuscules et un point après chaque lettre. - Plur. : *des C.D.*

comparaison n.f. ◆ **Emploi.** *Comparaison* employé dans une locution prépositive. *En comparaison de* ou *par comparaison avec* sont plus couramment employés ; *par comparaison à* est moins courant, mais correct.

comparaître v.i. ◆ **Conjug.** Comme *paraître.* → annexe, tableau 71 et R.O. 1990

comparatif → annexe, grammaire § 72, 73

comparer v.t. ◆ **Constr.** *Comparer à, comparer avec* s'emploient indifféremment. On dit aussi *comparer deux choses entre elles.* RECOMM. Éviter le pléonasme *comparer deux choses ensemble.

comparse n. **/ complice** n. ◆ **Sens.** Ne pas confondre ces deux mots qui présentent des sens proches, mais distincts. **1.** *Comparse* = personne qui joue un rôle mineur dans une affaire, notamment une affaire délictueuse. **2.** *Complice* = personne qui participe au délit, au crime d'un autre.

compensation n.f. ◆ **Constr.** *En compensation de* = pour compenser. *Accepter une chose en compensation d'une autre.*

compil n.f. ◆ **Sens.** Disque réunissant des succès musicaux de chanson ou de variétés déjà édités. ◆ **Registre.** Mot familier pour *compilation.*

complaire v.t.ind. et v.pr. ◆ **Conjug.** Come *plaire.* → annexe, tableau 90. ◆ **Orth.** Le participe passé est invariable. *Elles se sont complu dans cette situation.* ◆ **Constr. 1.** *Se complaire à* ou *dans* (+ nom) : *il se complaît à ces vantardises. « Je me suis complu dans le spectacle des grandes choses »* (G. Sand). **2.** *Se complaire à* (+ infinitif) : *ils se complaisent à écouter les médisances.*

compléter v.t. et v.pr. ◆ **Conjug.** Attention à l'accent, tantôt grave, tantôt aigu : *je complète, nous complétons ; il compléta.* → annexe, tableau 11 et R.O. 1990

compote n.f. ◆ **Orth.** Un seul *t* à *compote.* Le complément est en général au pluriel. *Compote de pommes.*

compréhensible adj. **/ compréhensif** adj. Ne pas confondre ces deux mots. ◆ **Sens. 1.** *Compréhensible* = qui peut être compris sans difficulté. **2.** *Compréhensif* = qui comprend autrui, qui est porté à l'indulgence.

comprendre v.t. ◆ **Conjug.** Comme *prendre.* → annexe, tableau 61. ◆ **Constr. 1.** *Comprendre que* (+ indicatif) = saisir, se rendre compte que. *Je comprends que tu es obligé de partir* (= tu es obligé de partir, c'est un fait que je saisis). **2.** *Comprendre que* (+ subjonctif) = admettre. *Je comprends que tu sois obligé de partir* (= les raisons qui t'obligent à partir te sont personnelles et je les admets, je les approuve).

compris adj. ◆ **Accord.** *Non compris* et *y compris,* placés devant le nom auquel ils se rapportent, sont invariables. *Cet article vaut 412 F, y compris la TVA.* Si *non compris* et *y compris* sont placés après le nom, l'accord se fait avec celui-ci. *La location est de 340 F, taxe de séjour non comprise.*

compromettre v.t. et v.pr. ◆ **Conjug.** Comme *mettre* et *promettre.* → annexe, tableau 64

comptant adj. m. et adv. ◆ **Orth.** L'adjectif s'accorde en nombre (mais non en genre), l'adverbe est invariable. *« Il fallait d'abord l'acheter (une terre) à beaux deniers comptants »* (J. Tharaud). *Payer trois mille francs comptant, dix mille lires comptant.*

compte n.m. ◆ **Constr.** *Se rendre compte de* (+ nom), *se rendre compte que* (+ indicatif) : *je me rends compte de sa timidité ; je me rends compte qu'elle est timide.* ◆ **Accord.** Aux temps composés, le participe passé *rendu* est invariable. *Elles se sont rendu compte de leur erreur.*

compte chèques, **compte-chèques** n.m. ◆ **Orth.** Les deux graphies, *compte chèques* et *compte-chèques,* sont admises. - Plur. : *des comptes chèques, des comptes-chèques.*

compte courant n.m. ◆ **Orth.** En deux mots, sans trait d'union. - Plur. : *des comptes courants.*

compte-fils n.m. inv. ◆ **Orth.** Avec un trait d'union. - Plur. : *des compte-fils.* → R.O. 1990.

compte-gouttes n.m. inv. ◆ **Orth.** Avec un trait d'union. - Plur. : *des compte-gouttes.* → R.O. 1990.

compte-rendu, compte rendu n.m. ◆ **Orth.** Les deux graphies, *compte-rendu* et *compte rendu,* sont admises. On écrit de plus en plus souvent *compte-rendu,* avec un trait d'union. - Plur. : *des comptes rendus, des comptes-rendus.*

compte-tours n.m. inv. ◆ **Orth.** Avec un trait d'union. - Plur. : *des compte-tours.* → R.O. 1990.

compter v.t. ◆ **Constr.** 1. *Compter* (+ infinitif) = se proposer de. *Nous comptons y aller bientôt.* 2. *Compter que* (+ indicatif) = espérer. *Elle compte qu'ils viendront.* **RECOMM.** Dans le style soigné, éviter la construction *compter sur le fait que,* lourde et peu élégante bien que grammaticalement correcte.

1. **comté** n.m. ◆ **Genre** Toujours masculin. En revanche *vicomté* est féminin. **REM.** *Comté* était autrefois féminin (*« La plus belle comté est Flandre, la plus belle duché, Milan »* fait dire V. Hugo à l'un de ses personnages). Il l'est resté dans le nom propre *la Franche-Comté.* Localement, les Comtois disent souvent *la Comté* en parlant de leur région.

2. **comté** n.m. ◆ **Orth.** Minuscule pour le nom de ce fromage produit en Franche-Comté. *Une tranche de comté.*

concéder v.t. ◆ **Conjug.** Attention à l'accent, tantôt grave, tantôt aigu : *je concède, nous concédons ; il concéda.* → annexe, tableau 11 et R.O. 1990

concentré adj. / **condensé** adj. ◆ **Emploi.** 1. *Lait condensé* ou *lait concentré* = dont l'eau a été éliminée en plus ou moins grande quantité par évaporation (le lait concentré renferme moins d'eau que le lait condensé). 2. *Concentré* = qui contient une grande masse de telle espèce chimique dissoute, en parlant d'une solution (terme de chimie). *Acide concentré.*

concert n.m. **/ conserve** n.f. ◆ **Sens.** *De concert / de conserve.* Ces deux locutions sont aujourd'hui souvent employées l'une pour l'autre, ce qui s'explique par une évolution convergente vers leur sens moderne : « ensemble ». **1.** *De concert* = ensemble et en bon accord (accord obtenu en s'étant *concerté*). *Les ingénieurs des deux sociétés ont travaillé de concert.* **2.** *De conserve* = ensemble (d'abord terme de marine appliqué à des navires qui *conservaient* entre eux une distance telle qu'ils ne se perdaient jamais de vue). *Naviguer, aller, agir de conserve.*

concerto n.m. ◆ **Orth.** - Plur. : *des concertos.*

concevoir v.t. ◆ **Conjug.** Comme *recevoir.* → annexe, tableau 39. ◆ **Constr.** **1.** *Concevoir que* (+ indicatif) = se représenter par la pensée. *Je conçois que la Terre est ronde .* **2.** *Concevoir que* (+ subjonctif) = admettre. *Elle conçoit que cette musique déplaise.* → **comprendre.**

conclure v.t. ◆ **Conjug.** Ne pas confondre la conjugaison de *conclure* avec celle des verbes en *-er. Je conclus ; il conclut ; je conclurai.* - Participe passé en *u* : *un accord conclu, une entente conclue.* → annexe, tableau 76. ◆ **Constr. 1.** *Conclure à* (+ nom). *Le juge d'instruction a conclu à la préméditation.* **2.** *Conclure que* (+ indicatif ou conditionnel). *On conclut donc que l'hypothèse est juste. Vous en avez conclu qu'il serait préférable de partir.* **2.** *Conclure à ce que* (+ subjonctif). *Le juge conclut à ce que les plaignants soient rétablis dans leurs droit.* Cette construction n'est guère employée que dans la langue juridique.

concomitant adj. ◆ **Orth.** Un seul *m* et un seul *t.* ◆ **Constr.** *Concomitante de.*

Un gain de productivité concomitant de la modernisaion de l'entreprise. **RECOMM.** Éviter les constructions *concomitant à et *concomitant avec.

concourir v.t.ind. et v.i. ◆ **Conjug.** Comme *courir.* → annexe, tableau 33. ◆ **Orth.** Avec un seul *r,* comme *courir.* → aussi **courir**

concupiscence n.f. ◆ **Orth.** Attention au groupe *-sc-.*

concurremment adv. ◆ **Orth.** Avec un *e* et deux *r* (comme *concurrent*) et deux *m.* ◆ **Constr.** *Concurremment avec. Agir concurremment avec quelqu'un.* **RECOMM.** Éviter la construction incorrecte *concurremment à.

concurrencer v.t. ◆ **Conjug.** Le *c* devient *ç* devant *o* et *a : je concurrence, nous concurrençons ; il concurrença.* → annexe, tableau 9

concurrent, e adj. et n. ◆ **Orth.** Avec deux *r,* comme les dérivés *concurremment* et *concurrence* (et à la différence de *concourir*).

concurrentiel, elle adj. ◆ **Orth.** Avec deux *r,* comme *concurrent,* et un *t* (on a *concurrence / concurrentiel,* comme on a *démence / démentiel, providence / providentiel,* etc. ; mais on écrit *révérenciel*).

condamner v.t. ◆ **Prononc.** [kɔ̃dane], le groupe *-mn-* se prononce comme *n.*

condensé adj. → concentré

condescendre v.t.ind. ◆ **Conjug.** Comme *descendre.* → annexe, tableau 59

condition n.f. ◆ **Constr. 1.** *À condition de* (+ infinitif) : *il accepte, à condition d'être intéressé au bénéfice.* **2.** *À (la)* ou *sous la* *condition que* (+ subjonctif ou indicatif futur). Le subjonctif est plus courant : *il accepte, à condition* (ou *à la condition*) *qu'il obtienne un intéressement au bénéfice.* L'indicatif futur, moins courant, insiste sur la condition posée : *il accepte, à condition qu'il obtiendra un intéressement au bénéfice.* (Au passé, cette phrase deviendrait : *il avait accepté à condition qu'il obtiendrait un intéressement au bénéfice.*)

condoléances n.f. plur. ◆ **Nombre** Toujours au pluriel. *Lettre de condoléances.*

condottiere n.m. ◆ **Orth.** Pas d'accent sur le premier *e*, malgré sa prononciation comme *é* (mot d'origine italienne). - Plur. : *des condottieres* (pluriel à la française) ou *des condottieri* (pluriel à l'italienne). **RECOMM.** Préférer *des condottieres.* → R.O. 1990

conduire v.t. et v.pr. ◆ **Conjug.** → annexe, tableau 78

cône n.m. ◆ **Orth.** Avec un accent circonflexe sur le *o*. ❑ Les dérivés *conique, conicité, conifère* n'ont pas d'accent circonflexe.

confédérer v.t. ◆ **Conjug.** Attention à l'accent sur le deuxième *e*, tantôt grave, tantôt aigu : *je confédère, nous confédérons ; il confédéra.* → annexe, tableau 11 et R.O. 1990

conférence n.f. ◆ **Orth.** On écrit au singulier *être en conférence* (= en réunion), au pluriel *maître de conférences* (= professeur qui dispense un enseignement magistral, qui donne des conférences ; titre universitaire).

conférer v.t. → attribuer

confessionnal n.m. ◆ **Orth.** Avec deux *n*.

confessionnel, elle adj. ◆ **Orth.** Avec deux *n* (on a *confession / confessionnel* comme on a *addition / additionnel, profession / professionnel,* etc.).

confetti n.m. ◆ **Orth.** Prend un *s* au pluriel : *un confetti, des confettis.* **REM.** À l'origine, *confetti* est un pluriel (*confetto* = boulette de plâtre frais roulée, *confectionnée* à la main, remplacée plus tard par un petit rond en papier dans les festivités du carnaval). Ce mot niçois et italien s'est imposé en français comme un singulier.

confiance n.f. ◆ **Constr.** 1. *Avoir confiance en, dans. J'ai confiance en vous. Il a confiance en l'avenir* ou *dans l'avenir.* **REM.** On dit aussi : *mettre sa confiance en* ou *dans.* 2. *Faire confiance à. Faire confiance aux médecins, à la médecine.* **REM.** On dit aussi : *accorder sa confiance à qqn.*

confidentiel, elle adj. ◆ **Orth.** Avec un *t* (on a *confidence / confidentiel,* comme on a *existence / existentiel, essence / essentiel,* etc. ; mais on écrit *révérenciel*).

confier (se) v.pr. ◆ **Sens et constr.** Les constructions sont différentes selon le sens du verbe. 1. *Se confier à qqn* = lui faire des confidences. *Il s'est confié à moi.* 2. *Se confier en* (une puissance surnaturelle) = s'en remettre à. Usité presque uniquement dans des contextes religieux : *Confions-nous en la divine Providence.* ◆ **Accord.** *Elles se sont confiées à lui / elles se sont confié leurs secrets.* → annexe, grammaire § 100

confins n.m.plur. ◆ **Nombre** Toujours au pluriel. *Les confins des terres habitées.*

confire v.t. et v.pr. ◆ **Conjug.** → annexe, tableau 81

confirmand, e n. / **confirmant** n.m. ◆ **Sens et orth.** 1. *Confirmand, confirmande,* avec un *d* = personne qui va recevoir le sacrement catholique de la confirmation. **2.** *Confirmant,* avec un *t* = ministre du culte qui donne ce sacrement.

confirmer v.t. ◆ **Constr.** *Confirmer que* (+ indicatif ou conditionnel) : *cela confirme qu'il a raison, cela confirme qu'il pourrait avoir raison.*

confiture n.f. ◆ **Accord 1.** *Confiture de...* Le complément de *confiture* est en général au pluriel : *de la confiture de mûres, d'oranges.* **2.** *Tartine de confiture.* *Confiture,* en fonction de complément de nom, est généralement au singulier : *des pots de confiture.*

confluant part. présent **/ confluent** n.m. ◆ **Orth. 1.** *Confluant* (= qui conflue), participe présent (avec un *a*), ne s'accorde pas : *les cours d'eau confluant au pied du massif sont des torrents.* **2.** *Confluent* n.m. (avec un *e*) = lieu de rencontre de deux cours d'eau, prend la marque du pluriel : *les confluents des cours d'eau au pied du massif.*

confondre v.t. ◆ **Conjug.** Comme *fondre.* → annexe, tableau 59. ◆ **Constr. 1.** *Confondre une chose, une personne et une autre / avec une autre.* Ces deux constructions sont correctes : *j'ai confondu tes clés et les miennes, tes clés avec les miennes ; j'ai confondu le facteur et l'employé du gaz, avec l'employé du gaz.* **2.** *Se confondre avec* = se mélanger au point d'être indiscernable. « *Les horizons de la mer, légèrement vaporeux, se confondaient avec ceux du ciel* » (Chateaubriand). **3.** *Se confondre en excuses, en remerciements, en politesses* = les multiplier. Registre soutenu.

confrère n.m. ◆ **Emploi. 1.** → collègue. **2.** *Confrère* a pour équivalent féminin *consœur. Le pharmacien fera appel à un confrère ou à une consœur pour le remplacer.*

confronter v.t. ◆ **Constr. 1.** *Confronter à, avec.* Les deux constructions sont employées. *Confronter les témoins avec le prévenu, les témoins au prévenu. Confronter une solution à une autre, avec une autre.* **RECOMM.** Éviter la construction *confronter qqch., qqn* au sens de « poser une difficulté à » : **l'accroissement du chômage confronte la société contemporaine.* **REM.** Cette construction semble résulter de la transformation à la forme active de l'expression courante *être confronté à* (= devoir faire face à) : *la société contemporaine est confrontée à l'accroissement du chômage.*

confusion n.f. ◆ **Orth.** Les dérivés de *confusion* s'écrivent avec deux *n* : *confusionnel, confusionnisme.*

congeler v.t. et v.pr. ◆ **Conjug.** Attention à l'alternance *e/è* : *congeler ; je congèle, il congèle,* mais *nous congelons ; il congèlera ; qu'il congèle* mais *que nous congelions ; congelé.* → annexe, tableau 12

congestion n.f. ◆ **Prononc.** Le *s* et le *t* sont articulés : [kɔ̃ʒɛstjɔ̃], comme dans *question.*

conglomérer v.t. ◆ **Conjug.** Attention à l'accent, tantôt grave, tantôt aigu : *je conglomère, nous conglomérons ; il congloméra.* → annexe, tableau 11 et R.O. 1990

congrégation n.f. ◆ **Orth.** Les dérivés de *congrégation* n'ont qu'un *n* : *congrégationalisme, congrégationiste.*

congrûment adv. ◆ **Orth.** Avec un accent circonflexe sur le *u,* comme dans *assidûment, continûment, dûment.* → R.O. 1990

conjecture n.f. **/ conjoncture** n.f. ◆ **Sens.** Ne pas confondre ces deux mots. **1.** *Conjecture* = supposition, hypothèse. *Se perdre en conjectures. En être réduit aux conjectures.* **2.** *Conjoncture* = situation, ensemble de circonstances. *Dans la conjoncture actuelle...*

conjointement adv. ◆ **Constr.** *Conjointement / conjointement avec / conjointement à* = ensemble ; ensemble et en même temps que (qqn ou qqch. d'autre). *Ils ont agi conjointement. Signer un livre conjointement avec quelqu'un.* La construction *conjointement à qqch.* se rencontre aussi, quoique plus rarement : *vous déposerez les statuts de l'association conjointement à votre demande.*

conjoncture n.f. → conjecture

conjuguer v.t. ◆ **Conjug.** Le *u* se conserve, même devant *a,* dans toute la conjugaison du verbe *conjuguer.* ◆ **Orth.** En revanche, les mots de la même famille s'écrivent avec *g,* sans *u* : *conjugaison, conjugable,* etc.

connaissance n.f. ◆ **Constr. 1.** *Faire connaissance de qqn, de qqch. / avec qqn, avec qqch.* : les deux constructions sont correctes. *Il a fait connaissance de ses voisins, avec ses voisins ; il a fait connnaissance de son nouveau poste, avec son nouveau poste.* **2.** *Faire la connaissance de qqn, de qqch. J'ai fait la connaissance d'un personnage étonnant. Avez-vous fait la connaissance de la région ?*

connaître v.t., v.t.ind. et v.pr. ◆ **Conjug.** Avec accent circonflexe sur le *î* devant *t* → annexe, tableau 71 et R.O. 1990

connecter v.t. ◆ **Orth.** Avec deux *n.*

connexion n.f. ◆ **Orth.** Avec deux *n* comme *connecter,* mais avec un *x,* que l'on retrouve dans *connexe.*

connotation n.f. ◆ **Orth.** Avec deux *n.*

conquérir v.t. ◆ **Conjug.** Comme *acquérir : je conquiers, nous conquérons ; je conquerrai ; conquis.* → annexe, tableau 27

conscience n.f. ◆ **Orth.** Attention au groupe *-sc-* comme dans *science.* ◆ **Constr. 1.** *Avoir conscience que* (+ indicatif) : *ils ont bien conscience que la situation ne va pas durer.* **2.** *Ne pas avoir conscience que* (+ indicatif ou subjonctif) : *ils n'ont pas conscience que la situation peut ne pas durer* ou *puisse ne pas durer.* La construction avec le subjonctif, bien que rare, est correcte, et correspond à une valeur habituelle de ce mode (expression du doute, de l'incertitude, de l'éventualité).

conseil n.m. ◆ **Orth.** *Conseil,* employé comme deuxième élément d'un mot composé, est précédé d'un trait d'union et prend un *s* au pluriel. *Un ingénieur-conseil, des ingénieurs-conseils.* ◆ **Emploi.** Au sens de «expert, spécialiste qui conseille », le mot peut désigner un homme ou une femme : *elle est conseil en organisation.*

conseiller, ère n. ◆ **Emploi** Le féminin s'emploie normalement pour certaines fonctions : *conseillère municipale, conseillère d'orientation.* Pour d'autres, il s'impose difficilement dans l'usage (notamment lorsque la forme masculine est traditionnelle dans la désignation d'un titre). On dit par exemple : *mon amie Martine Balto est conseiller à la Cour des comptes* (et non *conseillère à la Cour des comptes.)

consentir v.t.ind. et v.t. ◆ **Conjug.** Comme *sentir.* → annexe, tableau 26. ◆ **Constr. 1.** *Consentir qqch. à qqn* = accorder, autoriser. *Nous pouvons vous consentir un prêt à un taux avantageux.* **2.** *Consentir à* (+ nom ou infinitif) = accepter. *Consentir à un sacrifice. Je consens à revenir.* **3.** *Consentir à ce que /*

que (+ subjonctif) = accepter que. Les deux constructions sont correctes. *Consentir à ce que* est employé dans le registre courant : *il consent à ce que je parte. Consentir que* appartient au registre soutenu : *il consent que je parte.* REM. *Consentir de* (+ infinitif) est vieilli ou très littéraire : *je consens de revenir.* **4.** *Consentir que* (+ indicatif) = admettre, reconnaître. *Je consens qu'il est plus compétent que moi dans beaucoup de domaines.* Registre soutenu.

conséquence n.f. ◆ **Orth. 1.** *Sans conséquence.* Toujours au singulier : *c'est sans conséquence pour votre carrière.* ❑ *Tirer à conséquence.* Toujours au singulier : *c'est un incident qui ne tire pas à conséquence.* **2.** *Lourd de conséquences.* Toujours au pluriel : *une décision lourde de conséquences.* **3.** *Avoir pour conséquence* ou *pour conséquences.* Au singulier ou au pluriel, selon qu'une ou plusieurs conséquences sont mentionnées : *le réchauffement du climat aura pour conséquence une élévation du niveau des océans. Le réchauffement du climat aura pour conséquences une élévation du niveau des océans et l'inondation des plaines littorales.*

conséquent, e adj. ◆ **Sens et registre. 1.** *Conséquent* = qui agit avec esprit de suite, avec logique. *Soyez conséquent et agissez en accord avec vos principes.* Emploi courant et normal dans tous les registres. **2.** *Conséquent* = considérable. *Un salaire conséquent.* Emploi courant dans l'expression relâchée. **RECOMM.** Dans l'expression soignée, préférer les équivalents *élevé, important, notable.*

conserve n.f. ◆ **Orth.** *Mettre en conserve, boîtes de conserve* : le mot *conserve* reste au singulier. ◆ **Accord.** *Conserve de :* le complément est au singulier ou au pluriel, selon le sens.

Une conserve de thon, de viande (on achète du thon, de la viande). *Une conserve de sardines, de légumes* (on achète des sardines, des légumes). ◆ **Emploi.** *De conserve / de concert* loc. adv. → **concert**

considérer v.t. ◆ **Conjug.** Attention à l'accent, tantôt grave, tantôt aigu : *je considère, nous considérons ; il considéra.* → annexe, tableau 11 et R.O. 1990. ◆ **Constr.** *Considérer comme* (+ adjectif ou nom) : *il est en général considéré comme sérieux ; on le considère comme un bon spécialiste.* REM. La construction est différente de celle de verbes de sens analogue, comme *juger, estimer, tenir* (tenir pour) : *je le juge bon spécialiste.* ◆ **Accord.** *Considérer comme tel. Tel* s'accorde avec le complément : *ce ne sont pas ses filles, mais elle les considère comme telles.*

consister v.t.ind. ◆ **Constr. 1.** *Consister en* (+ nom) : *le mobilier consiste en un lit et une armoire.* **2.** *Consister dans* (+ nom) : « *le bonheur consiste [...] dans l'exercice de nos facultés appliquées à des réalités* » (H. de Balzac). Cette construction est littéraire et légèrement veillie. **3.** *Consister à* (+ infinitif) : *son travail consiste à accueillir les clients.* REM. La construction *consister à* (+ nom) est sortie de l'usage.

consœur n.f. → **confrère**

consommer v.t. / **consumer** v.t. ◆ **Orth.** *Consommer,* avec deux *m ; consumer,* avec un seul *m.*

consonance n.f. ◆ **Orth.** Avec un seul *n,* comme *consonant, assonance, résonance, dissonance* et contrairement à *consonne.*

consonnes (genre des ~) → annexe, grammaire § 36

conspirer v.i. ◆ **Constr. I.** *Conspirer pour* (+ infinitif) ou *conspirer contre* (+

nom) = organiser une conspiration, un complot. *Ils conspiraient pour renverser le pouvoir* ou *contre le pouvoir.* Ces deux constructions sont les plus courantes aujourd'hui. **2.** *Conspirer à* = concourir à. « *Tout m'afflige et me nuit, et conspire à me nuire* » (Racine). Tour littéraire et veilli. **3.** *Conspirer qqch* = préparer, organiser : « *Voilà contre un ingrat tout ce que je cons-pire* » (Corneille). « *Heureux de conspirer une surprise pour notre chérie* » (H. de Balzac). Tour littéraire et vieilli.

constitué, e adj. ◆ **Constr.** *Constitué de, par : un nid constitué de brindilles, par des brindilles.*

constitutionnel, elle adj. ◆ **Orth.** Avec deux *n* (on a *constitution / constitutionnel* comme on a *addition / additionnel, confession / confessionnel,* etc.). De même : *constitutionnalisme, constitutionnaliste, constitutionnaliser* (à la différence de *traditionalisme*).

constructeur, trice adj. et n. / **constructif, ive** adj. ◆ **Sens.** Ne pas confondre ces deux mots. **1.** *Constructeur, trice* adj. et n. = qui construit, en parlant d'un être vivant (humain, animal). *Le castor est un animal constructeur.* **2.** *Constructif, ive* adj. = qui tend à construire, à édifier plutôt qu'à détruire ou à nier ; positif. *Une attitude, une pensée constructive.* **REM.** *Constructeur* marque la réalité d'une action, *constructif* une capacité ou une tendance.

construire v.t. ◆ **Conjug.** → annexe, tableau 78

consubstantiel, elle adj. ◆ **Orth.** Avec un *t,* comme *consubstantiation* (on a *substance / consubstantiel,* comme on a *existence / existentiel, essence / essentiel,* etc. ; mais on écrit *circonstanciel*).

consumérisme n.m. ◆ **Anglicisme.** Calque de l'anglais *consumerism,*

défense du consommateur. **REM.** Par le sens, *consumérisme* se rattache à la famille de *consommer* et non à celle de *consumer,* contrairement à ce que sa forme (un seul *m*) peut laisser penser.

contacter v.t. ◆ **Anglicisme.** Calque de l'anglais *to contact,* entrer en relation avec. Fréquent dans le registre familier. **RECOMM.** Dans l'expression soignée, préférer les équivalents *prendre contact avec, entrer en rapport* ou *en relation avec, rencontrer.*

container n.m. ◆ **Prononc.** [kɔ̃tɛnœʀ], *contai-* comme dans *il contait* et *-nère* comme pour rimer avec *caténaire.* ◆ **Anglicisme.** Caisse de dimensions normalisées pour le transport des marchandises. **RECOMM. OFF.** : *conteneur* n.m.

contenir v.t. et v.pr. ◆ **Conjug.** → annexe, tableau 78

content, e adj. ◆ **Constr.** *Être content que* (+ subjonctif) : *je suis content qu'elle réussisse.*

contestable adj. 4. ◆ **Constr.** *Il est contestable, il n'est pas contestable que :* se construit comme *contester* → **contester**

contestation n.f. / **conteste** n.f. ◆ **Genre.** Féminin. ◆ **Emploi.** Ne pas confondre les deux locutions de sens proche *sans conteste* et *sans contestation.* **1.** *Sans conteste* = sans discussion possible ; incontestablement. *Cette loi est sans conteste nécessaire.* **2.** *Sans contestation* = sans opposition ni réclamation. *La loi a été votée sans contestation.* Mais la locution *sans contestation* est synonyme de *sans conteste* si elle est suivie de l'adjectif *possible : cette loi est nécessaire, sans contestation possible.*

contester v.t. ◆ **Constr. 1.** *Contester que* (+ subjonctif) : *je conteste qu'il soit venu à cinq heures.* **2.** *Ne pas contester que* (+ subjonctif) : *je ne conteste pas que cela soit possible* ou *que cela ne soit possible* (= mais je n'en suis pas certain). Dans l'expression soignée, le *ne* explétif est conseillé, sauf s'il est question d'un fait certain : *je ne conteste pas que cela soit arrivé* (= je sais que c'est arrivé réellement). **3.** *Ne pas contester que* (+ indicatif) : *je ne conteste pas qu'il était là* (= le fait est réel, certain). Jamais de *ne* explétif. **4.** *Ne pas contester que* (+ conditionnel) : *je ne conteste pas qu'il aurait pu se trouver là* (= le fait aurait pu éventuellement se produire). Jamais de *ne* explétif.

contigu, uë adj. ◆ **Prononc.** [kõtigy], le *u* final se prononce quels que soient le genre et le nombre. ◆ **Orth.** Au féminin, attention au tréma sur le *e* : *la pièce contiguë au bureau, des pièces contiguës.* → R.O. 1990

contiguïté n.f. ◆ **Orth.** Avec un tréma sur le *i.* → R.O. 1990

continuer v.i. ◆ **Constr.** *Continuer à / de.* Une nuance de sens sépare ces deux constructions. **1.** *Continuer à* se dit lorsque l'action commencée se prolonge ou que l'état précédent persiste : *ils ont continué à parler sans plus s'occuper de moi.* **2.** *Continuer de* se dit pour insister sur l'absence d'interruption dans une action ou sur la permanence d'un état pendant une période donnée : *ils ont continué de l'aider jusqu'à la fin de leur vie.* REM. Cette nuance n'est guère perceptible qu'à l'écrit et dans le registre soutenu. À l'oral et dans le registre courant, c'est surtout l'oreille qui guide le choix de la préposition. Ainsi dit-on plutôt *je continue d'avancer,* pour éviter le hiatus *à avancer,* mais *je continue à demander,* pour éviter le redoublement *de demander.*

continuité n.f. ◆ **Sens.** *Solution de continuité* → solution

continûment adv. ◆ **Orth.** Avec un accent circonflexe sur le *u* comme dans *assidûment, congrûment, dûment.* → R.O. 1990.

contondant, ante adj. ◆ **Sens.** Qui meurtrit par écrasement, sans percer ni couper ; qui cause ou peut causer des contusions. *Une matraque, un coup-de-poing, un marteau sont des instruments contondants* (mais non un pic à glace, un rasoir, un couteau, une hache).

contraindre v.t. ◆ **Conjug.** Attention à l'alternance -*n*- / -*gn*- : *je contrains* mais *nous contraignons.* Prendre garde également au *i* après -*gn*- aux première et deuxième personnes du pluriel, à l'indicatif imparfait et au subjonctif présent : *(que) nous contraignions, (que) vous contraigniez.* → annexe, tableau 62. ◆ **Constr. 1.** *Contraindre qqn à* ou *de* (+ infinitif), *à* (+ nom) : *on l'a contraint à démisssionner, de démisssionner, à la démission.* Ces constructions sont correctes. Devant un infinitif, la construction avec *à* est plus fréquente que la contruction avec *de.* REM. La forme pronominale *se contraindre à* est fréquente : *se contraindre à la patience, à être patient.* **2.** *Être contraint de* (+ infinitif), *à* (+ nom) : *je suis contraint de garder le silence ; je suis contraint au silence par le secret professionnel.*

contraint loc. adj. ◆ **Emploi.** *Contraint et forcé :* cette locution qui fait pléonasme est admise par l'usage.

contralto n.m. ou n.f. ◆ **Orth.** → contre-. ◆ **Emploi. 1.** *Un contralto* n. m. = une voix de contralto. *Elle a un contralto chaud et moelleux.* **2.** *Un* ou *une contralto* n. = une chanteuse qui a une voix de contralto.

contre

contrarier v.t. ◆ **Conjug.** Attention au redoublement du *i* aux première et deuxième personnes du pluriel, à l'indicatif imparfait et au subjonctif présent : *(que) nous contrariions, (que) vous contrariiez.* → annexe, tableau 5

contravention n.f. ◆ **Sens et emploi.** Infraction légère, passible du tribunal de police. ❑ Procès-verbal constatant une contravention. *Trouver une contravention sous l'essuie-glace de sa voiture.* **RECOMM.** Cet emploi, fréquent dans la langue courante, est abusif en droit. Dans l'expression soignée, préférer *procès-verbal.*

contravis n.m. ◆ **Orth.** → contre

1. contre prép. ◆ **Orth.** Le *e* final ne s'élide jamais : *contre eux, contre elles.* ◆ **Emploi.** *Contre* en emploi adverbial : *la borne dépasse du mur, son pied a tapé contre ; tout le monde est pour ce projet, mais moi, je suis contre.* Emploi fréquent et correct. **2.** *Là contre, ci-contre* loc. adv. :

je n'ai rien à objecter là contre ; se reporter au tableau ci-contre. Emplois fréquents et corrects (noter que *là contre* s'écrit sans trait d'union, mais que *ci-contre,* en prend un). **3.** *Laisser, pousser la porte contre* = contre le chambranle. *Ne ferme pas la porte, laisse-la contre.* Emploi correct, fréquent en Belgique et dans les régions françaises limitrophes, plus rare dans le reste de la France. ◆ **Registre.** *Par contre* loc. adv. = au contraire. Naguère critiqué, *par contre* est désormais admis dans le registre courant. **RECOMM.** Dans l'expression soignée, en particulier à l'écrit, préférer *en revanche, au contraire, du moins,* en fonction du contexte.

2. contre n.m. ◆ **Registre.** *Le pour et le contre* = le bon et le mauvais, les avantages et les inconvénients. Registre familier.

contre- élément de composition ◆ **Orth.** Mots composés avec *contre-* La composition avec *contre-* ne suit pas

Composés de *contre-* écrits en un seul mot		
contralto n.	*contredit (sans)* loc. adv.	*contreplaquer* v.t.
contravis n.m.	*contrefaçon* n.f.	*contrepoids* n.m.
contrebalancer v.t.	*contrefacteur, trice* n.	*contrepoint* n.m.
contrebande n.f.	*contrefaire* v.t.	*contrepointiste* n.
contrebandier, ère n.	*contrefait, e* adj.	*contrepoison* n.m.
contrebas (en) loc. adv.	*contrefiche* n.f.	*contrescarpe* n.f.
contrebasse n.f.	*contreficher (se)* v.pr.	*contreseing* n.m.
contrebassiste n.	*contrefort* n.m.	*contresens* n.m.
contrebasson n.m.	*contrefoutre (se)* v.pr.	*contresignataire* adj. et n.
contrebatterie n.f.	*contremaître, esse* n.	*contresigner* v.t.
contrebutement n.m.	*contremandement* n.m.	*contretemps* n.m.
contrebuter v.t.	*contremander* v.t.	*contretype* n.m.
contrecarrer v.t.	*contremarche* n.f.	*contretyper* v.t.
contrechamp n.m.	*contremarque* n.f.	*contrevallation* n.f.
contreclef n.f.	*contremarquer* v.t	*contrevenant, ante* n.
contrecœur n.m.	*contrepartie* n.f.	*contrevenir* v.t.ind.
contrecœur (à) loc. adv.	*contrepartiste* n.	*contrevent* n.m.
contrecollé, e adj.	*contrepet* n.m.	*contreventement* n.m.
contrecoup n.m.	*contrepèterie* n.f.	*contreventer* n.m.
contredanse n.f.	*contreplacage* n.m.	*contrevérité* n.f.
contredire v.t.	*contreplaqué* n.m.	*contrordre* n.m.

133

de règle stricte. Beaucoup de composés s'écrivent avec un trait d'union. C'est le cas, en particulier, lorsque le second élément commence par une voyelle (sauf pour *contralto, contravis, contrescarpe* et *contrordre* où le *e* final de *contre* disparaît). Les créations libres, occasionnelles, prennent toujours le trait d'union. On trouvera dans le tableau page précédente la liste des composés de *contre-* qui s'écrivent en un seul mot. ◆ **Genre.** Les noms composés prennent le genre du deuxième élément. ◆ **Accord.** Dans les noms composés, seul le deuxième élément prend la marque du pluriel : *des contre-attaques.* → R.O. 1990. ◆ **Sens.** *Contre-* marque l'opposition ou l'antagonisme *(contre-attaque, contre-espionnage, contre-manifestation, contre-offensive, contre-pouvoir)*, la direction contraire, l'inversion de sens *(contre-braquer, contre-courant, contre-courbe, contre-jour, contre-pied)*, la contradiction *(contre-indication, contre-performance, contre-vérité)*, la proximité, le redoublement *(contre-amiral, contre-appel, contre-enquête, contre-épreuve)*.

contrebalancer v.t. et v.pr. ◆ **Conjug.** Le *c* devient *ç* devant *o* et *a* : *je contrebalance, nous contrebalançons ; il contrebalança.* → annexe, tableau 9

contrechamp n.m. / **contre-chant** n.m. ◆ **Orth. et sens.** Ne pas confondre *contrechamp*, écrit en un mot sans trait d'union, et *contre-chant*, écrit en deux mots séparés par un trait d'union. 1. *Contrechamp* = prise de vue effectuée dans la direction opposée à la direction précédente, au cinéma. 2. *Contre-chant* = mélodie qui se superpose au thème principal et qui l'accompagne, en musique.

contredire v.t. ◆ **Conjug.** Attention à la deuxième personne du pluriel à

l'indicatif présent : *vous contredisez,* comme *vous médisez* et *vous prédisez* → annexe, tableau 83

contrefaire v.t. ◆ **Conjug.** Comme *faire : nous contrefaisons, vous contrefaites.* → annexe, tableau 89

contre-indication n.f. ◆ **Orth.** Plur. : *des contre-indications.* ◆ **Constr.** *Contre-indication à :* une contre-indication à un médicament.

contrer v.i. et v.t. ◆ **Sens et registre.** 1. *Contrer* v.i. = faire un contre, à certains jeux de cartes. Emploi technique correct. 2. *Contrer* v.t. = s'opposer efficacement à. *Contrer une menace, un adversaire.* Emploi admis dans l'expression courante. **RECOMM.** Dans l'expression soignée, en particulier à l'écrit, préférer les équivalents *s'opposer à, se prémunir contre, se préserver de, pourvoir à, riposter à, tenir en échec,* etc.

contrescarpe n.f. → contre-

contrevenir v.t.ind. ◆ **Conjug.** Comme *venir.* → annexe, tableau 28

contribuer v.t.ind. ◆ **Constr.** *Contribuer à :* la lecture contribue à enrichir l'imagination ; il a contribué de ses deniers au projet ; j'ai contribué pour moitié à la dépense.

contrôler v.t. ◆ **Anglicisme.** Au sens de « dominer, maîtriser », calque de l'anglais *to control.* **RECOMM.** Cet emploi aujourd'hui très fréquent est admis dans le registre courant. Dans l'expression soignée, en particulier à l'écrit, préférer *dominer, maîtriser.* De même, préférer *conserver la maîtrise de* à *garder le contrôle de.*

contrordre n.m. ◆ **Orth.** → contre-

controuvé, e adj. / **controversé, e** adj. ◆ **Sens.** Ne pas confondre ces deux adjectifs. **1.** *Controuvé, e* = inventé de toutes pièces. *Une anecdote controuvée.* Registre soutenu. **2.** *Controversé, e* = discuté, contesté. *Une question controversée.*

contumace n.f. / **contumace, contumax** adj. et n. ♦ **Genre.** Féminin pour le nom. ♦ **Sens et emploi. 1.** *Contumace* n.f. = non-comparution d'un prévenu devant le tribunal. *Être condamné par contumace.* **1.** *Contumace* ou *contumax* adj. et n. = qui est en état de contumace ; personne en état de contumace. *Le dénommé X, contumace, s'est vu infliger la peine maximale prévue par la loi*

conurbation n.f. → mégapole

convaincant, e adj. / **convainquant** part. présent ♦ **Orth.** Distinguer l'adjectif et le participe. **1.** *Convaincant, e* adj. Avec un *c* ; s'accorde en genre et en nombre *: un argument convaincant ; des raisons convaincantes.* **2.** *Convainquant* part. présent. Avec *-qu-* ; reste invariable : *ces arguments les convainquant enfin, ils ont accepté un compromis.* → annexe, grammaire § 57, 58

convaincre v.t. ♦ **Conjug.** Attention à l'alternance *-c- / -qu-* et au *-cs-* final à la première personne de l'indicatif présent : *je convaincs, il convainc,* mais *nous convainquons.* → annexe, tableau 94.

convainquant part. présent → convaincant

convenir v.t.ind.
♦ **Conjug.**
1. *Convenir* se conjugue comme *venir.* Attention au passé simple : *je convins, nous convînmes.* → annexe, tableau 28.
2. Choix de l'auxiliaire. ❑ *Convenir de* = tomber d'accord ou avouer, se conjugue : ❑ Avec l'auxiliaire *avoir* dans

le registre courant : *ils ont convenu d'un jour pour se rencontrer ; il a convenu de son erreur.* ❑ Avec l'auxiliaire *être* dans l'expression soignée : *ils sont convenus d'un jour pour se rencontrer ; il est convenu de son erreur.* ❑ *Convenir à* = être adapté à, agréer à, se conjugue toujours avec l'auxiliaire *avoir* : *le climat n'aurait pas convenu à sa santé ; l'appartement nous a convenu, nous l'avons acheté.*
♦ **Constr. et sens.**
1. *Convenir que* (+ indicatif), *convenir* (+ infinitif passé), *convenir de* (+ nom ou infinitif) = reconnaître. *Il convient qu'il a commis une erreur, il convient avoir commis une erreur, il convient de son erreur.*
2. *Convenir que* (+ indicatif ou conditionnel), *convenir de* (+ nom ou infinitif) = se mettre d'accord. *Ils conviennent qu'ils se rencontreront ; ils convinrent qu'ils se rencontreraient chaque fois qu'il le faudrait. Ils conviennent de se rencontrer prochainement, d'une prochaine rencontre.* REM. La construction *convenir que* (+ subjonctif) est littéraire et vieillie : « *Ils convinrent que cela fût fait* » (Littré). ❑ *Il est convenu que* (+ indicatif ou conditionnel) = il a été décidé d'un commun accord que. *Il est convenu que je ne vous dois rien ; il était convenu que je ne vous devrais rien dans ce cas.*
3. *Il convient que* (+ subjonctif) = il est souhaitable que (tour impersonnel). *Il convient que vous cessiez d'être en retard.* REM. Cette tournure est souvent employée comme un équivalent adouci de « il faut que ».
♦ **Registre.** *Comme convenu* est aujourd'hui admis dans la langue courante. RECOMM. Dans l'expression soignée, préférer *comme il est convenu, comme il a été convenu.*

convention adj. ♦ **Anglicisme.** Au sens de « congrès », calque de l'anglais *convention.* RECOMM. Préférer les équivalents français *congrès, conférence, colloque, réunion, table ronde.*

conventionnel, elle adj. ◆ **Orth.** Avec deux *n*. (on a *convention / conventionnel* comme on a *addition / additionnel, profession / professionnel,* etc.). De même : *conventionnellement.* ◆ **Anglicisme.** *Armes conventionnelles =* armes non nucléaires. **RECOMM.** Dans l'expression soignée, préférer *armes classiques, armes traditionnelles.*

convergeant part. présent / **convergent, e** adj. ◆ **Orth.** Distinguer le participe et l'adjectif. **1.** *Convergeant* part. présent. Finale en *-eant* ; reste invariable : *leurs vues convergeant, ils ont signé l'accord.* **2.** *Convergent, e* adj. Finale en *-ent* ; s'accorde en genre et en nombre : *une lentille convergente ; des verres convergents.*

converger v.i. ◆ **Conjug.** Le *g* devient *-ge-* devant *a* et *o* : *je converge, nous convergeons ; il convergea.* → annexe, tableau 10

convier v.t. ◆ **Conjug.** Attention au redoublement du *i* aux première et deuxième personnes du pluriel, à l'indicatif imparfait et au subjonctif présent : *(que) nous conviions, (que) vous conviiez.* → annexe, tableau 5. ◆ **Constr.** *Convier à : êtes-vous convié à la noce ?* ◆ **Registre.** Soutenu. Dans le registre courant, on dit plutôt *inviter.*

convoiement n.m. ◆ **Orth.** Avec un *e* muet intérieur. *Convoiement* correspond à *convoyer,* verbe du 1er groupe (comme *aboiement* correspond à *aboyer* → **aboiement**)

convoler v.i. ◆ **Emploi.** *Convoler =* se marier. N'est plus employé que par plaisanterie, notamment dans l'expression *convoler en justes noces.*

convoyer v.t. ◆ **Conjug.** Attention, *y* devient *i* devant *e* muet : *je convoie, je convoierai* mais *je convoyais, nous*

convoyons. - Bien noter le *i* après le *y* aux première et deuxième personnes du pluriel, à l'indicatif imparfait et au subjonctif présent : *(que) nous convoyions, (que) vous convoyiez.* → annexe, tableau 7

cool adj. inv. ◆ **Anglicisme.** Détendu, à l'aise, décontracté. ◆ **Orth.** Toujours invariable : *elle est très cool.* ◆ **Registre.** Familier.

coopérative n.f. ◆ **Prononc.** Deux prononciations possibles : [kɔɔperativ], en séparant les deux *o* (*ko-o*), comme dans *coopérative* et ses dérivés, ou [kɔperativ], avec un seul *o,* comme *copain.* Cette dernière prononciation est la plus courante.

coopérer v.t.ind. ◆ **Prononc.** [kɔɔpeRe], en séparant les deux *o* (*ko-o*) comme pour les dérivés *coopérant, coopération* et *coopératif. Coopérative,* dans la même famille, est à part (v. ci-dessus). ◆ **Conjug.** Attention à l'accent, tantôt grave, tantôt aigu : *je coopère, nous coopérons, il coopéra.* → annexe, tableau 11 et R.O. 1990

coopter v.t. ◆ **Prononc.** [kɔɔpte], en séparant bien les deux *o* (*ko-o*).

coordinateur, trice n. / **coordonnateur, trice** adj. et n. ◆ **Orth.** Un seul *n* à *coordinateur* (comme *coordination*), mais deux *n* à *coordonnateur* (comme *coordonner*). ◆ **Emploi.** Les deux formes sont correctes. *Coordinateur* est d'emploi courant alors que *coordonnateur* est d'usage administratif ou technique.

coordonner v.t. ◆ **Prononc.** [kɔɔRdɔne], en séparant bien les deux premiers *o.* ◆ **Orth.** Avec deux *n.*

copain, copine n. ◆ **Genre.** Attention au féminin : *une copine.* ◆ **Registre.** *Copine,* très employé aujourd'hui dans la langue courante, est familier ; il était considéré naguère comme populaire. **RECOMM.** Dans l'expression soignée, préférer *camarade, amie* pour désigner une personne avec qui la relation est de nature amicale et *bonne amie* ou *compagne* pour désigner une personne avec qui la relation est de nature amoureuse.

copier v.t. ◆ **Conjug.** Attention aux deux *i* à l'imparfait et au subjonctif présent : *(que) nous copiions, (que) vous copiiez.* → annexe, tableau 5

copilote n. ◆ **Orth.** Sans trait d'union.

coprah, copra n.m.◆ **Orth.** Les deux orthographes sont correctes. La forme avec *h (coprah)* est plus usuelle.

coprésident, e n. ◆ **Orth.** Sans trait d'union. De même pour *coprésidence.*

coproduction n.f. ◆ **Orth.** Sans trait d'union.

copropriétaire n. ◆ **Orth.** Sans trait d'union. De même pour *copropriété.*

copyright n.m. ◆ **Prononc.** [kɔpiʀajt], avec le groupe *-igh-* prononcé comme le mot *ail.* ◆ **Orth.** Plur. : *des copyrights.*

coq-à-l'âne n.m. inv. ◆ **Orth.** Avec deux traits d'union. - Plur. : *des coq-à-l'âne* (sans *s*). On écrit avec un trait d'union *faire un coq-à-l'âne,* mais sans trait d'union *passer du coq à l'âne.*

coquille n.f. ◆ **Emploi.** *Coquille d'huître* est aujourd'hui admis. **REM.** 1. *Écaille d'huître,* seul admis naguère, est aujourd'hui vieilli. 2. *Écaille* s'est conservé dans le dérivé *écailler, ère* (= personne dont le métier est d'ouvrir les huîtres, dans un restaurant).

coquillier, ère adj. ◆ **Orth.** Attention au groupe *-illi- (coqu-i-ll-i-er).*

cor n.m. ◆ **Orth.** *À cor et à cri.* Toujours au singulier. Attention à l'orthographe de *cor* (il s'agit du cor, de la trompe, et non du corps humain ; dans un sens voisin, on dit *à grand son de trompe*).

corail n.m. ◆ **Orth.** Plur. : *des coraux.*

corbeille-d'argent n.f. ◆ **Orth.** Avec un trait d'union. - Plur. : *des corbeilles-d'argent* (avec *s* à *corbeille*).

cordillère n.f. ◆ **Prononc.** [kɔʀdijɛʀ], en prononçant les deux *l* comme dans *fille* (et non *l* comme dans *filière*). ◆ **Orth.** Attention au groupe *-illè-* (il n'y a qu'un *i*).

cordon-bleu n.m. ◆ **Orth.** Avec un trait d'union. - Plur. : *des cordons-bleus* (avec *s* à chaque mot).

coreligionnaire n. ◆ **Orth.** En un seul mot, avec un seul *r* et deux *n.*

coriandre n.f. ◆ **Genre.** Féminin : *la coriandre.* **RECOMM.** Éviter l'emploi du mot au masculin, très fréquent aujourd'hui.

corneille n.f. ◆ **Emploi.** *Bayer aux corneilles.* → bayer

corollaire n.m. ◆ **Orth.** Avec un seul *r* et deux *l.* ◆ **Genre.** Masculin : *un corollaire.*

corolle n.f. ◆ **Orth.** Avec un seul *r* et deux *l.* → R.O. 1990

corps n.m. ◆ **Prononc.** On ne fait jamais la liaison avec le *s* final sauf dans les locutions *corps et biens* [kɔʀzebjɛ̃] et *corps et âmes* [kɔʀzeɑm]. ◆ **Orth.** Locution avec *corps.* 1. On écrit avec trait d'union : *à bras-le-corps, à mi-corps ; un corps-à-corps.* 2. On écrit sans trait d'union : *à corps perdu, à son corps défendant, corps et biens ; combattre corps à* *corps.* **3.** On écrit *un corps de bâtiment, un corps de métier, un corps d'armée* (compléments au singulier) mais *un corps de troupes* (avec *troupe* au pluriel).

corps-mort n.m. ♦ **Orth.** Avec un trait d'union. - Plur. : *des corps-morts* (avec *s* à chaque mot).

corral n.m. ♦ **Orth.** Plur. : *des corrals.*

corrélatif, ive adj. ♦ **Orth.** Avec deux *r* et avec *é* (alors qu'on écrit *relatif*). ♦ **Constr.** *Corrélatif à, de :* les *spéculations corrélatives à la modification des taux de change ; les symptômes corrélatifs de cette phase de la maladie.*

corrélation n.f. ♦ **Orth.** Avec deux *r*. ♦ **Constr.** *Corrélation entre, avec :* il y a *une corrélation entre l'augmentation de la température et la dilatation du métal ; la dilatation du métal est en corrélation avec la température.*

correspondre v.i. et v.t.ind. ♦ **Conjug.** Comme *pondre.* → annexe, tableau 59

corrida n.f. ♦ **Orth.** Avec deux *r*. - Au pluriel : *des corridas.*

corriger v.t. et v.pr. ♦ **Conjug.** Le *g* devient *-ge-* devant *a* et *o* : *je corrige, nous corrigeons ; il corrigea.* → annexe, tableau 10

corrompre v.t. ♦ **Conjug.** Comme *rompre.* → annexe, tableau 60

corroyer v.t. ♦ **Conjug.** Attention, *y* devient *i* devant *e* muet : *je corroie, je corroierai* mais *je corroyais, nous corroyons.* - Bien noter le *i* après le *y* aux première et deuxième personnes du pluriel, à l'indicatif imparfait et au subjonctif présent : *(que) nous corroyions, (que) vous corroyiez.* → annexe, tableau 7

corsaire n.m. / **pirate** n.m. ♦ **Sens.** Ne pas confondre ces deux mots

souvent employés l'un pour l'autre. **1.** *Corsaire* n.m. = capitaine ou marin d'un navire n'appartenant pas à la marine de guerre, mais habilité par son gouvernement à capturer des bâtiments ennemis (XVᵉ - XIXᵉ s.) ; un tel navire. **2.** *Pirate* n.m. = bandit qui parcourt les mers pour se livrer au pillage. **REM.** Un corsaire agissait en vertu de *lettres de course* délivrées par son gouvernement. Véritable entrepreneur en guerre maritime, il jouissait en France de la considération publique, à l'égal au moins des autres capitaines ou armateurs. S'il était pris, il était traité comme un prisonnier, avec les égards dus à un commandant de navire. Le pirate, qui se livrait à des exactions aussi bien en temps de paix qu'en temps de guerre, n'était qu'un malfaiteur et il était traité comme tel s'il était capturé.

corseter v.t. ♦ **Conjug.** Attention à l'alternance *e/è* : *corseter ; je corsète, il corsète,* mais *nous corsetons ; il corsètera ; qu'il corsète* mais *que nous corsetions ; corseté.* → annexe, tableau 12

coryphée n.m. ♦ **Genre.** Masculin : *un coryphée.* Mot masculin à finale en -*ée,* comme *apogée, camée, lycée,* etc.

cosmonaute n ♦ **Emploi.** *Cosmonaute / astronaute / spationaute* → **astronaute**

cosy ou **cosy-corner** n.m. ♦ **Orth.** Plusieurs possibilités au pluriel : *des cosys* (à la française), *des cosies* (à l'anglaise) ; *des cosy-corners* (avec *s* à *corner*).

cote n.f. / **côte** n.f. ♦ **Orth. et prononc.** Ne pas confondre ces deux mots. **1.** *Cote,* sans accent (prononcé avec *o* ouvert comme dans *flotte*) = marque distinctive *(la cote d'un livre, dans une bibliothèque)* ; indication chiffrée *(la tolérance pour ces cotes est de l'ordre du* *dixième de millimètre).* **2.** *Côte,* avec un accent circonflexe (prononcé avec *o* fermé comme dans *flot)* = pente *(monter une côte)* ; rivage de la mer *(une côte rocheuse et inhospitalière)* ; chacun des os du thorax *(se casser une côte).*

côte n.f. ◆ **Orth.** Toujours avec une majuscule : *la Côte d'Amour, la Côte d'Argent, la Côte d'Azur* (ou, absolument, *la Côte), la Côte d'Émeraude, la Côte-d'Ivoire* (pays), *la Côte d'Opale, la Côte d'Or* (ligne de hauteurs), sans trait d'union, mais *la Côte-d'Or* (département) avec trait d'union. ◆ **Emploi.** *Plates côtes / plat de côtes.* → plat

côté n.m. ◆ **Orth.** *Au côté de / aux côtés de.* On peut dire *être au côté de qqn* (avec *côté* au singulier) ou *être aux côtés de qqn* (avec *côté* au pluriel). Au sens figuré *(s'engager aux côtés de la France libre),* le pluriel est plus fréquent. ❏ *De tout côté / de tous côtés / de tous les côtés.* Les trois sont admis. *De tous les côtés* est plus usuel, *de tout côté* (au singulier) plus soutenu. ❏ *Chacun de son côté / chacun de leur côté.*→ chacun. ❏ *À côté / à-côté.* → à-côté. ◆ **Registre.** *Côté* employé comme préposition. *Côté travail, tout va bien* = en ce qui concerne le travail. Emploi familier.

coteau n.m. ◆ **Orth.** Sans accent circonflexe, en dépit de son origine (vient de *côte).*

côtes-du-rhône n.m. inv. ◆ **Orth.** *Un côtes-du-rhône, des côtes-du-rhône :* un vin, des vins des côtes du Rhône.

cotillon n.m. ◆ **Orth.** Avec un seul *t,* en dépit de son origine (vient de *cotte).*

côtoiement n.m. ◆ **Orth.** Avec un *e* muet intérieur. *Côtoiement* correspond à *côtoyer,* verbe du 1er groupe (comme *aboiement* correspond à *aboyer* → **aboiement**)

coton-poudre n.m. ◆ **Orth.** Plur. : *des cotons-poudres* (avec s à chaque élément).

Coton-Tige n.m. ◆ **Orth.** Avec deux majuscules (nom déposé). - Plur. : *des Cotons-Tiges* (avec s à chaque élément).

côtoyer v.t. ◆ **Orth.** Avec un accent circonflexe. ◆ **Conjug.** Attention, *y* devient *i* devant *e* muet : *je côtoie, je côtoierai* mais *je côtoyais, nous côtoyons.* - Bien noter le *i* après le *y* à l'indicatif imparfait et au subjonctif présent : *(que) nous côtoyions, (que) vous côtoyiez.* → annexe, tableau 7

cotte n.f. ◆ **Orth.** *Cotte de mailles.* Sans trait d'union et avec s à *maille.*

couche n.f. ◆ **Orth.** Toujours au pluriel au sens de « état d'une femme qui accouche ou qui vient d'accoucher » : *être en couches, relever de couches, retour de couches.*

couche-culotte n.f. ◆ **Orth.** Plur. : *des couches-culottes* (avec s à chaque élément).

couche-tard n. inv. ◆ **Orth.** Plur. : *des couche-tard* (sans s).

couche-tôt n. inv. ◆ **Orth.** Plur. : *des couche-tôt* (sans s).

couci-couça adv. ◆ **Orth.** Avec un trait d'union.

coude n.m. ◆ **Orth.** *Coude à coude* loc. adv. = côte à côte, tout près. *Ils travaillent coude à coude* Sans trait d'union et toujours au singulier. Mais on écrit *un coude-à-coude* n.m., avec deux traits d'union : *ils sont au coude-à-coude.*

cou-de-pied n.m. ◆ **Orth.** Attention à l'orthographe de *cou* (pas de *p*), au trait d'union et au pluriel : *des cous-de-pied* (avec *s* à *cou* uniquement). ◆ **Sens.** Ne pas confondre le *cou-de-pied* (= partie antérieure de la cheville) avec un *coup de pied,* un coup donné avec le pied.

coudoiement n.m. ◆ **Orth.** Avec un *e* muet intérieur. *Coudoiement* correspond à *coudoyer,* verbe du 1er groupe (comme *aboiement* correspond à *aboyer* → **aboiement**)

coudoyer v.t. ◆ **Conjug.** Attention, *y* devient *i* devant *e* muet : *je coudoie, je coudoierai* mais *je coudoyais, nous coudoyons.* - Bien noter le *i* après le *y* aux première et deuxième personnes du pluriel, à l'indicatif imparfait et au subjonctif présent : *(que) nous coudoyions, (que) vous coudoyiez.* → annexe, tableau 7

coudre v.t. ◆ **Conjug.** *Je couds ; je cousis ; je coudrai.* → annexe, tableau 66

couleur n.f. ◆ **Orth. 1.** *En couleurs.* Toujours au pluriel sauf dans la locution *haut en couleur : un film en couleurs, des photographies en couleurs, des illustrations en couleurs ; un récit haut en couleur.* **2.** *De couleur.* Toujours au singulier : *un homme de couleur ; des vêtements de couleur ; des taches de couleur.* **3.** En emploi épithète. ❑ *Couleur* (= qui restitue la couleur) est toujours invariable : *des téléviseurs couleur.* ❑ *Couleur* (= qui est de la couleur de) est toujours invariable : *des tailleurs couleur fraise écrasée.*

couleur (accord des adjectifs de ~) → annexe, grammaire § 97, 98, 99

coulis n.m. ◆ **Orth.** *Coulis de* (+ nom de fruits). Le complément est toujours au pluriel : *coulis de fruits rouges, coulis de framboises, coulis de tomates.*

coulommiers n.m. ◆ **Orth.** Avec une minuscule pour le fromage : *un morceau de coulommiers* (mais *du fromage de Coulommiers,* produit à Coulommiers ou dans sa région). Attention au *s* final.

coup n.m. ◆ **Orth.** Locutions avec *coup.* **1.** S'écrivent sans trait d'union : *tout à coup, tout d'un coup, sur le coup, après coup, au coup par coup, un coup d'œil* (plur. : *des coups d'œil), un coup de main* (plur. : *des coups de main).* **2.** *À tout coup / à tous coups.* Les deux graphies sont admises. **3.** *À coups de* (+ nom au singulier) : *à coups de pied, à coups de poing ; à coups de fusil ; chasser la poussière à grands coups de plumeau.* **4.** *Monter le coup à qqn* (= l'abuser, lui en faire accroire), avec un *p* à *coup* (penser à *c'est un coup monté ;* sans rapport avec *le cou,* partie du corps) : *il s'est assuré de la majorité en montant le coup à ses opposants ; il se monte le coup* (=il s'abuse lui-même, il s'exalte). REM. *Il se monte le coup* est parfois écrit *il se monte le cou* par confusion avec *il se monte la tête,* expression de sens voisin. ◆ **Emploi.** *Tout à coup / tout d'un coup. Tout d'un coup* signifie « en une seule fois » *(il a acquis plusieurs appartements tout d'un coup)* alors que *tout à coup* signifie « brusquement, soudain » *(tout à coup, il s'est levé pour mettre fin à l'entretien).* Aujourd'hui, on emploie indifféremment les deux expressions au sens de « soudain ». *Tout d'un coup* est plus courant, *tout à coup* plus soutenu.

coup-de-poing n.m. ◆ **Sens et orth.** *Coup-de-poing* = outil préhistorique ou arme de main (dite aussi *coup-de-poing américain*). Avec deux traits d'union, à la différence de *coup de poing,* coup donné avec le poing. - Plur. : *des coups-de-poing* (avec *s* à *coup*).

coupe n.f. ◆ **Sens. 1.** *Coupe claire / coupe sombre.* Ne pas confondre ces deux expressions. ❑ *Coupe claire* = coupe suffisamment forte pour que le sol reçoive beaucoup de lumière, en exploitation forestière. - Au figuré =

réduction importante (notamment d'un budget, d'un effectif). ❑ *Coupe sombre* = coupe portant seulement sur un petit nombre d'arbres et laissant un couvert suffisant pour assurer au sol une ombre complète. - Au figuré (abusif) = réduction importante. *Coupe sombre,* probablement à cause des valeurs négatives que prend souvent l'adjectif *sombre (de sombres prévisions, un avenir assez sombre,* etc.) est souvent employé à contresens pour *coupe claire.* **RECOMM.** Pour signifier « réduction sévère, restrictions radicales », employer *coupe claire : pratiquer des coupes claires dans le budget, dans l'effectif.* **2.** *Coupe réglée* = coupe prévue dans un plan d'aménagement forestier,

---

Graphies et pluriels des mots composés avec *coupe-*

Un coupe-chou ou *un coupe-choux, des coupe-choux.*

Un coupe-cigare ou *un coupe-cigares, des coupe-cigares.*

Un coupe-circuit, des coupe-circuits ou *des coupe-circuit.*

Un coupe-coupe, des coupe-coupe (inv.).

Un coupe-faim, des coupe-faim (inv.).

Un coupe-feu, des coupe-feu (inv.).

Un coupe-file, des coupe-files.

Un coupe-gorge, des coupe-gorge (inv.).

Un coupe-jambon, des coupe-jambon (inv.).

Un coupe-jarret, des coupe-jarrets

Un coupe-légumes (avec un *s* à *légume*), *des coupe-légumes*

Un coupe-ongles (avec un *s* à *ongle*), *des coupe-ongles.*

Un coupe-papier, des coupe-papiers ou *des coupe-papier.*

Un coupe-pâte, des coupe-pâte (inv.).

Un coupe-racine ou *un coupe-racines, des coupe-racines.*

Un coupe-vent, des coupe-vent (inv.).

---

consistant à enlever chaque année une portion déterminée de bois. ❑ *Mettre en coupe réglée* = au figuré, exploiter sans scrupule, de façon abusive (des ressources, des richesses, etc.).

coupe- élément de composition ♦ **Orth.** Composés avec *coupe-* (verbe *couper*). *Coupe-* reste invariable. V. tableau ci-contre et R.O. 1990.

couper v.t. ♦ **Accord.** *Elle s'est coupée / elle s'est coupé le doigt.* → annexe, grammaire § 110. ♦ **Registre.** *Couper quelqu'un* = l'interrompre, lui couper la parole. Familier. ❑ *Être coupé* = être arrêté dans une communication téléphonique par l'interruption de la ligne. *Je vous rappelle, nous avons été coupés.* Familier. ❑ *Se couper* = se contredire, se trahir. Familier.

coupe-racine, coupe-racines n.m. → **coupe-**

coupe-vent n.m. inv. → **coupe-**

couple n.f. / **couple** n.m. ♦ **Genre et registre. 1.** *Une couple de* = deux choses de même espèce considérées ensemble. *Une couple de pigeons rôtis* = deux pigeons, sans distinction de sexe ; *partir une couple d'heures.* Emploi littéraire et vieilli (on dit plutôt aujourd'hui : *une paire de pigeons rôtis ; une paire d'heures* ou *deux heures*). **2.** *Un couple de* (+ nom d'une espèce animale) : le mâle et la femelle. *Un couple de hamsters.* ♦ **Emploi et sens.** Les autres emplois de *couple* n.m. ne posent pas de difficulté particulière : *un jeune couple* (= un homme et une femme unis par le mariage ou par une liaison), *un couple de patineurs, un couple d'amis,* etc.

coupole n.f. ♦ **Emploi.** *Coupole / dôme.* Ces deux mots, synonymes dans leur emploi courant, ont dans le vocabulaire technique de l'architecture des sens distincts. **1.** *Coupole* = voûte en forme de vase retourné, de plan le plus souvent circulaire (sens technique). - Dôme (sens courant, abusif en architecture). **2.** *Dôme* = toit galbé, le plus souvent en forme de demi-sphère. REM. Pour les architectes, la *coupole* correspond à l'intérieur d'un toit en demi-sphère, *le dôme* à l'extérieur.

coupure des mots en fin de ligne → annexe, grammaire § 1

1. cour, Cour n.f. ◆ **Orth.** Avec une majuscule ou une minuscule selon l'emploi. ❑ Toujours avec majuscule : *la Cour de cassation, la Cour des comptes, la Haute Cour. Messieurs, la Cour !* ❑ Jamais de majuscule : *la cour d'appel, la cour d'assises, la cour de Louis XV.*

2. cour n.f. / **cours** n.m. / **court** n.m. ◆ **Orth. et sens.** Ne pas confondre *la cour* avec r (*la cour de la ferme, la cour du Roi*), *le cours* avec s (*le cours d'un fleuve, un cours d'histoire, le cours du dollar, le cours de la vie, un cours bordé d'arbres*) et *le court* avec t (*un court de tennis*).

courant, e adj. et prép. ◆ **Emploi. 1.** *Le cinq courant ; la fin courant* (c'est-à-dire « du mois courant » : *mois* est sous-entendu). Ces emplois sont admis dans la langue commerciale, en particulier dans la correspondance ; ils tendent à vieillir : on dit, on écrit plutôt aujourd'hui *de ce mois, du mois en cours.* RECOMM. Préférer : *le cinq du mois, de ce mois* et *la fin du mois, de ce mois.* **2.** *Courant février.* Emploi admis dans le registre courant. RECOMM. Dans l'expression soignée, préférer *dans le courant de février, du mois de février.*

courbaturé, e adj. / **courbatu, e** adj. ◆ **Orth.** Attention, avec un seul *t* (ne pas se laisser influencer par *battre*).

◆ **Emploi.** *Courbaturé* et *courbatu* signifient l'un et l'autre « qui souffre de courbatures ». ◆ **Registre.** *Courbaturé* est d'usage courant alors que *courbatu* est littéraire et légèrement vieilli. REM. *Courbaturé* a été créé au XIXe s. *Courbatu* (d'un verbe *courbattre,* aujourd'hui disparu) existe depuis le Moyen Âge.

courir v.i. et t. ◆ **Orth.** Avec un seul *r,* en dépit de l'étymologie (latin *currere*). - *Courir* est apparu assez tardivement en français. Au XIIIe s., on disait *courre. Courir* n'est apparu qu'un siècle plus tard, probablement par analogie avec les infinitifs des verbes en *-ir* (*mourir, finir,* etc.). Au XVIIe siècle, les deux formes étaient employées concurremment sauf dans certaines expressions où *courir* n'était pas admis. Aujourd'hui, *courre* n'est plus en usage que dans le vocabulaire de la chasse : *chasse à courre ; laisser courre les chiens, le laisser-courre* (sonnerie de trompe) ; *le courre du renard, du sanglier, du cerf.* ◆ **Conjug.** Attention au futur et au conditionnel : *je courrai* et *je courrais* (avec deux *r*). → annexe, tableau 33. ◆ **Registre. 1.** *Il lui court après.* On peut dire *il court après son frère* ou *il court après lui.* Mais *il lui court après* (avec la préposition sans complément) est familier. **2.** *Courir les garçons, les filles* (= rechercher les aventures amoureuses) est familier.

courre v.t. → courir

courroucer v.t. ◆ **Conjug.** Le *c* devient ç devant *o* et *a* : *je courrouce, nous courrouçons ; il courrouça.* → annexe, tableau 9

courroux n.m. ◆ **Orth.** Avec deux *r* et un *x* à la fin, même au singulier : *le courroux.*

cours n.m. → 2. cour

142

course n.f. ◆ **Orth. 1.** Toujours au singulier dans : *un cheval de course, des chevaux de course, une voiture de course, des voitures de course.* **2.** Toujours au pluriel dans : *une écurie de courses, un champ de courses.* **3.** On écrit plutôt *un garçon de courses* (= qui fait des courses) ; on rencontre parfois le singulier : *un garçon de course.*

course-croisière n.f. ◆ **Orth.** *Des courses-croisières* (avec s à chaque élément).

courser v.t. ◆ **Registre.** Familier.

court n.m. ◆ **Prononc.** [kuʀ], comme *cour*, sans prononcer le *t*. ◆ **Orth.** *Court / cours / cour.* → 2. cour

court, e adj. et adv. ◆ **Orth. 1.** *Être à court de.* Toujours invariable : *elle est à court d'argent ; ils ne sont jamais à court d'idées.* ▫ *Couper court.* Toujours invariable : *elles ont coupé court à la conversation.* ▫ *Tourner court.* Toujours invariable : *les choses ont tourné court.* ▫ *Prendre de court.* Toujours invariable : *elle a été prise de court.* ▫ *Rester, demeurer court.* Toujours invariable : *elle est restée court.* **2.** *Coupé court.* Toujours invariable : *elle porte les cheveux coupés court* (avec un s à *coupé*).

court-bouillon n.m. ◆ **Orth.** *Des courts-bouillons* (avec s à chaque élément).

court-circuit n.m. ◆ **Orth.** *Des courts-circuits* (avec s à chaque élément).

court-courrier n.m. ◆ **Orth.** *Des courts-courriers* (avec s à chaque élément).

courtilière n.f. ◆ **Orth.** Avec un seul *l*.

courtisane n.f. ◆ **Orth.** Avec un seul *n*.

court-jointé, e adj. ◆ **Orth.** *Des chevaux court-jointés* (sans s à *court*).

court-métrage, court métrage n.m. ◆ **Orth.** Avec ou sans trait d'union. - *Des courts-métrages* ou *des courts métrages* (avec s à chaque élément).

court-vêtu, e adj. ◆ **Orth.** *Des jeunes filles court-vêtues* (*court* reste invariable, car il est ici adverbe).

couteau n.m. ◆ **Emploi. 1.** *Être à couteaux tirés,* avec *couteau* au pluriel. **2.** *Mettre, avoir le couteau sur la gorge* ou *mettre, avoir le couteau sous la gorge.* **RECOMM.** Préférer *mettre, avoir le couteau sur la gorge* à *avoir, mettre le couteau sous la gorge.*

coûter v.i et t. ◆ **Orth. 1.** Avec un accent circonflexe sur le *u*. **2.** *Coûte que coûte,* expression toujours invariable. ◆ **Accord.** Le participe ne s'accorde que lorsque le complément ne désigne pas un prix : *les efforts que cela m'a coûtés* (accord) mais *les dix francs que cela m'a coûté* (complément de prix et non d'objet direct). → annexe, grammaire § 110

coutil n.m. ◆ **Prononc.** [kuti], sans prononcer le *l* final (comme *outil, sourcil*).

couture n.f. ◆ **Orth.** *Battre à plate couture.* Sans trait d'union et avec *couture* au singulier.

couvre-chef n.m. ◆ **Orth.** *Des couvre-chefs* (avec s à *chef*).

couvre-feu n.m. ◆ **Orth.** *Des couvre-feux* (avec x à *feu*).

couvre-joint n.m. ◆ **Orth.** *Des couvre-joints* (avec s à *joint*).

couvre-lit n.m. ◆ **Orth.** *Des couvre-lits* (avec s à *lit*).

couvre-nuque n.m. ◆ **Orth.** *Des couvre-nuques* (avec s à *nuque*).

couvre-objet n.m. ◆ **Orth.** *Des couvre-objets* (avec s à *objet*).

couvre-pied, couvre-pieds n.m. ◆ **Orth.** Deux possibilités au singulier : *un couvre-pied* ou *un couvre-pieds* (avec s à pied). - Plur. : *des couvre-pieds* (avec s à pied). → R.O. 1990

couvre-plat n.m. ◆ **Orth.** *Des couvre-plats* (avec s à *plat*).

couvrir v.t. et v.pr. ◆ **Conjug.** Comme *ouvrir.* → annexe, tableau 23

cover-girl n.f. ◆ **Orth.** Avec un trait d'union. → R.O. 1990. - Plur. : *des cover-girls.*

cow-boy n.m. ◆ **Orth.** Avec un trait d'union. → R.O. 1990. - Plur. : *des cow-boys.*

coyote n.m. ◆ **Orth.** Avec un seul *t.*

crack n.m. ◆ **Sens et orth.** *Crack* = cheval de course aux nombreuses victoires, et, par extension, personne très compétente (aussi : cocaïne cristallisée). Avec -*ck.* - À distinguer de *crac* (= onomatopée), de **krach** (effondrement financier) et de **krak** (forteresse des croisés, en Palestine, en Syrie). - Plur. : *des cracks.*

craché, ée adj. ◆ **Registre.** *Tout craché.* Expression familière : *ils sont les portraits tout crachés de leur mère ; c'est sa sœur toute crachée.*

craindre v.t. ◆ **Conjug.** Attention au groupe -*gni-* aux première et deuxième personnes du pluriel, à l'indicatif imparfait et au subjonctif présent : *(que) nous craignions, (que) vous craigniez.* → annexe, tableau 62. ◆ **Constr.** **1.** *Craindre que* (+ subjonctif) : *je crains qu'il vienne* ou *qu'il ne vienne ; je crains qu'il ne vienne pas.* L'emploi du *ne* explétif appartient au registre soutenu.

2. *Ne pas craindre que* (+ subjonctif) : *je ne crains pas qu'il vienne* (sans *ne* explétif) : *je ne crains pas qu'il ne vienne pas.* **3.** *Crains-tu que* (+ subjonctif) : *crains-tu qu'il vienne ?* (sans *ne* explétif) ; *crains-tu qu'il ne vienne pas ?*) **4.** *Ne crains tu pas que* (+ subjonctif) : *ne crains-tu pas qu'il vienne* ou *qu'il ne vienne* (avec *ne* explétif) *?* L'emploi du *ne* explétif à la forme interronégative conduit à une répétition de *ne* qui rend la phrase difficile à comprendre et parfois ambiguë, surtout si la subordonnée est elle-même à la forme négative *(ne crains-tu pas qu'il ne vienne pas ?).* Mieux vaut dans ce cas tourner la phrase autrement, par exemple : *ne crains-tu pas qu'il soit absent ? Ne crains-tu pas qu'il se dérobe ?* ◆ **Registre.** *Ça craint* = c'est très mauvais, détestable, regrettable. Très familier.

crainte n.f. ◆ **Constr. 1.** *De crainte de, par crainte de, dans la crainte de* (+ nom ou infinitif) : *ne passez pas sous la charge, de crainte d'une rupture du câble, par crainte d'une rupture du câble, dans la crainte d'une rupture du câble ; il est parti très tôt, de crainte de se mettre en retard, par crainte de se mettre en retard, dans la crainte de se mettre en retard.* REM. L'emploi de **crainte** *de* seul, sans préposition *(ne vous aventurez pas sur la glace, crainte d'une chute)* est un peu vieilli. **2.** *De crainte que, par crainte que, dans la crainte que* (+ subjonctif) : *ne riez pas, de crainte qu'il se vexe* ou *qu'il ne se vexe.* L'emploi du *ne* explétif appartient au registre soutenu. REM. L'emploi de **crainte** *que* seul, sans préposition *(sortez discrètement, crainte qu'on ne vous voie),* est un peu vieilli.

cramoisi, e adj. ◆ **Accord.** *Cramoisi* s'accorde en genre et en nombre : *des étoffes cramoisies.*

crâne n.m. ◆ **Orth.** À l'exception des dérivés savants, les mots de la famille de *crâne* s'écrivent tous avec un accent circonflexe sur le *a* : *crânement, crâner, crânerie, crâneur, crânien.* Les dérivés savants *(craniométrie, cranopharyngiome, craniosténose,* etc.) s'écrivent sans accent sur la *a.*

crapaud n.m. ◆ **Orth.** *Fauteuil crapaud, piano crapaud,* sans trait d'union.

crapaud-buffle n.m. ◆ **Orth.** *Des crapauds-buffles* (avec *s* à chaque élément).

craquelage n.m. ◆ **Orth.** Avec un seul *l.*

craquèlement n.m. ◆ **Orth.** Avec un seul *l* (comme les autres dérivés). REM. On a écrit *craquellement.*

craqueler (se) v.pr. ◆ **Conjug.** Attention à l'alternance *-ll-/ -l-* : *il se craquelle ; il se craquelait ; il se craquela ; il se craquellera.* → annexe, tableau 16 et R.O. 1990

craquelure n.f. ◆ **Orth.** Avec un seul *l.*

craqueter v.i. ◆ **Conjug.** Attention à l'alternance *-tt-/ -t-* : *il craquette, nous craquetons ; il craquetait ; il craqueta ; il craquettera.* → annexe, tableau 16 et R.O. 1990

crasher (se) v.pr. ◆ **Anglicisme.** S'écraser au sol, en parlant d'un avion. De l'anglais *crash,* accident. Registre familier, ou argot des aviateurs. RECOMM. Préférer *s'écraser.*

cravate n.f. ◆ **Orth.** Avec un seul *t.*

crèche n.f. ◆ **Orth.** Avec accent grave sur le *e.*

crédible adj. / **croyable** adj. ◆ **Emploi. 1.** *Croyable* ne s'emploie que pour des choses (notamment des paroles, des récits) et surtout dans des phrases de sens négatif : *ce n'est pas croyable ; cette histoire est à peine croyable.* **2.** *Crédible* s'emploie surtout pour des personnes, mais aussi pour des choses. *M. X, bien connu dans la région et très estimé, ferait un député crédible* (= qui semble sérieux, en qui l'on a confiance). *Une histoire tout à fait crédible.*

crédit-bail n.m. ◆ **Orth.** *Des crédits-bails.* Attention, le pluriel de *bail,* quand il est employé seul, est *baux.*

credo n.m. ◆ **Orth. 1.** Avec un *e* sans accent, en dépit de la prononciation [ʀedo], avec le son *é* (mot latin). - Plur. : *des credos.* **2.** *Le Credo* = l'ensemble des articles fondamentaux de la foi chrétienne. Avec une majuscule : *chanter le Credo.* ❏ *Le credo de qqn* = l'ensemble des principes sur lesquels il fonde ses opinions. Sans majuscule : *un credo politique intransigeant.*

créer v.t. ◆ **Conjug.** Attention à la succession de *é* et de *e* dans certaines des formes de la conjugaison de ce verbe difficile : *je créerai ; la pièce a été créée l'année dernière ; l'auteur espérait qu'on la créerait plus tôt.* → annexe, tableau 8.

crème n.f. et adj. inv. ◆ **Orth.** Avec un accent grave. Mais tous les dérivés s'écrivent avec un accent aigu : *crémerie, crémeux, crémier, crémière,* etc. ◆ **Accord.** *Crème,* adjectif de couleur. Toujours invariable : *des chaussures crème.*

crémer v.t. ◆ **Conjug.** Attention à l'accent, tantôt grave, tantôt aigu : *je crème, nous crémons, il créma.* → annexe, tableau 11 et R.O. 1990

crèmerie, crémerie n.f. ◆ **Orth. et prononc.** Les deux graphies, *crèmerie* et *crémerie,* sont admises. Celle avec *e* accent grave est conforme à la prononciation la plus courante. → R.O. 1990

crèneler, créneler v.t. ◆ **Orth.** Les deux graphies, *crèneler* et *créneler*, sont admises. Celle avec *e* accent grave est conforme à la prononciation la plus courante. L'Académie écrit *crèneler*. → aussi R.O. 1990. Les dérivés *crènelé* ou *crénelé*, *crènelure* ou *crénelure*, peuvent également s'écrire, soit avec un accent grave, soit avec un accent aigu. ◆ **Conjug.** Attention à l'alternance *-ll-/ -l-* : *il crénelle, nous crénelons ; il crénelait ; il crénela ; il crénellera*. → annexe, tableau 16 et R.O. 1990

créole adj. et n. / **métis, isse** adj. et n. / **mulâtre** adj. et n. ◆ **Sens.** Ne pas confondre ces trois mots parfois employés l'un pour l'autre. **1.** *Créole* = personne blanche née dans les colonies européennes intertropicales (à l'origine, dans les colonies américaines de l'Espagne). *L'impératrice Joséphine était créole. « [...] une petite créole de quinze ans, blanche et rose comme une fleur d'amandier »* (A. Daudet). **2.** *Métis, isse* = personne issue de l'union de deux personnes de couleur de peau différentes. **3.** *Mulâtre, esse* = personne dont la mère est noire et le père blanc ou inversement.

1. crêpe n.f. ◆ **Orth.** Avec un accent circonflexe comme les dérivés *crêperie, crêpier, crêpière. Manger une crêpe à la confiture.*

2. crêpe n.m. ◆ **Orth.** Avec un accent circonflexe. *Porter un crêpe noir à son revers en signe de deuil.*

crêper v.t. ◆ **Orth.** Avec accent circonflexe. Les dérivés *crêpage, crêpeler, crêpelure* prennent également un accent circonflexe sur le *e,* mais *crépine, crépinette, crépon* et *crépu,* qui appartiennent à la même famille, s'écrivent avec un accent aigu.

crépi n.m. ◆ **Orth.** Attention, finale en *i* (ne pas se laisser influencer par des mots comme *tamis* ou *dépit*).

crépon n.m. ◆ **Orth.** Avec un *e* accent aigu. → **crêper**

crépu, e adj. ◆ **Orth.** Avec un *e* accent aigu. → **crêper**

crépuscule n.m. ◆ **Sens et emploi.** **1.** Faible lumière que donne le soleil peu après son coucher. C'est le sens courant aujourd'hui. **2.** Faible lumière que donne le soleil peu après son coucher *(crépuscule du soir)* ou peu avant son lever *(crépuscule du matin)*. Ce sens, courant autrefois, n'est plus en usage que dans la langue scientifique et technique (en particulier en astronomie, météorologie, navigation), et *crépuscule du matin* sonne aujourd'hui comme un non-sens aux oreilles de beaucoup de Français.

crescendo adv. et n.m. ◆ **Prononc.** [krɛʃɛndo], la première syllabe se prononce comme *crèche.* ◆ **Orth.** Attention au groupe *-sc-.* - Plur. : *des crescendos.*

cresson n.m. ◆ **Prononc.** [krɛsõ], avec *e* prononcé *ai* comme dans *caisson* ou [krəsõ], avec *e* prononcé comme dans *levons.* REM. La seconde prononciation est celle généralement adoptée à Paris et dans la plus grande partie de la France du Nord.

Crésyl n.m. / **grésil** n.m. ◆ **Sens et orth.** Ne pas confondre ces deux mots, proches par la prononciation mais très différents par le sens. **1.** *Crésyl* = désinfectant. Toujours avec une majuscule (nom déposé). **2.** *Grésil* = fine grêle.

crête n.f. ◆ **Orth.** Avec un accent circonflexe, comme *crêt* et *crêté.* Ne pas se laisser influencer par la *Crète,* île de la Méditerranée.

crête-de-coq n.f. ◆ **Orth.** Attention aux traits d'union et au pluriel : *des crêtes-de-coq* (avec *s* à *crête*).

crève-cœur n.m. inv. ◆ **Orth.** Plur. : *des crève-cœur* (invariable). → R.O. 1990

crève-la-faim n.m. inv. ◆ **Orth.** Plur. : *des crève-la-faim* (invariable).

crever v.i. et v.t. ◆ **Conjug.** Attention à l'alternance *e/è* : *crever ; je crève, il crève,* mais *nous crevons ; il crèvera ; qu'il crève* mais *que nous crevions ; crevé.* → annexe, tableau 12

crève-vessie n.m. inv. ◆ **Orth.** *Des crève-vessie* (invariable). → R.O. 1990

cricket n.m. / **criquet** n.m. ◆ **Orth.** Ne pas écrire *le cricket* (le jeu anglais) comme *le criquet* (l'insecte).

cricri n.m. ◆ **Orth.** Sans trait d'union. - Pluriel : *des cricris.*

crier v.i., v.t. et v.t.ind. ◆ **Conjug.** Attention aux deux *i* à l'indicatif imparfait et au subjonctif présent : *(que) nous criions, (que) vous criiez.* ◆ **Constr.** *Crier après qqn* appartient à l'expression relâchée. **RECOMM.** Préférer *crier contre qqn* ; éviter *crier sur quelqu'un,* qui est populaire.

crime n.m. ◆ **Sens.** Ne pas confondre avec *assassinat, homicide, meurtre.* → **assassinat**

criquet n.m. ◆ **Orth.** Ne pas confondre avec *cricket.* → **cricket**

cristallerie n.m. ◆ **Orth.** Les dérivés de *cristal* n.m., s'écrivent tous avec deux *l* : *cristallin, cristallisation, cristalliser, cristallite, cristallographie* etc.

critère n.m. → **critérium**

critérium n.m. ◆ **Prononc.** [kʀiteʀjɔm], avec la finale *-um* prononcée comme *homme* (comme dans *maximum*).◆ **Orth.** Avec un *e* accent aigu. - Plur. : *des critériums.* ◆ **Sens.**

Critérium était autrefois un synonyme savant de *critère* (= ce sur quoi est fondé un jugement, une estimation, un classement). Cet emploi ne survit plus guère que dans le vocabulaire technique de la philosophie (*déterminer le critérium de la beauté*). *Critérium* désigne surtout aujourd'hui un type de compétition sportive.

croasser v.i. ◆ **Emploi.** Ne pas confondre avec *coasser.* → **coasser**

croc n.m. ◆ **Prononc.** [kʀo], sans faire entendre le *c* final (comme dans *accroc, broc, escroc, raccroc*). **REM.** Dans *croc-en-jambe,* le *c* se prononce (v. ce mot).

croc-en-jambe n.m. ◆ **Prononc.** [kʀɔkãʒãb], en faisant entendre le *c* final de *croc,* même au pluriel. ◆ **Orth.** *Des crocs-en-jambe* (avec *s* à *croc*).

croche-pied n.m. / **croche-patte** n.m. ◆ **Orth.** Plur. : *des croche-pieds, des croche-pattes* (sans *s* à *croche*), avec un trait d'union. → R.O. 1990. ◆ **Registre.** *Croche-patte :* familier.

crocheter v.t. ◆ **Conjug.** Attention à l'alternance *e/è* : *crocheter ; je crochète, il crochète,* mais *nous crochetons ; il crochètera ; qu'il crochète* mais *que nous crochetions ; crocheté.* → annexe, tableau 12

croire v.t.
◆ **Conjug.**
Attention au *i* après le *y* à l'indicatif imparfait et au subjonctif présent (*nous croyions, que vous croyiez*), ainsi qu'au participe passé sans accent circonflexe : *cru, crue* → annexe, tableau 87 et **cru.**
◆ **Constr.**
1. *Croire que* (+ indicatif ou conditionnel) : *je crois qu'il viendra, je croyais qu'il viendrait ; croyez-vous qu'il viendra ? ; je ne crois pas qu'il viendra.* Marque que la réalisation du fait énoncé dans la subordonnée est jugée

probable ou certaine (si la principale est affirmative), ou au contraire très improbable ou impossible (si la principale est négative). ❑ *Croire que* (+ subjonctif) : *je ne crois pas qu'il vienne ; croyez-vous qu'il vienne ?* Marque que la réalisation du fait énoncé dans la subordonnée est jugée incertaine.

2. Omission du pronom complément *le* après *croire.* Dans une proposition comparative, *le* peut être omis devant *croire* : *il n'est pas tel que je le croyais* ou *que je croyais.*

◆ **Sens.**

1. *Croire qqn* = estimer vrai ce qu'il dit. *Il m'a menti une fois, depuis je ne le crois plus. On a peine à vous croire.* ❑ *Croire qqch.* = le tenir pour vrai. *Croyez-vous son histoire ?*

2. *Croire à qqn* = se fier à lui. *Vous croyez aux voyantes ?* ❑ *Croire à qqch.* = être convaincu de sa réalité, de sa véracité, de son efficacité. *Croire au récit d'un témoin. Et la psychanalyse, vous y croyez ?*

3. *Croire à* (+ nom d'un être qui ne se manifeste pas dans la réalité sensible) = penser que cet être existe. *Croire aux fantômes, à la Vouivre, au père Noël.*

4. *Croire en* (+ nom d'une puissance surnaturelle) = penser que cette puissance existe. *Croire en Dieu, en la divine Providence.* REM. *Croire en* et *croire à* sont très proches par leur sens et par leurs emplois. Mais *croire en* est pratiquement réservé au domaine de la foi religieuse, tandis que *croire à* est employé surtout à propos de croyances et de mythes populaires (encore que l'on dise : *ne croire ni à Dieu ni à diable*).

croître v.i. ◆ **Conjug. 1.** Avec un accent circonflexe sur l'*i* devant le *t,* ainsi que dans toutes les formes homonymes du verbe *croire.* Le participe passé s'écrit *crû* au masculin singulier, mais au féminin et au pluriel : *crue, crues, crus.* → annexe, tableau 73 et R.O. 1990 ; → aussi **cru, accroître** et

recroître. REM. *Croître* donne *crû* au participe passé, alors qu'*accroître* donne *accru.* **2. Auxiliaire.** *Croître* se conjugue avec l'auxiliaire *avoir* : *les arbres ont crû rapidement.* L'emploi de l'auxiliaire *être* (*en vingt-quatre heures, la rivière est beaucoup crue*) est archaïque.

croque- élément de composition ◆ **Orth.** Mots composés avec *croque-* (verbe *croquer*). *Croque-* est toujours invariable : *un croque-mitaine, des croque-mitaines ; un croque-mort, des croque-morts ; un croque-note, des croque-notes ; un croque-madame, des croque-madame* (invariable) ; *un croque-monsieur, des croque-monsieur* (invariable). → R.O. 1990

croquembouche n.m. ◆ **Orth.** En un seul mot, avec un *m* devant le *b.* - Plur. : *des croquembouches.* REM. La graphie avec deux traits d'union, *un croque-en-bouche* (n.m. inv.) est presque entièrement sortie de l'usage.

croupetons (à) loc. adv. ◆ **Orth.** Finale en *-ons* comme *à reculons, à tâtons.*

croustillant, e adj. ◆ **Sens et emploi.** Dans le sens familier de « licencieux et amusant » *croustillant* a éliminé *croustilleux,* aujourd'hui complètement sorti de l'usage.

croûte n.f. ◆ **Orth.** Avec un accent circonflexe sur le *u,* pour rappeler le *s* originel de *crouste,* que l'on retrouve dans *croustade, croustillant, croustiller.*

cru adj. / **cru** n.m. / **cru** part. passé / **crû** part. passé ◆ **Sens et orth.** Bien distinguer ces quatre mots auxquels correspondent trois graphies. **1.** *Cru, e* adj. = qui n'est pas cuit. *Un légume cru, des pruneaux crus, de la viande crue, des carottes crues.* **2.** *Cru* n.m. = terroir vinicole. *Un cru fameux du Bordelais. Les crus de Champagne.* **3.** *Cru, crue, crus,* *crues,* participe passé du verbe *croire : il a cru mon histoire ; elles se sont crues trahies.* **4.** *Crû, crue, crus, crues,* participe passé du verbe *croître* (ne prend l'accent circonflexe sur le *u* qu'au masculin singulier) : *le peuplier, vite crû, est rapidement rentable.* → croître

crucial, e, aux adj. ◆ **Sens et emploi.** L'emploi du mot au sens de « très important, fondamental », naguère critiqué, est aujourd'hui courant. REM. Le mot signifie étymologiquement « qui est en forme de croix ». On ne le rencontre plus dans ce sens que dans la littérature : « *Le moule crucial de l'église* » (J.-K Huysmans), « *Leur scintillement crucial se retrouve dans les solitudes et dans les cloîtres* » (L. Daudet). Dans l'usage courant, il est vieux dans ce sens. Dans le vocabulaire technique, il est remplacé aujourd'hui par *cruciforme*. En revanche, il reste employé en philosophie des sciences, notamment dans l'expression *expérience cruciale* (= expérience qui permet d'écarter l'une des deux hypothèses expliquant un phénomène et rend l'autre indiscutable, à la manière d'un poteau indicateur qui, à la croisée de deux chemins, permet de choisir la bonne direction).

crucifiement n.m. / **crucifixion** n.f. ◆ **Orth.** *Crucifiement.* Avec un *e* muet intérieur. *Crucifiement* correspond à *crucifier,* verbe du 1er groupe (comme *aboiement* correspond à *aboyer* → aboiement). ◆ **Sens et emploi. 1.** *Crucifiement* = action de crucifier, mise en croix. **2.** *Crucifixion* = action de crucifier. Spécialement, mise en croix du Christ, dans la religion chrétienne ; représentation (peinture, gravure, sculpture, etc.) du Christ en croix : *les crucifixions peintes par les artistes de la Renaissance.* REM. *Crucifiement* n'est

jamais employé au sens de « représentation, œuvre artistique ».

crucifix n.m. ◆ **Prononc.** [kʀysifi], sans faire entendre le *x* final.

crucifixion n.f. → crucifiement

crûment adv. ◆ **Orth.** Avec un accent circonflexe sur le *u,* comme dans *assidûment, continûment, dûment.* → R.O. 1990.

cueillir v.t. ◆ **Orth.** Attention à la séquence initiale *cueil-* prononcée *-euil-* [œj], comme dans *fauteuil.* - Même orthographe pour les dérivés *cueillage, cueillaison, cueillette, cueilleur, cueilleuse, cueilloir.* ◆ **Conjug.** *Cueillir* fait au futur *je cueillerai* (et non *je cueillirai) → annexe, tableau 29.

cuillère, cuiller n.f. ◆ **Orth.** Les deux graphies, *cuillère* et *cuiller,* sont admises. ◆ **Prononc.** *Cuillère* et *cuiller* se prononcent de la même façon [kœijɛʀ], comme *cuir* en ce qui concerne la première syllabe, et comme pour rimer avec *torchère* pour la seconde. ◆ **Emploi.** *Cuillère / cuillerée.* On emploie *cuillère* pour désigner l'ustensile, c'est-à-dire le contenant, et *cuillerée* pour désigner le contenu. Néanmoins, on dit fréquemment *une cuillère d'huile* pour *une cuillerée d'huile* (comme on dit *une assiette de soupe* ou *un verre de vin*). Cet emploi n'est pas incorrect. RECOMM. Dans l'expression soignée, préférer *cuillerée* pour désigner le contenu.

cuillerée n.f. ◆ **Prononc.** [kœijəʀe] ou [kœijʀe], sans prononcer le *e* intérieur, ou [kœijeʀe], en prononçant le *e* comme s'il prenait un accent aigu. REM. En accord avec cette dernière prononciation, l'Académie, dans la 9e édition de son Dictionnaire, écrit aussi *cuillérée.* ◆ **Emploi.** *Cuillerée / cuiller* → cuillère

cuire v.t. et v.i. ◆ **Conjug.** → annexe, tableau 78. ◆ **Emploi.** On dit couramment *faire cuire qqch.* ou *mettre à cuire qqch.* mais *cuire qqch.* ou *mettre cuire qqch.* sont également corrects : *faire cuire un rôti ; mettre à cuire un gâteau ; cuire des pommes de terre, du pain ; mettre cuire au four.*

cuisinette n.f. ◆ **Emploi.** RECOMM. OFF. pour l'anglicisme *kitchenette.*

cuisseau n.m. / **cuissot** n.m. ◆ **Orth. et emploi.** Ces deux mots de même famille, d'orthographe et de sens très voisins, sont à distinguer. → R.O. 1990. **1.** *Cuisseau* = partie du veau comprenant la cuisse et une partie du bassin. **2.** *Cuissot* = cuisse de chevreuil, de cerf, de sanglier, etc. REM. Mérimée a inclu ces deux mots dans sa célèbre dictée : « ... *ce dîner à Sainte-Adresse, près du Havre, malgré les vins de très bons crus, les cuisseaux de veau et les cuissots de chevreuil prodigués par l'amphitryon, fut un vrai guêpier* ».

cuisse-de-nymphe n.f. et adj. inv. ◆ **Orth.** Avec des traits d'union. - Plur. *Des cuisses-de-nymphe* (= des roses d'une variété très claire, presque blanche). - ◆ **Accord.** Invariable comme adjectif : *des soies cuisse-de-nymphe* (= de la couleur des roses de ce nom).

cuissot n.m. → cuisseau

cuistre n.m. ◆ **Sens.** Personne qui fait un étalage intempestif d'un savoir mal assimilé. RECOMM. Ne pas employer le mot au sens de « homme grossier, rustre, malappris », bien qu'il soit attesté dans ce sens chez de bons écrivains : « *Il dédaignait ces jeunes gens qui [...] cachaient sous des dehors soumis et dévôts les appétits grossiers du cuistre* » (O. Mirbeau).

cul- élément de composition ◆ **Orth.** Mots composés avec *cul-. Cul* se lie par un ou plusieurs traits d'union à certains mots pour produire des noms composés qui forment leur pluriel selon les règles d'usage, *cul* prenant le *s* du pluriel : *des culs-blancs, des culs-terreux ; des culs-de-basse-fosse, des culs-de-four, des culs-de-jatte, des culs-de-lampe, des culs-de-sac,* etc. La locution *en cul-de-poule* reste invariable : *des bouches en cul-de-poule.* ◆ **Registre.** Dans la plupart de ces composés (à l'exception de *cul-terreux* et de *en cul-de-poule,* qui sont familiers), *cul-* ne correspond pas à l'emploi trivial du mot (= derrière, fesses), mais à l'emploi technique (= partie postérieure, fond, comme dans *cul de bouteille*). Ces mots peuvent donc être employés même dans le registre soutenu.

culotte n.f. ◆ **Orth**. Avec un *l* et deux *t.* ◆ **Emploi.** Au singulier. L'emploi du pluriel pour désigner un seul vêtement (*un petit garçon en culottes courtes*) est aujourd'hui régional ou vieilli. → aussi caleçon, pantalon

culturel adj. / **cultuel** adj./ **cultural** adj. ◆ **Sens et emploi.** Ne pas confondre ces trois mots de prononciation voisine. **1.** *Culturel, elle* = relatif à la culture, à la civilisation. *Différences culturelles entre les peuples.* **2.** *Cultuel, elle* = relatif à un culte religieux. *Pratiques cultuelles.* **3.** *Cultural, e, aux* = relatif à la culture du sol. *Des procédés culturaux.*

cumulo-nimbus n.m. inv. ◆ **Orth.** Avec un trait d'union, contrairement à *altocumulus* → altocumulus

curaçao n.m. ◆ **Prononc.** [kyʀaso], comme pour rimer avec *assaut* (on ne prononce pas le second *a*).

cure- élément de composition ◆ **Orth.** Composés avec *cure-* (verbe *curer*). *Cure-* reste invariable. V. tableau page ci-contre et R.O. 1990

---

curer v.t. **/ récurer** v.t. ◆ **Emploi. 1.** *Curer* = nettoyer par grattage ou raclage, en enlevant un dépôt, des déchets, des sédiments. *Curer sa pipe ; curer un fossé, un étang.* **2.** *Récurer* = nettoyer en frottant (un objet ménager, en particulier). *Récurer l'évier, récurer des casseroles ; poudre à récurer.* REM. *Récurer* a eu pour synonyme *écurer,* aujourd'hui sorti de l'usage.

cureter v.t. ◆ **Conjug.** Attention à l'alternance *-tt-/ -t- : il curette, nous curetons ; il curetait ; il cureta ; il curettera.* → annexe, tableau 16 et R.O. 1990

curette n.f. ◆ **Orth**. Avec deux *t*. Le dérivé *cureter* n'en prend qu'un. En revanche, *curetage,* dérivé de *cureter,* peut s'écrire avec un seul *t* ou deux : *curetage* ou *curettage.* **RECOMM.** Préférer l'orthographe *curetage,* conforme à la prononciation et plus normale dans la série.

curriculum vitae n.m. inv. **/ curriculum** n.m. ◆ **Prononc.** *Curriculum vitae :* [kyʀikylɔmvite], *curriculum* comme pour rimer avec *album, vitae* comme pour rimer avec *éviter.* ◆ **Orth.** *Curriculum vitae,* locution d'origine latine, reste invariable : *un curriculum vitae, des curriculum vitae.* La forme abrégée *curriculum,* mot francisé, prend la marque du pluriel : *des curriculums.* REM. *Curriculum vitae* est souvent abrégé en *C.V.,* v. ce mot.

cuveler v.t. ◆ **Conjug.** Attention à l'alternance *-ll-/ -l- : il cuvelle, nous cuvelons ; il cuvelait ; il cuvela ; il cuvellera.* → annexe, tableau 16 et R.O. 1990

CV symbole **/ C.V.** n.m. ◆ **Orth**. Ne pas confondre ces deux abréviations. **1.** *CV* = symbole de l'unité de puissance fiscale d'un moteur, exprimée en *chevaux.* Jamais de points abréviatifs. REM. Ne pas confondre avec *ch,* symbole du cheval-vapeur. **2.** *C.V.* = curriculum vitae. Avec deux points abréviatifs. → **curriculum vitae**

cyclamen n.m. et adj. inv. ◆ **Prononc.** [siklamɛn], comme dans *amen.* ◆ **Orth. 1.** Plur. : *des cyclamens.* **2.** Invariable en tant qu'adjectif de couleur : *des foulards cyclamen.*

cyclo- préf. ◆ **Orth**. *Cyclo-* se soude à l'élément qui le suit (*cyclomoteur, cyclotourisme,* etc.) sauf dans *cyclo-cross* et dans *cyclo-pousse,* qui prennent l'un et l'autre un trait d'union (et sont invariables).

cyclomoteur n.m. **/ vélomoteur** n.m. **/ motocyclette** n.f. ◆ **Emploi**. Ne pas employer indifféremment ces mots qui désignent trois sortes de motocycles de puissances différentes. **1.** *Cyclomoteur* = motocycle dont la cylindrée est inférieure à 50 cm^3. → aussi **mobylette. 2.** *Vélomoteur* = motocycle dont la cylindrée est comprise entre 50 et 125 cm^3. **3.** *Motocyclette* (ou *moto*) = motocycle dont la cylindrée est supérieure à 125 cm^3.

cyclone n.m. ◆ **Orth**. Sans accent circonflexe sur le *o,* à la différence de *pylône,* et en dépit d'une prononciation comparable, avec *o* fermé.

cymbale n.f. **/ timbale** n.f. ◆ **Orth**. Noter le *y* de *cymbale* et le *i* de *timbale.*

♦ **Emploi**. Ne pas confondre ces deux instruments de musique à percussion. **1.** *Cymbale* = disque en bronze martelé. **2.** *Timbale* = gros tambour en métal en forme de demi-sphère.

cyme n.f. ♦ **Orth**. *Cyme* (= terme de botanique), s'écrit avec un *y*. Ne pas confondre avec *cime* (= sommet).

cyprès n.m. ♦ **Orth. et prononc**. Avec un *y*. Le *s* final ne se prononce pas (comme dans *abcès, décès, excès, exprès, procès*).

cyto- préf. ♦ **Orth**. *Cyto-* (du grec *kutos*, cellule) se soude toujours à l'élément qui le suit : *cytologie, cyptoplasme*, etc.

D

d n.m. ◆ **Orth.** *D* est redoublé dans *addition* et ses dérivés, *adduction* et ses dérivés, *bouddhisme* et ses dérivés, *quiddité, reddition.*

d'accord loc. adv. ◆ **Orth.** En deux mots, à la différence de *davantage.* ◆ **Constr.** *Être, tomber d'accord.* ❑ *D'accord sur, au sujet de* (+ nom ou pronom) : *ils sont d'accord sur tout ; nous sommes rapidement tombés d'accord au sujet des honoraires.* ❑ *D'accord pour* (+ infinitif) : *je suis d'accord pour partir le plus tôt possible.* ❑ *D'accord pour que* (+ subjonctif) : *êtes vous d'accord pour qu'il vienne maintenant ?* ❑ *D'accord que* (+ indicatif ou conditionnel) : *nous tombons d'accord qu'il est très compétent, je suis d'accord qu'il faudrait peu de chose pour que cela s'améliore* (constatation). - *D'accord que* (+ subjonctif) : *je suis d'accord que nous commencions* (acceptation). ❑ *D'accord de* (+ infinitif) : *ils sont d'accord de se cotiser pour un cadeau d'adieu.* Cette tournure est légèrement vieillie. On dit plus volontiers aujourd'hui *être d'accord pour.* ◆ **Registre. 1.** *En être, en demeurer d'accord* : *en êtes-vous d'accord ? J'en demeure d'accord.* Registre soutenu. **2.** *D'accord !* Pour manifester l'assentiment ou l'approbation. Registre familier. *Veux-tu que nous y allions*

maintenant ? - D'accord ! (Parfois abrégé en *D'acc' !*). **RECOMM.** Éviter l'emploi de *d'accord* seul, et a fortiori de *d'acc',* en s'adressant à quelqu'un à qui l'on doit marquer de la déférence.

dadais n.m. ◆ **Emploi.** N'a pas de forme féminine et ne se dit qu'en parlant d'un homme (souvent, d'un jeune homme, d'un adolescent) : *quel grand dadais !*

dahlia n.m. ◆ **Orth.** Avec le *h* avant le *l.* **REM.** Le nom de cette fleur vient du nom du botaniste suédois *Dahl.*

daigner v.t. ◆ **Constr. 1.** *Daigner* (+ infinitif) : *il n'a pas daigné répondre ; daignera-t-il venir ?* **REM.** *Daigner* se construit sans préposition (à la différence de *dédaigner : il a dédaigné de venir*). **2.** *Daigne, daignez que* (+ subjonctif) : *daignez que je m'asseye.* Construction rare et littéraire, utilisée parfois dans la langue courante par plaisanterie ou avec une intention ironique. ◆ **Conjug.** Noter le groupe *-gni-* à l'indicatif imparfait et au subjonctif présent, comme dans la conjugaison de *craindre* : *nous daignions, que vous daigniez.* - Le participe passé *daigné* est toujours invariable, ce qui s'explique par la construction du verbe qui n'admet *daim*

qu'un infinitif comme complément d'objet direct. ◆ **Emploi.** *Daignez agréer, daignez croire,* encore parfois employés dans les formules de politesse écrites adressées à un supérieur hiérarchique, sont aujourd'hui vieillis : *Daignez croire, Monsieur le Directeur, en mon parfait dévouement et en mon profond respect.*

daim n.m. ◆ **Orth.** Finale en *-m*, malgré le féminin *daine,* formé sur l'ancienne orthographe *dain.* Dans la langue de la chasse, on dit aussi *dine* au féminin (d'après la finale du masculin à l'oral). REM. Le petit s'appelle le *faon* que l'on prononce [fã], comme dans *enfant.*

dais n.m. ◆ **Orth. et prononc.** Finale en *-ais,* comme dans *relais.* Le *s* ne se prononce pas.

dam n.m. ◆ **Prononc.** [dã], comme *dans.* REM. La prononciation [dam], comme *dame,* est de plus en plus courante, sous l'influence de la graphie. Il reste néanmoins préférable de l'éviter dans l'expression soignée. ◆ **Emploi.** *Dam,* du latin *damnum,* dommage, préjudice, n'est plus employé que dans les deux expressions suivantes. 1. *Au grand dam de qqn* = à son préjudice, à son détriment ; à son grand regret, à son grand dépit. *À son grand dam, il a été obligé de faire quelques concessions.* 2. *Peine du dam* = tourment des damnés privés de la vue de Dieu, dans la religion catholique.

dame n.f. ◆ **Emploi.** 1. *Une dame,* (opposé à *un monsieur*) : *On vous demande - C'est un monsieur ou c'est une dame ?* REM. Dans l'ancienne langue, et aujourd'hui encore dans la langue juridique, *dame* s'opposait à *sieur : la dame Une telle, le sieur Un tel.* 2. *Une dame* (opposé à *une demoiselle*), s'emploie pour marquer, soit que la personne

dont on parle est une femme sortie de l'adolescence (et non pas une jeune fille), soit qu'il s'agit d'une femme mariée (et non pas d'une femme célibataire). *Il a rencontré une dame, ou plutôt, vu son âge, une demoiselle. Cette dame... - Dites : « cette demoiselle », puisqu'ils ne sont pas encore mariés...* 3. *Une dame* = une femme qui, par son apparence ou son maintien, appelle un certain respect. *Vous voilà habillée comme une dame. Ma grand-mère n'était qu'une paysanne, mais c'était une vraie dame, on ne lui aurait pas parlé sans ôter son chapeau.* 4. *Dame* employé pour *femme, épouse.* Emploi populaire. *Mes amitiés à votre dame. Je l'ai rencontré avec sa dame et sa demoiselle.* RECOMM. Dire : *mes amitiés à votre femme ; je l'ai rencontré avec sa femme et sa fille.*

dame-jeanne n.f. ◆ **Orth.** Avec un trait d'union ; jamais de majuscule. - Plur. : *des dames-jeannes.*

damner v.t. ◆ **Prononc.** [dane], le *m* ne se prononce pas. De même pour *damnation.* ◆ **Orth.** Attention au groupe *-mn-.*

dandy n.m. ◆ **Orth.** Plur. *Des dandys.*

dans prép.
◆ **Emploi.**
1. *Dans / en.* Ces deux prépositions de sens proche s'emploient souvent l'une pour l'autre. Toutefois, *dans* marque de manière plus précise l'idée de limite à l'intérieur de laquelle se situe une chose, une personne, un fait, une action. Devant le nom d'un lieu déterminé, on emploie plutôt *dans : il habite dans la ville* (= dans la ville même et non pas dans ses faubourgs ou dans sa banlieue) ; mais : *il a pris un studio en ville* (quelque part dans la ville, dans un lieu indéterminé de la ville). ❑ *En* est employé dans une certain nombre d'expressions toutes faites, de préfé-

rence à *dans : en l'état, en la matière, en l'occurrence, en présence de, en l'absence de, en ce moment, en nom propre,* etc.
2. *Dans* / *en* devant un nom de lieu. ❑ Devant un nom de ville, on emploie *dans : dans Paris, dans Reims, dans Marseille.* ❑ Devant les noms de régions et devant les nom de pays féminins ou commençant par une voyelle, on emploie *en : habiter en France, en Chine, en Uruguay, en Picardie, en Champagne, en Périgord.* Mais si ce nom est précédé de l'article, on emploie *dans : voyager dans toute la France, dans la Champagne pouilleuse, dans le Périgord noir.* → aussi **à**
❑ ***Dans* / *en* devant un nom de département français.** → **en**
3. *Dans* / *sur.* C'est souvent l'usage plus que le sens qui impose le choix de la préposition. Ainsi dit-on : *lire qqch. dans le journal, aller dans la forêt, s'asseoir dans un fauteuil* mais *lire qqch. sur une affiche, aller sur la plage, s'asseoir sur une chaise.* REM. **1.** *Sur le journal* (*lire sur le journal, c'était sur le journal,* en parlant d'une nouvelle, d'un article) est considéré comme une tournure populaire à éviter. **2.** *S'asseoir sur un fauteuil* n'est pas incorrect, mais est moins employé que *s'asseoir dans un fauteuil.*
4. *Dans les,* exprimant l'approximation, est familier : *elle a dans les trente ans ; le tout revient dans les mille francs.* RECOMM. Dans l'expression soignée, préférer *environ* ou *à peu près : elle a trente ans environ ; le tout revient à peu près à mille francs.* **5. *Dans la rue* / *sur la rue.*** → **rue**

dartre n.f. ◆ **Prononc.** [daʀtʀ], bien prononcer les deux *r* (ne pas prononcer *darte).

date n.f. / **datte** n.f. ◆ **Sens et orth. 1.** *Date* = indication du jour, du mois et de l'année. Avec un seul *t*. **2.** *Datte* = fruit du palmier-dattier. Avec deux *t.*

dater v.i. ◆ **Constr et sens.** Attention à la nuance de sens selon que le verbe

est employé avec ou sans complément. **1.** *Dater de* = remonter à. *C'est une mode qui date de dix ans.* **2.** *Dater,* employé sans complément = paraître vieilli, démodé, périmé. *C'est une manière de s'habiller qui date un peu.*

dation n.f. / **donation** n.f. ◆ **Sens.** Ne pas confondre ces deux termes de droit. **1.** *Dation en paiement, dation* = fait de s'acquitter d'une dette au moyen d'un don d'une valeur équivalente. **2.** *Donation* = transmission d'un bien sans contrepartie d'une personne (le *donateur*) à une autre (le *donataire*).

datte n.f. → **date**

dauber v.t et v.i. ◆ **Registre.** *Dauber sur qqn, dauber qqn* = en médire, le railler, le dénigrer. Registre littéraire et soutenu.

dauphine n.f. ◆ **Orth.** *Des pommes dauphines* ou *des pommes dauphine,* sans *s.* REM. Les deux formes peuvent se justifier : *pommes dauphines,* avec *s,* en suivant la règle générale de l'accord des adjectifs, ou *pommes dauphine,* invariable, en considérant qu'il s'agit de la forme elliptique de *pommes à la dauphine,* comme on dit *des poulets (à la) basquaise.*

daurade, dorade n.f. ◆ **Orth.** Les deux graphies, *daurade* et *dorade,* sont admises. *Daurade* est la plus usuelle. REM. Le nom de ce poisson estimé est issu du provençal *daurada,* dorée.

davantage adv. ◆ **Orth.** *Davantage* / *d'avantage.* Ne pas confondre ces deux formes : *je ne demande pas davantage* (= je ne demande pas plus) ; mais : *je ne demande pas d'avantage* (= je ne demande pas de privilège, de faveur). ◆ **Emploi. 1.** *Davantage.* Ne peut modifier qu'un verbe : *elle me plaît davantage ; il a aidé son fils, mais il a fait davantage pour sa fille.* - Devant un adverbe ou un *de*

adjectif, *davantage* est remplacé par *plus :
la fin du séjour s'est passée plus calmement*
(et non : *davantage calmement) *; il est
plus brillant que son frère* (et non : *davantage brillant). Toutefois, *davantage* peut
être employé avec un adjectif si celui-ci est repris par le pronom *le : il est
brillant, mais son frère l'est davantage.* **2.
Davantage de.** Emploi normal et correct. *« Je ne vous ferai pas davantage de
reproches »* (Racine). *« Je n'aime plus au
monde que [...] deux ou trois livres, à peine
davantage de tableaux »* (M. Proust). *Ils
ont obtenu quelques concessions, mais ils en
demandent encore davantage.* **3.
Davantage que,** introduisant une comparaison : *« Je commence à croire [...] qu'on
souffre davantage des accusations justifiées
que de celles qu'on ne mérite point »*
(A. Gide). Registre littéraire.

de prép.
♦ **Orth. et prononc.**
De s'élide en *d'* devant une voyelle ou
un *h* muet : *un kilo d'oranges, la reine
d'Angleterre, l'âge d'homme.*
❑ Devant une consonne ou un *h* aspiré,
de ne s'élide pas : *un kilo de pommes, le
roi de Prusse, des graines de haricot.*
Cependant, *de* ne s'élide ni devant *huit*
ni devant *onze : un groupe de huit personnes, une table de onze couverts.*
❑ *De* s'élide devant *un,* sauf s'il est
nécessaire de marquer nettement qu'il
s'agit du nombre 1 : *une somme de un
franc ; un écart de un mètre et trente-trois
centimètres.*
♦ **Emploi.**
1. Répétition de *de.* Lorsque plusieurs
compléments sont coordonnés ou juxtaposés, on doit en principe répéter *de*
devant chacun de ces compléments :
*Aude est la sœur de Natacha, d'Alice et de
Magali ; le ministère de la Jeunesse et des
Sports ; il s'agit d'un rappel ou d'une mise
au point.* Mais la répétition ne s'impose
pas dans une expression toute faite,
devant plusieurs nombres ou devant

un groupe considéré globalement :
*occupons-nous des tenants et aboutissants ;
faire un emprunt de deux ou trois mille
francs ; le Musée des arts et traditions populaires ; il importe de bien comprendre et
assimiler ces notions.*
2. De... à... exprimant l'approximation : *sur route, la voiture consomme de huit
à neuf litres aux cent ; nous attendons de
vingt à trente personnes ; cela devrait
prendre de dix à quinze jours.* REM. Dans
le registre courant, en particulier à
l'oral, *de* est souvent omis : *consommer
huit à neuf litres aux cent ; attendre vingt à
trente personnes ; prendre dix à quinze
jours.*
3. Accord de l'adjectif après deux
noms joints par *de.* C'est le sens qui
détermine l'accord de l'adjectif : *des
chemisiers de cotonnade échancrés* (ce sont
les chemisiers qui sont échancrés) ; *des
chemisiers de cotonnade légère* (c'est la
cotonnade qui est légère).
4. *De* partitif. L'association de *de* et de
l'article défini constitue l'article dit
« partitif » *(du, de la, des) : boire du vin.
Fumer du tabac hollandais, des cigarettes
anglaises. Lire aussi bien de la poésie que
de la prose.* ❑ Devant un démonstratif,
un possessif (et, d'une manière générale, devant un déterminant autre que
l'article défini), *de* s'emploie seul, avec
la valeur partitive : *j'ai bu de ce champagne ; servez-nous encore de votre délicieuse terrine.* ❑ Avec un adverbe de
quantité, l'emploi de *de* partitif précédant un nom au singulier est normal et
correct. *J'ai mangé beaucoup, assez, trop
de chocolat.* ❑ Devant un nom au singulier précédé d'un adjectif, *de* employé
seul avec une valeur partitive est vieux
ou littéraire : *j'ai de bon tabac. « Faites-
nous de bonne politique et je vous ferai de
bonnes finances »* (baron Louis).
5. Accord du nom complément
après *de (des chefs de bureau, des hommes
d'affaires).* Il y a souvent hésitation
dans ce cas sur l'accord en nombre du

nom complément. Il n'est pas possible de donner une règle applicable à chaque cas, tout au plus des principes généraux. ❑ Le nom complément est au singulier quand il comporte l'idée d'un seul objet ou d'un seul être, ou l'idée de généralité, d'ensemble : *des chefs de bureau, des voies de communication, des cours d'eau, des comités d'entreprise, des couvertures de lit, des peaux de mouton, des coups de pied, des tailleurs de pierre, des grains de raisin,* etc. ❑ Le nom complément est au pluriel quand il comporte l'idée de plusieurs objets ou de plusieurs êtres, ou quand, avec le sens qu'il a dans l'expression, il est habituellement employé au pluriel : *homme d'affaires* (on dit : *être dans les affaires, faire des affaires*), *salle d'armes* (on dit *faire des armes* = pratiquer l'escrime), *pont de bateaux, état de choses, règlement de comptes, rivière de diamants, ville d'eaux, carnet d'échéances, manque d'égards, corbeille de fruits, divergence de vues, suspension d'hostilités, communauté d'idées, cotte de mailles, boutons de manchettes, chaîne de montagnes, salade d'oranges, temps de troubles,* etc.
6. *De* **devant un infinitif de narration :** « *Et grenouilles de se plaindre* » (La Fontaine). « *Le géant de s'effrayer et de doubler le pas* » (V. Hugo). Ce tour n'est plus employé que dans la langue littéraire.
7. *De* **devant un adjectif ou un participe passé dans l'expression d'une quantité** *(encore un carreau de cassé).* Cet emploi, naguère critiqué, est aujourd'hui admis : *il y eut sept hommes de tués dans l'engagement.* L'emploi de *de* reste néanmoins facultatif : *il me reste une matinée libre* (ou *une matinée de libre*). ❑ Avec *en* remplaçant un nom, *de* est obligatoire : *il y en a cinq de prêts ; je vous ferais bien cadeau des cinq, mais il n'y en a que trois de bons.*
8. *De* **/** *par* **devant le complément d'agent d'un verbe au passif** *(être admiré de ses collègues / par ses collègues).*

Dans le registre courant, c'est en général *par* qui introduit le complément d'agent d'un verbe au passif : *nous avons été contrôlés par la douane ; elle a été engagée par le directeur.* Mais *de* est souvent employé avec les verbes exprimant un sentiment ou un mouvement, en particulier dans le registre soutenu : *il est admiré de ses collègues ; elle est très aimée de ses étudiants ; il est entré précédé d'un huissier.* Dans de nombreux cas, les deux prépositions sont interchangeables : *il n'est connu de personne* ou *par personne.* **RECOMM. 1.** Dans le doute, on peut toujours employer *par.* **2.** *Par* doit être employé avec la plupart des verbes d'action : *il a été pris par l'ennemi* (et non **de l'ennemi*) ; *les trois coureurs de tête ont été rejoints par le peloton* (et non **du peloton*).
9. *Que* **/** *que de.* Devant un infinitif et après *c'est que, mieux que, plutôt que,* on peut exprimer ou non la préposition *de* : *c'est un honneur que d'être choisi pour cette mission* (ou : *c'est un honneur qu'être choisi...*) ; *il vaut mieux entendre cela que d'être sourd* (ou : *qu'être sourd*) ; *j'ai préféré m'éclipser plutôt que d'avoir à lui serrer la main* (ou : *plutôt qu'avoir à lui serrer la main*). *Que de* est néanmoins plus fréquent.
10. *Ne faire que* **/** *ne faire que de.* Ne pas confondre ces deux expressions de construction proche mais de sens distinct. ❑ *Ne faire que* = ne pas cesser de. *Il ne fait qu'entrer et sortir. Je ne fais que vous le répéter.* ❑ *Ne faire que de* = venir tout juste de. *Je ne fais que d'arriver* = je viens d'arriver. Registre soutenu.
11. *De ce que.* Tour à éviter quand on peut employer *que* seulement : *je m'étonne qu'il n'ait pas réussi* (de préférence à : *je m'étonne de ce qu'il n'ait pas réussi*) ; *il a profité qu'elle ne faisait pas attention* (de préférence à : *il a profité de ce qu'elle ne faisait pas attention*).
12. *De* **reprenant un pronom devant un nom :** *dis-m'en une, de fable ; je te pas-*

serai le mien, de couteau. Cette construction, très utilisée à l'oral comme forme d'insistance, est aujourd'hui admise dans le registre courant. **RECOMM.** Dans l'expression soignée, en particulier à l'écrit, préférer la construction simple : *dis-moi une fable ; je te passerai mon couteau.*

13. De, du, particule onomastique (dite abusivement « nobiliaire »). ❑ La particule *de* est en général omise devant un nom comptant plusieurs syllabes, sauf s'il commence par une voyelle ou un *h* muet : *elle a lu La Rochefoucauld, Diderot a travaillé avec d'Alembert, voici d'Harcourt.* - Si le nom ne compte qu'une seule syllabe (ou, s'il en compte deux, que la seconde est muette), la particule *de* n'est jamais omise : *dès 1940, il rejoint de Gaulle à Londres ; il appréciait beaucoup de Mun.* - Si la particule *de* est précédée par la préposition *de,* elle prend la majuscule : *le débarquement de De Lattre à Saint-Tropez.* ❑ *Du, des* ne sont jamais omis. L'article contracté prend la majuscule après une préposition : *la poésie de Du Bellay ; le dictionnaire de Du Cange ; l'aventure de Des Grieux.* ❑ Lorsque la particule fait partie du nom (cas fréquent dans les noms d'origine flamande, où *de* est en fait un article), elle prend la majuscule : *M. Aristide De Waere. Charles Du Bos.*

14. *De possessif.* → à

15. *De /en* pour indiquer la matière *(une statue de marbre, une pipe en bois).* → en

16. *C'est ma faute / c'est de ma faute.* → faute

17. *C'est à vous de / c'est à vous à.* → à

18. *Si j'étais que de vous.* → vous

19. *De par.* → par

20. *Des plus.* → plus

21. *De le* contracté en *du* dans un titre. → annexe, grammaire § 106.

dealer n.m. ◆ **Prononc.** [dilœʀ], comme *dis-leur.* ◆ **Orth.** Plur. : *des dea-*

lers. ◆ **Anglicisme.** Cet anglicisme sans équivalent français est entré dans l'usage courant. Il est admis par les dictionnaires et les grammaires.

débâcle n.f. ◆ **Orth.** S'écrit avec un accent circonflexe sur le *a,* comme son contraire *embâcle* et les mots de la famille de *bâcler* (de *bâcle,* barre servant à fermer un volet, une porte).

débarras n.m. ◆ **Orth.** Avec deux *r,* comme les mots de la même famille : *débarrasser, embarras,* etc.

débatteur n.m. ◆ **Emploi.** *Débatteur* (= orateur à l'aise dans les débats publics), forme francisée de l'anglicisme *debater,* est aujourd'hui bien intégré au français.

débattre v.t. et vt.ind. ◆ **Conjug.** Comme *battre.* → annexe, tableau 63. ◆ **Constr.** *Débattre de qqch., débattre qqch* : *nous avons débattu de l'affaire en petit comité* ou *nous avons débattu l'affaire...* Les deux constructions sont correctes. **REM.** 1. La construction avec la préposition *de* est récente, et a probablement été adoptée par analogie avec *discuter de.* On disait plutôt naguère *débattre une question, un sujet, une affaire.* 2. Le complément est parfois introduit par *sur* ou *au sujet de* : *débattre sur une réforme, au sujet d'une question de société.*

débecter, débecqueter, débèqueter v.i. ◆ **Conjug.** *Débecter* → annexe, tableau 6. - *Débecqueter, débèqueter.* → annexe, tableau 16 et R.O 1990. ◆ **Orth.** Les graphies *débecqueter* et *débèqueter,* qui présentent des difficultés de conjugaison, sont de moins en moins utilisées. ◆ **Registre.** Familier.

débiteur, euse n. / **débiteur, trice** n. et adj. Ne pas confondre ces deux mots, que distingue leur forme féminine. ◆ **Sens.** 1. *Débiteur, débiteuse*

n. = personne qui débite ; machine à débiter. *C'est une grande débiteuse d'inepties. Débiteuse à disques, à lame.* **2. Débiteur, débitrice** n. et adj. = se dit d'une personne qui a une dette, ou d'un compte dont le solde est négatif.

déblai n.m. ◆ **Orth.** Finale en *-ai,* comme *balai* ou *délai,* à la différence de *relais.*

déblaiement n.m. ◆ **Orth.** Avec un *e* muet intérieur. *Déblaiement* correspond à *déblayer,* verbe du 1er groupe. (comme *aboiement* correspond à *aboyer* → **aboiement**). REM. On trouve également *déblayage,* plus rare.

déblatérer v.i. ◆ **Conjug.** Attention à l'accent, tantôt grave, tantôt aigu : *je déblatère, nous déblatérons ; il déblatérait.* → annexe, tableau 11 et R.O. 1990. ◆ **Constr.** *Déblatérer contre* ou *déblatérer* (sans complément) : « *Il n'a pas cessé de déblatérer contre tout : le gouvernement, les impôts, les ouvriers, les patrons, la sécurité sociale... - Laissez-le donc déblatérer !* ». ◆ **Registre.** Familier.

déblayer v.t. ◆ **Conjug.** Les formes conjuguées du verbe peuvent s'écrire avec un *y* ou un *i* devant *e* muet : *il déblaie* ou *il déblaye, il déblaiera* ou *il déblayera.* - Attention au *i* après le *y* aux première et deuxième personnes du pluriel, à l'indicatif imparfait et au subjonctif présent : *(que) nous déblayions, (que) vous déblayiez.* → annexe, tableau 6

déblocage n.m. ◆ **Orth.** Avec un *c,* bien que le verbe correspondant, *bloquer,* s'écrive avec *-qu-.*

déboisage n.m. / **déboisement** n.m. ◆ **Sens. 1.** *Déboisage* = action de déboiser (une galerie de mine), d'en ôter les soutènements en bois. **1.** *Déboisement* = action de déboiser (un terrain). *Le déboisement de la colline.*

déboîter n.m. ◆ **Orth.** Avec un accent circonflexe sur le *i,* comme *boîte,* dont il dérive, et comme son dérivé *déboîtement.* → R.O. 1990

déborder v.i., v.t., v.t.ind. ◆ **Constr. 1.** *Déborder* v.i. : *la rivière déborde ; le lait bouillant déborde.* **2.** *Déborder qqch.* v.t. : *la terrasse déborde la maison ; votre allocution a largement débordé son sujet initial.* **2.** *Déborder de* v.t.ind. : *elle déborde d'énergie, de joie de vivre ; cette mission déborde du cadre de mes fonctions habituelles.*

débosseler v.t. ◆ **Conjug.** Comme *bosseler.* Attention à l'alternance *-ll-/-l-* : *il débosselle, nous débosselons ; il débosselait ; débossela ; il débossellera.* → annexe, tableau 16 et R.O. 1990

déboucher v.i. ◆ **Registre.** *Déboucher sur* = aboutir à. *On espère que ce sommet débouchera sur un accord de paix.* Expression fréquente dans la langue courante, en particulier dans les médias. **RECOMM.** Dans l'expression soignée, préférer *aboutir à* ou *avoir comme résultat, comme conséquence, comme issue.*

debout adv. ◆ **Orth.** Toujours invariable : *ils sont debout ; places debout.* → **place**

débrayer v.t. et v.i. ◆ **Conjug.** Les formes conjuguées du verbe peuvent s'écrire avec un *y* ou un *i* devant *e* muet : *il débraie* ou *il débraye, il débraiera* ou *il débrayera.* - Attention au *i* après le *y* aux première et deuxième personnes du pluriel, à l'indicatif imparfait et au subjonctif présent : *(que) nous débrayions, (que) vous débrayiez* → annexe, tableau 6

débris n.m. ◆ **Orth.** Finale en *-is* (penser à *briser*), comme *avis, paradis, parvis, radis.*

début n.m. ◆ **Registre.** *Début mai* = au début du mois de mai. *Je peux vous* *accorder un rendez-vous début mai.* Registre courant (très employé dans la langue des affaires). **RECOMM.** Dans l'expression soignée, préférer *au début de mai* ou *du mois de mai.*

débuter v.i. ◆ **Constr.** *Débuter* v.i. = commencer. *La séance a débuté avec la lecture de l'ordre du jour.* **RECOMM.** Éviter de donner à ce verbe intransitif un complément d'objet direct, sur le modèle de *commencer* (*débuter la séance avec la lecture de l'ordre du jour). Bien que très fréquente aujourd'hui, cette construction n'est pas admise par le bon usage.

deçà adv. ◆ **Orth. 1.** Avec un accent grave sur le *a*. **2.** *En deçà,* sans trait d'union. ❑ *Par-deçà,* avec un trait d'union. ◆ **Registre.** *Deçà, delà* = de côté et d'autre. Sans trait d'union, à la différence de *de-ci, de-là* « *Et je m'en vais / Au vent mauvais / Qui m'emporte / Deçà, delà, / Pareil à la / Feuille morte* » (P. Verlaine). Registre littéraire. **REM.** On écrit aussi *deçà delà,* sans virgule.

décacheter v.t. ◆ **Conjug.** Comme *cacheter.* Attention à l'alternance *-tt-/-t-* : *il décachette, nous décachetons ; il décachetait ; il décacheta ; il décachettera.* → annexe, tableau 16 et R.O. 1990

décade n.f. / **décennie** n.f. ◆ **Sens.** Ne pas confondre ces deux mots. **1.** *Décade* = période de dix jours ; par extension, période de dix ans, décennie. Le mot a un dérivé, *décadaire* = qui a lieu, qui se fait tous les dix jours. *Relevés décadaires d'un compte de dépôts.* **RECOMM.** Réserver *décade* pour le sens de « période de dix jours ». **REM.** L'extension du sens de *décade* à « période décennale » est relativement récente. Elle s'est faite sous l'influence de l'anglais *decade.* Étymologiquement, cet emploi n'est pas en soi condamnable, car, en dépit d'une opi-

nion répandue, *décade* ne vient pas du latin *deca,* dix et *dies,* jour, mais du grec *dekas, dekados,* dix. **2.** *Décennie* = période de dix ans.

décalquage ou **décalque** n.m. ◆ **Orth.** *Décalquage :* avec *-qu-,* comme *calque,* dont il dérive.

décalquer v.t. et v.i. → calquer

décapeler v.t. ◆ **Conjug.** Comme *capeler.* Attention à l'alternance *-ll-/-l-* : *il décapelle, nous décapelons ; il décapelait ; décapela ; il décapellera.* → annexe, tableau 16 et R.O. 1990

décaper v.t. ◆ **Orth.** Avec un seul *p,* ainsi que les dérivés *décapage* et *décapant.*

décéder v.i. ◆ **Conjug.** Avec l'auxiliaire *être.* Attention à l'accent, tantôt grave, tantôt aigu : *il décède ; il décédera.* → annexe, tableau 11 et R.O. 1990. ◆ **Registre.** Soutenu. ◆ **Emploi. 1.** Souvent employé par euphémisme pour *mourir,* tenu pour trop direct. **2.** Ne se dit que des êtres humains.

déceler v.t. ◆ **Conjug.** Attention à l'alternance *e/è* : *déceler ; je décèle, il décèle,* mais *nous décelons ; il décèlera ; qu'il décèle* mais *que nous décelions ; décelé.* → annexe, tableau 12

décélérer v.i. ◆ **Conjug.** Attention à l'accent, tantôt grave, tantôt aigu : *je décélère, nous décélérons ; je décélérais.* → annexe, tableau 11 et R.O. 1990

décennie n.f. → décade

décerner v.t. → attribuer

décevoir v.t. ◆ **Conjug.** Comme *recevoir.* → annexe, tableau 39

déchaîner v.t. et v.pr. ◆ **Orth.** Avec un accent circonflexe sur le *i.* De même pour le dérivé *déchaînement*. → R.O. 1990

décharger v.t., v.i. et v.pr. ◆ **Conjug.** Comme *charger*. Le *g* devient *-ge-* devant *a* et *o* : *je décharge, nous déchargeons ; il déchargea*. → annexe, tableau 10

Déchetterie n.f. / **décharge** n.f. ◆ **Orth.** *Déchetterie,* avec une majuscule (nom déposé) et avec deux *t*. ◆ **Sens. 1.** *Déchetterie* = centre pour le dépôt sélectif des déchets encombrants ou susceptibles d'être recyclés. **2.** *Décharge* = lieu où l'on dépose les immondices, les déchets, les ordures ménagères.

déchiffrage n.m. / **déchiffrement** n.m. ◆ **Sens et emploi. 1.** *Déchiffrage* = action de déchiffrer de la musique. *Le déchiffrage d'une fugue de Bach.* REM. *Déchiffrage* est également employé dans le vocabulaire technique de la pédagogie : *le déchiffrage d'un texte* (dans l'apprentissage de la lecture). **2.** *Déchiffrement* = action de lire un texte écrit peu lisiblement, un texte codé, une langue inconnue. *Le déchiffrement des manuscrits de la mer Morte.*

déchiqueter v.t. ◆ **Conjug.** Attention à l'alternance *-tt-/-t-* : *il déchiquette, nous déchiquetons ; il déchiquetait ; il déchiqueta ; il déchiquettera*. → annexe, tableau 16 et R.O. 1990

déchirement n.m. / **déchirure** n.f. ◆ **Sens.** Ne pas confondre ces deux mots. **1.** *Déchirement* = action de déchirer, fait de se déchirer ; au figuré, grande souffrance morale. **2.** *Déchirure* = résultat de l'action de déchirer ; partie déchirée de qqch., entaille, accroc ; au figuré, grande souffrance morale. *Ses vêtements portaient de larges déchirures.* REM. L'emploi au sens figuré de *déchi-*

rure est plus rare que l'emploi au sens figuré de *déchirement*.

déchoir v.i. ◆ **Conjug. 1.** Verbe défectif. Inusité à l'imparfait de l'indicatif, à l'impératif et au participe présent. Au futur, les formes en *-err- (je décherrai, nous décherrons)* sont archaïques, seules les formes en *-oir- (je déchoirai, nous déchoirons)* sont usitées aujourd'hui → annexe, tableau 57. **2.** Se conjugue avec l'auxiliaire *être* pour insister sur l'état : *il est déchu de son rang ;* avec l'auxiliaire *avoir* pour insister sur l'action : *il a déchu très rapidement.*

de-ci de-là loc. adv. ◆ **Orth.** Avec deux traits d'union, à la différence de *deçà delà.* Les deux membres de l'expression peuvent être séparés ou non par une virgule : *aller de-ci de-là* ou *aller de-ci, de-là.*

décider v.t. et v.t.ind. ◆ **Constr. 1.** *Décider à / de* ❑ *Décider qqn à* (+ infinitif) = le déterminer à faire quelque chose. *C'est son enthousiasme qui m'a décidé à tenter l'aventure. Je l'ai décidé à quitter son emploi pour s'associer avec moi.* ❑ *Décider de* (+ infinitif) = prendre le parti, la décision de. *J'ai décidé de rester ici.* **2.** *Décider que* (+ indicatif ou conditionnel) : *il décide que nous partirons à l'aube ; il avait décidé que nous irions le lendemain.* RECOMM. Éviter la construction *décider que* (+ subjonctif), qui marque l'incertitude, en contradiction avec le sens même du verbe : préférer *décidons qu'il ne viendra qu'en cas de nécessité* à **décidons qu'il ne vienne...* **3.** *Se décider à, être décidé à.* Avec *se décider, être décidé,* on emploie toujours *à* : *nous nous décidons à partir ; nous sommes décidés à partir.*

décideur n.m. ◆ **Genre.** *Décideur* (= personne habilitée à prendre dans l'exercice de ses fonctions des décisions importantes) s'emploie surtout au masculin, aussi bien pour un homme que pour une femme. *Mme Legros passe dans cette affaire pour le véritable décideur.* REM. Le féminin *décideuse,* correct et bien formé, reste peu usité.

décision n.f. ◆ **Emploi.** *Faire la décision* = apporter un avantage décisif, en sport. *C'est le but de Van der Kaepelen à la trente-troisième minute qui a fait la décision.* RECOMM. Locution admissible dans un commentaire sportif. Dans l'expression soignée, préférer *décider du sort de la partie, de l'issue du match,* et, hors du domaine sportif, *apporter un avantage décisif.*

déclencher v.t. ◆ **Orth.** Avec un *e,* comme *clenche* (= pièce principale d'un loquet de porte).

décliqueter v.t. ◆ **Conjug.** Comme *cliqueter.* Attention à l'alternance *-tt-/-t- : il décliquette, nous décliquetons ; il décliquetait ; il décliqueta ; il décliquettera.* → annexe, tableau 16

déclore v.t. ◆ **Conjug.** Comme *clore.* → annexe, tableau 93. ◆ **Registre.** Littéraire ou très soutenu.

décoincer v.t. et v.pr. ◆ **Conjug.** Comme *coincer.* Le *c* devient *ç* devant *o* et *a : je décoince, nous décoinçons ; il décoinça.* → annexe, tableau 9

décolérer v.i. ◆ **Conjug.** Attention à l'accent, tantôt grave, tantôt aigu : *je ne décolère pas, nous ne décolérons pas ; je ne décolérais pas.* → annexe, tableau 11 et R.O. 1990. ◆ **Emploi.** Surtout à la forme négative : *elle n'a pas décoléré de toute la journée.*

décollage n.m. ◆ **Orth.** Avec deux *l,* de même que *décollement,* n.m.

décolleter v.t. ◆ **Conjug.** Attention à l'alternance *-tt-/-t- : il décollette, nous décolletons ; il décolletait ; il décolleta ; il*

décollettera. → annexe, tableau 16 et R.O. 1990

décombres n.m. plur. ◆ **Genre et nombre.** Masculin pluriel : *des décombres noircis.* REM. L'emploi au singulier ne se rencontre guère qu'en poésie : « *Si par une nuit lourde et sombre / Un bon chrétien, par charité, / Derrière quelque vieux décombre / Enterre votre corps vanté* » (Ch. Baudelaire).

déconnexion n.f. ◆ **Orth.** Avec deux *n.* - Attention, le substantif *déconnexion* s'écrit avec un *x,* alors que le verbe correspondant, *déconnecter,* s'écrit avec le groupe *-ct-* (comme on écrit *connexion,* de *connecter*).

déconsidérer v.t. et v.pr. ◆ **Conjug.** Attention à l'accent, tantôt grave, tantôt aigu : *je me déconsidère, nous nous déconsidérons ; je me déconsidérais.* → annexe, tableau 11 et R.O. 1990

décontenancer v.t. ◆ **Conjug.** Le *c* devient *ç* devant *o* et *a : je décontenance, nous décontenançons ; il décontenança.* → annexe, tableau 9

décorum n.m. ◆ **Prononc.** [dɛkɔʀɔm], la finale se prononce [ɔm], comme dans *album.* ◆ **Orth.** Avec un accent aigu sur le *e.* - Plur. : *des décorums.* ◆ **Sens et emploi. 1.** Ensemble des règles de bienséance ; protocole, étiquette. *Observer scrupuleusement le décorum. Le décorum impérial, républicain.* **2.** Emploi courant mais impropre : apparence brillante ; décor pompeux. *Il y avait des plantes vertes, des tapis rouges, un buffet somptueux, tout un décorum.* RECOMM. N'utiliser le mot qu'au sens de « bienséance, étiquette ».

décote n.f. ◆ **Orth.** Avec un *o* sans accent. → cote

découdre v.t. et v.i. ◆ **Conjug.** Comme *coudre.* → annexe, tableau 66

décourager v.t. et v.pr. ◆ **Conjug.** Le *g* devient *-ge-* devant *a* et *o* : *je décourage, nous décourageons ; il découragea.* → annexe, tableau 10

décours n.m. ◆ **Orth.** Avec un *s* final qui ne se prononce pas : *le décours d'une maladie ; le décours de la Lune.*

découvrir v.t. / **inventer** v.t. ◆ **Conjug.** *Découvrir.* Comme *couvrir.* → annexe, tableau 23. ◆ **Sens.** Ne pas confondre ces deux mots. **1.** *Découvrir* = trouver (ce qui était caché, inconnu, ignoré). *Christophe Colomb a découvert l'Amérique en 1492 ; découvrir le principe de la gravitation universelle.* **2.** *Inventer* = créer le premier (ce qui n'existait pas encore et dont personne auparavant n'avait eu l'idée) ; imaginer. *Gutenberg a inventé l'imprimerie à caractères mobiles. Inventer une histoire.* REM. *Inventeur* est utilisé dans la langue du droit pour désigner une personne qui trouve un objet perdu ou caché : *l'inventeur d'un trésor.*

décrédibiliser v.t. / **discréditer** v.t. / **décrier** v.t. ◆ **Sens.** Ne pas confondre ces trois verbes. **1.** *Décrédibiliser, discréditer* v.t. = faire perdre son crédit, sa crédibilité à. - *Décrédibiliser* et *discréditer* sont quasiment synonymes. REM. *Décrédibiliser* est récent (années 1980). *Décréditer* (= discréditer) est aujourd'hui sorti de l'usage. **2.** *Décrier* = critiquer, dire du mal de.

décrépi, e part. passé / **décrépit, e** adj. ◆ **Sens et orth.** Ne pas confondre ces deux mots, homonymes au masculin. **1.** *Décrépi* part. passé = qui a perdu son crépi (verbe *décrépir*). *Une muraille décrépie.* **2.** *Décrépit* adj. = atteint de décrépitude ; affaibli par l'âge, fatigué, cassé. « *Les marchandes aussi vieilles que le temps, aussi décrépites et ridées que les bonnes femmes des contes de fées* » (G. Geffroy). REM. *Décrépit* peut se dire aussi des choses, ce qui, dans certains contextes, contribue à la confusion entre les deux mots. Ainsi chez V. Hugo : « *Une sombre mesure apparaît, décrépite* ».

décrescendo, decrescendo adv. et n.m. ◆ **Orth.** Les deux graphies, *décrescendo* et *decrescendo,* sont admises. L'Académie écrit *décrescendo.* → aussi R.O. 1990

décréter v.t. ◆ **Conjug.** Attention à l'accent, tantôt grave, tantôt aigu : *je décrète, nous décrétons ; je décrétai.* → annexe, tableau 11 et R.O. 1990. ◆ **Constr.** *Décréter que* (+ indicatif ou conditionnel) : *Natacha décrète qu'elle ne veut pas y aller ; il avait décrété que nous resterions plus longtemps.* RECOMM. Ne pas faire suivre *décréter que* d'un verbe au subjonctif.

décrier v.t. → décrédibiliser

décrire v.t. ◆ **Conjug.** Comme *écrire.* → annexe, tableau 79

décroître v.i. ◆ **Orth.** Avec un accent circonflexe sur le *i,* comme *croître* et *accroître.* → R.O. 1990. ◆ **Conjug.** Comme *accroître* → annexe, tableau 74 - Part. passé : *décru* (sans accent circonflexe). ❏ Se conjugue aujourd'hui avec l'auxiliaire *avoir : la rivière a décru cette nuit.* REM. La conjugaison avec l'auxiliaire *être,* insistant sur l'état plutôt que sur l'action *(la rivière est décrue depuis peu),* n'est plus guère en usage.

décrypter v.t. ◆ **Orth.** Avec un *y.* ◆ **Sens et emploi.** Déchiffrer, traduire (un texte codé dont on n'a pas la clé). RECOMM. Pour l'opération consistant à relever par écrit des paroles enregistrées, employer plutôt *transcrire : transcrire une bande magnétique.*

dédaigner v.t. ◆ **Conjug.** Attention au groupe *-gni-* aux première et deuxième personnes du pluriel, à l'indicatif imparfait et au subjonctif présent : *(que) nous dédaignions, (que) vous dédaigniez.* ◆ **Constr. et registre. 1.** *Dédaigner qqch., qqn* : *elle dédaigne les succès trop faciles ; il dédaigne ceux qui ne sont pas de son milieu.* Construction courante dans tous les registres. **2.** *Dédaigner de* (+ infinitif) : *il a dédaigné de poursuivre cette conversation qui l'ennuyait.* Cette construction appartient au registre soutenu. REM. **1.** Ne pas confondre la construction de *dédaigner* et celle de *daigner,* que l'on peut faire suivre d'un infinitif sans préposition. **2.** Avec un infinitif, *dédaigneux, euse* adj., se construit comme le verbe *dédaigner* : *il est dédaigneux de plaire* (tour littéraire).

dedans adv. ◆ **Orth.** Avec ou sans trait d'union dans les composés. **1.** *Au-dedans, là-dedans, par-dedans* : avec un trait d'union. **2.** *En dedans* : sans trait d'union. ◆ **Emploi. 1.** *Dedans* est l'adverbe correspondant à la préposition *dans* : *il est dans sa maison ; il est dedans.* **2.** *Dedans* peut être employé comme préposition s'il est lui-même précédé d'une préposition : *retire la clef de dedans la serrure.* REM. *Dedans* s'employait autrefois comme simple préposition : *il reste dedans la maison.*

dédicacer v.t. ◆ **Conjug.** Le *c* devient *ç* devant *o* et *a* : *je dédicace, nous dédicaçons ; il dédicaça.* → annexe, tableau 9

dédicataire n. ◆ **Sens.** Destinataire d'une dédicace. RECOMM. Ne pas utiliser *dédicataire* pour « auteur d'une dédicace ».

dédire (se) v.pr. ◆ **Conjug.** Comme *contredire* et non comme *dire* : *vous m'aviez promis et maintenant vous vous dédisez.* → annexe, tableau 83

dédit n.m. ◆ **Prononc.** Le *t* final ne se prononce pas. REM. *Dédit* est le participe passé substantivé du verbe *dédire* et non un emprunt au latin (comme le sont *accessit, déficit, incipit,* etc.). ◆ **Genre.** Masculin.

dédommager v.t. ◆ **Conjug.** Le *g* devient *-ge-* devant *a* et *o* : *je dédommage, nous dédommageons ; il dédommagea.* → annexe, tableau 10

dédoubler v.t. / **doubler** v.t. ◆ **Sens.** Ne pas confondre ces deux mots. **1.** *Dédoubler* = partager en deux, diviser par deux. *Les stagiaires sont trop nombreux dans ce groupe, il faudrait le dédoubler.* REM. Dans la langue des chemins de fer, *dédoubler un train* consiste à faire partir presque à la même heure un deuxième train pour la même destination, en raison de l'affluence des voyageurs. **2.** *Doubler* = porter au double, multiplier par deux. *Doubler les rations.*

déduire v.t. ◆ **Conjug.** Comme *conduire* → annexe, tableau 78

défaillir v.i. ◆ **Conjug.** Comme *tressaillir.* → annexe, tableau 35. REM. On trouve parfois au futur et au conditionnel les formes avec *e* : *je défaillerai, je défaillerais.*

défaire v.t. et v.pr. ◆ **Conjug.** Comme *faire.* → annexe, tableau 89

défalcation n.f. ◆ **Orth.** Avec un *c,* alors que le verbe *défalquer* s'écrit avec *-qu-* (on a *défalquer / défalcation* comme on a *démarquer / démarcation, embarquer / embarcation,* etc.).

défectueux, euse adj. / **déficient, e** adj. ◆ **Sens.** Ne pas confondre ces deux adjectifs de sens proche. **1.** *Défectueux* = qui présente des imperfections, des défauts. *Renvoyer au fabriquant une série défectueuse.* **2.** *Déficient* =

qui présente une déficience, une faiblesse organique. *Une constitution déficiente.*

défendeur, eresse n. / **défenseur** n.m. ◆ **Sens.** Ne pas confondre ces deux mots. 1. *Défendeur, défenderesse* n. = personne contre laquelle est intentée une action en justice, par opposition à *demandeur.* Terme de droit. 2. *Défenseur* n.m. = personne qui s'oppose à une attaque, qui défend qqn ou qqch. Le mot n'a pas de féminin et peut être employé pour désigner une femme : *elle est l'éternel défenseur des opprimés et des malheureux. Maître Martine Balto, défenseur commis d'office, plaide la relaxe.*

défendre v.t. et v.pr. ◆ **Conjug.** Comme *vendre.* → annexe, tableau 59. ◆ **Constr.** *Défendre de* (+ infinitif) / *que* (+ subjonctif) : *il nous a défendu de sortir ; il a défendu que nous sortions.*

défenseur n.m. → défendeur

déférer v.t. ◆ **Conjug.** Attention à l'accent, tantôt grave, tantôt aigu : *je défère, nous déférons ; je déférai.* → annexe, tableau 11 et R.O. 1990

déficeler v.t. ◆ **Conjug.** Comme *ficeler.* Attention à l'alternance *-ll-/-l-* : *il déficelle, nous déficelons ; il déficelait ; déficela ; il déficellera.* → annexe, tableau 16 et R.O. 1990

défier v.t. ◆ **Conjug.** Attention à la succession de deux *i* aux première et deuxième personnes du pluriel, à l'indicatif imparfait et au subjonctif présent : *(que) nous défiions, (que) vous défiiez.* → annexe, tableau 5

défier (se) v.pr. / **méfier (se)** v.pr. ◆ **Sens.** Ne pas confondre ces deux mots. 1. *Se défier de* = ne se fier qu'avec précaution à ; être en garde, en défiance contre. 2. *Se méfier de* = n'ac-

corder aucune confiance à. ◆ **Emploi et registre.** Les deux verbes ont des sens voisins, mais *se défier* appartient au registre soutenu, alors que *se méfier* est du registre courant. *Se défier* dit plus : *se défier de qqn,* c'est ne lui accorder que peu de confiance ; *s'en méfier,* c'est ne lui en accorder aucune : « *on se méfie des autres ; on se défie de soi* »

défiler v.i. ◆ **Sens et emploi.** *Défiler* = marcher à la suite les uns des autres. RECOMM. Éviter le pléonasme *défiler successivement.

définitive (en) loc. adv. ◆ **Emploi.** La locution *en définitive* est seule correcte. RECOMM. Éviter de dire ou d'écrire *en définitif.

défoncer v.t. et v.pr. ◆ **Conjug.** Comme *foncer.* Le *c* devient *ç* devant *o* et *a : je défonce, nous défonçons ; il défonça.* → annexe, tableau 9

défrayer v.t. ◆ **Conjug.** Les formes conjuguées du verbe peuvent s'écrire avec un *y* ou un *i* devant *e* muet : *il défraie* ou *il défraye, il défraiera* ou *il défrayera.* - Attention au *i* après le *y* aux première et deuxième personnes du pluriel, à l'indicatif imparfait et au subjonctif présent : *(que) nous défrayions, (que) vous défrayiez.* → annexe, tableau 6. ◆ **Emploi.** *Défrayer qqn* = lui rembourser ses dépenses, ses frais. *Vous serez intégralement défrayé à votre retour de mission.* RECOMM. Éviter le pléonasme *défrayer qqn de ses frais, de ses dépenses.

défroncer v.t. ◆ **Conjug.** Comme *froncer.* Le *c* devient *ç* devant *o* et *a : je défronce, nous défronçons ; il défronça.* → annexe, tableau 9

défunt, e adj. et n. ◆ **Registre.** Soutenu. L'emploi du mot comme adjectif se rencontre surtout dans la langue administrative ou juridique et dans la langue littéraire. *Le défunt propriétaire a manifesté ses dernières volontés sous pli scellé. « Tout un monde lointain, absent, presque défunt »* (Ch. Baudelaire).

dégager v.t. et v.pr. ◆ **Conjug.** Le *g* devient *-ge-* devant *a* et *o* : *je dégage, nous dégageons ; il dégagea.* → annexe, tableau 10

dégainer v.t. ◆ **Orth.** Sans accent circonflexe sur le *i.* REM. Mot issu de *gaine,* qui s'écrit lui-même sans accent.

dégât n.m. ◆ **Orth.** Avec un accent circonflexe sur le *a.*

dégénérer v.i. ◆ **Conjug. 1.** Attention à l'accent, tantôt grave, tantôt aigu : *il dégénère, nous dégénérons ; il dégénérait.* → annexe, tableau 11 et R.O. 1990. **2.** Aux temps composés, se conjugue avec l'auxiliaire *être* ou avec l'auxiliaire *avoir* selon que l'accent est mis sur l'état ou sur l'action : *cette conception naguère vigoureuse est dégénérée en courants et en chapelles qui se chicanent ; la pensée du fondateur a dégénéré en dogme stérile.*

dégénérescence n.f. ◆ **Orth.** Avec un accent aigu sur les trois premiers *e.* Attention au groupe *-sc-,* comme dans *adolescence.*

dégingandé, e adj. ◆ **Prononc.** [deʒɛ̃gɑ̃de], le premier *g* se prononce comme dans *gingembre,* le second comme dans *guindé.* RECOMM. Ne pas prononcer le premier *g* « gu- », comme dans *déguisé.*

déglacer v.t. ◆ **Conjug.** Comme *glacer.* Le *c* devient *ç* devant *o* et *a* : *je déglace, nous déglaçons ; il déglaça.* → annexe, tableau 9

dégoût n.m. ◆ **Orth.** Avec un accent circonflexe sur le *u,* comme dans *goût,* dont il est issu. De même pour les dérivés *dégoûter, dégoûtant.* → R.O. 1990

dégoûter v.t. / **dégoutter** v.i. ◆ **Orth.** Ne pas confondre ces deux verbes. **1.** *Dégoûter* = inspirer du dégoût, de la répugnance à. *Sa malpropreté me dégoûte.* Avec un seul *t* et un accent circonflexe sur le *u,* comme dans *goût,* dont il est issu. → R.O. 1990. **2.** *Dégoutter* = couler goutte à goutte, laisser tomber des gouttes. *L'eau dégoutte du parapluie ; un imperméable dégouttant de pluie.* Avec deux *t,* comme dans *goutte.*

dégradation n.f. / **déprédation** n.f. ◆ **Sens.** Ne pas confondre ces deux mots que sépare une importante nuance de sens. **1.** *Dégradation* = détérioration. **2.** *Déprédations* = dommage causé à la propriété d'autrui par vol, pillage, destruction. ; gaspillage, acte malhonnête commis dans une gestion publique ou privée. REM. La proximité de sens de ces deux mots conduit souvent à employer *déprédations* au sens de *dégradation.* RECOMM. Se rappeler que *déprédation* implique l'idée de dommage causé au bien d'autrui, souvent par malveillance, ou d'appropriation illégitime, conformément à l'étymologie (latin *praeda,* proie, butin de guerre. Comparer à *un animal prédateur*). ◆ **Emploi.** *Déprédations :* surtout au pluriel (mais le singulier n'est pas incorrect). ◆ **Registre.** *Déprédations :* registre soutenu.

dégrafer v.t. ◆ **Orth.** Avec un seul *f,* comme *agrafe. Désagrafer* ne s'emploie presque plus.

dégravoyer v.t. ◆ **Conjug.** Attention, le *y* devient *i* devant *e* muet : *je dégravoie* mais *dégravoyais.* - Bien noter le *i* après le *y* aux première et deuxième personnes du pluriel, à l'indicatif imparfait et au subjonctif présent : *(que) nous dégravoyions, (que) vous dégravoyiez.* → annexe, tableau 7

degré n.m. ♦ **Orth.** *Par degrés* = progressivement. Avec un *s*.

degré (symboles) → annexe, grammaire § 11

dégréer v.t. ♦ **Conjug.** Attention à la succession de *é* et de *e* dans certaines des formes de la conjugaison de ce verbe difficile : *la goélette a été dégréée ; le skipper avait dit qu'on la dégréerait ce matin.* → annexe, tableau 8

dégrever v.t. ♦ **Conjug.** Attention à l'alternance *e/è* : *dégrever ; je dégrève, il dégrève,* mais *nous dégrevons ; il dégrèvera ; qu'il dégrève* mais *que nous dégrevions ; dégrevé.*→ annexe, tableau 12

dehors adv. ♦ **Prononc.** [dəɔʀ], bien prononcer *de-hors* (comme *debout*). Ne pas prononcer *dé-hors*. ♦ **Orth. 1.** *En dehors, en dehors de :* jamais de trait d'union. **2.** *Au-dehors (de), par-dehors :* toujours avec trait d'union.

déifier v.t. ♦ **Conjug.** Attention à la succession de deux *i* aux première et deuxième personnes du pluriel, à l'indicatif imparfait et au subjonctif présent : *(que) nous déifiions, (que) vous déifiiez.*

déjà adv. ♦ **Prononc.** [deʒa], bien articuler les deux syllabes (*dé-jà*). REM. La prononciation en une seule syllabe, supprimant le *é* (*j'te l'ai d'jà dit*) est relâchée. ♦ **Orth.** Bien noter l'accent grave sur le *a*.♦ **Registre.** *Déjà que,* en début de phrase, est familier : *déjà qu'il n'aime pas arriver en retard.*

déjauger v.i. ♦ **Conjug.** Le *g* devient -*ge*- devant *a* et *o* : *le bateau déjauge, il déjaugeait.* → annexe, tableau 10

déjeter v.t. ♦ **Conjug.** Comme *jeter.* Attention à l'alternance -*tt-/-t-* : *il déjette, nous déjetons ; il déjetait ; il déjeta ; il déjettera.* → annexe, tableau 16

1. déjeuner v.i. ♦ **Prononc.** [deʒœne], bien prononcer les trois syllabes (*dé-jeu-ner*). REM. La prononciation en deux syllabes, supprimant le *é* ou le *eu* (*t'as d'jà d'jeuné ? Allons déj'ner !*) est relâchée. ♦ **Orth.** Attention, pas d'accent circonflexe sur le *u* (à la différence de *jeûne* et de *jeûner* mais comme dans *à jeun*). ♦ **Constr.** *Déjeuner de / déjeuner avec* → **avec**. ♦ **Emploi.** *Déjeuner / petit-déjeuner / dîner / souper.* → aussi **2. déjeuner**

2. déjeuner n.m. ♦ **Emploi.** *Déjeuner / petit déjeuner / dîner / souper.* À Paris et dans beaucoup de régions de France, le *déjeuner* est aujourd'hui le repas pris à la mi-journée, en général entre midi et quatorze heures. Le repas du matin, pris avant la journée de travail, est le *petit déjeuner.* Le repas du soir est le *dîner.* Lorsque le repas du soir est pris assez avant dans la nuit, et notamment s'il s'agit d'un repas fin pris après un spectacle, il est dénommé *souper* (mais le mot comme la chose sont peu fréquents : on ne soupe guère que dans les milieux aisés). REM. **1.** Jusqu'au XIXe s., on nommait *déjeuner* le premier repas de la journée (celui par lequel on rompt le jeûne de la nuit), *dîner* celui du milieu de la journée et *souper* celui du soir. Cet usage est encore vivant dans certaines régions de France, en Belgique, en Suisse et au Québec. **2.** Cette nouvelle distribution des sens des trois substantifs a entraîné l'apparition du verbe *petit-déjeuner (je petit-déjeune, tu petit-déjeunes,* etc.), admis dans le registre courant.

déjuger (se) v.pr. ♦ **Conjug.** Le *g* devient -*ge*- devant *a* et *o* : *il se déjuge, nous nous déjugeons ; il se déjugea.* → annexe, tableau 10

delà adv. ♦ **Orth.** *Au-delà (de).* Toujours avec un trait d'union : *cela va au-delà du simple mensonge.* ❑ *L'au-delà.* Toujours avec un trait d'union mais sans majuscule : *s'interroger sur la vie dans l'au-delà.* ❑ ***Par-delà.*** Toujours avec un trait d'union : *par-delà le cercle polaire.* ❑ *Deçà delà* → deçà

délacer v.t. ◆ **Conjug.** Comme *lacer*. Le *c* devient *ç* devant *o* et *a* : *je délace, nous délaçons ; il délaça.* → annexe, tableau 9

délai n.m. ◆ **Orth.** Sans *s* à la fin comme pour *balai, déblai, remblai.* Ne pas se laisser influencer par *relais*.

délai-congé n.m. ◆ **Orth.** Attention au trait d'union et au pluriel : *des délais-congés* (avec *s* à chaque mot).

délayer v.t. ◆ **Conjug.** Les formes conjuguées du verbe peuvent s'écrire avec un *y* ou un *i* devant *e* muet : *il délaie* ou *il délaye, il délaiera* ou *il délayera.* - Attention au *i* après le *y* aux première et deuxième personnes du pluriel, à l'indicatif imparfait et au subjonctif présent : *(que) nous délayions, (que) vous délayiez* → annexe, tableau 6

deleatur n.m. inv. ◆ **Orth. et prononc.** Le mot s'écrit sans accent, bien qu'on prononce les *e* comme *é*. - Plur. : *des deleatur.* → R.O. 1990

déléguer v.t. ◆ **Conjug.** Attention à l'accent, tantôt grave, tantôt aigu : *il délègue, nous déléguons ; il déléguait.* → annexe, tableau 11 et R.O. 1990

délibérer v.i. ◆ **Conjug.** Attention à l'accent, tantôt grave, tantôt aigu : *je délibère, nous délibérons ; je délibérais.* → annexe, tableau 11 et R.O. 1990. ◆ **Constr. et registre. 1.** *Délibérer sur / au sujet de :* le conseil délibère sur le prochain budget ou au sujet du prochain budget. Constructions usuelles. **2.** *Délibérer de.* Le conseil délibère du prochain budget. Construction plus soutenue. **3.** *Délibérer si :* le conseil délibère si le prochain

budget sera augmenté. Construction vieillie.

délice n.m. / **délices** n.m. plur. ou n.f. plur. ◆ **Genre et nombre.** *Délice* est masculin au singulier *(un délice)*, féminin au pluriel *(des délices infinies)* sauf après *un des, un de, le plus grand des* où il reste masculin : *un des plus grands délices.* → **amour, orgue.** REM. La langue courante tend à garder le masculin au pluriel dans tous les cas. ◆ **Accord.** *Un lieu de délices : délices* est toujours au pluriel. ❑ *Avec délice :* le plus souvent au singulier, en accord avec le sens, mais le pluriel *avec délices* n'est pas fautif.

délinéer v.t. ◆ **Conjug.** Attention à la succession de *é* et de *e* dans certaines des formes de la conjugaison de ce verbe difficile : *une figure bien délinéée ; l'artiste disait qu'il la délinéerait au fusain.* → annexe, tableau 8

delirium tremens n.m. inv.◆ **Orth. et prononc.** Le mot s'écrit sans accent, bien qu'on prononce les *e* comme s'ils s'écrivaient *é* (la finale *-mens* se prononce comme *mince*). → R.O. 1990

délivrer v.t. ◆ **Emploi.** → attribuer

déloger v.i. ◆ **Conjug.** Le *g* devient -*ge*- devant *a* et *o* : *je déloge, nous délogeons ; il délogea.* → annexe, tableau 10

delta n.m. ◆ **Orth.** *Des ailes delta, en delta.* Sans *s* à *delta*.

deltaplane, delta-plane n.m. ◆ **Orth.** Les deux graphies, *deltaplane* et *delta-plane,* sont admises. - Plur. : *des deltaplanes* ou *des delta-planes* (sans *s* à *delta*).

déluge, Déluge n.m. ◆ **Orth.** Avec ou sans majuscule selon l'emploi. *Le Déluge :* le débordement universel des eaux, d'après la Bible. Avec une majuscule. Mais l'on écrit généralement *remonter au déluge* et *avant le déluge,* sans majuscule, la référence à l'épisode biblique proprement dit s'effaçant en locution.

démailloter v.t. ◆ **Orth.** Avec deux *l* et un seul *t.*

demain adv. ◆ **Emploi. 1.** *De demain en huit / demain en huit.* Les deux tournures sont correctes mais commencent à vieillir. *De demain en huit* est plus soutenu, *demain en huit* plus courant. **2.** *D'ici à demain / d'ici demain.* Les deux tournures sont correctes ; *d'ici à demain* est plus soutenu, *d'ici demain* plus courant. **3.** *Demain matin, demain soir / demain au matin, demain au soir.* Les deux tournures sont correctes ; on dit plus souvent *demain matin, demain soir.* On dit en revanche *demain à l'aube, demain à l'aurore, demain au crépuscule.*

demander v.t. ◆ **Constr. 1.** *Demander à* (+ infinitif). Quand *demander* et le verbe à l'infinitif ont le même sujet, on emploie *à* : *je demande à voir.* **2.** *Demander de* (+ infinitif). Quand *demander* et le verbe à l'infinitif ont des sujets différents, on emploie *de* : *il me demande de lui répondre très vite.* **3.** *Demander que / demander à ce que* → à. **4.** *Ne pas demander mieux que de* (+ infinitif) */ ne pas demander mieux que* (+ subjonctif) : *je ne demande pas mieux que de le laisser partir ; je ne demande pas mieux qu'il parte.* REM. Dans la construction avec le subjonctif, un seul *que* est exprimé (on ne dit pas : **je ne demande pas mieux que qu'il parte*). **5.** *Demander quelqu'un.* Seul tour correct. *Demander après qqn* appartient à la langue parlée relâchée. → après

demandeur, demandeuse n. / **demandeur, demanderesse** n. ◆ **Genre.** Dans la langue courante, le féminin de *demandeur* est *demandeuse :*

une demandeuse d'emploi. Dans la langue du droit, le féminin de *demandeur* est *demanderesse* (*la demanderesse s'oppose à la défenderesse*) → **défenseur**

démanger v.t. ◆ **Conjug.** Le *g* devient -*ge*- devant *a* et *o* : *ça me démange, ça me démangeait.* → annexe, tableau 10

démanteler v.t. ◆ **Conjug.** Attention à l'alternance *e/è* : *démanteler ; je démantèle, il démantèle,* mais *nous démantelons ; il démantèlera ; qu'il démantèle* mais *que nous démantelions ; démantelé.* → annexe, tableau 12

démarcage n.m. → démarquage

démarcation n.f. ◆ **Orth.** Avec un *c,* alors que le verbe *démarquer* s'écrit avec -*qu*- (on a *démarquer / démarcation* comme on a *appliquer / application, expliquer / explication,* etc.).

démarquage, démarcage n.m. ◆ **Orth.** Les deux graphies, *démarquage* et *démarcage,* sont admises. *Démarquage,* avec *qu* (comme le verbe correspondant, *démarquer*) est plus courant.

démarrer v.i. et v.t. ◆ **Constr.** *Démarrer quelque chose.* Construction courante, légèrement familière : *démarrer une fabrication.* RECOMM. Dans l'expression soignée, préférer *faire démarrer qqch. : faire démarrer une fabrication.*

démener (se) v.pr. ◆ **Conjug.** Attention à l'alternance *e/è* : *démener ; je me démène, il se démène,* mais *nous nous démenons ; il se démènera ; qu'il se démène* mais *que nous nous démenions ; démené.* → annexe, tableau 12

démentiel, elle adj. ◆ **Orth.** Avec un *t* (on a *démence / démentiel,* comme on a *concurrence / concurrentiel, présidence / présidentiel,* etc. ; mais on écrit *révérenciel*).

démentir v.t. ◆ **Conjug.** Comme *mentir.* → annexe, tableau 26. ◆ **Constr.** *Démentir que* (+ subjonctif) : *elle dément qu'il y ait eu du monde ce soir-là.* □ *Ne pas démentir que.* On emploie générale-ment le subjonctif, mais l'indicatif, insistant sur la réalité du fait, est cor-rect : *elle ne dément pas qu'il y ait eu du monde ce soir-là* (subjonctif) ; *elle ne dément pas qu'il y a eu du monde ce soir-là* (indicatif).

démettre v.t. et v.pr. ◆ **Conjug.** Comme *mettre.* → annexe, tableau 64. ◆ **Emploi.** *Démettre / démissionner.* → démissionner

démériter v.i. et v.t.ind. ◆ **Constr. 1.** *Démériter de qqch* = s'en rendre indigne (souvent en tournure néga-tive). *En battant son propre record dimanche, cet athlète n'a pas démérité du sport.* **2.** *Démériter auprès de qqn, aux yeux de qqn* = perdre son estime, sa confiance. REM. L'Académie admet *démériter de qqn.*

demeure n.f. ◆ **Sens.** *Il y a péril en la demeure.* Attention à un contresens fréquent. L'expression signifie « il y a péril à trop tarder » (littéralement, « dans le retard ») et non pas « il y a péril dans la maison ». REM. Dans l'an-cienne langue, *la demeure* signifiait « le fait de demeurer en l'état » et, par suite, « le retard » (ce sens s'est conservé dans l'expression *mettre en demeure* = som-mer de s'exécuter sans retard).

demeurer v.i. ◆ **Conjug. 1.** *Demeurer* = rester, s'arrêter quelque part. Se conjugue avec l'auxiliaire *être* : *il est demeuré étendu, il est demeuré sur la route.* **2.** *Demeurer* = habiter, résider. Se conjugue avec l'auxiliaire *avoir* : *il a demeuré quelque temps dans le quartier, puis il a déménagé en banlieue.* ◆ **Constr.** *Demeurer / demeurer sur / demeurer dans.* On dit *demeurer dans une rue, une*

impasse, un passage, une ruelle, mais *demeurer sur un boulevard, un cours, une place.* Avec *avenue,* les deux préposi-tions sont possibles : *demeurer sur une avenue, dans une avenue.* Le français d'aujourd'hui emploie volontiers *demeurer* sans préposition : *demeurer rue de la Liberté, passage de l'Horloge, avenue de la République.* ◆ **Emploi.** *Demeurer court.* → court

demi, e adj. ◆ **Orth 1.** *Demi-.* Devant un adjectif ou un nom, *demi-,* toujours suivi d'un trait d'union, reste inva-riable : *un demi-litre, des demi-litres ; des petits-pois demi-fins.* **2.** *...et demi* prend la marque du féminin mais jamais celle du pluriel : *une heure et demie* (avec *e*), *trois heures et demie* (avec *e* mais sans *s*), *trois litres et demi* (sans *s*).□ *Midi et demi / minuit et demi.* On écrit *midi et demi, minuit et demi* sans *e* à *demi* (= et une demi-heure), de préférence à *midi et demie, minuit et demie* (par analogie avec *deux heures et demie*). **3.** *À demi.* S'écrit avec un trait d'union devant un sub-stantif, sans trait d'union devant un adjectif : *se comprendre à demi-mot ; elle est à demi folle.* ◆ **Emploi.** *Demi- / semi-.* Les deux adjectifs ont le même sens et suivent les mêmes règles d'ortho-graphe, mais *demi-* appartient à la langue usuelle alors que *semi-* s'em-ploie dans un contexte juridique *(régime de semi-liberté),* technique *(véhi-cule semi-chenillé, une semi-conserve)* ou scientifique *(un semi-conducteur, échelle semi-logarithmique).*

demi-sang n.m. inv. ◆ **Orth.** *Des demi-sang* (invariable).

demi-sel n.m. inv. ◆ **Orth.** *Des demi-sel* (invariable).

demi-solde n.f. / **demi-solde** n.m. inv. ◆ **Orth. 1.** *Demi-solde* n.f. = autre-fois, solde réduite d'un militaire sorti du service actif. - Plur. : *des demi-soldes* (avec un *s* à *solde*). **2.** *Demi-solde* n.m. inv. = officier de l'Empire mis en non-activité par la Restauration. - Plur. : *des demi-solde* (sans *s*).

démissionner v.i. et v.t. ◆ **Emploi.** La tournure transitive *démissionner quelqu'un* (= le démettre, le contraindre à la démission), légèrement familière, est en général employée avec une intention plaisante.

démocrate-chrétien, enne adj. et n. ◆ **Orth.** Plur. : *des démocrates-chrétiens, des démocrates-chrétiennes* (les deux éléments varient). Mais on écrit *la démocratie chrétienne,* sans trait d'union.

demoiselle n.f. → dame

démonte-pneu n.m. ◆ **Orth.** Plur. : *des démonte-pneus* (avec *s* à *pneu*).

démordre v.t.ind. ◆ **Conjug.** Comme *mordre*. → annexe, tableau 59

démoucheter v.t. ◆ **Conjug.** Comme *moucheter*. Attention à l'alternance -*tt*-/-*t*- : *il démouchette, nous démouchetons ; il démouchetait ; il démoucheta ; il démouchettera.* → annexe, tableau 16 et R.O. 1990

démuseler v.t. ◆ **Conjug.** Comme *museler*. Attention à l'alternance -*ll*-/-*l*- : *il démuselle, nous démuselons ; il démuselait ; il démusela ; il démusellera.* → annexe, tableau 16 et R.O. 1990

démystifier v.t. / **démythifier** v.t. ◆ **Conjug.** Attention à la succession des deux *i* aux première et deuxième personnes du pluriel, à l'indicatif imparfait et au subjonctif présent : *(que) nous démystifiions, (que) vous démystifiiez ; (que) nous démythifiions, (que) vous démythifiiez.* ◆ **Sens.** Ne pas confondre ces deux mots dont l'un, *démystifier,* est souvent employé pour l'autre. **1.** *Démystifier* = détromper qqn qui a été victime d'une

mystification, d'une tromperie collective. *La mise en cause des principaux dirigeants a démystifié les actionnaires trompés.* **2.** *Démythifier* = ôter son caractère de mythe à, détruire en tant que légende. *Démythifier Freud et la psychanalyse.*

déniveler v.t. ◆ **Conjug.** Comme *niveler*. Attention à l'alternance -*ll*-/-*l*- : *il dénivelle, nous dénivelons ; il dénivelait ; dénivela ; il dénivellera.* → annexe, tableau 16 et R.O. 1990

dénivellement n.m. ◆ **Orth.** Avec deux *l*, comme son synonyme *dénivellation.* → R.O. 1990

dénomination n.f. ◆ **Orth.** Attention, un seul *m* alors que *dénommer* en a deux. De même, avec un seul *m* : *dénominateur* et *dénominatif.*

dénoncer v.t. ◆ **Conjug.** Le *c* devient *ç* devant *o* et *a* : *je dénonce, nous dénonçons ; il dénonça.* → annexe, tableau 9

dénouement n.m. ◆ **Orth.** Avec un *e* muet intérieur. *Dénouement* correspond à *dénouer,* verbe du 1er groupe (comme *aboiement* correspond à *aboyer* → **aboiement**)

dental, e, aux adj. ◆ **Orth.** Plur. : *des consonnes dentales, des phonèmes dentaux.*

dent-de-cheval n.f. ◆ **Orth.** *Des dents-de-cheval* (= variété de topaze), avec *s* à *dent* (*cheval* ne varie pas).

dent-de-chien n.f. ◆ **Orth.** *Des dents-de-chien* (= ciseau de sculpteur), avec *s* uniquement à *dent.*

dent-de-lion n.f. ◆ **Orth.** *Des dents-de-lion* (= pissenlit), avec *s* uniquement à *dent.*

dent-de-loup n.f. ◆ **Orth.** *Des dents-de-loup* (= pièce mécanique), avec *s* uniquement à *dent.*

dent-de-rat n.f. ◆ **Orth.** *Des dents-de-rat* (= galon de passementerie), avec *s* à uniquement *dent*.

dent-de-scie n.f. ◆ **Orth.** *Des dents-de-scie* (ornement architectural), avec *s* uniquement à *dent*.

denté, e adj. / **dentelé, e** adj. ◆ **Sens.** Les deux termes sont presque synonymes. **1.** *Denté* = qui présente des saillies en forme de dents. *Denté* se dit surtout de pièces mécaniques : *roue dentée.* **2.** *Dentelé* = dont le bord forme des découpures pointues, des dents. *Dentelé* se dit d'organes vivants : *ligament dentelé, feuille dentelée.*

denteler v.t. ◆ **Conjug.** Attention à l'alternance *-ll-/-l-* : *il dentelle, nous dentelons ; il dentelait ; dentela ; il dentellera.* → annexe, tableau 16 et R.O. 1990

dentellière n.f. ◆ **Prononc.** On prononce généralement [dɑ̃təljɛʀ], avec le son *-te* comme dans *tenir.* La prononciation avec *-tè* (comme *dentelle*), plus conforme à l'écriture, est rare. ◆ **Orth.** Avec deux *l.* → R.O. 1990

denticule n.m. ◆ **Genre.** Masculin : *un denticule.*

dentier n.m. / **râtelier** n.m. ◆ **Registre.** *Dentier* convient à tous les registres. *Râtelier,* familier, est à éviter dans l'expression soignée.

dentition n.f. / **denture** n.f. ◆ **Sens.** **1.** *Dentition* = formation et sortie naturelle des dents. *Présenter un retard de la dentition.* Sens courant (abusif en médecine et en sciences) : ensemble des dents de l'homme ou de l'animal. *Avoir une belle dentition.* **2.** *Denture* = ensemble des dents de l'homme ou de l'animal ; ensemble des dents d'une pièce mécanique, d'une scie. *La denture du requin ; la denture d'un engrenage.*

dénuement n.m. ◆ **Orth.** Avec un *e* muet intérieur. *Dénuement* correspond à *se dénuer,* verbe du premier groupe (comme *aboiement* correspond à *aboyer* → aboiement)

déodorant n.m. / **désodorisant** n.m. ◆ **Sens et emploi.** Ne pas confondre ces deux mots de forme et de sens proches, auxquels correspondent un seul verbe (*désodoriser*) et un seul nom d'action (*désodorisation*) **1.** *Déodorant* = produit de parfumerie qui diminue ou supprime les odeurs corporelles. **2.** *Désodorisant* = produit de droguerie qui supprime ou masque les mauvaises odeurs dans un local. ◆

dépaqueter v.t. ◆ **Conjug.** Attention à l'alternance *-tt-/-t-* : *il dépaquette, nous dépaquetons ; il dépaquetait ; il dépaqueta ; il dépaquettera.* → annexe, tableau 16 et R.O. 1990

dépareiller v.t. / **déparier** v.t. ◆ **Conjug. 1.** *Dépareiller :* attention au groupe *-illi-* aux première et deuxième personnes du pluriel, à l'indicatif imparfait et au subjonctif présent : *(que) nous dépareillions, (que) vous dépareilliez.* **2.** *Déparier :* attention aux deux *i* aux première et deuxième personnes du pluriel, à l'indicatif imparfait et au subjonctif présent : *(que) nous dépariions, (que) vous dépariiez.* ◆ **Sens.** Ne pas confondre les deux verbes. **1.** *Dépareiller :* rendre incomplet un ensemble d'objets assortis en en soustrayant un ou plusieurs éléments. *Dépareiller un service de table.* **2.** *Déparier :* faire disparaître un des éléments de ce qui forme une paire. *Déparier des bas.* REM. Ne pas confondre *déparier* avec *déparer,* altérer le bel aspect, gâter l'harmonie de : *des immeubles modernes déparent un peu les abords du château médiéval.*

départager v.t. ◆ **Conjug.** Le *g* devient *-ge-* devant *a* et *o* : *je les dépar-*

tage, nous les départageons ; il les départageait. → annexe, tableau 10

département (emploi de *dans* ou *en* devant un nom de) → en

départir v.t. et v.pr. ♦ **Conjug.** Selon l'Académie, *départir* et *se départir* se conjuguent comme *partir (en se départant ; je me dépars, il se départ,* etc. ; → annexe, tableau 43), mais l'usage leur fait généralement suivre la conjugaison de *répartir (en se départissant ; je me départis, il se départit,* etc. ; → annexe, tableau 31). ♦ **Accord.** Pour l'accord du participe passé *(elle ne s'est pas départie de son calme),* → annexe, grammaire § 110

dépecer v.t. ♦ **Conjug.** Attention à l'alternance *e/è* : *dépecer, je dépèce, vous dépecez* et au *c* qui devient *ç* devant *o* et *a* : *nous dépeçons ; il dépeça.* → annexe, tableau 16

dépeindre v.t. ♦ **Conjug.** Comme *peindre.* → annexe, tableau 62

dépendre v.t.ind. ♦ **Conjug.** → annexe, tableau 59. ♦ **Constr. 1.** *Il dépend que* (+ subjonctif). À la forme négative ou interrogative, le *ne* explétif est facultatif. Il est d'ailleurs préférable de l'éviter : *il ne dépend pas d'eux que l'autorisation soit donnée ; dépend-il de toi qu'elle vienne ?* (plus clair que : *il ne dépend pas d'eux que l'autorisation ne soit donnée ; dépend-il de toi qu'elle ne vienne ?).* À la forme affirmative, on n'emploie pas *ne* : *il dépend de vous que l'affaire aille à son terme.* **2.** *Il dépend de* (+ infinitif) : « *Il dépend de la société de se sauver elle-même* » (V. Hugo). *Il dépend de toi de faire ce choix.*

dépens n.m. plur. ♦ **Orth.** Avec un *s :* *être condamné aux dépens* (= à payer les frais de procédure). Attention, pas de *d* en fin de mot. ♦ **Nombre.** *Dépens* n'a pas de singulier : *il s'est enrichi aux dépens des donneurs.*

dépiquage, dépicage n.m. ♦ **Orth.** Les deux orthographes sont correctes. **RECOMM.** Préférer l'orthographe *dépiquage,* avec *qu* plus cohérente avec celle du verbe correspondant, *dépiquer.*

dépister v.t. ♦ **Sens.** Attention aux deux sens opposés de ce verbe. **1.** Découvrir à la piste : *dépister un chevreuil* ; découvrir après une recherche : *dépister un virus.* **2.** Détourner de la piste : *le cerf dépiste souvent les chiens par des trajets en boucle* ; empêcher de découvrir : *ses changements d'identité successifs ont dépisté les policiers lancés à sa poursuite.*

dépit n.m. ♦ **Orth.** Avec un *t* final qui ne se prononce pas (comme dans *lit, délit, répit).* Penser à *dépiter.* ♦ **Registre.** *En dépit que j'en aie, que tu en aies,* etc. (= malgré le dépit que cela me cause, te cause, etc.). Registre soutenu.

déplacer v.t. et v.pr. ♦ **Conjug.** Comme *placer.* Le *c* devient *ç* devant *o* et *a : je déplace, nous déplaçons ; il déplaça.* → annexe, tableau 9

déplaire v.t.ind. ♦ **Conjug.** Comme *plaire.* Attention à l'accent circonflexe sur le *i* devant *t : cela me déplaît* (mais *je lui déplais).* → annexe, tableau 90. ♦ **Accord.** Le participe passé est toujours invariable : *elle m'a déplu ; elles se sont déplu réciproquement ; les choses qu'elle m'a dites m'ont déplu.* ♦ **Constr.** *Déplaire à qqn : cela lui a déplu ; le spectacle a déplu aux critiques, mais le public l'a apprécié.*

déploiement n.m. ♦ **Orth.** Avec un *e* muet intérieur. *Déploiement* correspond à *déployer,* verbe du 1er groupe (comme *aboiement* correspond à *aboyer* → aboiement)

déployer v.t. ♦ **Conjug.** Comme *ployer.* Attention, le *y* devient *i* devant *e* muet : *je déploie* mais *je déployais.* - Bien noter le *i* après le *y* aux première et deuxième personnes du pluriel, à l'indicatif imparfait et au subjonctif présent : *(que) nous déployions, (que) vous déployiez.* → annexe, tableau 7

déposséder v.t. ◆ **Conjug.** Attention à l'accent, tantôt grave, tantôt aigu : *il les dépossède, nous les dépossédons ; il les dépossédait.* → annexe, tableau 11 et R.O. 1990

dépôt n.m. ◆ **Orth.** Avec un accent circonflexe sur le *o.* Ne pas se laisser influencer par les mots issus de *pot* (*dépoter, dépotage, dépotoir,* etc.).

dépotoir n.m. ◆ **Orth.** Sans accent sur le *o* (est issu de *dépoter* et non de *dépôt*).

dépouiller v.t. ◆ **Conjug.** Attention au groupe *-illi-* aux première et deuxième personnes du pluriel, à l'indicatif imparfait et au subjonctif présent : *(que) nous dépouillions, (que) vous dépouilliez.*

dépoussiérer v.t. ◆ **Conjug.** Attention à l'accent, tantôt grave, tantôt aigu : *je dépoussière, nous dépoussiérons ; je dépoussiérais.* → annexe, tableau 11 et R.O. 1990

déprécier v.t. ◆ **Conjug.** Attention aux deux *i* aux première et deuxième personnes du pluriel, à l'indicatif imparfait et au subjonctif présent : *(que) nous dépréciions, (que) vous dépréciiez.*

déprédation n.f. → dégradation

déprendre (se) v.pr. ◆ **Conjug.** Comme *prendre.* → annexe, tableau 61

depuis prép. et adv. ◆ **Emploi. 1.** *Depuis... jusqu'à... / de... à...* Employé en corrélation avec *jusqu'à, depuis* insiste (davantage que ne le fait

de en corrélation avec *à*) sur l'intervalle de temps ou d'espace qui sépare un moment ou un lieu d'un autre : *la neige est tombée depuis la mi-journée jusqu'à la tombée de la nuit ; la route est bloquée depuis Senlis jusqu'à Paris* (comparer à : *la neige est tombée de la mi-journée à la tombée de la nuit ; la route est bloquée de Senlis à Paris*). **2.** *Depuis* employé pour *de* dans un sens spatial : *je l'ai vu passer depuis ma fenêtre, il m'écrit depuis son lieu de vacances.* Emploi courant dans l'expression relâchée. **RECOMM.** Préférer *de : je l'ai vu passer de ma fenêtre, il m'écrit de son lieu de vacances.* **REM.** L'emploi de *depuis* dans un sens spatial est fréquent chez les journalistes de radio et de télévision (calque de l'anglais *from*) : *en ligne notre envoyé spécial qui nous parle depuis Washington* (au lieu de : *de Washington*). **3.** *Depuis* dans un sens à la fois temporel et spatial. Cet emploi est normal et correct dans les contextes évoquant un déplacement : *nous avons pris le train pour Paris au Mans, et depuis Chartres il n'a pas cessé de pleuvoir.* ◆ **Constr. 1.** *Depuis que* (+ indicatif) : *depuis qu'il a fait la connaissance de Marie, ils sont inséparables.* **2.** *Depuis que... ne... / depuis que... ne... pas.* Les deux tournures sont correctes : *il a dû bien changer, depuis dix ans que je ne l'ai vu* ou *depuis dix ans que je ne l'ai pas vu. Depuis que... ne...* est plus soigné, *depuis que... ne... pas* plus courant.

député n.m. ◆ **Genre.** Le mot est le plus souvent employé au masculin, même pour désigner une femme : *une femme député ; elle est député ; Mme le député.* Le féminin *une députée* est encore réservé à l'usage familier dans le français de France. Il est normal et courant dans le français du Québec : *Madame la députée.*

député-maire n.m. ◆ **Orth.** Avec un trait d'union. - Plur. : *des députés-*

maires. Il n'y a pas de forme spéciale pour le féminin : *elle est député-maire.* → **député**

déranger v.t. et v.pr. ◆ **Conjug.** Le *g* devient *-ge-* devant *a* et *o* : *je dérange, nous dérangeons ; il dérangeait.* → annexe, tableau 10

dérayer v.t. ◆ **Conjug.** Les formes conjuguées du verbe peuvent s'écrire avec un *y* ou un *i* devant *e* muet : *il déraie* ou *il déraye, il déraiera* ou *il dérayera.* - Attention au *i* après le *y* aux première et deuxième personnes du pluriel, à l'indicatif imparfait et au subjonctif présent : *(que) nous dérayions, (que) vous dérayiez.* → annexe, tableau 6

derechef adv. ◆ **Orth.** En un seul mot. ◆ **Sens.** De nouveau : *sa première tentative a échoué, il tente le record derechef.* **RECOMM.** Ne pas employer *derechef* dans le sens de « aussitôt, sur-le-champ ». ◆ **Registre.** Soutenu. Souvent employé avec une intention plaisante.

déréglage ou **dérèglement** n.m. ◆ **Orth.** *Déréglage :* avec deux accents aigus. *Dérèglement :* avec un accent grave sur le deuxième *e.*

dérégler v.t. ◆ **Conjug.** Comme *régler.* Attention à l'accent, tantôt grave, tantôt aigu : *je dérègle, nous déréglons ; je déréglais.* → annexe, tableau 11 et R.O. 1990

dermatologue, dermatologiste n. ◆ **Orth.** Les deux formes sont correctes. *Dermatologue* est plus courant.

dernier, ère adj. ◆ **Orth. 1.** *Tout dernier. Tout,* adverbe, reste invariable : *les tout derniers jours de l'été ont été pluvieux.* **2.** *Tous les derniers. Tous,* adjectif indéfini, s'accorde. *Tous les derniers jours de l'été ont été consacrés aux récoltes.* → **tout.** ◆ **Constr. 1.** *Le dernier, un des derniers,*

se construisent avec l'indicatif, le subjonctif ou le conditionnel, en fonction de la nuance à exprimer : *ce sont les dernières paroles qu'il a prononcées* (information) ; *ce sont les dernières paroles qu'il ait prononcées* (nuance affective : c'est triste, émouvant, etc.) ; *ce sont les dernières paroles qu'il aurait prononcées* (à ce que l'on dit ; marque l'hypothèse ou le doute). **2.** *La semaine dernière / la dernière semaine.* Le sens de *dernier* varie selon qu'il est placé avant ou après un nom désignant une division du calendrier, comme *semaine, mois, trimestre, année,* etc. ❏ *Le mois dernier* = le mois passé. *Le mois dernier, le chiffre des ventes a progressé de dix pour cent.* ❏ *Le dernier mois* = l'ultime mois, celui qui n'a pas été suivi d'autres semblables. *C'est le dernier mois où le chiffre des ventes a progressé.*

dernier-né, dernière-née n. ◆ **Orth.** Attention, les deux éléments varient, comme dans *premier-né : les derniers-nés, les dernières-nées* → aussi **nouveau-né**

déroger v.t.ind. ◆ **Conjug.** Le *g* devient *-ge-* devant *a* et *o* : *je déroge, nous dérogeons ; il dérogeait.* → annexe, tableau 10

derrière adv. et prép. ◆ **Orth.** *Par-derrière.* Toujours avec un trait d'union : *passer par-derrière.* ◆ **Emploi. 1.** *De derrière.* La locution peut s'employer comme adjectif *(la porte de derrière)* ou comme préposition *(il lui est venu une idée de derrière la tête ; sortir une bouteille de derrière les fagots).* Ces deux emplois sont corrects. **2.** *Derrière le dos.* La locution est admise : *le suspect avait les mains menottées derrière le dos.*

dès prép. ◆ **Orth.** Attention à l'accent grave : *dès.* ◆ **Constr. 1.** *Dès* (+ nom) : *téléphonez-moi dès votre arrivée ; il nous a mis au courant dès le commencement.*

RECOMM. Éviter le tour *dès en* (+ part. présent) : **dès en arrivant, *dès en commençant.* **2.** *Dès que* (+indicatif) : *dès que nous aurons reçu la pièce, nous l'expédierons à vos ateliers.* RECOMM. Éviter l'ellipse de l'auxiliaire (*dès que reçue, nous expédierons la pièce...), ainsi que l'emploi de *dès* seul devant l'infinitif (*dès avoir reçu la pièce...). ◆ **Emploi. 1.** *Dès* avec une autre préposition ou un adverbe : *dès avant la guerre, il s'était installé dans cette ville ; il s'est marié dès après son service militaire. Dès hier, dès demain, dès lors.* Emplois corrects et courants. **2.** *Dès* dans un sens à la fois temporel et spatial. Cet emploi est normal et correct dans les contextes évoquant un déplacement : *il a fait beau dès Blois.* → aussi **depuis**

désaffectation n.f. / **désaffection** n.f. ◆ **Sens.** Ne pas confondre. **1.** *Désaffectation* = perte de l'affectation, de la destination première. *La désaffectation progressive des anciens arsenaux.* **2.** *Désaffection* = perte de l'affection, de l'intérêt. *Ce sport souffre actuellement d'une certaine désaffection.*

désagrafer v.t. → dégrafer

désagréger v.t. et v.pr. ◆ **Conjug.** Comme *abréger.* Attention à l'alternance *é/è* et au *g* qui devient -*ge*- devant *a* et *o* : *désagréger ; je désagrège, nous désagrégeons ; il désagrégea.* → annexe, tableau 15

désaltérer v.t. et v.pr. ◆ **Conjug.** Attention à l'accent, tantôt grave, tantôt aigu : *je me désaltère, nous nous désaltérons ; je me désaltérais.* → annexe, tableau 11 et R.O. 1990

désamorcer v.t. ◆ **Conjug.** Le *c* devient *ç* devant *o* et *a* : *je désamorce, nous désamorçons ; il désamorça.* → annexe, tableau 9

désappointement n.m. ◆ **Orth.** Avec un seul *s* et deux *p.*

désapprendre v.t. ◆ **Conjug.** Comme *apprendre.* → annexe, tableau 61

désavantager v.t. ◆ **Conjug.** Le *g* devient -*ge*- devant *a* et *o* : *je désavantage, nous désavantageons ; il désavantageait.* → annexe, tableau 10

desceller v.t. ◆ **Orth.** Attention au groupe -*sc*- (comme dans *sceau*) et aux deux *l.* Ne pas confondre avec *déceler* (= découvrir) ou *desseller* (= ôter la selle de).

descendre v.i. et v.t. ◆ **Orth.** Attention au groupe -*sc*- dans *descendre* et dans le substantif correspondant, *descente.* ◆ **Conjug.** *Descendre* v.i. se conjugue avec l'auxiliaire *être* : *il est très vite descendu.* - *Descendre* v.t. se conjugue avec l'auxiliaire *avoir* : *il a descendu la piste noire en moins d'un quart d'heure.* → annexe, tableau 59. ◆ **Emploi.** RECOMM. Éviter le pléonasme *descendre en bas. On peut dire en revanche *descendre plus bas, moins bas, très bas.*

désengorger v.t. ◆ **Conjug.** Le *g* devient -*ge*- devant *a* et *o* : *je désengorge, nous désengorgeons ; il désengorgeait.* → annexe, tableau 10

désengrener v.t. ◆ **Conjug.** Attention à l'alternance *e/è* : *désengrener ; je désengrène, il désengrène,* mais *nous désengrenons ; il désengrènera ; qu'il désengrène* mais *que nous désengrenions ; désengrené.* → annexe, tableau 12

désennuyer v.t. et v.pr. ◆ **Conjug.** Attention, le *y* devient *i* devant *e* muet : *je me désennuie* mais *je me désennuyais.* - Bien noter le *i* après le *y* aux première et deuxième personnes du pluriel, à l'indicatif imparfait et au subjonctif

désenrayer v.t. ◆ **Conjug.** Les formes conjuguées du verbe peuvent s'écrire avec un *y* ou un *i* devant *e* muet : *il désenraie* ou *il désenraye, il désenraiera* ou *il désenrayera.* - Attention au *i* après le *y* aux première et deuxième personnes du pluriel, à l'indicatif imparfait et au subjonctif présent : *(que) nous désenrayions, (que) vous désenrayiez.* → annexe, tableau 6

désensorceler v.t. ◆ **Conjug.** Comme *ensorceler.* Attention à l'alternance *-ll-/-l-* : *il désensorcelle, nous désensorcelons ; il désensorcelait ; désensorcela ; il désensorcellera.* → annexe, tableau 16 et R.O. 1990

désespérer v.t., v.i., v.t.ind. et v.pr. ◆ **Conjug.** Attention à l'accent, tantôt grave, tantôt aigu : *je désespère, nous désespérons ; je désespérais.* → annexe, tableau 11 et R.O. 1990. ◆ **Constr.** **1.** *Désespérer de* (+ infinitif ou nom) : *je désespère de réussir, de la réussite.* **2.** *Désespérer que, se désespérer que* (+ subjonctif) : *il désespère que sa fille réussisse un jour ; il se désespère qu'elle ne réussisse pas.* Le *ne* explétif est facultatif dans les phrases négatives : *il ne désespère pas qu'elle réussisse enfin* ou *qu'elle ne réussisse enfin.* **3.** *Désespérer de ce que* (+ indicatif ou subjonctif) : *il se désespère de ce qu'elle ne réussit pas* (ou : *de ce qu'elle ne réussisse pas*). Tour critiqué. RECOMM. Préférer *désespérer que.*

déshonnête adj. / **malhonnête** adj. ◆ **Sens.** Ne pas confondre. **1.** *Déshonnête* = contraire à la pudeur, licencieux, inconvenant. *Des propos déshonnêtes.* **2.** *Malhonnête* = contraire à la probité, à la loyauté. *Un employé malhonnête, un procédé malhonnête.* ◆ **Emploi.** *Déshonnête* ne se dit que de choses (de paroles, surtout) alors que *malhonnête* se dit de choses et de personnes. ◆ **Registre.** *Déshonnête* est littéraire et vieilli.

déshonneur n.m. ◆ **Orth.** Avec deux *n* (alors qu'il n'y en a qu'un à *déshonorer* et *déshonorant*). REM. Le mot préfixé suit l'orthographe du mot simple *(honneur / déshonneur ; honorer / déshonorer).*

déshydrogéner v.t. ◆ **Conjug.** Attention à l'accent, tantôt grave, tantôt aigu : *je déshydrogène, nous déshydrogénons ; je déshydrogénais.* → annexe, tableau 11 et R.O. 1990

desiderata n.m. plur. ◆ **Orth.** Attention, pas d'accent aigu (mot latin). → R.O. 1990. ◆ **Nombre.** Toujours au pluriel : *des desiderata* (sans *s*). REM. Le singulier *desideratum* est aujourd'hui sorti de l'usage.

design n.m. ◆ **Prononc.** [dizajɹ], en prononçant le *e* comme un *i* et le *i* comme *ail.* De même pour *designer,* n.m. : [dizajnœʀ]. ◆ **Orth.** Attention, pas d'accent aigu (mots anglais). ◆ **Anglicisme.** RECOMM. OFF. *Stylique* et *stylicien* (ne pas confondre avec *stylistique* et *stylisticien*).

désintégrer v.t. et v.pr. ◆ **Conjug.** Attention à l'accent, tantôt grave, tantôt aigu : *je désintègre, nous désintégrons ; je désintégrais.* → annexe, tableau 11 et R.O. 1990

désirer v.t. ◆ **Constr. 1.** *Désirer* (+ infinitif) : *je désire terminer le plus rapidement possible ; il désire réussir.* REM. *Désirer de* (+ infinitif) est archaïque : *il désire de réussir.* **2.** *Désirer que* (+ subjonctif) : *l'ambassadeur souhaite que nous arrivions rapidement à un accord.*

désister (se) v.pr. ◆ **Prononc.** [dezizte], le premier *s* se prononce *z.* De même pour *désistement.*

désobéir v.t.ind. ♦ **Emploi.** *Être désobéi.* La tournure passive est rare mais correcte : *il ne tolère pas d'être désobéi.* L'emploi, à la forme passive, du contraire *obéir,* est beaucoup plus fréquent : *il veut être obéi.*

désobliger v.t. ♦ **Conjug.** Le *g* devient *-ge-* devant *a* et *o* : *je désoblige, nous désobligeons ; il désobligeait.* → annexe, tableau 10

désodorisant n.m. → déodorant

désolidariser (se) v.pr. ♦ **Constr.** *Se désolidariser de qqn / d'avec qqn.* Les deux constructions sont correctes.

désordre n.m. et adj. ♦ **Emploi.** La langue familière use volontiers de *désordre* comme adjectif invariable : *elles sont très désordre* (= très désordonnées).

desperado n.m. ♦ **Prononc.** [despeʀado], avec les *e* sans accent prononcés *é* (mot espagnol), comme dans *désespéré.* - Plur. : *des desperados.*

despote n.m. ♦ **Genre.** Toujours masculin, même pour désigner une femme : *l'impératrice de toutes les Russies fut un despote redouté.*

desquels pron. relatif → lequel

dessèchement n.m. ♦ **Orth.** Avec un accent grave sur le deuxième *e.*

dessécher v.t. / **assécher** v.t. et v.i. ♦ **Conjug.** Attention à l'accent, tantôt grave, tantôt aigu : *je dessèche (j'assèche), nous desséchons (nous asséchons) ; je desséchais (j'asséchais).* → annexe, tableau 11 et R.O. 1990. ♦ **Sens.** Ne pas confondre ces deux verbes. 1. *Dessécher* = rendre sec, ôter son humidité naturelle à. *Savon qui dessèche la peau.* 2. *Assécher* = ôter l'eau de ; mettre à sec. *Assécher une mare.*

desservir v.t. ♦ **Conjug.** Comme *servir.* → annexe, tableau 31

dessiccation n.f. ♦ **Orth.** Avec deux *s* et deux *c,* ainsi que *dessiccateur.*

dessiller v.t. ♦ **Prononc.** [desije], finale comme dans *piller.* ♦ **Orth.** Avec deux *s,* bien que l'on écrive *cil* et *ciller.* → R.O. 1990. ♦ **Constr.** *Dessiller les yeux de qqn, à qqn* = l'amener à voir ce qu'il ignorait ou voulait ignorer. On dit aussi : *mes (tes, ses,* etc.*) yeux se dessillent.* REM. *Dessiller* signifiait à l'origine « découdre après dressage les paupières d'un oiseau de volerie ».

dessoûler, dessaouler v.t. et v.i. ♦ **Orth.** *Dessoûler,* comme *soûl, soûler,* est plus fréquent aujourd'hui que *dessaouler* (comme *saoul, saouler*) qui est vieilli. → R.O. 1990. REM. L'Académie écrit *dessouler.*

dessous prép., adv. et n.m. ♦ **Orth.** 1. *Au-dessous, ci-dessous, là-dessous, par-dessous :* avec un trait d'union. 2. *En dessous :* sans trait d'union. ♦ **Sens et emploi.** 1. *En dessous / au-dessous (de).* La langue courante emploie volontiers ces deux locutions l'une pour l'autre. Dans le registre soigné, elles ne sont pas strictement équivalentes. ❑ *En dessous* = dans la partie inférieure. *Une maison avec une cave en dessous. Une plaque de protection est fixée en dessous.* ❑ *Au-dessous (de)* = plus bas, par rapport à un niveau déterminé. *Les bureaux sont au quatrième étage, l'appartement est au-dessous. L'appartement est au-dessous des bureaux.* 2. *Dessous* employé comme préposition. Cet emploi est vieilli : « *Mais il ne faut pas rouler dessous la table* » (chanson à boire). On dirait aujourd'hui : *rouler sous la table.* Toutefois, *dessous* est encore employé comme préposition, en corrélation avec *dessus (regarder dessus et dessous la table)* et dans *de dessous (sortir* *de dessous terre).* **3.** *Par dessous la jambe* (= rapidement et sans se donner beaucoup de mal) : *travail fait par dessous la jambe.* Registre familier. **RECOMM.** Éviter de dire ou d'écrire *par dessus la jambe.* **4.** **Mots composés avec *dessous*.** Les composés *dessous-de-bouteille, dessous-de-bras, dessous-de-plat* et *dessous-de-table* sont invariables. - Plur. : *des dessous-de-bouteille, des dessous-de-bras, des dessous-de-plat, des dessous-de-table.* ♦ **Registre.** *Par en dessous.* Familier. *Il est sournois, il fait ses coups par en dessous.* **RECOMM.** Dans l'expression soignée, dire ou écrire *en dessous : il agit toujours en dessous.*

dessus prép., adv. et n.m. ♦ **Orth. et emploi. 1.** Les règles applicables à *dessous* sont également valables pour *dessus.* → **dessous. 2. Mots composés avec *dessus*.** Les composés *dessus-de-lit* et *dessus-de-porte* sont invariables. - Plur. : *des dessus-de-lit, des dessus-de-porte.* **3.** *Sens dessus dessous* → sens

destin n.m. / **destinée** n.f. ♦ **Emploi. RECOMM.** Éviter le pléonasme **destin fatal, *destinée fatale* (*fatal* vient du latin *fatum,* destin).

destructeur, trice n. et adj. / **destructif, ive** adj. ♦ **Emploi.** La langue courante emploie volontiers ces deux mots l'un pour l'autre. Dans le registre soigné, ils ne sont pas strictement équivalents. **1.** *Destructeur* = qui détruit. S'emploie pour les choses et les êtres animés : *feu destructeur, animal destructeur.* **2.** *Destructif* = qui a le pouvoir, la propriété de détruire. Ne s'emploie que pour les choses. *Caractère destructif d'un acide, d'un explosif.*

désuet, ète adj. ♦ **Prononc.** [dezɥɛ], avec le son *z,* ou [desɥɛ], avec le son *s.* La première prononciation, considérée naguère comme peu correcte, est

aujourd'hui courante. De même pour *désuétude.*

détail n.m. ♦ **Emploi et orth. 1.** *Au détail* = à l'unité, par petites quantités. *Vente au détail.* Toujours au singulier. **2.** *En détail* = avec précision, minutieusement, sans rien omettre. *Raconter les faits en détail. Examiner une question en détail.* Toujours au singulier.

déteindre v.t. et v.i. ♦ **Conjug.** Comme *teindre.* → annexe, tableau 62

dételer v.t. et v.i. ♦ **Conjug.** Attention à l'alternance *-ll-/-l- : il détèle, nous dételons ; il dételait ; détela ; il détellera.* → annexe, tableau 16 et R.O. 1990

détendre v.t. / **distendre** v.t. ♦ **Conjug.** Comme *tendre.* → annexe, tableau 59. ♦ **Emploi.** Ne pas confondre ces deux verbes. **1.** *Détendre* = diminuer la tension (ou relâcher ce qui était tendu). *Détendre les cordes d'un violon.* **2.** *Distendre* = tendre sans rompre, en allongeant de manière irréversible. *Distendre un ressort.*

détenir v.t. ♦ **Conjug.** Comme *tenir.* → annexe, tableau 28

détente n.f. → gâchette

détenteur, trice n. ♦ **Emploi.** Attention au féminin *détentrice.*

déterger v.t. ♦ **Conjug.** Le *g* devient *-ge-* devant *a* et *o : je déterge, nous détergeons ; il détergeait.* → annexe, tableau 10

détester v.t. ♦ **Constr.** *Détester* (+ nom), *détester* (+ infinitif), *détester que* (+ subjonctif) : *il déteste la contradiction, être contredit, qu'on le contredise.* Constructions courantes. La construction de l'infinitif avec *de* (*il déteste d'être contredit*) est littéraire et vieillie.

détoner v.i. / **détonner** v.i. ♦ **Orth. et sens. 1.** *Détoner* (avec un seul *n*) =

exploser avec un bruit violent, une détonation. **2.** *Détonner* (avec deux *n*) = s'écarter du ton, en musique ; contraster, choquer. *Quand il chante sans accompagnement, il a tendance à détonner ; couleurs qui, mises ensemble, détonnent.* REM. Attention au quasi-synonyme *dissoner,* qui ne prend qu'un *n.*

détordre v.t. ◆ **Conjug.** Comme *tordre.* → annexe, tableau 59

détracteur, trice n. ◆ **Emploi.** Attention au féminin *détractrice.*

détritus n.m. ◆ **Orth. et prononc.** Avec un *s* final, au singulier comme au pluriel, qui se prononce ou non. ◆ **Emploi.** Le mot est le plus souvent employé au pluriel, mais le singulier est admis.

détruire v.t. ◆ **Conjug.** → annexe, tableau 78

deux adj. numéral et n. ◆ **Emploi. 1.** *Tous deux, tous les deux* sont corrects l'un et l'autre, mais l'on dit plus souvent *tous les deux, tous les trois,* que *tous deux, tous trois.* REM. **1.** Généralement, à partir de *cinq,* l'article apparaît : *ils sont passés tous quatre* ou *tous les quatre,* mais : *ils sont passés tous les vingt* (on ne dirait pas : *ils sont passés tous vingt*). **2.** L'emploi de *les deux, les trois* pour *tous les deux, tous les trois ensemble* est un régionalisme (Franche-Comté, est de la France) : *ils ont dîné les trois.* **2.** *Deux ou plusieurs* est admis par l'usage : *les assemblages de menuiserie permettent de réunir deux ou plusieurs pièces de bois* (= deux ou plus de deux, un nombre indéterminé supérieur à deux). **3.** *Eux deux, eux trois,* etc. Cette expression doit être séparée du verbe par une préposition : *ils ont monté le piano à eux trois.* RECOMM. Éviter de dire ou d'écrire : *ils ont monté le piano eux trois.* **4.** *Nous deux...* RECOMM. Éviter l'emploi de

nous deux en apposition à un nom au singulier (*nous deux mon frère, on n'est pas d'accord). Dire ou écrire : *avec mon frère, nous ne sommes pas d'accord ; mon frère et moi, nous ne sommes pas d'accord.* ◆ **Accord.** Accord du verbe après *moins de deux (moins de deux ans ont passé)* → moins. ◆ **Orth.** Mots composés avec *deux.* Les mots composés avec *deux* s'écrivent avec un trait d'union et, à l'exception des indications de mesure musicale *(des mesures à deux-quatre),* ils prennent, même au singulier, la marque du pluriel (*un deux-mâts,* un voilier à deux mâts). Ils sont donc invariables. Ils conservent en général le genre du mot qui leur a donné naissance et que l'usage a fait disparaître : *un deux-roues* (= un véhicule à deux roues), *un deux-pièces* (= un maillot de bain en deux pièces), *un deux-ponts* (= un avion à deux ponts), mais *une deux-chevaux* (= une voiture équipée d'un moteur de deux chevaux fiscaux).

deuxième adj. numéral et n. / **second, e** adj. numéral et n. ◆ **Emploi.** Il est d'usage d'employer *deuxième* lorsque l'on peut compter deux éléments ou davantage, *second* lorsque le compte ou l'énumération s'arrête à deux (*Françoise est le second enfant de Pierre* implique que Pierre n'a eu que deux enfants ; *Françoise est le deuxième enfant de Pierre* implique qu'il a eu au moins deux enfants). Mais cette distinction n'est pas toujours observée. ❑ **Dans certaines locutions,** l'emploi de *second* est plus fréquent que celui de *deuxième : en second lieu* est plus employé que *en deuxième lieu* (même si l'énumération se poursuit : *en second lieu, il faut surveiller le parc et, en troisième lieu, il faut entretenir les pelouses*) ; *de seconde main* est plus employé que *de deuxième main (l'ouvrage n'est qu'une compilation d'informations de seconde, voire* *de troisième main).* ❑ En emploi substantif, c'est *second* qui est employé, notamment pour désigner le niveau d'études, le palier de vitesses, le niveau de commandement : *Marie est en seconde* (et non *en deuxième, bien que l'enseignement secondaire comporte sept classes) ; *passe en seconde pour monter la côte ; le commandant en second est le capitaine Fistot.* ◆ **Orth.** L'abréviation usuelle de *deuxième* est *2ᵉ* ; celle de *second, seconde* est *2ᵈ, 2ᵈᵉ*.

dévaler v.i. et v.t. ◆ **Orth.** Un seul *l*.

devancer v.t. ◆ **Conjug.** Comme *avancer.* Le *c* devient *ç* devant *o* et *a : je devance, nous devançons ; il devança.* → annexe, tableau 9

devant prép., adv. et n.m. ◆ **Orth.** *Au-devant (de), ci-devant, par-devant :* avec un trait d'union. ◆ **Emploi.** *Devant que* (+ subjonctif) = avant que ; *devant que de* (+ infinitif) = avant de. Ces tours sont aujourd'hui sortis de l'usage.

développer v.t. ◆ **Orth.** Avec un *l* et deux *p*, comme *envelopper.*

devenir v.i. ◆ **Conjug.** Comme *venir.* Avec l'auxiliaire *être.* → annexe, tableau 28

devers prép. ◆ **Emploi.** *Devers* = du côté de, vers, est aujourd'hui sorti de l'usage. ◆ **Orth.** *Par-devers* (= en la possession de) ; avec un trait d'union.

dévêtir v.t. et v.pr. ◆ **Conjug.** Comme *vêtir.* → annexe, tableau 32

dévier v.i. et v.t. ◆ **Emploi.** *Dévier qqch.* est usuel et correct dans le sens concret : *dévier un véhicule, dévier une rivière.* **RECOMM.** Au sens de « changer de sujet, parler d'autre chose », préférer *faire dévier : il a fait dévier la conversation sur une autre question.*

devin, devineresse n. / **devineur, euse** n. ◆ **Emploi et genre 1.** *Devin, devineresse* = personne qui pratique la divination. **2.** *Devineur, devineuse* = personne qui devine. *Elle adore les charades et c'est une grande devineuse d'énigmes.* Rare.

dévisager v.t. ◆ **Conjug.** Le *g* devient *-ge-* devant *a* et *o : je dévisage, nous dévisageons ; il dévisageait.* → annexe, tableau 10. ◆ **Emploi.** *Dévisager* (= regarder avec insistance le visage de) ne peut recevoir pour complément d'objet direct qu'un nom de personne. *Dévisager quelqu'un* (mais non : *dévisager un lieu, quelque chose).*

dévoiement n.m. ◆ **Orth.** Avec un *e* muet intérieur. *Dévoiement* correspond à *dévoyer,* verbe du 1ᵉʳ groupe (comme *aboiement* correspond à *aboyer* → **aboiement**)

devoir v.t. ◆ **Conjug. 1.** → annexe, tableau 40. Attention aux formes en *doi-* et en *dev-.* **2.** Le participe passé masculin singulier prend un accent circonflexe : *dû* (ce qui le distingue de l'article contracté *du*), mais on écrit *due, dus* sans accent, ainsi qu'*indu. J'ai fait ce que j'ai dû. Il faut régler les échéances qui restent dues.* → R.O. 1990. ◆ **Registre.** *Dussé-je, dût-il* = même si je dois, même s'il doit (subjonctif imparfait à valeur concessive), appartient au registre soutenu. *Je ne sortirai pas d'ici sans avoir de réponse, dussé-je y passer la nuit ; je dois avouer, ma modestie dût-elle en souffrir* (ou : *dût ma modestie en souffrir), que j'ai eu un certain succès.* ◆ **Emploi.** *Devoir* (+ infinitif) s'emploie pour marquer l'obligation *(vous devez dire la vérité),* la nécessité *(nous avons dû marcher longtemps),* l'atténuation d'une affirmation *(vous devez confondre* = sans doute confondez-vous) ou la probabilité *(il doit être midi).* **REM.** Attention aux ambiguïtés de sens auxquelles ce der-

nier emploi peut donner lieu dans certaines phrases : *il a dû partir* (= il est probablement parti ou il s'est trouvé dans l'obligation de partir).

dévot, e adj. et n. ◆ **Orth.** Pas d'accent circonflexe sur le *o*.

dévouement n.m. ◆ **Orth.** S'écrit avec un *e* muet intérieur. *Dévouement* correspond à *se dévouer*, verbe du 1er groupe (comme *aboiement* correspond à *aboyer* → **aboiement**).

dévoyer v.t. et v.pr. ◆ **Conjug.** Attention, le *y* devient *i* devant *e* muet : *il se dévoie* mais *il se dévoyait*. - Bien noter le *i* après le *y* aux première et deuxième personnes du pluriel, à l'indicatif imparfait et au subjonctif présent : *(que) nous dévoyions, (que) vous dévoyiez*. → annexe, tableau 7

dey n.m. ◆ **Orth.** Jamais de majuscule : *le dey d'Alger* ; employé avec un nom propre, *dey* se place derrière celui-ci sans trait d'union : *Hussein dey* → **bey, pacha**

diable n.m. ◆ **Emploi.** La forme féminine de *diable* est *diablesse,* mais on peut employer *diable* au féminin dans : *une diable de femme, de fille. « Voilà une jolie fille, mais quelles grandes diables de mains rouges ! »* (V. Hugo). ◆ **Orth. 1.** *Diable,* toujours avec une minuscule, même quand le mot désigne Satan : *le diable en personne présidait le sabbat.* **2.** *Au diable Vauvert* (avec une majuscule à *Vauvert*) = très loin. REM. L'expression passe pour être issue du nom du château de Vauvert, éloigné du centre de Paris, théâtre supposé d'apparitions diaboliques. Cette hypothèse, bien que plausible, est loin d'être certaine, et la tournure *au diable vert,* longtemps tenue pour une corruption populaire de *au diable Vauvert,* pourrait tout au contraire

être à l'origine de l'expression (*vert* jouant ici comme un renforcement expressif de *diable*). *Au diable Vauvert* est consacré par l'usage ; on ne peut pour autant tenir *au diable vert* pour fautif.

diaboliser v.t. ◆ **Emploi.** Ce verbe ancien (*diabolisé,* transformé en diable, est attesté au XVIe s.) a été remis en usage par le langage journalistique et politique au sens de « faire passer pour le diable » : *un pouvoir autoritaire qui diabolise ses opposants.*

diagnostic n.m. / **diagnostique** adj. ◆ **Orth.** Finale en *-c* pour le substantif, en *-que* pour l'adjectif. *Un diagnostic sûr. Signes diagnostiques.*

diagnostic n.m. / **pronostic** n.m. ◆ **Sens.** Ne pas confondre ces deux mots. **1.** *Diagnostic* = identification d'une maladie à partir de ses symptômes ; par extension, analyse des causes d'une situation, jugement porté sur elle (le diagnostic porte sur le présent). **2.** *Pronostic* = hypothèse faite sur l'évolution d'une maladie ; par extension, conjecture, prévision (le pronostic porte sur le futur).

dialogue n.m. ◆ **Constr. et registre.** On dit : *le dialogue de Pierre et de Paul, de Pierre avec Paul, entre Pierre et Paul.* Les deux premières constructions sont plus courantes, la dernière plus soutenue.

dicton n.m. / **maxime** n.f. / **proverbe** n.m. ◆ **Sens.** Distinguer ces trois mots. **1.** *Dicton* (du latin *dictum,* mot, sentence) = propos sentencieux, largement répandu, souvent d'origine populaire (par exemple : *année neigeuse, année fructueuse ; pluie du matin n'arrête pas le pèlerin*). REM. Les dictons ont souvent trait aux choses de la nature. **2.** *Maxime* (du latin *maxima sententia,* sentence la plus générale) = formule brève énonçant une règle de morale ou de conduite ou une réflexion d'ordre général (par exemple : *ne fais pas à autrui ce que tu ne voudrais pas qu'on te fît*). **3.** *Proverbe* (du latin *proverbium*) = court énoncé devenu d'usage commun et exprimant un conseil populaire, une vérité de bon sens ou d'expérience (par exemple : *rien ne sert de courir, il faut partir à point*).

dièse n.m. ◆ **Orth.** Avec un *s* (et non un *z*).

diesel n.m. ◆ **Orth.** Sans accents (du nom de l'ingénieur allemand Rudolf Diesel), malgré la prononciation comme dans *diététique*. En revanche, les dérivés prennent des accents aigus : *diéséliste, diéséliser, diésélisation*. → R.O. 1990. Sans majuscule : *un diesel, rouler au diesel, des diesels*. On écrit correctement *un moteur Diesel*, avec une majuscule, mais cette graphie tend à vieillir.

dieu n.m. ◆ **Orth. 1.** Avec une majuscule en tant que Dieu unique d'une religion monothéiste : *croire en Dieu ; le bon Dieu* (ou : *le Bon Dieu) ; il est allé Dieu sait où ; Dieu sait quand il reviendra.* ❑ *À Dieu vat !* → **aller. 2.** Avec une minuscule en tant que divinité d'une religion polythéiste : *Mars, dieu romain de la Guerre ; les dieux du stade.*

différant part. présent / **différent, ente** adj. ◆ **Orth.** Distinguer le participe et l'adjectif. **1.** *Différant,* participe présent du verbe *différer,* avec un *a. Les deux questions différant par leur nature et leur urgence, nous les traiterons séparément.* **2.** *Différent* = dissemblable, adjectif, avec un *e. Ce sont deux questions complètement différentes.*

différemment adv. ◆ **Constr. 1.** *Différemment de : ils pensent différemment de nous.* **2.** *Différemment que :* lorsque le complément est une propo-

sition, on emploie la construction *différemment que* (de préférence à *différemment de ce que*) : « *Jamais il ne put la voir en sa pensée différemment qu'il ne l'avait vue la première fois* » (G. Flaubert).

différencier v.t. / **différentier** v.t. ◆ **Sens et orth. 1.** *Différencier* = distinguer par une différence. Avec un *c.* Mot du vocabulaire courant. **2.** *Différentier* = calculer la différentielle de. Avec un *t.* Terme technique de mathématiques.

différend n.m. / **différent, e** adj. ◆ **Sens et orth. 1.** *Différend* n.m. = désaccord. Avec un *d.* **2.** *Différent, e* adj. = dissemblable. Avec un *t.*

différent, e adj. ◆ **Sens.** Selon qu'il est placé après ou avant le substantif qu'il qualifie, *différent* signifie « qui diffère, distinct, dissemblable » *(des personnalités très différentes)* ou « divers » *(je l'ai rencontré à différentes reprises ; on avance à l'appui de cette opinion différents arguments).* ◆ **Constr.** *Différent de : il est différent des autres.*

différer v.t. et v.i. ◆ **Conjug.** Attention à l'accent, tantôt grave, tantôt aigu : *je diffère, nous différons ; je différais.* → annexe, tableau 11 et R.O. 1990. ◆ **Constr. 1.** *Différer* (+ nom d'action), *différer de* (+ infinitif) = remettre à plus tard. *Il a différé son départ ; il a différé de partir.* Les deux constructions sont correctes ; *différer qqch.* est courant, *différer de* (+ infinitif) est littéraire et vieilli. **2.** *Différer de* (+ substantif) = être différent, dissemblable de. *Ses idées diffèrent des miennes.*

difficultueux, euse adj. ◆ **Registre et emploi.** *Difficultueux* (= qui est porté à soulever des difficultés) ne se dit en principe que des personnes, même si quelques auteurs l'emploient, au sens de « difficile », pour qualifier une chose : « *Ce règlement était difficultueux* » (A. France). Le mot appartient de toute façon au registre soutenu. **RECOMM.** Ne l'employer que pour qualifier quelqu'un ou sa personnalité : *un chef tatillon et difficultueux ; un caractère difficultueux.*

diffusable adj. / **diffusible** adj.
◆ **Sens et emploi. 1.** *Diffusable* = qui peut être diffusé. *Le reportage n'est pas monté, il n'est pas diffusable en l'état.* Vocabulaire des médias. **2.** *Diffusible* = susceptible de se diffuser, de se répandre. *Gaz diffusible.* Terme scientifique et technique.

digérer v.t. ◆ **Conjug.** Attention à l'accent, tantôt grave, tantôt aigu : *je digère, nous digérons ; je digérais.* → annexe, tableau 11 et R.O. 1990

digeste adj. / **digestible** adj. / **digestif, ive** adj. ◆ **Sens et emploi.**
1. *Digeste, digestible* = qui peut être digéré. *Digestible* ne se rencontre guère qu'au sens concret *(un aliment facilement digestible et assimilable),* alors que *digeste* (souvent employé en tournure négative) peut aussi être employé au sens figuré *(des plats peu digestes ; j'ai lu ces derniers temps plusieurs ouvrages d'économie plus ou moins digestes).* **REM. 1.** *Digeste,* naguère critiqué, est passé dans l'usage. 2. *Digestible* et *digeste* ont un même contraire : *indigeste.* **2.** *Digestif* = qui a rapport à la digestion ; qui facilite la digestion, ou qui est censé la faciliter. *Tube digestif ; liqueur digestive* (ou, n.m., *un digestif).*

digital, e, aux adj. ◆ **Anglicisme.** Numérique. *Montre à affichage digital.* REM. Ce terme d'informatique récemment emprunté à l'anglais tend déjà à vieillir. Il est généralement remplacé aujourd'hui par *numérique* (comme *digitaliser* et *digitalisation,* remplacés par *numériser* et *numérisation).*

digne adj. ◆ **Emploi.** *Digne de* = qui mérite, peut être suivi, dans une phrase affirmative, d'un complément de sens positif *(digne de respect)* ou de sens négatif *(digne de mépris).* En revanche, dans une phrase négative, il ne peut être suivi que d'un complément de sens positif. Ainsi peut-on dire ou écrire *il n'est pas digne de respect,* mais non *il n'est pas digne de mépris.* On dira dans ce cas : *il ne mérite pas le mépris, il ne mérite pas même le mépris.*

digression n.f. ◆ **Orth. et prononc.** Attention, pas de *s* avant le *g,* contrairement à *transgression.* Bien prononcer : *di-gres-sion* (et non *dis-*).

diktat n.m. ◆ **Orth.** Avec un *k* et un *t* final qui se prononce (mot d'origine allemande).

dilacérer v.t. ◆ **Conjug.** Comme *lacérer.* Attention à l'accent, tantôt grave, tantôt aigu : *je dilacère, nous dilacérons ; je dilacérais.* → annexe, tableau 11 et R.O. 1990

dilemme n.m. ◆ **Orth. et prononc.** Avec deux *m.* Attention à ne pas prononcer ni écrire comme *indemne.* ◆ **Sens.** Ce mot présente un sens courant et un sens technique. **1. Sens courant.** Obligation de choisir entre deux partis possibles, comportant tous deux des inconvénients. *Je suis devant un dilemme : accepter d'être muté loin de chez moi ou accepter d'être mal payé.* Ce sens consacré par l'usage est correct. **RECOMM.** Éviter néanmoins d'employer le mot au sens vague de « choix difficile, décision désagréable à prendre ». On n'écrira pas par exemple *je suis devant le dilemme d'être muté.* **2. Sens technique.** Argument présentant au choix deux propositions dont l'une est nécessairement vraie si l'autre est fausse, et qui ont une même conclusion, laquelle s'impose donc de manière absolue (terme de logique formelle). Exemple de dilemme clas-

dire

sique : l'ennemi n'a pu entrer dans la citadelle que si l'homme de garde l'a livrée ou s'il s'est endormi. Un traître est puni de mort. Une sentinelle qui s'endort en temps de guerre est punie de mort. L'homme de garde doit donc être exécuté. REM. *Dilemme* vient du grec *dilemma*, de *dis-*, en deux, et *lêmma*, argument, soit argument à deux fins.

dilettante n. ♦ **Orth.** Mot italien francisé. - Plur. : *des dilettantes.*

dîme n.f. ♦ **Orth.** Accent circonflexe sur le *i*. → R.O. 1990

diminuer v.t et v.i. ♦ **Conjug.** Se conjugue avec l'auxiliaire *avoir* : *les réserves ont diminué.* RECOMM. Ne pas confondre cet emploi avec celui de l'adjectif *diminué* en fonction d'attribut : *il est très diminué* (= ses facultés physiques ou mentales sont très amoindries). ♦ **Emploi.** *Le téléphone diminue, la vie diminue,* sont familiers. RECOMM. Dans l'expression soignée, préférer *le prix du téléphone, le coût de la vie diminue.* → aussi **augmenter**

diminution n.f. ♦ **Emploi.** *La diminution du pain, de la vie* sont familiers. RECOMM. Dans l'expression soignée, préférer *la diminution du prix du pain, du coût de la vie.*

dînatoire adj. ♦ **Orth.** Avec un accent circonflexe sur le *i*, comme tous les mots de la famille de *dîner.* → R.O. 1990. ♦ **Registre.** Familier. *Un goûter dînatoire* (= qui tient lieu de dîner).

dîner v.i. ♦ **Orth.** Avec un accent circonflexe sur le *i*, ainsi que les autres mots de la même famille : *dînatoire, dîner* n.m., *dînette, dîneur* → R.O. 1990. ♦ **Emploi.** → 2. déjeuner

dionysiaque adj. ♦ **Orth.** Attention à la place du *y*, à la deuxième syllabe.

diplôme n.m. ♦ **Orth.** Avec un accent circonflexe sur le *o*, comme *diplômer*, mais à la différence de *diplomate, diplomatie, diplomatique.*

diptyque n.m. ♦ **Orth.** Attention à l'ordre des voyelles : d'abord un *i*, puis un *y*, comme *triptyque*, à la différence de *polyptyque.* REM. *Diptyque, triptyque* et *polyptyque* présentent le même radical, *ptyque* (du grec *ptukhos,* pli), avec un *y*, et des préfixes différents : *di-* et *tri-* (avec *i*), pour deux et trois, et *poly-* (avec *y*) pour plusieurs.

1. **dire** v.t. ♦ **Conjug.** → annexe, tableau 82. Attention à la forme irrégulière *vous dites* (sans accent circonflexe). REM. De tous les composés de ce verbe, seul *redire* se conjugue de la même façon : *vous redites.* Mais : *vous contredisez, vous interdisez, vous médisez, vous prédisez.* ♦ **Constr. et sens.** 1. *Dire que* (+ indicatif ou conditionnel), *dire* (+ infinitif), exprime l'affirmation : *il a dit qu'il viendrait ; il dit qu'il vous aime, il dit vous aimer.* 2. *Dire que* (+ subjonctif), *dire de* (+ infinitif), exprime un conseil, un ordre, une interdiction : *il a dit que vous fassiez attention ; il vous a dit de faire attention.* 3. *Je ne dis pas que* (+ indicatif), exprime l'insistance : *je ne dis pas qu'il est malhonnête.* 4. *Je ne dis pas que* (+ subjonctif), marque l'hésitation à affirmer : *je ne dis pas qu'il soit malhonnête.* ♦ **Emploi.** 1. *Comme on dit, comme on le dit* sont également corrects. REM. Noter toutefois la nuance de sens lorsque *comme* figure dans une incise : *cet expert, comme vous dites, n'a pas vu que le tableau était un faux* (= cet expert, pour reprendre votre propre terme...) ; *si c'est un expert, comme vous le dites, il aurait dû voir que le tableau était un faux* (= si c'est un expert, comme vous l'affirmez...). 2. *On dirait un / on dirait d'un.* On emploie aujourd'hui *on dirait un* (*il parle tout seul, on dirait un fou*). La

tournure *on dirait d'un (il parle tout seul, on dirait d'un fou)* est sortie de l'usage. **3.** *Ceci dit / cela dit* → **cela. 4.** *Comme qui dirait* → **comme.** ◆ **Orth.** *Ledit, ladite, lesdits ; lieu-dit, on-dit, ouï-dire, bien-disant, soi-disant :* voir ces mots.

2. dire n.m. ◆ **Orth. et emploi. 1.** *Au dire de* = selon le mot de. Toujours au singulier : *c'est à la fois la meilleure et la pire des choses, comme la langue au dire d'Ésope.* **2.** *À dire de* = en soumettant à l'appréciation de (employé surtout dans la locution du vocabulaire juridique *à dire d'experts* = selon l'estimation faite par des experts).

directeur, trice n. et adj. ◆ **Emploi.** La forme féminine du substantif est *directrice : Mme Legal est la directrice de l'école.* Toutefois, dans les titres et les noms de fonctions, c'est en général la forme masculine qui est employée, du moins en français de France : *Madame Soazik LeDantec, président-directeur général des Chantiers navals brestois. Madame Dupin, directeur de cabinet.*

directive n.f. ◆ **Nombre.** S'emploie surtout au pluriel. ◆ **Sens et emploi.** Des *directives* sont, à l'origine, des indications générales données par la haute autorité militaire, en vertu desquelles sont établis, en descendant dans la hiérarchie, des instructions, puis des ordres. Dans l'usage courant, *directive* est employé aujourd'hui comme un simple synonyme d'*ordre, consigne, instruction, marche à suivre.*

diriger v.t. ◆ **Conjug.** Le *g* devient *-ge-* devant *a* et *o : je dirige, nous dirigeons ; il dirigeait.* Avec l'auxiliaire être. → annexe, tableau 10

disciple n. ◆ **Orth.** Atention au groupe *-sc-*, comme dans les mots de la même famille *discipline, discipliner, indiscipliné.* ◆ **Genre.** L'emploi du mot

au féminin est aujourd'hui admis : *Marie Bonaparte, l'une des premières disciples de Freud, a fondé la Société psychanalytique de Paris.*

disc-jockey n.m. ◆ **Orth.** On écrit *disc-jockey,* avec un trait d'union. → R.O. 1990. - Plur. : *des disc-jockeys.* ◆ **Anglicisme** Personne qui choisit et passe les disques dans une discothèque, une boîte de nuit. Souvent abrégé en *D.J.* **RECOMM. OFF.** Animateur. **REM.** Le mot *disquaire,* parfois employé pour éviter l'anglicisme, peut être ambigu, puisqu'un disquaire est d'abord un commerçant qui vend des disques.

disconvenir v.t.ind. ◆ **Conjug.** → annexe, tableau 28. Se conjugue, comme *venir,* avec l'auxiliaire *être.* ◆ **Emploi.** Ne s'emploie guère qu'en tournure négative : *j'ai commis une erreur, je n'en disconviens pas ; sans disconvenir de sa maladresse, il la met sur le compte de la fatigue.* ◆ **Registre.** Littéraire et soutenu. ◆ **Constr. 1.** *Ne pas disconvenir de :* elle *ne disconvient pas de son origine modeste.* **2.** *Ne pas disconvenir que* (+ subjonctif) : « *On ne peut disconvenir que les plantes ne soient des êtres organisés et vivants* » (J.-J. Rousseau). **REM.** L'emploi de *ne* après *ne pas disconvenir que,* dans la proposition subordonnée, est facultatif. ❑ *Ne pas disconvenir que* (+ indicatif) : « *Nous ne pouvons pas disconvenir que ma première petite jeunesse a été folle* » (G. Sand). **REM.** La construction avec l'indicatif, plus rare, insiste davantage sur l'assertion, sur la réalité du fait énoncé, que la construction avec le subjonctif. ❑ *Ne pas disconvenir que* (+ conditionnel) : *il n'est pas disconvenu qu'il faudrait employer ce moyen en cas de nécessité.* Indique l'éventualité, l'hypothèse.

discount n.m. ◆ **Prononc.** [diskunt], en faisant entendre le *n* et le *t.* ◆ **Orth.**

Plur. : *des discounts.* ◆ **Emploi. RECOMM. OFF.** : *discompte.*

discourir v.i. ◆ **Conjug.** Comme *courir.* → annexe, tableau 33

disgrâce n.f. ◆ **Orth.** Avec un accent circonflexe, à la différence de l'adjectif *disgracieux, euse* et du verbe *disgracier.*

disjoindre v.t. ◆ **Conjug.** Comme *joindre.* → annexe, tableau 62

disparaître v.i. ◆ **Orth.** Prend un accent circonflexe sur le *i* devant le *t* dans toute la conjugaison. → R.O. 1990. ◆ **Conjug.** → annexe, tableau 71. - Avec l'auxiliaire *avoir* ou l'auxiliaire *être* selon que l'accent est mis sur l'action *(avoir)* ou sur son résultat *(être). Cet oiseau a presque disparu de la région. Le dodo des îles Mascareignes est disparu depuis longtemps.* ◆ **Registre.** La conjugaison avec l'auxiliaire *être* appartient au registre littéraire ou soutenu.

disparate n.f. ou n. m. ◆ **Genre.** Le mot était naguère féminin. L'usage est aujourd'hui hésitant sur le genre, et l'on rencontre de plus en plus souvent *un disparate, du disparate.* **RECOMM.** Dans l'expression soignée, en particulier à l'écrit, préférer le féminin.

dispatcher v.t. ◆ **Anglicisme** Distribuer, répartir. *Dispatcher* et le nom *dispatching* sont admis dans de nombreux domaines techniques (chemins de fer, aviation, exploitation pétrolière, distribution d'électricité, etc.). **RECOMM.** Dans le registre courant, non technique, préférer *distribuer, partager, répartir* et les substantifs correspondants *distribution, partage, répartition.*

dispos, e adj. ◆ **Emploi.** Le féminin *dispose* est pratiquement inusité.

disputer v.t., v.t.ind. et v.pr. ◆ **Constr. 1.** *Disputer qqn* = lui faire des

reproches, le réprimander Registre familier. **2.** *Disputer qqch.* ◻ *Disputer une question, un sujet* = en débattre. Registre littéraire et soutenu. On dit plus couramment aujourd'hui *disputer de, disputer sur qqch. : ils ont longuement disputé d'un point de protocole.* ◻ *Disputer une compétition, une lutte* = y participer. *Notre équipe dispute cette année le championnat de ligue.* Emploi courant dans tous les registres. ◻ *Disputer qqch. à qqn, contre qqn* = lutter avec qqn pour obtenir qqch. *Il a âprement disputé le titre à son détenteur actuel. Nos troupes ont longuement disputé la position contre des forces supérieures en nombre.* Emploi courant dans tous les registres. **3.** *Le disputer, le disputer à* = entrer en rivalité, soutenir la comparaison avec. « *Le prince ne voit à sa cour aucune femme qui puisse vous le disputer en beauté* » (Stendhal). Emploi littéraire et vieilli. **4.** *Se disputer* = se quereller. Registre familier.

dissemblable adj. ◆ **Emploi et constr.** Dans son emploi le plus habituel, *dissemblable* n'a pas de complément : *des personnes très dissemblables.* ◻ *Dissemblable à, dissemblable de,* corrects l'un et l'autre, relèvent du registre soutenu : *rien n'est plus dissemblable de lui que lui-même ; ses opinions, si dissemblables aux miennes, m'étonnent toujours.*

disséquer v.t. ◆ **Conjug.** Attention à l'accent, tantôt grave, tantôt aigu : *je dissèque, nous disséquons ; je disséquais.* → annexe, tableau 11 et R.O. 1990

dissimuler v.t. ◆ **Constr. 1.** *Dissimuler que* (+ indicatif ou conditionnel) : *il nous a dissimulé qu'il vous avait rencontré ; je ne lui ai pas dissimulé que je préférerais une autre solution.* Construction la plus courante. **2.** *Dissimuler que* (+ subjonctif): *il fallait dissimuler que nous fussions informés.* Registre littéraire ou soutenu.

dissolu, e adj. ♦ **Orth.** Finale en -*u*, -*ue* : *il mène une vie dissolue.* REM. *Dissolu*, adjectif (et non participe) est issu directement du latin, et non du verbe français *dissoudre*.

dissoner v.i. ♦ **Orth.** Avec un seul *n*, de même que *dissonance* et *dissonant* (et comme *consonance, assonance, résonance*), contrairement à *sonner.*

dissoudre v.t. ♦ **Conjug.** Comme *absoudre : je dissous, il dissout ; il a dissous.* Le passé simple, bien que rare, existe : *il dissolut.* → annexe, tableau 67. - Participe passé : *dissous, dissoute. Du sucre en poudre dissous,* mais *de la poudre de sucre dissoute dans de l'eau.* → R.O. 1990

dissyllabe adj. et n.m. ♦ **Orth.** Avec deux *s* et deux *l*, de même que *dissyllabique.*

dissymétrie n.f. ♦ **Orth.** Avec deux *s*, de même que *dissymétrique.*

distancer v.t. ♦ **Conjug.** Le *c* devient *ç* devant *o* et *a : je distance, nous distançons ; il distança.* → annexe, tableau 9

distancier v.t. et v.pr. ♦ **Conjug.** Attention au redoublement du *i* aux première et deuxième personnes du pluriel, à l'indicatif imparfait et au subjonctif présent : *(que) nous distanciions, (que) vous distanciiez.* → annexe, tableau 5

distendre v.t. et v.pr. ♦ **Conjug.** Comme *tendre.* → annexe, tableau 59. ♦ **Emploi** → **détendre**

distinct, e adj. ♦ **Prononc.** Au masculin, [distɛ̃], ou [distɛ̃kt], en faisant entendre ou non le *c* et le *t*. Au féminin, [distɛ̃kt], le *c* et le *t* se prononcent.

distinguer v.t. ♦ **Constr.** 1. *Distinguer qqch. (qqn) de qqch. d'autre (de qqn d'autre)* = constituer l'élément caractéristique qui différencie, qui sépare. *Deux aigrettes de plumes sur la tête distinguent le hibou de la chouette. Sa taille la distingue de sa sœur, qui est plus petite.* 2. *Distinguer de / d'avec :* distinguer le *bien du mal, distinguer le bien d'avec le mal.* Les deux constructions sont admises, mais *distinguer de* est plus courant. **RECOMM.** Dans l'expression soignée, préférer ces deux constructions à *distinguer une chose et une autre,* très courant dans l'expression orale non surveillée *(distinguer le fond et la forme).* REM. Il est parfois nécessaire d'employer *distinguer d'avec* pour éviter une ambiguïté. Par exemple, *il faut savoir distinguer l'ami du flatteur* peut être compris : « il faut savoir faire la distinction entre l'ami et le flatteur », ou : « il faut savoir reconnaître celui qui est l'ami de l'homme qui flatte ». 3. *Distinguer entre, parmi* = discerner, remarquer. *On distingue la silhouette du château entre les arbres ; le réalisateur a distingué cette jeune débutante parmi les figurants du film.* 4. *Se distinguer* v.pr. = se signaler, s'illustrer. *Il s'est distingué par sa compétence.*

distinguo n.m. ♦ **Orth.** Prend un *s* au pluriel. *De subtils distinguos.*

distique n.m. ♦ **Orth.** Deux *i*. (Attention, pas de *y*, ne pas confondre avec *dytique,* insecte, ou avec *diptyque,* tableau).

distordre v.t. ♦ **Conjug.** Comme *tordre.* → annexe, tableau 59

distraire v.t. ♦ **Conjug.** Comme *traire* (verbe sans passé simple ni imparfait du subjonctif). → annexe, tableau 92

dithyrambe n.m. ♦ **Orth.** Attention au groupe -*thy*-. ♦ **Registre.** *Dithyrambe* = éloge enthousiaste, appartient à la langue soutenue.

divergeant, e part. présent / **divergent, e** adj. ♦ **Orth.** Ne pas confondre ces deux mots. 1. *Divergeant,* part. présent du verbe *diverger*. Avec un *a* et invariable : *nos opinions divergeant sur tout, nous avons préféré mettre un terme à l'association.* **2. Divergent** adj. = qui diverge. Avec un *e*, s'accorde : *rayons divergents.*

diverger v.i. ◆ **Conjug.** Le *g* devient -ge- devant *a* et *o : je diverge, nous divergeons ; il divergeait.* → annexe, tableau 10

divers adj. et adj. indéfini pluriel ◆ **Emploi. 1.** *Divers* adj. qualificatif = différents, variés (au pluriel) ; changeant, qui prend des aspects différents (au singulier). *Les divers sens d'un mot ; la nature humaine est diverse.* **2. Divers** adj. indéfini pluriel (toujours employé avant le nom) = plusieurs, quelques. *Diverses personnes m'ont parlé de vous.*

divin, e adj. ◆ **Prononc.** Au masculin, se prononce [divin] (comme pour rimer avec *fine*) devant un mot qui commence par une voyelle ou un *h* muet : *le divin enfant* (se prononce comme *la divine enfant*).

division des mots → annexe, grammaire § 1, 2, 3

divorcer v.i. ◆ **Conjug.** Le *c* devient *ç* devant *o* et *a : je divorce, nous divorçons ; il divorça.* Avec l'auxiliaire *avoir* ou l'auxiliaire *être* selon que l'accent est mis sur l'action ou sur son résultat : *ils ont divorcé l'année dernière ; ils sont divorcés depuis longtemps.* → annexe, tableau 9. ◆ **Constr. 1.** *Divorcer de qqn / d'avec qqn.* Au sens propre, les deux constructions sont correctes. *Elle a divorcé de son mari, d'avec son mari.* RECOMM. Éviter *divorcer avec* dans ce sens. **2.** *Divorcer avec qqch.* Au sens figuré (= rompre avec, renoncer à), *divorcer avec* est correct et plus courant que *divorcer d'avec : divorcer avec la pernicieuse habitude du tabac.*

divulguer v.t. ◆ **Emploi.** Le complément d'objet ne peut désigner qu'une chose : *divulguer un secret, une nouvelle.* RECOMM. Éviter le pléonasme *divulguer publiquement* (divulguer = répandre dans le public).

dix adj. et n.m. ◆ **Prononc.** [dis] devant une pause : *il y en a dix, au moins ;* [di] devant une consonne ou un *h* muet : *les dix meilleurs seront récompensés ; dix hauts fonctionnaires ont été mutés ;* [diz] devant une voyelle ou un *h* aspiré : *dix oranges bien mûres ; dix huîtres.* ◆ **Orth. 1.** Les composés qui ont *dix* comme premier élément s'écrivent avec un trait d'union : *dix-sept, dix-neuf.* **2.** On écrit *dixième,* avec *x,* mais *dizaine,* avec *z.*

dixit v.i. ◆ **Prononc.** [diksit], le *t* final se prononce (mot latin). ◆ **Sens et emploi.** *Dixit* = a dit, il a dit. S'emploie pour signaler une citation avec le contenu de laquelle on prend ses distances, ou par plaisanterie. Le sujet peut venir avant ou après, sans changement de sens. *Tout va bien aujourd'hui et tout ira mieux demain,* dixit *le gouvernement. Rien ne presse, Marcel* dixit.

dizaine n.f. ◆ **Orth.** Attention au *z*. → **dix**

djebel n.m. ◆ **Orth.** On écrit *djebel,* sans accent, malgré les *e* prononcés comme des *è.*

djemaa ou **djamaa** n.f. inv. ◆ **Orth.** Les deux graphies sont correctes.

docteur n.m. ◆ **Genre.** La forme féminine *doctoresse,* désignant une femme docteur en médecine, est vieillie. *Docteur,* n.m., désigne aujourd'hui aussi bien une femme qu'un homme : *le nouveau docteur est cette jeune femme.* REM. On peut dire *une femme docteur,* comme *une femme médecin.* ◆ **Emploi.** On dit, on écrit *docteur en médecine, en droit,* mais *docteur ès lettres, ès sciences.* → **ès**

documentaliste n. / **documenta-riste** n. ◆ **Sens.** Ne pas confondre ces deux mots. **1.** *Documentaliste* = spécia-liste de la recherche et de l'utilisation des documents. **2.** *Documentariste* = réalisateur, réalisatrice de films docu-mentaires.

doigt n.m. ◆ **Emploi.** *Montrer du doigt / montrer au doigt.* Les deux construc-tions sont correctes. *Montrer du doigt* est courant, *montrer au doigt* appartient aujourd'hui au registre littéraire : « *En m'retrouvant seul sous mon toit / Dans ma psyché j'me montre au doigt* » (G. Brassens).

dolmen n.m. → menhir

dom n.m. / **don** n.m. ◆ **Prononc.** [dɔ̃], comme *un don.* ◆ **Orth. et emploi** Aucun de ces deux mots ne prend la majuscule. **1.** *Dom* = titre donné à cer-tains religieux (bénédictins, chartreux, notamment). *Dom Prosper Guéranger, dom François Bédos de Celles.* - Titre de courtoisie, au Portugal : *dom Manoel.* **2.** *Don* n.m., *doña* n.f. = titre espagnol de courtoisie, qui ne s'emploie que devant le prénom. *Don Juan, doña Prouhèze.* REM. Ces deux mots sont issus du latin *dominus, domina* = maître, maîtresse.

dôme n.m. ◆ **Orth.** Avec un circon-flexe sur le ô. ◆ **Sens.** *Dôme / coupole* → coupole

dommage n.m. ◆ **Constr.** *Il est dom-mage que* (+ subjonctif) : *il est dommage qu'il ne vienne pas, qu'il ne soit pas venu,* ou, elliptiquement (familier), *dommage qu'il ne soit pas venu !*

dompter v.t. ◆ **Prononc.** [dɔ̃te], sans prononcer le *p*, comme pour rimer avec *bonté.* Dans l'expression soignée, on ne prononce le *p* ni dans *dompter,* ni dans les mots de la même famille : *dompter, dompteur, indomptable.*

Toutefois, sous l'influence de la gra-phie, le *p* se fait souvent entendre dans l'usage courant. REM. *Dompter* est issu du latin *domitare,* qui ne comporte pas de *p.*

donataire n. / **donateur, trice** n. ◆ **Orth.** Avec un seul *n.* ◆ **Sens.** Ne pas confondre ces deux mots de forme proche mais de sens opposés. **1.** *Donataire* = bénéficiaire d'une dona-tion. **2.** *Donateur, trice* = personne qui fait une donation.

donation n.f./ **dotation** n.f. ◆ **Orth.** *Donation :* avec un seul *n.* ◆ **Sens.** Ne pas confondre ces deux mots. **1.** *Donation* = acte juridique par lequel une personne fait don d'un de ses biens à une autre. **2.** *Dotation* = fonds ou matériel assignés à une col-lectivité, un établissement, un service public, pour leur fonctionnement. *Dotation annuelle d'un institut.*

donc conj. ◆ **Prononc.** En principe, le *c* final ne se prononce que lorsque *donc* est au début d'une phrase *(Donc, la Terre est ronde)* ou lorsqu'il est suivi d'un mot commençant par une voyelle *(nous sommes donc arrivés hier).* Mais la ten-dance actuelle de l'usage est de pro-noncer le *c* dans tous les cas. ◆ **Emploi.** **1.** *Donc* suffit, à lui seul, à exprimer l'idée de conséquence. RECOMM. Évi-ter le pléonasme *donc par consé-quent.* **2.** *Ainsi donc* → ainsi

don Juan n.m. ◆ **Orth.** Employé comme nom commun (= séducteur libertin), le mot prend la marque du pluriel aux deux éléments : *des dons Juans.*

donjuanisme n.m. ◆ **Orth.** Toujours en un seul mot, sans majuscule, de même que l'adjectif *donjuanesque.*

donné adj. ◆ **Orth.** *Étant donné* est invariable s'il est placé avant le nom, mais il s'accorde s'il est placé après. *Étant donné les circonstances. Les conditions étant données.*

don Quichotte n.m. ◆ **Orth.** Employé comme nom commun (= personnage généreux et idéaliste qui se pose en redresseur de torts), le mot prend la marque du pluriel aux deux éléments : *des dons Quichottes.*

donquichottisme n.m. ◆ **Orth.** En un seul mot, sans majuscule.

dont pron. ◆ **Emploi.** *Dont* peut représenter des personnes ou des choses, et s'emploie pour *de qui, duquel, desquels,* etc. : *une personne dont j'ai oublié le nom ; ces voyageurs, dont beaucoup viennent de loin ; le mal dont il est atteint ; le métal dont est fait ce bijou.* REM. *Dont* équivaut ainsi à un complément introduit par *de* : *le nom de la personne..., beaucoup de ces voyageurs..., il est atteint du mal..., ce bijou est fait du métal...* **1.** *Dont* ne peut pas dépendre d'un complément introduit par une préposition. On dit *la personne au sort de laquelle je m'intéresse* (et non **la personne dont je m'intéresse au sort*) ; *le pays sur le sol duquel j'ai posé le pied* (et non : **le pays dont j'ai posé les pieds sur le sol*). REM. Un tel emploi est cependant possible si *dont* est également complément d'un autre mot de la relative qui n'est pas introduit par une préposition. « *L'autre, dont les cheveux flottent sur les épaules* » (A. France) : *dont* est complément à la fois de *cheveux* et de *épaules* (*les cheveux de l'autre, les épaules de l'autre*). **2.** *Dont* exclut l'emploi du pronom *en* ou d'un adjectif possessif en rapport avec son antécédent dans la même proposition. On dit : *les personnes présentes, dont je connais plus de la moitié* (et non : **dont j'en connais plus de la moitié*) ; *l'enfant dont on aperçoit la frimousse sur la photo* (et non **l'enfant dont on aperçoit sa frimousse...*). **3.** *C'est cela dont / c'est de*

cela que. Les deux constructions sont également correctes : *c'est cela dont j'ai besoin ; c'est de cela que j'ai besoin.* RECOMM. Éviter en revanche de mêler les deux constructions (**c'est de cela dont*). **4.** *Dont / d'où.* Aujourd'hui, *dont* n'est plus employé au sens concret pour marquer le mouvement hors d'un lieu. On dit : *le pays d'où il vient, la maison d'où il est sorti.* En revanche, il est employé pour marquer la provenance, l'origine : *la famille dont il est issu.* REM. *Dont,* étymologiquement, signifie exactement « d'où » (latin *de unde*).

dorade n.f. → daurade

dorloter v.t. ◆ **Orth.** Avec un seul *l* et un seul *t*, de même que *dorlotement.*

dormir v.i. ◆ **Conjug.** Participe passé toujours invariable → annexe, tableau 25. ◆ **Constr.** On trouve encore parfois la construction transitive (*dormir un somme, dormir un profond sommeil*), employée en général par archaïsme volontaire.

dot n.f. ◆ **Prononc.** [dɔt], on prononce le *t* final.

double-crème n.m. et adj. ◆ **Orth.** Plur. : *des doubles-crèmes.*

double-croche n.f. ◆ **Orth.** Plur. : *des doubles-croches.*

double-fenêtre n.f. ◆ **Orth.** Plur. : *des doubles-fenêtres.*

doubler v.t. / **redoubler** v.t. ◆ **Sens et emploi** On peut dire indifféremment *doubler* ou *redoubler une classe. Redoubler* est beaucoup plus fréquent, mais le sens des deux verbes est le même dans cet emploi. En revanche, l'élève qui suit la même classe pour la deuxième année consécutive est un *redoublant* ou une *redoublante.* → aussi **dédoubler**

douceâtre adj. ◆ **Orth.** Avec un accent circonflexe sur le *a*. Attention au groupe *-ce-* devant *â* (et non *ç*). → R.O. 1990

doute n.m. ◆ **Sens 1.** *Sans doute* = peut-être, probablement. **2.** *Sans nul doute ; sans aucun doute* = assurément, à coup sûr. ◆ **Constr. 1.** *Sans doute,* placé en tête de phrase sans ponctuation, entraîne l'inversion du pronom sujet (ou, si le sujet est un nom, l'emploi du pronom sujet de rappel) : *sans doute aurait-il souhaité mieux ; sans doute l'homme avait-il pris la fuite.* **2.** *Nul doute que* (+ subjonctif, indicatif ou conditionnel). ❑ *Nul doute que* se construit habituellement avec le subjonctif et la particule *ne : nul doute que cela ne se fasse un jour ou l'autre.* ❑ L'indicatif est également employé, sans la particule *ne,* pour insister sur la réalité du fait : *nul doute que cela est fait à l'heure où je vous parle.* ❑ Le conditionnel est employé si le fait est hypothétique : *nul doute que cela se ferait si c'était possible.* ❑ *Pas de doute que, il n'y a pas* (ou *il ne fait pas) de doute que, il n'est pas douteux que, il est hors de doute que* suivent les mêmes constructions. **3.** *Sans doute que* (+ indicatif ou conditionnel) : *sans doute qu'il est fâché, puisqu'il n'appelle plus ; sans doute qu'il refuserait si on le lui demandait.*

douter v.t. ◆ **Constr. 1.** *Douter de qqch., douter de* (+ infinitif) : *il doute de ses capacités ; il doute de pouvoir le faire.* **2.** *Douter que* (+ subjonctif ou conditionnel) : *doutez-vous qu'il soit sincère ? Je doute qu'elle serait contente d'apprendre ce que vous me dites.* **3.** *Ne pas douter que, doutez-vous que* (+ subjonctif). Avec *ne* explétif dans l'expression soignée : *je ne doute pas qu'il ne parte ; doutez-vous que le moment ne soit venu ?* L'usage courant omet le *ne : je ne doute pas qu'il vienne ; doutez-vous que le moment soit

venu ?* ❑ *Ne pas douter que* (+ indicatif). Pour insister sur la réalité du fait : *je ne doute pas qu'il sera présent à l'heure dite.* ❑ *Ne pas douter que* (+ conditionnel). Pour marquer l'hypothèse : *ne doutez pas qu'il le ferait s'il le pouvait.* **4.** *Douter si* (+ indicatif) : *je doute si nous nous reverrons un jour.* Registre littéraire et soutenu. **5.** *Se douter que* (+ indicatif) = penser que, juger probable que. *Je me doute qu'il a étudié soigneusement le projet avant d'accepter.*

dragage n.m. ◆ **Orth.** Attention, *dragage* ne prend pas du *u* après le *g,* à la différence de *draguer* et de *dragueur.*

drainer v.t. ◆ **Orth.** Pas d'accent circonflexe sur le *i.* REM. Ce mot vient de *drain,* qui s'écrit sans accent.

Dralon n.m. ◆ **Orth.** Avec une majuscule (nom déposé).

driveur, driver n.m. ◆ **Orth. et pronon.** Au sens « jockey d'un sulky, en trot attelé », le mot peut s'écrire *driveur,* à la française, ou *driver,* à l'anglaise. On prononce *driveur* dans les deux cas. RECOMM. Préférer la graphie à la française *driveur.*

1. droit adv. ◆ **Accord.** *Droit,* adverbe, est invariable : *ils vont droit au but ; la fumée montait droit vers le ciel* RECOMM. Ne pas confondre *droit,* adverbe, avec *droit,* adjectif, qui s'accorde : *les enfants, tenez-vous droits !*

2. droit n.m. ◆ **Emploi** *Avoir le droit de* est plus courant que *avoir droit de,* littéraire et vieilli. L'un et l'autre ont le même sens.

drolatique adj. ◆ **Orth.** Jamais d'accent circonflexe sur le *o,* au contraire de *drôle* et de ses autres dérivés. ◆ **Emploi et registre.** Mot rare et littéraire.

drôle adj. / **drôle, drôlesse** n. ◆ **Orth.** Avec un circonflexe sur le *o.*

◆ **Sens.** Ne pas confondre ces deux mots. **1.** *Drôle* adj. = amusant. *C'est un homme très drôle quand il le veut. Une anecdote assez drôle.* Dans ce sens, *drôle* est placé après le nom qu'il qualifie : *une histoire drôle.* ❏ *Un drôle de* = un curieux, un étonnant, un étrange... *C'est un drôle de bonhomme ; il lui est arrivé une drôle d'histoire.* **2.** *Drôle, drôlesse* n. = mauvais sujet (vieilli) ; enfant, gamin (emploi régional : Midi, Sud-Ouest).

dru, e adj. et adv. ◆ **Orth.** Jamais d'accent circonflexe sur le *u.* ◆ **Accord.** L'adjectif s'accorde, l'adverbe est invariable. *Une herbe drue,* mais *les blés poussent dru.*

drugstore n.m. ◆ **Orth.** En un seul mot. - Plur. : *des drugstores.*

drummer n.m. ◆ **Prononc.** [dʀœmœʀ], le *u* et le *e* se prononcent comme *eu* dans *beurre.* ◆ **Anglicisme.** RECOMM. Préférer *batteur.*

drupe n.f. ◆ **Genre.** Féminin. *La pêche est une drupe.*

dû, due part. passé, adj. et n.m. ◆ **Orth.** Seul le masculin singulier prend un accent circonflexe : *il a dû partir ; port dû ; payer son dû.* Mais : *les arrhes dus ; les sommes dues.* → **devoir**

ductile adj. ◆ **Orth.** *Ductile* (= qui peut être étiré sans se rompre) fait sa finale en *-ile.* Ne pas confondre avec les mots en *-ible,* comme *conductible.* REM. *Ductile* est issu du latin *ductilis,* malléable.

dudit adj. → **ledit**

duffel-coat, duffle-coat n.m. ◆ **Prononc.** [dœfœlkot] pour les deux graphies. Le *u* et le *e* de *duffel-coat* se prononcent comme le *eu* de *beurre ; coat* se prononce comme le mot français *côte. Duffle-coat* se prononce comme

duffel-coat. ◆ **Orth.** Les deux graphies, *duffel-coat* et *duffle-coat,* sont admises ; toujours avec un trait d'union. - Plur. : *des duffel-coats ; des duffle-coats* (sans *s* au premier élément).

dûment adv. ◆ **Orth.** Avec un accent circonflexe sur le *u,* comme dans *indûment* et *assidûment, congrûment, continûment.* → R.O. 1990

dune n.f. ◆ **Emploi.** *Dune* = monticule, colline de sable. RECOMM. Éviter le pléonasme *dune de sable. En revanche on peut dire : *une dune de sable fin, de sable meuble,* etc.

dupe n.f. et adj. ◆ **Genre.** Le nom est toujours féminin, même pour désigner un homme : *il a été la dupe d'un associé indélicat.* ◆ **Orth. 1.** *Jeu de dupes, marché de dupes.* Toujours au pluriel. **2.** *La journée des Dupes.* Toujours avec une majuscule. REM. La *journée des Dupes* est la journée du 10 novembre 1630, où Richelieu, sur le point d'être écarté du pouvoir par ses adversaires, parvint à regagner la confiance de Louis XIII.

duplicata n.m. ◆ **Orth.** Plur. : *des duplicatas* (pluriel français) ou *des duplicata* (pluriel latin). RECOMM. Préférer *des duplicatas.* ◆ **Sens et emploi.** *Duplicata* = deuxième exemplaire d'un document original (l'original est le *primat,* le troisième exemplaire le *triplicata.* Lorsqu'il existe plus de deux copies de l'original, elles sont toutes nommées *duplicatas). Conserver le reçu, il ne sera pas délivré de duplicata.* REM. Le verbe correspondant est *dupliquer.* L'opération par laquelle on duplique est la *duplication.*

duquel pron. relatif → **lequel**

dur, e n. ◆ **Registre.** *Un dur, une dure* (= une personne au fort caractère, courageuse physiquement et moralement). Registre familier. REM. On emploie également dans ce sens la forme intensive *un dur de dur, une dure de dure.*

Duralumin n.m. ◆ **Orth.** Toujours avec une majuscule (nom déposé).

durant prép. / **pendant** prép. ◆ **Sens.** Ces deux prépositions peuvent souvent être employées l'une pour l'autre : *il a plu durant trois jours* ou *pendant trois jours.* Elles présentent néanmoins des nuances de registre et d'emploi. ◆ **Registre.** *Durant* est plus soutenu, *pendant* plus courant. ◆ **Emploi.** ❏ Quand on veut insister sur l'idée de durée continue, on emploie *durant : il a plu durant toutes les vacances ; cette correspondance s'est maintenue durant trois ans.* ❏ Quand on veut marquer l'idée d'une période au cours de laquelle un évènement est survenu, on emploie *pendant ; il l'a rencontrée pendant ses vacances ; elle lui a envoyé une carte pendant son séjour à Paris.* ◆ **Construction. 1.** *Pendant* se place toujours avant le nom : *il est resté debout pendant la cérémonie.* **2.** *Durant* peut se placer avant le nom ou, pour insister sur la durée, après le nom : *il est resté debout durant la cérémonie ; « il dit rester des heures durant sans même pouvoir remuer la tête »* (A. Gide).

durer v.i. ◆ **Accord.** Aux formes conjuguées, le participe passé ne s'accorde jamais : *la crise a duré trois jours, les trois jours que la crise a duré.* (Les trois jours n'est pas ici complément d'objet direct, mais complément circonstanciel de temps.)

Durit n.f. ◆ **Orth.** Avec une majuscule (nom déposé) et un *t* final, sans *e.* **REM.** Le mot est souvent pris pour un nom commun. Il est alors écrit *durite,* sans majuscule et avec un *e* (orthographe déconseillée).

dynamoélectrique adj. ◆ **Orth.** S'écrit aujourd'hui en un seul mot, sans trait d'union.

dys- préf. ◆ **Sens.** *Dys-* = mauvais, mal. Marque un trouble, une difficulté : *dysfonctionnement* (= mauvais fonctionnement), *dyspepsie* (= digestion difficile). **RECOMM.** Ne pas confondre avec le préfixe *dis-* = séparation, défaut, absence, comme dans *disqualifier, dissentiment, dissident, dissymétrie,* etc.

dysenterie n.f. ◆ **Prononc.** [disɑ̃tRi], le *s* se prononce comme dans *dissemblable.*

dysfonctionnement n.m. ◆ **Orth.** Avec un *y.*

dysharmonie n.f. ◆ **Prononc.** [dizaRmɔni], le *s* se prononce *z.* ◆ **Orth.** Avec un *y.*

dysorthographie n.f. ◆ **Prononc.** [dizɔRtɔgrafi], le *s* se prononce *z.* ◆ **Orth.** Avec un *y.*

dytique n.m. ◆ **Orth.** Attention à l'ordre des voyelles : d'abord un *y,* puis un *i.* Ne pas confondre le nom de cet insecte aquatique (du grec *dutikos,* qui aime plonger) avec *distique* (= groupe de deux vers, en poésie), ni avec *diptyque* (= tableau).

E

eau n.f. ◆ **Orth. 1.** Sans trait d'union : *eaux mères ; eau de Cologne ; eau de Javel.* **2.** Avec un trait d'union : *eaux-vannes ; morte-eau, vive-eau* (mais *eau morte, eau vive*) ; *eau-de-vie* (plur. : *eaux-de-vie*) ; *eau-forte* (plur. : *eaux-fortes*) ; *à vau-l'eau* → **vau. 3.** Toujours au pluriel : *les Eaux et Forêts* (= administration centrale, avec des majuscules) ; *une ville d'eaux ; des eaux-vannes.* **4.** Avec le complément au singulier : *eau de rose, de fleur d'oranger* (mais *essence de roses*).

ébats n.m. ◆ **Emploi.** Surtout au pluriel : *de joyeux ébats ; ébats amoureux.*

ébattre (s') v.pr. ◆ **Conjug.** Comme *battre.* → annexe, tableau 63

ébauche n.f. / **esquisse** n.f. ◆ **Sens.** Ne pas confondre ces deux mots. **1.** *Ébauche* = premier stade d'exécution d'un objet, d'un ouvrage, d'une œuvre d'art. **2.** *Esquisse* = représentation simplifiée, premier tracé qui sert de guide. « *L'esquisse se distingue de l'ébauche en ce sens qu'elle est distincte de l'œuvre à exécuter, tandis que l'ébauche est l'œuvre elle-même au premier stade de l'exécution* » (Réau, *Dictionnaire d'art*).

ébène n.f. ◆ **Genre.** Féminin : *un guéridon fait de l'ébène la plus noire.*

éblouir v.t. ◆ **Emploi.** *Éblouir* = frapper les yeux d'un éclat trop vif. RECOMM. Éviter le pléonasme *éblouir les yeux.* Mais dans une construction passive ou réfléchie, on peut dire *les yeux sont éblouis par la lumière* ou *les yeux s'éblouissent.*

ébonite n.f. ◆ **Genre.** Féminin : *un vieux téléphone en ébonite noire.*

éboueur n.m. / **boueur** n.m. / **boueux** n.m. ◆ **Emploi.** *Éboueur* = personne chargée du ramassage des ordures. Vocabulaire administratif et expression soignée. Dans le registre courant, on dit plus souvent *boueux.* *Boueur* (doublet populaire de *boueux*) est aujourd'hui vieilli. REM. Les éboueurs procèdent à l'*ébouage* (= action d'enlever la boue des rues, des routes, et, par extension, de débarrasser la voirie des détritus, des objets de rebut).

éboulement n.m. / **éboulis** n.m. ◆ **Sens.** Ne pas employer l'un pour l'autre ces deux mots de sens proches, mais distincts. **1.** *Éboulement* = chute de ce qui s'éboule, s'écroule. *L'éboulement a détruit une partie de la route.* - Matériaux éboulés : *on a dégagé l'éboulement avec des* *pelleteuses.* **2.** *Éboulis* = amas de matériaux éboulés : *marcher dans les éboulis au pied d'un glacier.* REM. *Éboulement* et *éboulis* peuvent désigner l'un et l'autre les matières éboulées, *éboulis* ne désigne que les matières éboulées, jamais leur chute.

ébouler (s') v.pr. / **écrouler (s')** v.pr. ◆ **Sens.** Ne pas confondre. **1.** *S'ébouler* = s'affaisser par désagrégation, en glissant (se dit surtout de la terre, du sable, d'éléments granuleux, de choses empilées ou entassées) : *terrain qui s'éboule.* **2.** *S'écrouler* = se rompre et s'affaisser avec fracas : *les murs n'ont pas résisté au souffle de l'explosion et se sont écroulés.*

ébouriffé, e adj. ◆ **Orth.** Avec un *r* et deux *f,* ainsi que les mots de la même famille : *ébouriffage, ébouriffant, s'ébouriffer.*

ébrasure n.f. → embrasure

ébrécher v.t. ◆ **Conjug.** Attention à l'accent, tantôt grave, tantôt aigu : *j'ébrèche, nous ébréchons ; il ébréchera.* → annexe, tableau 11 et R.O. 1990

ébrouement n.m. ◆ **Orth.** S'écrit avec un *e* muet intérieur. *Ébrouement* correspond à *s'ébrouer,* verbe du 1er groupe (comme *aboiement* correspond à *aboyer* → aboiement)

écaille n.f. ◆ **Emploi.** *Écaille d'huître / coquille d'huître* → coquille

écailler v.t. → écaler

écailler, ère n. ◆ **Orth.** Sans *i* après les deux *l,* à la différence de *quincaillier.*

écaler v.t. / **écailler** v.t. ◆ **Emploi.** **1.** *Écaler* = débarrasser de son écale (enveloppe coriace), de sa coquille : *écaler des amandes, des noix, des œufs durs.* **2.**

Écailler = ôter l'écaille, les écailles de : *écailler des huîtres, un poisson.* → aussi coquille

écarlate n.f. et adj. ◆ **Genre.** Féminin pour le nom : *la belle écarlate de ses lèvres.* REM. Cet emploi substantif est rare. ◆ **Accord.** Comme adjectif, s'accorde en nombre : *des joues écarlates.*

écarteler v.t. ◆ **Conjug.** Attention à l'alternance *e/è* : *écarteler ; j'écartèle, il écartèle,* mais *nous écartelons ; il écartèlera ; qu'il écartèle* mais *que nous écartelions ; écartelé.* → annexe, tableau 12

écartèlement n.m. ◆ **Orth.** Avec un *è* (accent grave) et un seul *l.*

ecce homo n.m. inv. ◆ **Prononc.** [ekseomo], avec les deux *c* prononcés comme dans *excès,* ou [etʃeomo], avec le groupe *-cc-* prononcé *-tch-,* à l'italienne, comme dans *tchécoslovaque.* ◆ **Orth.** Sans trait d'union, et invariable : *les ecce homo de la Renaissance.*

ecchymose n.f. ◆ **Prononc.** [ekimoz], comme dans *équinoxe.* ◆ **Orth.** Avec deux *c* et *-hy-,* (du grec *ek,* dehors, et *khumos,* humeur). ◆ **Genre.** Féminin : *une ecchymose.*

échafaud n.m. ◆ **Orth.** Avec un seul *f* et finale en *-d* (comparer à *échafaudage, échafauder*).

échalote n.f. ◆ **Orth.** Avec un seul *t,* à la différence de *carotte.*

échanger v.t. ◆ **Conjug.** Le *g* devient *-ge-* devant *a* et *o : j'échange, nous échangeons ; il échangea.* → annexe, tableau 10. ◆ **Constr.** **1.** *Échanger qqch. avec qqn : j'ai échangé ma place avec mon voisin.* **2.** *Échanger... contre... : il a échangé son petit appartement en ville contre un grand pavillon en banlieue.* ◆ **Emploi.** *Échanger / changer* → changer

échappatoire n.f. ◆ **Orth.** Avec deux *p* et un seul *t*. ◆ **Genre.** Féminin : *une échappatoire.*

échapper v.i., v.t. et v.t.ind.
◆ **Orth.** Avec deux *p*.
◆ **Constr.**
Avec *avoir* ou *être* selon que l'on veut exprimer l'action ou l'état, et selon le sens.
1. *Échapper à* = ne pas être perçu, ne pas être remarqué. S'emploie toujours avec *avoir ; c'est une erreur qui a échappé à votre vigilance ; il ne m'a pas échappé qu'elle est très intelligente.*
2. *Échapper à* = être fait par mégarde. S'emploie normalement avec *être* ; toutefois, la tendance à employer *avoir* est de plus en plus marquée dans l'usage d'aujourd'hui : *un cri lui est échappé* ou *lui a échappé ; il lui est échappé* ou *il lui a échappé de l'appeler par son prénom.*
3. *Échapper à* = se soustraire, se dérober à, être préservé de. S'emploie le plus souvent avec *avoir : ils ont échappé à un grand péril ; il a échappé de justesse à la prison.* L'emploi avec *être* pour marquer l'état est moins courant : *ils étaient quelques- uns à être échappés à l'épidémie.*
4. *Échapper (de)* = glisser (des mains), sortir (de la mémoire), cesser d'être sous le contrôle (de qqn). S'emploie avec *avoir* pour marquer l'action ou avec *être* pour marquer l'état : *l'assiette lui a échappé des mains* ou *lui est échappée des mains ; son nom m'avait* ou *m'était échappé de la mémoire ; la fortune lui a échappé quand il croyait la tenir ; trop tard, la fortune lui était déjà échappée !*
5. *Échapper de* = se sortir, se sauver, s'évader de. S'emploie avec *avoir* pour marquer l'action ou avec *être* pour marquer l'état : *le guépard a échappé d'une ménagerie* ou *est échappé d'une ménagerie.* Toutefois, dans ce sens, on emploie plus couramment la forme pronominale : *le guépard s'est échappé d'une ménagerie.* REM. Dans ce sens, le participe passé peut s'employer sans l'auxiliaire *être*, comme

un adjectif : *le guépard, échappé d'une ménagerie, a été repéré par deux agriculteurs.*
◆ **Emploi.**
L'échapper belle (= échapper de justesse à un danger) est une locution figée dans laquelle le participe passé reste invariable : *ils l'ont échappé belle !* REM. Cette expression signifiait à l'origine « manquer une balle qui pourtant se présentait bien », au jeu de paume. Elle est aujourd'hui figée, ce qui explique l'invariabilité du participe passé malgré le genre de *l'* qui renvoie à *belle.* → **bailler.**
◆ **Sens.**
Échapper à / réchapper de. Réchapper dit plus qu'*échapper.*
1. *Échapper à* implique un inconvénient ou une menace : *échapper à une corvée.*
2. *Réchapper de* implique un danger grave, évité de justesse ou au prix d'efforts ou de souffrances : *réchapper d'un accident, d'un naufrage, d'une grave maladie.*

échauffourée n.f. ◆ **Orth.** Avec deux *f* et la finale en *-ée.*

écheveler v.t. ◆ **Conjug.** Attention à l'alternance *-ll-/-l- : il échevelle, nous échevelons ; il échevelait ; il échevela ; il échevellera.* → annexe, tableau 16 et R.O. 1990

échi- préf. ◆ **Prononc.** [eki], comme *qui.*
◆ **Emploi.** Cet élément (du grec *ekhinos,* hérisson, oursin) est utilisé en science pour former des noms d'êtres vivants présentant des pointes, des piquants : *échidné* (zoologie), *échinocactus* (botanique), *échinocoque* (microbiologie), etc.

écho n.m. ◆ **Prononc.** [eko], le groupe *-ch-* se prononce *k*. De même pour les dérivés et composés : *échotier, écholalie, échographie,* etc. ◆ **Orth.** *Sans écho,* au singulier : *ses demandes sont restées sans écho.* ◆ **Accord.** *Se faire l'écho de* (= répéter en propageant) est une expression figée. RECOMM. Dire ou écrire, sans accorder le participe passé : *la presse s'est fait l'écho de cette rumeur* plutôt que *la presse s'est faite l'écho de cette rumeur.*

écho- élément de composition ◆ **Prononc.** [eko], le groupe -*ch*- se prononce *k*. ◆ **Orth.** L'élément *écho-* (grec *êkhô*, écho), se soude toujours à l'élément qui le suit : *échocardiogramme, échographie, écholalie,* etc.

échoir v.t.ind. et v.i. ◆ **Conjug.** → annexe, tableau 56. Verbe défectif. Ne s'emploie qu'aux 3ᵉ personnes du singulier et du pluriel. ❏ Noter les participes présent *(échéant)* et passé *(échu)* dont l'emploi demeure bien vivant : *le cas échéant, la mission qui lui est échue.* REM. On emploie encore parfois dans le registre soutenu la locution vieillie *s'il y échet* (= le cas échéant). ❏ Se conjugue en général avec l'auxiliaire *être,* mais peut être conjugué avec l'auxiliaire *avoir* lorsqu'on veut insister sur l'action plutôt que sur le résultat de celle-ci. ❏ Ne pas confondre les conjugaisons des verbes *échoir* et *échouer.* → aussi **échouer.** ◆ **Emploi.** → attribuer

échoppe n.f. ◆ **Orth.** Avec deux *p*.

échouage n.m. / **échouement** n.m. ◆ **Orth.** *Échouement* s'écrit avec un *e* muet intérieur. *Échouement* correspond à *s'échouer,* verbe du 1ᵉʳ groupe (comme *aboiement* correspond à *aboyer* → **aboiement**). ◆ **Emploi.** Ne pas confondre ces deux termes de marine, tous deux issus du verbe *échouer.* **1.** *Échouage* = action d'échouer volontairement un navire (pour en réparer la coque, par exemple) ; endroit où un navire peut s'échouer sans danger. **2.** *Échouement* = échouage involontaire.

échouer v.t. et v.i. ◆ **Conjug.** Dans son emploi intransitif, au sens de « être immobilisé en touchant le fond, en parlant d'un bateau », le verbe se conjugue avec *avoir* pour marquer l'action ou avec *être* pour marquer l'état : *le bateau a échoué sur un banc de sable ; avez-vous vu le bateau qui est échoué sur la plage ?* Dans ce sens, on emploie plus couramment la forme pronominale : *le bateau s'est échoué sur un banc de sable.* ❏ Dans les autres emplois, *échouer* se conjugue toujours avec *avoir* : *le skipper a échoué son bateau sur une vasière pour caréner ; tous les hôtels étaient complets, nous avons finalement échoué au camping municipal ; sa ruse a échoué.* ❏ Ne pas confondre les conjugaisons des verbes *échoir* et *échouer* : *son plan échoue* mais *c'est une grande chance qui lui échoit* → **échoir**

éclair n.m. ◆ **Genre.** Le nom est masculin : *un éclair a zébré le ciel ; un éclair au café, au chocolat.* ◆ **Accord.** En emploi adjectif, ce substantif reste invariable : *des voyages éclair.*

éclater v.i., v.t. et v.pr. ◆ **Emploi et registre. 1.** *Éclater* v.t. = fractionner, répartir. *La firme a éclaté ses activités en plusieurs sociétés.* Cet emploi appartient à la langue des affaires. Dans l'expression soignée, préférer les équivalents *multiplier, diversifier, répartir, diviser,* etc., en fonction du contexte : *la firme a réparti ses activités entre plusieurs sociétés créées à cette fin.* **2.** *S'éclater* v.pr. = se livrer intensément à une activité en y prenant un grand plaisir. Registre familier.

éclopé, e adj. et n. ◆ **Orth.** Avec un seul *p*. REM. Le verbe *écloper,* estropier, n'est plus en usage.

éclore v.i. ◆ **Conjug. 1.** Comme *clore* → annexe, tableau 93. - Noter *il, elle éclôt,* avec accent circonflexe, au présent de l'indicatif. REM. L'Académie, dans la 9ᵉ édition de son *Dictionnaire,* écrit *il éclôt* et *il enclôt,* comme *il clôt,* conformément à l'usage le plus courant. Dans les éditions précédentes, elle écrivait *il éclot, il enclot,* sans accent circonflexe. **2.** *Éclore* se conjugue le plus souvent avec l'auxiliaire *être* ; toutefois on peut l'employer avec *avoir* pour marquer l'action : *les œufs sont tout frais éclos ; les œufs ont éclos pendant la nuit.*

écolier, ère n. / **élève** n. / **étudiant, e** n. ◆ **Emploi. 1.** *Écolier, ère* = enfant qui fréquente l'école primaire. REM. Au Moyen Âge, *écolier* désignait un étudiant qui fréquentait les écoles, c'est-à-dire les facultés, groupées en universités. **2.** *Élève* = celui, celle qui reçoit un enseignement dans un établissement scolaire (école primaire, collège, lycée, école d'enseignement supérieur). *Les élèves d'une école primaire, d'un lycée ; c'est une ancienne élève de Polytechnique, de Normale sup'.* **3.** *Étudiant, e* = celui, celle qui reçoit un enseignement dans un établissement universitaire (institut universitaire ou faculté).

écolo adj. et n. ◆ **Registre.** Abréviation familière d'*écologiste.* ◆ **Accord.** Variable en nombre : *des militantes écolos.*

éconduire v.t. ◆ **Conjug.** Comme *conduire.* → annexe, tableau 78

écoper v.t. ◆ **Orth.** Avec un seul *p*, comme *écope* (= pelle creuse pour vider l'eau d'une embarcation). ◆ **Emploi et constr.** *Écoper de* ou *écoper* (= faire l'objet d'une sanction, de reproches ; recevoir des coups) v.t.ind ou v.t. : *il a écopé d'une amende* (ou, moins courant, *il a écopé une amende*) *pour excès de vitesse.* Registre familier.

écorcer v.t. ◆ **Conjug.** Le *c* devient *ç* devant *o* et *a* : *j'écorce, nous écorçons ; il écorça.* → annexe, tableau 9

écrémer v.t. ◆ **Conjug.** Attention à l'accent, tantôt grave, tantôt aigu : *écrémer,* mais *j'écrème, nous écrémons ; il écrémera.* → annexe, tableau 11 et R.O. 1990. ◆ **Orth.** L'infinitif prend un accent aigu sur chacun des deux premiers *e*. De même pour

les dérivés *écrémage, écrémette, écrémeuse, écrémoir, écrémoire.* → aussi **crème**

écrier (s') v.pr. ◆ **Conjug.** Attention au redoublement du *i* aux première et deuxième personnes du pluriel, à l'indicatif imparfait et au subjonctif présent : *(que) nous nous écriions, (que) vous vous écriiez.*

écrire v.t. et v.i. ◆ **Conjug.** → annexe, tableau 79

écritoire n.f. ◆ **Genre.** Féminin : *une écritoire.*

écrivain n.m. ◆ **Genre.** Toujours masculin, même pour désigner une femme : *Simone de Beauvoir a été l'un des écrivains féministes importants du XXᵉ s.* RECOMM. Lorsqu'il est nécessaire de préciser que l'auteur appartient au sexe féminin, dire ou écrire *femme écrivain* (ou *écrivain femme*). REM. La forme *écrivaine,* courante au Québec, demeure quasi inconnue en français de France. Elle a été utilisée par plaisanterie par quelques auteurs : *« Vite, mes savates ! je sens le poème ! s'écriait une écrivaine, d'ailleurs charmante »* (Colette).

écrou n.m. ◆ **Sens.** *Écrou / boulon* → **boulon**

écrouler (s') v.pr. ◆ **Sens.** *S'écrouler / s'ébouler* → **ébouler (s')**

écueil n.m. ◆ **Orth.** Finale en -*ueil* comme dans *accueil, cercueil, orgueil.*

écumoire n.f. ◆ **Genre.** Féminin : *une écumoire.*

écurer v.t. → **curer**

écurie n.f. / **étable** n.f. ◆ **Emploi.** Ne pas confondre. **1.** *Écurie* = bâtiment destiné à abriter des chevaux, des mulets, des ânes : *rentrer des chevaux à l'écurie.* REM. En Suisse et dans le centre de la France, le mot *écurie* désigne souvent une étable. **2.** *Étable* = bâtiment destiné à abriter des bestiaux, notamment ceux qui vivent en troupeaux (vaches et bœufs) : *en hiver, les troupeaux rentrent à l'étable.* REM. Les moutons sont abrités dans la *bergerie* ; les porcs dans la *porcherie* ; la *volaille* au *poulailler* et les *lapins* dans des *clapiers.*

eczéma n.m. ◆ **Orth.** On écrit *eczéma,* avec un *c* et un *z*. → R.O. 1990

edelweiss n.m. ◆ **Prononc.** [edɛlvɛs], le *w* se prononce comme un *v*. ◆ **Genre.** Masculin : *un edelweiss.* ◆ **Orth.** Sans accent sur les *e* et finale en -*ss*. → R.O. 1990

Éden, éden n.m. ◆ **Orth.** Le mot prend ou non une majuscule, selon le sens. 1. *L'Éden* = le lieu du paradis terrestre, selon la Bible. Avec une majuscule. 2. *Un éden* = un lieu de délices, un séjour plein de charme (emploi littéraire). Avec une minuscule. - Les dérivés prennent deux accents aigus : *édénique, édéniser, édénisme,* etc.

éfendi, effendi n.m. ◆ **Orth. et prononc.** Avec un ou deux *f* : *éf-* ou *eff-,* tous deux prononcés [efɛndi]. ◆ **Emploi.** Titre turc porté par les fonctionnaires civils, des ministres ou des savants, qui se place après le nom propre, sans majuscule ni trait d'union : *Rachid éfendi.* → aussi **bey, dey, pacha**

effacer v.t. et v.pr. ◆ **Conjug.** Le *c* devient *ç* devant *o* et *a* : *j'efface, nous effaçons ; il effaça.* → annexe, tableau 9. ◆ **Emploi.** 1. *Effacer :* faire disparaître en frottant, en grattant, en lavant, etc. : *effacer une tache, un graffiti sur un mur.* - Par extension, faire disparaître toute trace de (un support) : *effacer un tableau noir, une bande magnétique.* Ce sens étendu, considéré naguère comme familier, est aujourd'hui admis. 2. *S'effacer devant, s'effacer derrière.* ❏ *S'effacer devant qqn, qqch.* = laisser passer devant soi, laisser la première place à (*devant* a ici le sens de « en présence de »). *Il s'est effacé devant une dame pour la laisser passer ; nos petits soucis s'effacent devant tant de misère.* ❏ *S'effacer derrière qqn, qqch.* = laisser passer devant soi, laisser la première place à (*derrière* a ici son sens habituel). *L'auteur s'efface derrière ses personnages.* REM. Les deux prépositions de sens opposés conduisent au même effet de sens.

effet n.m. ◆ **Emploi.** 1. *À cet effet* (= en vue de cela) est du registre soutenu mais appartient au vocabulaire général : *prière de ne s'essuyer les mains qu'avec les serviettes disposées à cet effet.* ❏ *À l'effet de* (= dans l'intention de) appartient au vocabulaire juridique ou administratif : *à l'effet de vendre.* 2. *Car en effet* → **car**

efficace n.f. ◆ **Emploi.** *L'efficace* = la force agissante, la vertu par laquelle une chose produit son effet. Cet emploi, très fréquent autrefois dans le vocabulaire religieux, est aujourd'hui presque complètement sorti de l'usage : *« Vous vous demandez si la routine n'annihilait pas l'efficace de vos oraisons ? »* (J.- K. Huysmans)

efficience n.f. ◆ **Emploi.** *Efficience* = capacité de rendement, performance (dans un domaine technique) : *l'efficience d'un système, d'une machine, d'une entreprise.* RECOMM. Dans l'usage courant, non technique, préférer *efficacité,* notamment pour parler d'une personne. De même, réserver l'emploi de *efficient* aux objets et dispositifs techniques : *une machine efficiente,* mais *un collaborateur efficace.*

effluve n.m. ◆ **Genre.** Masculin : *des effluves nauséabonds.* REM. La faute de genre est fréquente, notamment au pluriel.

effondrer (s') v.pr. ◆ **Emploi.** Le verbe est habituellement employé à la forme pronominale : *s'effondrer*

L'emploi transitif (*effondrer la terre* = la fouiller en profondeur et la retourner) relève du vocabulaire spécialisé des techniques agricoles.

efforcer (s') v.pr. ◆ **Conjug.** Le *c* devient *ç* devant *o* et *a : je m'efforce, nous nous efforçons ; il s'efforça.* → annexe, tableau 9. ◆ **Accord.** Le participe passé s'accorde toujours avec le sujet : *elles se sont efforcées de bien travailler.* ◆ **Constr. et registre.** *S'efforcer de* ou *à.* 1. *S'efforcer de* (+ infinitif) : *elle s'efforce de lui faire plaisir.* Emploi correct et usuel. 2. *S'efforcer à* (+ infinitif ou nom) : *ils s'efforcent à bien parler ; elle s'efforce à la bienveillance.* Registre soutenu. RECOMM. Éviter *il s'efforça à...*, qui fait hiatus.

effraie n.f. → orfraye

effranger v.t. ◆ **Conjug.** Le *g* devient *-ge-* devant *a* et *o : j'effrange, nous effrangeons ; il effrangea.* → annexe, tableau 10

effrayer v.t. et v.pr. ◆ **Conjug.** Les formes conjuguées du verbe peuvent s'écrire avec un *y* ou un *i* devant *e* muet : *il effraie* ou *il effraye, il effraiera* ou *il effrayera.* - Attention au *i* après le *y* aux première et deuxième personnes du pluriel, à l'indicatif imparfait et au subjonctif présent : *(que) nous effrayions, (que) vous effrayiez* → annexe, tableau 6

effréné, e adj. ◆ **Orth.** Avec *é* avant *n*, bien que le mot soit issu de *frein.*

égailler (s') v.pr. / **égayer (s')** v.pr. ◆ **Conjug.** *S'égayer.* → égayer. ◆ **Prononc.** 1. *S'égailler* = [segaje], *-ailler* se prononce comme pour rimer avec *cahier.* 2. *S'égayer* = [segɛje], *-ayer* se prononce comme pour rimer avec *veiller.* ◆ **Orth. et sens.** 1. *S'égailler* (avec deux *l*) = se disperser, se débander, en parlant d'animaux ou de personnes : *les moineaux se sont égaillés en piaillant ; le groupe de fugi-*

tifs s'est égaillé dans la nature. 2. *S'égayer* (avec un *y*) = devenir plus gai, s'amuser. *Nous nous sommes beaucoup égayés de cette histoire.*

égal adj. et n. ◆ **Accord.** 1. *À l'égal de.* Invariable : *le protocole les considère à l'égal des altesses royales.* 2. *D'égal à égal.* Invariable : *ils ont traité d'égal à égal avec elle ; les diplomates des deux délégations ont parlé d'égal à égal.* RECOMM. Éviter l'accord *d'égale à égal* ou *d'égal à égale,* que l'on rencontre parfois lorsqu'il est question d'un homme et d'une femme. 3. *N'avoir d'égal que.* L'usage hésite entre l'invariabilité (plus fréquente) et l'accord de *égal* soit avec le premier nom, soit avec le second : *son talent n'a d'égal que sa beauté et sa bonté ; sa beauté n'a d'égale que son talent ; son talent n'a d'égales que sa beauté et sa bonté.* RECOMM. Écrire *n'avoir d'égal que* (invariable) dans tous les cas. 4. *Sans égal.* L'accord se fait dans trois cas. ❑ Au masculin singulier : *un talent sans égal.* ❑ Au féminin singulier : *une beauté sans égale.* ❑ Au féminin pluriel : *une intelligence et une beauté sans égales.* ❑ L'accord ne se fait jamais au masculin pluriel : *des talents sans égal ; un talent et une beauté sans égal* (et non *sans égaux*). REM. 1. On rencontre aussi l'invariabilité dans tous les cas : *des talents sans égal, une joie sans égal* (= sans rien d'égal). 2. On écrit parfois *un talent et une beauté sans égale* (accord avec le dernier nom féminin). 5. *Toutes choses égales d'ailleurs.* Toujours au pluriel.

égaler v.t. ◆ **Accord.** *Égale,* écrit en toutes lettres dans l'énoncé d'une opération arithmétique, ne prend généralement pas la marque du pluriel (l'opération, prise globalement, est considérée comme un singulier) : *deux plus deux égale quatre, douze multiplié par deux égale vingt-quatre, douze divisé par deux égale six, deux fois dix égale vingt.* REM. On rencontre parfois l'accord au égard

pluriel, qui n'est pas fautif : *deux plus deux égalent quatre.* (comme on dit *deux et deux font quatre.*) ◆ **Sens.** *Égaler / égaliser.* Ne pas confondre ces deux mots de sens proche. **1.** *Égaler* = être égal à. *Il cherche à égaler son frère aîné. Elle se fixe pour objectif d'au moins égaler le record actuel.* **2.** *Égaliser* = rendre égal ; niveler. *Égaliser les salaires. Égaliser un terrain.*

égard n.m. ◆ **Orth. et emploi. 1.** Au pluriel : *à tous égards, à tous les égards ; à certains égards ; un manque d'égards.* **2.** Au singulier : *à l'égard de, à cet égard ; par égard pour, sans égard pour.* ❏ *Eu égard à.* Invariable : *eu égard à ses capacités, le poste n'est pas bien rémunéré.* **RECOMM.** Attention : *eu égard,* avec un *u* (ne pas dire ni écrire *en égard*).

égayer v.t. et v.pr. ◆ **Conjug.** Les formes conjuguées du verbe peuvent s'écrire avec un *y* ou un *i* devant *e* muet : *il s'égaie* ou *il s'égaye, il s'égaiera* ou *il s'égayera.* - Attention au *i* après le *y* aux première et deuxième personnes du pluriel, à l'indicatif imparfait et au subjonctif présent : *(que) nous nous égayions, (que) vous vous égayiez* → annexe, tableau 6. ◆ **Orth. et sens.** *Égayer (s') / égailler (s')* → égailler (s')

égide n.f. ◆ **Genre.** Féminin : *les réfugiés reçoivent des secours sous l'égide vigilante de la Croix-Rouge internationale.* ◆ **Emploi.** *Sous l'égide de / sous le patronage de / sous le signe de.* Ces trois locutions n'ont pas les mêmes emplois. **1.** *Sous l'égide de* = sous la protection de. *Les secours aux populations civiles s'organisent sous l'égide de la force multinationale d'intervention.* **REM.** Dans la mythologie grecque et romaine, *l'égide* est le bouclier ou la cuirasse d'Athéna ou de Zeus. **2.** *Sous le patronage de* = avec le soutien de. *Les Rencontres médicales et chirurgicales qui se tiennent actuellement sous le patronage des laboratoires Martin.* **REM.** *Sous le patronage*

de est moins fort que *sous l'égide de.* **3.** *Sous le signe de* = sous l'influence de, dans l'esprit de. *La fête s'est déroulée sous le signe de la bonne humeur.*

église, Église n.f. ◆ **Orth.** Avec ou sans majuscule, selon le sens. **1.** *Une église* (avec un *é* minuscule) = un édifice où les chrétiens célèbrent leur culte : *une église romane, gothique ; aller à l'église.* **REM.** *Église* désigne le plus souvent un édifice consacré au culte catholique romain ou à un culte chrétien de rite oriental. Pour désigner un édifice consacré au culte protestant, on dit plutôt *temple : dans certains villages d'Alsace, il y a un temple, une église et une synagogue.* Néanmoins, pour désigner les édifices cultuels protestants dans les pays où cette tradition religieuse domine, c'est *église* qui est employé : *dans le sud des États-Unis, les églises des petites villes sont souvent en bois.* **2.** *Église* (avec un *é* majuscule) = communauté chrétienne. *Église anglicane, orthodoxe, catholique ; « un homme d'Église n'est jamais seul »* (J. Prévert). ❏ *L'Église* = l'Église catholique romaine. *Le pape est le chef de l'Église ; les sacrements de l'Église.*

égoïne n.f. ◆ **Orth.** Avec un tréma sur le *i.* ◆ **Emploi.** On dit indifféremment *une égoïne* ou *une scie égoïne.*

égorger v.t. et v.pr. ◆ **Conjug.** Le *g* devient *-ge-* devant *a* et *o : j'égorge, nous égorgeons ; il égorgea.* → annexe, tableau 10

égout n.m. ◆ **Orth.** Sans accent circonflexe sur le *u* (ne pas se laisser influencer par des mots comme *goût* et *ragoût*).

égoutier n.m. ◆ **Orth.** Avec un seul *t.* **REM.** *Égoutier* est issu d'*égout,* lui-même issu de *égoutter,* mais il n'y a pas de lien direct entre *égoutier* et *égoutter.*

égouttoir n.m. ◆ **Orth.** Avec deux *t,* comme *égoutter.*

égrener, égrainer v.t. ◆ **Prononc.**
1. *Égrener* : [egrəne], comme *mener*.
2. *Égrainer* : [egrɛne], comme *traîner*.
◆ **Conjug.** *Égrener* : attention à l'alternance *e*/*è* : *égrener ; j'égrène, il égrène*, mais
nous égrenons ; il égrènera ; qu'il égrène mais
que nous égrenions ; égrené. → annexe,
tableau 12. ◆ **Orth.** *Égrener* est plus fréquent que *égrainer*. La double graphie
existe aussi pour les dérivés *égrenage* ou
égrainage, égreneur, euse ou *égraineur, euse,*
égrènement (avec un accent grave) ou
égrainement. Égrenoir, en revanche, n'a
qu'une orthographe.

égruger v.t. ◆ **Conjug.** Le *g* devient -
ge- devant *a* et *o* : *j'égruge, nous égrugeons ;*
il égrugea. → annexe, tableau 10

eh interj. / **hé** interj. ◆ **Orth. et emploi.**
Ces deux graphies représentent conventionnellement deux « inter-jections » distinctes, qui ne corres-pondent en réalité
dans la langue orale qu'à une seule exclamation, [ɛ], prononcée comme un *é* plus
ou moins explosif, plus ou moins ouvert
et plus ou moins long. Les valeurs que
l'on attribue par tradition à ces deux graphies sont les suivantes. **1.** *Eh !* sert à
interpeller, à solliciter la réponse à une
question, à attirer l'attention. *Eh ! je vous*
ai adressé la parole ! Eh ! tu ne crois pas qu'il
faudrait y aller ? Eh ! attention, il y a le vide,
derrière vous ! **2.** *Hé !* sert à appeler, à
exprimer le regret, la surprise ou l'étonnement ; répété *(hé ! hé !),* il marque
diverses nuances d'approbation, ou, au
contraire, de réticence et d'ironie. *Hé !*
viens un peu me voir, toi ! Hé, vous, c'est inter-
dit, par là ! Hé, mon pauvre, c'est sur vous
que ça tombe ! Hé ! hé ! elle est plutôt
mignonne, cette petite ! REM. **1.** On voit que
les différences qui séparent *hé* de *eh* sont
des plus ténues. **2.** La graphie *hé* est
moins fréquente que la graphie *eh.* **3.** *Eh*
bien, en début de phrase, est généralement suivi d'une virgule : *eh bien,*
qu'avez-vous à me dire ? Eh bien, tant pis

pour toi ! Employé seul, il est suivi d'un
point d'exclamation ou d'interrogation.
Eh bien ! Eh bien ? RECOMM. Ne pas écrire
les interjections *eh bien, eh quoi*, comme
et bien, et quoi.

éhonté, e adj. / **honteux, euse** adj.
◆ **Sens.** Ne pas confondre ces deux
mots de sens opposés. **1.** *Éhonté* = qui
agit ou qui est fait sans honte ; effronté,
impudent. *Un menteur éhonté, un men-*
songe éhonté. REM. Le mot signifie étymologiquement « qui est hors de
honte ». **2.** *Honteux* = qui éprouve de la
honte ; qui est cause de honte. *Elle est*
honteuse d'avoir été aussi désagréable. Un
honteux scandale.

élagage n.m. ◆ **Orth.** Sans *u* après le
g. Mais on écrit *élaguer* et *élagueur.*

élancement n.m. → lancement

élancer v.i. et v.t. ◆ **Conjug.** Le *c*
devient *ç* devant *o* et *a* : *je m'élance, nous*
nous élançons ; il s'élança. → annexe,
tableau 9. ◆ **Constr. et sens.** Causer des
élancements douloureux ; être le siège
d'élancements : *la migraine lui élance ; il a*
un panaris qui lui élance ou *qui l'élance.* →
aussi **lancement**.

élastique n.m. ◆ **Genre.** Masculin : *un*
élastique.

électro- préf. ◆ **Orth.** *Électro-* se
soude à l'élément qui le suit sauf si
celui-ci commence par un *o* : *électrocution*
mais *électro-osmose* (plur. : *des électro-*
osmoses).

élever v.t. et v.pr. ◆ **Conjug.** Comme
lever. Attention à l'alternance *e*/*è* : *élever ;*
j'élève, il élève, mais *nous élevons ; il élèvera ;*
qu'il élève mais *que nous élevions ; élevé.* →
annexe, tableau 12

élire v.t. ◆ **Conjug.** Comme *lire.*
Attention au passé simple : *j'élus, ils élu-*
rent. → annexe, tableau 86.

élision → annexe, grammaire § 23 à 26

elle pron. personnel → lui

élonger v.t. ◆ **Conjug.** Comme *longer*. Le *g* devient *-ge-* devant *a* et *o* : *j'élonge, nous élongeons ; il élongea.* → annexe, tableau 10

élucider v.t. / **éluder** v.t. ◆ **Sens.** Ne pas confondre ces deux mots. 1. *Élucider* = résoudre, expliquer, rendre clair. *Élucider une énigme, un mystère, un problème, une question.* REM. On notera la parenté de forme et de sens entre *élucider* et *lucide* (l'un et l'autre se rattachent au latin *lux, lucis,* lumière). 2. *Éluder* = éviter, se soustraire adroitement à. *C'est un sujet qu'il ne veut pas aborder et qu'il élude systématiquement ; éluder les problèmes.*

élytre n.m. ◆ **Genre.** Masculin. REM. Le mot se rencontre au féminin dans quelques textes littéraires, mais il est masculin dans l'usage scientifique.

émail n.m. ◆ **Sens et orth.** Le mot *émail* fait aujourd'hui au pluriel *émaux* ou *émails,* selon le sens. 1. *Émail,* plur. *émaux* = substance vitreuse colorée utilisée dans les arts plastiques ; objet d'art décoré avec cette substance ; couleur du blason. *Émaux artistiques en poudre ; une collection d'émaux carolingiens ; en héraldique, les émaux comprennent les métaux, les couleurs et les fourrures.* 2. *Émail,* plur. *émails* = substance dure et blanche qui recouvre la couronne des dents chez l'homme et chez certains animaux ; couleur qui, par son aspect brillant, ressemble à un vernis (notamment dans les cosmétiques et dans certaines industries). *L'art dentaire imite aujourd'hui les émails naturels dans toutes les nuances du blanc ; émails pour les ongles, pour les carrosseries d'automobiles.*

émarger v.t. et v.t.ind. ◆ **Conjug.** Le *g* devient *-ge-* devant *a* et *o* : *j'émarge, nous émargeons ; il émargea.* → annexe, tableau 10

embâcle n.m. ◆ **Orth.** Avec un accent circonflexe sur le *a.* ◆ **Genre.** Masculin, alors que *débâcle* est féminin.

emballer v.t. ◆ **Orth.** S'écrit avec deux *l* (comme *balle* et *ballot*), ainsi que ses dérivés : *emballage, emballement, emballeur.*

embarcadère n.m. ◆ **Orth.** S'écrit avec un *c,* comme *embarcation,* alors que le verbe correspondant, *embarquer,* s'écrit avec *-qu-.* ◆ **Genre.** Masculin : *un embarcadère.*

embarquer v.t., v.i. et v.pr. ◆ **Constr.** S'emploie sans différence de sens en construction intransitive ou en construction pronominale : *ils ont embarqué à l'aéroport Kennedy de New York* ou *ils se sont embarqués à l'aéroport Kennedy de New York.*

embarrasser v.t. ◆ **Orth.** Avec deux *r* comme *embarras,* et deux *r* et deux *s* comme *débarrasser.*

embellir v.i. et v.t. ◆ **Conjug.** En emploi intransitif, *embellir* se conjugue avec l'auxiliaire *avoir* pour exprimer la transformation et avec l'auxiliaire *être* pour exprimer l'état : *elle a beaucoup embelli en peu de temps ; cette jeune fille est bien embellie.* - En emploi transitif, il se conjugue toujours avec *avoir* : *ce maquillage l'a embellie.*

emblème n.m. ◆ **Genre.** Masculin : *un emblème.* ◆ **Orth.** Avec un accent grave sur le deuxième *e* (ne pas se laisser influencer par *blême*). - *Emblématique,* de la même famille, s'écrit avec *é.*

emboîter v.t. ◆ **Orth.** Avec un accent circonflexe sur le *i,* comme *déboîter* (mots de la famille de *boîte*). → R.O. 1990

embonpoint n.m. ◆ **Orth.** S'écrit avec un *n* devant le *p,* malgré la règle du *m* devant *m, b, p.* REM. Le mot est issu de la soudure de l'expression *en bon point* qui signifiait « en bon état ». Il s'écrivait au XVIᵉ siècle *embompoint,* conformément à la règle. Mais, pour rappeler l'origine du mot, le dictionnaire de l'Académie (1694) a rétabli le *n* de *bon,* sans pour autant rétablir celui de *en.*

embrasure n.f. / **ébrasure** n.f. ◆ **Sens.** Ne pas confondre ces deux termes. **1.** *Embrasure :* ouverture faite dans un mur pour recevoir une porte, une fenêtre : « *Mme de Lamballe était avec elle, mais assise dans une embrasure de fenêtre* » (A. de Vigny). *Embrasure,* sans être un mot courant, appartient au vocabulaire général (les professionnels disent plus volontiers *une baie,* ou *le clair* pour désigner la partie libre de la baie). **2.** *Ébrasure* ou *ébrasement :* biais donné aux côtés d'une embrasure, notamment pour donner plus de lumière. *Ébrasure* ou *ébrasement* est un terme de métier.

embrayer v.t. et v.t.ind. ◆ **Conjug.** Les formes conjuguées du verbe peuvent s'écrire avec un *y* ou un *i* devant *e* muet : *il embraie* ou *il embraye, il embraiera* ou *il embrayera.* - Attention au *i* après le *y* aux première et deuxième personnes du pluriel, à l'indicatif imparfait et au subjonctif présent : *(que) nous embrayions, (que) vous embrayiez.* → annexe, tableau 6

embrever v.t. ◆ **Conjug.** Attention à l'alternance *e/è* : *embrever* ; *j'embrève, il embrève* mais *nous embrevons* ; *il embrèvera* ; *qu'il embrève* mais *que nous embrevions* ; *embrevé.* → annexe, tableau 12

embryon n.m. ◆ **Orth.** Avec un *y.*

embûche n.f. Avec un accent circonflexe sur le *u.* → R.O. 1990

émécher v.t. ◆ **Conjug.** Attention à l'accent, tantôt grave, tantôt aigu :

j'émèche, nous éméchons ; *il éméchera.* → annexe, tableau 11 et R.O. 1990. - Le participe passé et adjectif *éméché, e* s'écrit avec trois accents aigus. **REM.** Le *è* de *mèche* est devenu *é* devant une syllabe non muette. ◆ **Registre.** Légèrement familier. Dans l'expression soignée, préférer *griser, gris.*

émerger v.i. / **immerger** v.t. / **submerger** v.t. ◆ **Conjug.** Le *g* devient -*ge*- devant *a* et *o* : *j'émerge (j'immerge, je submerge), nous émergeons (nous immergeons, nous submergeons)* ; *il émergea (il immergea, il submergea).* → annexe, tableau 10. ◆ **Sens.** Ne pas confondre ces trois verbes de prononciation voisine mais de sens bien distincts. **1.** *Émerger* = sortir d'un milieu liquide et apparaître à la surface d'un liquide (préfixe *ex-,* hors de). **2.** *Immerger* = plonger dans un liquide (préfixe *in-,* dans). **3.** *Submerger* = recouvrir entièrement d'eau, faire disparaître sous l'eau (préfixe *sub-,* sous).

émérite adj. ◆ **Emploi.** Le sens « qui a acquis une habileté supérieure par une longue pratique, éminent, chevronné », naguère critiqué, est aujourd'hui passé dans l'usage : *un joueur d'échecs émérite.* **RECOMM.** Ne pas employer *émérite* pour *méritant* (= qui a du mérite, estimable). **REM.** *Émérite* (du latin *emeritus,* qui a accompli son service militaire) signifiait autrefois « qui a pris sa retraite et jouit des honneurs de son titre » (on dit aujourd'hui dans ce sens *honoraire : professeur honoraire*). Le glissement vers le sens actuel s'est fait sous l'influence de *mérite.*

émerveiller (s') v.pr. ◆ **Constr.** *S'émerveiller que* (+ subjonctif), *s'émerveiller de* (+ infinitif) : *on s'émerveille qu'elle soit encore en si bonne santé à son âge ; on s'émerveille de la voir en si bonne santé.* **RECOMM.** Éviter la construction *s'émerveiller de ce que* (+ indicatif ou subjonctif), qui, sans être fautive, est lourde et inélégante. Dire : *on s'émerveille qu'il ait remporté le titre si jeune* plutôt que *on s'émerveille de ce qu'il a* (ou *de ce qu'il ait*) *remporté le titre si jeune.*

émettre v.t. ◆ **Conjug.** Comme *mettre.* → annexe, tableau 64

émeu n.m. ◆ **Orth.** Plur. : *des émeus.*

émigrer v.i. / **immigrer** v.i. ◆ **Sens.** Ne pas confondre ces deux mots de sens opposés, ni leurs dérivés. 1. *Émigrer* = quitter son pays pour s'établir dans un autre, s'expatrier (préfixe *ex-*, hors de). *Au début du XXe siècle, beaucoup de Siciliens émigrèrent et s'installèrent aux États-Unis.* 2. *Immigrer* = venir se fixer dans un pays autre que le sien (préfixe *in-*, dans). *Les Siciliens qui immigraient aux États-Unis arrivaient pour beaucoup d'entre eux à New York.* REM. La même distinction s'applique à *émigré / immigré, émigration / immigration, émigrant / immigrant.*

émincer v.t. ◆ **Conjug.** Le *c* devient *ç* devant *o* et *a* : *j'émince, nous éminçons ; il éminça.* → annexe, tableau 9

éminence n.f. → excellence

éminent, e adj. / **imminent, e** adj. ◆ **Sens.** Ne pas confondre ces deux adjectifs de prononciation´ voisine. 1. *Éminent* = qui est au-dessus du niveau commun ; de grande réputation. *Un éminent chirurgien. Un spécialiste éminent.* 2. *Imminent* = qui est sur le point d'arriver, de se produire. *J'attends une réponse imminente de notre futur associé ; prévenir quelqu'un d'un danger imminent.*

emmailloter v.t. ◆ **Orth.** Avec un seul *t*, comme son contraire *démailloter.*

emmêler v.t. / **entremêler** v.t. ◆ **Sens.** Ne pas confondre ces deux mots

de sens proches, mais distincts. 1. *Emmêler* = mêler en enchevêtrant. *Le poisson a bien mordu à l'hameçon, mais il a emmêlé la ligne.* 2. *Entremêler* = mêler volontairement entre elles ou avec d'autres (plusieurs choses). *Cette méthode de classement entremêle des textes de provenances très différentes.*

emménager v.i. ◆ **Conjug.** Le *g* devient *-ge-* devant *a* et *o* : *j'emménage, nous emménageons ; il emménagea.* → annexe, tableau 10. ◆ **Sens.** *Emménager / aménager* → aménager

emmener v.t. ◆ **Conjug.** Comme *mener.* Attention à l'alternance *e/è* : *emmener ; j'emmène, il emmène* mais *nous emmenons ; il emmènera ; qu'il emmène* mais *que nous emmenions ; emmené.* → annexe, tableau 12. ◆ **Emploi.** 1. *Emmener / emporter.* Ne pas confondre ces deux mots souvent employés l'un pour l'autre dans la langue orale familière. ❑ *Emmener* = mener avec soi du lieu où l'on est dans un autre (on *emmène* ce qui peut se déplacer seul, personne ou animal, ou bien ce qui peut être déplacé sans être soulevé du sol) : *lorsqu'il a quitté son pays, il n'a pas pu emmener sa famille ; s'il part, il emmènera la voiture.* ❑ *Emporter* = prendre avec soi en quittant un lieu (on *emporte* ce qui doit être porté pour être déplacé, c'est-à-dire le plus souvent, mais non nécessairement, des objets) : *il n'a emporté aucun bagage ; emporte le bébé et mets-le dans le berceau dans sa chambre.* REM. Il existe le même rapport entre *amener* et *apporter.* 2. *Emmener / amener* → amener

emmitoufler v.t. ◆ **Orth.** Avec deux *m* et un seul *f.*

émolument n.m. ◆ **Orth.** Sans *e* intérieur. REM. Contrairement à la plupart des noms en *-ment, émolument* n'est pas le dérivé d'un verbe. ◆ **Emploi.** 1. *Émoluments* n.m. plur. = rémunération. Mot non technique. → **salaire. 2.** *Émolument* n.m. sing. = part d'actif qui revient à qqn dans une succession ou dans un partage. Terme juridique.

émotionner v.t. → émouvoir

émoulu, e adj. ◆ **Accord.** *Frais émoulu* fait au féminin *fraîche émoulue : une jeune agrégée fraîche émoulue de Normale sup'*.

émouvoir v.t. / **émotionner** v.t. ◆ **Conjug.** *Émouvoir.* **1.** Attention à l'indicatif imparfait (*j'émouvais, tu émouvais,* etc.), à l'indicatif futur (*j'émouvrai, tu émouvras,* etc.) et au conditionnel présent (*j'émouvrais, tu émouvrais,* etc.). → annexe, tableau 42. **2.** Part. passé : *ému, émus, émue, émues,* sans accent circonflexe sur le *u* (à la différence du participe passé de *mouvoir,* qui prend un accent circonflexe sur le *u* au masculin singulier : *mû, mus, mue, mues*). ◆ **Sens et registre. 1.** *Émouvoir :* agir sur la sensibilité de ; toucher, impressionner profondément et durablement. Registres courant et soutenu. **2.** *Émotionner :* troubler, agiter par une émotion passagère. Registre familier. **RECOMM.** Ce verbe, bien que correctement formé sur *émotion,* a fait l'objet de nombreuses critiques. Dans l'expression soignée, il est préférable de le remplacer par ses équivalents *bouleverser, émouvoir, impressionner, toucher, troubler,* en fonction du contexte.

empaqueter v.t. ◆ **Conjug.** Attention à l'alternance *-tt-/-t-* : *il empaquette, nous empaquetons ; il empaquetait ; il empaqueta ; il empaquettera.* → annexe, tableau 16 et R.O. 1990

empêcher v.t. ◆ **Constr.** *Empêcher que.* **1.** *Empêcher que* (+ subjonctif) : *le mauvais temps a empêché qu'il ne parte* ou *qu'il parte* (à la forme affirmative, le *ne* explétif est fréquent). *Ces nouvelles*

commandes empêcheront-elles que l'entreprise licencie ou ne licencie ?* (à la forme interrogative, le *ne* explétif est généralement omis). *Les contrôles n'empêcheront jamais que des irrégularités soient commises* (à la forme négative, le *ne* explétif n'est presque jamais employé). **2.** *Il n'empêche que, n'empêche que* (+ indicatif ou conditionnel) : *tu te couches tard, soit, il n'empêche que tu dois être à l'heure le matin ; tu te couches tard, n'empêche que tu devrais être à l'heure.* **RECOMM.** Dans l'expression soignée, en particulier à l'écrit, préférer *il n'empêche que* à *n'empêche que,* qui est familier. **3.** *Cela n'empêche pas que* (+ subjonctif, indicatif ou conditionnel) : *il ne détient qu'une petite partie du capital, cela n'empêche pas qu'il soit* (ou *qu'il est*) *le véritable patron de l'affaire* (l'indicatif insiste sur la réalité du fait énoncé) ; *il est attaché à la région, cela n'empêche pas qu'il partirait si son travail l'exigeait* (le conditionnel marque l'éventualité du fait).

empeser v.t. → amidonner

emphysème n.m. ◆ **Orth.** Attention au groupe *-phy-.* ◆ **Genre.** Masculin. *Un emphysème pulmonaire.*

empiècement n.m. ◆ **Orth.** Avec un accent grave sur le deuxième *e,* comme dans *pièce* dont ce mot est issu.

empiétement n.m. ◆ **Orth.** Avec un accent aigu sur le deuxième *e.* → R.O. 1990

empiéter v.i. ◆ **Conjug.** Attention à l'accent, tantôt grave, tantôt aigu : *j'empiète, nous empiétons ; il empiétera.* → annexe, tableau 11 et R.O. 1990.

empire, Empire n.m. ◆ **Orth.** Avec ou sans majuscule, selon le sens. **1.** *Empire* suivi d'un adjectif avec lequel **il forme un nom propre :** *l'Empire romain, l'Empire byzantin ; l'éphémère*

Empire centrafricain. Empire s'écrit avec une majuscule, l'adjectif avec une minuscule. **2.** *Empire* suivi d'un complément introduit par *de* : *l'empire du Milieu, l'empire du Soleil-Levant, l'empire d'Autriche. Empire* s'écrit avec une minuscule, le complément avec une majuscule. **3.** *Empire* dans certains noms propres : *le Saint Empire romain germanique, le Bas-Empire* (romain), *le Nouvel Empire* (égyptien), *le premier Empire, le second Empire* (en France). **REM.** Ces graphies sont consacrées par la tradition. **4.** *Empire* = empire colonial. Avec une minuscule lorsqu'il s'agit d'un empire colonial déterminé : *l'empire français ; l'empire que l'Angleterre victorienne soumit par la force des armes.* - Mais on trouve parfois en emploi absolu la graphie avec une majuscule : *les indépendances des anciennes colonies françaises, proclamées au début des années 1960, marquèrent la fin de l'Empire.* **5.** *Le style Empire* = le style de mobilier, de décoration et d'architecture caractéristique du règne de Napoléon Ier. Avec une majuscule. Elliptiquement : *Une cheminée Empire, des bureaux Empire* (= de style Empire).

empirer v.i. et v.t. ◆ **Conjug.** Avec l'auxiliaire *avoir : son mal a empiré.* **REM.** La conjugaison avec *être,* marquant l'état *(son mal est empiré),* n'est plus en usage aujourd'hui. ◆ **Constr.** Les constructions transitive et pronominale sont rares et appartiennent à la langue littéraire : *cette remémoration ne pouvait qu'empirer sa douleur ; « Sa monomanie s'empire de jour en jour »* (Villiers de l'Isle-Adam).

emplâtre n.m. ◆ **Orth.** Avec un accent circonflexe sur le *a,* comme dans *plâtre.* ◆ **Genre.** Masculin : *« Un énorme emplâtre qui lui cachait un oeil et lui couvrait la moitié de la joue »* (P. Mérimée).

emplir v.t. → remplir

employer v.t. et v.pr. ◆ **Conjug.** Attention, le *y* devient *i* devant e muet : *il emploie* mais *il employait.* - Bien noter le *i* après le *y* aux première et deuxième personnes du pluriel, à l'indicatif imparfait et au subjonctif présent : *(que) nous emploiyions, (que) vous employiez.* → annexe, tableau 7. ◆ **Constr. 1.** *S'employer à* (+ infinitif ou nom) : *il s'est vainement employé à nous convaincre ; elle s'emploie sans compter à ce projet.* Registre soutenu. **2.** *S'employer à ce que* (+ subjonctif) : *nous nous emploierons à ce que le meilleur accueil vous soit réservé.* ◆ **Sens.** *Employer / utiliser* → utiliser

emporte-pièce n.m. ◆ **Orth.** En deux mots avec un trait d'union. - Plur. : *des emporte-pièces* ou *des emporte-pièce* (invariable). → R.O. 1990. ◆ **Genre.** Masculin (= outil, instrument pour découper des pièces), malgré le deuxième élément féminin : *un emporte-pièce.*

emporter v.t. → emmener

emporter (s') v.pr. ◆ **Constr.** *S'emporter contre* : *il s'emporte contre le gouvernement, contre le percepteur, contre les patrons, contre tout le monde.* **RECOMM.** Éviter le tour populaire *s'emporter après qqn, après qqch.*

empoussiérer v.t. ◆ **Conjug.** Attention à l'accent, tantôt grave, tantôt aigu : *j'empoussière, nous empoussiérons ; empoussiérera.* → annexe, tableau 11 et R.O. 1990

empreindre v.t. ◆ **Conjug.** Comme *peindre.* → annexe, tableau 62. ◆ **Emploi.** Rare à l'actif. → empreint, ci-dessous.

empreint, e adj. / **emprunt** n.m. ◆ **Orth.** Ne pas confondre ces deux mots. **1.** *Empreint* adj. = qui porte la marque, l'empreinte de qqch. *Un texte empreint d'humour.* Adjectif issu du participe passé du verbe *empreindre.* **2.** *Emprunt* n.m. = ce que l'on a emprunté, reçu à titre de prêt. *Faire un emprunt pour l'achat d'une maison ; rembourser son emprunt.* Famille du verbe *emprunter.*

empresser (s') v.pr. ◆ Constr. et registre.

Selon le sens, le verbe admet des compléments introduits par *à* ou *de*. **1.** *S'empresser à* = montrer de l'ardeur, du zèle, de la prévenance à. *« Directeurs et artistes s'empressèrent à lui plaire »* (R. Rolland). Emploi devenu rare, et qui relève aujourd'hui du registre soutenu. **2.** *S'empresser de* = se hâter, se dépêcher de. *Il s'est empressé de partir pour éviter les questions embarrassantes.* Emploi courant.

emprise n.f. ◆ Emploi.

Le sens de « domination, ascendant », naguère critiqué, est aujourd'hui admis : *« L'insidieuse emprise de la nuit »* (R. Rolland). *« Ceux-là seuls précisément qui surent échapper à ma fatale emprise »* (A. Gide).

emprunter v.t. ◆ Constr. et registre.

1. *Emprunter à* : *emprunter de l'argent à quelqu'un ; l'auteur emprunte son thème à la tragédie grecque ; c'est un terme emprunté au latin.* Construction la plus courante. REM. La construction avec *de*, dans ce sens (« obtenir à titre de prêt ; demander et recevoir en prêt ») n'est plus en usage aujourd'hui : *« j'ai emprunté mille francs de mon ami »* (Littré). **2.** *Emprunter de* : *les planètes, à la différence des étoiles, empruntent leur lumière du Soleil ; le pouvoir législatif emprunte sa légitimité du suffrage des citoyens ; expression empruntée de l'anglais.* Cette construction appartient au registre soutenu et n'est employée qu'en parlant de choses, avec le sens de « recevoir de, devoir à ». ◆ **Emploi.** *Emprunter une voie, une rue,* etc. Cette tournure naguère critiquée est aujourd'hui passée dans l'usage : *la traversée des voies est strictement interdite, veuillez emprunter le passage souterrain.*

émule n. ◆ Genre.

S'emploie aux deux genres : *il est le digne émule de son aîné ; elle a toujours agi en émule discrète.*

1. en prép.

◆ **Orth.**
En haut, en bas, en dehors de, en deçà de, etc. Les locutions adverbiales ou prépositives formées avec *en* s'écrivent sans trait d'union.
◆ **Emploi.**
1. *En / dans,* règles générales d'emploi. → dans
2. *En / dans* devant un nom de département français.
❑ Devant un nom composé, on emploie en principe *en,* sauf si le nom est au pluriel ou si son premier élément n'est pas lui-même un nom propre (de rivière, de montagne, d'île) : *en Charente-Maritime, en Corse-du-Sud, en Ille-et-Vilaine, en Loire-Atlantique, en Seine-Saint-Denis.* Mais : *dans la Haute-Garonne, dans les Alpes-de-Haute-Provence, dans les Bouches-du-Rhône, dans les Hautes-Pyrénées ; dans le Pas-de-Calais, dans le Puy-de-Dôme, dans le Territoire de Belfort.* REM. L'usage actuel tend à employer *dans* devant tous les noms de départements composés : *dans la Loire-Atlantique ; « Conversations dans le Loir-et-Cher »* (titre d'un ouvrage de P. Claudel). ❑ Devant un nom simple féminin singulier commençant par une consonne, on emploie *en* ou *dans la* : *en Corrèze* ou *dans la Corrèze, en Gironde* ou *dans la Gironde, en Lozère* ou *dans la Lozère.* REM. L'usage tend à fixer l'emploi de l'une ou l'autre préposition, en fonction, semble-t-il, du nombre de syllabes du nom. On dit plus volontiers : *en Charente, en Corrèze, en Dordogne, en Moselle, en Savoie, en Vendée* (noms de deux syllabes). Mais : *dans la Creuse, dans la Drôme, dans la Loire, dans la Meuse, dans la Nièvre, dans la Sarthe, dans la Somme, dans la Vienne* (noms d'une syllabe).

❑ Devant un nom simple masculin, ou féminin commençant par une voyelle, ou féminin pluriel, on emploie *dans* : *dans le Calvados, dans le Cantal ; dans l'Eure, dans l'Indre, dans l'Yonne ; dans les Landes, dans les Yvelines.*
3. En / *dans* devant un nom de lieu (autre qu'un nom de département français). → **dans**
4. *En / à* devant le nom d'un moyen de transport *(aller en voiture, aller à vélo).* → **à**
5. *En / à* devant un nom de pays, de ville, d'île. → **à**
6. *En / de* devant un complément de matière. ❑ Au sens concret, le complément exprimant la matière peut être introduit par *en* ou par *de. En* est plus fréquent. *Une pipe en terre, une fausse dent en or, un costume en laine. Une statue chryséléphantine est faite en or et en ivoire* (ou : *est faite d'or et d'ivoire*). *Une table de marbre. Un vase de porcelaine.* ❑ Au sens abstrait ou figuré, le complément de matière est toujours introduit par *de* : *un cœur de pierre, une santé de fer, un visage de marbre, une voix d'or.*
7. *Partir en / partir pour* → partir.
8. *En / sur.* Dans certaines locutions figées, *en* est employé dans le sens de « sur » : *se mettre en selle ; portrait en pied ; mort en croix. Avoir pot en tête* (= avoir le casque sur la tête ; expression archaïque).
◆ Accord.
1. Accord en nombre des noms précédés de *en*. Le raisonnement permet le plus souvent de déterminer si le nom prend ou nom la marque du pluriel. Dans quelques cas, c'est l'usage qui a consacré l'accord en nombre du nom. ❑ Au singulier : *être en discussion avec qqn, se mettre en lieu et place de qqn, preuves en main, remettre en main propre, ils y sont en personne, être en prière, se mettre en rapport ou en relation avec qqn, être en rang d'oignons, tomber en ruine.* ❑ Au pluriel : *être en affaires avec qqn,*

peintre en bâtiments, mettre du vin en bouteilles, se perdre en conjectures, être en flammes, fondre en larmes, être en bonnes mains, en mains sûres, se confondre en politesses, entrer en pourparlers.
❑ Au singulier ou au pluriel : *arbre en fleur* ou *en fleurs, être en fonction* ou *en fonctions.*
2. *En plus, en moins* devant un adjectif. Les adjectifs et participes passés précédés de *en plus* ou de *en moins* restent invariables : *je voudrais la même chose, mais en plus beau ; ce sont des paysages semblables aux nôtres, mais en moins grand.*
◆ Constr.
1. Répétition de *en* devant des noms, des adjectifs ou des participes présents juxtaposés ou coordonnés par *et*.
❑ Devant plusieurs noms juxtaposés ou coordonnés par *et*, la préposition *en* est le plus souvent répétée : *des ustensiles de cuisine en fer, en bois, en étain, en plastique ; des robes en lin et en coton.* Toutefois, lorsque *et* coordonne des adjectifs se rapportant à un même nom, *en* peut être omis : *les passages en cours élémentaire et moyen ; les étudiants en première et deuxième année.* - Dans certaines locutions figée, *en* n'apparaît qu'une fois : *je le dis en mon âme et conscience.*
❑ Devant plusieurs participes présents coordonnés par *et*, la préposition *en* est répétée : *en se levant et en se couchant ; en entrant et en sortant ; il fume en regardant la télévision et en lisant, mais pas en travaillant.* Toutefois, si le second participe ne fait que développer le premier, la répétition de *en* est facultative : *en expliquant et discutant ce point de vue.* - Dans la locution figée **en allant et venant**, *en* n'est pas répété.
2. *En* (+ participe présent). La construction *en* + participe présent (gérondif) n'est admise que si le participe a le même sujet que le verbe dont il dépend. On écrit : *en vous remerciant par avance, je vous prie d'agréer...* et non : **en vous remerciant par avance, veuillez agréer...*

On admet cependant que le participe présent ne renvoie pas au sujet du verbe quand il n'y a aucune ambiguïté possible, comme dans : *ces choses-là se disent en souriant, l'appétit vient en mangeant, « en traversant la cour déserte, le bruit de ses pas l'impressionna »* (A. Daudet).

2. **en** pron. adverbial ◆ **Orth.** *S'en aller.* Attention aux formes de l'impératif : *va-t'en* (apostrophe entre le pronom personnel et le pronom adverbial), *allez-vous-en* (tiret entre le pronom personnel et le pronom adverbial).

3. **en** pron. personnel.
◆ **Emploi.**
1. Aux formes autres que l'impératif, *en* précède immédiatement le verbe : *nous en avons déjà parlé ; il faut que j'en convienne ; si la vanne se bloque, en informer immédiatement le service de sécurité.*
2. À l'impératif, *en* suit le verbe : *donne-m'en, donne-lui-en, souvenez-vous-en, prenez-en de la graine.* ❑ Si l'impératif singulier se termine par une voyelle, il reçoit un *s* analogique qui se fait entendre en liaison : *donnes-en un peu à ton amie.*
3. *En / leur* (*j'aime leurs couleurs / j'en aime les couleurs*) → **leur**
◆ **Accord.**
Aux formes composées, un verbe dont le complément d'objet direct est *en* garde son participe passé au masculin singulier, même si *en* représente un nom pluriel ou un nom féminin : *des démarches, nous en avons entrepris plus d'une !*
❑ Quand *en* est complément d'un adverbe de quantité tel que *combien, autant, beaucoup, moins, plus,* l'usage est hésitant quant à l'accord. En général, l'accord se fait si l'adverbe de quantité précède *en,* mais ne se fait pas si l'adverbe le suit : *et des lettres d'admirateurs, combien en as-tu reçues ? J'en ai beaucoup vu, de ces soi-disant inventeurs.*

enamourer (s'), énamourer (s')
v.pr. ◆ **Orth.** Les deux graphies, *enamourer* et *énamourer,* sont admises.
◆ **Prononc.** *Enamourer :* [ɑ̃namuʀe], l'initiale *en-* est prononcée comme dans *ennuyer.* ❑ *Énamourer :* [enamuʀe], l'initiale *én-* est prononcée comme dans *énerver.*

en-avant n.m. inv. ◆ **Orth.** *Un en-avant* (= faute, au rugby), avec un trait d'union. - Plur. : *des en-avant* (invariable). → R.O. 1990. REM. Ne pas confondre *un en-avant* n.m. avec la locution adverbiale *en avant* (sans trait d'union).

en-but n.m. inv. ◆ **Orth.** Avec un trait d'union. - Plur. : *des en-but* (invariable). → R.O. 1990

encablure n.f. ◆ **Orth.** Le *a* ne prend pas d'accent circonflexe, malgré l'origine du mot, issu de *câble.*

encager v.t. ◆ **Conjug.** Le *g* devient *-ge-* devant *a* et *o* : *j'encage, nous encageons ; il encagea.* → annexe, tableau 10

encaisse n.f. ◆ **Orth.** En un seul mot : *l'encaisse métallique d'une banque centrale.*

encanailler v.t. ◆ **Conjug.** Attention au groupe *-illi-* aux première et deuxième personnes du pluriel, à l'indicatif imparfait et au subjonctif présent : *(que) nous encanaillions, (que) vous encanailliez.*

en-cas, encas n.m. inv. ◆ **Orth.** *Un en-cas* (= un repas léger) peut s'écrire avec un trait d'union ou en un seul mot : *un encas.* La graphie avec trait d'union est plus fréquente. REM. Ne pas confondre *un en-cas* n.m. avec la locution prépositive *en cas de,* sans trait d'union : *en cas de besoin, en cas de nécessité.*

encasteler (s') v.pr. ◆ **Conjug.** Attention à l'alternance *e/è* : *s'encasteler ;*

encaustique

ce cheval s'encastèle ; il s'encastèlera ; qu'il s'encastèle ; il est encastelé. → annexe, tableau 12

encaustique n.f. ◆ **Genre.** Féminin : *une bonne encaustique. Encaustiquage* s'écrit avec *-qu-* et non avec *c.*

enceindre v.t. ◆ **Conjug.** comme *craindre* → annexe, tableau 62

enchanteur, eresse adj. et n. ◆ **Genre.** Attention au féminin *enchanteresse* : « *Circé était une grande enchanteresse* » (Furetière). « *Au pied de l'Acropole, la perspective est enchanteresse* » (Chateaubriand).

enchère n.f. ◆ **Orth.** Avec un accent grave, à la différence de *enchérir, enchérissement, enchérisseur.*

enchifrené, e adj. ◆ **Orth.** Avec un seul *f.* REM. *Enchifrené* est issu de *chanfrein* et n'a pas de rapport avec *chiffre.*

enclaver v.t. ◆ **Constr.** *Enclaver dans / entre* : « *Un parterre enclavé dans un pré pâturé* » (E. Fromentin). *La propriété est enclavée entre une boucle de la rivière et les prés communaux.*

enclencher v.t. ◆ **Orth.** Avec un *e* (comme *clenche* et ses dérivés).

enclin, e adj. ◆ **Emploi.** *Enclin à* (= porté à, sujet à) ne se dit que des personnes : *elle est encline à la colère.*

encliqueter v.t. ◆ **Conjug.** Attention à l'alternance *-tt-/-t-* : *il encliquette, nous encliquetons ; il encliquetait ; il encliqueta ; il encliquettera.* → annexe, tableau 16 et R.O. 1990

enclore v.t. ◆ **Conjug. 1.** N'est employé ni à l'imparfait, ni au passé simple. À la troisième personne du présent de l'indicatif, on peut écrire *il enclôt,* avec accent circonflexe (comme *il clôt*)

ou *il enclot,* sans accent (retenu par l'Académie). La graphie avec accent circonflexe est plus fréquente. **2.** Attention, *enclore* à la différence de *clore,* a un impératif complet : *enclos, enclosons, enclosez.* → annexe, tableau 93

encoignure n.f. ◆ **Prononc.** En principe, [ɑ̃kɔɲyʀ], avec *-oi-* prononcé *o,* comme dans *rognon.* REM. L'usage contemporain tend à aligner la prononciation sur la graphie et le *-oi-* est souvent articulé aujourd'hui comme dans *poignet.*

encollage n.m. ◆ **Orth.** Avec deux *l* (comme dans *colle,* dont ce mot est issu). De même : *encoller, encolleur, encolleuse.*

encolure n.f. ◆ **Orth.** Attention, avec un seul *l* (comme *col*).

encombre n.m. ◆ **Orth.** *Sans encombre.* Toujours au singulier.

encontre (à l') loc. prép. ◆ **Constr.** *À l'encontre de.* Cette découverte va à l'encontre de toutes les idées reçues. C'est la construction correcte et courante. L'emploi absolu, sans préposition, est correct également mais il est aujourd'hui littéraire et un peu vieilli : *je ne suis pas d'accord avec ce projet, mais je n'irai pas à l'encontre.* La construction avec un adjectif possessif *(je n'ai rien à dire à son encontre),* bien que fréquente aujourd'hui dans le registre courant, est à éviter dans l'expression soignée, en particulier à l'écrit. ◆ **Sens et emploi.** *À l'encontre de* = en opposition à, contre le parti ou les intérêts de, au contraire de. RECOMM. Ne pas utiliser cette locution comme un équivalent de *à la différence de.*

encore adv. ◆ **Orth.** *Encor,* sans *e* final, est une ancienne forme que l'on rencontre dans la poésie. ◆ **Constr. 1.** *Encore* en tête de phrase, pour marquer une restriction, commande l'inversion du pronom sujet ou du pronom de rappel : « *Encore est-il vrai que le nourrisson vit joyeusement de la substance d'autrui* » (Alain). *Il a promis d'arriver à sept heures précises, encore ne doit-il pas traîner en route.* ❑ Après *et encore,* l'inversion n'est que facultative. *Il semble guéri ; et encore, il faut attendre le résultat des examens.* **2.** *Encore que* (+ subjonctif) : *elle est compétente et elle est jeune ; encore que la jeunesse ne soit pas forcément un avantage à ce poste.* Construction courante. ❑ *Encore que* (+ indicatif ou conditionnel) : « *Encore que cela est vrai en un sens pour quelques âmes* » (Pascal). L'emploi de l'indicatif, quoique rare, est correct. On rencontre également le conditionnel, marquant l'éventualité : « *Encore qu'un tel souci trouverait à se justifier* » (G. Duhamel). **3.** *Si encore* (+ indicatif imparfait ou plus-que-parfait) = si du moins. *Si encore il disait la vérité.* REM. *Encore si* (même sens) n'est pratiquement plus employé de nos jours : « *Encore si c'était crainte austère* » (V. Hugo).

encourager v.t. ♦ **Conjug.** Le *g* devient *-ge-* devant *a* et *o* : *j'encourage, nous encourageons ; il encouragea.* → annexe, tableau 10

encourir v.t. ♦ **Conjug.** Comme *courir.* → annexe, tableau 33

en-cours, encours n.m. inv. ♦ **Orth.** Les deux graphies, *un en-cours,* avec trait d'union, ou *un encours,* en un seul mot, sont admises. ♦ **Emploi.** Terme technique de banque.

encyclopédie n.f. / **encyclique** n.f. ♦ **Orth.** Attention au *y* (penser à *cycle*). ♦ **Sens.** On retrouve la notion de « cercle » dans les deux mots : *l'encyclopédie* est un ouvrage qui fait le tour des connaissances ; *l'encyclique* est une lettre du pape aux évêques, qui fait le

tour des Églises : c'est en quelque sorte une lettre circulaire.

endémie n.f. / **épidémie** n.f. ♦ **Sens.** Ne pas confondre ces deux mots. **1.** *Endémie* = maladie qui sévit en permanence dans une région. *Le paludisme est l'une des grandes endémies des continents africain et asiatique.* **2.** *Épidémie* = atteinte simultanée d'un grand nombre de personnes par une maladie contagieuse.

endeuiller v.t. ♦ **Conjug.** Attention au groupe *-illi-* aux première et deuxième personnes du pluriel, à l'indicatif imparfait et au subjonctif présent : *(que) nous endeuillions, (que) vous endeuilliez.*

endommager v.t. ♦ **Conjug.** Le *g* devient *-ge-* devant *a* et *o* : *j'endommage, nous endommageons ; il endommagea.* → annexe, tableau 10

endormir v.t. et v.pr. ♦ **Conjug.** Comme *dormir.* → annexe, tableau 25

endroit n.m. ♦ **Orth.** *Par endroits :* toujours au pluriel. ♦ **Registre.** *À l'endroit de* = à l'égard de. Registre soutenu.

enduire v.t. ♦ **Conjug.** comme *conduire* → annexe, tableau 78

énergique adj. / **énergétique** adj. ♦ **Sens.** Ne pas employer ces deux mots l'un pour l'autre. **1.** *Énergique* = qui agit fortement ; efficace ; plein d'énergie, qui manifeste l'énergie. *Un remède énergique ; une femme énergique ; une poignée de main énergique.* **2.** *Énergétique* = qui concerne l'énergie, les sources d'énergie. *Les ressources énergétiques d'une région ; les besoins énergétiques de l'organisme.*

énervement n.m. / **énervation** n.f. ♦ **Sens.** Ne pas confondre ces deux substantifs de sens différent qui correspondent à un verbe unique, *énerver.* **1.** *Énervement* = irritation, agacement. **2.** *Énervation* = supplice consistant à brûler les *nerfs* (c'est-à-dire les tendons) du jarret, au Moyen Âge. ❑ Au figuré, abattement, affaiblissement. *L'énervation de la volonté.* Registre littéraire.

enfant n. ◆ **Genre.** *Enfant* s'emploie aux deux genres : *un enfant, une enfant.* ◆ **Nombre.** *Petits-enfants.* Toujours au pluriel (on dit *son petit-fils, sa petite-fille,* mais *ses petits-enfants*). → **petit.** ◆ **Accord.** *Bon enfant* → **bon**

enfanter v.t. ◆ **Emploi.** Au sens concret de « procréer », *enfanter* ne peut se dire que d'une femme. S'agissant d'un animal femelle, on dit *mettre bas ;* s'agissant d'un homme, on dit *engendrer.* ❑ Au sens figuré, « produire, créer », le verbe peut s'employer en parlant de personnes ou de choses : *les symphonies que Beethoven a enfantées ;* « *les traditions avaient enfanté les symboles* » (V. Hugo). Registre soutenu.

enfantin, e adj. / **infantile** adj. ◆ **Sens.** Ne pas employer l'un pour l'autre ces deux adjectifs de sens proches mais distincts. **1.** *Enfantin :* relatif à l'enfant, à l'enfance ; qui évoque l'enfance ; peu compliqué, facile ou puéril. *Le langage enfantin, une voix enfantine ; un problème enfantin.* **2.** *Infantile :* relatif à l'enfant en bas âge. *Maladie infantile.* - Péjoratif : qui a gardé à l'âge adulte certains caractères de l'enfant. *Un comportement infantile.* REM. *Enfantin,* appliqué à un adulte, n'est pas nécessairement péjoratif ; on peut dire en bonne part d'une personne dans la force de l'âge : *elle a un bon sourire, presque enfantin.* En revanche, *infantile,* dans un contexte analogue, est toujours pris en mauvaise part : une personne *infantile* est immature, elle agit non pas comme un adulte devrait le faire, mais comme un enfant, de manière impulsive et irréfléchie.

enfiévrer v.t. ◆ **Conjug.** Attention à l'accent, tantôt grave, tantôt aigu : *j'enfièvre, nous enfiévrons, j'enfiévrais, il enfiévrera.* → annexe, tableau 11 et R.O. 1990

enfin adv. ◆ **Constr.** *Enfin* peut se mettre avant ou après le verbe : *il arriva enfin ; enfin, il arriva.* ◆ **Registre.** *Enfin bref :* ce pléonasme est très courant dans la langue orale familière. RECOMM. Dans l'expression soignée, dire *enfin* ou *bref,* ou encore *pour faire bref, pour faire court, pour en finir, pour dire la chose en peu de mots,* etc.

enfoncer v.t., v.i. et v.pr. ◆ **Conjug.** Le *c* devient *ç* devant *o* et *a* : *j'enfonce, nous enfonçons ; il enfonça.* → annexe, tableau 9

enfreindre v.t. ◆ **Conjug.** Comme *peindre.* → annexe, tableau 62

enfuir (s') v.pr. ◆ **Conjug.** Comme *fuir.* Attention au *i* après le *y* aux première et deuxième personnes du pluriel, à l'indicatif imparfait et au subjonctif présent : *(que) nous nous enfuyions, (que) vous vous enfuyiez.* → annexe, tableau 24. ◆ **Accord.** Le participe passé s'accorde toujours avec le sujet : *elles se sont enfuies.* ◆ **Emploi. 1.** Pour des raisons d'euphonie, on évite en général d'employer *en* devant *s'enfuir* aux formes simples : *si vous ouvrez la cage, le gorille s'enfuira* (plutôt que : *le gorille s'en enfuira,* qui est cependant correct). Aux formes composées, en revanche, l'emploi de *en* est courant : *le gorille s'en est enfui.* **2.** *Il s'en est enfui.* Dans cette construction, le pronom *en* doit renvoyer à un nom de lieu : *on avait mal fermé la porte de la cage, le gorille s'en est enfui.* RECOMM. Ne pas employer *s'en enfuir* quand *en* ne représente aucun lieu précis (*en* est déjà inclus dans le verbe) : *trop tard, il s'est enfui !* (et non *il s'en est enfui !*). REM. Au XVIIᵉ s., *s'enfuir* pouvait se conjuguer avec le préfixe disjoint, comme *s'en aller :* « *Mais fuyez-vous-en, le voici !* » (Molière).

engager v.t. et v.pr. ◆ **Conjug.** Le *g* devient *-ge-* devant *a* et *o* : *j'engage, nous engageons ; il engagea.* → annexe, tableau 10

engineering n.m. ◆ **Anglicisme.** L'équivalent français *ingénierie* remplace de plus en plus souvent ce mot anglais.

engluement n.m. ◆ **Orth.** S'écrit avec un *e* muet intérieur. *Engluement* correspond à *s'engluer,* verbe du 1er groupe (comme *aboiement* correspond à *aboyer* → **aboiement**)

engoncer v.t. ◆ **Conjug.** Le *c* devient *ç* devant *o* et *a* : *cette veste l'engonce, l'engonçait* → annexe, tableau 9

engorger v.t. ◆ **Conjug.** Le *g* devient *-ge-* devant *a* et *o* : *j'engorge, nous engorgeons ; il engorgea.* → annexe, tableau 10

engouement n.m. ◆ **Orth.** S'écrit avec un *e* muet intérieur. REM. *Engouement* correspond à *s'engouer,* verbe du 1er groupe (comme *aboiement* correspond à *aboyer* → **aboiement**)

engranger v.t. ◆ **Conjug.** Le *g* devient *-ge-* devant *a* et *o* : *j'engrange, nous engrangeons ; il engrangea.* → annexe, tableau 10

engrener v.t., v.i. et v.pr. ◆ **Conjug.** → Attention à l'alternance *e/è* : *engrener ; j'engrène, il engrène* mais *nous engrenons ; il engrènera ; qu'il engrène* mais *que nous engrenions ; engrené.* → annexe, tableau 12

enhardir v.t. ◆ **Prononc.** [ãardiʀ], avec un hiatus entre *en-* et *-a,* comme entre *an* et *a* dans *un an a passé.*

énième adj. ◆ **Orth.** Avec un seul *n.* REM. En abrégé, on écrit *nième, Nième* ou *n-ième* (malgré la convention typographique en usage pour l'abréviation des chiffres : *2ᵉ, 3ᵉ* etc.).

enivrer v.t. ◆ **Prononc.** [ãnivʀe], avec *en* comme dans *encadrer* et en faisant entendre le *n.* ◆ **Orth.** Avec un seul *n* (celui du préfixe).

enjaveler v.t. ◆ **Conjug.** Attention à l'alternance *-ll-/-l-* : *il enjavelle, nous enjavelons ; il enjavelait ; il enjavela ; il enjavellera.* → annexe, tableau 16 et R.O. 1990

enjoindre v.t. ◆ **Conjug.** Comme *joindre.* → annexe, tableau 62. ◆ **Constr.** **1.** *Enjoindre qqch. à qqn* : *la loi enjoint à chaque citoyen le paiement d'un impôt proportionnel à son revenu.* **2.** *Enjoindre à qqn de faire qqch.* : « *On nous enjoignit de nous tenir tranquilles* » (G. de Nerval).

enjôler v.t. ◆ **Orth.** Avec un accent circonflexe, comme *enjôleur* et *enjôlement* (ne pas se laisser influencer par *cajoler,* qui ne prend pas d'accent). REM. *Enjôler* vient de *geôle* (le mot signifiait autrefois « emprisonner ») et s'est écrit *engeôler* jusqu'au XVIIᵉ s.

enjouement n.m. ◆ **Orth.** S'écrit avec un *e* muet intérieur. *Enjouement* correspond à *enjouer,* verbe du premier groupe (aujourd'hui inusité sauf au participe passé), comme *aboiement* correspond à *aboyer* → **aboiement**

enlacer v.t. et v.pr. ◆ **Conjug.** Le *c* devient *ç* devant *o* et *a* : *j'enlace, nous enlaçons ; il enlaça.* → annexe, tableau 9

enlever v.t. ◆ **Conjug.** Comme *lever.* Attention à l'alternance *e/è* : *enlever ; j'enlève, il enlève,* mais *nous enlevons ; il enlèvera ; qu'il enlève* mais *que nous enlevions ; enlever.* → annexe, tableau 12

enneiger v.t. ◆ **Conjug.** Le *g* devient *-ge-* devant *a* et *o* : *j'enneige, nous enneigeons ; il enneigea.* → annexe, tableau 10

ennoblir v.t. → anoblir.

ennuager v.t. et v.pr. ◆ **Conjug.** Le *g* devient *-ge-* devant *a* et *o* : *il ennuage, nous* *ennuageons ; il ennuagea.* → annexe, tableau 10

ennuyant, e adj. ◆ **Emploi.** *Ennuyant* (= contrariant, qui cause un désagrément passager) est aujourd'hui vieilli.

ennuyer v.t. et v.pr. ◆ **Conjug.** Attention au *i* après le *y* aux première et deuxième personnes du pluriel, à l'indicatif imparfait et au subjonctif présent : *(que) nous ennuyions, (que) vous ennuyiez.* → annexe, tableau 7. ◆ **Constr. 1.** *S'ennuyer à* (+ infinitif) / *s'ennuyer de* (+ infinitif) = éprouver de l'ennui. Dans le registre soutenu, *s'ennuyer à* marque la continuité de l'action *(je m'ennuie à attendre), s'ennuyer de* marque que l'action va bientôt prendre fin *(je m'ennuie d'attendre).* Dans le registre courant, en particulier à l'oral, on emploie généralement la construction *s'ennuyer à,* sans faire de distinction entre l'action qui dure et l'action sur le point de cesser. **2.** *S'ennuyer de* (+ infinitif) = éprouver la contrariété de, courant jusqu'au XIXᵉ s., appartient aujourd'hui au registre littéraire ou soutenu : « *Le jour où tu t'ennuieras d'être poursuivi par tes créanciers, viens te cacher dans les bleuets* » (A. de Musset).

énoncer v.t. ◆ **Conjug.** Le *c* devient *ç* devant *o* et *a* : *j'énonce, nous énonçons ; il énonça.* → annexe, tableau 9

enquérir (s') v.pr. ◆ **Conjug.** Comme *acquérir.* Attention au futur *(j'enquerrai,* avec deux *r)* et au participe passé *(enquis, enquise).* → annexe, tableau 27. ◆ **Accord.** *Elles se sont enquises.* Le participe passé s'accorde toujours avec le sujet. ◆ **Constr. 1.** *S'enquérir de qqch., de qqn* : *elle s'est aimablement enquise de ta santé ; elle s'est enquise de toi.* **2.** *S'enquérir si* (+ indicatif ou conditionnel) : *tâchez de vous enquérir s'ils pourront être des nôtres ; je me suis enquis s'il viendrait au cas où il aurait un moment de liberté.* Registre soutenu.

enquêteur, euse ou **trice** n. ◆ **Genre.** Les deux formes du féminin, *enquêteuse* et *enquêtrice,* sont également correctes.

enrager v.i. ◆ **Conjug.** Le *g* devient *-ge-* devant *a* et *o* : *j'enrage, nous enrageons ; il enragea.* → annexe, tableau 10

enraiement, enrayement n.m. ◆ **Orth. et prononc.** Les deux graphies, *enraiement* et *enrayement,* sont admises. *Enraiement* se prononce [ɑ̃ʀɛmɑ̃], comme pour rimer avec *aimant ; enrayement* se prononce [ɑ̃ʀɛjmɑ̃], comme pour rimer avec *pareillement.*

enrayer v.t. et v.pr. ◆ **Conjug.** Les formes conjuguées du verbe peuvent s'écrire avec un *y* ou un *i* devant *e* muet : *il enraie* ou *il enraye, il enraiera* ou *il enrayera.* - Attention au *i* après le *y* aux première et deuxième personnes du pluriel, à l'indicatif imparfait et au subjonctif présent : *(que) nous enrayions, (que) vous enrayiez.* → annexe, tableau 6

enregistrer v.t. ◆ **Orth. et prononc.** Avec un *e* sans accent, comme *registre.*

enrouement n.m. ◆ **Orth.** S'écrit avec un *e* muet intérieur. *Enrouement* vient de *enrouer,* verbe du premier groupe. (comme *aboiement* correspond à *aboyer* → **aboiement**)

enrubanné, e adj. ◆ **Orth.** Avec deux *n,* de même que le verbe *enrubanner.* Mais les autres mots de la famille de *ruban* ne prennent qu'un *n* : *rubané, rubaner, rubanerie, rubanier.*

enseigne n.f. / **enseigne** n.m. ◆ **Sens.** Ne pas confondre *une enseigne* et *un enseigne.* **1.** *Une enseigne* = un panneau, un emblème qui signale un commerce : *une enseigne de pharmacie en forme de croix grecque verte* ; signe de ralliement d'une troupe, drapeau, étendard : *la légion romaine avait une enseigne, l'aigle aux ailes déployées.* **2.** *Un enseigne* = un officier de marine dont le grade équivaut à celui de lieutenant. *Un enseigne de vaisseau de 1ʳᵉ classe.* REM. *Enseigne* au masculin est à l'origine l'abréviation de *porte-enseigne* (officier porte-drapeau).

enseigner v.t. ◆ **Conjug.** Attention au groupe -*gni*- aux première et deuxième personnes du pluriel, à l'indicatif imparfait et au subjonctif présent : *(que) nous enseignions, (que) vous enseigniez.*

1. ensemble adv. ◆ **Orth.** Toujours invariable : *nous irons tous ensemble.* ◆ **Emploi.** *Tout ensemble* = tout à la fois, appartient aujourd'hui au registre littéraire « *Je mourrai tout ensemble heureux et malheureux* » (Corneille). REM. *Ensemble* au sens de « à la fois » était en usage au XVIIᵉ s. : « *Des calomnies si atroces et ensemble si manifestes* » (Bossuet).

2. ensemble n.m. ◆ **Accord.** *L'ensemble des.* Après *l'ensemble des,* le verbe se met le plus souvent au singulier : *l'ensemble des députés de la majorité a approuvé le texte du gouvernement.* Toutefois, le pluriel, qui insiste la multiplicité plutôt que sur la totalité, n'est pas fautif : *l'ensemble des députés ont approuvé le texte.* ❑ *Un ensemble de.* Après *un ensemble de* le verbe se met généralement au singulier : *un ensemble de présomptions ne fait pas une preuve.*

ensemencer v.t. ◆ **Conjug.** Le *c* devient *ç* devant *o* et *a* : *j'ensemence, nous ensemençons ; il ensemença.* → annexe, tableau 9

ensorcellement n.m. ◆ **Orth.** Avec deux *l*, à la différence d'*ensorceler* (alors qu'on écrit *écartèlement* de *écarteler*). → R.O. 1990

ensorceler v.t. ◆ **Conjug.** Attention à l'alternance -*ll*-/-*l*- : *il ensorcelle, nous ensorcelons ; il ensorcelait ; il ensorcela ; il*

ensorcellera. → annexe, tableau 16 et R.O. 1990

ensuite adv. ◆ **Emploi. 1.** *Ensuite / après.* Ces deux adverbes indiquent l'un et l'autre une succession dans le temps, mais *ensuite* implique une succession immédiate, alors que *après* peut être employé lorsqu'un certain intervalle de temps sépare les deux faits ou les deux actions mentionnés. *Mon rendez-vous avec Jean Morales s'est terminé à dix heures, j'ai reçu ensuite Martine Balto* (= j'ai reçu Martine Balto dès dix heures). *Pierre a quitté son travail à dix-huit heures, après il est allé jouer au tennis* (= entre le moment où Pierre a quitté son travail et le moment où il a commencé à jouer au tennis, plusieurs événements ont pu prendre place). **2.** *Puis ensuite, et puis ensuite* sont des pléonasmes fréquents dans l'expression orale courante : *nous avons écouté un excellent concert et puis ensuite nous sommes allés dîner.* RECOMM. Dans l'expression soignée, dire simplement *ensuite : nous avons écouté un excellent concert, ensuite nous sommes allés dîner.* **3.** *Peu ensuite.* RECOMM. Remplacer ce tour peu correct par *peu après, un peu plus tard.* **4.** *Ensuite de quoi, ensuite de cela* sont légèrement vieillis. On dit plus volontiers aujourd'hui : *à la suite de quoi, à la suite de cela, suite à quoi, suite à cela* → **suite**

ensuivre (s') v.pr. ◆ **Conjug.** N'est employé qu'à l'infinitif, et à la troisième personnes du singulier et du pluriel (à tous les temps). → annexe, tableau 69. ◆ **Emploi. 1.** *Il s'en est suivi / il s'est ensuivi.* Aux temps composés, le préfixe est aujourd'hui séparé du participe passé par l'auxiliaire. On dit plus volontiers *de nombreux problèmes s'en sont suivis* que *de nombreux problèmes se sont ensuivis,* qui est un peu vieilli et très littéraire. **2.** *S'en ensuivre,* jadis courant, n'est plus en usage « *Vois, si mon cœur n'eût su de froi-*

deur se munir / Quels inconvénients auraient pu s'en ensuivre ! » (Molière). On dirait aujourd'hui *quels inconvénients auraient pu s'ensuivre* ou, pour insister sur la relation de conséquence, *quels inconvénients auraient pu s'ensuivre de là.* ◆ **Constr.** *Il s'ensuit que* (+ indicatif ou subjonctif). *Il s'ensuit que* se construit avec l'indicatif si la phrase est affirmative (*il s'ensuit qu'il faut toujours se méfier*), au subjonctif si la phrase est négative ou interrogative (*il ne s'ensuit pas qu'il faille toujours se méfier ; s'ensuit-il qu'il faille toujours se méfier ?*).

entailler v.t. ◆ **Conjug.** Attention au groupe *-illi-* aux première et deuxième personnes du pluriel, à l'indicatif imparfait et au subjonctif présent : *(que) nous entaillions, (que) vous entailliez.*

entendre v.t. ◆ **Conjug.** Comme *tendre.* → annexe, tableau 59. ◆ **Accord.** *La femme que j'ai entendue chanter / la chanson que j'ai entendu chanter.* Lorsque le verbe *entendre,* employé à un temps composé, est suivi d'un infinitif, le participe passé ne s'accorde avec le complément d'objet que si celui-ci est également sujet de l'infinitif : *la femme que j'ai entendue chanter* (= la femme chante, j'ai entendu la femme). Mais : *la chanson que j'ai entendu chanter* (= on chantait la chanson, j'ai entendu chanter). → R.O. 1990. ◆ **Constr. 1.** *Entendre que* (+ subjonctif) = vouloir que. *J'entends qu'on m'obéisse.* Registre soutenu. **2.** *Je l'ai entendu dire que / je lui ai entendu dire que.* Avec *entendre* suivi d'un infinitif complément, on peut employer indifféremment *le* ou *lui, les* ou *leur : je l'ai entendu dire* (ou : *je lui ai entendu dire*) *qu'elle partait demain ; je les ai souvent entendu citer* (ou : *je leur ai souvent entendu citer*) *ce proverbe.*

entendu adj. ◆ **Accord.** *Entendu tous les témoins.* En tête phrase, *entendu* reste invariable. REM. Cet emploi est propre à

la langue juridique. ◆ **Constr.** *Il est entendu que* (+ indicatif) : *il est entendu qu'il passera dès demain.* ◆ **Registre.** *Comme de bien entendu.* Registre familier.

enténébrer v.t. ◆ **Conjug.** Attention à l'accent, tantôt grave, tantôt aigu : *j'enténèbre, nous enténébrons ; il enténébrera.* → annexe, tableau 11 et R.O. 1990.

enterrer v.t. / **inhumer** v.t. ◆ **Registre.** *Enterrer* et *inhumer* ont le même sens (= célébrer les obsèques de, mettre en terre un mort), mais *enterrer* est courant, alors que *inhumer* appartient au registre soutenu ou au vocabulaire administratif.

en-tête n.m. ◆ **Orth.** Avec un trait d'union : *un en-tête ; faire dessiner un en-tête de lettre par un graphiste.* - Plur. : *des en-têtes* (avec s). RECOMM. Ne pas confondre le substantif *un en-tête* avec la locution prépositive *en tête de,* qui s'écrit sans trait d'union : *une voiture-bar est à votre disposition en tête de train.* ◆ **Genre.** Masculin, en dépit du féminin *tête : un en-tête.*

entracte n.m. ◆ **Orth.** S'écrit aujourd'hui en un seul mot, sans apostrophe. REM. On écrivait naguère *entr'acte.*

entraider (s') v.pr. ◆ **Orth.** En un seul mot, sans apostrophe, de même qu'*entraide.* ◆ **Emploi.** Seulement au pluriel. RECOMM. Éviter les pléonasmes *s'entraider les uns les autres,* ou *s'entraider mutuellement.*

entrailles n.f. plur. ◆ **Nombre.** Ne s'emploie qu'au pluriel : *les entrailles.*

entr'aimer (s') v.pr. ◆ **Orth.** Avec une apostrophe. ◆ **Emploi.** N'est employé qu'aux personnes du pluriel.

entrain n.m. ◆ **Orth.** *Entrain* = vivacité joyeuse, gaîté, allant. En un seul mot : *elle est pleine d'entrain.* **RECOMM.** Ne pas confondre avec *en train* (*être en train* = être dans de bonnes dispositions pour se livrer à une activité ; *mettre une affaire en train* = la mettre en route).

entrapercevoir, entr'apercevoir v.t. ♦ **Orth.** Les deux graphies, *entrapercevoir,* en un seul mot, ou *entr'apercevoir,* avec apostrophe sont admises. *Entrapercevoir,* en un seul mot, est aujourd'hui plus fréquent. ♦ **Conjug.** Comme *apercevoir.* → annexe, tableau 39

entre prép. ♦ **Orth.** La préposition *entre* ne s'élide pas. On écrit : *entre eux, entre amis, entre elles,* etc. ♦ **Emploi.** *Entre autres* → autre. ❏ *Entre parenthèses* → parenthèse. ❏ *Entre chaque, entre chacun* → chacun

entre- élément de composition ♦ **Orth.** Les verbes qui commencent par *entre-* s'écrivent en un seul mot (*s'entraider*), avec trait d'union (*s'entre-déchirer*) ou avec apostrophe (*s'entr'aimer*). Les noms qui commencent par *entre* s'écrivent en un seul mot (*entraide*) ou avec trait d'union (*entre-bande*). Au pluriel, l'élément *entre-* reste invariable. Les mots susceptibles de poser une autre difficulté sont traités à leur ordre alphabétique. → aussi R.O. 1990

entrebâiller v.t. ♦ **Orth.** En un seul mot, avec un accent circonflexe sur le *a,* de même que *entrebâillement* et *entrebâilleur.* ♦ **Conjug.** Attention au groupe *-illi-* aux première et deuxième personnes du pluriel, à l'indicatif imparfait et au subjonctif présent : *(que) nous entrebâillions, (que) vous entrebâilliez.*

entre-bande n.f. ♦ **Orth.** Avec un trait d'union. - Plur. : *des entre-bandes* (avec *s* à *bande*).

entrechat n.m. ♦ **Orth.** En un seul mot.

entrechoquer v.t. ♦ **Orth.** En un seul mot, de même qu'*entrechoquement.*

entrecolonnement n.m. ♦ **Orth.** En un seul mot, avec deux *n.*

entrecôte n.f. ♦ **Orth.** En un seul mot. ♦ **Genre.** Féminin : *une entrecôte.* **REM.** On disait autrefois *un entrecôte,* au masculin.

entrecouper v.t. ♦ **Orth.** En un seul mot.

entrecroiser v.t. ♦ **Orth.** En un seul mot, de même qu'*entrecroisement.*

entrecuisse n.m. ♦ **Orth.** En un seul mot.

entre-déchirer (s') v.pr. ♦ **Orth.** Avec un trait d'union.

entre-deux n.m. inv. ♦ **Orth.** Avec un trait d'union : *l'arbitre a sifflé un entre-deux.*

entre-deux-guerres n.m. inv. ou n.f. inv. ♦ **Orth.** Avec deux traits d'union. ♦ **Genre.** Féminin ou masculin. Plus fréquent au masculin : *l'entre-deux-guerres fut court et fiévreux.*

entre-dévorer (s') v.pr. ♦ **Orth.** Avec un trait d'union.

entrefaites n.f. plur. ♦ **Orth.** Toujours au pluriel et en un seul mot : *sur ces entrefaites...*

entrefenêtre n.m. ♦ **Orth.** En un seul mot. ♦ **Genre.** Masculin : *un entrefenêtre.*

entrefer n.m. ♦ **Orth.** En un seul mot.

entrefilet n.m. ♦ **Orth.** En un seul mot.

entregent n.m. ♦ **Orth.** En un seul mot.

entr'égorger (s') v.pr. ◆ **Orth.** Avec une apostrophe. ◆ **Conjug.** Le *g* devient -*ge*- devant *a* et *o* : *ils s'entr'égorgent, nous nous entr'égorgeons ; ils s'entr'égorgeaient.* → annexe, tableau 10. ◆ **Emploi.** N'est employé qu'aux personnes du pluriel.

entre-haïr (s') v.pr. ◆ **Orth.** Avec un trait d'union devant le *h* aspiré. ◆ **Conjug.** Comme *haïr,* mais n'est employé qu'aux personnes du pluriel : *nous nous entre-haïssons, vous vous entre-haïssez, ils s'entre-haïssent.* → annexe, tableau 22

entre-heurter (s') v.pr. ◆ **Orth.** Avec un trait d'union devant le *h* aspiré. ◆ **Emploi.** N'est employé qu'aux personnes du pluriel.

entrejambe n.m. ◆ **Orth.** En un seul mot. ◆ **Genre.** Masculin, en dépit du second élément féminin *jambe : un entrejambe.*

entrelacer v.t. ◆ **Orth.** En un seul mot, de même qu'*entrelacement.* ◆ **Conjug.** Le *c* devient *ç* devant *o* et *a* : *j'entrelace, nous entrelaçons ; il entrelaça.* → annexe, tableau 9

entrelacs n.m. ◆ **Orth.** En un seul mot. - Attention au *s* final, même au singulier : *un entrelacs.* REM. Le mot s'emploie surtout au pluriel.

entrelarder v.t. ◆ **Orth.** En un seul mot.

entremêler v.t. ◆ **Orth.** En un seul mot. De même : *entremêlement.* ◆ **Sens.** *Entremêler / emmêler* → **emmêler**

entremets n.m. ◆ **Orth.** En un seul mot. - Attention au *s* final, même au singulier : *un entremets.*

entremetteur, euse adj. ◆ **Orth.** En un seul mot.

entremettre (s') v.pr. ◆ **Orth.** En un seul mot. ◆ **Conjug.** Comme *mettre.* → annexe, tableau 64. ◆ **Accord.** Le participe s'accorde toujours avec le sujet : *elles se sont entremises.*

entre-nerf n.m. ◆ **Orth.** Avec trait d'union. - Plur. : *des entre-nerfs* (avec *s* à *nerf*).

entre-nœud n.m. ◆ **Orth.** Avec trait d'union. - Plur. : *des entre-nœuds* (avec *s* à *nœud*).

entrepont n.m. ◆ **Orth.** En un seul mot.

entreposer v.t. ◆ **Orth.** En un seul mot, comme *entrepôt,* de même qu'*entreposage, entreposeur.*

entreprendre v.t. ◆ **Conjug.** Comme *prendre.* → annexe, tableau 61

entrer v.i. et v.t. ◆ **Conjug.** *Entrer* se conjugue avec l'auxiliaire *être* quand il est intransitif *(Pierre est entré en sixième cette année)* et avec l'auxiliaire *avoir* quand il est transitif *(Danielle a entré toutes les données dans son ordinateur).* ◆ **Sens et emploi.** *Entrer / rentrer.* 1. *Entrer / rentrer* v.i. Dans la langue surveillée, *rentrer* signifie « entrer de nouveau » (après être sorti). Ainsi, *on rentre chez soi, on rentre au lycée après les vacances* mais *on entre en sixième, on entre en scène.* Dans la langue orale courante, les deux verbes sont aujourd'hui pratiquement synonymes. RECOMM. Dans l'expression soignée, en particulier à l'écrit, n'employer *rentrer* que dans le sens d'« entrer de nouveau ». 2. *Entrer / rentrer* v.t. C'est l'usage qui commande l'emploi de l'un ou l'autre verbe : on dit par exemple *rentrer les foins, rentrer sa voiture au garage,* mais *entrer du vin dans le chais, entrer des marchandises en fraude.* REM. Dans cet emploi, *entrer* est aujourd'hui de moins en moins utilisé et tend à être remplacé par *rentrer* dans tous les cas.

entre-rail n.m. ◆ **Orth.** Avec un trait d'union. - Plur. : *des entre-rails* (avec *s* à *rail*).

entresol n.m. ◆ **Orth.** En un seul mot.

entre-temps adv. ◆ **Orth.** Avec un trait d'union. REM. Le substantif *entre-temps* (en un seul mot) appartient à la langue classique.

entretenir v.t. et v.pr. ◆ **Conjug.** Comme *tenir.* → annexe, tableau 28. ◆ **Constr.** On dit *entretenir qqn de qqch.* (et non *au sujet de qqch.*) et *s'entretenir avec qqn de qqch.* ou *sur qqch.* ◆ **Accord.** À la forme pronominale, le participe s'accorde toujours avec le sujet : *elles se sont entretenues des perspectives de coopération entre leurs deux pays.*

entre-tissser v.t. ◆ **Orth.** Avec un trait d'union.

entretoiser v.t. ◆ **Orth.** En un seul mot, de même qu'*entretoise* et *entretoisement.*

entre-tuer (s') v.pr. ◆ **Orth.** Avec un trait d'union. ◆ **Emploi.** N'est employé qu'aux personnes du pluriel.

entrevoie n.f. ◆ **Orth.** En un seul mot.

entrevoir v.t. ◆ **Conjug.** Comme *voir.* → annexe, tableau 48. ◆ **Orth.** En un seul mot.

entrevue n.f. ◆ **Orth.** En un seul mot.

entrouvrir v.t. ◆ **Orth.** En un seul mot, de même que le nom *entrouverture.* ◆ **Conjug.** Comme *ouvrir.* → annexe, tableau 23

énumérer v.t. ◆ **Orth.** Avec un seul *n.* ◆ **Conjug.** Attention à l'accent, tantôt grave, tantôt aigu : *j'énumère, nous énumérons ; il énumérera.* → annexe, tableau 11 et R.O. 1990

envelopper v.t. ◆ **Orth.** Avec deux *p* et un seul *l,* de même qu'*enveloppe.*

envi (à l') loc. adv. ◆ **Orth.** Attention, sans *e* à *envi* : *chacun étale à l'envi ses richesses et ses succès* (= à qui mieux mieux, en rivalisant). REM. *Envi* (en ancien français, « le défi, la provocation ») vient d'un ancien verbe *envier* (« convier, inviter »), issu du latin *invitare* (« inviter ») ; *envie* (avec un *e*) vient du latin *invidia.*

envie n.f. ◆ **Emploi.** *Avoir envie.* L'emploi de *avoir envie* avec un adverbe est aujourd'hui courant : *avoir très envie, peu envie, tellement envie de...* Un adverbe étant censé ne modifier qu'un adjectif, un verbe ou un autre adverbe, cet emploi était naguère critiqué ; il est aujourd'hui admis. Toutefois, il est toujours possible dans l'expression soignée, en particulier à l'écrit, de recourir plutôt à un adjectif : *avoir une grande envie, une très forte envie, une telle envie de,* etc. Il en va de même pour les tournures comparables : *avoir faim ; avoir mal, avoir peur, avoir soif,* etc.

envier v.t. ◆ **Conjug.** Attention au redoublement du *i* aux première et deuxième personnes du pluriel, à l'indicatif imparfait et au subjonctif présent : *(que) nous enviions, (que) vous enviiez.*

environ adv. ◆ **Emploi.** 1. *Environ cent mètres / cent mètres environ.* La place de *environ* dans la phrase est libre : on dit aussi bien *la maison que vous cherchez est à cent mètres environ* que *la maison que vous cherchez est environ à cent mètres.* REM. L'emploi de *environ* comme préposition est aujourd'hui un archaïsme littéraire : « *Environ le temps que nous habitions rue Vandamme* » (G. Duhamel). Cet emploi était courant au XVIIe s. : « *Une petite glande située environ le milieu de la substance* » (Descartes). 2. *Douze environ / de dix à douze.* Chacune de ces deux tournures suffit à elle seule à marquer l'approximation. **RECOMM.** Éviter le pléonasme *de dix à douze environ*.

environs n.m.pl. ◆ **Emploi.** *Aux environs de* (= à peu près) est courant aujourd'hui dans un sens temporel (date, heure) : *nous devons nous revoir aux environs du quinze mars ; je partirai en vacances aux environs de Pâques.* **RECOMM.** Éviter l'emploi de *aux environs de* dans un sens autre que temporel (*il coûte aux environs de 1 000 francs*). Préférer : *il coûte 1 000 francs environ.*

envisager v.t. ◆ **Conjug.** Le *g* devient *-ge-* devant *a* et *o* : *j'envisage, nous envisageons ; il envisagea.* → annexe, tableau 10

envoi n.m. ◆ **Orth.** Attention, pas de *e* à la fin (ne pas se laisser influencer par les formes du verbe *envoyer : j'envoie, il envoie*).

envoûter v.t. ◆ **Orth.** Attention à l'accent circonflexe sur le *u*. De même pour *envoûtement, envoûteur.*

envoyer v.t. ◆ **Conjug.** Attention au *i* après le *y* aux première et deuxième personnes du pluriel, à l'indicatif imparfait et au subjonctif présent : *(que) nous envoyions, (que) vous envoyiez.* → annexe, tableau 19. ◆ **Registre.** 1. *Envoyer promener qqn* = l'éconduire vivement, le rabrouer. Registre familier. 2. *S'envoyer qqch.* = absorber ; devoir prendre en charge. *Il s'est envoyé tout le chocolat ; et c'est moi qui m'envoie le boulot !* Registre familier.

enzyme n.f. ou n.m. ◆ **Genre.** Ce mot naguère féminin s'emploie de plus en plus souvent au masculin : *un enzyme.* L'emploi au masculin est aujourd'hui si répandu qu'il ne peut plus être considéré comme une faute.

épancher v.t. ◆ **Orth.** Avec un *a* comme *épandre, répandre* (latin *expandere*), de même qu'*épanchement.*

épancher v.t. / **étancher** v.t. ◆ **Sens.** Ne pas confondre ces deux mots de prononciation voisine. 1. *Épancher* = laisser s'exprimer librement. *Épancher sa douleur.* 2. *Étancher* = arrêter l'écoulement (d'un liquide). *Étancher une voie d'eau.*

épandre v.t. ◆ **Sens.** *Épandre / étendre.* → étendre. ◆ **Conjug.** → annexe, tableau 59

épanneler v.t. ◆ **Conjug.** Attention à l'alternance *-ll-/ -l-* : *il épannelle, nous épannelons ; il épannelait ; il épannela ; il épannellera.* → annexe, tableau 16 et R.O. 1990

épargner v.t. ◆ **Conjug.** Attention au groupe *-gni-* aux première et deuxième personnes du pluriel, à l'indicatif imparfait et au subjonctif présent : *(que) nous épargnions, (que) vous épargniez.*

éparpiller v.t. ◆ **Conjug.** Attention au groupe *-illi-* aux première et deuxième personnes du pluriel, à l'indicatif imparfait et au subjonctif présent : *(que) nous éparpillions, (que) vous éparpilliez.*

épaulé-jeté n.m. ◆ **Orth.** Plur. : *des épaulés-jetés* (avec *s* à chaque élément).

épeler v.t. ◆ **Conjug.** Attention à l'alternance *-ll-/ -l-* : *il épelle, nous épelons ; il épelait ; il épela ; il épellera.* → annexe, tableau 16 et R.O. 1990

éperdument adv. ◆ **Orth.** Attention, s'écrit sans accent circonflexe, comme *absolument,* et à la différence de *indûment.*

éphéméride n.f. ◆ **Genre.** Féminin : *une éphéméride.* ◆ **Emploi.** L'emploi au sens de « calendrier dont on retire chaque jour une feuille », naguère critiqué, est aujourd'hui passé dans l'usage.

épice n.f. ◆ **Orth.** *Pain d'épice / pain d'épices* → pain d'épice

épicer v.t. ◆ **Conjug.** Le *c* devient *ç* devant *o* et *a* : *j'épice, nous épiçons ; il épiça.* → annexe, tableau 9

épidémie n.f. → endémie

épigone n.m. ◆ **Genre.** Masculin : *un épigone.*

épigramme n.f. / **épigraphe** n.f. / **épitaphe** n.f. ◆ **Sens.** Ne pas confondre ces trois mots de pro-nonciation voisine. **1.** *Épigramme* = poème satirique ; raillerie mordante. **2.** *Épigraphe* = inscription sur un édifice (avec sa date, sa destination, etc.) ; ins-cription en tête d'un livre. → aussi **exergue. 3.** *Épitaphe* = inscription sur un tombeau. ◆ **Genre.** Les trois mots sont féminins : *une épigramme, une épi-graphe, une épitaphe.* REM. *Épigramme* a été masculin jusqu'au XVIIᵉ s.

épilogue n.m. ◆ **Genre.** Masculin : *un épilogue.*

épinceter v.t. ◆ **Conjug.** Attention à l'alternance *-tt-/-t-* : *il épincette, nous épincetons ; il épincetait ; il épinceta ; il épincettera.* → annexe, tableau 16 et R.O. 1990

épine-vinette n.f. ◆ **Orth.** *Des épines-vinettes* (avec *s* à chaque élément).

épingle n.f. ◆ **Orth.** On écrit *des coups d'épingle,* avec *épingle* au singulier. ◆ **Emploi.** *Épingle à / de.* On dit *épingle à linge, épingle à cheveux* (= qui sert à tenir le linge, les cheveux), mais *épingle de nourrice, épingle de sûreté.*

épinoche n.f. ◆ **Genre.** Féminin : *une épinoche.*

épisode n.m. ◆ **Genre.** Masculin : *un épisode.*

épitaphe n.f. → épigramme

épithalame n.m. ◆ **Orth.** Attention au *h* après le *t.* ◆ **Genre.** Masculin : *un épithalame.*

épithète n.f. ◆ **Orth.** Attention, le *h* se trouve après le premier *t.* ◆ **Genre.** Féminin : *une épithète.* ◆ **Emploi.** Place de l'adjectif **épithète.** → annexe, gram-maire §§ 69, 70

épître n.f. ◆ **Orth.** Avec un accent cir-conflexe sur le *i* (contrairement à *cha-pitre, pupitre, pitre*). REM. L'accent circonflexe représente le *s* du latin *epis-tola,* missive, dont *épître* est issu. On retrouve ce *s* dans *épistolaire* et *épistolier,* empruntés tardivement au latin. ◆ **Genre.** Féminin : *une épître.*

éployer v.t. ◆ **Conjug.** Comme *ployer.* Attention, le *y* devient *i* devant *e* muet : *j'éploie* mais *j'éployais.* - Bien noter le *i* après le *y* aux première et deuxième per-sonnes du pluriel, à l'indicatif imparfait et au subjonctif présent : *(que) nous éployions, (que) vous éployiez.* → annexe, tableau 7

épluche-légumes n.m. inv. ◆ **Orth.** Avec un *s* à *légume,* même au singulier : *un épluche-légumes, des épluche-légumes.* → R.O. 1990.

éponger v.t. et v.pr. ◆ **Conjug.** Le *g* devient *-ge-* devant *a* et *o* : *j'éponge, nous épongeons ; il épongea.* → annexe, tableau 10

époumoner (s') v.pr. ◆ **Orth.** Avec un seul *n. S'époumoner* est le seul verbe dérivé d'un substantif en *-on (poumon)* qui ne double pas le *n* (à l'inverse de *abandonner,* issu de *abandon*).

épousailles n.f. plur. ◆ **Nombre.** Toujours au pluriel : *les épousailles* → **accordailles.** ◆ **Emploi.** Le mot, vieilli, n'est plus employé que par plaisanterie. *Nous sommes allés samedi à leurs épousailles* (= à leur mariage).

épousseter v.t. ♦ **Conjug.** Attention à l'alternance *-tt-/ -t-* : *il époussette, nous époussetons ; il époussetait ; il épousseta ; il époussettera.* → annexe, tableau 16 et R.O. 1990

époustoufler v.t. ♦ **Orth.** Attention, un seul *f*, à la différence de *souffler.*

épouvantail n.m. ♦ **Orth.** Plur. : *des épouvantails.*

époux, épouse n. ♦ **Registre.** *Époux, épouse* appartient à la langue juridique ou administrative. **RECOMM.** Avec le possessif, et sauf intention plaisante délibérée, dire *mon mari, ma femme* plutôt que *mon époux, mon épouse.*

éprendre (s') v.pr. ♦ **Conjug.** Comme *prendre* → annexe, tableau 61

épucer v.t. ♦ **Conjug.** Le *c* devient *ç* devant *o* et *a* : *j'épuce, nous épuçons ; il épuça.* → annexe, tableau 9

épurer v.t. → apurer

équanimité n.f. ♦ **Prononc.** [ekwanimite], en prononçant le groupe *-qua-* comme *quoi.* De même pour *équanime.*

équateur n.m. ♦ **Prononc.** [ekwatœʀ], en prononçant le groupe *-qua-* comme *quoi.* De même pour *équatorial, équatorien.* ♦ **Orth.** Jamais de majuscule *(l'équateur partage le globe en deux hémisphères)* sauf quand il s'agit du pays d'Amérique du Sud *(l'Équateur est un important producteur de cacao).*

équation n.f. ♦ **Prononc.** [ekwasjɔ̃], en prononçant le groupe *-qua-* comme *quoi.*

équidés n.m.pl. ♦ **Prononc.** [ekide], en prononçant le groupe *-qui-* comme *qui,* ou [ekwide], en prononçant ce groupe comme la syllabe initiale de *couiner.*

équinoxe n.m. ♦ **Prononc.** [ekinɔks], en prononçant le groupe *-qui-* comme *qui.* ♦ **Genre.** Masculin : *un équinoxe.*

équipollent, e adj. ♦ **Prononc.** [ekipɔlɑ̃], en prononçant le groupe *-qui-* comme *qui.* ♦ **Orth.** Avec deux *l* (contrairement à *équivalent*).

équivalant part. prés. / **équivalent, e** adj. / **équivalent** n.m. ♦ **Orth.** *Équivalant* part. présent, s'écrit avec un *a.* ❑ *Équivalent, e* adj., et *équivalent,* n.m., s'écrivent avec un *e.* ♦ **Accord.** 1. *Équivalant* part. présent, est invariable : *des gains équivalant à un mois de salaire.* 2. *Équivalent* adj., s'accorde : *il a gagné des sommes équivalentes.* ♦ **Constr.** 1. *Équivalant à.* Le participe présent *équivalant* se construit avec la préposition *à* : *cette décision équivalant à un refus, j'ai préféré me retirer de l'affaire.* 2. *Équivalent à.* L'adjectif *équivalent* se construit avec la préposition *à* : *votre salaire est équivalent à celui de vos collègues ; cette décision est équivalente à un refus.* 3. *L'équivalent de.* Le substantif *équivalent* se construit avec la préposition *de* : *votre salaire est l'équivalent de celui de vos collègues.*

équivaloir v.t.ind. ♦ **Conjug.** Comme *valoir.* → annexe, tableau 46. ♦ **Accord.** Le participe *équivalu* est toujours invariable : *les sommes engagées auraient équivalu à dix millions de nos francs.*

équivoque n.f. ♦ **Genre.** Féminin : *une équivoque.*

érafler v.t. ♦ **Orth.** Avec un seul *f*, de même qu'*éraflure* et *éraflement.*

érailler v.t. ♦ **Conjug.** Attention au groupe *-illi-* aux première et deuxième personnes du pluriel à l'indicatif imparfait et au subjonctif présent : *(que) nous éraillions, (que) vous érailliez.*

érésipèle n.m. → érysipèle

ériger v.t. et v.pr. ◆ **Conjug.** Le *g* devient *-ge-* devant *a* et *o* : *j'érige, nous érigeons ; il érigea.* → annexe, tableau 10

erratum, pluriel **errata** n.m. / **errata** n.m. inv.◆ **Sens. 1.** *Erratum,* pluriel *errata* n.m. = faute survenue dans l'impression d'un livre. *Signaler un erratum. Liste des errata.* **2. Errata** n.m. inv. = liste des erreurs d'impression contenues dans un livre, figurant généralement en annexe. *Imprimer un errata sur une feuille volante.* - Plur. : *des errata. Tous les errata ont été insérés manuellement dans les ouvrages.* → R.O. 1990

errements n.m. plur. / **erreur** n.f. ◆ **Sens.** Ne pas employer l'un pour l'autre ces deux mots séparés par une importante nuance de sens. **1.** *Errements* n.m. plur. = manière d'agir habituelle ; manière d'agir considérée comme blâmable. *Les errements de l'Administration.* Emploi littéraire et légèrement vieilli. **2. Erreur** n.f. = fait de se tromper ; faute, méprise.

erroné, e adj. ◆ **Orth.** Avec deux *r,* comme *erreur,* mais un seul *n.*

ersatz n.m. ◆ **Orth. et prononc.** [ɛʁzats], le mot s'écrit à l'inverse de sa prononciation : le *s* se prononce comme un *z* et le *z* comme un *s* (emprunt à l'allemand). - Plur. : *des ersatz.*

éruption n.f. / **irruption** n.f. ◆ **Sens.** Ne pas confondre ces deux mots de prononciation voisine. **1.** *Éruption* = apparition subite de boutons, de rougeurs sur la peau ; émission de matériaux volcaniques par une fissure de l'écorce terrestre. **2.** *Irruption* = entrée soudaine et plus ou moins brutale d'une ou plusieurs personnes dans un lieu. *L'irruption des policiers a interrompu les paris clandestins.* REM. On reconnaît dans chacun de ces deux mots les préfixes de sens opposés *é-* (du latin *ex,* hors de) et

ir- (du latin *in,* dans). Le radical *rupt-* est issu du latin *rumpere,* rompre ; on le retrouve dans *rupture.*

érysipèle, érésipèle n.m. ◆ **Orth.** Les deux formes, *érysipèle* et *érésipèle,* sont admises mais on écrit plutôt aujourd'hui *érysipèle,* avec un *y* (*érésipèle* est vieilli).

ès prép. ◆ **Prononc.** [ɛs], comme *esse.* ◆ **Orth.** Attention à l'accent grave. - N'est jamais suivi d'un trait d'union. ◆ **Emploi.** *Ès* (= en matière de, en), ancienne forme contractée de *en les,* n'est employé que devant un nom pluriel, dans quelques expressions figées : *ès lettres, ès sciences (docteur ès lettres, licencié ès sciences), ès qualités (agir ès qualités)* et dans quelques noms de lieu *(Riom-ès-Montagnes).* REM. *Ès* est parfois employé de nos jours, dans la littérature surtout, avec un parti pris d'archaïsme plaisant : « *Ainsi parla Tintin en remettant ès mains du général le joli sac rebondi* » (L. Pergaud).

esbroufe n.f. ◆ **Orth.** Avec un seul *f.*

escadron n.m. ◆ **Orth.** *Chef d'escadron,* au singulier (dans l'artillerie, le train, la gendarmerie) ou *chef d'escadrons,* au pluriel (dans les blindés, la cavalerie).

Escalator n.m. ◆ **Orth.** Toujours avec une majuscule (nom déposé). RECOMM. OFF. : *escalier mécanique.*

escalier n.m. ◆ **Emploi. 1.** *L'escalier / les escaliers.* Dans la langue courante, en particulier à l'oral, on dit indifféremment *l'escalier* ou *les escaliers* pour désigner une suite unique de marches : *monter les escaliers quatre à quatre, la concierge est dans les escaliers, descendre l'escalier.* RECOMM. Dans l'expression soignée, en particulier à l'écrit, préférer dans ce sens *escalier* au singulier : *des-*

cendre l'escalier quatre à quatre, la concierge est dans l'escalier.

escarre n.f. ◆ **Orth.** Avec deux *r,* de même que les dérivés *escarrification, escarrifier.* REM. L'ancienne orthographe *eschare* (grec *eskhara*) est presque entièrement sortie de l'usage. ◆ **Genre** Féminin : *des escarres douloureuses.*

esclaffer v.i. ◆ **Orth.** Avec deux *f.* ◆ **Sens et emploi.** *S'esclaffer* = rire aux éclats. RECOMM. Éviter le pléonasme **s'esclaffer de rire.*

esclandre n.m. ◆ **Genre** Masculin : *causer, faire un esclandre. Faire de l'esclandre,* faire du scandale.

escroc n.m. ◆ **Prononc.** [ɛskʀo], sans prononcer le *c* final. ◆ **Genre** Toujours au masculin, même pour désigner une femme. Cet emploi est d'ailleurs rare, sauf en fonction d'attribut : *elle est peut-être ravissante, n'empêche que c'est un escroc.* (En revanche, on ne dirait pas : *il est tombé sous la coupe d'une ravissante escroc.*)

espace n.m. / **espace** n.f. ◆ **Genre. 1.** *Espace* n.m. = étendue, volume, intervalle de temps. **2.** *Espace* n.f. = blanc entre deux mots (terme technique d'imprimerie) : *une espace fine.*

espacer v.t. ◆ **Conjug.** Le *c* devient *ç* devant *o* et *a* : *j'espace, nous espaçons ; il espaça.* → annexe, tableau 9

espace-temps n.m. ◆ **Orth.** Avec un trait d'union. - Plur. : *des espaces-temps.*

espèce n.f. ◆ **Genre.** *Une espèce de* = quelque chose ou quelqu'un qui ressemble à un, à une... *C'est une espèce d'écrivain sans talent. Il se sert pour ce travail d'une espèce de marteau en cuivre.* RECOMM. Éviter l'emploi au masculin *un espèce de* (même s'il est fréquent dans l'expression orale relâchée). ◆ **Accord.** *Une espèce de :* dans cet emploi, l'ad-

jectif s'accorde avec le complément de *espèce : une espèce de sculpteur fou.* Mais quand *espèce* a son sens plein, « ensemble d'êtres vivants féconds entre eux », l'accord peut se faire avec *espèce* ou avec son complément : *une espèce de mammifères particulièrement féconde* ou *particulièrement féconds.* ◆ **Orth. 1.** *De toute espèce* s'emploie plutôt au singulier : *des gens de toute espèce.* **2.** *Diverses espèces de* commande le pluriel lorsqu'il est suivi d'un nom concret : *diverses espèces d'animaux.* Avec un nom abstrait, le singulier est admis : *il y a diverses espèces de peur : celle causée par le danger, celle que provoquent les situations inconnues, la nuit, le bruit.* **3.** *Cas d'espèce.* Toujours au singulier : *un cas d'espèce, des cas d'espèce.*

espérer v.t. ◆ **Conjug.** Attention à l'accent, tantôt grave, tantôt aigu : *j'espère, nous espérons ; il espérera.* → annexe, tableau 11 et R.O. 1990. ◆ **Constr. I** *Espérer* (+ infinitif) : *nous espérons partir bientôt.* REM. Le tour *espérer de* (+ infinitif), un peu archaïsant, ne se rencontre plus guère que dans la littérature, par parti pris stylistique : « *Il aurait pu espérer de se convaincre* » (F. Mauriac). **2.** *Espérer que* (+ indicatif ou conditionnel à la forme affirmative) : *nous espérons qu'il viendra. Ils espéraient que vous viendriez.* ❑ *Espérer que* (+ subjonctif, indicatif ou conditionnel aux formes négative et interrogative) : *je n'espère plus qu'elle vienne, qu'elle viendra ; espérais-tu qu'elle viendrait après ce qui s'est passé ?* ❑ *Dans l'espoir que, avec l'espoir que, avoir l'espoir que* se construisent de la même façon.

espion, onne n.m. ◆ **Orth.** En fonction d'épithète, *espion* s'écrit sans trait d'union : *un navire espion, un avion espion.*

1. esquimau, aude ou **eskimo** n. et adj. ◆ **Orth. 1.** *Un Esquimau, une Esquimaude* n., avec une majuscule. -

Plur. : *les Esquimaux.* ❑ **Esquimau, aude** adj., avec une minuscule : *l'habitat esqui-mau.* **2.** On écrit plus souvent aujourd'hui *esquimau,* avec *-qu-* et *-au-.* La forme *eskimo* reste souvent invariable : *les cou-tumes eskimo.* ◆ **Emploi.** *Esquimau / Inuit. Esquimau* tend à être remplacé par *inuk, inuit : un Inuk, les Inuit. Inuit* est le mot par lequel ce peuple se désigne lui-même ; *esquimau* est le mot péjoratif emprunté par les langues européennes aux langues des peuples voisins, et souvent ennemis, des Inuit (au Québec, le mot *esquimau,* considéré comme discriminatoire, est banni des textes officiels). REM. La langue parlée par les Inuit est l'*inuktituk.*

2. Esquimau n.m. ◆ **Orth.** *Esquimau* = chocolat glacé, toujours avec une majuscule (nom déposé)

essai n.m. ◆ **Orth.** *Essai* reste au sin-gulier dans *des bancs d'essai, des coups d'essai, des pilotes d'essai.* - Dans *tube à essais* (= tube pour faire des essais de substances) *essai* prend la marque du pluriel : *un tube à essais, des tubes à essais.*

essaim n.m. ◆ **Orth.** Avec un *m* final (à rapprocher du verbe *essaimer*).

essayer v.t. et v.pr. ◆ **Conjug. 1.** Les formes conjuguées du verbe peuvent s'écrire avec un *y* ou un *i* devant *e* muet : *il essaie* ou *il essaye, il essaiera* ou *il essayera.* **2.** Attention au *i* après le *y* aux première et deuxième personnes du pluriel, à l'in-dicatif imparfait et au subjonctif présent : *(que) nous essayions, (que) vous essayiez.* → annexe, tableau 6. ◆ **Constr. 1.** *Essayer qqch.* = l'éprouver, vérifier ses qualités, son fonctionnement, son efficacité. *Essayer une paire de chaussures. Essayer une voiture.* **2.** *Essayer de qqch.* = en tenter l'usage, l'emploi. *Essayez d'un moyen, d'un remède.* Registre soutenu. REM. Aujourd'hui, le complément n'est jamais un nom de personne. On ne dirait plus :

essayez de nous, vous en serez satisfait (Larousse du XXᵉ s., 1927-1933). **3.** *Essayer de* (+ infinitif) : *essayez de le convaincre ; le jeune enfant essaie de saisir tout ce qui passe à sa portée.* REM. La construc-tion *essayer à,* courante dans la langue classique, n'est plus employée : « *Essayez sur ce point à la faire parler* » (Corneille). **4.** *S'essayer à : il s'essaie au patinage, à patiner* (= il s'y exerce, il tente de le pratiquer).

essentiel adj. ◆ **Orth.** Avec deux *s* et un *t.* ◆ **Constr. 1.** *L'essentiel est que* (+ indicatif ou subjonctif, selon le sens de la phrase). *L'essentiel est qu'il comprend* (= il comprend, et c'est l'essentiel ; consta-tation). *L'essentiel est qu'il comprenne* (= qu'il comprenne, c'est tout ce qu'on demande ; désir, souhait, volonté). **2.** *Il est essentiel que* (+ subjonctif) : *il est essentiel qu'elle soit rapidement avertie.*

essouffler v.t. ◆ **Orth.** Avec deux *s* et deux *f,* comme dans *souffler.*

essuie- élément de composition ◆ **Orth.** Le préfixe *essuie-,* (verbe *essuyer*) est toujours invariable. Le second élé-ment est, selon les cas, singulier ou plu-riel. → R.O. 1990

essuie-glace n.m. ◆ **Orth.** Plur. : *des essuie-glaces.*

essuie-mains n.m. inv. ◆ **Orth.** *Un essuie-mains, des essuie-mains.* → R.O. 1990

essuie-pieds n.m. ◆ **Orth.** *Un essuie-pieds, des essuie-pieds.* → R.O. 1990

essuie-verre, essuie-verres n.m. ◆ **Orth.** *Un essuie-verre* ou *un essuie-verres, des essuie-verres.* → R.O. 1990

essuyer v.t. ◆ **Conjug.** Attention, le *y* devient *i* devant *e* muet : *j'essuie* mais *est*

j'essuyais. Bien noter le *i* après le *y* aux première et deuxième personnes du pluriel, à l'indicatif imparfait et au subjonctif présent : *(que) nous essuyions, (que) vous essuyiez.* → annexe, tableau 7

est n.m. ◆ **Orth.** *L'est,* point cardinal → annexe, grammaire § 32

est-ce que loc. interrogative ◆ **Orth.** Avec un trait d'union entre *est* et *ce* et sans trait d'union entre *ce* et *que.* ◆ **Constr.** *Quand est-ce que, comment est-ce que,* etc. Dans l'expression orale courante, l'emploi de *est-ce que* avec un adverbe est fréquent dans l'interrogation directe : *quand est-ce qu'il part ? Comment est-ce qu'il est venu ? Où est-ce que nous allons ?* Mais, dans l'expression soignée, notamment à l'écrit, l'interrogation n'est marquée que par l'inversion du pronom sujet après l'adverbe : *quand part-il ? Comment est-il venu ? Où allons-nous ?* En revanche, avec certains verbes, l'interrogation par *est-ce que* est d'usage à la première personne du singulier de l'indicatif présent, en particulier si cette forme ne compte qu'une syllabe ou si sa proximité avec le pronom *je* peut donner lieu à équivoque : *est-ce que je prends ? est-ce que je réponds ? est-ce que je dors ?* REM. Le poids de cette règle est mis en évidence par sa transgression volontaire, fréquente dans le calembour : *où cours-je ? réponds-je comme il faut ? te sers-je ? dors-je ?*

ester v.i. ◆ **Conjug. et emploi.** Ce verbe n'existe qu'à l'infinitif, dans l'expression *ester en justice* = intenter une action en justice (terme technique de droit).

esthète n. ◆ **Orth.** Attention au groupe *-th-* dans *esthète* et les mots de la même famille : *esthéticien, esthétique, esthétiquement, esthétisme,* etc.

estival, e, aux adj. ◆ **Orth.** Masculin pluriel : *estivaux. Les emplois estivaux.*

estoc n.m. ◆ **Prononc.** [ɛstɔk], en faisant entendre le *c* final comme dans l'onomatopée *toc. Frapper d'estoc et de taille.*

estomac n.m. ◆ **Prononc.** [ɛstɔma], sans prononcer le *c* final (à la différence de *hamac*).

estudiantin, e adj. / **étudiant, ante** adj. ◆ **Emploi.** Ces deux adjectifs de sens proches expriment des nuances différentes. **1.** *Estudiantin* = qui a trait au mode de vie des étudiants, à leur manière d'être en tant que collectivité de jeunes adultes. *Un canular dans la grande tradition estudiantine.* **2.** *Étudiant.* Des étudiants, relatif aux étudiants. *Le syndicalisme étudiant.*

et conj.
◆ **Orth.**
1. Ponctuation devant *et.*
❑ La conjonction *et* est précédée d'une virgule :
1° Lorsqu'elle coordonne deux propositions construites de manières différentes : « *Vezzano n'était qu'un îlot minuscule, et les traités de navigation que j'avais feuilletés à l'Amirauté ne lui consacraient qu'une notice* » (J. Gracq).
2° Pour mettre en évidence le contraste ou l'opposition entre les éléments qu'elle coordonne : *je l'avoue, et même je le revendique.*
3° Lorsqu'elle est précédée ou suivie d'une conjonction de coordination : *il doit partir demain ou après-demain, et rejoindre des amis à Dijon.*
❑ Aucune ponctuation ne précède *et* lorsque cette conjonction unit des mots ou des membres de phrases de même nature : *je l'ai croisée et je l'ai saluée ; j'attendrai ton retour le jour et la nuit ; il partira demain matin et il arrivera à destination avant la nuit.*
2. *Et* dans les noms de nombres. Dans les noms de nombres, *et* n'est pas séparé par un trait d'union des éléments qu'il coordonne : *vingt et un, trente et unième.* → R.O. 1990

◆ **Accord.**

1. Accord de l'adjectif après deux noms coordonnés par *et*. Si l'adjectif ne se rapporte qu'au dernier des noms coordonnés par *et,* il s'accorde avec ce nom : *vivre d'amour et d'eau fraîche.* S'il se rapporte aux deux noms, il prend la marque du pluriel : *un bordeaux et un bourgogne excellents.*

2. Accord des adjectifs coordonnés par *et* après un nom au pluriel. Si les adjectifs se rapportent au nom au pluriel, ils prennent la marque du pluriel : *les villes françaises et allemandes proches de la frontière se ressemblent* (= les villes françaises et les villes allemandes). Si le nom au pluriel peut former, avec chacun des adjectifs respectivement, un groupe au singulier, les adjectifs s'écrivent au singulier : *les langues française et italienne présentent beaucoup de racines communes* (= la langue française et la langue italienne). **RECOMM.** Il est souvent préférable, pour plus de clarté, de répéter le nom au singulier : *l'équipe sud-africaine et l'équipe néo-zélandaise s'affronteront en finale.*

3. Accord du nom après deux adjectifs numéraux ordinaux coordonnés par *et*. On écrit : *le dix-septième et le dix-huitième siècle* (*siècle* est sous-entendu après *dix-septième*), mais : *les dix-septième et dix-huitième siècles* (= les siècles dix-sept et dix-huit). *Le premier et le deuxième cheval, les premier et deuxième chevaux.*

◆ **Emploi.**

1. *Et* dans l'expression de l'heure : *midi et demie ; onze heures et quart* ou *onze heures un quart.* **RECOMM.** Dans l'expression soignée, on dit plutôt *onze heures et quart* que *onze heures un quart.*

2. *Et* commercial. Dans les inscriptions commerciales (enseignes, en-têtes de lettres, cartes de visites professionnelles, etc.) il est d'usage de remplacer *et* par le signe *&,* dit *et commercial* ou *esperluette : Société des ciments & chaux du Brabant-Hainaut. Marchand & frères.*

REM. L'esperluette était d'un usage beaucoup plus répandu dans la typographie ancienne (XVIe-XVIIIe s). Elle n'est plus utilisée aujourd'hui que dans le domaine commercial.

étable n.f. → écurie

étager v.t. et v.pr. ◆ **Conjug.** Le *g* devient *-ge-* devant *a* et *o* : *j'étage, nous étageons ; il étagea.* → annexe, tableau 10

étai n.m. ◆ **Orth.** Finale en *-ai.*

étaiement, étayement n.m. ◆ **Orth.** Avec un *e* muet intérieur. Les deux graphies, *étaiement* et *étayement,* sont admises. *Étaiement* est plus courant. - On dit, on écrit aussi *étayage. Étaiement* ou *étayement* correspond à *étayer,* verbe du premier groupe. (comme *aboiement* correspond à *aboyer* → **aboiement**)

étal n.m. ◆ **Orth.** Plur. : *étals.* REM. Le pluriel *étaux,* bien que correct, est aujourd'hui inusité, probablement à cause de son homonymie avec *étau,* presse d'établi.

étalager v.t. ◆ **Conjug.** Le *g* devient *-ge-* devant *a* et *o* : *j'étalage, nous étalageons ; il étalagea.* → annexe, tableau 10

étalon n.m. ◆ **Orth.** *Étalon-or, étalon-argent,* avec un trait d'union. ❑ *Mètre-étalon* ou *mètre étalon,* avec ou sans trait d'union ; les deux graphies sont admises.

étalonner v.t. ◆ **Orth.** Avec deux *n,* ainsi que le dérivé *étalonnage.*

étant donné loc. adv. → donné

étape n.f. ◆ **Orth.** *D'étape en étape,* au singulier. ❑ *Par étapes,* au pluriel. *Procéder par étapes ; classement par étapes.*

état, État n.m. ◆ **Orth.** Avec une majuscule quand il s'agit du pays, de la nation ou de son autorité souveraine.

Un chef d'État, un coup d'État, un secret d'État, la raison d'État ; c'est un État né de la scission d'une province. ❑ Avec une minuscule dans tous les autres sens : *état civil, tiers état, états provinciaux.*

état-major n.m. ◆ **Orth.** Avec un trait d'union et une minuscule. - Plur. : *des états-majors.*

étayage n.m. → étaiement

étayer v.t. ◆ **Conjug. 1.** Les formes conjuguées du verbe peuvent s'écrire avec un *y* ou un *i* devant *e* muet : *il étaie* ou *il étaye, il étaiera* ou *il étayera.* **2.** Attention au *i* après le *y* aux première et deuxième personnes du pluriel, à l'indicatif imparfait et au subjonctif présent : (*que*) *nous étayions,* (*que*) *vous étayiez.* → annexe, tableau 6

et cætera, et cetera loc. et n.m. ◆ **Prononc.** [etseteʀa], avec le son *t* avant *cetera* (ne pas prononcer comme *ekséléra, avec le son *k*). ◆ **Orth. 1.** *Et cætera* ou *et cetera :* les deux graphies, avec *e* dans l'*a* ou *e,* sont admises. → R.O. 1990. **2.** *Etc.* ❑ L'abréviation *etc.* est toujours précédée d'une virgule et suivie d'un point abréviatif. ❑ En fin de phrase, le point abréviatif de *etc.* et le point final se confondent : *des carottes, des poireaux, des oignons, etc.* ❑ *Etc.* n'est jamais suivi de points de suspension. ❑ Dans la langue écrite, on ne répète pas *etc.* Dans l'expression orale courante, en revanche, *et cetera* est souvent redoublé, pour insister sur le caractère répétitif de ce dont on parle : *je sais d'avance tout ce qu'il va avancer comme excuses : sa voiture est tombée en panne, son train avait du retard, son rendez-vous précédent s'est prolongé plus que prévu, et cetera, et cetera.* ◆ **Emploi.** On évite d'employer *etc.* à la fin d'une énumération de noms de personnes, surtout si ces noms sont des noms propres (*les maçons, plâtriers, électriciens, etc. ; *Lamartine, Vigny,

Hugo, etc.). **RECOMM.** Tourner la phrase autrement : *les maçons, plâtriers, électriciens et autres corps d'état ; Lamartine, Vigny, Hugo et les autres poètes romantiques.*

éteindre v.t. et v.pr. ◆ **Conjug.** Comme *craindre* → annexe, tableau 62

étendre v.t. / **épandre** v.t. ◆ **Conjug.** → annexe, tableau 59 pour les deux verbes. ◆ **Orth.** *Étendre* (famille de *tendre*) s'écrit avec un *e,* de même que ses dérivés *étendage, étenderie, étendoir.* ❑ *Épandre* (famille de *répandre*) s'écrit avec un *a,* de même que ses dérivés *épandage, épandeur, épandeuse.* ◆ **Sens. 1.** *Étendre* = déployer en long et en large. *Étendre du linge.* **2.** *Épandre* = faire tomber en étalant et en dispersant. *Épandre du fumier.*

éternuement n.m. ◆ **Orth.** S'écrit avec un *e* muet intérieur. *Éternuement* correspond à *éternuer,* verbe du premier groupe. (comme *aboiement* correspond à *aboyer* → **aboiement**)

éthique adj. et n.f. / **étique** adj. ◆ **Sens. et orth.** Ne pas confondre ces deux mots. **1.** *Éthique* (avec *th*) = qui concerne la morale ; morale. *Des considérations éthiques. Commission d'éthique.* **2.** *Étique* (avec *t*) = très maigre. *Un cheval étique.*

ethnologie n.f. / **éthologie** n.f. ◆ **Sens** Ne pas confondre ces deux mots. **1.** *Ethnologie* = étude des peuples humains et de leur organisation, de leurs coutumes (du grec *ethnos,* peuple). **2.** *Éthologie* = étude des comportements des animaux. (du grec *ethos,* manière d'être).

étiage n.m. ◆ **Sens.** *Étiage* = niveau moyen le plus bas d'un cours d'eau, à partir duquel on mesure les crues ; au figuré, niveau le plus bas. *« La rivière est tombée très bas au-dessous de l'étiage »*

(H. Bosco). **RECOMM.** Ne pas employer le mot au sens de « niveau quelconque » ou de « niveau le plus haut ».

étinceler v.i. ♦ **Conjug.** Attention à l'alternance *-ll-/-l-* : *il étincelle, nous étincelons ; il étincelait ; il étincela ; il étincellera.* → annexe, tableau 16 et R.O. 1990

étique adj. → éthique

étiqueter v.t. ♦ **Conjug.** Attention à l'alternance *-tt-/ -t-* : *il étiquette, nous étiquetons ; il étiquetait ; il étiqueta ; il étiquettera.* → annexe, tableau 16 et R.O. 1990

étiquette n.f. ♦ **Orth.** Deux *t* à *étiquette,* mais un seul à *étiquetage, étiqueter, étiqueteur.*

étonner v.t. et v.pr. ♦ **Constr.** 1. *S'étonner que* (+ subjonctif) : *je m'étonne qu'il ait pu faire si longtemps illusion.* – *Il est étonnant que* se construit de la même manière : *il est étonnant qu'il ne soit pas encore arrivé.* 2. *S'étonner de ce que* (+ indicatif) : *je m'étonne de ce qu'il n'est pas venu.*

étouffe-chrétien n.m. inv. ♦ **Orth.** Avec un trait d'union. - Plur. : *des étouffe-chrétien* (invariable) → R.O. 1990

étourdiment adv. ♦ **Orth.** Pas de *e* muet entre le *i* et le *m. Étourdiment* correspond à *étourdir,* verbe du 2e groupe.

être v.i. ♦ **Conjug.** 1. Le verbe *être,* qui se conjugue sur dix radicaux différents, a la conjugaison la plus complexe de tous les verbes français. → annexe, tableau 2. 2. La première personne de l'imparfait du subjonctif, *que je fusse,* devient, s'il y a inversion du pronom : *fussé-je,* avec un accent aigu sur le *e.* → R.O. 1990. ♦ **Orth.** 1. *Fut-ce / fût-ce.* ❏ *Fut-ce mal d'agir ainsi ?* (= est-ce que ce fut mal ?) : passé simple, pas d'accent circonflexe sur le *u.* ❏ *Je n'aurais pas accepté, fût-ce à prix d'or* (= même au prix de l'or) : imparfait du subjonctif, avec un accent circonflexe sur le *u.* 2. *S'il*

en fut : *Berlioz, grand orchestrateur s'il en fut* (= s'il en exista jamais un) : passé simple, le *u* de *fut* s'écrit sans accent. ♦ **Emploi.**1. *C'est, ce sont.* → **ce.** 2. *C'est à vous à / c'est à vous de.* → **à.** 3. *Être* employé pour *aller* aux temps composés. → **aller**

étreindre v.t. ♦ **Conjug.** Comme *craindre* → annexe, tableau 62

étude n.f. ♦ **Orth.** 1. *Salle d'étude, maître d'étude* (= salle où les élèves travaillent en dehors des heures de cours, étude surveillée), sans *s* à *étude.* 2. *Bourse d'études* (= accordée pour mener des études), avec un *s* à *études.* ❏ *Bureau d'études, centre d'études* (= où l'on mène des études, des projets), avec un *s* à *études.* 3. *Voyage d'étude* ou *d'études* (= destiné à mener à bien une étude, une enquête, ou à poursuivre des études), peut être écrit, en fonction de la situation ou du contexte, avec ou sans *s* à *étude.*

étudiant, e n. et adj. →estudiantin

étymologie n.f. ♦ **Orth.** Avec un *y.* Attention, il n'y a pas de *h.*

eu, eue part. passé ♦ **Accord** 1. *Eu égard à* → **égard.** 2. *Eu* dans *qu'il a eu à* (+ infinitif). L'accord de *eu* est facultatif : *les tempêtes qu'il a eu à affronter* ou *les tempêtes qu'il a eues à affronter.* « *Quelque course que précisément il avait eu à faire* » (A. Gide).

Évangile, évangile n.f. ♦ **Orth.** Avec ou sans majuscule, selon le sens. 1. *L'Évangile* = l'enseignement du Christ ; l'un des livres qui le contiennent. Avec une majuscule : « *L'Évangile est un petit livre tout simple, qu'il faut lire tout simplement* » (A. Gide). *L'Évangile selon saint Mathieu.* 2. *Évangile* = moment de la messe où se fait la lecture de l'Évangile ; document qui sert de fondement à une doctrine. Avec une minuscule :

arriver après l'évangile ; « Cette lettre était devenue l'évangile de la famille. On la lisait à tout propos, on la montrait à tout le monde » (G. de Maupassant).

évènement, événement n.m.
♦ **Orth.** La graphie *évènement,* longtemps proscrite bien que conforme à la prononciation usuelle, est aujourd'hui admise. Elle est de plus en plus courante. De même pour le dérivé, *évènementiel* ou *événementiel* (avec un *t*). → R.O. 1990

éventaire n.m. / **inventaire** n.m. Ne pas confondre ces deux mots. ♦ **Sens. 1.** *Éventaire* = étalage de marchandises à l'extérieur d'une boutique. *L'éventaire d'un marchand de fruits et légumes.* **2.** *Inventaire* = liste, répertoire. *Dresser un inventaire des biens meubles et immeubles. Magasin fermé pour cause d'inventaire.*

évincer v.t. ♦ **Conjug.** Le *c* devient *ç* devant *o* et *a* : *j'évince, nous évinçons ; il évinça.* → annexe, tableau 9

éviter v.t. ♦ **Constr. 1.** *Éviter qqch. à qqn,* naguère critiqué, est aujourd'hui admis. *Ce raccourci nous évite un long détour.* « On leur évite les duretés de la lutte, de la concurrence » (M. Barrès). **2.** *Éviter que* (+ subjonctif) : *cela évite que je perde mon temps* ou *que je ne perde mon temps* (le *ne* explétif est facultatif). **3.** *Éviter de* (+ infinitif) : *j'évite de conduire par temps de brouillard.* **REM.** Il n'y a pas dans la langue courante de substantif correspondant à *éviter* : *évitage* est un terme de marine, *évitement* un terme de transports ferroviaires *(voie d'évitement),* de biologie ou de psychologie *(comportement d'évitement).*

évoquer v.t. / **invoquer** v.t. ♦ **Sens.** Ne pas confondre ces deux verbes. **1.** *Évoquer* = rappeler au souvenir, faire penser à. *Nous avons longuement évoqué le passé ; ce nom ne m'évoque rien.* **2.** *Invoquer* = appeler à son secours par

une prière ; citer en sa faveur. *Invoquer les saints ; l'argument que vous invoquez n'est guère convaincant.*

1. ex- préf. ♦ **Orth.** *Ex-,* préfixe exprimant ce que qqn ou qqch. a cessé d'être, se joint au nom par un trait d'union : *l'ex-ministre des Affaires étrangères ; l'ex-abbaye abrite aujourd'hui les services de la préfecture.*

2. ex n. ♦ **Registre.** *Ex* = un ex-mari, une ex-femme ; un ex-amant, une ex-maîtresse. *Elle a rencontré un de ses ex avant-hier.* Registre familier.

ex abrupto loc. adv. → ex æquo

exact, e adj. ♦ **Prononc.** [egza] ou [egzakt] au masculin : la finale -*ct* peut se prononcer ou non ; [egzakt] au féminin.

ex æquo loc. adv., loc. adj. et n.m.
♦ **Orth.** Locution latine, s'écrit sans trait d'union. - Invariable : *deux concurrents se sont classés ex æquo ; ils sont ex æquo ; il y a plusieurs ex æquo.* On écrit de la même façon les locutions moins usuelles *ex abrupto* et *ex nihilo.*

exagérer v.t., v.i. et v.pr. ♦ **Conjug.** Attention à l'accent, tantôt grave, tantôt aigu : *j'exagère, nous exagérons ; il exagérera.* → annexe, tableau 11 et R.O. 1990

examen n.m. ♦ **Registre.** *Passer un examen, se présenter à un examen, réussir à un examen* s'emploient dans tous les registres. **RECOMM.** Dans l'expression soignée, en particulier à l'écrit, éviter *présenter un examen, réussir un examen.*

exaspérer v.t. ♦ **Conjug.** Attention à l'accent, tantôt grave, tantôt aigu : *j'exaspère, nous exaspérons ; il exaspérera.* → annexe, tableau 11 et R.O. 1990

exaucer v.t. ♦ **Conjug.** Le *c* devient *ç* devant *o* et *a* : *j'exauce, nous exauçons ; il exauça.* → annexe, tableau 9. ♦ **Orth. et**

sens. *Exaucer / exhausser.* Ne pas confondre ces deux homophones. **1.** *Exaucer* v.t. = satisfaire quelqu'un dans ses vœux, accorder ce qui est demandé. S'écrit avec un *c*. *Cendrillon souhaitait aller au bal, sa marraine la fée l'a exaucée.* **2.** *Exhausser* v.t. = surélever. S'écrit avec un *h* et deux *s*, comme *hausser*. *Les dépôts d'alluvions ont progressivement exhaussé le lit de la rivière.*

excédant part. prés. / **excédant, e** adj. / **excédent** n.m. ◆ **Orth.** Avec un *a* pour le participe présent d'*excéder* et l'adjectif : *les bagages excédant le poids autorisé, nous avons dû payer un supplément ; des bruits excédants.* Avec un *e* pour le substantif : *l'excédent de la balance commerciale.*

excéder v.t. ◆ **Conjug.** Comme *céder*. Attention à l'accent, tantôt grave, tantôt aigu : *j'excède, nous excédons ; il excédera.* → annexe, tableau 11 et R.O. 1990

excellant part. prés. / **excellent, te** adj. ◆ **Orth.** Avec un *a* pour le participe présent d'*exceller* : *cet acteur excellant dans la tragédie, il a été choisi pour le rôle.* Avec un *e* pour l'adjectif : *cet acteur est excellent dans le rôle ; c'est un ingénieur excellent dans la planification des projets.*

excellence n.f. ◆ **Orth.** *Excellence,* titre honorifique, prend une majuscule, ainsi que le possessif qui précède : *Son Excellence, Votre Excellence. Si Votre Excellence veut bien se donner la peine.* - Abréviation : *S.E.* pour un ministre, un ambassadeur. - *S. Exc.* pour un évêque, un archevêque. ◆ **Accord.** Les adjectifs et les pronoms s'accordent avec *Excellence* employé seul : *Votre Excellence serait-elle surprise ?* Lorsqu'un nom est apposé au titre, l'accord se fait avec le nom : *Son Excellence l'ambassadeur est arrivé.* REM. *Éminence* et *Majesté* suivent les mêmes règles quant à l'accord et à la majuscule initiale.

excepté adj. et prép. ◆ **Accord.** *Excepté* = à l'exception de, hormis, placé devant le nom, a valeur de préposition et ne s'accorde pas : *les concurrentes, excepté les plus jeunes.* Placé après le nom, *excepté* a valeur d'adjectif et s'accorde avec ce nom : *les concurrentes, les plus jeunes exceptées.* ◆ **Constr.** *Excepté que* (+ indicatif ou conditionnel) : *tout va bien, excepté que je suis préoccupé par ce problème ; c'est une idée intéressante, excepté que sa réalisation prendrait trop de temps.*

exception n.f. / **acception** n.f. ◆ **Emploi.** Ne pas dire *exception* pour *acception* : *les magistrats rendront la justice sans acception de personne; tous, sans exception, seront jugés.* → aussi **acceptation**

excessivement adv. ◆ **Emploi.** *Excessivement* (= avec excès, trop) est souvent employé dans l'expression relâchée au sens de « très, extrêmement » *(il a fait excessivement froid),* même avec des adjectifs supposant un jugement favorable ou positif *(il est excessivement doué).* RECOMM. Dans l'expression soignée, renforcer les adjectifs de sens positif ou neutre avec les adverbes *très, extrêmement, au plus haut point,* etc. : *elle est très douée ; ils sont extrêmement polis ; il est honnête au plus haut point.*

exclamation (point d') → annexe, ponctuation § 7

exclure v.t. ◆ **Conjug.** Comme *conclure* : *j'exclus, tu exclus, il exclut ; j'exclurai ; j'exclurais; que j'exclue.* Participe passé : *exclu, exclue* (comme *conclu,* à la différence de *inclus*). → annexe, tableau 76. ◆ **Constr.** *Exclure que* (+ subjonctif) : *je n'exclus pas que cela soit possible ; il n'est pas exclu qu'elle vienne ce soir.*

excommunication n.f. ◆ **Orth.** Le substantif *excommunication* correspond au verbe *excommunier,* alors que *communion* correspond à *communier.* REM. *Excommunier* a été refait sur *communier,* alors qu'*excommunication* est calqué sur le latin *excommunicatio.*

excréter v.t. ♦ **Conjug.** Attention à l'accent, tantôt grave, tantôt aigu : *j'excrète, nous excrétons ; il excrétera.* → annexe, tableau 11 et R.O. 1990

excuse n.f. ♦ **Emploi.** *Présenter, faire ses excuses* sont deux locutions d'emploi courant : *je vous présente mes excuses, je vous fais mes excuses. - Faire excuse* est vieilli. RECOMM. Ne pas dire *demander excuse* pour *demander pardon.* ♦ **Registre.** *Faites excuse* pour *je vous fais mes excuses* est populaire.

excuser v.t. et v.pr. ♦ **Sens et emploi.** Différentes formules de politesse sont employées correctement pour signifier à quelqu'un qu'on lui présente ses excuses, qu'on lui demande pardon, qu'on reconnaît sa propre faute, qu'on exprime ses regrets : *excusez-moi, veuillez m'excuser, je vous prie de m'excuser. S'excuser (de qqch.),* pour « exprimer ses regrets » est correct : *je m'excuse de mon retard ; il s'est laissé emporter par la colère, mais il s'est excusé aussitôt.* REM. *Je m'excuse* est parfois compris comme « je m'accorde des excuses », et critiqué à ce titre comme contrevenant à la véritable courtoisie. L'emploi à la troisième personne (*il s'excuse* = il exprime ses regrets) montre qu'il faut attribuer à *je m'excuse* le sens de « je vous présente mes excuses ». ♦ **Constr.** *Excuser, s'excuser de* (+ infinitif) : *on l'excusera d'avoir menti ; en s'excusant de m'interrompre, il m'a posé une question.* ❏ *Excuser, s'excuser de ce que* (+ indicatif) : *ils se sont excusés de ce qu'ils avaient dû partir si vite*

exeat n.m. inv. ♦ **Orth. et prononc.** On écrit *exeat,* sans accent, mais les deux *e* se prononcent comme *é.* → R.O. 1990. - Plur. : *des exeat* (sans *s*).

exécrer v.t. ♦ **Conjug.** Attention à l'accent, tantôt grave, tantôt aigu : *j'exècre, nous exécrons ; il exécrera.* → annexe, tableau 11 et R.O. 1990

exemple n.m. ♦ **Emploi.** *Par exemple,* employé avec *ainsi* ou *comme,* représente une forme d'insistance : *ainsi, par exemple, on constate que...* (= ainsi, mais ce n'est qu'un exemple, on constate que...). RECOMM. Marquer l'insistance, à l'oral par une pause, à l'écrit par des virgules (de manière à éviter le pléonasme *ainsi par exemple, *comme par exemple), ou employer un adverbe unique : *ainsi, on constate que... ; par exemple, on constate que...*

exempt, e adj. ♦ **Prononc.** [ɛgzã], le *p* ne se prononce pas.

exemption n.f. ♦ **Prononc.** [ɛgzãpsjõ], en faisant entendre le *p* et en prononçant *t* comme *s.*

exequatur n.m. inv. ♦ **Orth. et prononc.** On écrit *exequatur,* sans accent, mais on dit [ɛgzekwatyʀ], en prononçant les *e* comme des *é* et *-qua-* comme *quoi.* → R.O. 1990

exercer v.t. et v.pr. ♦ **Conjug.** Le *c* devient ç devant *o* et *a* : *j'exerce, nous exerçons, ils exercent ; il exerça.* → annexe, tableau 9

exergue n.f. / **épigraphe** n.f. ♦ **Sens.** Ne pas employer ces deux mots l'un pour l'autre. **1.** *Exergue* = espace au bas d'une monnaie, d'une médaille ; inscription qui y est gravée. *Montaigne avait fait graver une médaille qui portait en exergue « Que sais-je ? ».* ❏ Par ext. Inscription en tête d'un ouvrage, épigraphe : *l'auteur cite en exergue de son livre un vers de Paul Valéry.* REM. Cet emploi naguère critiqué est aujourd'hui courant. **2.** *Épigraphe* = inscription sur un édifice (avec sa date, sa destination, etc.) ; inscription en tête d'un livre.

exhaler v.t. ◆ **Orth.** Avec un *h* (du latin *exhalare*, de *halare*, souffler), à la différence de *exalter*.

exhausser v.t. → exaucer

exhaustif, ive adj. ◆ **Orth.** Avec un *h*, de même que *exhausteur, exhaustion, exhaustivement, exhaustivité*. REM. En dépit de leur ressemblance orthographique, *exhaustif* (de l'anglais *exhaustive*, emprunté au latin *exhaustus*, épuisé) n'a aucun rapport, ni de sens ni d'origine, avec *exhausser*.

exhorter v.t. ◆ Orth. Avec un *h*. ◆ **Constr.** *Exhorter quelqu'un à* (+ nom ou infinitif) : *elle m'exhorte à la patience, à être patient.* REM. Aux XVIIᵉ et XVIIIᵉ s., *exhorter* pouvait se construire avec *de* (+ infinitif) ou *que* (+ subjonctif) : « *Elle m'exhorta de consulter d'habiles gens* » (J.-J. Rousseau) ; « *Nous vous exhortons que vous ne receviez pas en vain la grâce de Dieu* » (Bossuet).

exigence n.f. ◆ **Orth.** Avec un *e* ; mais l'adjectif *exigeant* s'écrit avec un *a*.

exiger v.t. ◆ **Conjug.** Le *g* devient -ge- devant *a* et *o* : *j'exige, nous exigeons ; il exigea.* → annexe, tableau 10. ◆ **Constr.** *Exiger que* (+ subjonctif) : *j'exige qu'il soit présent.*

exigu, uë adj. ◆ **Orth.** Féminin : *exiguë*, comme *aiguë, ambiguë, contiguë.* → R.O. 1990

exiguïté n.f. ◆ **Orth.** Avec un tréma sur le *i*. → R.O. 1990

existentiel, elle adj. ◆ **Orth.** Avec un *t*, bien que cet adjectif corresponde au substantif *existence* (comme *confidence, confidentiel ; essence, essentiel*, etc., mais à la différence de *révérence, révérenciel*).

ex-libris n.m. ◆ **Orth.** Avec un trait d'union. → R.O. 1990

ex nihilo loc. adv. → ex æquo

exode n.m. / **exorde** n.m. ◆ **Genre.** Les deux mots sont masculins : *un exode, un exorde.* ◆ **Sens.** Ne pas confondre ces deux mots de prononciation voisine. **1.** *Exode* = émigration massive d'une population. *L'exode de Hébreux quittant l'Égypte. L'exode rural.* **2.** *Exorde* = première partie d'un discours.

exonérer v.t. ◆ **Conjug.** Attention à l'accent, tantôt grave, tantôt aigu : *j'exonère, nous exonérons ; il exonérera.* → annexe, tableau 11 et R.O. 1990

exorbitant, e adj. ◆ **Orth.** Pas de *h*, de même que *exorbité* (mots issus de *orbite*).

exotique adj. ◆ **Sens et emploi.** Qui appartient à un pays étranger, qui en provient : *le thé à cinq heures est un usage exotique.* Le mot qualifie le plus souvent ce qui à trait à des pays lointains, en particulier à des pays chauds (peut-être à cause de sa ressemblance avec *tropique*), mais ne contient pas en soi cette idée.

expansion n.f. / **extension** n.f. ◆ **Orth.** *Expansion :* avec un *a*, comme *épandre.* ❑ *Extension :* avec un *e*, comme *étendre.*

expert n.m. ◆ **Orth. 1.** *Expert-comptable, expert-conseil*, avec un trait d'union (mots composés de deux noms). ❑ *Expert judiciaire, expert immobilier, expert maritime,* sans trait d'union (nom + adjectif). **2.** *À dire d'experts* (= selon l'avis des experts) : *expert* prend la marque du pluriel. ◆ **Genre.** Le substantif *expert* est toujours masculin, même pour désigner une femme : *Mme Leboyer-Duchant est un expert réputé en matière de porcelaines anciennes.* Mais on écrit *Mme Leboyer-Duchant est experte en* *matière de porcelaines anciennes,* car il s'agit dans ce cas de l'adjectif.

expirer v.t. et v.i. ◆ **Constr.** 1. *Expirer* v.i. se construit avec l'auxiliaire *avoir* pour exprimer l'action et avec l'auxiliaire *être* pour exprimer l'état : *dans trente jours, le bail aura expiré depuis la veille ; le bail est maintenant expiré.* **2.** *Expiré* part. passé (= mort), est parfois employé comme adjectif dans la langue littéraire : « *La mer roulait à mes pieds leurs cadavres d'hommes étrangers expirés loin de leur patrie* » (Chateaubriand) ; « *L'homme inerte, comme expiré dans un dernier hoquet* » (E. Zola).

explicite adj. / **implicite** adj. ◆ **Sens.** Ne pas employer l'un pour l'autre ces deux mots de sens opposé. **1.** *Explicite* = qui est énoncé formellement, complètement ; clairement exprimé. *Le contrat est explicite sur ce point.* **2.** *Implicite* = qui est contenu dans un propos, un discours sans y être dit ; qui est la conséquence nécessaire de qqch. *Vous ne m'avez pas peut-être pas fait cette promesse, mais elle était implicite dans notre conversation. La liberté est la conséquence implicite de la responsabilité morale.*

expliciter v.t. / **expliquer** v.t. ◆ **Sens.** Ne pas employer l'un pour l'autre ces deux verbes de sens différents. **1.** *Expliciter* = rendre explicite, formuler en détail. *Explicitez votre raisonnement.* **2.** *Expliquer* = faire comprendre ou faire connaître, par un développement : *expliquer un texte; se faire expliquer un problème.*

exposer (s') v.pr. ◆ **Constr.** *S'exposer à* (+ substantif ou infinitif) : *s'exposer à la critique ; s'exposer à être critiqué.* ❑ *S'exposer à ce que* (+ subjonctif) : *il s'est exposé à ce qu'on le critique* (tournure grammaticalement correcte mais inélégante).

1. **exprès** n.m. ◆ **Sens.** *Exprès* n.m. = envoi, pli remis à son destinataire par

livraison spéciale. *Je viens d'ouvrir votre exprès.* REM. Le mot désignait autrefois le coursier ou l'agent des services postaux chargé de porter le pli : « *C'était, apportée par un exprès, une lettre cachetée à la cire* » (G. Duhamel). Cet emploi est vieilli.

2. **exprès** adv. ◆ **Sens et emploi.** *Exprès* adv. = à dessein, avec intention. *Il l'a fait exprès.* Ne pas confondre avec *expressément* (= en termes exprès, explicites) : *je vous le demande expressément.* ◆ **Registre.** *Comme un fait exprès, comme par un fait exprès* = comme si le fait advenu (en général désagréable ou fâcheux) résultait d'une intention maligne. « *Le dimanche, ce fut comme un fait exprès, je m'éveillai plus tôt qu'à l'ordinaire* » (G. Courteline). Registre familier.

exprès, esse adj. / **exprès** adj. inv. / **express** adj. inv. ◆ **Sens.** Ne pas employer l'un pour l'autre ces adjectifs voisins par l'orthographe et par la prononciation, mais de sens différents. **1.** *Exprès, expresse* adj. = nettement exprimé, formel, explicite. *Ordre exprès, défense expresse.* **2.** *Exprès* adj. inv. = qui est remis sans délai, par livraison spéciale, à son destinataire. *Envoi postal exprès, lettre exprès* (ou, n.m., *un exprès* → 1. **exprès**). **3.** *Express* adj. inv. = préparé par le passage de vapeur d'eau sous pression à travers le café moulu, en parlant du café. *Café express* (ou, n.m., *express* → **exprès**). **4.** *Express* adj. inv. = qui assure une liaison, une desserte rapide. *Train express* (ou, n.m., *un express,* → **express**). - Par extension : qui est fait, accompli, préparé très rapidement. *Mission express. Potage express.*

express n.m. ◆ **Sens.** **1.** *Express* = café express (→ **exprès** / **express**). *Un express bien serré.* REM. *Express,* dans ce sens, est un calque de l'italien *espresso.* **2.** *Express* = train express (→ **exprès** / **express**). *Prendre l'express pour Rome.* REM. *Express,* dans ce sens, est emprunté à l'anglais.

expurger v.t. ◆ **Conjug.** Le *g* devient *-ge-* devant *a* et *o* : *j'expurge, nous expurgeons ; il expurgea.* → annexe, tableau 10

exquisement, exquisément adv. ◆ **Orth.** Les deux formes, *exquisement* et *exquisément,* sont admises. *Exquisement,* avec un *e* sans accent, est plus courant, *exquisément* avec un accent aigu, plus soutenu.

exsangue adj. ◆ **Prononc.** [ɛgzɑ̃g], avec le son *g* et le son *z,* ou [ɛksɑ̃g], avec le son *k* et le son *s.* ◆ **Orth.** Attention au groupe *-xs-* (le *s* de *sang* subsiste après le *x* du préfixe *ex-*).

extension n.f. → expansion

extérieur adj. → intérieur

exterritorialité n.f. → extraterritorial

extra- préf. ◆ **Orth.** Le préfixe *extra-*(= en dehors de ; extrême) se joint le plus souvent sans trait d'union aux mots avec lesquels il forme des composés : *extraconjugal, extrafin, extrascolaire,* etc. (exceptions : *extra-courant, extra-dry, extra-muros*). Lorsqu'il y a rencontre entre le *a* et la voyelle du mot qui suit, le composé s'écrit avec un trait d'union : *extra-utérin* (exceptions : *extraordinaire, extraordinairement*).

1. **extra** n.m. inv. ◆ **Orth.** Plur. : *des extra.* REM. On trouve parfois le mot avec la marque du pluriel : *faire des extras, engager des extras.*

2. **extra** adj. inv. ◆ **Orth.** Plur. : *extra. Des petits pois extra. Qualité extra.* ◆ **Registre.** Familier, ou vocabulaire commercial.

extraire v.t. et v.pr. ◆ **Conjug.** → annexe, tableau 92

extraterritorial, e adj. / **exterritorialité** n.f. ◆ **Sens.** En dépit de leur similitude de forme, cet adjectif et ce nom ne se correspondent pas pour le sens. **1.** *Extraterritorial, e* = se dit du secteur bancaire établi à l'étranger et non soumis à la législation nationale. **2.** *Exterritorialité* = immunité qui soustrait certaines personnes (diplomates, notamment) à le juridiction de l'État sur le territoire duquel elles se trouvent.

extravagant, e adj. / **extravaguant** part. prés. ◆ **Orth. 1.** *Extravagant, ante* adj., s'écrit sans *u* et s'accorde en genre et en nombre : *des propos extravagants ; elle est gentille, mais un peu extravagante.* **2.** *Extravaguant,* participe présent du verbe *extravaguer,* prend un *u* après le *g* et reste invariable : *il arrive à captiver l'auditoire en extravaguant avec brio sur des sujets graves.*

extraverti, e adj. et n. ◆ **Orth.** *Extraverti* (= qui extériorise ses émotions, ses sentiments), avec un *a,* s'oppose à *introverti* (= qui est surtout attentif à sa vie intérieure), avec un *o.*

extrême adj. et n.m. ◆ **Orth. 1.** Avec un accent circonflexe sur le deuxième *e,* comme *extrêmement.* **2.** *Extrême droite, extrême gauche,* sans trait d'union. ❑ *Extrême-onction, extrême-oriental,* avec un trait d'union. ◆ **Genre.** Le substantif est masculin : *passer d'un extrême à l'autre.* ◆ **Emploi.** Bien qu'*extrême* contienne une idée de degré absolu, des emplois tels que *plus extrême, aussi extrême, si extrême* sont admis.

extrême-oriental, e, aux adj. ◆ **Orth.** Avec un trait d'union. - Plur. : *les pays extrême-orientaux, les contrées extrême-orientales* (*extrême* reste invariable).

extrémité n.f. ◆ **Orth.** Avec un accent aigu sur le deuxième *e* (à la différence de *extrême*), comme *extrémisme, extrémiste.* ◆ **Emploi.** *Être à la dernière extrémité, à toute extrémité* (= sur le point de mourir), naguère critiqué, est aujourd'hui admis.

exubérant, e adj. ◆ **Orth**. Pas de *h* après le *x*.

exutoire n.m. ◆ **Genre et orth.** Masculin, malgré la finale en *-oire* : « *Pour moi, j'ai un exutoire (comme on dit en médecine). Le papier est là, et je me soulage* » (G. Flaubert).

ex vivo loc. adv. ◆ **Orth.** Locution latine (= hors du vivant, hors du corps ; s'oppose à *in vivo*), sans trait d'union, invariable.

ex-voto n.m. inv. ◆ **Orth.** Avec un trait d'union. - Plur. : *des ex-voto* (invariable). → R.O. 1990

F

f n.m. inv. ◆ **Prononc.** *F* se prononce à la fin des mots *(bœuf, neuf, soif)*, sauf dans *cerf, clef, nerf,* au pluriel dans *bœufs, œufs,* et dans quelques mots composés : *cerf-volant, chef-d'œuvre.* ◆ **Orth.** *F* est redoublé dans les mots commençant par *a, e, o,* sauf dans *afin, éfaufiler, éfourceau.* Les mots suivants, ainsi que leurs dérivés, ne prennent qu'un seul *f* : *agrafe, bafouer, bâfrer, boursoufler, carafe, échafaud, érafler, girafe, moufle, mufle, parafe, persifler, rafale, rafistoler, rafle, soufre, tartufe, trafic.*

fabliau n.m. ◆ **Orth.** Pas de *e* devant le *a.* - Plur. : *des fabliaux.*

fablier n.m. / **fabuliste** n. ◆ **Sens.** Ne pas confondre ces deux mots. **1.** *Fablier* = recueil de fables. *Un fablier illustré.* **2.** *Fabuliste* = auteur de fables. *Le fabuliste qui nous raconte l'histoire du corbeau et du renard.*

fabricant, e n. / **fabriquant** part. présent ◆ **Orth.** *Fabricant, e* n., avec un *c* : *mécanisme garanti par le fabricant.* ❑ *Fabriquant* part. présent du verbe *fabriquer,* avec *-qu-* : *un joaillier fabriquant aussi des montres.*

fabulation n.f. → affabulation

face n.f. ◆ **Emploi. 1.** *En face de* (+ nom de lieu) : *l'hôtel est en face de la gare.* REM. L'ellipse de la préposition *de* (*l'hôtel est en face la gare*) est fréquente dans l'expression orale courante. RECOMM. Dans l'expression soignée, en particulier à l'écrit, préférer *en face de.* **2.** *Face à* = tourné vers (une étendue, un paysage, un panorama). *Chambre face à la mer.* **3.** *De face / en face.* ❑ *De face* = du côté où l'on voit toute la face, tout le devant : *portrait de face et de profil ; croquis du bâtiment de face.* ❑ *En face* = vis-à-vis, par devant. *Avoir le soleil en face. Il est allé voir en face. Ayez le courage de me le dire en face.* **4.** *En face l'un de l'autre, l'un en face de l'autre* sont également corrects. ◆ **Orth.** *Face à face* loc. adv., s'écrit sans trait d'union (contrairement à *vis-à-vis*). ❑ *Face-à-face* n.m. Le subs-tantif s'écrit aujourd'hui avec deux traits d'union : *un face-à-face houleux.* RECOMM. La graphie sans trait d'union, presque entièrement sortie de l'usage, est à éviter.

face-à-main n.m. ◆ **Orth.** Avec un trait d'union. - Plur. : *des faces-à-main.*

face-texte n.m. ◆ **Orth.** Avec un trait d'union. - Plur. : *Des faces-textes.* ◆ **Emploi.** Terme technique de publicité.

facétie n.f. ◆ **Orth. et prononc.** La finale *-tie* se prononce [si] (comme dans *inertie, minutie, orthodontie, péripétie*). Les dérivés *facétieux* et *facétieusement* se prononcent également avec le son *s*.

fâcher (se) v.pr. ◆ **Constr. et emploi. 1.** *Se fâcher, être fâché avec* ou *contre qqn*. Le sens commande l'emploi de la préposition. ❑ *Se fâcher, être fâché avec qqn* = se brouiller, être brouillé avec lui. ❑ *Se fâcher, être fâché contre qqn* = se mettre en colère, s'irriter contre lui. **RECOMM.** Éviter *se fâcher, être fâché après qqn* → **après. 2.** *Être fâché que* (+ subjonctif) : *je suis fâchée qu'il ait dû partir*. **RECOMM.** Préférer ce tour à *être fâché de ce que* (+ indicatif), correct mais lourd.

facho n. et adj. → fascisme

facial, e, aux adj. ◆ **Orth.** Masculin pluriel : *faciaux. Les muscles faciaux*.

faciès n.m. ◆ **Orth.** Mot latin (*facies*) francisé, avec un accent grave. **REM.** L'orthographe *facies*, sans accent (orthographe latine) est aujourd'hui sortie de l'usage. ◆ **Emploi.** En dehors de ses emplois scientifiques, en géologie et préhistoire (*faciès cristallin ; faciès néolithique*), le mot est souvent péjoratif : *un faciès bouffi ; il a le faciès d'un parfait crétin*.

facile adj. ◆ **Constr.** *Facile de / facile à*. **1.** *C'est facile de, il est facile de* (+ infinitif) : *c'est facile de dire qu'on savait* (= dire qu'on savait est facile) ; *il est facile de se tromper* (= se tromper est facile). **2.** *Facile à* (+ infinitif), se rapportant à un nom : *un plat facile à réussir ; une personne facile à satisfaire*.

facilité n.f. ◆ **Orth.** Avec un seul *l*. ◆ **Constr. et emploi. 1.** *Facilité pour* (+ substantif), *à* (+ infinitif) = aptitude ou tendance naturelle : *elle fait preuve d'une grande facilité pour le piano ; il a trop de faci-*lité à dépenser. **2.** *Facilité de* (+ substantif ou infinitif) = possibilité qui est laissée de faire une chose sans peine. *Son métier lui offre la facilité de voyager à prix réduit. Facilités de paiement*.

façon n.f. ◆ **Orth. 1.** *De toute façon, en aucune façon*. Au singulier : *de toute façon, il n'acceptera jamais une chose pareille ; je ne souhaite en aucune façon lui parler*. **RECOMM.** Ne pas employer *de toutes les façons* (= de toutes les manières possibles) pour *de toute façon* (= quoi qu'il en soit, en tout état de cause). **2.** *Sans faire de façons, sans plus de façons, sans façons*. Au pluriel : *elle a accepté sans faire de façons ; il est parti sans plus de façons ; il nous ont reçus sans façons*. **REM.** On écrit aussi parfois *sans façon, sans plus de façon* au singulier. ◆ **Emploi. 1.** *Façon* = imitation. *Un châle façon cachemire ; une armoire façon noyer*. Langage commercial. **REM.** La tournure elliptique *façon cachemire, façon noyer*, etc., a remplacé la tournure ancienne *en façon de,* aujourd'hui sortie de l'usage : *une armoire en façon de noyer*. **2.** *De façon que* = de sorte que, afin que. *Arrangez-vous de façon qu'il puisse vous voir* (de préférence à : *de façon à ce qu'il puisse vous voir* → **à**). **3.** *D'une façon comme de l'autre, d'une façon ou d'une autre* : *d'une façon ou d'une autre, nous sommes obligés de repasser par notre point de départ*. **RECOMM.** Éviter **de façon ou d'autre*. **REM.** *De l'une ou de l'autre façon* est littéraire et légèrement vieilli. ◆ **Constr. 1.** *De façon que, de telle façon que* (+ subjonctif), *de façon à* (+ infinitif). Exprime le but : *ils se placent de façon, de telle façon que tout le monde les voie ; ils se placent de façon à voir le spectacle*. **2.** *De façon que, de telle façon que* (+ indicatif). Exprime la conséquence : *ils se sont placés de telle façon* (ou : *de façon telle*) *que tout le monde les a vus*.

fac-similé n.m. ◆ **Orth.** Avec un accent aigu (mot latin francisé). - Plur. : *Des fac-similés*. → R.O. 1990

1. facteur, trice n. ◆ **Emploi. 1.** *Facteur, factrice* = agent des services postaux préposé à la distribution du courrier. *Un facteur, une factrice.* Le terme administratif officiel est aujourd'hui *préposé, préposée.* C'est néanmoins *facteur, factrice* qui reste le plus utilisé dans la langue courante. **2.** *Facteur* n.m. = fabricant (de certains instruments de musique). *Facteur d'orgues, de pianos.* Toujours masculin, même pour désigner une femme. *Mme Lalaie est en France l'un des rares facteurs d'orgues de sexe féminin.*

2. facteur n.m. ◆ **Emploi.** *Facteur* (= agent, élément qui concourt à un résultat) est souvent employé aujourd'hui en apposition à un nom : *le facteur temps ; le facteur prix.* Ce tour naguère critiqué est aujourd'hui admis. REM. *Facteur* est parfois, quoique plus rarement, construit avec *de* : *le facteur du temps, du prix.*

faction n.f. ◆ **Emploi.** *Être, demeurer en faction* ou *de faction* sont également corrects.

factoring n.m. ◆ **Anglicisme.** Terme de commerce. RECOMM. OFF.: *affacturage.*

factotum n.m. ◆ **Orth.** Mot latin francisé. - Plur. : *des factotums.* ◆ **Prononc.** [faktɔtɔm], comme pour rimer avec *album.*

factum n.m. ◆ **Orth.** Mot latin francisé. - Plur. : *des factums.* ◆ **Prononc.** [faktɔm], comme pour rimer avec *album.*

fading n.m. ◆ **Anglicisme.** Terme de radiotechnique. RECOMM. OFF. : *évanouissement.*

faïence n.f. ◆ **Orth.** Avec un *i* tréma, ainsi que dans les dérivés *faïençage, faïencé, faïencerie, faïencier.*

faignant, e adj. → faineant

faillir v.i. ◆ **Conjug.** *Faillir* a deux conjugaisons : *je faillis, nous faillissons,* sur le modèle de *finir* et *je faux, nous faillons.* La plus employée est la première. → annexe, tableau 34. ◆ **Emploi.** *Faillir* est employé surtout à l'infinitif, au passé simple et aux temps composés. Les autres formes conjuguées sont rares. ◆ **Constr. 1.** *Faillir* (+ infinitif), toujours à un temps du passé = être sur le point de. *J'ai failli tomber.* REM. La construction avec *à* ou *de* est archaïque ou affectée : *« J'ai encore failli de me tromper »* (M. Proust). **2.** *Faillir à* (+ substantif) = manquer à, ne pas tenir. *Faillir à l'honneur, à sa parole.*

faim n.f. ◆ **Emploi.** *Avoir faim.* L'emploi de *avoir faim* avec un adverbe est aujourd'hui admis : *avoir très faim, avoir si faim que..., avoir tellement faim que...* → envie

faine n.f. ◆ **Orth.** Sans accent circonflexe sur le *i.* REM. *Faine* vient du latin *fagina (glans),* (gland) de hêtre.

fainéant, e ou **faignant, e** ou **feignant, e** adj. et n. ◆ **Registre.** *Fainéant* s'emploie dans tous les registres ; *feignant* (plus courant) et *faignant* (plus rare) sont familiers. REM. Ces formes sont toutes trois issues du participe présent du verbe *feindre,* « rester inactif » (à rapprocher des *rois fainéants,* rois qui accédaient au trône trop jeunes pour pouvoir régner personnellement). *Fainéant* est une réfection phonétique de *faignant,* forme dans laquelle on a cru voir un composé de *fais* ou *fait* et de *néant.* Curieusement, ce sont les formes *faignant* et *feignant,* étymologiquement justes, qui passent pour des déformations populaires de *fainéant,* alors que la filiation est en réalité inverse.

faire v.t., v.i., et v.pr.
◆ **Conjug.** → annexe, tableau 89. ❑ *Faire* se conjugue avec l'auxiliaire *avoir* : *j'ai fait, tu as fait,* etc. ❑ *Se faire* se

conjugue avec l'auxiliaire *être : ça s'est fait tout seul.*

◆ **Accord.**

1. Participe passé (+ infinitif). Le participe passé *fait* immédiatement suivi d'un infinitif est toujours invariable : *elles se sont fait faire des robes ; les robes qu'elles se sont fait faire.*

2. Participe passé dans une construction impersonnelle. Dans les constructions impersonnelles, *fait* reste invariable : *je ne sais pas quelle température il a fait à Paris.*

3. *Se faire.* Lorsque le pronom *se* a la fonction d'un complément d'objet direct, le participe passé *fait* s'accorde avec le pronom *: elles se sont faites belles* (= elles ont fait belles elles-mêmes, *se* reprend *elles,* le participe passé *faites* s'accorde avec *elles*) ; *ils se sont faits à cette idée* (= ils ont fait eux-mêmes à cette idée, *se* reprend *ils,* le participe passé *fait* s'accorde avec *ils*). Mais *elle s'est fait mal* (= elle a fait mal à elle, le complément *s'* est un complément indirect, le participe passé *fait* reste invariable).

❏ *Se faire l'écho* → **écho.**

❏ *Se faire fort de* → **fort.**

4. *Faire* = égaler, donner tel résultat. Dans ce sens, *faire* s'accorde le plus souvent au pluriel : *deux et deux font quatre ; trois fois cinq font quinze.* - Avec *multiplié par* ou *divisé par,* le verbe s'accorde au singulier ou au pluriel selon que *multiplié* ou *divisé* est lui-même accordé au singulier ou au pluriel : *trois multiplié par cinq fait quinze* mais *trois multipliés par cinq font quinze.* → aussi **égaler.**

◆ **Constr.**

1. *Faire* (+ infinitif suivi de son complément d'objet direct). Avec *faire* suivi d'un infinitif qui a un complément d'objet direct, on emploie les pronoms *lui, leur* (et non *le, la, les*) : *je lui ai fait dire ce qu'il avait à dire ; vous alliez leur faire prendre la mauvaise route.*

2. *Faire* (+ infinitif suivi d'un complément indirect). Avec *faire* suivi d'un infi-

nitif qui a un complément indirect, on emploie indifféremment *lui, leur* ou *le, la, les* : *elle lui a fait changer d'avis* ou *elle l'a fait changer d'avis ; cette histoire leur a fait penser à ce qu'ils ont vécu* ou *cette histoire les a fait penser à ce qu'ils ont vécu.*

3. *Faire* (+ infinitif d'un verbe pronominal). Avec *faire* suivi d'un verbe pronominal à l'infinitif, l'emploi du pronom réfléchi est facultatif : *on les fait asseoir* ou *on les fait s'asseoir.* ❏ *Faire s'en aller* → **aller.**

4. *Faire que* (+ indicatif) = avoir pour conséquence que. *Tout cela a fait qu'il est arrivé en retard.* ❏ *Faire que* (+ subjonctif) = agir de façon que. *Faites qu'il prenne le temps de réfléchir.*

◆ **Orth.** *Avoir à faire* ou *affaire.* → **affaire.**

◆ **Emploi.**

Faire remplaçant un autre verbe. Dans une comparaison, *faire* peut remplacer un verbe qui n'a pas de complément d'objet direct : *il grimpe comme les autres font, en s'accrochant à la moindre aspérité ; elles parlent avec lui comme elles feraient avec un enfant.* REM. 1. Ne pas confondre cette construction avec celle dans laquelle *faire* a pour complément le pronom *le* reprenant un verbe qui précède : *je voudrais bien aller vous voir, mais je ne pourrai pas le faire avant longtemps.* 2. Dans la langue classique, *faire* pouvait remplacer un verbe avec un complément d'objet direct : « *On regarde une femme savante comme on fait une belle arme* » (La Bruyère). « *Il fallait cacher la pénitence avec le même tour qu'on eût fait les crimes* » (Bossuet).

◆ **Registre.**

1. *Faire* est employé dans l'expression orale non surveillée avec différents sens, souvent assez éloignés du sens le plus courant, « réaliser, fabriquer, produire ». ❏ *Faire* = parcourir, visiter. *Faire les magasins. L'année dernière, on a fait la Thaïlande, cette année on fait le Yémen.* ❏ *Faire* = poursuivre (telles études), suivre les cours de (telle école). *Mon frère fait médecine à Montpellier. Elle a fait HEC,*

Polytechnique. ❑ *Faire* = embrasser (telle carrière, telle profession), avoir pour activité professionnelle. *Elle voulait faire coiffeuse, mais sa mère voulait qu'elle fasse secrétaire.* Emploi populaire ou régional. ❑ *S'en faire* = se faire des soucis, être préoccupé, inquiet (surtout en tournure négative, *ne pas s'en faire*). *Sa famille a des biens, il n'a pas à s'en faire pour son avenir.* 2. *Tant qu'à faire.* → tant
◆ **Sens.**
1. *Ne faire que / ne faire que de.* Ne pas confondre ces deux locutions. ❑ *Ne faire que* = ne pas cesser de, ne pas faire autre chose que. *Il ne fait que se plaindre* (= il ne cesse de se plaindre) ; *je n'ai fait que l'effleurer* (= je l'ai seulement effleuré) ; *elle n'a fait qu'entrer et sortir, elle n'est pas restée.* RECOMM. Éviter *que de* dans ce sens : *il ne fait que se prélasser* (et non : *il ne fait que de se prélasser*). ❑ *Ne faire que de* = venir à peine de (exprime le passé immédiat). *Vous l'avez manquée de peu, elle ne fait que de sortir d'ici.*
2. *Ne faire qu'un / n'en faire qu'un.* Ne pas confondre ces deux locutions. ❑ *Ne faire qu'un* = être très uni, très semblable (sans accord de genre ; sens figuré). *Elle et lui ne font qu'un.* ❑ *N'en faire qu'un* = être une seule et même personne, une seule et même chose (avec accord de genre ; sens propre). *Il joue plusieurs rôles avec différents maquillages, et en réalité ces quatre acteurs n'en font qu'un ; les banlieues des deux villes se touchent et aujourd'hui elles n'en font qu'une.*
3. *Faire long feu* → feu

faire-part n.m. inv. ◆ **Orth.** Avec un trait d'union et invariable : *des faire-part.*

faire-valoir n.m. inv. ◆ **Orth.** Avec un trait d'union et invariable : *des faire-valoir.*

fair-play n.m. et adj. inv. ◆ **Orth.** Avec un trait d'union et invariable : *ils sont fair-play.* → R.O. 1990. ◆ **Emploi.** 1. Terme de sport. RECOMM. OFF. : *franc-jeu.* 2.

Dans le domaine non sportif, le mot n'a pas d'équivalent français officiellement recommandé.

faisan n.m. ◆ **Orth.** Féminin : *faisane* (avec un seul *n*). REM. Les dérivés de *faisan* s'écrivent avec un *d* : *faisandeau, faisandage, faisander, faisanderie.* ◆ **Prononc.** La première syllabe de *faisan* et de ses dérivés se prononce [fə], comme la première syllabe de *fenêtre.*

faisceau n.m. ◆ **Orth.** Attention au groupe -*sc*- que l'on retrouve dans *fascicule* (mots issus du latin *fascis*, faisceau, fagot, paquet. → aussi **fascisme**).

faiseur, euse n. ◆ **Prononc.** La première syllabe se prononce [fə], comme la première syllabe de *fenêtre.*

fait n.m. ◆ **Prononc.** Au singulier, se prononce le plus souvent [fɛt], en faisant entendre le *t*, surtout quand le mot est en position finale et accentuée : *en fait, au fait, par le fait, prendre sur le fait*, etc. Le *t* n'est pas prononcé au pluriel, ni dans les locutions *fait d'armes, fait divers, en fait de* et *tout à fait.* ◆ **Emploi.** *De fait / en fait.* Ne pas confondre. 1. *De fait* = effectivement (pour confirmer ce qui précède). *Il m'avait promis de venir très vite, et de fait il était là deux heures après.* 2. *En fait* = en réalité (pour marquer une opposition, une restriction). *Il m'avait promis de venir très vite, en fait il n'est venu que le surlendemain.* ◆ **Constr.** *Le fait que* (+ subjonctif, indicatif ou conditionnel, en fonction du sens) : *le fait qu'il soit un homme célèbre ne le met pas au-dessus des lois* (hypothèse) ; *le fait qu'il a longtemps vécu à la campagne l'a rapproché des populations rurales* (réalité) ; *le fait qu'il aurait fréquenté ce milieu ne jouerait pas en sa faveur* (éventualité).

fait-divers, fait divers n.m. ◆ **Orth.** *Fait-divers* ou *fait divers,* avec ou sans trait d'union. Les deux graphies sont admises, mais celle avec trait d'union est aujourd'hui la plus fréquente. REM. Le dérivé *fait-diversier* (= journaliste qui traite des faits divers) s'écrit toujours avec un trait d'union.

faîte n.m. ◆ **Orth.** Avec un accent circonflexe sur le *i*, ainsi que pour *faîtage, faîteau, faîtier* et *faîtière*.

fait-tout n.m. inv., **faitout** n.m. ◆ **Orth.** Les deux graphies sont admises, mais seul *faitout* prend la marque du pluriel : *des fait-tout, des faitouts*. → R.O. 1990

fallacieux, euse adj. ◆ **Orth.** Avec deux *l*.

falloir v. impers. ◆ **Conjug.** Ce verbe ne se conjugue qu'à la 3e personne du singulier. → annexe, tableau 55. ❑ Le participe passé *fallu* est toujours invariable : *la patience qu'il nous a fallu.*
◆ **Emploi.**
1. *Il faut / il vaut mieux.* Ne pas mêler les deux constructions. On dit *il faut partir tôt demain matin*, mais *il vaut mieux partir tôt demain matin* (et non *il vaut mieux...*) ; *il faut* indique une obligation, une nécessité, alors que *il vaut mieux* n'indique qu'une préférence.
2. *Tant s'en faut.* On dit correctement : *ce travail n'est pas bon, tant s'en faut ; il n'a pas failli à la tâche, tant s'en faut* (= loin de là, bien au contraire). La langue orale non surveillée utilise dans le même sens l'expression *loin s'en faut*, issue par croisement de *tant s'en faut* et de *loin de là*. RECOMM. Éviter *loin s'en faut* dans l'expression soignée, en particulier à l'écrit. Employer *tant s'en faut.*
◆ **Constr.**
1. *Avec comme.* On dit indifféremment : *il lui a parlé comme il fallait* ou *comme il le fallait.*
2. *Ce qu'il faut. Falloir* demande la construction impersonnelle *(il faut, il a fallu,* etc.). RECOMM. Dire et écrire : *ce qu'il*

faut *(j'ai ce qu'il faut ; ce qu'il faut maintenant, c'est faire vite).* REM. La langue parlée familière donnant aujourd'hui à *il* la prononciation *i*, il n'est pas rare d'entendre à l'oral *ce qui faut*, solécisme qui se retrouve parfois dans la langue écrite (*j'ai ce qui faut).* → aussi **ce** (*ce qui / ce qu'il).*
3. *S'en falloir* (= manquer) se construit avec le subjonctif. ❑ Sans *ne* explétif en tournure affirmative : *il s'en faut de beaucoup que j'aie tout remboursé.* ❑ Avec *ne* explétif en tournure négative ou restrictive : *il ne s'en est pas fallu de beaucoup que vous ne tombiez ; peu s'en faut qu'elle ne nous abandonne.* ❑ Avec *ne pas* si la subordonnée a un sens négatif : *il s'en est fallu de peu qu'il ne nous voie pas* (= il a failli ne pas nous voir).
4. *Il s'en faut, il s'en faut de... : elle n'a pas réussi, il s'en faut ; je ne peux pas l'acheter, il s'en faut de mille francs ; il s'en est fallu de quelques minutes que vous puissiez le rencontrer ; il s'en faut de beaucoup ; il s'en faut de peu.* De peut être omis avec certains adverbes ou quand l'adverbe est placé devant le verbe : *il ne s'en faut pas tellement qu'elle réussisse ; il ne s'en est pas beaucoup fallu qu'elle réussisse ; peu s'en faut qu'ils ne soient morts de froid.* REM. *Il s'en faut* était autrefois employé sans *de* pour exprimer une différence tenant à la qualité et non à la quantité : *ce vin n'est pas aussi bon que celui de l'année précédente, il s'en faut beaucoup.* Cet emploi est sorti de l'usage.

falot, e adj. ◆ **Orth.** Féminin : *falote,* avec un seul *t.*

famé, e adj. ◆ **Emploi et orth.** *Un bar malfamé* ou *mal famé* → **malfamé**

fan n. / **fana** adj. et n. ◆ **Prononc. et orth.** *Fan :* [fan], comme *fane.* - Plur. : *Des fans.* ❑ *Fana.* - Plur. : *Des fanas ; ils sont fanas.* ◆ **Emploi et registre. 1.** *Fan* n. = admirateur enthousiaste. S'emploie surtout à propos de la chanson, de la musique populaire et de ses vedettes : *c'est une fan de rock, elle ne manque pas un concert ; ses fans l'attendent pour lui demander des autographes.* Abréviation familière de l'anglais *fanatic,* fanatique. **2. Fana** adj. et n. = enthousiaste, passionné. *Il est fana de football, de modèles réduits. C'est une fana de musique d'orgue.* Abréviation familière de *fanatique.* REM. À la différence de *fan,* dont le domaine d'emploi demeure encore relativement spécialisé, *fana* peut se dire d'à peu près toute personne passionnée. Néanmoins, *fan* tend de plus en plus souvent à remplacer *fana* en dehors de son domaine d'origine

fanal, aux n.m. ◆ **Orth.** Plur. : *fanaux* (ne pas se laisser influencer par l'adjectif *fatal,* qui fait au pluriel *fatals*). *Des fanaux rouges et des fanaux verts.*

faner v.t. ◆ **Orth.** Avec un seul *n,* comme ses dérivés *fanage, faneur, faneuse.*

fantasme n.m. ◆ **Orth.** Avec un *f* initial. - L'orthographe *phantasme* est aujourd'hui presque entièrement abandonnée, sauf dans le vocabulaire technique de la psychanalyse.

fantôme n.m. ◆ **Orth.** Avec un accent circonflexe sur le *o,* à la différence de *fantomal* et *fantomatique,* qui s'écrivent sans accent. REM. L'accent circonflexe de *fantôme* rappelle le *s* de l'ancienne graphie, *fantosme,* doublet de *fantasme.*

faon n.m. ◆ **Prononc.** [fã], comme pour rimer avec *enfant.* → aussi **daim**

faonner v.i. ◆ **Prononc.** [fane], comme *faner.*

far n.m. / **fard** n.m. / **fart** n.m. ◆ **Prononc.** *Far, fard :* [faʀ], comme pour rimer avec *fanfare.* ❏ *Fart :* [faʀt], comme pour rimer avec *carte.* ◆ **Orth.** Ne pas confondre ces trois mots, semblables à la finale près. **1.** *Far* n.m. = gâteau breton (du latin *far,* blé ; à rapprocher de *farine*). **2.** *Fard* n.m. = composition colorée pour le maquillage (de *farder*). *Du fard à paupières.* **3.** *Fart* n.m. = produit dont on enduit les semelles des skis pour les rendre plus glissantes (mot scandinave).

faramineux, euse adj. ◆ **Orth.** Avec un *f* initial REM. **1.** La graphie *pharamineux* est presque entièrement sortie de l'usage. **2.** Le *f* initial rend mieux compte de la racine latine *fera,* bête sauvage, d'où était issue l'ancienne forme dialectale *(bête) faramine,* créature animale fabuleuse, qui a donné naissance à cet adjectif.

farandole n.f. ◆ **Orth.** Avec un seul *l,* à la différence de *barcarolle.*

farce n.f. et adj. ◆ **Emploi.** L'emploi adjectif au sens de « drôle » est vieilli : « *Tiens ! c'est toi la vieille ! [...] Ah ! elle est farce, par exemple !... Hein ? pas vrai, elle est farce !* » (E. Zola).

fascicule n.m. ◆ **Orth.** Attention au groupe *-sc-,* comme dans *faisceau.* → faisceau

fascisme n.m. ◆ **Orth.** Attention au groupe *-sc-.* REM. Le mot vient de l'italien *fascio,* faisceau, le faisceau des licteurs romains ayant été pris comme emblème par ce mouvement politique. → faisceau. ◆ **Prononc.** À la française [fasism], en prononçant le groupe *-sc-* comme dans *conscience,* ou à l'italienne, [faʃism], en prononçant le groupe *-sc-* comme *-ch-* dans *hachis.* Les mots de la même famille, *fascisant, fascisation, fasciser, fasciste,* peuvent également se prononcer de l'une ou l'autre façon. REM. La prononciation à l'italienne de *fasciste* a donné naissance à l'abréviation familière *facho.*

fast-food n.m. ♦ **Orth.** Avec un trait d'union. - Plur. : *des fast-foods*. ♦ **Anglicisme. RECOMM. OFF.** : *restauration rapide*.

fat adj. et n.m. ♦ **Prononc.** Le plus souvent [fat],en faisant entendre le *t* final, parfois [fa], sans faire sonner le *t*. ♦ **Emploi.** Le substantif ne s'emploie qu'au masculin. Seul l'adjectif a une forme féminine, rare mais attestée : « *Une attitude à la fois très fate et très gênée* » (Alain-Fournier).

fatal, e, als adj. ♦ **Orth.** Masculin pluriel : *fatals*. ♦ **Sens et emploi.** *Fatal* signifie « fixé d'avance par le sort, qui doit arriver inévitablement », et, par extension « qui entraîne inéluctablement la ruine, la mort ». Ce sens étendu conduit à employer *fatal* dans des expressions telles que *destinée fatale, destin fatal* (= destin de qqn qui va à sa perte, à sa mort), lesquelles constituent des pléonasmes si l'on se réfère au sens premier du mot. **RECOMM.** Dire plutôt *pente, entraînement, enchaînement fatal* ou *destin, destinée funeste, tragique*

fatigable adj. ♦ **Orth.** Sans *u*, de même que le nom qui en est issu, *fatigabilité* → fatigant

fatigant, e adj. / **fatiguant** part. présent ♦ **Orth.** Ne pas confondre. 1. *Fatigant, e* adj., sans *u* : *un travail fatigant, une journée fatigante.* 2. *Fatiguant*, part. présent de *fatiguer*, avec un *u* : *c'est encore une convalescente, se fatiguant vite et exigeant des soins attentifs.*

faute n.f. ♦ **Emploi.** 1. *C'est ma faute / c'est de ma faute.* Les deux tours sont employés dans la langue orale. *C'est ma faute* est plus soutenu, *c'est de ma faute* plus familier. **RECOMM.** 1. Dans l'expression surveillée, en particulier à l'écrit, préférer *c'est ma faute, c'est ta faute,* etc. 2. Éviter dans tous les registres le tour *c'est de la faute de, avec la succession des deux *de*. Dire *c'est la faute de : c'est la faute de ce monsieur.* **2.** *C'est la faute de / à.* Après *c'est la faute,* le nom complément est introduit par *de : il n'a pas eu son passeport à temps, c'est la faute de l'administration. À* peut néanmoins être employé devant un pronom ou pour renforcer un possessif : *à qui la faute, s'ils ont échoué ? ; ce n'est pas notre faute à nous ; est-ce leur faute, à ces enfants ?* □ *C'est la faute à* est populaire. Victor Hugo s'est amusé à mettre dans la bouche de Gavroche, type du gamin des rues de Paris, sa fameuse chanson : «*On est laid à Nanterre / C'est la faute à Voltaire / Et bête à Palaiseau / C'est la faute à Rousseau* ». **3.** *Faute d'attention / faute d'inattention.* Ces deux locutions sont correctes, mais elles n'ont pas le même emploi. □ *Faute d'attention* loc. prép. = par manque d'attention. *Faute d'attention, il a laissé dans son texte une grosse erreur de date.* V. ci-après *faute de.* □ *Faute d'inattention* loc. nominale. = faute occasionnée par l'inattention. *Il a écrit 17 heures au lieu de 19 heures, c'est probablement une faute d'inattention.* ♦ **Constr.** 1. *Faute de* (+ nom ou infinitif) = par manque de, par défaut de. *Je m'en contenterai, faute de mieux* (= puisque je n'ai pas mieux) ; *faute de grives, on mange des merles* (= quand il n'y a pas de grives) ; *il a échoué et ce n'est pas faute d'avoir essayé* (= ce n'est pas parce qu'il n'a pas essayé) et non pas *faute de n'avoir pas essayé,* qui signifierait au contraire « parce qu'il a essayé ». **2.** *Faute que* (+ subjonctif) : *il ne le savait pas, faute qu'on le lui ait dit.* **3.** *Ne pas se faire faute de* (+ infinitif) = ne pas manquer de. *Elle ne s'est pas fait faute de me le répéter.* ♦ **Orth.** *Sans faute* (= à coup sûr, immanquablement) s'écrit au singulier : *je viendrai demain sans faute.*

fauteuil n.m. ♦ **Emploi.** On dit plutôt *s'asseoir dans un fauteuil* que *s'asseoir sur* *un fauteuil* (qui toutefois n'est pas incorrect). → dans

fauteur, trice n. et adj. / **fautif, ive** adj. et n. ◆ **Sens et emploi.** Ne pas confondre ces deux mots de sens très différents. **1.** *Fauteur, fautrice de* n. et adj. = (personne) qui provoque, qui fait naître (qqch. de mauvais, de néfaste). *Fauteur de guerre, de désordres, de troubles.* Rare au féminin. REM. Ce mot vient du latin *fautor*, lui-même issu de *favere*, favoriser, et n'a aucun rapport étymologique avec *faute*. Jusqu'au XIXᵉ s., il était utilisé dans le sens neutre de « (personne) qui favorise ; appui, soutien, agent » : « *...ces théories fautrices de paresse* » (Baudelaire). « *[Le] fauteur d'une musique nouvelle* » (V. de l'Isle-Adam). **2.** *Fautif, ive* adj. et n. = qui a commis une faute, ou, adj., qui comporte des fautes, qui constitue une faute. *Se sentir fautif. Il n'est pas le seul fautif dans cette affaire. Orthographe fautive.* REM. *Fautif* vient de *faute.*

fauve adj. et n.m. ◆ **Accord.** *Fauve,* adjectif, s'accorde. REM. Contrairement à *marron, orange, rose,* etc., adjectifs de couleur issus de nom, c'est l'adjectif *fauve* qui a donné le substantif *fauve* (= *bête fauve,* bête sauvage à la robe brun-roux clair). → annexe, grammaire § 98

faux, fausse adj. ◆ **Orth.** On écrit avec un trait d'union les noms masculins : *faux-bord, faux-filet, faux-fuyant, faux-monnayeur, faux-pont, faux-semblant* et *faux-sens.* À l'exception de *faux-sens,* invariable, tous ces mots s'écrivent au pluriel avec un *s* au deuxième élément. Pour *faux bourdon / faux-bourdon* et *porte-à-faux / porte à faux,* → bourdon, porte-à-faux. ❑ On écrit sans trait d'union : *un faux plafond, un faux col, un faux pli,* ainsi que la locution adverbiale *à faux : l'accusation portait à faux.*

favori, ite adj. ◆ **Orth.** Attention : masculin en *-i,* féminin en *-ite.*

fax n.m. ◆ **Orth.** On écrit le plus souvent *fax,* avec une minuscule, mais on le trouve parfois avec une majuscule, comme le nom déposé dont il est issu (v. ci-après). ◆ **Emploi.** *Fax,* abréviation du nom déposé *Téléfax,* est employé dans l'usage courant comme un synonyme de *télécopie (envoyer un fax)* et de *télécopieur (il s'est équipé d'un fax).*

fédérer v.t. ◆ **Conjug.** Attention à l'accent, tantôt grave, tantôt aigu : *je fédère, nous fédérons ; il fédéra.* → annexe, tableau 11 et R.O. 1990

fée n.f. ◆ **Accord.** *Conte de fées : fées* au pluriel.

féerie n.f. ◆ **Prononc.** [feʀi], en prononçant la première syllabe comme celle de *férié (un jour férié),* ou [feeʀi], en articulant deux fois le son *é.* RECOMM. Dans l'expression soignée, préférer la première prononciation.

feignant, e adj. → fainéant

feindre v.t. ◆ **Conjug.** Comme *craindre.* Attention au groupe *-gni-* aux première et deuxième personnes du pluriel, à l'indicatif imparfait et au subjonctif présent : *(que) nous feignions, (que) vous feigniez.* → annexe, tableau 62.

feinter v.t. et v.i. ◆ **Registre.** Mot familier en dehors de ses emplois sportifs. RECOMM. Préférer les équivalents *abuser, tromper, duper, leurrer.*

feld-maréchal n.m. ◆ **Orth.** Avec un trait d'union. - Plur. : *des feld-maréchaux.*

félicitations n.f. plur. ◆ **Nombre.** Aujourd'hui, le mot n'est plus employé qu'au pluriel : *lettre, discours de félicitations ; recevez toutes nos félicitations ; elle a été reçue avec les félicitations du jury.*

fellaga, fellagha n.m. ◆ **Orth.** Les deux graphies, *fellaga* ou *fellagha,* sont admises. La première est plus conforme au système graphique du français. → R.O. 1990. REM. L'usage a consacré la forme *fellaga* ou *fellagha* au singulier bien qu'il s'agisse d'un pluriel en arabe (*fellaga,* pluriel de *fallaq,* coupeur de route). La forme savante *un fellag* (pluriel *des fellaga*) reste peu usitée.

fellah n.m. ◆ **Orth.** Plur. : *des fellahs.*

félon, onne n. ◆ **Orth.** Le féminin de *félon* s'écrit *félonne,* avec deux *n,* alors que le dérivé *félonie* n'en prend qu'un.

fêlure n.f. ◆ **Orth.** Avec un accent circonflexe sur le *e,* comme *fêler.*

fenaison n.f. ◆ **Orth.** Avec un *e,* bien que ce mot appartienne à la même famille que *faner, fanage.* REM. *Fenaison* vient de *fener,* ancienne forme de *faner.* ◆ **Prononc.** Le *e* se prononce comme le premier *e* de *fenêtre.*

fendre v.t. et v.pr. ◆ **Conjug.** Comme *vendre.* → annexe, tableau 59

fenil n.m. ◆ **Prononc.** [fənil] ou [fəni], en faisant ou non entendre le *l.* La prononciation avec le *l* final articulé est la plus fréquente aujourd'hui.

fennec n.m. ◆ **Orth.** Avec deux *n.*

fenouil n.m. ◆ **Prononc.** [fənuj] en prononçant la syllabe finale comme pour rimer avec *nouille.*

fer-blanc n.m. ◆ **Orth.** Avec un trait d'union. Mais les dérivés *ferblanterie* et *ferblantier* s'écrivent en un seul mot. - Plur. : *fers-blancs.*

férir v.t. ◆ **Emploi.** Ne s'emploie plus qu'à l'infinitif, dans l'expression figée *sans coup férir* (= sans rencontrer de difficulté), et au participe passé, *féru* (= pris d'un intérêt passionné pour).

REM. *Férir,* très fréquent en ancien français, signifiait « frapper ».

fermer v.t. ◆ **Emploi.** Dans l'expression orale familière, on dit *fermer la lumière, la télévision, l'électricité.* RECOMM. Dans l'expression surveillée, en particulier à l'écrit, préférer *éteindre la lumière, arrêter la télévision, couper l'électricité.* REM. Dans le vocabulaire technique de l'électricité, *fermer un circuit,* c'est établir une communication conductrice permettant le passage du courant.

ferrant (maréchal-) n.m. → maréchal-ferrant

ferroutage n.m. ◆ **Orth.** *Ferroutage* (= transport par chemin de fer et par route) s'écrit en un seul mot, de même que ses dérivés *ferrouter, ferroutier* et *ferrouteur.*

ferry-boat n.m. ◆ **Anglicisme.** *Ferry-boat* (= navire aménagé pour le transport des véhicules ferroviaires ou routiers et de leurs passagers) est le plus souvent abrégé aujourd'hui en *ferry.* RECOMM. OFF. *(Navire)* transbordeur. REM. La recommandation officielle n'est pas entrée dans l'usage courant, mais elle est utilisée dans la langue administrative. ◆ **Orth.** Plur. : *des ferry-boats, des ferrys* ou *des ferries.* → R.O. 1990

féru, e part. passé et adj. → férir

festival n.m. ◆ **Orth.** Plur. : *des festivals,* comme *des bals.*

festoiement n.m. ◆ **Orth.** S'écrit avec un *e* muet intérieur. *Festoiement* correspond à *festoyer,* verbe du premier groupe (comme *aboiement* correspond à *aboyer* → **aboiement**).

festoyer v.i. ◆ **Conjug.** Attention, le *y* devient *i* devant *e* muet : *je festoie* mais *je festoyais.* - Bien noter le *i* après le *y* aux première et deuxième personnes du pluriel, à l'indicatif imparfait et au subjonctif présent : *(que) nous festoyions, (que) vous festoyiez.* → annexe, tableau 7

1. **feu** n.m. ◆ **Sens et emploi.** *Faire long feu* = autrefois, rater, en parlant d'une arme à feu dont la charge de poudre prenait trop lentement pour faire partir le coup. - Au figuré, rater, ne pas aboutir (à propos d'autre chose que d'une arme à feu). *Plaisanterie qui fait long feu* (= qui ne fait pas rire). Cet emploi appartient aujourd'hui au registre soutenu. Dans la langue courante, l'expression est employée surtout en tournure négative : *ne pas faire long feu* (= ne pas traîner en longueur, ne pas durer longtemps). *Elle a pris les choses en main, ça n'a pas fait long feu, tout était prêt en trois quarts d'heure.*

2. **feu, feue** adj. ◆ **Accord.** *Feu* (= défunt depuis peu) s'accorde s'il est précédé par l'article défini ou l'adjectif possessif : *ma feue grand-mère, mes feues tantes.* Il reste invariable dans les autres cas : *feu ma grand-mère ; feu mes tantes.* ◆ **Emploi.** Aujourd'hui, *feu* ne s'emploie plus que dans la langue écrite de registre soutenu ou dans le style plaisant.

feuil n.m. ◆ **Orth. et sens.** *Feuil* n.m. = pellicule, couche très mince recouvrant qqch. (terme technique). *Un feuil d'or.* Ne pas confondre avec le nom féminin *feuille,* malgré une prononciation identique.

feuillage n.m. ◆ **Sens et orth.** Au sens de « branches coupées chargées de feuilles », *feuillage,* nom collectif, s'écrit au singulier : *une hutte de feuillage.*

feuilleter v.t. ◆ **Conjug.** Attention à l'alternance *-tt-/-t- : il feuillette, nous feuilletons ; il feuilletait ; il feuilleta ; il feuillettera.* → annexe, tableau 16 et R.O. 1990

feuilleton n.m. ◆ **Orth.** Les dérivés *feuilletonesque* et *feuilletoniste* s'écrivent avec un seul *n.* ❑ *Roman-feuilleton,* avec

un trait d'union. - Plur. : *des romans-feuilletons.*

feutre n.m. ◆ **Orth.** *Feutre* est employé comme deuxième élément dans quelques noms composés. Il est le plus souvent joint par un trait d'union à l'élément précédent : *un crayon-feutre, un tissu-feutre.* - Plur. : *des crayons-feutres, des tissus-feutres.* REM. La graphie en deux mots *(un crayon feutre, un tissu feutre)* n'est pas fautive, mais elle est de moins en moins fréquente.

féverole n.f. ◆ **Orth.** Avec un accent aigu sur le premier *e.* → R.O. 1990

fiable adj. ◆ **Emploi.** *Fiable,* appliqué surtout naguère à des choses (appareils, dispositifs techniques, en particulier), se dit également aujourd'hui des personnes : *un allié, un associé fiable.* Le substantif correspondant, *fiabilité,* a suivi le même évolution : *vous êtes-vous assuré de la fiabilité de ce témoin ?*

fiançailles n.f. plur. ◆ **Nombre.** Toujours au pluriel. *Bague de fiançailles.* → aussi **épousailles.** ◆ **Constr.** Avec *fiançailles,* on n'emploie pas *à : il nous a fait part des fiançailles de Rachid avec Vanessa* (ou *de Rachid et de Vanessa*). → aussi **fiancer**

fiancer v.t. et v.pr. ◆ **Conjug.** La conjugaison se fait sur le radical *fianc-* (et non *fianci-*) : *il se fiance la semaine prochaine* (et non *il se fiancie*). - Le *c* devient *ç* devant *o* et *a : je me fiance, nous nous fiançons ; il se fiança.* → annexe, tableau 9. ◆ **Constr.** On emploie indifféremment *fiancer qqn à* ou *fiancer qqn avec.* De même *se fiancer à* ou *se fiancer avec.* REM. La construction avec la conjonction *et* est moins précise, car elle n'implique pas la réciprocité. *Rachid et Vanessa se sont fiancés* peut vouloir dire qu'ils sont maintenant fiancés l'un à l'autre ou qu'ils sont chacun, respectivement, fiancés à une autre personne dont on ne parle pas.

fiasco n.m. ◆ **Orth.** Plur. : *des fiascos.*

Fibranne n.f. ◆ **Orth.** Avec une majuscule (nom déposé) et deux *n*.

fibrille n.f. ◆ **Orth. et prononc.** S'écrit avec deux *l*, mais peut être prononcé soit [fibʀil] avec le son *l*, comme dans *mille*, soit [fibʀij] avec le son *i* semi-consonne, comme dans *fille*. De même pour les dérivés *fibrillaire, fibrillation* (et son composé *défibrillation*), *fibrilleux, fibrillé*.

Fibrociment n.m. ◆ **Orth.** Avec une majuscule (nom déposé) et en un seul mot.

fibrome n.m. ◆ **Prononc. et orth.** [fibʀom], avec un *o* fermé, comme dans *dôme*, malgré l'absence d'accent circonflexe. → **adénome**

ficeler v.t. ◆ **Conjug.** Attention à l'alternance *-ll-/-l-* : *il ficelle, nous ficelons ; il ficelait ; il ficela ; il ficellera.* → annexe, tableau 16 et R.O. 1990

ficelle adj. inv. ◆ **Accord.** Employé comme adjectif (= malin, retors, roublard), le mot reste invariable : *ce sont des petits gars drôlement ficelle.* ◆ **Registre.** Familier dans ce sens, qui tend d'ailleurs à vieillir.

ficher, fiche v.t. ◆ **Conjug.** Ce verbe présente la particularité d'avoir deux infinitifs : *maintenant, tu vas me ficher la paix !* ou : *me fiche la paix !* ❏ Participe passé : *fichu* (et non *fiché*) : *qu'est-ce que tu as fichu pendant tout ce temps ?* ◆ **Registre.** Familier (euphémisme pour *foutre*).

fier (se) v.pr. ◆ **Constr. et registre.** *Se fier à qqch., à qqn : peut-on se fier à ces résultats ? Pour l'exactitude, on peut se fier à Martine.* Registre courant. ❏ *Se fier en qqn* ou, plus rarement, *en qqch. : fiez-vous en lui, il connaît son métier.* Registre

soutenu ou littéraire. ❏ *Se fier sur : se fier sur quelqu'un.* Construction presque entièrement sortie de l'usage.

fifty-fifty loc. adv. ◆ **Anglicisme.** Registre familier. RECOMM. Hors du registre familier, préférer *moitié-moitié*.

figer v.t. ◆ **Conjug.** Le *g* devient *-ge-* devant *a* et *o* : *je fige, nous figeons ; il figea.* → annexe, tableau 10

figure n.f. ◆ **Accord.** *Figure* reste toujours au singulier dans l'expression *faire figure de* : *ils avaient toujours fait figure d'exemples à suivre.*

figurer (se) v.pr. ◆ **Accord.** Le participe passé ne s'accorde jamais avec le sujet : *ils s'étaient figuré que j'accepterais sans condition.* Mais il s'accorde avec le complément d'objet direct qui le précède : *comment te l'étais-tu figurée, cette maison ?* → annexe, grammaire § 110

fileter v.t. ◆ **Conjug.** Attention à l'alternance *e/è : fileter ; je filète, il filète,* mais *nous filetons ; il filètera ; qu'il filète* mais *que nous filetions ; fileté.* → annexe, tableau 12 et R.O. 1990

filigrane n.m. ◆ **Prononc.** [filigʀan] le mot se prononce comme il s'écrit (issu de l'italien *filigrana*, « fil à grains » : ne pas prononcer la syllabe finale comme *gramme*). ◆ **Orth.** Avec un seul *l* et un seul *n : en filigrane.*

fille n.f. ◆ **Orth.** *Fille mère* s'écrit sans trait d'union. REM. *Fille mère* n'est pratiquement plus employé aujourd'hui, sauf pour évoquer l'époque révolue où la fille qui avait « fauté » était couverte d'opprobre, ou par plaisanterie. On dit aujourd'hui, sans mépris, *mère célibataire.* ◆ **Constr.** *La fille Martin,* pour *la fille de Paul Martin* → **fils**

filou n.m. ◆ **Orth.** Plur. : *des filous,* avec un *s*.

fils n.m. ◆ **Orth.** On écrit toujours au singulier l'expression *de père en fils. Les Jourdain sont marchands de tissu de père en fils depuis un siècle.* ◆ **Constr.** *Le fils X.* La construction sans préposition, *le fils Dupont* (= le fils des Dupont) est populaire. **RECOMM.** Préférer la tournure avec préposition : *le fils des Dupont, le fils de Marcel Dupont...* De même pour *fille : la fille des Martin, de Paul Martin.*

filtre n.m. / **philtre** n.m. ◆ **Orth.** Ne pas confondre ces deux homonymes. 1. *Filtre* = dispositif qui sert à filtrer (un liquide, un gaz, des particules, un rayonnement). Avec un *f* : *un filtre à café ; cigarettes sans filtre.* 2. *Philtre* = breuvage magique propre à inspirer l'amour. Avec *ph-* : « *Ce serait lui qui aurait fourni à Florian les philtres nécessaires pour séduire Idelette au profit de Cyprien* » (M. Yourcenar).

fin n.f. ◆ **Constr.** 1. *Fin janvier* = à la fin du mois de janvier. *Vous lui aviez proposé un rendez-vous fin janvier.* Registre courant (très employé dans la langue des affaires). **RECOMM.** Dans l'expression soignée, préférer *à la fin de janvier* ou *du mois de janvier.* ❏ *Fin courant* et *fin prochain* (= à la fin du mois en cours, du mois prochain) sont, respectivement, vieilli et sorti de l'usage. 2. *À la fin de la semaine / en fin de semaine :* l'une et l'autre tournures sont admises. *À la fin de la semaine* est un peu plus soutenu, *en fin de semaine* plus courant.

fin adv. / **fin, e** adj. ◆ **Accord.** 1. *Fin,* adverbe, est invariable : *elle est fin prête ; ils ont joué fin.* 2. Dans certains contextes, *fin* peut être compris soit comme un adverbe, et rester invariable, soit comme un adjectif, et s'accorder : *j'en voudrais quelques tranches, coupez-les fin* (= coupez-les finement) ; ou : *j'en voudrais quelques tranches, coupez-les fines* (= coupez des tranches fines).

final ou **finale** n.m. / **finale** n.f. ◆ **Sens et orth.** Ne pas confondre ces deux substantifs, l'un masculin, l'autre féminin. 1. *Final, finale* n.m. = dernière partie d'une œuvre musicale. Peut s'écrire avec un *l,* sans *e,* ou avec un *e* (italien *finale). Le final de la neuvième symphonie de Beethoven.* « *Il s'avançait théâtralement au milieu des tables en roulant quelque finale italien* » (A. Daudet). - Plur. : *des finals* ou *des finales.* 2. *Finale* n.f. = dernier élément d'un mot (son, syllabe ou lettre) ; dernière épreuve d'une compétition par élimination. S'écrit toujours avec un *e.*

final, e, als ou **aux** adj. ◆ **Orth.** Les deux formes *finals* ou *finaux* sont admises au pluriel : *les résultats finals* (ou *les résultats finaux) seront annoncés par voie de presse.* **REM.** Dans certains contextes, il est préférable d'utiliser *finals* pour éviter une ambiguïté ou un calembour involontaire avec *finauds : après éliminations des candidats moins rapides ou moins chanceux, demeurent en lice les concurrents finals* (préférable dans ce cas à : *les concurrents finaux).*

finaliser v.t. ◆ **Sens et registre.** Sous l'influence de l'anglais *to finalize,* ce mot est souvent employé au sens de « achever, mettre au point dans les derniers détails ». **RECOMM.** Dans l'expression soignée, préférer dans ce sens *achever, mettre au point, parachever* et n'employer *finaliser* qu'au sens de « orienter vers un objectif précis, donner une finalité à ».

finance n.f. ◆ **Orth.** Au singulier dans : *homme de finance, moyennant finance.* ❏ Au pluriel dans *loi de finances.* ❏ Avec une majuscule dans *ministère des Finances ; ministre des Finances.*

financer v.t. ◆ **Conjug.** Le *c* devient *ç* devant *o* et *a : je finance, nous finançons ; il finança.* → annexe, tableau 9

fini, e adj. ◆ **Accord.** L'usage est hésitant quant à l'accord de *fini* en tête de phrase. On écrit soit *fini les vacances* (= c'en est fini des vacances), soit *finies les vacances* (= les vacances sont finies).

finissage n.m. / **finition** n.f. ◆ **Orth.** *Finissage* n.m., avec deux *s* (dérivé du verbe *finir*) ❏ *Finition* n.f., avec *t* (du latin *finitio*).

fioul n.m. ◆ **Orth.** *Fioul* est la graphie officiellement recommandée pour remplacer l'anglais *fuel.*

fissible adj. / **fissile** adj. ◆ **Emploi.** Comme termes techniques de physique nucléaire, *fissile* et *fissible* ont le même sens (= susceptible de subir la fission), mais *fissible* n'est plus guère usité. - En revanche, dans le registre didactique, on emploie *fissile* dans d'autres domaines que le nucléaire : *l'ardoise, le schiste sont fissiles* (= se divisent facilement en lames minces).

fixer v.t. ◆ **Emploi.** *Fixer qqch., fixer qqn* = fixer son regard sur, regarder fixement. « *Je fixais indéfiniment le tronc d'un arbre lointain* » (M. Proust). « *Il me fixait droit dans les yeux* » (G. Bernanos). « *Il fixait attentivement la pointe rougie [...], procédant par touches légères, tirant des petites bouffées méthodiques* » (J. Rouaud). Cet emploi fait aujourd'hui partie de l'usage tant littéraire que courant. RÉM. Il était naguère critiqué, à la suite notamment de Voltaire, qui y voyait une source d'ambiguïté, et de Littré, qui le considérait comme une « grosse faute ».

flamand, e adj et n. / **flamant** n.m. ◆ **Orth.** Ne pas confondre ces deux homonymes. **1.** *Flamand* adj. et n. = de Flandre. Avec un *d* : *peintre de l'école flamande ; les Flamands.* **2.** *Flamant* n.m. = oiseau. Avec un *t* : *flamant rose.*

flambant, e adj. ◆ **Accord.** *Flambant* reste invariable dans l'expression *flambant neuf : une voiture flambant neuve.*

flamboiement n.m. ◆ **Orth.** S'écrit avec un *e* muet intérieur. *Flamboiement* correspond à *flamboyer,* verbe du premier groupe (comme *aboiement* correspond à *aboyer* → **aboiement**).

flamboyer v.i. ◆ **Conjug.** Attention, le *y* devient *i* devant *e* muet : *il flamboie* mais *il flamboyait.* - Bien noter le *i* après le *y* aux première et deuxième personnes du pluriel, à l'indicatif imparfait et au subjonctif présent : *(que) nous flamboyions, (que) vous flamboyiez.* → annexe, tableau 7

flamme n.f. ◆ **Orth.** Au singulier dans : *tout feu tout flamme, un discours plein de flamme* (la flamme d'un discours), *des yeux de flamme ; brûler sans flamme, en fumant jeter feu et flamme.* ❏ Au pluriel dans *en flammes : l'écurie était en flammes.*

flâner v.i. ◆ **Orth.** Avec un accent circonflexe, de même que les dérivés *flânerie* et *flâneur.*

flash n.m. ◆ **Orth.** Plur. : *des flashs* ou *des flashes.* RECOMM. Préférer le pluriel francisé : *des flashs.* ◆ **Registre.** *Avoir un flash* (= être frappé par une intuition, une idée soudaine, avoir un éclair de compréhension) appartient au registre familier.

flash-back n.m. inv. ◆ **Orth.** Avec un trait d'union : *un flash-back.* - Plur. : *des flash-back* (mot invariable). → R.O. 1990. ◆ **Anglicisme.** RECOMM. OFF. : *retour en arrière.*

flatter (se) v.pr. ◆ **Accord.** Le participe passé s'accorde avec le sujet : *elles se sont flattées des résultats obtenus.* ◆ **Constr. 1.** *Se flatter de* (+ substantif ou infinitif) : *je me flatte de ce résultat, d'avoir obtenu ce résultat.* **2.** *Se flatter que* (+ indicatif, conditionnel ou subjonctif) : *nous pouvons nous flatter que tous ont répondu à notre appel ; elle se flattait qu'elle y parviendrait rapidement ; vous flatteriez-vous*

autant qu'il réussisse s'il n'était pas votre ami ?
- Ne pas se flatter que (+ subjonctif) : *il ne se flatte pas qu'on ait besoin de lui.* RECOMM. Éviter la tournure *se flatter de ce que.*

flèche n.f. ◆ **Orth.** Avec un accent grave. Mais les dérivés *fléchette, flécher, fléché* s'écrivent avec un accent aigu.

fleur n.f. ◆ **Orth. 1.** Au pluriel : *assiettes à fleurs, tissu à fleurs ; un pot de fleurs, un vase de fleurs, un bouquet de fleurs.* ❑ Au singulier : *eau de fleur d'oranger.* **2.** *En fleur / en fleurs.* On écrit en principe *en fleur,* au singulier, s'il s'agit de fleurs d'une même espèce, et *en fleurs,* au pluriel, s'il s'agit de fleurs d'espèces différentes : *un pommier en fleur ; une prairie en fleurs.* Aujourd'hui, cet usage n'est plus que rarement observé, et le pluriel se généralise dans tous les cas : *un arbre en fleurs, des haies en fleurs.*

fleurdelisé, e adj. ◆ **Orth.** Avec un seul *l* et toujours avec un *i* (bien que l'on puisse écrire *lis* ou *lys*).

fleurir v.i. ◆ **Conjug.** *Fleurir,* au sens de « être prospère, se développer », se conjugue sur le radical *flor-* à l'indicatif imparfait et au participe présent : *à l'époque où les arts florissaient ; une industrie florissante.* L'infinitif *florir,* rare, est attesté dans la langue littéraire : « *Ce n'est pas une raison pour que l'art ne continue pas de verdoyer et de florir* » (V. Hugo).

fleuve n.m. / **rivière** n.m. ◆ **Sens.** Les mots *fleuve* et *rivière* n'ont pas le même sens selon qu'ils sont employés dans la langue courante ou comme termes techniques de géographie. **1. Au sens strict (sens technique).** ❑ Le *fleuve* est un cours d'eau qui se jette dans une mer ; il a ou non des affluents : *l'Aa* (80 km) *est un fleuve aussi bien que l'Amazone* (7 000 km). ❑ La *rivière* est un cours d'eau qui se jette dans un autre cours d'eau ; elle a ou non des affluents :

la Saône (480 km) *est une rivière aussi bien que la Sorgue* (35 km). **2. Au sens usuel.** ❑ Le *fleuve* est un cours d'eau important par sa longueur et son débit. ❑ La *rivière* est un cours d'eau de moyenne ou de faible importance par sa longueur et son débit. REM. Du plus important au moins important, on parle de *fleuve,* de *rivière,* de *ruisseau,* de *ru* (mais ce mot est rare). Le *torrent* est caractérisé par son site (la montagne) et son aspect (rapide et tumultueux).

flic flac interj. / **flic-flac** n.m. ◆ **Orth.** L'interjection s'écrit en deux mots, sans trait d'union : *flic flac, fait la pluie d'automne.* Le nom s'écrit avec un trait d'union : *le flic-flac des pieds nus sur le carrelage. - Plur. : des flic-flac* (invariable).

florir v.i. → fleurir

flot n.m. ◆ **Orth.** *À flot / à flots.* **1.** *À flot* = qui flotte, au singulier. *Les navires à flot.* **2.** *À flots* = abondamment, au pluriel. *Le champagne de la victoire a coulé à flots.*

flottille n.f. ◆ **Orth.** Avec deux *t,* comme *flotte* dont il est issu.

flûte n.f. ◆ **Orth.** Avec un accent circonflexe sur le *u.* De même pour les dérivés *flûtiste, flûtiau, flûter.* → R.O. 1990

fluvial, e, aux adj. ◆ **Sens.** Qui a rapport aux cours d'eau en général (fleuves, rivières et cours d'eau plus petits) : *navigation fluviale, hydrologie fluviale.* REM. Même extension de sens pour *fluviatile,* relatif aux cours d'eau.

flux n.m. ◆ **Prononc.** [fly], le *x* final ne se prononce pas.

fœtus n.m. ◆ **Orth.** Avec un *e* dans l'*o.* ◆ **Prononc.** [fetys], la syllabe initiale se prononce comme celle de *fétu* (et non comme celle de *fenêtre*).

foi n.f. / **foie** n.m. / **fois** n.f. ◆ **Orth.** Bien distinguer ces trois homonymes. **1.** *Foi* n.f. = confiance ; croyance. *La foi en la parole donnée ; avoir la foi.* Sans *e*, bien qu'il s'agisse d'un nom féminin. **2.** *Foie* n.m. = organe. *Maladie du foie ; du foie de veau.* Avec un *e*, bien qu'il s'agisse d'un nom masculin. **3.** *Fois* n.f. = occasion, cas. *C'est bon pour cette fois. C'est la fois où il est venu avec sa fiancée.* Avec un *s*, même au singulier.

fois n.f. ◆ **Orth.** → foi. ◆ **Constr. 1.** *Des fois* (= parfois, de temps en temps), est courant dans l'expression orale non surveillée. **RECOMM.** Dans l'expression soignée, en particulier à l'écrit, préférer *quelquefois* ou *quelques fois* (= plusieurs fois) , *parfois.* ❑ *Des fois que* au sens de « si, si par hasard » appartient à l'expression très relâchée. **RECOMM.** Employer les équivalents corrects *si, au cas où, dans l'éventualité où,* etc. : *je vous laisse une clé, pour le cas où vous auriez à revenir en mon en absence* (et non *des fois que vous auriez à revenir...*). **2.** *Une fois que* = dès que, lorsque. *Une fois que vous aurez lu l'article, vous aurez compris.* S'emploie souvent sans *que* : *une fois lu l'article, vous aurez tout compris.*

foisonner v.t.ind. ◆ **Orth.** Avec deux *n.* De même pour *foisonnant* et *foisonnement.* ◆ **Constr.** *Foisonner de / en : c'est une région qui foisonne de gibier,* ou *qui foisonne en gibier.*

foncer v.t. et v.i. ◆ **Conjug.** Le *c* devient *ç* devant *o* et *a* : *je fonce, nous fonçons ; il fonça.* → annexe, tableau 9

fonction n.f. ◆ **Orth. 1.** Au singulier : *faire fonction de (le secrétaire général fera fonction de directeur adjoint pendant l'intérim), en fonction de (nous jugerons en fonction des résultats), être en fonction (c'était le poste qu'il occupait quand il était en fonction), de fonction (voiture de fonction, appartement de fonction).* ❑ Au singulier ou au pluriel : *entrer en fonction* ou *en fonctions.* **2.** Les mots de la même famille s'écrivent avec deux *n* : *fonctionnaire, fonctionner, fonctionnel,* etc.

fond n.m. / **fonds** n.m. Ne pas confondre ces deux mots. ◆ **Sens. 1.** *Fond,* sans *s* au singulier = partie la plus basse d'un lieu, d'une chose, d'un récipient (*le fond d'un lac , le fond d'une bouteille*) ; partie la plus éloignée de l'entrée (*le fond d'un couloir*), ce qu'il y a d'essentiel, de fondamental dans quelque chose (*voilà le fond de l'histoire*) **2.** *Fonds,* avec un *s* même au singulier = terrain, sol (*cultiver son fonds, bâtir sur son fonds*) ; capital (*un fonds de roulement ; prêter à fonds perdu*) ; affaire commerciale (*un fonds de boulangerie, de confection pour dames*) ; ensemble de livres, d'œuvres, détenus par une bibliothèque, un musée (*le fonds de manuscrits de la Bibliothèque nationale*). **REM.** *Fond* et *fonds* sont deux variantes orthographiques d'un même mot, issu du latin *fundus,* fond d'un objet, partie essentielle, domaine, propriété. Les deux mots ne se sont différenciés graphiquement qu'à partir du XVIIe s., de manière arbitraire.

fondé, e de pouvoir(s) n. ◆ **Orth.** On écrit : *fondé de pouvoir* ou *fondé de pouvoirs.* **REM.** Une règle, toute théorique, voudrait que l'on écrive au singulier *fondé de pouvoir* lorsque l'intéressé ne dispose que d'une seule délégation, d'un seul mandat, et *fondé de pouvoirs* lorsqu'il en exerce plusieurs. Il s'agit en réalité de deux variantes orthographiques libres. ◆ **Genre.** Comme pour beaucoup d'autres noms de métiers ou de fonctions exercés naguère seulement par des hommes, l'usage hésite sur le genre. Le mot est tantôt employé au masculin, même pour désigner une femme (*je vous présente Mme Martine Balto, le fondé de pouvoir de notre partenaire*), tantôt féminisé (*mettez-vous en* *rapport avec la fondée de pouvoirs de l'agence).* La tendance à la féminisation l'emporte aujourd'hui.

fonder v.t. / **fondre** v.t. ◆ **Conjug.** Attention aux conjugaisons de ces deux verbes, qui présentent des formes communes, notamment les personnes du pluriel de l'indicatif présent *(nous fondons, vous fondez, ils fondent),* l'ensemble des formes de l'indicatif imparfait *(je fondais, tu fondais,* etc.) et du subjonctif présent *(que je fonde, que tu fondes,* etc.). **1.** *Fonder :* comme *chanter.* → annexe, tableau 3. **2.** *Fondre :* comme *vendre.* → annexe, tableau 59.

fonds n.m. → fond

fonts n.m. plur. ◆ **Orth.** Attention au *t* et au *s* finals. REM. Le *t* vient du latin *fons, fontis,* source, qui a également donné *fontaine.* ◆ **Emploi.** *Fonts* est toujours au pluriel, et ne s'emploie que dans l'expression *fonts baptismaux* (= bassin contenant l'eau pour les baptêmes).

football n.m. ◆ **Orth.** En un seul mot, comme *handball,* et contrairement à *basket-ball, volley-ball.*

footing n.m. ◆ **Anglicisme.** *Footing,* faux anglicisme créé en français sur l'anglais *foot,* pied, est aujourd'hui consacré par l'usage, mais légèrement vieilli. On dit plus volontiers aujourd'hui *jogging.*

for n.m. / **fors** prép. Ne pas confondre ces deux mots. ◆ **Emploi. 1.** *En, dans mon (ton, son,* etc.*) for intérieur* = dans le secret de ma (ta, sa, etc.) conscience. *For* n'est employé que dans cette locution. Registre soutenu. REM. *For* est issu du latin *forum,* tribunal. Le sens étymologique est ainsi « devant mon (ton, son) tribunal intérieur ». **2.** *Fors* = excepté, sauf. « *Tout est perdu fors l'honneur* ». REM. L'ancienne préposition *fors* n'est plus guère utilisée que pour citer

le mot attribué au roi François Ier, fait prisonnier après le désastre de Pavie (1525), ou dans le style plaisant.

force n.f. ◆ **Orth.** Au singulier : *par force, à force, à toute force, en force.* ◆ **Emploi.** *Force* (+ substantif) = beaucoup de (emploi adverbial). *Boire force vin.* « *Nous passions [...] la plupart de nos soirées à rédiger force lettres* » (G. Duhamel). Dans cet emploi, littéraire et un peu archaïque, *force* reste invariable.

forcer v.t. ◆ **Conjug.** Le *c* devient *ç* devant *o* et *a : je force, nous forçons ; il força.* → annexe, tableau 9. ◆ **Constr. 1.** *Forcer à* (+ infinitif) : *on m'a forcé à le faire.* REM. La construction *de* est aujourd'hui sortie de l'usage : « *Un devoir impérieux me forçait de retourner à Paris* » (G. de Nerval). **2.** *Être forcé de* (+ infinitif) : *j'étais forcé d'accepter ; il était bien forcé de dire la vérité.*

forclore v.t. ◆ **Conjug.** Ce verbe n'est usité qu'à l'infinitif et au participe passé : *forclos, forclose.*

foret n.m. / **forêt** n.f. ◆ **Orth.** Attention à l'orthographe de ces deux mots : *foret* (= outil pour percer), sans accent, mais *forêt* (= bois), avec un accent circonflexe sur le *e.*

forêt-galerie n.f. ◆ **Orth.** Avec un trait d'union. - Plur. : *des forêts-galeries.*

forfaire v.t.ind. ◆ **Conjug.** Usité seulement à l'infinitif présent, au singulier de l'indicatif présent et aux temps composés. → annexe, tableau 89. ◆ **Constr.** *Forfaire à :* « *Je ne crois pas forfaire à l'honneur ni à ma conscience...* » (A. Daudet). ◆ **Registre.** D'un emploi rare, ce verbe appartient au registre soutenu.

forger v.t. ◆ **Conjug.** Le *g* devient *-ge-* devant *a* et *o : je forge, nous forgeons ; il forgea.* → annexe, tableau 10

forjeter v.t. ◆ **Conjug.** Attention à l'alternance -*tt*-/ -*t*- : *il forjette, nous forjetons ; il forjetait ; il forjeta ; il forjettera.* → annexe, tableau 16 et R.O. 1990

forlancer v.t. ◆ **Conjug.** Le *c* devient *ç* devant *o* et *a* : *je forlance, nous forlançons ; il forlança.* → annexe, tableau 9

fors prép. → for

forsythia n.m. ◆**Prononc.** [fɔʀsisja], le groupe -*th*- se prononce comme un *s*. ◆ **Orth.** Attention à l'orthographe difficile de ce mot, formé sur le nom de l'horticulteur anglais *Forsyth*.

fort adj. ◆ **Orth.** *Se faire fort de* = se déclarer capable de. Dans cette expression, *fort* est invariable : *elles se sont fait fort de nous aider.*

forte adv. et n.m. inv. ◆ **Prononc.** [fɔʀte], comme pour rimer avec *porté*. ◆ **Orth.** Plur. : *des forte.*

fortiori (a) loc. adv. → a fortiori

fortissimo adv. et n.m. ◆ **Orth.** L'adverbe est invariable : *passages joués fortissimo ;* le nom prend la marque du pluriel : *les fortissimos des altos et des basses.* → R.O. 1990

forum n.m. ◆**Orth.** Plur. : *des forums.*

fossoyer v.t. ◆ **Conjug.** Attention, le *y* devient *i* devant *e* muet : *je fossoie* mais *je fossoyais.* - Bien noter le *i* après le *y* aux première et deuxième personnes du pluriel, à l'indicatif imparfait et au subjonctif présent : *(que) nous fossoyions, (que) vous fossoyiez.* → annexe, tableau 7

fou ou **fol, folle** adj. et n. ◆ **Emploi.** *Fou / fol.* Ce mot a deux formes au masculin singulier, *fou* et *fol. Fol* s'emploie devant un nom masculin singulier commençant par une voyelle ou un *h* muet. *Un fol espoir, un fol héroïsme* (mais : *un espoir fou, un héroïsme fou*). REM. La forme

fol appartient aujourd'hui au registre soutenu, car, dans le registre courant, *fou* est désormais le plus souvent placé après le nom.

foudre n.f. / **foudre** n.m. ◆ **Sens et genre.** Attention au sens et au genre du mot *foudre.* 1. *Foudre* n.f. = décharge électrique aérienne, féminin. *La foudre est tombée tout près.* ❑ Au sens figuré (= reproches, châtiment, vengeance), toujours au pluriel : *il s'est attiré les foudres du pouvoir.* 2. *Foudre* n.m. = faisceau de dards en zigzag, attribut de Jupiter ; représentation stylisée de l'éclair. « *Le foudre ailé du roi Zeus* » (Th. de Banville) ; *le foudre était autrefois l'insigne des télégraphistes.* ❑ *Un foudre de guerre, d'éloquence :* un grand capitaine, un grand orateur. REM. Dans ce sens et dans le précédent, le mot est issu du latin *fulgur,* éclair. 3. *Foudre* n.m. = tonneau d'une capacité de 50 à 300 hectolitres. REM. Dans ce sens, le mot est issu de l'allemand *Fuder* (même sens).

foudroiement n.m. ◆ **Orth.** S'écrit avec un *e* muet intérieur. *Foudroiement* correspond à *foudroyer,* verbe du 1er groupe (comme *aboiement* correspond à *aboyer* → **aboiement**).

foudroyer v.t. ◆ **Conjug.** Attention, le *y* devient *i* devant *e* muet : *je foudroie* mais *je foudroyais.* - Bien noter le *i* après le *y* aux première et deuxième personnes du pluriel, à l'indicatif imparfait et au subjonctif présent : *(que) nous foudroyions, (que) vous foudroyiez.* → annexe, tableau 7

foule n.f. ◆ **Accord.** *Une foule de..., la foule des :* l'accord avec *foule* peut se faire au singulier ou au pluriel selon que prédomine l'idée d'ensemble ou celle de nombre. *La foule des curieux qui se massait sur le passage du cortège,* au singulier. Mais : *la foule des curieux qui voulaient assister au défilé,* au pluriel. REM. Dans beaucoup de cas, le sens même interdit toute hésitation : *la foule des grands jours se pressait sur l'avenue* entraîne nécessairement l'accord au singulier.

fourmilière n.f. ◆ **Orth.** Avec un seul *l*. Mais *fourmiller* et *fourmillement* en ont deux.

fourmilion, fourmi-lion n.m. ◆ **Orth.** Les deux graphies, *fourmilion* et *fourmi-lion*, sont admises.

fourneau (haut-) n.m. → haut-fourneau

fournil n.m. ◆ **Prononc.** [fuʀni], sans faire entendre le *l*, comme dans *fusil* (prononciation traditionnelle), ou, de plus en plus souvent, [fuʀnil], en articulant le *l* final. REM. Comme pour beaucoup de mots qui ne sont plus transmis que par l'écrit, la prononciation tend à s'aligner sur la graphie : le fournil de la boulangerie de village fait de moins en moins souvent partie de l'environnement quotidien des francophones, aujourd'hui majoritairement citadins.

fourniment n.m. ◆ **Orth.** Pas de *e* muet entre le *i* et le *m*. REM. *Fourniment* correspond à *fournir*, verbe du 2ᵉ groupe.

fourrager v.i. ◆ **Conjug.** Le *g* devient *-ge-* devant *a* et *o* : *je fourrage, nous fourrageons ; il fourragea.* → annexe, tableau 10

fourre-tout n.m. inv. ◆ **Orth.** Avec un trait d'union. - Plur. : *des fourre-tout* (invariable). → R.O. 1990

fourvoyer v.t. et v.pr. ◆ **Conjug.** Attention , le *y* devient *i* devant *e* muet : *il se fourvoie* mais *il se fourvoyait.* - Bien noter le *i* après le *y* aux première et deuxième personnes du pluriel, à l'indicatif imparfait et au subjonctif présent : *(que) nous nous fourvoyions, (que) vous vous fourvoyiez.* → annexe, tableau 7

fractionnel, elle adj. ◆ **Orth.** Avec deux *n*, comme tous les dérivés de *fraction* : *fractionnaire, fractionnement, fractionner, fractionnisme, fractionniste.*

1. **frais** n.m. plur. ◆ **Nombre.** Ce mot ne s'emploie jamais au singulier. *Ces travaux occasionnent des frais. Travailler à moindres frais. Il n'y aura aucuns frais.*

2. **frais, fraîche** adj. et adv. ◆ **Orth.** Le féminin *fraîche* et les mots de la famille de *frais* formés sur le radical *fraîch-* prennent tous un accent circonflexe sur le *i* : *fraîchement, fraîcheur, fraîchin ; fraîchir, fraîchissement.* → R.O. 1990. ◆ **Accord.** L'adverbe, placé devant un adjectif féminin, peut s'accorder : *des glaïeuls frais cueillis, des fleurs fraîches écloses, la terre fraîche remuée.* Toutefois, cet accord est facultatif et, dans une large mesure, déterminé par l'usage. On dit ainsi habituellement : *des fleurs fraîches cueillies, une chargée d'études fraîche émoulue de l'université.* En revanche, *des portes fraîches repeintes,* naguère courant, paraît aujourd'hui soutenu, et on ne dirait pas *des portes frais repeintes. RECOMM.* En cas de doute, employer *fraîchement : des portes fraîchement repeintes ; des glaïeuls fraîchement cueillis, de la terre fraîchement remuée,* etc.

franc n.m. ◆ **Orth.** Le *franc,* monnaie, s'abrège en *F,* sans point. *FB = franc belge ; FF = franc français ; FS = franc suisse.* ❑ *1,50 F se lit un franc cinquante.*

franc-comtois, e adj. et n. ◆ **Orth.** Avec un trait d'union. Attention au *m* devant le *t*. ◆ **Accord.** L'élément *franc* reste invariable au féminin : *les parlers francs-comtois, des horloges franc-comtoises. Les Francs-Comtois et Franc-Comtoises.*

franc-maçon, onne adj. et n. ◆ **Orth.** Avec un trait d'union. ◆ **Accord.** L'élément *franc* reste invariable au féminin : *un franc-maçon, une* *franc-maconne. - Plur. : les francs-maçons, les franc-maçonnes.*

franc-maçonnique adj. ◆ **Orth.** Avec un trait d'union. ◆ **Accord.** Le premier élément reste invariable : *des rites franc-maçonniques, des loges franc-maçonniques.*

franco adv. ◆**Orth.** *Franco* est invariable. *Recevoir des échantillons franco de port ; des colis envoyés franco.* ◆ **Emploi.** *Franco de port* ou *franco* (= sans frais pour le destinataire), de l'italien *franco porto* a remplacé l'expression *franc de port,* aujourd'hui vieillie.

franc-or n.m. → or

franc-parler n.m. ◆ **Orth.** Plur. : *des francs-parlers.*

franc-tireur n.m. ◆ **Orth.** Plur. : *des francs-tireurs.*

franger v.t. ◆ **Conjug.** Le *g* devient -*ge-* devant *a* et *o : je frange, nous frangeons ; il frangea.* → annexe, tableau 10

frangipane n.f. ◆ **Orth.** Avec un seul *n.*

fratricide n et adj. ◆ **Emploi.** 1. *Fratricide* n.m. = meurtre d'un frère ou d'une sœur. *Commettre un fratricide.* 2. *Un, une fratricide* n. = un homme, une femme qui a commis un fratricide. 3. *Fratricide* adj. = qui a commis un fratricide.

frayer v.t., v.t.ind. et v.i. ◆ **Conjug.** Les formes conjuguées du verbe peuvent s'écrire avec un *y* ou un *i* devant *e* muet : *il fraie* ou *il fraye, il fraiera* ou *il frayera.* - Attention au *i* après le *y* aux première et deuxième personnes du pluriel, à l'indicatif imparfait et au subjonctif présent : *(que) nous frayions, (que) vous frayiez (frayiez).* → annexe, tableau 6

free-lance adj. inv. et n. ◆ **Orth.** Avec un trait d'union. L'adjectif reste invariable *(des photographes free-lance),* mais le

nom prend la marque du pluriel *(des free-lances).* → R.O. 1990. ◆ **Anglicisme.** *Free-lance* se dit d'un professionnel travaillant indépendamment d'une agence, dans certains métiers (presse et publicité, notamment). Le mot n'a pas de véritable équivalent français : *travailleur indépendant,* parfois proposé pour remplacer *free-lance,* fait surtout référence à un régime particulier de protection sociale.

freesia n.m. ◆ **Prononc.** [fʀɛzja], la suite -*ee-* se prononce comme un *é,* malgré l'origine anglaise du mot. ◆ **Orth.** On rencontre parfois l'orthographe francisée *frésia.*

freezer n.m. ◆ **Prononc.** [fʀizœʀ], le mot se prononce comme s'il s'écrivait *friseur.*

frein n.m. ◆ **Orth.** Au singulier : *un coup de frein ; sans frein (des dépenses sans frein).*

freiner v.t. et v.i. ◆ **Orth.** Avec -*ei-.* REM. *Réfréner* et *effréné,* qui appartiennent à la même famille, s'écrivent avec un *é.*

fréquenter v.t. ◆ **Constr.** *Fréquenter un lieu, fréquenter qqn :* fréquenter les musées, fréquenter ses voisins. REM. Les constructions *fréquenter chez quelqu'un, fréquenter dans un lieu* sont aujourd'hui vieillies : « *Chez la première fréquentaient des gens que la seconde n'eût jamais voulu inviter, surtout à cause de son mari* » (M. Proust). ◆ **Registre.** *Fréquenter,* en emploi absolu (= avoir des relations sentimentales avec une personne de l'autre sexe, en parlant d'une jeune fille ou d'un jeune homme) est populaire ou régional : *il paraît que la fille Dupont commence à fréquenter.*

fréquentiel, elle adj. ◆ **Orth.** Avec un *t* (on a *fréquence / fréquentiel* comme on a *démence / démentiel, séquence / séquentiel ;* mais on écrit *révérenciel*).

frère n.m. ◆ **Orth.** *Frère,* titre de certains religieux, s'écrit sans majuscule : *frère Jean Chrysostome.* REM. *Fra Angelico,* nom propre qui pourrait se traduire par *frère Angelico,* s'écrit avec une majuscule.

fréter v.t. ◆ **Conjug.** Attention à l'accent, tantôt grave, tantôt aigu : *je frète, nous frétons ; il fréta.* → annexe, tableau 11 et R.O. 1990

fric-frac n.m. inv. ◆ **Orth.** Avec un trait d'union. - Plur. : *des fric-frac* (invariable). ◆ **Registre.** Familier.

Frigidaire n.m. ◆ **Orth.** Avec une majuscule pour désigner un réfrigérateur de la marque de ce nom. Sans majuscule dans le sens courant (mais abusif) de « réfrigérateur, quelle que soit sa marque ». RECOMM. Préférer *réfrigérateur,* sauf dans les situations où l'on souhaite désigner précisément un réfrigérateur de la marque Frigidaire. REM. Dans le registre familier, *frigo* remplace de plus en plus souvent *Frigidaire.*

friper v.t. ◆ **Orth.** Avec un seul *p,* comme *friperie.*

frire v.t. ◆ **Conjug.** La conjugaison de *frire* est incomplète. N'existent que les formes de l'indicatif présent au singulier, de l'indicatif futur, du conditionnel, de l'impératif, du participe passé et des temps composés. Les personnes et les temps manquants sont remplacé par *faire frire : nous faisons frire ; je faisais frire ; que je fasse frire,* etc. → annexe, tableau 95

frisotter v.i. ◆ **Orth.** Avec deux *t.*

frisottis n.m. ◆ **Orth.** Avec deux *t* et un *s* final.

friteuse n.f. ◆ **Orth.** Un seul *t,* comme *frite.*

froid n.m. ◆ **Emploi.** *Avoir froid.* La langue courante admet aujourd'hui l'emploi de *avoir froid* avec un adverbe : *avoir très froid, avoir si froid que..., avoir tellement froid que...* → envie

froisser v.t. et v.pr. ◆ **Constr.** 1. *Froisser qqn* = le heurter moralement, le vexer. *Vous le froisseriez gravement en n'acceptant pas son invitation.* 2. *Être froissé* ou *se froisser de ce que* (+ indicatif ou subjonctif) : *elle est froissée de ce qu'on l'a mal reçue ; elle est froissée de ce qu'on l'ait oubliée.* 3. *Être froissé* ou *se froisser que* (+ subjonctif) : *ils sont froissés qu'on les ait oubliés.*

froncer v.t. ◆ **Conjug.** Le *c* devient *ç* devant *o* et *a* : *je fronce, nous fronçons ; il fronça.* → annexe, tableau 9

frontal, aux adj. ◆ **Orth.** Masculin pluriel : *frontaux. Des chocs frontaux.*

frontière n.f. ◆ **Orth.** Sans trait d'union : *borne frontière, ville frontière, zone frontière.* - Plur. : *des bornes frontières, des villes frontières, des zones frontières.*

frottis n.m. ◆ **Orth.** Avec deux *t* et un *s* final.

froufrou, frou-frou n.m. ◆ **Orth.** Les deux graphies, *froufrou* et *frou-frou* sont admises. *Froufrou,* en un seul mot, est plus cohérent avec les dérivés *froufrouter, froufroutement.* - Plur. : *des froufrous, des frous-frous.* → R.O. 1990

frugal, e, aux adj. ◆ **Orth.** Masculin pluriel : *frugaux. Des dîners frugaux.*

fruste adj. ◆ **Prononc.** [fʀyst], comme pour rimer avec *buste.* RECOMM. Ne pas prononcer avec un *r* final comme dans *lustre,* sous l'influence de *rustre* ou de *frustré.*

fuchsia n.m. ◆ **Prononc.** [fyʃja], en prononçant le groupe -*chs*- comme un simple *ch,* ou [fyksja], en le prononçant comme un *x* (plus rare). REM. Ce mot

vient du nom de Leonhart Fuchs, botaniste et médecin allemand (1501-1566).

fuel n.m. ◆ **Anglicisme. RECOMM. OFF.**
Fioul. → fioul

fuir v.i. et v.t. ◆ **Conjug.** Attention au *i*
après le *y* aux première et deuxième personnes du pluriel, à l'indicatif imparfait et
au subjonctif présent : *(que) nous fuyions,
(que) vous fuyiez.* → annexe, tableau 24

fume-cigare n.m. inv. ◆ **Orth.** Plur. :
des fume-cigare (invariable) → R.O. 1990

fume-cigarette n.m. inv. ◆ **Orth.**
Plur. : *des fume-cigarette* (invariable) → R.O.
1990

fumerolle n.f. ◆ **Orth.** Avec deux *l*. →
R.O. 1990

funèbre adj. / **funéraire** adj. ◆ **Sens et
emploi.** Les deux adjectifs ont trait l'un et
l'autre aux funérailles, mais n'ont pas
exactement les mêmes emplois. **1.**
Funèbre qualifie plutôt ce qui concerne
l'apparat, les formes extérieures des cérémonies d'obsèques : *veillée funèbre, marche
funèbre, oraison funèbre, pompes funèbres.* **2.**
Funéraire s'applique davantage aux objets
utilisés dans le rituel mortuaire, notamment ceux qui sont liés à l'ensevelisse-
ment ou à la crémation : *pierre funéraire,
urne funéraire ; bûcher funéraire* (en Extrême-
Orient).

funérailles n.f. plur. ◆ **Nombre.** Ne
s'emploie qu'au pluriel : « *Les cloches du
hameau, qui devaient sonner pour son hymen,
sonnèrent pour ses funérailles* » (A. France)

fur et à mesure (au) loc. adv. ◆
Constr. 1. *Au fur et à mesure :* *les neiges fondent et l'eau de la rivière monte au fur et à
mesure.* **2.** *Au fur et à mesure que* (+ indicatif) *: l'eau de la rivière monte au fur et à
mesure que la neige fond.* **3.** *Au fur et à mesure
de* (+ nom) *: l'eau monte au fur et à mesure de
la fonte des neiges.* REM. Le mot *fur,* qui n'a
plus d'existence autonome, signifiait

« mesure, proportion ». L'expression est
donc à l'origine un pléonasme signifiant à
peu près « à mesure et à proportion ».

fureter v.i. ◆ **Conjug.** Attention à l'alternance *e/è : fureter ; je furète, il furète,* mais *nous
furetons ; il furètera ; qu'il furète* mais *que nous
furetions.* → annexe, tableau 12

furieux adj. ◆ **Constr.** *Furieux de qqch.,
furieux contre qqn :* elle est furieuse de
cette décision ; elle est furieuse contre vous.*
RECOMM. Éviter le tour *être furieux après
qqn.*

fuseler v.t. ◆ **Conjug.** Attention à l'alternance *-ll-/-l- : il fuselle, nous fuselons ; il fuse-
lait ; il fusela ; il fusellera.* → annexe, tableau
16 et R.O. 1990

fusil n.m. ◆ **Prononc.** [fyzi], le *l* final ne se
prononce pas. ◆ **Orth.** *Fusil-mitrail-
leur,* avec un trait d'union. - *Fusil sous-
marin,* sans trait d'union entre *fusil* et
sous-marin.

fusilier n.m. ◆ **Prononc.** [fyzilje], comme
pour rimer avec *résilier.* ◆ **Orth.** *Fusilier*
(= soldat, en particulier fantassin de
marine), avec un seul *l* et un *i* de chaque
côté du *l,* à la différence du verbe *fusiller.*

fustiger v.t. ◆ **Conjug.** Le *g* devient
-ge- devant *a* et *o : je fustige, nous fustigeons ;
il fustigea.* → annexe, tableau 10

fut / fût formes conjuguées → être

fût n.m. ◆ **Orth.** Avec un accent circonflexe sur le *u.* Mais les mots issus de *fût*
s'écrivent sans accent : *futaie* n.f. (= forêt),
futaille n.f. (= tonneau), *futée* (= pâte à
bois). → R.O. 1990

futaie n.f. → fût

futaille n.f. → fût

futée n.f. → fût

futile adj. ◆ **Orth.** Avec un seul *l,* de
même que son dérivé *futilité.*

G

gabare n.f. ◆ **Orth.** Avec un seul *r*.

gabarit n.m. ◆ **Prononc.** [gabaʀi], le *t* final ne se prononce pas, comme pour *lit*.

gabelou n.m. ◆ **Orth.** Avec un seul *l*, à la différence de *gabelle*.

gable, gâble n.m. ◆ **Orth.** *Gable,* terme d'architecture, peut également s'écrire *gâble,* avec un accent circonflexe. ◆ **Sens.** Ne pas confondre *gable* (= surface triangulaire surmontant certains arcs, dans la construction gothique) avec *galbe* (= contour, profil).

gâcher v.t. ◆ **Orth.** Avec un accent circonflexe sur le *â*. De même pour les mots dérivés *gâche, gâcheur, gâchis*.

gâchette n.f. ◆ **Sens.** La *gâchette* est, proprement, la pièce solidaire de la détente qui commande le départ du coup, dans une arme à feu (située à l'intérieur de l'arme, la gâchette n'est pas visible extérieurement) ; la pièce du mécanisme qui, pressée par le tireur, agit sur la gâchette et fait partir le coup est la *détente*. L'emploi de *gâchette* au sens de *détente* est habituel dans la langue courante : *appuyer sur la gâchette, le doigt sur la gâchette, un dingue de la gâchette* ; il est abusif en technique.

gâchis n.m. ◆ **Orth.** Avec un accent circonflexe sur le *â*, comme dans *gâcher,* et un *s* final même au singulier, qui ne se prononce pas.

gaffe n.f. ◆ **Registre.** 1. *Faire une gaffe* (= commettre une bévue, un impair), est admis dans l'expression orale familière. 2. *Faire gaffe* (= prendre garde, faire attention) appartient à l'expression relâchée.

gaga adj. inv. ◆ **Orth.** Invariable en genre et en nombre : *elle est gaga ; ils sont complètement gaga, avec leur chat.* ◆ **Registre.** Familier.

gager v.t. ◆ **Conjug.** Le *g* devient *-ge-* devant *a* et *o* : *je gage, nous gageons ; il gagea.* → annexe, tableau 10

gageure n.f. ◆ **Prononc.** [gaʒyʀ], comme pour rimer avec *je jure.* **RECOMM.** La prononciation [gaʒœʀ], (comme pour rimer avec *nageur*) doit être évitée, malgré sa fréquence. **REM.** Le *e* n'a pour fonction, comme dans *geai* ou *geôle,* que d'empêcher la prononciation *gu-*. ◆ **Orth.** → R.O. 1990

gagne- élément de composition ♦ **Orth.** Les mots composés avec *gagne-* sont invariables : *des gagne-pain, des gagne-petit.* → R.O. 1990

gagner v.t. ♦ **Emploi.** On dit : *gagner une bataille, un combat, un concours, un procès* mais : *remporter une victoire, un succès.*

gai adj. et n.m. → gay

gaiement adv. ♦ **Orth.** Avec un *e* muet intérieur, comme dans *gaieté,* et à la différence de *vraiment.*

gaieté n.f. ♦ **Orth.** Avec un *e* muet intérieur. REM. L'orthographe *gaîté* n'est plus en usage que dans quelques noms propres.

gaine n.f. ♦ **Orth.** Avec un *i* sans accent. De même pour *gainer, gainage, dégaine, dégainer, rengaine* et *rengainer.*

galant, e adj. ♦ **Emploi.** Attention aux sens différents que prend cet adjectif en fonction du nom auquel il se rapporte. **1.** *Un homme galant, un galant homme* = un homme poli, courtois à l'égard des femmes, empressé auprès d'elles. REM. Dans la langue classique, un *galant homme* était « un homme honnête, civil, savant dans les choses de sa profession » (A. Furetière). **2.** *Une femme galante* = une femme de mœurs légères, une femme entretenue. Registre soutenu.

galbe n.m. → gable

gale n.f. / **galle** n.f. ♦ **Orth. et sens.** Ne pas confondre ces deux noms. **1.** *Gale* (avec un seul *l*) = maladie de peau causée par un petit parasite. **2.** *Galle* (avec deux *l*) = excroissance produite par les végétaux sous l'action de parasites.

galéjer v.i. ♦ **Conjug.** Attention à l'accent, tantôt grave, tantôt aigu : *je galège,* *nous galéjons ; il galéja.* → annexe, tableau 11 et R.O. 1990

galimatias n.m. ♦ **Prononc. et orth.** [galimatja], sans prononcer le *s* final, présent même au singulier.

galle n.f. → gale

galoche n.f. ♦ **Emploi.** *Menton en galoche.* On dit aujourd'hui *avoir un menton en galoche, le menton en galoche.* REM. *Avoir un menton de galoche* ne se dit plus.

galop n.m. ♦ **Prononc.** [galo], sans prononcer le *p* final.

galoper v.i. ♦ **Orth.** Avec un seul *p*. De même pour les dérivés *galopade, galopeur, galopin.*

gamma n.m. ♦ **Orth.** Symbole : γ. ♦ **Accord.** Invariable. *Les rayons gamma.*

gangrener v.t. et ♦ **Conjug.** Attention à l'alternance *e/è* : *gangrener ; je gangrène, il gangrène,* mais *nous gangrenons ; il gangrènera ; qu'il gangrène* mais *que nous gangrenions ; gangrené.* → annexe, tableau 12

gangrène n.f. ♦ **Orth.** Avec un accent grave sur le *e*. Mais les dérivés *gangrener* et *gangreneux* ne prennent pas d'accent.

gap n.m. ♦ **Orth.** Plur. : *des gaps* ♦ **Anglicisme.** RECOMM. OFF. : *écart.* REM. Dans certains contextes, on peut avoir à préciser : *écart inflationniste, déficit commercial, retard technologique,* etc.

garance adj. ♦ **Accord.** Invariable. *Les pantalons garance des soldats de 1914.* → annexe, grammaire § 98

garant n.m. / **garant, e** adj. ♦ **Accord. 1.** *Garant* n.m. (= personne ou chose qui sert de garantie, d'assurance, de caution), toujours masculin. « *L'indifférence est un grand garant contre les bizarreries de la fortune* » (Malherbe).

2. *Garant, e* adj. = qui garantit. *Les États garants, les puissances garantes d'un pacte.*

garçon n.m. ◆ **Orth.** Les mots composés avec *garçon* s'écrivent sans trait d'union : *un garçon boucher, un garçon boulanger.* ◆ **Emploi.** *Mon garçon, ton garçon* (= mon fils, ton fils) appartiennent à l'usage oral courant. RECOMM. Dans l'expression soignée, en particulier à l'écrit, préférer *mon fils, ton fils.*

garçonne n.f. ◆ **Emploi.** *Garçonne* (= jeune fille menant une vie émancipée, à l'allure masculine) est aujourd'hui vieilli, et ne s'emploie plus guère qu'à propos des années 1930 et dans la locution *à la garçonne,* qualifiant une coupe de cheveux féminine à frange droite.

garde n.f. *Prendre garde* ◆ **Constr. et sens. 1.** *Prendre garde de* (+ infinitif) = veiller à. *Il a pris garde de bien les prévenir.* ❏ *Prendre garde de ne pas* (+ infinitif) / *prendre garde de* (+ infinitif) = veiller à ne pas. « *Je prenais bien garde de ne pas le montrer* » (A. Maurois). *Prenez garde de trop vous approcher* (= ne vous approchez pas trop). La première tournure *(prenez garde de ne pas...)* était naguère critiquée. Elle est aujourd'hui courante, alors que la seconde *(prenez garde de* = veillez à ne pas) paraît littéraire et vieillie. ❏ *Prendre garde que, à ce que* (+ subjonctif) = veiller que. *J'ai pris garde que les documents lui soient remis en mains propres.* « *M. de Maupassant prend garde à ce que son peintre ne soit jamais un héros* » (A. France). **2.** *Prendre garde à* (+ infinitif) = avoir soin de. *Prenez garde à faire établir un contrat en bonne et due forme. Prenez garde à ne pas donner votre accord sans de sérieuses contreparties.* Cette construction est littéraire et vieillie. **3.** *Prendre garde que* (+ indicatif ou conditionnel) = remarquer que, observer que. *Je prends garde tout d'un coup qu'il a soigneusement évité de rien promettre. Prenez garde qu'en cas de litige*

vous n'auriez aucun recours. Registre soutenu. **4.** *Prendre garde que... ne* (+ subjonctif) = essayer d'éviter que. « *Elle la referma avec beaucoup de précaution, prenant garde que le loquet ne retombât trop brusquement* » (Th. Gautier). Cette construction relève du registre soutenu. On dit plus couramment aujourd'hui *prendre garde que... ne... pas : prends garde qu'on ne te voie pas.*

garde- élément de composition ◆ **Orth.** Mots composés avec garde-. Les mots composés de *garde-* + nom s'écrivent avec un trait d'union : *un garde-chasse, un garde-pêche.* Lorsque le second élément est un adjectif, l'expression s'écrit sans trait d'union : *un garde champêtre, un garde forestier.* Une exception cependant, *un garde-française* = un soldat de l'ancien régiment des gardes françaises ◆ **Accord.** Si le nom composé désigne une personne (= personne qui garde), *garde-* prend la marque du pluriel : *des gardes-pêche.* Si le nom composé désigne une chose (= lieu où l'on garde ; dispositif de protection) *garde-* reste invariable : *des garde-meubles, des garde-boue.* (Voir tableau page suivante). → R.O. 1990

garden-center n.m. ◆ **Anglicisme.** RECOMM. OFF. : *jardinerie.* Cet équivalent français est de plus en plus usité.

garden-party n.f. ◆ **Orth.** Plur. : *des garden-partys* (pluriel français) ou *des garden-parties* (pluriel à l'anglaise). RECOMM. Préférer le pluriel français *des garden-partys.* → R.O. 1990. ◆ **Emploi.** Cet anglicisme sans véritable équivalent français est aujourd'hui passé dans l'usage.

gare interj. ◆ **Constr.** *Gare à. Gare à vous !* (= prenez garde à vous). *Gare* se construit toujours avec la préposition *à.*

garer (se) v.pr. ◆ **Constr.** *Se garer de* (= éviter) : « *[...] aussi se garaient-ils*

Pluriels des mots composés avec
garde-
Noms de personnes

*Un garde-barrière, des gardes-barrière ou
des gardes-barrières*

*Un garde-bœuf, des garde-bœuf ou
des garde-bœufs* (= oiseau comparé à
un gardien de troupeaux)

*Un garde-chasse, des gardes-chasse ou
des gardes-chasses*

*Un garde-chiourme, des gardes-chiourme
ou des gardes-chiourmes*

Un garde-française, des gardes-françaises

*Un garde-magasin, des gardes-magasin ou
des gardes-magasins*

*Un garde-malade, des gardes-malade ou
des gardes-malades*

Un garde-marine, des gardes-marine

Un garde-mites, des gardes-mites
(= garde-magasin, en argot militaire)

Un garde-pêche, des gardes-pêche
(= agent)

*Un garde-ports, des gardes-port ou
des gardes-ports*

*Un garde-rivière, des gardes-rivière ou
des gardes-rivières*

*Un garde-voie, des gardes-voie ou
des gardes-voies*

Noms de choses

Un garde-à-vous, des garde-à-vous

Un garde-boue, des garde-boue

Un garde-corps, des garde-corps

*Un garde-côte ou un garde-côtes,
des garde-côtes*

*Un garde-feu, des garde-feu ou
des garde-feux*

Un garde-fou, des garde-fous

Un garde-manger, des garde-manger

*Un garde-meuble ou un garde-meubles,
des garde-meubles*

Un garde-pêche, des garde-pêche
(= bateau)

*Un garde-place, des garde-place ou
des garde-places*

Une garde-robes, des garde-robes

Un garde-temps, des garde-temps

Un garde-vue, des garde-vue

---

*d'eux-mêmes des mauvaises fréquentations
et des mauvaises lectures* » (A. Gide).

gargote n.f. ◆ **Orth.** Avec un seul *t*,
comme son dérivé *gargotier*.

garrot n.m. ◆ **Prononc.** [ɡaʀo], avec un
o fermé, comme dans *rabot*, *sabot* et *trot*.
Le *t* final ne se prononce pas. ◆ **Orth.**
Avec deux *r* et un *t ;* les dérivés *garrotter*
et *garrottage* prennent deux *r* et deux *t*.

gas-oil n.m.→ gazole

gastéropode ou **gastropode** n.m.
◆ **Emploi.** Les deux formes, *gastéropode*
et *gastropode*, sont admises. *Gastéropode*
est plus courant.

gastro- préf. ◆ **Orth.** Les composés
formés avec *gastro-* (du grec *gastêr*, estomac) s'écrivent de plus en plus souvent
en un seul mot, sauf dans les cas où la
rencontre du *o* de *gastro-* et d'un *i*
conduirait à la prononciation *oi* ou *ou* :
gastroentérite ou *gastro-entérite*, *gastroenté-
rologie* ou *gasto-entérologie*, *gastroentéro-
logue* ou *gastro-entérologue*, mais
gastro-intestinal.

gâteau n.m. ◆ **Accord.** Employé
comme adjectif, *gâteau* reste invariable :
des papas gâteau, des grand-mères gâteau.

gaufre n.f. ◆ **Orth.** Un seul *f*, ainsi que
dans les dérivés *gaufrer*, *gaufrette* et
gaufrier.

gay adj. et n. ◆ **Prononc.** [ɡɛ], comme
dans *gai*. ◆ **Orth.** Plur. : *gays*.
◆ **Anglicisme.** *Un gay, une gay* (= un
homosexuel, une homosexuelle). *Un bar
gay*. REM. *Gay* est parfois francisé en *gai*.

gazette n.f. ◆ **Orth.** Avec deux *t*,
contrairement à *gazetier* qui n'en prend
qu'un.

gazole n.m. ◆ **Emploi.** *Gazole* est
l'équivalent officiellement recommandé
de *gas-oil*. Il est de plus en plus usité.

geai n.m. / **jais** n.m. ◆ **Prononc.** Identique pour les deux mots : [ʒɛ], comme dans *objet*. ◆ **Emploi.** Ne pas confondre ces deux noms. 1. *Geai* = oiseau au plumage brun clair et bleu. 2. *Jais* = pierre d'un noir brillant utilisée en bijouterie. **RECOMM.** Dire, écrire *noir comme du jais, comme le jais* (et non *comme un geai*).

geindre v.i. ◆ **Conjug.** Comme *craindre*. Attention au groupe *-gni-* aux première et deuxième personnes du pluriel, à l'indicatif imparfait et au subjonctif présent : *(que) nous geignions, (que) vous geigniez.* → annexe, tableau 62

gelée n.f. ◆ **Accord.** *Gelée de :* on écrit généralement, lorsque le complément désigne un fruit précis : *gelée de coing, de groseille, de pomme,* avec complément au singulier ; mais on écrit *gelée de fruits,* avec le complément au pluriel. → **confiture**

geler v.t., v.i. et v. impers. ◆ **Conjug.** Attention à l'alternance *e/è : geler ; je gèle, il gèle,* mais *nous gelons ; il gèlera ; qu'il gèle* mais *que nous gelions ; gelé.* → annexe, tableau 12

gélinotte, gelinotte n.f. ◆ **Orth.** Peut s'écrire avec un accent aigu sur l'*e* ou avec un *e* sans accent, mais prend toujours deux *t*. → R.O. 1990.

gêne n.f. / **gène** n.m. ◆ **Orth.** Les dérivés de *gêne* s'écrivent tous avec accent circonflexe sur l'*e* (*gêner, gêneur*) tandis que les dérivés de *gène* s'écrivent tous avec un *e* accent aigu (*génome, génotype, génétique,* etc.). ◆ **Sens.** Ne pas confondre ces deux noms. 1. *Gêne* n.f. = état ou sentiment de malaise. *J'éprouve une certaine gêne en sa présence.* 2. *Gène* n.m. = élément du chromosome. *Le gène de l'hémophilie.*

générer v.t. ◆ **Conjug.** Attention à l'accent sur le deuxième *e*, tantôt grave, tantôt aigu : *je génère, nous générons ; il généra.* → annexe, tableau 11 et R.O. 1990. ◆ **Emploi.** Ce verbe qui signifie «engendrer, produire, avoir pour conséquence», réservé naguère aux emplois techniques, est aujourd'hui courant. *L'implantation de l'usine générera 2 000 emplois.*

genèse n.f. ◆ **Orth.** Le premier *e* de *genèse* ne prend pas d'accent, et le mot garde cette forme dans ses composés *morphogenèse* et *parthénogenèse*. En revanche, dans les dérivés *génésique* et *génésiaque* les deux *e* prennent un accent aigu. - L'Académie admet l'orthographe *parthénogénèse*.

genet n.m. / **genêt** n.m. ◆ **Orth. et sens.** Ne pas confondre ces deux noms. 1. *Genet* (sans accent) = petit cheval d'une race espagnole. 2. *Genêt* (avec un accent circonflexe) = arbrisseau à fleurs jaunes.

genevois, e adj. ◆ **Orth.** Sans accent sur les *e*, à la différence du nom propre *Genève*.

genévrier n.m. ◆ **Orth.** Le premier *e* ne prend pas d'accent, le deuxième prend un accent aigu (à la différence de *genièvre,* qui s'écrit avec un *e* accent grave).

génois, e adj. et n. ◆ **Orth.** *Génois* s'écrit avec un *e* accent aigu, à la différence du nom propre *Gênes* dont il est issu.

genou n.m. ◆ **Orth.** 1. Plur. : *des genoux* (avec un *x*), comme *des bijoux, des cailloux, des choux, des hiboux, des joujoux, des poux.* 2. *Mettre genou à terre, fléchir le genou* : le mot *genou* est toujours au singulier. ❑ *Se mettre à genoux, se jeter aux genoux de qqn, tomber à genoux* : le mot *genou* est toujours au pluriel.

genre n.m. ◆ **Accord.** 1. *En* ou *de tout genre, en* ou *de tous genres :* les deux orthographes sont admises. *La vente rassemble des amateurs de tout genre. Dubois et fils, pièces mécaniques en tous genres.* **2.** *Genre de* (+ nom) : le nom qui suit *genre* est au singulier ou au pluriel selon que l'on met en relief un être déterminé ou la catégorie à laquelle il appartient. *Ce genre d'individu ne m'intéresse pas* (= un individu de ce genre). *J'aime ce genre de jardins à l'anglaise* (= j'aime les jardins de ce genre) ; en revanche, le verbe est toujours au singulier : *ce genre de jardins a un charme secret* (et non : *ce genre de jardins ont un charme secret*). ◆ **Genre des noms** → annexe, grammaire § 33 à 37

gens n.m. plur. ou n.f. plur. ◆ **Genre.** Le mot *gens* est particulièrement capricieux quant au genre. L'adjectif (ou le participe) s'accorde avec lui selon les règles suivantes. **1.** *Gens* **immédiatement précédé d'un adjectif épithète.** Lorsque l'adjectif épithète précède immédiatement *gens,* il est au féminin : *de vieilles gens, de bonnes gens.* **2.** *Gens* **précédé d'un adjectif apposé.** Lorsque l'adjectif qui précède *gens* en est séparé par une virgule, il est au masculin. *Confiants et naïfs, les gens le croient.* **3.** *Gens* **précédé de deux adjectifs dont le second se termine aux deux genres par un *e* muet.** Lorsque *gens* est précédé de deux adjectifs dont le second se termine aux deux genres par un *e* muet, le premier adjectif est au masculin. *De vrais braves gens. Ces prétendus honnêtes gens nous ont trompés.* **4.** *Gens* **suivi d'un adjectif.** Lorsque l'adjectif suit *gens,* il est au masculin : *des gens bruyants, des gens intelligents.* **5.** *Tous* **précédant** *gens.* *Tous* est au masculin lorsqu'il précède *gens* et que ce mot désigne des personnes déterminées : *tous ces gens, tous les gens sensés.* En revanche, *tous* est au féminin lorsqu'il précède *gens* et qu'il en est séparé par un adjectif dont le masculin se distingue du féminin par l'absence d'*e* muet : *toutes les bonnes gens qui*

nous ont aidés. **6.** *Gens de...* L'adjectif est toujours au masculin avec les expressions *gens de robe, gens d'Église, gens d'épée, gens de guerre, gens de lettres, gens de loi : il fréquente de brillants gens de lettres et d'ennuyeux gens de loi.* **7.** *Jeunes gens.* Toujours au masculin : *de joyeux jeunes gens.* **8.** *Gens* au **sens de « domestiques » ou de « partisans ».** Toujours au masculin : *nos gens sont sûrs et dévoués.* ◆ **Emploi.** *Gens* n'est jamais employé avec un numéral : on ne dit pas **cinq gens, *une dizaine de gens,* mais *cinq personnes, une dizaine de personnes.* En revanche, lorsque *gens* est suivi d'un nom avec lequel il forme locution, ou précédé d'un adjectif, l'emploi du numéral devient possible : *deux gens d'épée qui se rencontrent parlent de leurs faits d'armes ; les trois bonnes gens prenaient le frais devant leur porte.* ◆ **Sens.** *Droit des gens :* dans cette locution vieillie qui désigne le droit public international, *gens* a gardé son sens ancien de « race, peuple, nation » (latin *gens, gentis*). → **gent**

gent n.f. sing. ◆ **Prononc.** [ʒɑ̃], comme le prénom *Jean* (ne pas prononcer comme *jante*). ◆ **Nombre.** Le mot ne s'emploie qu'au singulier. REM. Le pluriel *gens* ne survit que dans l'expression *droit des gens.* ◆ **Sens et emploi.** Ce vieux mot (latin *gens, gentis* → **gens**) n'est plus employé que dans la langue littéraire ou, par plaisanterie, dans l'expression *la gent féminine* (= la « race » des femmes). *La gent trotte-menu, la gent marécageuse* (La Fontaine) : les souris, les grenouilles.

gentil, ille adj. ◆ **Prononc.** [ʒɑ̃ti], au masculin, le *l* ne se prononce pas, comme dans *fusil.*

gentilhomme n.m. ◆ **Prononc.** [ʒɑ̃tijɔm] au singulier comme si l'on avait *gentille* + *homme.* et [ʒɑ̃tizɔm] au pluriel comme si on avait *genti-z-homme.*

◆ **Orth.** Plur. : *des gentilshommes* (attention au *s* après *gentil*).

gentilhommière n.f. ◆ **Prononc.** [ʒɑ̃tijɔmjɛʀ], comme dans *gentilhomme*. ◆ **Orth.** Plur. : *des gentilhommières*

gentleman n.m. ◆ **Prononc.** [dʒɑ̃tləman], avec le *g* prononcé comme *dj-*, à l'anglaise, ou [ʒɑ̃tləman], avec le *g* prononcé comme dans *gens*, à la française. ◆ **Orth.** Plur. : *des gentlemans* (pluriel français) ou *des gentlemen* (pluriel à l'anglaise). RECOMM. Préférer le pluriel français *des gentlemans*. → R.O. 1990 REM. Dans l'expression *gentleman's agreement* (= accord sur parole, sur l'honneur), *gentleman* garde le plus souvent son pluriel anglais : *des gentlemen's agreements*.

geôle n.f. ◆ **Orth.** Avec un accent circonflexe sur le *o*, ainsi que dans *geôlier* et *geôlière*.

gercer v.t., v.i. et v.pr. ◆ **Conjug.** Le *c* devient *ç* devant *o* et *a* : *je gerce, nous gerçons ; il gerça*. → annexe, tableau 9

gérer v.t. ◆ **Conjug.** Attention à l'accent, tantôt grave, tantôt aigu : *je gère, nous gérons ; il géra*. → annexe, tableau 11 et R.O. 1990

gésir v.i. ◆ **Conjug.** Ne s'emploie qu'au présent *(je gis, tu gis, nous gisons)*, à l'imparfait *(je gisais, tu gisais, nous gisions)* et au participe présent *(gisant)*. ◆ **Emploi.** Est employé notamment dans les épitaphes : *ci-gît Pierre Martin* (= ici est enterré Pierre Martin). Plus rare au pluriel : *ci-gisent Pierre Martin et Jacqueline Pichon son épouse*. REM. Le nom masculin *un gisant* (= une sculpture funéraire représentant un personnage couché) représente le participe présent substantivé du verbe.

geste n.m. / **geste** n.f. ◆ **Genre et sens. 1.** *Un geste* n.m. = un mouvement

du corps. **2.** *Une geste* n.f. = un ensemble de poèmes épiques du Moyen Âge relatant les hauts faits de personnages historiques ou légendaires (latin *gesta,* exploits). *La geste du roi Arthur.* Le mot est employé comme terme technique d'histoire littéraire, et dans la locution courante *les faits et gestes de quelqu'un* (= ses actions et sa conduite).

gestion n.f. ◆ **Prononc.** [ʒɛstjɔ̃], en faisant entendre le *t,* comme dans *congestion, digestion.* REM. La prononciation [ʒɛsjɔ̃], avec le seul son *s,* comme dans *progression,* est de plus en plus courante. Il est préférable de l'éviter dans l'expression soignée.

gestionnaire adj. et n. ◆ **Orth.** Avec deux *n,* comme *fonctionnaire* et *questionnaire.*

gibelotte n.f. ◆ **Orth.** Avec deux *t. Un lapin en gibelotte.*

gibier n.m. ◆ **Constr.** On écrit, avec le complément au singulier : *gibier à poil, gibier à plume, gibier à fourrure.* REM. On rencontre parfois *gibier à plumes,* avec *plumes* au pluriel.

gifle n.f. ◆ **Orth.** Avec un seul *f,* ainsi que *gifler.*

gigot n.m. ◆ **Emploi.** *Gigot de mouton.* L'emploi de *gigot de mouton,* parfois critiqué à tort comme pléonasme, s'explique par la nécessité de distinguer en cuisine entre le gigot de mouton, le gigot d'agneau et le gigot de chevreuil (lequel est appelé également *gigue* ou *cuissot*).

gigoter v.i. ◆ **Orth.** Avec un seul *t,* de même que *gigotement.* ◆ **Registre.** Familier.

giorno (a) loc. adj. ◆ **Orth.** Pas d'accent sur le *a* (emprunt à l'italien).

◆ **Accord.** Invariable. *Des éclairages a giorno.*

giratoire adj. ◆ **Orth.** Avec un *i*, de même que *giration,* contrairement à *gyroscope, gyrophare.*

giroflée n.f. ◆ **Orth.** Avec un seul *f,* de même que *girofle* et *giroflier.*

girolle n.f. ◆ **Orth.** *Girolle,* avec deux *l.* → R.O. 1990

gisant n.m. → gésir

gît (ci-) adv. → gésir.

gitan, e n. ◆ **Orth.** S'écrit sans majuscule. *Un gitan, une gitane. La musique gitane.*

gîte n.m. / **gîte** n.f. ◆ **Orth.** Avec un accent circonflexe sur le *i* pour les deux mots *gîte (un gîte, la gîte) ;* de même pour les deux verbes *gîter* (= loger et pencher). → R.O. 1990. ◆ **Genre et sens.** Ne pas confondre *un gîte* et *la gîte.* 1. *Gîte* n.m. = logement, abri. 2. *Gîte* n.f. = inclinaison d'un bateau sur un bord. « [...] *la gîte à tribord au point que notre voilure effleure l'eau* » (A. Camus). *Une gîte de trente degrés.*

glabre adj. ◆ **Orth.** Pas d'accent sur le *a.* ◆ **Sens.** *Glabre* signifie « sans poil » (et non « pâle, sans couleur »). *Un visage glabre,* sans barbe, rasé.

glacer v.t. ◆ **Conjug.** Le *c* devient *ç* devant *o* et *a* : *je glace, nous glaçons ; il glaça.* → annexe, tableau 9

glaciaire adj. / **glacière** n.f. ◆ **Sens.** Ne pas confondre ces deux mots. 1. *Glaciaire* adj. = relatif aux glaciers, aux glaces naturelles. *Cours d'eau à régime glaciaire.* 2. *Glacière* n.f. = garde-manger refroidi avec de la glace.

glacial, e, als ou **aux** adj. ◆ **Orth.** Plur. : *glacials* ou *glaciaux. Glacials* est plus courant. *Des couloirs glacials*

glaucome n.m. ◆ **Prononc. et orth.** [glokom], avec un *o* fermé, comme dans *dôme,* malgré l'absence d'accent circonflexe. → adénome

glauque adj. ◆ **Sens et registre.** 1. *Glauque* = d'un vert tirant sur le bleu. *L'eau glauque des lagons.* S'emploie dans tous les registres. 2. *Glauque* = louche, sordide, malsain. *Un type qui fait des affaires glauques.* Ce sens, d'apparition récente, appartient au registre familier.

globe-trotter n.m. ◆ **Orth. et prononc.** Finale en *-er,* que l'on prononce comme dans le mot français *trotteur.* → R.O. 1990. ◆ **Emploi.** Ce mot est vieilli.

Gloria, gloria n.m. ◆ **Orth.** Avec ou sans majuscule, selon le sens. 1. Au sens de « prière chantée ou dite à la messe, commençant par les mots latins *Gloria in excelsis Deo* », avec une majuscule : *chanter le Gloria, arriver au Gloria.* 2. Au sens de « morceau de musique composé pour le Gloria », avec une minuscule : *un gloria pour chœur d'enfants.* - Plur. : *des glorias.*

glu n.f. ◆ **Orth.** Sans *e* final (ne pas se laisser influencer par *grue*). *Glu* est l'un des quatre noms féminins (*bru, glu, tribu, vertu*) avec finale en *u.*

glucose n.m. ◆ **Genre.** Masculin. *Du glucose.*

gnangnan adj. ◆ **Accord.** Invariable. *Des romances un peu gnangnan.* ◆ **Registre.** Familier. RECOMM. Dans l'expression soignée, préférer *indolent* ou *mièvre.*

gnaule n.f. → gnole

gniole n.f. → gnole

gniôle n.f. → gnole

gnocchi n.m. ◆ **Prononc.** [noki], l'initiale se prononce comme le *-gn-* de *agneau* et le groupe *-cch-* comme le *k* de *kilo*. ◆ **Orth.** Plur. : *des gnocchis* (avec *s*, pluriel français) ou *des gnocchi* (sans *s*, pluriel à l'italienne). RECOMM. Préférer le pluriel français *des gnocchis*, avec *s*. → R.O. 1990

gnole, gnôle, gniole, gniôle, gnaule n.f. ◆ **Orth.** Les cinq graphies *gnole, gnôle, gniole, gniôle* et *gnaule* sont admises. Toutefois, on écrit le plus souvent *gnole* ou *gnôle*. ◆ **Registre.** Familier. REM. Ce mot originaire du Lyonnais et de la haute Bourgogne, dû à la mauvaise coupure de *une yôle* (= une eau-de-vie de mauvaise qualité produite par l'hièble, plante voisine du sureau, latin *hiebulum*), est entré dans le français général par transmission d'abord orale, ce qui explique sans doute ses multiples variantes orthographiques.

gnome n.m. ◆ **Prononc.** [gnom], en faisant entendre le *g* et le *n,* comme dans *diagnostic* (ne pas prononcer le *gn-* comme dans *agneau),* et avec un *o* fermé comme celui de *dôme*. ◆ **Orth.** Pas d'accent circonflexe sur le *o,* contrairement à ce que la prononciation laisserait supposer. REM. Le féminin *gnomide* est rare.

gnose n.f. ◆ **Prononc.** [gnoz], en faisant entendre le *g* et le *n,* et avec un *o* fermé. → gnome. ◆ **Orth.** Pas d'accent circonflexe sur le *o,* de même que pour les mots de la même famille *gnostique* et *agnostique*, contrairement à ce que la prononciation laisserait supposer.

goal n.m. ◆ **Prononc.** [gol], avec un *o* fermé comme dans *pôle*. Le *a* ne se prononce pas. ◆ **Anglicisme.** De l'anglais *goal keeper,* gardien de but. RECOMM. Préférer *gardien de but.*

gobeleterie n.f. ◆ **Prononc.** [goblɛtʀi], sans prononcer le premier *e* et avec le deuxième *e* ouvert, comme un *è*. ◆ **Orth.**

Pas d'accent sur le *e* et un seul *t* (celui de *gobelet*), ainsi que dans *gobeletier*.

gobe-mouches n.m. inv. ◆ **Orth.** Plur. : *des gobe-mouches*. Attention au *s* final de *mouches,* même au singulier. → R.O. 1990

goberger (se) v.pr. ◆ **Conjug.** Le *g* devient *-ge-* devant *a* et *o* : *je me goberge, nous nous gobergeons ; il se gobergea*. → annexe, tableau 10

goéland n.m. ◆ **Orth.** Avec un *e* accent aigu.

goélette n.f. ◆ **Orth.** Avec un *e* accent aigu.

goémon n.m. ◆ **Orth.** Avec un *e* accent aigu.

goguette n.f. ◆ **Orth.** *Être, se mettre en goguette :* toujours au singulier. REM. On disait, aux XVIIe et XVIIIe s., *être en ses goguettes* (= être de belle humeur et un peu ivre). Le mot est issu de l'ancien français *gogue,* réjouissance, liesse.

goitre n.m. ◆ **Orth.** Pas d'accent sur le *i,* de même que dans *goitreux* (ne pas se laisser influencer par *boîte* ou par *cloître*).

golden n.f. ◆ **Orth.** Toujours avec une minuscule. - Plur. : *des goldens, des pommes goldens.*

golf n.m. / **golfe** n.m. ◆ **Orth et sens.** Ne pas confondre ces deux noms. 1. *Golf* (sans *e*) n.m. = sport. *Jouer au golf.* 2. *Golfe* (avec un *e*) = baie, échancrure d'une côte. *Le golfe de Gascogne.*

gorge n.f. ◆ **Emploi.** *Mettre le couteau sous* ou *sur la gorge à qqn :* les deux se disent. *Sous la gorge* est plus courant, *sur la gorge* plus soutenu. ◆ **Registre.** *Gorge,* au sens de « seins d'une femme », appartient au registre littéraire et n'est usité, dans le registre courant, que dans le composé *soutien-gorge*.

gorge-de-pigeon adj. inv. ◆ **Accord.** Invariable. *Des soies gorge-de-pigeon.* → annexe, grammaire § 98

gorger v.t. ◆ **Conjug.** Le *g* devient *-ge-* devant *a* et *o : je gorge, nous gorgeons ; il gorgea.* → annexe, tableau 10

gothique adj. et n. / **gotique** n.m ◆ **Orth. 1.** *Gothique* adj. et n. = relatif à la forme d'art qui s'est épanouie en Europe du XIIᵉ s. à la Renaissance. *Les cathédrales gothiques.* **2.** *Gotique* n.m. = ancienne langue germanique du groupe oriental.

goulet n.m. / **goulot** n.m. ◆ **Emploi.** Ne pas confondre ces deux noms. **1.** *Goulet* = entrée étroite d'un port ou d'une rade ; passage étroit dans les montagnes. *Le goulet de Brest, les goulets du Dauphiné.* Au figuré : *un goulet d'étranglement.* RECOMM. Préférer *goulet d'étranglement* à *goulot d'étranglement*, que l'on entend parfois dans le registre relâché. **2.** *Goulot* = col à entrée étroite d'une bouteille, d'un vase.

goulûment adv. ◆ **Orth.** Avec un accent circonflexe sur le *u*, comme dans *assidûment, continûment, crûment.* → R.O. 1990

goût n.m. ◆ **Orth.** Avec un accent circonflexe sur le *u*, de même que dans les dérivés *dégoût* et *ragoût* (mais contrairement à *égout,* qui se rattache à *goutte*). → R.O. 1990. ◆ **Emploi.** *Au goût, du goût de qqn.* On dit plutôt, en tournure affirmative : *cela est à mon goût,* et, en tournure négative : *cela n'est pas de mon goût.* ◆ **Sens.** *Goût* = saveur, sensation produite sur les papilles de la langue. *Un goût salé, sucré, amer, acide.* RECOMM. Évi-

ter d'employer *goût* au sens d'« odeur » (*un goût de renfermé).

goutte n.f. ◆ **Orth.** Ne pas confondre *goutte à goutte* et *goutte-à-goutte.* **1.** *Goutte à goutte* (sans trait d'union) loc. adv. = une goutte après l'autre. *Liquide qui s'écoule goutte à goutte.* **2.** *Goutte-à-goutte* (avec deux traits d'union) n.m. = appareil médical permettant de régler le débit d'une perfusion. ◆ **Registre.** *Ne voir, n'entendre goutte* = ne rien voir, ne rien entendre. Littéraire et vieilli. « *J'avais à peine au début distingué ce qu'il disait, de même qu'on commence par ne voir goutte dans une chambre dont les rideaux sont clos* » (M. Proust).

gouvernail n.m. ◆ **Orth.** Plur. : *des gouvernails.*

gouverneur n.m. ◆ **Genre.** Toujours masculin, même pour désigner une femme : *Madame le gouverneur ; le gouverneur de l'État, Mme Deborah Mc Cain, a récemment pris ses fonctions.*

grâce n.f. ◆ **Orth. 1.** Avec un accent circonflexe sur le *a*, de même que *disgrâce.* Les dérivés et composés *gracieux, gracieusement, disgracieux, disgracieusement, gracier, disgracier,* ne prennent pas d'accent. **2.** *État de grâce, rentrer en grâce, trouver grâce aux yeux de qqn, demander grâce* : toujours au singulier. ❏ *Action de grâces, les bonnes grâces de qqn* : toujours au pluriel. ❏ *Rendre grâces* ou *rendre grâce (à qqn, au Ciel)* : au singulier ou au pluriel. Le pluriel est plus fréquent. ◆ **Emploi.** *Grâce à* ne s'emploie que pour introduire le nom d'un agent ayant un effet jugé heureux, opportun, utile : *c'est grâce à vous que nous y sommes arrivés ; nous lui avons fait parvenir le document grâce au télécopieur.* Sauf ironie *(grâce à l'avion, qui est plus rapide que le train, nous sommes arrivés avec quatre heures de retard),* on emploie, lorsqu'il s'agit d'un effet jugé fâcheux, les expressions *à cause de, par la faute de, par suite de* : *par suite du brouillard, l'avion n'a pas pu atterrir à l'heure prévue* (et non : **grâce au brouillard*).

gradation n.f. / **graduation** n.f. ◆ **Sens.** Ne pas confondre ces deux mots de prononciation proche. **1.** *Gradation* = progression par degrés. *Gradation dans l'intensité d'un son.* **2.** *Graduation* = ensemble des divisions marquées sur un instrument de mesure. *Graduation d'un thermomètre, d'un sextant.*

gradé, e adj. et n. / **gradué, e** adj. / **graduel, elle** adj. ◆ **Sens.** Ne pas confondre ces trois mots de prononciation proche. **1.** *Gradé* = Pourvu d'un grade. *Les soldats et les gradés.* **2.** *Gradué* = divisé en degré ; progressif. *Verre gradué ; exercices gradués.* **3.** *Graduel* = qui va par degrés. *Amélioration graduelle.*

graduation n.f. → gradation

gradué, e adj. → gradé

graduel, elle adj. → gradé

graffiti n.m. ◆ **Orth.** Avec deux *f* et un seul *t*. - Plur. : *des graffitis* (avec *s*, pluriel français) ou *des graffiti* (sans *s*, pluriel à l'italienne). **RECOMM.** Préférer le pluriel français *des graffitis,* avec *s.* → R.O. 1990

grain n.m. ◆ **Orth.** Attention à l'orthographe des dérivés. ❏ Dérivés avec *-ai-* : *graineterie, grainetier, grainier.* ❏ Dérivés avec *-e-* : *grenaille, grenaison, grenier, égrener.* ❏ Dérivés avec *-è-* : *grènerie, grènetoir, grènetis.* ❏ Dérivés avec *-ai-* ou *-e-* : *grainage* ou *grenage, grainer* ou *grener, graineur* ou *greneur, agrainer* ou *agrener.*

grainer, grener v.i. ◆ **Orth.** Les deux graphies, *grainer* ou *grener,* sont admises. ◆ **Conjug.** *Grener.* Attention à l'alternance *e/è* : *grener ; le blé grène ; il grènera ; grené.* → annexe, tableau 12

grand, e adj. ◆ **Constr. et sens.** Place de *grand. Un grand homme* = un homme éminent, remarquable, célèbre. *Un homme grand* = un homme de haute taille. ◆ **Accord.** *Grand* employé avec *ouvert.* Dans l'expression **grand ouvert,** *grand,* bien qu'en emploi adverbial, s'accorde avec l'adjectif : *un portail grand ouvert, des battants grands ouverts, une porte grande ouverte.*

grand- élément de composition ◆ **Orth. 1. Mots composés avec *grand-* dont le deuxième élément est un nom féminin.** Ces mots s'écrivent aujourd'hui avec un trait d'union : *grand-maman, grand-mère, grand-messe, (à) grand-peine, grand-route, grand-rue, grand-soif, grand-tante, grand-vergue, grand-voile.* Au pluriel, ces mots peuvent s'écrire sans *s* à *grand* ou avec *s* : *des grand-mères* ou *des grands-mères, des grand-messes* ou *des grands-messes,* etc. L'invariabilité de *grand* est plus fréquente. *Grand-croix* et *grande-duchesse* sont à part. V. ces mots ci-dessous, à leur ordre alphabétique. **REM.** L'orthographe avec apostrophe (*grand'mère, grand'voile,* etc.) est vieillie. **2. Mots composés avec *grand-* dont le deuxième élément est un nom masculin.** Toujours avec un trait d'union, sauf *grand officier* (d'un ordre), *grand prêtre, grand prix* et *grand vizir.* - Au pluriel, *grand* prend toujours un *s* (*des grands-oncles, des grands-papas, des grands-pères*).

grand-chose n. inv. ◆ **Genre.** Employé comme nom dans l'expression familière *un pas grand-chose, une pas grand-chose,* ce mot peut être masculin ou féminin. Attention, il n'y a pas de trait d'union après *pas,* bien que l'expression soit figée.

grand-croix n.f. inv. / **grand-croix** n. ◆ **Sens.** Ne pas confondre *une grand-croix* (féminin) et *un grand-croix* (masculin). **1.** *Grand-croix* n.f. = la plus haute dignité d'un ordre. *Recevoir la grand-croix de la Légion d'honneur.* **2. Grand-croix** n. = la personne qui a reçu la grand-croix. *Il est grand-croix de la Légion d'honneur. Mme Jacqueline Leduc est l'une des premières grands-croix à avoir accédé à cette dignité après la guerre.* ◆ **Accord.** *Grand* reste invariable quand *grand-croix* désigne la classe dans un ordre *(les grand-croix de la Légion d'honneur et de l'ordre national du Mérite ne sont pas des grades, mais des dignités),* alors qu'il varie en nombre quand *grand-croix* désigne des personnes *(les grands-croix promus cette année).*

grand-ducal, e, aux ◆ Accord.

Grand ne prend jamais la marque du féminin mais prend la marque du pluriel : *un privilège grand-ducal, des privilèges grands-ducaux ; une prérogative grand-ducale, des prérogatives grands-ducales.*

grande-duchesse n.f. ◆ Orth. Plur. :

des grandes-duchesses (avec un *s* aux deux éléments). REM. *Grande-duchesse* constitue une exception dans la série des mots composés avec *grand.* → grand-

grandeur n.f. ◆ Accord. *Grandeur

nature.* Invariable : *des reproductions grandeur nature.*

grand-guignolesque adj. ◆ Orth.

Grand est toujours invariable : *des péripéties grand-guignolesques, des épisodes grand-guignolesques.*

granit, granite n.m. ◆ Orth. Les

deux orthographes sont correctes. *Granit* (sans *e*) est la forme la plus courante, *granite* (avec un *e*) la forme qu'utilisent les géologues.

granuleux, euse adj. / grenu, e adj.

◆ **Sens.** Ne pas confondre. **1.** *Granuleux* = divisé en petit grains. *Une terre granuleuse.* **2.** *Grenu* = dont la surface présente des petites saillies arrondies ressemblant à des grains. *Un cuir grenu.*

grapefruit, grape-fruit n.m.

◆ **Prononc.** [gʀɛpfʀut], *grape-* avec le son *è* comme dans *grec,* et *-fruit* avec le son *ou* comme dans *froufrouter.* REM. Cet anglicisme a conservé en français une prononciation proche de la prononciation anglaise. ◆ **Orth.** Avec un seul *p* (ne pas se laisser influencer par le français *grappe*). Les deux graphies, *grapefruit* ou *grape-fruit,* sont admises. La graphie sans trait d'union est de plus en plus répandue. - Plur. : *des grapefruits, des grape-fruits.*

grappe n.f. ◆ Orth. Avec deux *p,* ainsi

que les mots de la même famille, *grappillage, grappiller, grappilleur, grappillon.*

grappiller v.t. ◆ Conjug. Attention au

groupe *-illi-* aux première et deuxième personnes du pluriel, à l'indicatif imparfait et au subjonctif présent : *(que) nous grappillions, (que) vous grappilliez.*

grappin n.m. ◆ Orth. Avec deux *p.*

gratifier v.t. ◆ Conjug. Attention au

redoublement du *i* aux première et deuxième personnes du pluriel, à l'indicatif imparfait et au subjonctif présent : *(que) nous gratifiions, (que) vous gratifiiez.*→ annexe, tableau 5

gratin n.m. ◆ Orth. Avec un seul *t,* en

dépit de l'étymologie (vient de *gratter*).

gratis adv. / gratuit, e adj. ◆ Emploi.

Gratis est le plus souvent employé comme adverbe : *demain, on rase gratis ; il m'a laissé entrer gratis.* Il est parfois employé adjectivement comme synonyme de *gratuit,* mais seulement dans le sens de « offert à titre gracieux, qui ne coûte rien » : *des spectacles gratis* (mais on ne dirait pas, au sens de « sans fondement, sans motif » : *une supposition gratis, un acte gratis).

gratte-ciel n.m. inv. ◆ Orth. Plur. : *des

gratte-ciel* (sans *s*). → R.O. 1990

gratte-cul n.m. inv. ◆ **Orth.** Plur. : *des gratte-cul* (sans *s*). → R.O. 1990. ◆ **Registre.** Familier, mais non vulgaire.

gratte-dos n.m. inv. ◆ **Orth.** Plur. : *Des gratte-dos* (sans *s* à *gratte-*).

gratte-papier n.m. inv. ◆ **Orth.** *Des gratte-papier* (sans *s*). → R.O. 1990

gratte-pieds n.m. inv. ◆ **Orth.** Avec un *s* à *pied,* même au singulier : *un gratte-pieds, des gratte-pieds* (sans *s* à *gratte-*). → R.O. 1990

gravats n.m. plur. ◆ **Orth.** Se termine par *-ats* (alors qu'on écrit *plâtras*). ◆ **Nombre.** Toujours au pluriel : *des gravats.*

grave adj. ◆ **Emploi.** *Blessé grave* → blessé

gravement adv. / **grièvement** adv. ◆ **Emploi.** Ces deux adverbes sont synonymes (= de façon importante ou dangereuse) mais *grièvement,* à la différence de *gravement,* ne s'emploie qu'avec *blesser* et des mots de sens analogue (*brûler, atteindre, toucher,* etc.) : *l'engin pourrait blesser quelqu'un grièvement ; plusieurs victimes, grièvement brûlées, ont été évacuées par hélicoptère.* REM. *Gravement* a par ailleurs le sens de « sérieusement, solennellement ».

gré n.m. ◆ **Orth.** *Bon gré mal gré :* attention, s'écrit sans virgule. ◆ **Emploi.** *Savoir gré.* Dire et écrire : *je vous en saurai gré* (verbe *savoir,* et non verbe *être*). REM. La transformation de la phrase au présent fournit une bonne aide mnémotechnique : on dit *vous lui en savez gré* (et non **vous lui en êtes gré*).

grec, grecque adj. et n. ◆ **Orth.** Attention au féminin, *grecque,* avec un *c* devant *-qu-,* à la différence de *franc* et de *turc* qui font au féminin, respectivement, *franque* et *turque.*

gréement n.m. ◆ **Orth.** Avec un *e* muet intérieur. Ne pas se laisser influencer par *agrément.*

gréer v.t. ◆ **Conjug.** Comme *créer.* Attention à la succession de *é* et de *e* dans certaines des formes de la conjugaison de ce verbe difficile : *la goélette a été gréée d'un hunier ; un hunier que l'on gréerait sur la goélette.* → annexe, tableau 8

grêle n.f. ◆ **Orth.** Avec un accent circonflexe, comme les mots de la même famille, *grêleux, grêler, grêlon.*

grelotter v.i. ◆ **Orth.** Avec un seul *l* et deux *t.*

grenat n.m. et adj. inv. ◆ **Orth.** Le nom (= pierre fine d'un mauve sombre) prend un *s* au pluriel *(un grenat, des grenats),* mais l'adjectif reste invariable *(des tentures grenat).* → annexe, grammaire § 98

greneler v.t. ◆ **Conjug.** Attention à l'alternance *-ll-/-l-* : *il grenelle, nous grenelons ; il grenelait ; il grenela ; il grenellera.* → annexe, tableau 16 et R.O. 1990

grener v.t. → grainer

grenu, e adj. ◆ **Sens.** *Grenu / granuleux.* → granuleux

grésil n.m. ◆ **Prononc.** [gʀezil] comme *cil,* avec un *l* final sonore, ou [gʀezi], sans faire entendre le *l* final. La prononciation avec *l* sonore est aujourd'hui la plus fréquente. ◆ **Sens.** *Grésil / Crésyl.* Ne pas confondre ces deux mots de sens très différents. → crésyl

grever v.t. ◆ **Conjug.** Attention à l'alternance *e/è* : *grever ; je grève, il grève,* mais *nous grevons ; il grèvera ; qu'il grève* mais *que nous grevions ; grevé.* → annexe, tableau 12

grièvement adj. → gravement

griffe n.f. ◆ **Orth.** Avec deux *f,* comme les mots de la même famille, *griffer, griffonnage, griffonner, griffure.*

grignoter v.t. ◆ **Orth.** Avec un seul *t.*

grigri, gri-gri n.m. ◆ **Orth.** Les deux graphies, *grigri* et *gri-gri,* sont admises. - Plur. : *des grigris, des gri-gris.* **RECOMM.** Préférer la graphie sans trait d'union. → R.O. 1990

gril n.m. ◆ **Prononc.** [ɡʀil], comme *cil,* avec *l* final sonore ou [ɡʀi], comme *gris,* sans faire entendre le *l* final. La prononciation avec *l* sonore est aujourd'hui la plus fréquente.

grillager v.t. ◆ **Conjug.** Le *g* devient -*ge*- devant *a* et *o : je grillage, nous grillageons ; il grillagea.* → annexe, tableau 10

grille-écran n.f. ◆ **Orth.** Plur. : *des grilles-écrans* (avec *s* à chaque mot). L'élément *grille* représente ici le substantif féminin *(une grille).*

grille-pain n.m. inv. ◆ **Orth.** Plur. : *des grille-pain* (sans *s*). L'élément *grille* représente ici le verbe *griller.* → R.O. 1990

griller v.t. et v.i. ◆ **Conjug.** Attention au groupe -*illi*- aux première et deuxième personnes du pluriel, à l'indicatif imparfait et au subjonctif présent : *(que) nous grillions, (que) vous grilliez.*

grimacer v.i. ◆ **Conjug.** Le *c* devient *ç* devant *o* et *a : je grimace, nous grimaçons ; il grimaça.* → annexe, tableau 9

grimper v.i. et v.t. ◆ **Conjug. et registre.** *Grimper* se conjugue avec l'auxiliaire *avoir : il a grimpé sur la table.* Dans le registre familier, il est parfois conjugué avec l'auxiliaire *être : il est grimpé sur la table.* **RECOMM.** Dans l'expression soignée, préférer la conjugaison avec *avoir.* ◆ **Constr.** *Grimper* admet la construction avec une préposition (*grimper à un arbre, dans la montagne, sur* le toit, etc.) et la construction directe (*grimper l'escalier quatre à quatre*).

grincer v.i. ◆ **Conjug.** Le *c* devient *ç* devant *o* et *a : je grince, nous grinçons ; il grinça.* → annexe, tableau 9

grippe n.f. ◆ **Orth.** Avec deux *p.* REM. *Grippage, gripper, grippe-sou* s'écrivent également avec deux *p.* Comme *grippe,* ils se rattachent à *gripper* dont le sens ancien était « saisir brutalement » (comparer à *agripper*).

gris, grise adj. ◆ **Accord.** *Des robes grises, des robes gris clair, des robes gris-bleu* → annexe, grammaire § 99

groggy adj. inv. ◆ **Orth.** Plur. : *des boxeurs groggy ; elles sont groggy.* REM. L'usage hésite entre l'invariabilité et l'accord en nombre (*des boxeurs groggys, elles sont groggys*).

grogner v.i. ◆ **Conjug.** Attention au groupe -*gni*- aux première et deuxième personnes du pluriel, à l'indicatif imparfait et au subjonctif présent : *(que) nous grognions, (que) vous grogniez.*

grognon, onne adj. et n. ◆ **Genre.** La forme *grognonne* est rarement employée comme adjectif, et presque jamais comme nom. On dit *elle est grognon* plutôt que *elle est grognonne, une petite grognon* plutôt que *une petite grognonne.*

grole, grolle n.f. ◆ **Orth.** Les deux graphies, *grole* et *grolle,* sont admises. *Grole,* avec un seul *l,* est plus fréquent. → R.O. 1990. ◆ **Registre.** Familier.

grommeler v.t. et v.i. ◆ **Conjug.** Attention à l'alternance -*ll-/-l*- : *il grommelle, nous grommelons ; il grommelait ; il grommela ; il grommellera.* → annexe, tableau 16 et R.O. 1990

grommellement n.m. ◆ **Orth.** Avec deux *l.*

groseille n.f. ◆ **Orth.** On écrit généralement *confiture de groseilles* (avec *s* à *groseille*) mais *gelée de groseille* et *sirop de groseille* (sans *s*). ❑ *Groseille à maquereau* (= variété de groseilles utilisée dans la préparation d'une sauce servie avec le maquereau) : *maquereau* est toujours au singulier. *Des groseilles à maquereau.*

groseillier n.m. ◆ **Orth.** Attention à la finale en *-eillier* (avec un *i* après les deux *l*). REM. Onze mots ont leur finale en *-illier,* noms de plantes (comme *vanillier*), d'instruments (comme *aiguillier*), d'objets (comme *médaillier*) ou de métiers (comme *quincaillier*).

gros-porteur n.m. ◆ **Orth.** Avec un trait d'union. - Plur. : *des gros-porteurs.*

grosso modo loc. adv. ◆ **Orth.** Invariable et sans trait d'union : *des estimations faites grosso modo, des estimations grosso modo.*

grouiller (se) v.pr. ◆ **Registre.** Familier. ◆ **Conjug.** Attention au groupe *-illi-* aux première et deuxième personnes du pluriel, à l'indicatif imparfait et au subjonctif présent : *(que) nous nous grouillions, (que) vous vous grouilliez.*

gruger v.t. ◆ **Conjug.** Le *g* devient *-ge-* devant *a* et *o* : *je gruge, nous grugeons ; il grugea.* → annexe, tableau 10

grumeler (se) v.pr. ◆ **Conjug.** Attention à l'alternance *-ll-/-l-* : *cette pâte se grumelle ; elle se grumelait ; elle se grumela ; elle se grumellera.* → annexe, tableau 16 et R.O. 1990

gruyère n.m. ◆ **Prononc.** [gʀyjɛʀ] ou [gʀ ijɛʀ] en prononçant la première syllabe comme *grue* ou *grui-* (comme *bruit*) et la seconde comme *Hyères.* RECOMM. Éviter de prononcer le mot sans faire entendre le *y.* ◆ **Orth.** Avec une minuscule pour le fromage : *manger du gruyère* (mais *du fromage de Gruyère,* produit dans le pays de Gruyère, en Suisse, ou selon les procédés traditionnels de cette région).

guêpe n.f. ◆ **Orth.** *Taille de guêpe,* avec *guêpe* toujours au singulier : *des tailles de guêpe.* ❑ *Nid de guêpes,* avec *guêpe* toujours au pluriel : *un nid de guêpes.*

guère adv. ◆ **Orth.** *Guère,* sans *s* final. L'orthographe *guères,* autrefois admise en poésie, se rencontre dans les textes anciens. ◆ **Constr.** *Ne... guère, ne plus guère. Guère* s'emploie avec *ne* et avec *ne plus* : *on ne le voit guère, en ce moment ; je n'en ai plus guère ; elle n'a guère plus de vingt ans. Guère* peut également être employé de manière autonome dans les tournures où le verbe est sous-entendu, notamment dans une réponse à une question : « *En avez-vous encore ? - Guère ». J'en ai encore, mais guère.* ◆ **Emploi.** *Guère* est en général ressenti comme un peu vieilli et s'emploie surtout de nos jours dans le registre soutenu.

guérillero n.m. ◆ **Orth. et prononc.** Attention, pas d'accent aigu sur *-ero* alors qu'on prononce [eʀo], avec le son *é.*

guerre n.f. ◆ **Orth. 1.** *Guerre* dans les noms propres de conflits. Dans les expressions qui désignent une guerre déterminée, *guerre* s'écrit avec une minuscule, sauf dans *la Première Guerre mondiale* (ou *la Grande Guerre*) et *la Seconde Guerre mondiale.* On écrit en revanche avec une minuscule à *guerre* : *la guerre de Cent Ans, la guerre des Deux-Roses, la guerre de Dévolution, la guerre de Sécession,* etc. **2.** *Après-guerre, avant-guerre, entre-deux-guerres :* v. ces mots à leur ordre alphabétique . ❑ *Guerre éclair* (traduction de l'allemand *Blitzkrieg*) : sans trait d'union. *La guerre éclair.* **3.** *De guerre lasse.* L'expression (= las de la guerre) s'est figée avec le féminin *lasse,* peut-être à cause d'une ancienne pronociation de *las,* [las], comme pour rimer avec *hélas : de guerre lasse, ils ont rendu les armes.*

guerroyer v.i. ◆ **Conjug.** Attention, le *y* devient *i* devant *e* muet : *il guerroie* mais *il guerroyait.* - Bien noter le *i* après le *y* aux première et deuxième personnes du pluriel, à l'indicatif imparfait et au subjonctif présent : *(que) nous guerroyions, (que) vous guerroyiez.* → annexe, tableau 7

guet-apens n.m. ◆ **Prononc.** [gɛtapɑ̃], *guet-* comme *(il) guette* et *-apens* comme pour rimer avec *chenapan.* Au pluriel, le *t* est prononcé lié comme au singulier et le *s* de *guets (des guets-apens)* ne s'entend pas.

gueule n.f. → bouche

gueules n.m. ◆ **Orth.** *Gueules* (= couleur rouge du blason) s'écrit toujours avec un *s,* même au singulier : *le gueules s'indique par des tailles verticales.*

guibole, guibolle n.f. ◆ **Orth.** Les deux graphies, *guibole* et *guibolle* sont admises. *Guibole,* avec un seul *l,* est plus fréquent. → R.O. 1990

guilde, gilde, ghilde n.f. ◆ **Orth. et prononc.** Les trois graphies, *guilde, gilde* et *ghilde* sont admises, mais *guilde* est plus fréquent. On prononce de toute

façon [gild], avec l'initiale comme dans *guide.* → R.O. 1990

guide n. ◆ **Genre.** Ce mot utilisé naguère au masculin seulement dans le sens « personne qui guide, montre le chemin, fait visiter «, même pour désigner une femme *(Mme Dupuy est un excellent guide),* s'emploie aujourd'hui aux deux genres : *la guide grecque nous a fait visiter l'Acropole.*

guide n.f. / **rêne** n.f. ◆ **Emploi.** *Guide* désigne la lanière de cuir qu'on attache au mors d'un cheval attelé pour le diriger. Pour un cheval monté, on parle de *rêne.*

guillemets (emploi des) → ponctuation § 15

guillemeter v.t. ◆ **Conjug.** Attention à l'alternance *-tt-/ -t-* : *il guillemette, nous guillemetons ; il guillemetait ; il guillemeta ; il guillemettera.* → annexe, tableau 16 et R.O. 1990

guingois (de) loc. adv. ◆ **Orth.** Attention au *u* après le premier *g.*

gymkhana n.m. ◆ **Orth.** Attention au *h* après le *k.*

gynécée n.m. ◆ **Genre.** Masculin : *un gynécée.* Mot masculin à finale en *-ée,* comme *apogée, lycée, musée, périnée, périgée,* etc.

H

h n.m. inv. ◆ **Prononciation du *h* initial.** Le *h* initial peut être *muet* ou *aspiré.* Dans les deux cas, il ne représente aucun son. Si le *h* est muet, il y a élision ou liaison : *l'homme* [lɔm] ; *les hommes* [lɛzɔm] (= *lè-z-om*). Si le *h* est aspiré, il n'y a ni élision ni liaison : *les héros* [lɛero] (= *lè-éro*).

habileté n.f. / **habilité** n.f. ◆ **Sens.** Ne pas confondre ces deux mots proches par la prononciation. **1.** *Habileté* = qualité d'une personne habile, d'une action accomplie avec dextérité, adresse. *L'habileté d'un stratège, d'une manœuvre.* **2.** *Habilité* = capacité légale. *L'habilité à succéder.* Terme juridique.

habitat n.m. / **habitation** n.f. ◆ **Sens.** Ne pas confondre ces deux mots de sens proches, mais distincts. **1.** *Habitat* n.m. = zone dans laquelle vit une population ou une espèce. *L'habitat de l'ours blanc se situe dans les zones polaires.* **2.** *Habitation* n.f. = fait d'habiter ; logement. *Taxe d'habitation ; une habitation à loyer modéré, dite « H.L.M. ».*

habiter v.t. et v.i. ◆ **Constr.** *Habiter une grande maison / habiter dans une grande maison.* Le verbe *habiter* peut être construit directement ou avec une préposition.

habituer v.t. ◆ **Constr.** *Habituer, être habitué à ce que* (+ subjonctif) : *il faudra que je m'habitue à ce que vous partiez plus tôt ; je suis habitué à ce qu'elle vienne le matin.*

°**hâbleur, euse** n. et adj. ◆ **Orth.** Avec un accent circonflexe sur le *a,* de même que *hâblerie.*

°**hache** n.f. ◆ **Orth.** Sans accent circonflexe sur le *a,* de même que *hachis, hacher, hacheuse,* etc.

°**hache-légumes** n.m. inv. ◆ **Orth.** Avec un *s* à *légumes,* même au singulier : *un hache-légumes, des hache-légumes.* → R.O. 1990

°**hache-paille** n.m. inv. ◆ **Orth.** Plur. : *des hache-paille* (sans *s*). → R.O. 1990

°**hache-viande** n.m. inv. ◆ **Orth.** Plur. : *des hache-viande* (sans *s*). → R.O. 1990

°**hachisch** n.m. → haschisch

°**hagard, e** adj. ◆ **Orth.** Avec un *d* à la fin, comme *brancard, hasard, regard.*

°**haine** n.f. ◆ **Constr.** *Haine de, pour, contre :* *la haine de la violence, la haine pour*

Le signe ° à l'initiale indique le h aspiré

277

tout ce qui est violent, la haine contre les gens violents. Toutes ces constructions sont correctes. Mais la construction *la haine de* (+ nom de personne) est ambiguë : *la haine de Sophie* = la haine que ressent Sophie, ou la haine dont Sophie fait l'objet. □ *En haine de.* En haine est toujours suivi de la préposition *de* : *en haine d'autrui, il s'est retiré loin de tout* (et non *en haine contre autrui, en haine pour autrui*). Registre soutenu.

°**haïr** v.t. ♦ **Conjug.** Prend un tréma sur l'*i* dans toute sa conjugaison, sauf dans *je hais, tu hais, il hait* et *hais* (impératif). → annexe, tableau 22. ♦ **Constr.** 1. *Haïr* (+ infinitif), quand les deux verbes ont le même sujet : *il hait arriver en retard.* 2. *Haïr* (+ subjonctif) : *il hait que l'on arrive en retard.* 3. *Haïr de* (+ infinitif) : *je hais d'être dérangé.* Tour vieux.

haïtien, enne adj. et n. ♦ **Prononc.** Le mot est plus souvent prononcé de nos jours avec la liaison ou l'élision : *les Haïtiens* [lɛzaisjɛ̃] (= lè-za-i-sien), *l'haïtien.*

°**haler** v.t. / °**hâler** v.t. ♦ **Sens et orth.** Ne pas confondre. 1. *Haler* (sans accent circonflexe) = tirer avec effort. *Haler un canot à terre.* De même : *halage, haleur.* 2. *Hâler* (avec un accent circonflexe, comme *hâle*) = brunir la peau, le teint. *Le soleil a hâlé son visage et ses mains.*

°**haleter** v.i. ♦ **Orth.** Avec un seul *l* et un seul *t*, de même que *halètement.* ♦ **Conjug.** Attention à l'alternance *e/è* : *haleter ; je halète, il halète,* mais *nous haletons ; il halètera ; qu'il halète* mais *que nous haletions.* → annexe, tableau 12

°**hall** n.m. / °**halle** n.f. ♦ **Prononc.** Attention, *hall* (sans *e*) se prononce [ol], avec le son *o,* comme *tôle,* alors que *halle* (avec *e*) se prononce [al], avec le son *a* comme *bal.* ♦ **Sens.** Ne pas confondre *un hall* et *une halle.* 1. *Hall* n.m. = vestibule de grandes dimensions. *Le hall d'un hôtel.* 2.

Halle = grand local ouvert plus ou moins largement sur l'extérieur et destiné au commerce. *La halle au poisson est fermée le lundi.*

halogène adj. et n.m. ♦ **Orth. et prononc.** Avec un seul *l* et un *h* muet : *l'halogène.* Ne pas confondre avec *allogène* (avec deux *l* et sans *h*), qui signifie « d'origine étrangère ».

°**halte-garderie** n.f. ♦ **Orth.** Plur. : *des haltes-garderies* (avec *s* aux deux éléments).

haltère n.m. ♦ **Prononc.** Avec *h* muet : *l'haltère, des haltères* (on fait la liaison, comme pour *des alouettes*). ♦ **Genre.** Masculin : *un haltère.* REM. La faute de genre est fréquente.

°**hamac** n.m. ♦ **Prononc.** [amak], avec un *c* final sonore, comme dans *bac* (et non muet comme dans *estomac*).

°**hameau** n.m. ♦ **Sens.** *Hameau / village.* Le *hameau,* n'est composé que de quelques habitations rurales. Contrairement au *village,* on n'y trouve ni édifice public (église, poste, etc.) ni commerce.

°**handball** n.m. ♦ **Prononc.** [ãdbal], avec le son *a* comme dans *une balle* (le mot est d'origine allemande, et non d'origine anglaise). ♦ **Orth.** En un seul mot, comme *football,* à la différence de *basket-ball.* → R.O. 1990.

°**handicap** n.m. ♦ **Prononc.** Attention au *h* aspiré : *le handicap* (et non *l'handicap*), *des handicaps* (ne pas prononcer *des-z-handicaps*). De même pour le dérivé *handicapé, e.*

°**hangar** n.m. ♦ **Orth.** Attention, sans *d* à la fin (ne pas se laisser influencer par *hagard*).

°**hanse** n.f. ♦ **Prononc.** *Hanse* se prononce avec un *h* aspiré *(la hanse)* alors que ses dérivés *hanséate et hanséatique* ont un *h* muet : *villes hanséatiques* (prononcer *vil-z-anséatik*).

°**happer** v.t. ♦ **Orth.** Avec deux *p*.

°**happy end** n.m. ♦ **Orth.** Plur. : *des happy ends* (avec *s* à *end* seulement). → R.O. 1990. ♦ **Genre.** Masculin : *un happy end*. ♦ **Anglicisme.** Cet anglicisme (= heureux dénouement) est passé dans l'usage.

°**hara-kiri** n.m. ♦ **Orth.** Avec un trait d'union. → R.O. 1990. - Plur. : *des hara-kiris*.

°**haranguer** v.t. ♦ **Orth.** Attention au groupe *-an-* (ne pas se laisser influencer par *hareng* et ses dérivés). De même : *harangue, harangueur*.

°**haras** n.m. ♦ **Prononc.** [aʀɑ], sans faire entendre le *s* final.

°**harasser** v.t. ♦ **Orth.** Avec un seul *r* et deux *s*. De même : *harassant, harassement*. REM. Le dérivé *harassement* appartient au registre soutenu.

°**harcèlement** n.m. ♦ **Orth.** Avec un accent grave et un seul *l*.

°**harceler** v.t. ♦ **Conjug.** Attention à l'alternance *e/è* : *harceler ; je harcèle, il harcèle,* mais *nous harcelons ; il harcèlera ; qu'il harcèle* mais *que nous harcelions*. → annexe, tableau 12

°**hard** adj. inv. ♦ **Orth.** Invariable : *une histoire hard*. ♦ **Registre.** Familier au sens de « abrupt, dur, violent » : *c'est un peu hard, comme entrée en matière*. REM. La locution *hard rock* (= genre musical) n'est pas familière, mais technique.

°**hardware** n.m. ♦ **Anglicisme.** Matériel, en informatique (par opposition à *software*, logiciel). RECOMM. Dire *matériel* et *logiciel* plutôt que *hardware* et *software*.

°**hareng** n.m. ♦ **Prononc. et orth.** Le *g* final ne se prononce pas. Attention au groupe *-en-* dans *hareng* et ses dérivés : *harengaison, harengère, harenguier* (ne pas se laisser influencer par *harangue* et *haranguer*).

°**harissa** n.f. ♦ **Genre.** Féminin : *de la harissa*.

haruspice, aruspice n.m. ♦ **Orth.** Les deux graphies, *haruspice* et *aruspice*, sont admises. On écrit plus souvent aujourd'hui *haruspice*, avec un *h*.

°**hasard** n.m. ♦ **Orth.** Avec *s* (et non *z*) et *d* final (ne pas se laisser influencer par *bazar*).

°**hasarder** v.t. et v.pr. ♦ **Constr. 1.** *Se hasarder à* (+ infinitif) : *je ne me hasarderais pas à manger de ces champignons*. Construction courante. **2.** *Hasarder de, se hasarder de* (+ infinitif) : « *Si quelqu'un se hasarde de lui emprunter quelques vases* » (La Bruyère) = se risque à les lui emprunter. Construction sortie de l'usage.

°**haschisch,** °**haschich,** °**hachisch** n.m. ♦ **Orth.** Les trois graphies sont admises. *Haschisch* (avec deux fois le groupe *-sch-*) est la plus courante. ♦ **Emploi.** L'abréviation *hasch* (ou *hach*) est familière.

°**hase** n.f. ♦ **Orth.** Pas d'accent circonflexe sur le *a*.

°**hâte** n.f. ♦ **Orth.** Avec un accent circonflexe sur le *a*. De même : *hâter, hâtif, hâtivement*. ♦ **Constr. 1.** *Avoir hâte de* (+ infinitif) : *j'ai hâte de la voir*. **2.** *Mettre de la hâte à* (+ infinitif) : *il a mis trop de hâte à terminer*.

°**hausse-col** n.m. ♦ **Orth.** Plur. : *des hausse-cols* (avec *s* à *col* uniquement).

Le signe ° à l'initiale indique le h *aspiré*

°**hausse-pied** n.m. ♦ **Orth.** Plur. : *des hausse-pieds* (avec *s* à *pied* uniquement).

°**hausse-repère** n.f. ♦ **Orth.** Plur. : *des hausses-repères* (avec *s* aux deux éléments). REM. *Hausse* représente ici le substantif *hausse* et non, comme dans *hausse-col,* le verbe *hausser.*

1. °**haut, e** adj. ♦ **Orth. 1.** *Le Haut-Rhin / le haut Nil.* ❑ Les noms géographiques qui désignent une entité politique ou administrative s'écrivent avec un *h* majuscule et un trait d'union : *le Haut-Rhin* (= département français), *la Haute-Normandie* (= région administrative formée des départements de l'Eure et de la Seine-Maritime), *la Haute-Égypte* (= royaume de l'Égypte ancienne). ❑ Les noms qui désignent une région géographique sans limites définies s'écrivent avec un *h* minuscule et sans trait d'union : *le haut Nil* (= la partie du fleuve la plus proche de la source et les régions qui l'environnent), *le haut Massif central* (= la région la plus élevée du Massif central, l'Auvergne). **2.** *Le haut Moyen Âge.* Jamais de majuscule quand *haut* qualifie une période historique sans limites temporelles précises, ou une langue ancienne : *le haut Moyen Âge, la haute Antiquité ; le haut allemand.* **3.** *Le Haut-Empire :* avec une majuscule et un trait d'union (= période précisément délimitée de l'Empire romain). **4.** *Le Très-Haut* (= Dieu). Toujours avec une majuscule et un trait d'union. **5.** *La Haute Cour, la Haute Assemblée.* Toujours avec une majuscule, mais sans trait d'union. On écrit en revanche *la Chambre haute.* **6.** Dans la plupart de ses autres emplois, *haut* s'écrit sans majuscule ni trait d'union : *un haut fonctionnaire, les quartiers de haute sécurité, un crime de haute trahison, j'en référerai en haut lieu ;* avec trait d'union dans quelques mots : *haut-commissaire, haute-fidélité,* etc. V. ces mots.

2. °**haut** adv. et n.m. ♦ **Orth.** *Haut,* adverbe, est invariable : *les hirondelles volent haut ; ils parlent haut ; des personnes haut placées.* ♦ **Emploi. 1.** *De haut en bas / du haut en bas.* De haut en bas n'est jamais suivi d'un complément (*de haut en bas du mur) contrairement à *du haut en bas : du haut en bas du mur, le crépi est à reprendre.* ❑ *De haut en bas* doit en général être compris au sens figuré dans la locution *regarder quelqu'un de haut en bas* (= le considérer avec condescendance, avec mépris) - *Du haut en bas* peut être pris au sens concret *(visiter une maison du haut en bas)* ou au sens figuré *(du haut en bas de la hiérarchie).* **2.** *En haut / au haut.* En haut (= en un lieu plus élevé, au-dessus) est usuel : *il loge en haut ; passez par en haut. Au haut* (= au sommet) est littéraire et vieilli : « *Le coche arrive au haut* » (La Fontaine). « *Certain renard* [...] *vit au haut d'une treille* [...] » (La Fontaine). ❑ *En haut* employé avec *monter.* Éviter le pléonasme *monter en haut. En revanche, *monter en haut de l'échelle, monter plus haut, monter très haut,* etc., sont corrects.

°**haut-commissaire** n.m. ♦ **Orth.** Avec un trait d'union, à la différence de *haut fonctionnaire.* Le dérivé *haut-commissariat* s'écrit également avec un trait d'union. - Plur. : *des hauts-commissaires* (avec un *s* aux deux éléments).

°**haut-de-chausses,** °**haut-de-chausse** n.m. ♦ **Orth.** Plur. : respectivement, *des hauts-de-chausses* et *des hauts-de-chausse.* On écrit plus souvent *un haut-de-chausses,* avec un *s.*

°**haut-de-forme** n.m. ♦ **Orth.** *Haut-de-forme / haut de forme.* Attention, le nom s'écrit avec deux traits d'union *(un haut-de-forme)* mais pas l'adjectif *(des chapeaux hauts de forme).* - Plur. : *des hauts-de-forme, des chapeaux hauts de forme.*

°**haute-contre** n.f. et n.m. ◆ **Orth.** Avec un trait d'union. → R.O. 1990. - Plur. : *des hautes-contre* (sans *s* à *contre*).

°**haute-fidélité** n.f. ◆ **Orth.** Toujours avec trait d'union. ❑ *Des chaînes haute-fidélité :* invariable en emploi adjectif.

°**hauteur** n.f. ◆ **Sens.** *À la hauteur de / à hauteur de.* Ne pas confondre ces deux expressions de forme voisine. **1.** *À la hauteur de* = au niveau de, au même rang que. *Il s'est brusquement déporté sur la droite en arrivant à ma hauteur. Elle s'est montrée à la hauteur de la situation.* **2.** *À hauteur de* = à concurrence de, dans la limite de. *Les associés sont solidaires des dettes sociales à hauteur de leur apport.* ◆ **Registre.** *Être à la hauteur* (= être compétent, efficace) est familier.

°**haut-fond** n.m. ◆ **Orth.** *Des hauts-fonds* (avec un *s* aux deux éléments). ◆ **Sens.** Partie élevée du fond de la mer ou d'un cours d'eau, où l'eau est peu profonde. → **bas-fond**

°**haut-fourneau** n.m. ◆ **Orth.** Avec un trait d'union.- Plur. : *des hauts-fourneaux.* REM. La graphie sans trait d'union *(un haut fourneau)* est vieillie.

°**haut-le-cœur** n.m. inv. ◆ **Orth.** Plur. : *des haut-le-cœur* (invariable).

°**haut-le-corps** n.m. inv. ◆ **Orth.** Plur. : *des haut-le-corps* (invariable).

°**haut-parleur** n.m. ◆ **Orth.** Avec un trait d'union. → R.O. 1990. - Plur. : *des haut-parleurs* (sans *s* à *haut*) . RECOMM. Employer *haut-parleur d'aigus, de graves,* pour éviter les anglicismes *tweeter, boomer.*

°**haut-relief** n.m. ◆ **Orth.** Avec un trait d'union. Mais on écrit *une représentation en haut relief,* sans trait d'union. - Plur. : *des hauts-reliefs.*

°**havane** n.m. et adj. inv. ◆ **Orth.** **1.** *Havane* n.m. = cigare cubain. - Plur. : *des havanes.* **2.** *Havane* adj. inv. = brun clair. *Des cuirs havane.* → annexe, grammaire § 98

°**hâve** adj. ◆ **Orth.** Avec un accent circonflexe sur le *a,* à la différence du nom *havre.* ◆ **Registre.** Littéraire.

°**haver** v.t. ◆ **Orth.** Sans accent, à la différence de l'adjectif *hâve.* De même pour les autres mots de la famille : *havage, haveur, haveuse.* Terme technique de l'industrie minière.

°**havir** v.t. et v.i. ◆ **Orth.** Sans accent. Mot rare (= brûler sans cuire au-dedans, à propos d'une viande, d'un mets).

°**havre** n.m. ◆ **Orth.** Sans accent : *un havre de paix.*

hawaiien, enne ou **hawaïen, enne** adj. et n. ◆ **Orth.** Les deux graphies, *hawaiien,* avec deux *i,* et *hawaïen,* avec *i* tréma, sont admises.

°**hayon** n.m. ◆ **Prononc.** [ajɔ̃], comme dans *haillon,* ou [ɛjɔ̃], comme dans *rayon.*

°**hé** interj. → **eh**

héberger v.t. ◆ **Conjug.** Le *g* devient -*ge-* devant *a* et *o* : *j'héberge, nous hébergeons ; il hébergea.* → annexe, tableau 10

hébétement n.m. / **hébétude** n.f. ◆ **Orth.** Avec un accent aigu sur chacun des deux premiers *e,* de même que *hébéter.* → R.O. 1990. ◆ **Registre.** *Hébétement* est du registre soutenu. *Hébétude* est littéraire ou technique (terme de médecine).

hébéter v.t. ◆ **Conjug.** Attention à l'accent, tantôt grave, tantôt aigu : *j'hébète, nous hébétons ; il hébéta.* → annexe, tableau 11 et R.O. 1990

Le signe ° à l'initiale indique le h *aspiré*

hébreu adj. m. et n.m. / **hébraïque** adj. ◆ **Orth.** Plur. : *les caractères hébreux. Les Hébreux.* ◆ **Genre.** *Hébreu* n'a pas de féminin. Pour qualifier, au féminin, ce qui se rapporte à la langue, à la civilisation des Hébreux, on utilise l'adjectif *hébraïque : la langue hébraïque* (= l'hébreu), *la culture hébraïque.*

°**hein** interj. ◆ **Registre.** Familier. RECOMM. Dans l'expression soignée, employer, en fonction du contexte, *comment, pardon* ou *n'est-ce pas : Comment ! c'est lui qui a gagné ?* (Plutôt que : *Hein ! c'est lui qui a gagné ?*). - *Pardon ? j'ai mal entendu.* (Plutôt que : *Hein ? j'ai mal entendu.*) - *Elle arrive demain, n'est-ce pas ?* (Plutôt que : *Elle arrive demain, hein ?*).

°**hélas** interj. ◆ **Orth.** *Hélas* est généralement suivi d'un point d'exclamation. → ponctuation §7

°**héler** v.t. ◆ **Conjug.** Attention à l'accent, tantôt grave, tantôt aigu : *je hèle, nous hélons ; il héla.* → annexe, tableau 11 et R.O. 1990

hélicoptère n.m. ◆ **Genre.** Masculin : *un hélicoptère.* REM. Les mots formés sur *hélicoptère* n'en conservent que l'élément *héli- : héligare, héliport, héliporté, héliportage, hélitransporté, hélitreuillage.*

héliotrope n.m. ◆ **Genre.** Masculin : *un héliotrope.*

hématome n.m. ◆ **Orth. et prononc.** Sans accent circonflexe, malgré la prononciation fermée du *o,* comme dans *dôme.*

hémicycle n.m. ◆ **Genre.** Masculin : *un hémicycle.*

hémisphère n.m. ◆ **Genre.** Masculin (malgré le radical *sphère* et à la différence de *atmosphère*) : *un hémisphère, l'hémisphère austral, les hémisphères cérébraux.*

hémistiche n.m. ◆ **Genre.** Masculin : *un hémistiche.*

hémorragie n.f. ◆ **Orth.** Avec deux *r,* sans *h* intérieur, de même que *hémorragique.*

hémorroïde n.f. ◆ **Orth.** Avec deux *r,* sans *h* intérieur, de même que *hémorroïdaire* et *hémorroïdal.*

°**héraut** n.m. / °**héros** n.m. ◆ **Sens.** Ne pas confondre ces deux mots de prononciation identique. **1.** *Héraut* = annonciateur. **2.** *Héros* = personne exceptionnellement courageuse ; personnage d'une œuvre de fiction. → héros

herbe n.f. ◆ **Emploi et sens. 1.** *Dans l'herbe* suggère que l'herbe est haute : *un animal tapi dans l'herbe.* **2.** *Sur l'herbe* indique la nature herbeuse de la végétation, qui peut être haute ou rase : *déjeuner sur l'herbe.* **3.** *En herbe* se dit d'une céréale au début de sa croissance, encore verte : *blé en herbe.*

herbeux, euse adj. / **herbu, e** adj. ◆ **Emploi et sens. 1.** *Herbeux* = où l'herbe pousse. *Un fossé herbeux.* **2.** *Herbu* = couvert d'une herbe abondante. *Les prairies herbues de l'Ouest américain.*

hercule n.m. ◆ **Orth.** Sans majuscule quand ce mot désigne un homme d'une grande force physique : *un hercule de foire.*

°**hère** n.m. / °**hère** n.m. ◆ **Sens et emploi.** Ne pas confondre ces deux mots dont les sens sont très différents, bien qu'ils s'écrivent de la même façon. **1.** *Un pauvre hère* = un homme misérable, lamentable (de l'ancien français *haire,* pauvre). *Hère,* dans ce sens, est toujours accompagné de l'adjectif *pauvre.* **2.** *Un hère* = un jeune cerf ou un jeune daim âgé de six mois à un an et n'ayant pas encore ses premiers bois (du néerlandais *hert,* cerf).

hériter v.t. et v.t.ind. ◆ **Constr.**
1. *Hériter qqch., hériter de qqch.* = recevoir par voie de succession. *Il a hérité une très grosse fortune. Elle a hérité de la maison de ses parents.* 2. *Hériter de qqn.* = recueillir sa succession. *Ils ont hérité de leur grand-mère sa propriété en Provence.*

°**héros, héroïne** n. ◆ **Prononc.** Le *h* de *héros* est aspiré : *le héros d'un roman.* En revanche, celui des autres mots de la même famille *(héroïne, héroïque, héroïquement, héroïsme)* est muet : *l'héroïne de l'histoire.* ◆ **Sens.** *Héros / héraut* → héraut

hésiter v.i. ◆ **Constr.** 1. *Hésiter à* (+ infinitif), *dans, sur, entre* (+ nom ou pronom) : *hésiter à entrer, hésiter dans ses décisions, hésiter sur le chemin à suivre, hésiter entre deux réponses.* Toutes ces constructions sont correctes. 2. *Hésiter de* (+ infinitif), **hésiter si** (+ indicatif ou conditionnel) : *« Ils n'hésitent pas de critiquer des choses qui sont parfaites »* (La Bruyère). *« [...] elle hésita si elle ne s'en retournerait pas chez elle »* (G. Flaubert). Constructions littéraires et vieillies. On dirait aujourd'hui : *ils n'hésitent pas à critiquer... ; elle se demanda si...*

heur n.m. ◆ **Emploi.** *Heur* n'est plus guère employé que dans la locution *avoir l'heur de* (= avoir la chance de), qui appartient au registre soutenu : *je n'ai pas eu l'heur de lui plaire.*

heure n.f.
◆ **Prononc.** On ne doit pas faire la liaison après *heures* dans : *deux heures et demie, deux heures et (un) quart.*
◆ **Orth.**
1. *Heure* s'abrège en *h* sans point : *18 h 15.*
2. On écrit, en chiffres, *20 h 5*, ou plus couramment, dans les horaires, *20 h 05.*
3. Dans le style soigné, on écrit *heure* en toutes lettres : *il est sept heures, sept heures cinq, sept heures et demie*, mais on admet l'usage des chiffres dans le style courant, surtout s'il s'agit d'une notation com-

plexe : *le train part à 8 heures, à 8 heures 45, à 8 h 45.* Une durée se note en toutes lettres : *le trajet dure deux heures trente.*
◆ **Accord.**
1. *Heure + demi(e).* Après *heure*, on écrit *demi* au féminin singulier : *une heure et demie, dix heures et demie.* Mais on écrit *demi* au masculin singulier après *midi* et *minuit* : *à midi et demi.* → demi.
2. Avec *précis.* On écrit : *à une heure, une heure vingt précise ; à trois heures, trois heures et demie précises ;* mais : *à midi, minuit précis.* - Même règle d'accord pour *passé* et *sonné*, mais *juste*, considéré comme adverbe (= précisément) et *pile*, adverbe, restent invariable.
3. Avec *sonnant.* On écrit : *à trois heures sonnantes*, mais on tend à utiliser le participe présent invariable : *à dix heures sonnant*, comme on écrit *à midi, minuit sonnant.* - Mêmes observations pour *battant, tapant* et *pétant* (familier).
4. Avec *sonner* conjugué. On écrit normalement : *midi sonne ; une heure sonne ; trois heures sonnent, trois heures et demie sonnent.* Le premier élément commande l'accord du verbe. REM. On trouve aussi : *trois heures et demie sonne* (si l'on considère qu'une sonnerie unique marque la demi-heure) ; *minuit sonnent* (= les douze coups de minuit sonnent) est une orthographe vieillie.

◆ **Emploi.**
1. Avec *vers.* On dit : *vers une heure, vers les deux heures.* RECOMM. Éviter : **vers les une heure.*
2. Avec *quart.* Le quart suivant ou précédant l'heure se dit couramment : *midi et quart, midi moins le quart*, plus rarement : *onze heures trois quarts ; un quart, moins un quart* sont des tournures vieillies.
3. **Compte des heures.** Il se fait habituellement de une à onze *(il est dix heures)*, en précisant parfois s'il s'agit du matin ou de l'après-midi *(il est rentré à trois heures du matin).* L'usage administratif est de comp-

ter de 0 à 24 (*l'accident s'est produit à 0 h 30*). REM. La tendance à compter de 0 à 24 se généralise dans les médias et même dans la conversation courante, du fait de l'extension de l'affichage numérique.

4. *À l'heure où / à l'heure que.* *À l'heure où* est correct en parlant d'un moment précis : *à l'heure où je suis arrivé. À l'heure que* ne s'emploie que dans le tour figé *à l'heure qu'il est.*

5. *De l'heure / à l'heure / par heure / l'heure.* Pour un événement se produisant deux fois dans une heure, on dit : *deux fois par heure* ou, plus rarement, *deux fois l'heure.* - Pour une rétribution, on dit : *gagner cent francs l'heure, cent francs par heure,* ou, familièrement, *cent francs de l'heure.* - Pour exprimer une vitesse, on dit : *cent kilomètres à l'heure, par heure* (abrégé en *km/h*) ; familièrement : *cent à l'heure.*

♦ **Sens.** *Tout à l'heure* peut signifier « dans peu de temps » : *j'irai tout à l'heure,* ou « il y a peu » : *je l'ai croisé tout à l'heure. Tout à l'heure* pour « sur-le-champ, immédiatement, tout de suite » est vieux.

heureusement adv. ♦ Constr.
Heureusement que (+ indicatif ou conditionnel) : *heureusement que vous êtes là, que vous étiez là. Heureusement qu'on ne vous le servirait pas à table.*

heureux, euse adj. ♦ Constr. *Être heureux que, il est heureux que* (+ subjonctif) : *je suis heureux que vous soyez avec nous ; il est heureux* (impersonnel) *que vous ayez réussi.* RECOMM. Éviter la construction avec *de ce que.*

°heurter v.t., v.i. et v.pr. ♦ Constr. 1. *Heurter qqch., qqn* : *heurter un arbre, un mur, un passant.* Construction courante. **2.** *Heurter contre qqch.* : *le navire est allé heurter contre le quai ; il a heurté de la tête contre le mur.* Constructions du registre soutenu. **3.** *Heurter à la porte* = frapper à la porte. Construction littéraire et

vieillie. **4.** *Se heurter à* ou *contre qqn, qqch.* : *se heurter à un refus, se heurter contre une porte fermée.*

hiatus n.m. ♦ Prononc. Le *h* est muet : *l'hiatus ; un hiatus* [œ̃jatys], *des hiatus* [dɛzjatys], en faisant la liaison. On écrit donc : *il faut éviter cet hiatus* (et non **ce hiatus*).

hiberner v.i. / hiverner v.i. et v.t. ♦ Sens. Ne pas confondre ces deux verbes empruntés l'un et l'autre au latin *hibernare,* être en quartiers d'hiver. **1.** *Hiberner* = passer l'hiver dans un état d'engourdissement, en parlant de certains animaux (dérivés : *hibernal, hibernant, hibernation*). **2.** *Hiverner* = passer l'hiver à l'abri des intempéries (dérivés : *hivernage, hivernal, hivernant*). *Les hirondelles hivernent en Afrique.* Seul *hiverner* a des emplois transitifs : *hiverner le bétail* (= le mettre à l'étable pour l'hiver).

°hibou n.m. ♦ Orth. Plur. : *des hiboux* (avec un *x*), comme *des bijoux, des cailloux, des choux, des genoux, des joujoux, des poux.*

hier adv. ♦ Prononc. 1. *Hier* se prononce en une ou en deux syllabes : [jɛʀ], (= ierre, comme dans *lierre*) ou [ijɛʀ], (= i-ierre, comme dans *il y en est resté*). **2.** Le *h* étant muet, on fait la liaison dans *avant-hier, dès hier.* ♦ **Emploi.** On dit *hier matin, hier soir, hier midi,* ou, moins souvent, *hier au matin, hier au soir, hier à midi.*

°hiérarchie n.f. ♦ Prononc. Sans élision ni liaison : *sa hiérarchie l'a soutenu.* De même pour les autres mots de la famille : *hiérarchique, hiérarchiquement, hiérarchisation, hiérarchiser, hiérarque.*

°hiéroglyphe n.m. ♦ Prononc. Sans élision ni liaison : *le hiéroglyphe qui te sert de signature est illisible.* ♦ **Orth.** Attention aux places respectives du *i* et du *y* : le *i* d'abord, le *y* ensuite.

hindou, e adj. et n. → **indien**

°**hippie,** °**hippy** adj. et n. ◆ **Orth.** Les deux graphies, *hippie* et *hippy,* sont admises. *Hippie* est plus courant. -Plur. : *des hippies, des hippys.*

hippo- préf. / **hypo-** préf. ◆ **Orth. et sens.** Ne pas confondre ces deux préfixes de prononciation semblable mais de sens très différents. **1.** *Hippo-* (avec un *i* et deux *p*) signifie « cheval » (du grec *hippos,* cheval) : *hippocampe* (= poisson ressemblant à un cheval), *hippodrome* (= champ de courses pour les chevaux), *hippotechnie* (= élevage et dressage des chevaux), etc. **2.** *Hypo-* (avec un *y* et un *p*) signifie « qui est placé dessous, inférieur, diminué » (du grec *hupo,* sous, dessous, en dessous) : *hypogastre* (= partie du ventre sous l'estomac), *hypoglycémie* (= diminution de la concentration de sucre dans le sang), *hypothermie* (= abaissement de la température du corps).

hispano-mauresque adj. → **mauresque**

histoire n.f. ◆ **Orth.** Pas de majuscule : *l'histoire de France, l'histoire ancienne.* ◆ **Registre.** *Histoire de* (+ infinitif) = pour, dans l'intention de. *On a fait une petite belote, histoire de passer le temps.* Registre familier.

hitlérien, enne adj. et n. ◆ **Prononc. et orth.** Le *h* initial est muet, contrairement à celui de *Hitler* (nom propre). De même pour *hitlérisme.* ◆ **Orth.** Pas de majuscule au substantif : *les hitlériens.*

°**hit-parade** n.m. ◆ **Orth.** Plur. : *des hit-parades.* → R.O. 1990. ◆ **Anglicisme.** RECOMM. OFF. : *palmarès.* Ce mot officiellement recommandé reste peu usité.

hiver n.m. ◆ **Emploi.** On dit *en hiver, l'hiver, dans* ou *pendant l'hiver* comme pour *automne* et *été* (mais à la différence de *au printemps*). ❑ Avec un millésime : *c'était pendant l'hiver 1943, pendant l'hiver 86/87.*

hiverner v.i. et v.t. → **hiberner**

°**HLM,** °**H.L.M.** n.m. ou n.f. ◆ **Prononc.** [aʃɛlɛm], (= ache-é-lèm). Le *h* est le plus souvent aspiré, mais on entend quelquefois la prononciation avec *h* muet : *l'HLM.* ◆ **Orth.** On écrit *HLM* ou *H.L.M.,* avec ou sans points abréviatifs. ◆ **Genre.** En principe féminin (comme *habitation*), mais l'influence du genre de *immeuble* fait que *HLM* est souvent employé au masculin. REM. L'emploi au masculin est aujourd'hui si fréquent qu'il ne peut plus être considéré comme fautif.

°**ho** interj. → **ô**

°**hobby** n.m. ◆ **Orth.** Plur. : *des hobbys* (pluriel français) ou *des hobbies* (pluriel à l'anglaise). ◆ **Anglicisme.** Équivalent anglais de *passe-temps, violon d'Ingres* ou *dada,* qui en est la traduction la plus proche.

°**holà** interj. et n.m. ◆ **Orth.** Avec un accent grave sur le *a,* comme dans *là.*

°**holding** n. m. ou n.f. ◆ **Genre.** Le mot est employé aux deux genres. On dit *un holding* ou *une holding.*

holocauste n.m. ◆ **Genre.** Masculin : *un holocauste.* REM. Au XVIIᵉ s., le mot était indifféremment masculin ou féminin. ◆ **Sens. 1.** Sacrifice d'un animal dans lequel la victime était entièrement brûlée, chez les Hébreux. **2.** *L'Holocauste* (avec une majuscule) : l'extermination des juifs par les nazis pendant la Seconde Guerre mondiale (dite *la Shoah* par les juifs).

hologramme n.m. → **holographie**

Le signe ° à l'initiale indique le h *aspiré*

holographe adj. → holographie, olographe

holographie n.f. ◆ **Orth.** Avec un *h,* comme *hologramme.* REM. L'usage n'a retenu, pour *holographie* et *hologramme* (= photographie restituant le relief), que la graphie avec *h,* alors qu'il admet la double graphie *holographe* et *olographe* pour l'adjectif qualifiant un testament écrit tout entier de la main du testateur. Les trois mots ont la même étymologie (grec *holos,* entier, et *graphein,* écrire).

°**homard** n.m. ◆ **Emploi.** *Homard à l'américaine / homard à l'armoricaine.* L'un et l'autre se disent. RECOMM. Préférer *homard à l'américaine,* généralement adopté aujourd'hui dans les ouvrages de cuisine et de gastronomie.

homéo- préf. ◆ **Orth.** Le préfixe *homéo-* (du grec *homoios,* semblable) s'écrit aujourd'hui avec un *e* accent aigu : *homéopathie, homéothermie.* → R.O. 1990. La graphie *homœo-* est sortie de l'usage.

homicide n. et adj. ◆ **Orth.** Avec un seul *m.* REM. *Homicide* est issu du mot latin *homicida* ou *homicidium,* de *homo,* homme, et non du mot français *homme.* ◆ **Sens et emploi.** *Homicide* = action de tuer, volontairement ou non, un être humain. → **assassinat.** REM. Selon sa nature, l'*homicide* peut être un *parricide* (meurtre du père ou des parents), un *matricide* (de la mère), un *fratricide* (du frère ou de la sœur), un *infanticide* (d'un enfant), un *régicide* (d'un roi), un *génocide* (d'un groupe ethnique).

homme n.m. ◆ **Orth. 1.** *Homme de* (+ nom) : les compléments de *homme* introduits par *de* sont au singulier *(des hommes de loi, des hommes d'État),* sauf dans *homme d'affaires, homme d'armes, homme de lettres.* **2. Noms composés avec *homme-*.** Ils prennent un trait d'union et la marque du pluriel aux deux éléments : *des hommes-grenouilles, des hommes-orchestres, des hommes-sandwichs.* ◆ **Registre.** *Mon homme* pour *mon mari, mon ami,* est populaire.

homologue adj. → analogue

°**hongroyer** v.t. ◆ **Conjug.** Attention, le *y* devient *i* devant *e* muet : *il hongroie* mais *il hongroyait.* - Bien noter le *i* après le *y* aux première et deuxième personnes du pluriel, à l'indicatif imparfait et au subjonctif présent : *(que) nous hongroyions, (que) vous hongroyiez.* → annexe, tableau 7

honnête adj. ◆ **Emploi et sens. 1.** *Un homme honnête / un honnête homme.* Un *homme honnête* est un homme qui se conforme aux règles de la morale et de la probité. *Honnête homme* se dit dans le même sens, mais désigne aussi un homme curieux de tout, cultivé sans être pédant. C'est dans ce sens que l'on parle de *la culture de l'honnête homme,* de *la bibliothèque de l'honnête homme,* de *l'honnête homme au sens du XVIIe siècle.* **2.** *Une femme honnête / une honnête femme :* ces deux expressions sont équivalentes et désignent aujourd'hui une femme probe (comme *honnête homme* désigne un homme probe). L'expression *une honnête femme, une honnête fille* au sens de « femme, jeune fille chaste, s'abstenant de tout rapport avec les hommes en dehors du mariage » n'a plus cours, sauf intention plaisante ou malicieuse. REM. Un équivalent moderne serait : *une fille sérieuse* (qui tend d'ailleurs lui aussi à vieillir, compte tenu de l'évolution des mœurs).

honneur n.m. ◆ **Orth.** Avec deux *n,* ainsi que *déshonneur.* Les autres mots de la même famille ne prennent qu'un seul *n : honorabilité, honorable, honorablement, honoraire, honorariat, honorer, honorifique, déshonorer.* ◆ **Emploi.** *En quel honneur ?* peut s'employer pour *en l'hon-*

neur de quoi ? mais non pour *en l'honneur de qui ?*

honoraires n.m. → appointements

°**honte** n.f. ◆ **Constr.** 1. *Avoir honte de* (+ substantif ou infinitif) : *elle n'a pas honte de ses origines ; il a honte d'avouer ses faiblesses.* 2. *Il n'y a pas de honte à* (+ infinitif) : *il n'y a pas de honte à être un peu moins bon dans un domaine que dans les autres.*

hôpital n.m. ◆ **Orth.** Avec un accent circonflexe sur le *o*. REM. L'accent circonflexe remplace le *s* de l'ancien mot *hospital,* qui subsiste dans *hospitalier, hospitaliser, hospitalisation, hospitalité,* ainsi que dans *hospice* (latin *hospitium*).

°**hoqueter** v.i. ◆ **Conjug.** Attention à l'alternance *-tt-/ -t-* : *il hoquette, nous hoquetons ; il hoquetait ; il hoqueta ; il hoquettera.* → annexe, tableau 16 et R.O. 1990

horizon n.m. ◆ **Orth.** *Bleu horizon.* Invariable : *des uniformes bleu horizon.* → annexe, grammaire § 99. ◆ **Emploi.** L'emploi figuré de *horizons* (au pluriel) au sens de « champs d'action ou de réflexion, perspectives », longtemps critiqué, est aujourd'hui admis : *cette découverte ouvre à la recherche des horizons nouveaux.*

horloge n.f. ◆ **Genre.** Féminin : *une horloge comtoise.* REM. *Horloge* était autrefois masculin. Ce genre a survécu dans certains noms de lieux (notamment celui de la *rue du Gros-Horloge,* à Rouen).

°**hormis** prép. ◆ **Orth.** Finale en *-is* (ne pas se laisser influencer par *parmi*). ◆ **Registre.** Soutenu. ◆ **Constr.** *Hormis que* (+ indicatif) = si ce n'est que. « *Il ressemblait à M. de Beaufort, hormis qu'il parlait mieux le français* » (Mme de Sévigné).

horoscope n.m. ◆ **Genre.** Masculin : *un horoscope.*

horreur n.f. ◆ **Constr.** On dit : *avoir, éprouver de l'horreur pour qqn, pour qqch. ; avoir qqn, qqch. en horreur ; avoir horreur de qqn, de qqch.*

°**hors** prép. ◆ **Emploi et registre.** 1. *Hors / hors de* = en dehors de, au-delà de. ❑ *Hors* seul. *Hors* n'est plus employé seul que dans des expressions figées qui ont le plus souvent valeur d'adjectifs : *hors cadre, hors catégorie, hors classe, hors commerce, hors concours, hors pair, hors saison, hors série, hors sujet, hors texte.* ❑ *Hors de.* Cette locution prépositionnelle est plus courante : *il habite hors de la ville ; par sécurité, le dépôt de matières inflammables est hors du bâtiment.* On la trouve dans des expressions figées ou semi-figées comme *hors d'affaire, hors d'âge, hors d'atteinte, hors de cause, hors de danger, hors de prix,* etc. 2. *Hors* = excepté, hormis. *Aucune dérogation ne sera admise, hors cas de force majeure.* Registre administratif ou littéraire. ◆ **Orth.** Les noms composés avec *hors* prennent un trait d'union (contrairement aux expressions figées employées comme adjectifs) et sont invariables : °*hors-bord,* °*hors-cote,* °*hors-d'œuvre,* °*hors-jeu,* °*hors-la-loi,* °*hors-piste* ou *hors-pistes,* °*hors-sol,* °*hors-texte.*

hors-bord adj. inv. et n.m. inv. ◆ **Orth. et emploi.** *Moteur hors-bord* (avec un trait d'union). - Plur. : *des moteurs hors-bord.* ❑ *Un hors-bord* (= un canot équipé d'un moteur hors-bord). - Plur. *des hors-bord* (invariable). → R.O. 1990

hors-cote adj. inv. et n.m. inv. ◆ **Orth.** Avec un trait d'union, que le mot soit employé comme nom ou comme adjectif : *des valeurs hors-cote, le marché hors-cote, le hors-cote.*

hors-jeu n.m. inv. / **hors jeu** loc. adj. inv. ◆ **Orth.** 1. *Hors-jeu* n.m. = faute,

---

Le signe ° à l'initiale indique le h *aspiré*

dans certains sports d'équipe. Avec un trait d'union : *l'arbitre avait sifflé le hors-jeu.* **2.** *Hors jeu* loc. adj. inv. = qui se trouve sur le terrain dans une position interdite par le jeu. Sans trait d'union : *des joueurs hors jeu ; vous étiez tous les deux hors jeu.*

hors-la-loi n.m. inv. / **hors la loi** loc. adj. inv. ♦ **Orth.** On écrit *un dangereux hors-la-loi,* avec un trait d'union (substantif) mais *dans cette situation, ils sont hors la loi* (locution adjectivale), sans trait d'union.

hors-piste, hors-pistes adj. inv. et n.m. inv. ♦ **Orth.** Avec un trait d'union, que le mot soit employé comme nom ou comme adjectif : *le ski hors-piste* ou *hors-pistes, le hors-piste* ou *le hors-pistes.*

hors-texte n.m. inv. / **hors texte** loc. adj. inv. ♦ **Orth.** On écrit *un hors-texte,* avec un trait d'union (substantif) mais *des illustrations hors texte* (locution adjectivale), sans trait d'union.

hospitalier, ère adj. → hôpital

hostile adj. ♦ **Constr.** *Hostile à.* On dit *être hostile à qqn* ou *à qqch.,* mais *avoir de l'hostilité contre, envers qqn,* ou *qqch.* et *témoigner, montrer de l'hostilité à qqn* ou *à qqch.*

hot-dog n.m. ♦ **Orth.** Avec un trait d'union. → R.O. 1990. - Plur. : *des hot-dogs.*

hôte, hôtesse n. ♦ **Orth.** Avec un accent circonflexe sur le *o.* ♦ **Sens et registre.** Le masculin a deux sens opposés, le féminin n'a qu'un sens. **1.** *Un hôte* = celui qui reçoit ; celui ou celle qui est reçu. *Notre hôte nous a fait goûter le meilleur bourgogne de sa cave.* « *L'hôte, en Orient, est supérieur au maître de la maison* » (E. Renan). « *Le bon hasard qui nous avait octroyé, ce soir-là, nos hôtes féminins* » (Villiers de l'Isle-Adam). Registre

soutenu. **RECOMM.** Au sens de « personne qui est reçue », on dit plutôt aujourd'hui dans le registre courant, pour éviter l'ambiguïté : *un invité, une invitée.* **2.** *Une hôtesse* = une femme qui donne l'hospitalité, qui reçoit quelqu'un chez elle. « [...] *je gagnai, à travers champs, la maison de mon hôtesse. Je demeurai vingt-quatre heures chez elle* » (Chateaubriand).

hôtel n.m. ♦ **Orth.** Avec un accent circonflexe sur le *o ;* avec ou sans majuscule selon l'emploi. ❑ *Un hôtel de ville,* sans majuscule : *vous trouverez l'hôtel de ville sur votre gauche après le carrefour.* - *L'Hôtel de Ville de Paris,* avec une majuscule : *L'Hôtel de Ville, incendié en 1871, fut rebâti sous la Troisième République.* ❑ *L'hôtel de la Monnaie, l'hôtel des Invalides* (à Paris), sans majuscule à *hôtel,* avec une majuscule au complément qui fait de la locution un nom propre.

hôtel-Dieu n.m. ♦ **Orth.** Plur. : *des hôtels-Dieu. L'Hôtel-Dieu* (à Paris), avec deux majuscules.

hôtesse n.f. → hôte

°**hotte** n.f. ♦ **Orth.** Avec deux *t.*

°**houblon** n.m. ♦ **Orth.** Les mots issus de *houblon* s'écrivent tous avec deux *n* : °*houblonnage,* °*houblonner,* °*houblonnier,* °*houblonnière.*

°**houppe** n.f. → huppe

°**hourra** interj. et n.m. ♦ **Orth.** Plur. : *des hourras.*

hovercraft n.m. ♦ **Orth.** Avec une minuscule (le mot n'est pas un nom déposé). - Plur. : *des hovercrafts.*

huilage n.m. ♦ **Prononc.** Le *h* est muet (comme dans *huile* et ses dérivés) : *procéder à l'huilage d'un moteur.*

°**huis clos** n.m. ◆ **Prononc.** Dans *huis clos,* terme juridique, le *h* est aspiré (contrairement à *huis, huisserie, huissier*) : *le tribunal a ordonné le huis clos.* ◆ **Orth.** Sans trait d'union.

°**huit** adj. numér. et n.m. inv. ◆ **Prononc. 1.** Le *h* est aspiré quand *huit* est précédé d'un article : *le huit de trèfle, le huit de ce mois.* En revanche, on fait entendre la liaison lorsque *huit* est en composition : *dix-huit* [dizɥit], (= « dizuite »), *vingt-huit* [vɛ̃tɥit], (= « vintuite »). Les mêmes règles valent pour *huitième* et *huitièmement.* **2.** Le *t* final se prononce quand *huit,* adjectif numéral, est suivi d'un mot commençant par une voyelle ou un *h* muet : *huit ans* [ɥitɑ̃], (= « uitan »), *huit hommes* [ɥitɔm] (= « uitom ») ; il ne se prononce pas devant une consonne : *huit francs* [ɥifʀɑ̃], (= « uifran »). **3.** Le *t* final se prononce toujours quand *huit* est employé comme substantif : *il forme mal ses huit* [ɥit] (= uite) ; *je le rencontre le huit* [ɥit] (= uite) *de ce mois.*

huître n.f. ◆ **Orth.** Avec un accent circonflexe sur le *i,* de même que dans les dérivés *huîtrier* et *huîtrière.* → R.O. 1990. REM. L'accent circonflexe remplace le *s* de l'ancien mot *huistre* (issu du latin *ostrea* – à rapprocher de l'anglais *oyster* –, que l'on retrouve dans *ostréiculture*). ◆ **Emploi.** *Coquille d'huître / écaille d'huître* → coquille

°**hululer** v.i. → **ululer**

humaniste adj. et n. / **humanitaire** adj. et n.m. ◆ **Sens.** Ne pas confondre ces deux mots proches par la forme et par le sens. **1.** *Humaniste* = qui a trait aux humanités, à la connaissance des langues et des littératures anciennes ; qui privilégie l'homme et les valeurs humaines. **2.** *Humanitaire* = qui vise à améliorer la condition des hommes. *Humanitaire* a pris depuis quelques années le sens spécial de « qui concerne les secours d'urgence aux populations en danger » : *organisations humanitaires. L'humanitaire* n.m. (= l'ensemble des organisations humanitaires, des actions qu'elles mènent).

humus n.m. ◆ **Prononc.** [ymys], le *h* est muet, le *s* final se prononce.

°**huppe** n.f. / °**houppe** n.f. ◆ **Sens. 1.** *Huppe* ou *houppe* = touffe de plumes que certains oiseaux ont sur la tête. *La houppe du cacatoès.* **2.** *Houppe* = touffe de cheveux ou de plumes. *Riquet à la Houppe. La houppe de Tintin.* REM. *Houppe* peut désigner une touffe de cheveux ou de plumes, *huppe* une touffe de plumes seulement.

°**hure** n.f. ◆ **Prononc.** Avec un *h* aspiré : *la hure du sanglier.* ◆ **Emploi.** Désigne le plus souvent la tête du sanglier, mais également celle du porc et de certains poissons au museau allongé (saumon, esturgeon). « *Une hure d'esturgeon mouillée au champagne* » (G. Flaubert).

hurluberlu, e n. ◆ **Orth et prononc.** [yʀlybɛʀly], ne pas oublier le *r* de la première syllabe ; toutes les lettres se prononcent. ◆ **Genre.** Usité au masculin et au féminin : *un hurluberlu, une hurluberlue.* ◆ **Registre.** Familier.

°**hutte** n.f. ◆ **Orth.** Avec deux *t,* à la différence de *cahute.*

hyacinthe n.f. ◆ **Orth.** Attention à l'orthographe de ce mot difficile : les deux *h,* le *y* du début. ◆ **Sens.** Pierre fine de couleur jaune. Le sens « jacinthe » (fleur) est vieux.

hydro- préf. ◆ **Orth.** Les composés avec *hydro-* s'écrivent pour la plupart en un seul mot : *hydrocéphale, hydrocution,*

Le signe ° à l'initiale indique le h *aspiré*

hydroélectricité, hydroélectrique, hydrofuge, hydrogène, hydroglisseur, hydrologue, hydrophile, etc. Dans les rares cas où la rencontre du *o* de *hydro-* et d'un *i* ou d'un *u* conduirait à la prononciation *oi* ou *ou*, le composé s'écrit avec un trait d'union : *hydro-injecteur.*

hydrocèle n.f. ◆ **Genre.** Féminin, comme tous les termes médicaux en *-cèle* (du grec *kêlê,* hernie, tumeur).

hydrofuger v.t. ◆ **Conjug.** Le *g* devient *-ge-* devant *a* et *o* : *j'hydrofuge, nous hydrofugeons ; il hydrofugea.* → annexe, tableau 10

hydrogéner v.t. ◆ **Conjug.** Attention à l'accent, tantôt grave, tantôt aigu : *j'hydrogène, nous hydrogénons ; il hydrogéna.* → annexe, tableau 11 et R.O. 1990

hyène n.f. ◆ **Prononc.** L'élision est facultative : on dit, on écrit *la hyène* ou *l'hyène.* La prononciation sans élision, *la hyène,* est la plus courante. En revanche, la liaison n'est jamais faite : *des hyènes* [dɛjɛn], comme *des yens,* et non comme *des-z-yens.*

hyménée n.m. ◆ **Genre.** Masculin en *-ée* (comme *apogée, lycée, musée, périnée,* etc.) : *un joyeux hyménée.* ◆ **Registre.** Littéraire.

hymne n.m. / **hymne** n.f. ◆ **Genre et sens.** Le sens varie selon le genre. **1.** *Un* **hymne** n.m. = un poème ou un chant païen ou profane. *Un hymne à Déméter. Les hymnes nationaux ont retenti.* **2.** *Une* **hymne** n.f. = un chant de l'office, dans la liturgie chrétienne.

hyper- préf. ◆ **Orth.** Les mots composés avec *hyper-* s'écrivent en un seul mot : *hyperbole, hyperémotivité, hypermarché, hypermétrope, hyperréalisme, hypertension, hypertrophie,* etc.

hypo- préf. ◆ **Orth.** Les mots composés avec *hypo-* s'écrivent soudés : *hypochlorite, hypocondre, hypogastre, hypophyse, hypotension, hypoténuse,* etc. ◆ **Sens.** *Hypo- / hippo-* → **hippo-**

hypogée n.m. ◆ **Genre.** Masculin en *-ée* (comme *apogée, lycée, musée, périnée,* etc.).

hypophyse n.f. ◆ **Orth.** Attention à l'orthographe de ce mot difficile, qui prend deux *h* et deux *y.*

hypoténuse n.f. ◆ **Orth.** Pas de *h* après le *t,* à la différence de *hypothèque.* Le seul *h* est à l'initiale.

hypothèque n.f. ◆ **Orth.** Avec deux *h,* dont celui de *-thèque,* comme dans *bibliothèque.*

hypothéquer v.t. ◆ **Conjug.** Attention à l'accent, tantôt grave, tantôt aigu : *j'hypothèque, nous hypothéquons ; il hypothéqua.* → annexe, tableau 11 et R.O. 1990

hypothèse n.f. ◆ **Orth.** Avec deux *h,* dont celui de *thèse.* ◆ **Constr.** *Dans l'hypothèse où* (+ conditionnel). *Dans l'hypothèse où un repli stratégique serait nécessaire.*

Le signe ° à l'initiale indique le h *aspiré*

I

iambe, ïambe n.m. ◆ **Orth.** Les deux graphies, *iambe* (sans tréma) et *ïambe* (avec un *i* tréma) sont admises. La graphie sans tréma est la plus courante. De même pour le dérivé, *iambique* ou *ïambique*.

ibérique adj. ◆ **Orth.** On écrit : *un pays ibérique, les peuples ibériques,* avec une minuscule, mais *la chaîne Ibérique, les monts Ibériques, la péninsule Ibérique* (noms propres), avec une majuscule.

ibidem adv. → idem

ibn élément ◆ **Orth.** Cet élément d'origine arabe (= fils de) est utilisé en français dans la transcription des noms propres. Il s'écrit avec une minuscule, sauf s'il est placé au début d'un nom, et n'est jamais précédé ni suivi d'un trait d'union : *Umar ibn al-Farid,* mais *le poète Ibn al-Farid. Muhyi al-Din ibn al-Arabi,* mais *le philosophe Ibn al-Arabi.*

ice-cream n.m. ◆ **Orth.** Avec un trait d'union. → R.O. 1990. - Plur. *des ice-creams.*

ichtyo- préf. ◆ **Orth.** Avec un *y* qui se conserve dans tous les mots formés avec ce préfixe (du grec *ikhthus*, pois-

son) : *ichtyocolle, ichtyoïde, ichtyologie, ichtyophage, ichtyornis, ichtyosaure, ichtyose, ichtyostéga.*

ici adv. ◆ **Orth. 1.** *Ici-bas,* avec un trait d'union. **2.** *Ici même, ici dedans, ici dehors, par ici,* sans trait d'union. ◆ **Emploi. 1.** *Ici* en corrélation avec *là* ou *là-bas.* La corrélation marque l'opposition dans l'espace ou, moins souvent, dans le temps : opposition entre ce qui est proche et ce qui est éloigné *(ici, nous sommes à l'abri, mais là-bas, le vent est très fort),* opposition entre deux lieux ou deux faits *(dans ce pays, tout est tranquille, mais son voisin se prépare aux hostilités : ici le chant des oiseaux, là les bruits de bottes),* opposition entre le présent et un avenir indéterminé *(d'ici là ; jusqu'ici, nous n'avons pas à nous plaindre ; à quelque temps de là...).* **2. Sans corrélation.** En l'absence de corrélation et d'opposition, la langue courante emploie indifféremment *ici* ou *là. C'est ici, nous sommes arrivés* (ou : *c'est là, nous sommes arrivés*). *Je suis là* (ou : *je suis ici*). *Viens là* (ou : *viens ici*). ◆ **Registre. 1.** *D'ici à demain / d'ici demain.* L'un et l'autre se disent. *D'ici à demain* est plus soutenu, *d'ici demain* plus courant. **2.** *D'ici là, d'ici peu* s'emploient dans tous les registres. ◆ **Constr. 1.** *D'ici que,* *d'ici à ce que* (+ subjonctif) : *d'ici qu'elle finisse* (ou *d'ici à ce qu'elle finisse*), *nous avons le temps de faire l'aller et retour.* Les deux constructions sont admises. *D'ici que* est plus soutenu, *d'ici à ce que* plus courant. **2.** *C'est ici que* : *c'est ici que je l'ai trouvé* (et non : *c'est ici où je l'ai trouvé*).

icône n.f. ◆ **Orth.** Avec un accent circonflexe sur le *o*. Les mots de la même famille s'écrivent sans accent circonflexe : *iconique, iconoclaste, iconographe, iconologie, iconostase,* etc.

idéal, e, als ou **aux** adj. et n.m. ◆ **Orth.** Plur. : *idéals* ou *idéaux. Idéaux* est plus courant.

idée n.f. ◆ **Orth.** On écrit *une idée choc,* sans trait d'union, mais *une idée-force* (v. ci-après). ◆ **Constr.** *L'idée que* (+ indicatif, conditionnel ou subjonctif) : *l'idée qu'il viendra demain est réconfortante* (réalité) ; *l'idée qu'il ne vienne pas me laisse indifférent* (éventualité).

idée-force n.f. ◆ **Orth.** Avec un trait d'union. - Plur. : *des idées-forces.*

idem adv. / **ibidem** adv. ◆ **Orth.** *Idem* s'abrège en *id., ibidem* en *ibid.* ◆ **Sens.** **1.** *Idem* = la même chose (pour éviter une répétition dans un compte, une énumération, un inventaire, un tableau, etc.). *Une table en acajou et quatre chaises idem.* → aussi **item. 2.** *Ibidem* = au même endroit, dans le même ouvrage (s'emploie dans une citation pour marquer que le mot ou la phrase cités se trouvent dans le même ouvrage ou dans le même passage de l'ouvrage que la citation précédente). Dans une référence bibliographique, *Id., ibid.* signifie « du même auteur, dans le même ouvrage ». ◆ **Registre.** ❏ *Idem,* employé pour *aussi, de même* est familier : *il est reçu à l'examen, et moi idem.*

identifier v.t. et v.pr. ◆ **Conjug.** Attention au redoublement du *i* aux première et deuxième personnes du pluriel, à l'indicatif imparfait et au subjonctif présent : *(que) nous identifiions, (que) vous identifiiez.* → annexe, tableau 5. ◆ **Constr.** *Identifier à, avec, et :* il a identifié une fois pour toutes l'étude à l'ennui ; les enfants identifient souvent le comédien avec le personnage qu'il joue ; « Il identifie le crime et le châtiment » (A. France). Les trois constructions sont admises et courantes. ❏ *S'identifier à, avec :* certains, à force de parler devant des auditoires qui ne les contredisent pas, s'identifient à la vérité. À la forme pronominale, le verbe se construit généralement avec *à,* parfois avec *avec* (il s'identifie avec la vérité).

identique adj. → **analogue**

idéo- préf. ◆ **Orth.** Les composés formés avec *idéo-* s'écrivent en un seul mot (sauf dans les cas où la rencontre du *o* de *idéo-* et d'un *i* ou d'un *u* conduirait à la prononciation *oi* ou *ou*) : *idéocratie, idéomoteur, idéovisuel.*

id est loc. adv. ◆ **Sens.** *Id est* = c'est-à-dire. ◆ **Orth.** *Id est* s'abrège en *i.e.* ◆ **Registre.** Cette locution, empruntée à l'usage universitaire de l'anglais, ne se rencontre guère que dans les textes didactiques ou savants. Dans le registre courant, on dit ou on écrit *c'est-à-dire* (abrév. : *c.-à-d.*).

idiome n.m. ◆ **Orth.** Sans accent circonflexe malgré la prononciation du *o,* fermé comme dans *dôme.*

idiotie n.f. / **idiotisme** n.m. ◆ **Sens.** Ne pas confondre ces deux mots de forme proche. **1.** *Idiotie :* manque d'intelligence ; action, parole inepte. **2.** *Idiotisme :* tournure idiomatique, expression ou construction d'une langue qu'il est impossible de traduire mot à mot dans une autre. « *L'échapper* *belle* », « *être sur les dents* » *sont des idiotismes du français.*

idoine adj. ♦ **Registre et emploi.** Ce mot du registre soutenu (il signifie « qui convient exactement à la situation ») n'est plus guère employé que par plaisanterie, pour parodier le style administratif : *subséquemment, il vous faudra présenter à la maréchaussée le permis requis et idoine.*

idole n.f. ♦ **Orth.** Sans accent circonflexe sur le *o*. Attention aux dérivés *idolâtre, idolâtrie,* qui prennent un accent circonflexe sur le *a*. ♦ **Genre.** Féminin, même pour désigner un homme. *Gérard Philipe, l'une des grandes idoles du théâtre d'après-guerre.*

idylle n.f. ♦ **Prononc.** [idil], comme pour rimer avec *utile.* Même prononciation pour le dérivé *idyllique* : [idilik].

i.e. abréviation → id est

-ième suffixe ♦ **Orth.** Abréviation de *-ième.* On écrit : *2e, 3e, 4e,* etc., avec un petit *e,* dit *e supérieur,* en exposant à droite du chiffre. REM. L'abréviation sous la forme *2e, 3e, 4e,* avec le *e* sur la même ligne horizontale que le chiffre, est admise en dactylographie. **RECOMM.** Ne pas écrire **2ème, *3ème, *4ème,* etc.

igloo, iglou n.m. ♦ **Orth.** Les deux graphies, *igloo* et *iglou,* sont admises. La graphie *igloo* est plus répandue, la graphie *iglou* plus conforme aux habitudes du français.

igname n.m. / **iguane** n.m. ♦ **Sens.** Ne pas confondre ces deux mots. **1.** *Igname* = plante des régions chaudes, dont la racine se mange comme légume. **2.** *Iguane* = reptile d'Amérique tropicale semblable à un grand lézard.

igné, e adj. ♦ **Prononc.** Les deux prononciations, [ine], avec le groupe *-gn-*

articulé comme dans *mignon,* ou [igne], avec le *g* et le *n* articulés séparément, sont admises. De même pour les autres mots commençant par l'élément *igni-* (du latin *ignis,* feu) : *ignifugation, ignifuge, ignifugeant, ignifuger, ignipuncture, ignition, ignitron.*

ignifuger v.t. ♦ **Conjug.** Le *g* devient *-ge-* devant *a* et *o* : *il ignifuge, nous ignifugeons ; il ignifugea.* → annexe, tableau 10

ignorer v.t. ♦ **Constr.** *Ignorer que, ignorer quand* (+ indicatif) : *il ignore encore qu'il va être promu ; j'ignore quand il viendra.* Au passé, dans le registre soutenu, *ignorer que* se construit également avec le subjonctif : *j'ignorais qu'il fût ingénieur.* ♦ **Emploi.** *Vous n'êtes pas sans ignorer que* = vous ignorez forcément que. La tournure n'est pas incorrecte du point de vue grammatical, mais elle est le plus souvent employée à contresens. RECOMM. Pour marquer que l'interlocuteur est à coup sûr informé de ce dont on parle, on dit ou on écrit : *vous n'êtes pas sans savoir que* ou *vous n'ignorez pas que.*

il pron. personnel ♦ **Prononc.** Dans le registre courant, *il* est aujourd'hui prononcé le plus souvent comme *i* : *il vient, il me l'a dit, il y a* sont prononcés comme *i vient, i m'la dit, i'a.* RECOMM. Dans le registre soigné, articuler distinctement le *l.* ♦ **Emploi.** 1. *Il* sous-entendu. *Il* impersonnel peut être sous-entendu ; dans ce cas, le verbe est au singulier : *reste les problèmes que mon prédécesseur n'a pas résolus* (pour : *il reste les problèmes...*), *manque les observations du contrôleur* (pour : *il manque...*). On peut également écrire, sans sous-entendre *il* : *restent les problèmes..., manquent les observations...* (les verbes *restent, manquent,* ont dans ce cas pour sujets : *les problèmes, les observations*). 2. *Il est* employé pour *il y a.* Dans le registre poétique, dans les proverbes, *il* *est* est parfois employé à la place de *il y a* : *il est une fontaine au creux d'un vallon* ; *il n'est pire eau que l'eau qui dort.* ◆ **Accord.** *Il n'y a de... que, il n'y a pas plus... que.* Dans ces expressions, l'adjectif s'accorde avec *il,* et reste au masculin singulier : *il n'y a de beau que la vérité* ; *il n'y a pas plus puritain que certains de leurs libres penseurs* (A. Gide). ◆ **Constr.** *Il n'y a pas de... qui, que* (+ subjonctif) ; *il n'est pas jusqu'au ... qui, que* (+ subjonctif) : *il n'y a pas d'excuse qui vaille* ; *il n'est pas jusqu'au directeur qui ne soit au courant.*

île n.f. ◆ **Orth.** Avec un accent circonflexe sur le *i.* De même pour les dérivés *îlien, îlienne, îlot, îlotage, îlotier.* → R.O. 1990. REM. L'accent circonflexe remplace le *s* de l'ancien mot *isle* (latin *insula*), qui s'est conservé dans certains noms de lieux : *L'Isle-Adam* (chef-lieu de canton du Val-d'Oise), *L'Isle-d'Espagnac* (commune de Charente), *le détroit de Belle-Isle* (entre Terre-Neuve et le Labrador). ◆ **Constr.** Emploi de *à* ou *en* devant le nom d'une île → à

iléo-cæcal, e, aux adj. ◆ **Orth.** Avec un trait d'union.

illettré, e adj. et n. → analphabète

illusionner v.t. et v.pr. ◆ **Orth.** Avec deux *n.* De même pour les autres dérivés de *illusion* : *illusionnisme, illusionniste.* ◆ **Constr.** *S'illusionner sur* : « *J'ajoutais que je ne m'illusionnais pas sur la somme de fatigues nouvelles* » (A. Gide) ; *elle s'est illusionnée sur lui.*

îlot n.m. → île

îlotage n.m. → île

ilote n. ◆ **Orth.** Sans accent circonflexe. Ne pas se laisser influencer par *îlot.*

îlotier n.m. → île

imaginable adj. ◆ **Emploi.** *Possible et imaginable* : *il a essayé toutes les solutions possibles et imaginables* (= et toutes celles que l'on peut imaginer). RECOMM. Éviter *possibles et inimaginables.* REM. *Il a essayé toutes les solutions possibles et inimaginables,* que l'on entend parfois, est grammaticalement correct, mais absurde pour le sens (on ne peut pas essayer ce que l'on ne peut même pas imaginer).

imaginer v.t. et v.pr. ◆ **Accord.** *Ils s'étaient imaginé toutes sortes de découvertes. Toutes les découvertes qu'ils s'étaient imaginées.* → annexe, grammaire § 110

imbécile adj. et n. ◆ **Orth.** *Imbécile* ne prend qu'un *l,* mais *imbécillité* en prend deux. → R.O. 1990

imbroglio n.m. ◆ **Prononc.** [ɛ̃bRɔljo], comme pour rimer avec *folio* (prononciation à l'italienne), ou [ɛ̃bRɔglijo], en faisant entendre le groupe *-gli-* comme dans *sanglier* (prononciation française)

imiter v.t. ◆ **Emploi.** *Imiter qqn.* On dit : *imiter qqn, suivre son exemple.* RECOMM. Dans l'expression soignée, éviter **imiter l'exemple de qqn,* tenu pour un pléonasme par certains.

immense adj. → incommensurable

immensurable, immesurable adj. → incommensurable

immerger v.t. et v.pr. ◆ **Conjug.** Le *g* devient *-ge-* devant *a* et *o* : *il immerge, nous immergeons* ; *il immergea.* → annexe, tableau 10. ◆ **Sens.** → émerger

immigration n.f. → émigrer

immigrer v.i. → émigrer

imminent, e adj. → éminent

immiscer(s') v.pr. ◆ **Orth.** Attention au groupe *-sc-.* ◆ **Conjug.** Le *c* devient *ç*

devant *o* et *a* : *il s'immisce, nous nous immis-çons ; il s'immisça.* → annexe, tableau 9. ◆
Emploi. *S'immiscer dans.* Le complément ne désigne jamais un lieu concret : *s'immiscer dans les affaires d'autrui, s'immiscer dans la conversation* **RECOMM**. Ne pas dire : **il s'est immiscé chez moi*, mais : *il s'est introduit, il s'est imposé, il a fait intrusion chez moi.*

immixtion n.f. ◆ **Prononc.** [imiksjɔ̃], le *t* n'est pas détaché et la finale se prononce comme celle de *flexion.* ◆ **Orth.** Attention au groupe *-xt-*, même si on n'entend pas le *t.*

immoral adj. → amoral

impact n.m. ◆ **Emploi.** *Impact* est aujourd'hui employé non seulement dans son premier sens de « heurt d'une chose contre une autre, choc », mais également au sens figuré de « influence forte », voire d'« influence en général » : *une étude d'impact* (= étude de l'influence qu'aura sur le milieu naturel une installation industrielle) ; *l'impact d'un écrivain, l'impact d'une publicité.* Cette emploi est aujourd'hui si courant qu'il ne peut plus être considéré comme fautif. On pourra toutefois préférer, dans l'expression soignée, et hors de tout contexte technique, les équivalents *influence, ascendant, pouvoir, empire, domination, attraction, éclat, rayonnement*, en fonction du contexte.

impartir v.t. ◆ **Emploi.** N'est usité qu'à l'infinitif, à l'indicatif présent, aux temps composés et au participe passé. *La réputation qu'on lui a impartie est mal fondée. Finir dans le temps imparti.*

impassible adj. / **impavide** adj. Ne pas confondre ces deux mots proches par la prononciation et par le sens. ◆ **Sens. 1.** *Impassible* = qui ne manifeste aucune émotion. **2.** *Impavide* = qui n'éprouve ou ne manifeste aucune peur.

◆ **Registre.** *Impassible* se dit dans tous les registres, *impavide* est littéraire et rare.

impeccable adj. ◆ **Sens et registre.** *Impeccable* signifie étymologiquement « incapable de pécher » : « *[Jésus-Christ], quoique exempt de péché et quoique impeccable même* » (Bourdaloue). Dans le registre courant, en particulier à l'oral, on utilise aujourd'hui *impeccable* au sens de « qui n'a pas le moindre défaut, la moindre irrégularité, qui est parfaitement propre et net, en parlant d'une chose » : « *(...) il parlait un français impeccable* » (G. Duhamel). « *Les revers des manches, les gants sont impeccables* » (J. Romains). **RECOMM**. Dans l'expression soignée, en particulier à l'écrit, employer plutôt dans ce sens : *excellent, exemplaire, irréprochable, parfait.*

impedimenta n.m. plur. ◆ **Orth.** Sans accent, bien que le premier *e* se prononce comme *é.* - Plur. : *des impedimenta.* → R.O. 1990. **REM**. Ce mot emprunté au latin a gardé son orthographe d'origine.

impéritie n.f. / **incurie** n.f. ◆ **Orth. et prononc.** *Impéritie.* La finale *-tie* se prononce [si], comme *scie* (comme dans *inertie, péripétie*). ◆ **Sens.** *Impéritie / incurie.* Ne pas confondre ces deux mots. **1.** *Impéritie* = manque de capacité dans la fonction que l'on exerce. **2.** *Incurie* = manque de soin, négligence, laisser-aller. ◆ **Registre.** Les deux mots sont du registre soutenu.

impétrant, e n. ◆ **Sens.** *Impétrant, e* = personne qui obtient de l'autorité compétente ce qu'elle a sollicité (place, diplôme, titre, etc.). **REM**. Ne pas employer *impétrant* pour *postulant* (personne qui sollicite, qui demande) ou pour *candidat.*

implication n.f. ◆ **Orth.** Avec un *c*, alors que le verbe *impliquer* s'écrit avec

-*qu*-. On a *impliquer / implication,* comme on a *appliquer / application, expliquer / explication,* etc.

implicite adj. → explicite

implosion n.f. / **explosion** n.f. ♦ **Sens.** Ne pas confondre ces deux mots de forme et de sens voisins. **1.** *Implosion :* phénomène par lequel un corps creux, soumis à une pression externe supérieure à sa résistance mécanique, s'écrase violemment et tend à occuper un volume réduit : *l'implosion d'un tube de téléviseur.* **2.** *Explosion :* éclatement violent ; libération très rapide, sous forme de gaz à haute pression et à haute température, d'une énergie stockée sous un volume réduit : *l'explosion d'un réservoir d'essence.* REM. **1.** L'implosion comme l'explosion impliquent une destruction violente, mais dans l'implosion, le mouvement est dirigé vers l'intérieur (préfixe latin *in*-), tandis que dans l'explosion, il est dirigé vers l'extérieur (préfixe latin *ex*-). **2.** Les deux mots sont susceptibles d'emplois figurés dans des contextes similaires. C'est ainsi qu'on parlera aussi bien *d'explosion* que *d'implosion du système social.*

impoli adj. → poli

importer v.i. ♦ **Constr. 1.** *Ce qu'il importe.* On emploie *ce qu'il importe* devant *de* (+ infinitif) ou devant *que* (+ subjonctif) : *ce qu'il importe de faire, ce qu'il importe que vous fassiez.* **2.** *Ce qui importe.* On emploie *ce qui importe* dans tous les autres cas : *ce qui importe, c'est que vous ne tardiez pas ; être rapide, voilà ce qui importe.* ♦ **Accord. 1.** *N'importe* est invariable : *il partirait avec n'importe quels compagnons de voyage ; n'importe quelles conditions lui sont bonnes.* **2.** *Peu importe, qu'importe.* Le plus souvent, *importe* s'accorde : *peu importent ces questions de détail ; qu'importent ses motivations, s'il est sincère ?* L'invariabilité est également admise :

peu importe les promesses ; qu'importe les regrets.

imposte n.f. ♦ **Genre.** Féminin : *une imposte vitrée.*

imposteur n.m. ♦ **Genre.** Toujours masculin, même pour désigner une femme. Cet emploi est d'ailleurs rare, sauf en fonction d'attribut : *cette fille n'est qu'un imposteur et une menteuse.*

imprégner v.t. ♦ **Conjug.** Attention à l'accent, tantôt grave, tantôt aigu : *il imprègne, nous imprégnons ; il imprégna.* → annexe, tableau 11 et R.O. 1990

imprésario n.m. ♦ **Prononc.** [ɛ̃presaʁjo], le *s*, bien que placé entre deux voyelles, se prononce [s] et non [z] (mot d'origine italienne). ♦ **Orth.** Plur. : *des imprésarios.* REM. Le pluriel à l'italienne, *des impresarii,* est aujourd'hui vieilli.

impressionnable adj. ♦ **Orth.** Avec deux *n,* comme tous les mots de la famille de *impression : impressionnant, impressionner, impressionnisme, impres-sion-niste.*

impressionniste adj. et n. ♦ **Orth.** Avec deux *n* (on a *impression / impressionniste* comme on a *abolition / abolitionniste, perfection / perfectionniste,* etc.) ; de même pour *impressionnisme.* Sans majuscule : *un peintre impressionniste, un impressionniste, les impressionnistes.* REM. Les historiens de l'art écrivent souvent *les Impressionnistes,* avec une majuscule, quand ils emploient le mot comme le nom propre d'un mouvement unique.

imprimatur n.m. inv. ♦ **Orth.** Plur. : *des imprimatur* (invariable). → R.O. 1990. REM. *Imprimatur* est un mot latin signifiant « qu'il soit imprimé ».

impromptu n.m. / **impromptu, e** adj. / **impromptu** adv. ♦ **Orth.** Le nom prend la marque du pluriel : *des impromptus. Les impromptus de Schubert.* ❏ L'adjectif s'accorde en genre et en nombre : *une arrivée impromptue, des repas impromptus.* REM. *Impromptu,* employé comme adjectif, était considéré naguère comme invariable en genre. Cette règle n'est plus en usage. ❏ L'adverbe est invariable : *elle est arrivée impromptu, un beau matin.* REM. *À l'impromptu,* loc. adv., est littéraire et vieilli. « *Il se mit, comme à l'impromptu, à pousser plus avant, avec sa façon de conversation sans suite et rompue* » (Saint-Simon).

impudeur n.f. / **impudicité** n.f. / **impudence** n.f. ◆ **Sens.** Bien distinguer ces trois noms que séparent d'importantes nuances de sens. **1.** *Impudeur* n.f. = absence de gêne à être vu nu ; manque de réserve à l'égard de ce qui touche à la sexualité. « *Elle vit dans la glace sa nudité fleurie [...]. Avec une délicate impudeur, elle contemplait l'image de sa forme* » (A. France). - Manque de discrétion sur soi-même. *Confesser ses lâchetés avec impudeur.* **2.** *Impudicité* n.f. = caractère, comportement d'une personne qui transgresse sciemment et sans honte les convenances sociales en matière de sexualité ; acte ou parole impudique. « *Après avoir éteint les flambeaux, ils commettaient les plus énormes impudicités* » (Voltaire). Le mot est vieilli. **3.** *Impudence* n.f. = effronterie insolente, audace cynique. « *Monsieur, répondit le comte avec une rare impudence en toisant le vieillard, mes affaires ne vous regardent pas* » (H. de Balzac). REM. Dans la langue classique, *impudence* signifiait aussi « manque de pudeur » : « *Mais l'impudence et la dissolution déshonorent un temple si magnifique* » (Fénelon).

impudique adj. / **impudent** adj. ◆ **Sens.** Ne pas confondre ces deux adjectifs. **1.** *Impudique* (= indécent) est l'adjectif qui correspond à *impudeur* et à

impudicité. **2.** *Impudent* (= insolent) est l'adjectif qui correspond à *impudence.* → ci-dessus **impudeur**

impuissance n.f. / **frigidité** n.f. / **stérilité** n.f. ◆ **Sens.** Ne pas confondre ces trois noms. **1.** *Impuissance* n.f. = incapacité pour l'homme à accomplir l'acte sexuel. **2.** *Frigidité* n.f. = absence d'orgasme chez la femme lors des rapports sexuels. **3.** *Stérilité* n.f. = inaptitude à avoir des enfants, infécondité.

impunément adv. ◆ **Emploi.** *Impunément* signifie « sans subir ou sans encourir de punition », et, par extension, « sans s'exposer à des conséquences fâcheuses » : *il a commis impunément de graves indélicatesses ; on ne fume pas impunément quarante cigarettes par jour pendant trente ans.* RECOMM. Ne pas employer *impunément* au sens de « en vain, inutilement ».

imputer v.t. ◆ **Constr. 1.** *Imputer qqch. à qqn* = le lui attribuer, l'en rendre responsable. *On m'impute cette erreur à tort.* **2.** *Imputer (une somme) sur, à* = la porter au crédit ou au débit d'un compte. *Vous imputerez la dépense sur les frais généraux. La subvention a été imputée au compte bancaire de l'association.* **3.** *Imputer qqch. à crime à qqn* = le juger avec trop de sévérité pour une action anodine. *Il lui impute à crime une bévue sans gravité. Vous n'allez tout de même pas lui imputer à crime d'être allée danser, à dix-sept ans !* Registre soutenu. REM. La langue classique disait *imputer pour crime* : « *Accusez-moi plutôt [...] et m'imputez pour crime un trop parfait amour* » (Corneille).

imputrescible adj. ◆ **Orth.** Attention au groupe *-sc-*. ◆ **Emploi.** *Imputrescible* (= qui ne peut pas pourrir) a pour contraires *putrescible* et *putréfiable*.

inapte adj. / **inepte** adj. ◆ **Emploi.** Ne pas confondre ces deux adjectifs. **1.**

Inapte adj. = qui n'est pas apte (à telle activité). *Être déclaré inapte à un emploi.* **2.** *Inepte* adj. = stupide, absurde. *Des calembours ineptes qui ne font rire personne.*

inattention n.f. ◆ **Emploi.** *Faute d'in-attention.* → faute

inaudible adj. ◆ **Sens et emploi.** **1.** *Inaudible* = qui ne peut être perçu par l'ouïe. *Les fréquences supérieures à 16 000 Hz sont inaudibles.* Emploi technique et courant. **2.** *Inaudible* = qui ne peut être écouté, qui est insupportable à écouter. *Le dernier morceau de l'album est si mal mixé qu'il en est inaudible.* Emploi courant, naguère critiqué, mais passé aujourd'hui dans l'usage.

incapacité n.f. ◆ **Constr.** *Incapacité à, incapacité de* (+ infinitif) : *l'incapacité de l'entreprise à s'adapter aux technologies nouvelles compromet sérieusement l'avenir ; nous sommes provisoirement dans l'incapacité de répondre à votre demande.* Le substantif *incapacité* peut être construit avec *à* ou avec *de*, à la différence de l'adjectif *incapable*, qui est toujours construit avec *de*.

incarcérer v.t. ◆ **Conjug.** Attention à l'accent, tantôt grave, tantôt aigu : *il incarcère, nous incarcérons ; il incarcéra.* → annexe, tableau 11 et R.O. 1990

incarnat, e adj. ◆ **Accord.** Cet adjectif de couleur s'accorde. Attention à sa forme féminine, *incarnate,* assez rare : *des velours incarnats, des soies incarnates.*

incertain, e adj. ◆ **Constr. 1.** *Incertain de :* être incertain de l'avenir. Les constructions avec *sur* et avec *quant à* sont également admises, mais elles sont moins courantes : *il est incertain sur l'avenir, quant à l'avenir ; elle est incertaine sur ce qu'il faut faire, quant à ce qu'il faut faire.*

incessamment adv. ◆ **Emploi.** **1.** *Incessamment* = sans délai, au plus tôt.

Les travaux vont commencer incessamment. Emploi courant. **2.** *Inces-samment* = continuellement, sans s'arrêter, d'une manière incessante. « *Une série de douces images incessamment recréées* » (M. Proust). Emploi littéraire, vieilli dans l'usage courant. REM. Ce sens vieilli de l'adverbe correspond au sens usuel de l'adjectif *incessant*.

inceste n.m. ◆ **Genre.** Masculin : *un inceste.*

incinérer v.t. ◆ **Conjug.** Attention à l'accent, tantôt grave, tantôt aigu : *il incinère, nous incinérons ; il incinéra.* → annexe, tableau 11 et R.O. 1990

inclinaison n.f. / **inclination** n.f. ◆ **Emploi.** Ne pas confondre ces deux mots de prononciation proche. **1.** *Inclinaison* n.f. = état de ce qui est incliné, oblique. *L'inclinaison d'un sol. L'inclinaison du corps.* **2.** *Inclination* = action de pencher la tête ou le corps. *Saluer qqn d'une légère inclination du buste.* - Disposition, goût pour qqch. : *avoir de l'inclination pour la solitude.*

inclure v.t. ◆ **Conjug.** Attention au futur : *j'inclurai, nous inclurons* (sans *e*), ainsi qu'au participe passé *inclus, incluse,* avec un *s* (contrairement à *conclu* et à *exclu*). annexe, tableau 76. ◆ **Accord.** *Ci-inclus, ci-incluse* → ci-inclus

incognito adv. et n.m. ◆ **Prononc.** [ɛ̃kɔɲito], le groupe *-gn-* se prononce comme dans *ignorer*. ◆ **Emploi.** *Voyager incognito* (= sans se faire connaître), adverbe. Ne pas confondre avec *anonyme :* une lettre anonyme (= dont l'auteur est inconnu), adjectif. ◆ **Accord.** Employé comme adverbe, *incognito* reste invariable : *elles sont descendues incognito dans un grand hôtel de la Côte d'Azur.* Employé comme nom, *incognito* prend la marque du pluriel : *à ce stade de l'enquête, la police préserve les incognitos des personnes impliquées dans l'affaire.*

incommensurable adj. ◆ **Emploi.**
1. *Incommensurable* = se dit d'une grandeur sans commune mesure avec une autre, d'une chose étrangère à une autre. « *La vie, cette fameuse vie, que les gens estiment si précieuse, supérieure à tout, incommensurable avec les autres biens* » (R. Rolland). **2.** *Incommensurable* = qui est d'une étendue, d'une grandeur telles qu'on ne peut les évaluer. « *[le] vaste monde, brûlant, sauvage, incommensurable* » (R. Rolland). Dans ce sens, *incommensurable* est synonyme de *immense,* et a remplacé *immesurable* et *immensurable,* aujourd'hui inusités dans la langue courante.

incongrûment adv. ◆ **Orth.** Avec un accent circonflexe sur le *u,* comme dans *congrûment* et dans *assidûment, continûment, dûment.* → R.O. 1990

inconnu, e adj. et n. ◆ **Constr.** Les constructions sont différentes selon que le mot est employé comme adjectif ou comme substantif. **1.** *Inconnu, e* adj., se construit avec *de* : *un endroit inconnu des touristes.* - Avec un complément de lieu, on dit très normalement *inconnu à* : *l'individu recherché est inconnu à cette adresse.* **2.** *Inconnu, e* n., se construit avec *pour* : *cette dame n'était pas pour lui une inconnue.* REM. *Inconnu à* (= qui n'est pas connu par), considéré naguère comme plus correct que *inconnu de,* n'est plus usité que dans la langue littéraire ou dans le registre soutenu : « *Un frère à moi-même inconnu* » (Baudelaire) ; *un grand diable m'apostrophe dans une langue à moi inconnue.*

incontrôlable adj. ◆ **Sens et emploi.** Outre son sens originel, « qui ne peut être vérifié, faire l'objet d'un contrôle », cet adjectif a acquis récemment, sous l'influence de l'anglais *to control* (= diriger, régler, maîtriser), le sens de « qui ne peut être maîtrisé, qui échappe à toute

emprise » : *la colonne de direction s'est brisée et le véhicule est devenu incontrôlable.* Cet emploi naguère critiqué est passé dans l'usage courant.

incontrôlé, e adj. ◆ **Sens et emploi.** Outre son sens originel « qui n'est pas contrôlé, vérifié », *incontrôlé* signifie également aujourd'hui « qui n'est pas dirigé, maîtrisé » : *des éléments incontrôlés, mêlés aux manifestants, ont suscité une émeute.* REM. *Incontrôlé* a suivi la même évolution qu'*incontrôlable.* → **incontrôlable**

inculper v.t. ◆ **Sens et emploi.** *Inculper,* terme de la langue juridique, signifie « mettre en cause dans une procédure d'instruction ». Contrairement à ce que la forme du mot, proche de *culpabilité* et de *coupable,* et son usage, souvent abusif, peuvent laisser croire, l'inculpation ne préjuge en rien ni de la culpabilité ni de l'innocence de la personne mise en cause. La culpabilité ou l'innocence ne peut être établie en droit que par un jugement rendu au terme d'un débat contradictoire (et par définition bien postérieur à l'instruction). C'est la raison pour laquelle les autorités judiciaires ont décidé, en France, de substituer aux termes *inculper* et *inculpation* ceux de *mettre en examen* et *mise en examen.*

inculture n.f. ◆ **Emploi.** *Inculture* est issu de l'adjectif *inculte,* qui peut qualifier aussi bien une terre qu'une personne : *une prairie inculte* (= laissée sans culture), *un homme inculte* (= dépourvu de culture intellectuelle). *Inculture,* en revanche, ne peut désigner que l'absence ou le manque de culture intellectuelle : *il est loin d'être bête, mais son inculture est totale.*

indemne adj. ◆ **Prononc.** [ɛ̃dɛmn], le *m* et le *n* se font entendre, comme dans *indemnité.* ◆ **Orth.** Attention au groupe

-mn- dans *indemne* et dans les mots de la même famille : *indemnisation, indemniser, indemnité.*

index n.m. ♦ **Orth.** Plur. : *des index.*

indien, enne adj. / **hindou, e** adj. ♦ **Emploi et sens.** Ne pas confondre ces deux adjectifs. **1.** *Indien, enne* adj. et n. = relatif à l'Inde et à ses habitants, ou relatif aux autochtones d'Amérique (les *Indes occidentales,* pour les explorateurs des XVe et XVIe s.). *Gandhi, l'un des plus célèbres Indiens de l'époque contemporaine.* REM. Pour désigner précisément les autochtones d'Amérique, on peut dire *les Indiens d'Amérique* ou *les Amérindiens.* **2.** *Hindou, e* adj. et n. = relatif à l'hindouisme, adepte de l'hindouisme (religion répandue surtout en Inde). *Le système hindou des castes n'existe pas dans toute l'Inde.*

indifférent, e adj. ♦ **Constr. 1.** *Indifférent à, à l'égard de :* être indifférent aux autres et à leur opinion ; elle est assez indifférente à l'égard de ses succès. **2.** *Il est indifférent que* (+ subjonctif) : *il est indifférent que vous partiez aujourd'hui ou demain pourvu que vous arriviez avant lundi.*

indifférer v.t. ♦ **Registre.** *Indifférer à qqn* = lui être indifférent, appartient à l'expression orale courante. *Ses problèmes m'indiffèrent.* RECOMM. Dans l'expression soignée, en particulier à l'écrit, préférer *laisser indifférent* ou *être indifférent à* : *ses problèmes me laissent indifférent ou me sont indifférents.*

indigène adj. et n. → aborigène

indigne adj. ♦ **Emploi.** *Indigne de* (+ nom ou infinitif de sens positif ou favorable) : *il est indigne de votre sollicitude, de retenir votre attention.* REM. *Indigne de* suivi d'un mot de sens négatif ou défavorable, courant naguère, est rare aujourd'hui : *il est indigne de ces reproches, de cette punition* (= il ne les mérite pas).

indigner v.t. et v.pr. ♦ **Constr. 1.** *S'indigner, être indigné que* (+ subjonctif) : *vous vous indignez qu'il agisse ainsi, mais il a ses raisons ; je suis indigné qu'on répande de telles calomnies.* RECOMM. La construction *s'indigner de ce que, être indigné de ce que* (+ indicatif ou subjonctif), courante dans l'expression orale relâchée, est à éviter dans l'expression soignée, en particulier à l'écrit, en raison de sa lourdeur. **2.** *S'indigner, être indigné de* (+ infinitif) : *je suis indigné de constater un tel laisser-aller.* **3.** *S'indigner de qqch., contre qqch. :* l'opinion publique s'était indignée de cette injustice, contre cette injustice. **4.** *S'indigner contre qqn. :* on s'indigne contre des lampistes, mais les responsables sont en fuite.

indigo n.m. et adj. inv. ♦ **Accord.** Le nom prend la marque du pluriel, mais l'adjectif reste invariable : *les indigos du commerce sont naturels ou obtenus par synthèse. Des tuniques indigo.* → annexe, grammaire § 98

in-dix-huit adj. inv. et n.m. inv. → in-quarto

indomptable adj. ♦ **Prononc.** [ɛ̃dɔ̃tabl], comme *dompter* (le *p* ne se prononce pas, comme dans *compter*) → dompter

in-douze adj. inv. et n.m. inv. → in-quarto

indu, e adj. ♦ **Orth.** Sans accent circonflexe sur le *u,* contrairement à *dû.* « *Le remords empoisonnait parfois ce loisir indu* [...] » (G. Duhamel).

induire v.t. ♦ **Conjug.** → annexe, tableau 78. ♦ **Constr. 1.** *Induire qqn à* (+ nom ou infinitif) : *induire qqn au mal, à mal faire.* « *Le pouvoir induit au vouloir* » (P. Valéry). **2.** *Induire qqn en* (+ nom). Dans l'usage courant, cette construction est usitée surtout dans l'expression *induire qqn en erreur* (= l'amener, volontairement ou non, à se tromper). Hors de cette expression, la construction appartient au registre soutenu : *le démon induit le pécheur en tentation.*

indûment adv. ◆ **Orth.** Avec un accent circonflexe sur le *u,* comme dans *dûment* et dans *assidûment, continûment.* → R.O. 1990

inéquitable adj. ◆ **Orth.** Avec un *é,* comme dans *équité* et *équitable,* alors que le substantif correspondant est *iniquité.*

inertie n.f. ◆ **Prononc.** [inɛrsi], la finale *-tie* se prononce [si] comme dans *facétie.*

infâme adj. ◆ **Orth.** Avec un accent circonflexe sur le *a.* Mais *infamant* et *infamie* ne prennent pas d'accent.

infantile adj. → enfantin

infarctus n.m. ◆ **Prononc.** [ɛ̃faʀktys], attention, le *a* est avant le *r,* comme dans *farci.* REM. Pour éviter la faute de prononciation, fréquente, du *r* articulé avant le *a* (comme dans *fracture),* se rappeler le sens du mot : un organe atteint d'infarctus est « *infarci* » (latin *infartus*), c'est-à-dire comme farci du sang qui ne s'écoule pas ou s'écoule mal dans une artère bouchée.

infécondité n.f. → impuissance

infecter v.t. et v.pr. / **infester** v.t. ◆ **Sens.** Ne pas confondre ces deux verbes de prononciation proche. **1.** *Infecter* v.t. et v.pr. = contaminer par des germes infectieux. *La blessure s'est infectée.* **2.** *Infester* v.t. = abonder, pulluler en un lieu, en parlant d'animaux nuisibles. *Les moustiques infestent les marais.*

infection n.f. → affection

inférer v.t. ◆ **Conjug.** Attention à l'accent, tantôt grave, tantôt aigu : *il infère,*

nous inférons ; il inféra. → annexe, tableau 11 et R.O. 1990

inférieur, e adj. ◆ **Emploi.** *Inférieur,* qui est en lui-même un comparatif, ne peut pas être précédé de *plus* ou de *moins* (on de dit pas : *un échelon moins inférieur, *une situation plus inférieure*). On peut en revanche employer *inférieur* avec des adverbes marquant l'intensité ou le degré, tels que *très, bien, fort, de beaucoup,* etc. : *le résultat est très inférieur à nos prévisions ; ma rémunération est inférieure à la sienne de beaucoup.* - **Supérieur,** contraire d'*inférieur,* obéit à la même règle.

infester v.t. → infecter

infinité n.f. ◆ **Accord.** *Une infinité de / l'infinité des.* L'accord de l'adjectif et du verbe se fait différemment selon que l'on emploie l'une ou l'autre expression. **1.** *Une infinité de :* l'accord se fait avec *infinité* ou avec le nom au pluriel, selon que l'on souhaite insister sur l'idée d'ensemble (le verbe est au singulier) ou sur l'idée de multiplicité (le verbe est au pluriel). *Une infinité de mondes est possible dans l'Univers. Une infinité de modèles sont à votre disposition.* **2.** *L'infinité des :* l'accord se fait avec *infinité. L'infinité des modèles défie l'imagination.* - L'accord se fait également avec *infinité* lorsque celui-ci est précédé d'un démonstratif : *cette infinité des coutumes et des mœurs montre la relativité des valeurs humaines.*

infliger v.t. ◆ **Conjug.** Le *g* devient -*ge*- devant *a* et *o : il inflige, nous infligeons ; il infligea* → annexe, tableau 10

influencer v.t. ◆ **Conjug.** Le *c* devient *ç* devant *o* et *a : j'influence, nous influençons ; il influença.* → annexe, tableau 9

informer v.t. et v.pr. ◆ **Constr. 1.** *Informer que* (+ indicatif) : *nous informons* notre aimable clientèle que la magasin fermera désormais à 19 heures. **RECOMM.** La construction *informer de ce que*, courante dans l'expression orale relâchée, est à éviter dans l'expression soignée, en particulier à l'écrit, en raison de sa lourdeur. **2. *Informer de, s'informer de* :** avez-vous été informé de son départ ? je me suis informé de l'heure de fermeture ; on vous aura informé, je pense, de ce que j'ai décidé. On dit, on écrit aussi : *informer* ou *s'informer sur, au sujet de, quant à*, etc. : *les sociétés de crédit s'informent sur leurs clients avant de leur consentir un prêt*. **3. *S'informer si* =** prendre des renseignements pour savoir si. *Informez-vous s'il a bien téléphoné de son hôtel avant de prendre le train.*

infra- préf. ◆ **Orth.** Les mots composés avec le préfixe *infra-* s'écrivent sans trait d'union, sauf si le second élément commence par une voyelle : *infraliminaire, infrarouge, infrason, infrasonore* ; mais : *infra-aquatique, infra-axillaire, infra-individuel.*

ingambe adj. ◆ **Sens.** *Ingambe* signifie « qui a les jambes lestes, alerte » : *vieillard encore ingambe*. Mot rare et littéraire. **REM.** Vient de l'italien *in gamba*, en jambes, et n'a aucun rapport avec des mots tels que *inapte, infirme, invalide*, etc., dans lesquels le préfixe *in-* marque l'absence ou la privation d'une aptitude physique.

ingénieur n.m. ◆ **Orth.** Sans trait d'union : *ingénieur agronome, ingénieur chimiste, ingénieur hydrographe, ingénieur météorologue*. ❑ Avec un trait d'union : *ingénieur-conseil, ingénieur-docteur, ingénieur-expert*. - Plur. : *des ingénieurs-conseils, des ingénieurs-docteurs, des ingénieurs-experts*. ◆ **Emploi.** Toujours masculin, même pour désigner une femme : *Martine Balto est un brillant ingénieur*. **RECOMM.** Lorsqu'il est nécessaire de préciser que l'ingénieur dont on parle est du sexe féminin, dire ou écrire *une femme ingénieur* (ou *un ingénieur femme*).

ingénument adv. ◆ **Orth.** Sans *e* muet intérieur et sans accent sur le *u*, comme *absolument* et à la différence de *indûment...*

ingérer v.t. et v.pr. ◆ **Conjug.** Attention à l'accent, tantôt grave, tantôt aigu : *il ingère, nous ingérons ; il ingéra*. → annexe, tableau 11 et R.O. 1990

inhiber v.t. ◆ **Orth.** Attention au *h* intérieur. De même dans *inhibition.*

inhumer v.t. → enterrer

inimaginable adj. ◆ **Constr.** *Inimaginable que* (+ subjonctif) = *il est inimaginable qu'un professionnel ait fait une telle erreur*. ◆ **Emploi.** *Inimaginable / imaginable* (*toutes les solutions possibles et imaginables*) → imaginable

iniquité n.f. ◆ **Orth.** Attention au début *ini-* (alors que l'on dit *équité* et *inéquitable*)

initiative n.f. ◆ **Orth.** *Syndicat d'initiative* : *initiative* au singulier. *Des syndicats d'initiative*. ◆ **Constr. 1.** *Sur l'initiative, à l'initiative de qqn* : *ce projet a été entrepris à l'initiative des collectivités locales ; sur son initiative, une décision ambitieuse a été prise*. **2.** *De ma (ta, sa, ...) propre initiative* = sans en référer à personne, en vertu d'une décision personnelle. *Ils ont commencé de leur propre initiative.*

initier v.t. ◆ **Emploi. 1.** *Initier qqn* = lui enseigner les rudiments d'un savoir, ou lui révéler ce qui est habituellement tenu secret. *C'est un vieux guide qui l'a initié à l'escalade*. Emploi correct et courant. **2.** *Initier qqch.* = le mettre en route, en prendre l'initiative. Calque de l'anglais *to initiate*. Emploi critiqué. **RECOMM.** Préférer, en fonction de la situation et du contexte : *amorcer, commencer, entamer, entreprendre, ouvrir, mettre en route, mettre en train.*

innocuité n.f. ◆ **Orth.** Avec deux *n*.

innombrable adj. ◆ **Orth.** Avec deux *n*.

innommé, e ou **innomé, e** adj. ◆ **Orth.** Les deux graphies, *innommé*, avec deux *m*, et *innomé*, avec un seul *m*, sont admises. La graphie *innommé*, avec deux *m*, est aujourd'hui la plus courante.

innover v.i. ◆ **Orth.** Avec deux *n*. De même : *innovation*. ◆ **Constr.** La construction avec un complément d'objet direct *(innover une mode ; il n'a rien innové)* est sortie de l'usage ; on dit aujourd'hui : *il a innové en matière de mode, dans la mode ; il n'a innové en rien.*

inoccupé, e adj. ◆ **Orth.** Attention aux consonnes : un seul *n* et un seul *p*, mais deux *c*.

in-octavo adj. inv. et n.m. inv. → in-quarto

inonder v.t. ◆ **Orth.** Avec un seul *n*. De même : *inondation*.

in pace, in-pace n.m. inv. ◆ **Prononc.** [inpatʃe], avec le son *-tch-* comme dans *tchèque*. ◆ **Orth.** Les deux graphies, avec ou sans trait d'union, sont admises. - Plur. : *des in-pace* ou *des in pace* (jamais de *s*).

in-plano adj. inv. et n.m. inv. → in-quarto

in-quarto adj. inv. et n.m. inv. ◆ **Prononc.** [inkwaʀto] ou [inkaʀto], l'initiale *in-* se prononce comme dans *inouï*, *quarto* comme dans *quoi* ou comme dans *quart*. ◆ **Orth.** Avec un trait d'union. Employé comme nom ou comme adjectif, ce mot ne prend jamais de marque de pluriel : *des volumes in-quarto,*

des in-quarto. - Abréviation : *in-4°.* - Les autres désignations de formats de livres s'écrivent également avec un trait d'union et sont invariables, comme *in-quarto* : *in-plano, in-octavo (in-8°), in-douze (in-12), in-seize (in-16), in-dix-huit (in-18).*

inquiet, ète adj. ◆ **Constr.** 1. *Inquiet de, sur, pour, au sujet de, quant à* (+ nom ou pronom) : *je suis inquiet de sa santé, sur sa santé ; je suis inquiet pour elle ; ils sont inquiets au sujet de leur fils ; les Français sont inquiets quant à leur avenir.* 2. *Inquiet de* (+ infinitif) : *je suis inquiet de ne plus avoir de nouvelles.* 3. *Inquiet que* (+ subjonctif) : *je suis inquiet qu'elle ne nous ait pas téléphoné.*

inquiéter v.t. ◆ **Conjug.** Attention à l'accent, tantôt grave, tantôt aigu : *il inquiète, nous inquiétons ; il inquiéta.* → annexe, tableau 11 et R.O. 1990

inracontable, irracontable adj. ◆ **Orth.** Les deux formes, *inracontable* et *irracontable*, sont admises : « *Le bonheur est fait d'une foule de joies menues et inracontables* » (A. Daudet) ; « *Nous menons, dix jours durant, une prodigieuse vie irracontable, d'inappréciable profit* » (A. Gide). La forme *inracontable* est aujourd'hui la plus courante.

inscrire v.t. et v.pr. ◆ **Conjug.** Comme *écrire*. → annexe, tableau 79

in-seize adj. inv. et n.m. inv. → in-quarto

insérer v.t. et v.pr. ◆ **Conjug.** Attention à l'accent, tantôt grave, tantôt aigu : *il insère, nous insérons ; il inséra.* → annexe, tableau 11 et R.O. 1990

insigne n.m. ◆ **Genre.** Masculin : *un insigne.*

insouciant, e adj. / **insoucieux, euse** adj. ◆ **Constr.** *Insouciant (de) / insoucieux de. Insouciant* peut s'employer sans complément, *insoucieux* en exige un : *un caractère insouciant ; elle est insoucieuse de l'avenir.* ◆ **Registre.** *Insouciant* est courant, *insoucieux* littéraire.

instant n.m. ◆ **Orth.** *Par instants.* Toujours au pluriel. ◆ **Constr.** *À l'instant où* (+ indicatif) : *à l'instant où je l'ai vu, il est reparti. À l'instant que, dès l'instant que* (+ indicatif) : *dès l'instant qu'il l'a vue, il n'a eu de cesse de la connaître.*

instar de (à l') loc. prép. ◆ **Emploi.** *À l'instar de* (= à l'exemple de, à la manière de) : « *La Monarchie fut démolie à l'instar de la Bastille* » (Chateaubriand). Registre soutenu. ◆ **Constr.** *À l'instar de* est une locution figée qui ne peut pas être construite avec un adjectif possessif : on ne peut pas dire *à son instar, *à votre instar.

institution n.f. ◆ **Orth.** Les mots de la famille de *institution* s'écrivent avec deux *n* : *institutionnaliser, institutionnel, institutionnellement.*

instruire v.t. et v.pr. ◆ **Conjug.** Comme *conduire.* → annexe, tableau 78

insubordination n.f. ◆ **Orth.** Avec un seul *n.* Mais on écrit *insubordonné,* avec deux *n.*

insulter v.t. et v.t.ind. ◆ **Constr. et sens. 1.** *Insulter* v.t. = offenser par des paroles blessantes, des actes injurieux. *Insulter qqn ;* « *Ah ! n'insultez pas une femme qui tombe* » (V. Hugo). Registre courant. **2.** *Insulter à* v.t.ind. = manquer gravement, en parole ou en action, au respect dû à qqn ou à qqch. *N'insultez pas à la mémoire des morts.* Registre soutenu.

insupporter v.t. ◆ **Registre.** Familier. « *[...] je crois qu'Albertine eût insupporté Maman [...]* » (M. Proust). RECOMM. Dans l'expression soignée, en particulier à l'écrit, préférer *cela m'est insupportable* à *cela m'insupporte.*

insurger (s') v.pr. ◆ **Conjug.** Le *g* devient *-ge-* devant *a* et *o* : *il s'insurge, nous nous insurgeons ; il s'insurgea* → annexe, tableau 10

insurrection n.f. ◆ **Prononc.** [ɛ̃syʀɛksjɔ̃], prononcer *insu-*, avec le son *s,* comme dans *à l'insu de,* et non avec le son *z* (ne pas se laisser influencer par *résurrection*). ◆ **Orth.** Avec deux *r.*

intangible adj. / **intouchable** adj. ◆ **Sens.** Ne pas confondre ces deux mots de sens proches, mais distincts. **1.** *Intangible* = à quoi l'on ne peut porter atteinte ; inviolable. *Ce sont des principes intangibles.* Registre soutenu. **2.** *Intouchable* = qui ne peut être l'objet d'aucune critique, d'aucune sanction. *Ses conseillers sont intouchables.* Emploi légèrement familier.

intégralité n.f. / **intégrité** n.f. ◆ **Sens.** Ne pas confondre ces deux mots proches par la forme et par le sens. **1.** *Intégralité* = totalité. *Il a légué l'intégralité de sa fortune à des œuvres.* **2.** *Intégrité* = probité, honnêteté ; état de ce qui est intact, qui n'a pas subi d'altération. *Son intégrité est au-dessus de tout soupçon. Le chirurgien a pu préserver l'intégrité des organes et des fonctions.*

intègre adj. ◆ **Orth.** Avec un accent grave. Mais les dérivés s'écrivent avec un accent aigu : *intégrité, intégrisme,* etc.

intégrité n.f. → intégralité

intelligentsia n.f. ◆ **Prononc.** [ɛ̃teligɛnsja] ou [ɛ̃teliʒɛnsja], le *g* se prononce soit *-gu-* comme dans *digue,* soit *j* comme dans *intelligence ;* le groupe *-ts-* se prononce soit *-ts-* comme dans *tsar,* soit *-s-* comme dans *siamois.*

intense adj. / **intensif, ive** adj. ◆ **Sens.** Ne pas confondre ces deux mots de sens proches mais distincts. **1.** *Intense* = d'un niveau élevé, bien au-dessus de la moyenne. *Une chaleur intense.* **2. Intensif** = qui met en œuvre des moyens importants ; qui fait l'objet de gros efforts. *Un entraînement intensif.* REM. *Intensif* marque un dépassement voulu, organisé, du niveau habituel de force ou d'intensité.

intensifier v.t. ◆ **Conjug.** Attention au redoublement du *i* aux première et deuxième personnes du pluriel, à l'indicatif imparfait et au subjonctif présent : *(que) nous intensifiions, (que) vous intensifiiez.* annexe, tableau 5. ◆ **Emploi.** Ce mot naguère critiqué est aujourd'hui passé dans l'usage courant : *nous devons intensifier notre effort.*

inter- préf. ◆ **Orth.** Le préfixe *inter-* est toujours soudé à l'élément qui le suit : *interactif, interconnexion, interdisciplinaire.*

interarmes adj. inv. ◆ **Orth.** Avec un *s,* même au singulier : *une manœuvre interarmes* (= une manœuvre mettant en jeu plusieurs armes, par exemple l'infanterie, l'arme blindée et l'aviation).

intercéder v.t. ◆ **Conjug.** Comme *céder.* Attention à l'accent, tantôt grave, tantôt aigu : *il intercède, nous intercédons ; il intercéda.* → annexe, tableau 11 et R.O. 1990

intercession n.f. / **intersession** n.f. ◆ **Sens.** Ne pas confondre ces deux homonymes. **1. Intercession** (avec un *c*) = action d'intercéder. *Son intercession m'a permis d'obtenir l'entrevue que je demandais.* **2. Intersession** (avec un *s*) = temps entre deux sessions. *L'intersession parlementaire.*

interclasse n.m. ◆ **Genre.** Masculin : *un interclasse.* - Plur. *des interclasses.*

interclubs adj. inv. ◆ **Orth.** Avec un *s,* même au singulier : *une compétition interclubs.*

interconnecter v.t. ◆ **Orth.** Avec deux *n.*

interconnexion n.f. ◆ **Orth.** Avec un *x* (*interconnexion,* avec un *x,* correspond à *interconnecter,* alors qu'on écrit *injection,* de *injecter*).

interdire v.t. ◆ **Conjug.** Comme *médire* et *contredire,* et non comme *dire* : *vous interdisez.* → annexe, tableau 83

intéresser v.t. ◆ **Orth.** Avec un seul *r.* ◆ **Emploi.** *La sécheresse intéresse en ce moment plusieurs régions* (= les touche, les concerne). Cet emploi est correct bien qu'il soit ressenti parfois comme un néologisme de sens et, à ce titre, critiqué. REM. L'emploi du verbe *intéresser* avec pour sujet un nom désignant une chose fâcheuse ou néfaste est ancien. La langue classique disait, au sens de « faire tort, porter atteinte à » : « *Heureux qui se laisse aller à la tendresse de ses sentiments, sans intéresser sa vertu par les dernières complaisances* » (Saint-Evremont). La langue médicale dit dans un sens analogue : *une blessure qui intéresse le foie* (= qui le touche, l'affecte).

intérêt n.m. ◆ **Constr. 1.** *Avoir intérêt à ce que, que* : *il a intérêt à ce que le bail soit rapidement signé, il a intérêt que le bail soit rapidement signé.* Les deux constructions sont admises. *Avoir intérêt à ce que* est plus courant, *avoir intérêt que* plus soutenu. RECOMM. Dans l'expression soignée, en particulier à l'écrit, préférer la tournure la moins lourde : *avoir intérêt que.* **2.** *Avoir intérêt à* (+ infinitif) : *il a intérêt à signer rapidement le bail.* REM. La construction *avoir intérêt de* est littéraire et vieillie : « *Les hommes peuvent faire des injustices parce qu'ils ont intérêt de les commettre* » (Montesquieu).

interface n.f. ◆ **Genre.** Féminin : *une interface.* - Plur. : *des interfaces.*

interférer v.i. ◆ **Conjug.** Attention à l'accent, tantôt grave, tantôt aigu : *il interfère, nous interférons ; il interféra.* →

annexe, tableau 11 et R.O. 1990. ♦
Emploi. Verbe intransitif : *ces deux trains
d'ondes interfèrent ; ces évènements interfé-
rent ; la visite du député risque d'interférer
avec celle que fera prochainement le préfet.*
RECOMM. Ne pas dire : **s'interfèrent*, ni
*interfèrent entre eux (pléonasme).

interjeter v.t. ♦ **Conjug.** Attention à
l'alternance -*tt*-/-*t*- : *il interjette appel, nous
interjetons ; il interjetait ; il interjeta ; il inter-
jettera.* → annexe, tableau 16 et R.O.
1990

interligne n.m. ou n.f. ♦ **Genre et
sens. 1.** *Interligne* n.m. = blanc entre
deux lignes. *Laissez un grand interligne
pour les corrections.* **2.** *Interligne* n.f. =
lame de métal, en typographie, ou
avance du film, en photocomposition,
qui permet d'espacer les lignes. *Une
interligne crantée de 1 point et demi.* Terme
d'imprimerie.

interlude n.m. ♦ **Genre.** Masculin : *un
interlude.*

intermède n.m. ♦ **Genre.** Masculin :
un intermède.

intermittence n.f. ♦ **Orth.** Avec
deux *t. Par intermittence.* Toujours au
singulier.

international, e, aux adj. ♦ **Orth.**
Avec un seul *n.* De même : *internationa-
liser, internationalisation, internationalisme,
internationaliste, inter-nationalité.*

Internet n.m. ♦ **Orth.** Toujours avec
une majuscule (nom déposé).

interpeller v.t. ♦ **Conjug.** Avec
deux *l* à toutes les personnes (à la différence d'*appeler*) : *j'interpelle, nous interpel-
lons.* → annexe, tableau 17 et R.O. 1990

interpénétrer (s') v.pr. ♦ **Conjug.**
Comme *pénétrer.* Attention à l'accent,
tantôt grave, tantôt aigu : *nos domaines*

*s'interpénètrent, nous nous interpénétrons ; ils
s'interpénétreront.* → annexe, tableau 11 et
R.O. 1990

Interphone n.m. ♦ **Orth.** Avec une
majuscule (nom déposé).

interpréter v.t. ♦ **Conjug.** Attention
à l'accent, tantôt grave, tantôt aigu : *il
interprète, nous interprétons ; il interpréta.* →
annexe, tableau 11 et R.O. 1990. ♦
Orth. Tous les mots de la famille de
interpréter s'écrivent avec un accent
aigu : *interprétable, interprétateur, interpré-
tatif, interprétation.*

interroger v.t. ♦ **Conjug.** Le *g* devient
-*ge*- devant *a* et *o* : *il interroge, nous inter-
rogeons ; il interrogea* → annexe, tableau 10

interrompre v.t. ♦ **Conjug.** Comme
rompre. → annexe, tableau 60

intersession n.f. → intercession

interstice n.m. ♦ **Genre.** Masculin :
un interstice. ♦ **Orth.** *Interstice,* avec un *c.*

interstitiel, elle adj. ♦ **Orth.** Avec un
t (on a *interstice / interstitiel,* à la différence
de *artifice / artificiel*).

intervalle n.m. ♦ **Genre.** Masculin :
un intervalle. ❑ *Par intervalles.* Toujours
au pluriel.

intervenir v.i. ♦ **Conjug.** Comme
venir. Avec l'auxiliaire *être.* → annexe,
tableau 28

interview n.f. ou n.m. ♦ **Orth.** Bien
noter la place du *v* et du *w.* - Plur. : *des
interviews.* ♦ **Genre.** Le mot s'emploie surtout au féminin : *une interview.* Le masculin *un interview,* beaucoup moins fréquent,
se rencontre parfois. **RECOMM.** Préférer le
féminin (même genre que le mot français
le plus proche, *entrevue*).

intervieweur, euse ou **inter-
wiewer** n. ♦ **Orth.** Les deux formes, la

forme française *(intervieweur, intervieweuse)* et la forme anglaise *(interviewer)* sont admises. **RECOMM.** Préférer la forme française.

intouchable adj. → intangible

intra- préf. ♦ **Orth.** Les mots composés avec le préfixe *intra-* s'écrivent sans trait d'union, sauf si le second élément commence par *a* ou *u*. On écrit : *intra-atomique, intra-utérin,* mais *intraoculaire, intramusculaire. Intra-muros* (expression d'origine latine) constitue une exception.

intra-muros adv. et adj. inv. ♦ **Orth.** Avec un trait d'union.

intrigant, e adj. et n. / **intriguant** part. présent ♦ **Orth.** Attention, l'adjectif et le nom s'écrivent sans *u* après le *g* *(intrigant)* contrairement au participe présent *(intriguant)* : *un caractère intrigant ; de méprisables intrigants ; on les a vues toutes les deux intriguant au ministère.* ♦ **Accord.** → annexe, grammaire § 100

introduire v.t. ♦ **Conjug.** Comme *conduire.* → annexe, tableau 78. ♦ **Emploi.** *Introduire qqn* = le faire entrer dans un lieu ; le faire admettre dans un groupe. *L'huissier nous a introduits ; on n'est admis au club de polo que si l'on est introduit par deux parrains.* **RECOMM.** Éviter d'employer *introduire* au sens de « présenter », comme dans : **l'animateur a introduit le jeune artiste auprès du public* (calque de l'anglais *to introduce to*).

introverti, e adj. et n. ♦ **Sens.** **1.** *Introverti / extraverti.* Ne pas confondre ces deux mots de sens opposés. ❏ *Introverti* adj. et n. = attentif à sa vie intérieure et porté à se détourner du monde extérieur. **RECOMM.** Attention à la voyelle du préfixe : *introverti,* le mot commence comme *introduction* (et non comme *intraveineuse*). ❏

Extraverti adj. et n. = qui est attentif à autrui et porté à l'extériorisation des sentiments. **2.** *Introverti / inverti.* Ne pas confondre ces deux mots. *Inverti, invertie* = personne homosexuelle. Mot vieilli.

intrus, e adj. et n. ♦ **Prononc.** *Intrus :* [ɛ̃tʀy] ; *intruse :* [ɛ̃tʀyz]. Le *s* final du masculin ne se prononce pas.

invectiver v.t.ind. et v.i. ♦ **Constr.** *Invectiver qqn, contre qqn.* Les deux constructions sont admises. *Invectiver qqn* est plus courant, *invectiver contre qqn* plus soutenu. **REM.** La construction directe, *invectiver qqn,* naguère critiquée, est aujourd'hui passée dans l'usage. ♦ **Emploi.** *Invectiver contre qqn* se dit surtout lorsque l'invective est prononcée en l'absence de la personne qu'elle vise. *Invectiver qqn* implique habituellement que l'invective est adressée à une personne présente ; c'est un équivalent de « agonir de paroles violentes ».

inventaire n.m. → éventaire

inventer v.t. → découvrir

inventeur, trice n. et adj. ♦ **Emploi.** *Inventeur* a pour féminin *inventrice,* presque inusité. Substantivement, on emploie le plus souvent *inventeur* pour les deux genres : *Geneviève Lelong est l'inventeur de nouveaux appareils de mesure.* L'emploi adjectif, très rare, est littéraire et vieilli : *l'amitié est inventrice et ingénieuse* (on dirait aujourd'hui *inventive*).

inventorier v.t. ♦ **Conjug.** Attention au redoublement du *i* aux première et deuxième personnes du pluriel, à l'indicatif imparfait et au subjonctif présent : *(que) nous inventoriions, (que) vous inventoriiez.* annexe, tableau 5

inversion du sujet → annexe, grammaire § 82, 83,84

inverti, e adj. → introverti

investissement n.m. / **investiture** n.f. ◆ **Sens.** Ne pas confondre ces deux mots de forme proche. 1. *Investissement* n.m. = emploi de capitaux ; placement de fonds. *Un investissement rentable.* REM. Ce substantif correspond au verbe *investir,* placer (de l'anglais *to invest*) : *investir des capitaux.* 2. *Investiture* n.f. = mise en possession d'un pouvoir ou d'une autorité par une procédure déterminée. *Investiture, par son parti, d'un candidat à une élection.* REM. Ce substantif correspond au verbe *investir,* charger officiellement d'un pouvoir (du latin *investire,* entourer) : *investir le Premier ministre.*

invétérer (s') v.pr. ◆ **Conjug.** Attention au deuxième *e,* dont l'accent est tantôt grave, tantôt aigu : *une habitude qui s'invétère, qui s'invétérera.* → annexe, tableau 18. ◆ **Emploi.** Mot rare et littéraire. On dit couramment *une habitude invétérée* mais *une habitude qui s'invétère* appartient au registre très soutenu.

in vivo loc. adv. ◆ **Orth.** Mots latins, sans trait d'union, comme pour *ex vivo.*

invoquer v.t. → évoquer

iode n.m. ◆ **Prononc.** Avec élision et liaison : *l'iode ; cet iode.* ◆ **Genre.** Masculin : *une bonne odeur d'iode marin.*

ipso facto loc. adv. ◆ **Orth.** Mots latins (= de ce fait, par le fait), sans trait d'union.

irakien, enne ou **iraquien, enne** adj. et n. ◆ **Orth.** Les deux graphies, *irakien* et *iraquien,* sont admises. On écrit plus souvent aujourd'hui *irakien,* avec un *k.* RECOMM. *Iraquien* (sans *u* après le *q*) est une graphie savante qu'il n'y a pas lieu d'utiliser dans les textes courants.

irracontable adj. → inracontable

irradier v.i. ◆ **Conjug.** Attention au redoublement du *i* aux première et deuxième personnes du pluriel, à l'indicatif imparfait et au subjonctif présent : *(que) nous irradiions, (que) vous irradiiez.* → annexe, tableau 9

irrationnel, elle adj. ◆ **Orth.** Avec deux *n,* comme son contraire *rationnel* (on a *raison / rationnel* comme on a *convention / conventionnel, profession / professionnel,* etc.) ; mais on écrit *irrationalisme,* avec un seul *n.*

irrécouvrable adj. ◆ **Orth.** Avec un accent aigu, alors que son opposé *recouvrable* s'écrit sans accent : *une créance irrécouvrable.*

irruption n.f. → éruption

isabelle adj. inv. ◆ **Orth.** Cet adjectif de couleur ne prend pas de *s* au pluriel : *des juments isabelle.* → annexe, grammaire § 98

islam, Islam n.m. ◆ **Orth.** Avec ou sans majuscule selon le sens. 1. *L'islam* (avec une minuscule) = la religion des musulmans. *Se convertir à l'islam.* 2. *L'Islam* (avec une majuscule) = le monde musulman, la civilisation musulmane. *M. Martin, historien du Proche-Orient et de l'Islam.* ◆ **Sens.** *Islam / islamisme.* L'emploi d'*islamisme* comme synonyme d'*islam* est vieilli. On désigne aujourd'hui par *islamisme* le mouvement politico-religieux préconisant l'islamisation complète des institutions et des gouvernements des pays musulmans, et spécialement la tendance la plus radicale et la plus violente de ce mouvement.

israélien, enne adj. et n. / **israélite** adj. et n. ◆ **Orth.** Avec un accent aigu (alors qu'*Israël* s'écrit avec un tréma sur l'*e*). ◆ **Sens.** 1. *Israélien* = de l'État d'Israël. **2.** *Israélite* = relatif à l'Israël biblique, à son peuple ; Juif.

isthme n.m. ◆ **Prononc.** [ism], comme la finale de *journalisme,* sans faire entendre le *t.* ◆ **Orth.** Attention au *h* après le *t.* ◆ **Genre.** Masculin : *un isthme.*

italiens (mots) → annexe, grammaire § 50

italique adj. et n.m. ◆ **Orth.** On écrit *en lettres italiques* (au pluriel) mais *en italique* (au singulier).

item adv. et n.m. ◆ **Orth.** *Item* ne s'abrège pas (à la différence de *idem*). ◆ **Sens. 1.** *Item* adv. = de même, en outre, en plus (pour éviter une répétition dans un compte, une énumération, une facture, etc.). *Enlevé en nos entrepôts par vos soins : 12 bidons, le 3 courant ; item, le 5 ; item, le 16.* Invariable. **2.** *Item* n.m. = élément d'un ensemble, considéré isolément. *Les items d'un questionnaire* (= chacune des questions posées). ◆ **Emploi.** *Item,* adverbe, appartient à l'usage commercial. Dans l'usage courant, on utilise plutôt *idem.* → **idem**

ivoire n.m. et adj. ◆ **Orth.** Masculin : *un très bel ivoire.* ◆ **Accord.** *Ivoire,* employé comme adjectif de couleur, ne prend pas de *s* au pluriel : *des écharpes ivoire.* → annexe, grammaire § 98

ivre adj. ◆ **Orth.** *Ivre mort* s'écrit sans trait d'union. Les deux éléments de la locution s'accordent : *elles sont ivres mortes.*

ivrogne n. ◆ **Genre.** S'emploie aux deux genres : *un ivrogne, une ivrogne.* Le féminin *ivrognesse* est vieilli.

ixième adj. ◆ **Registre.** Familier. Dans l'expression soignée, on dit *énième.*

J K

jacinthe n.f. ♦ **Orth.** Attention au groupe -*th*-. → aussi **hyacinthe**

jackpot n.m. ♦ **Prononc.** [ʒakpɔt] ou [dʒakpɔt], le *j* initial se prononce *j* comme dans *jaser* ou *dj*- comme dans *djellaba*, mais le *t* final est toujours articulé. ♦ **Orth.** Plur. : *des jackpots*. ♦ **Anglicisme.** Cet anglicisme est employé surtout dans l'expression *gagner le jackpot*, dont l'équivalent français est *gagner le gros lot*.

jade n.m. ♦ **Genre.** Masculin : *du jade*. ♦ **Accord.** *Des jades chinois* (= des objets en jade) mais : *des papiers jade, des vasques vert jade*. → annexe, grammaire § 98, 99

jadis adv. / **naguère** adv. ♦ **Sens.** Ne pas confondre ces deux adverbes de sens bien différents. **1.** *Jadis* = autrefois, dans le passé, il y a bien longtemps. *Jadis, quand les papes régnaient sur Avignon.* Registre soutenu ou poétique. REM. **1.** *Jadis* représente la contraction de *ja a dis*, probablement issu de *molt a ja dis,* il y a déjà beaucoup de jours. **2.** *Jadis* est adjectif dans l'expression *le temps jadis*. **2.** *Naguère* = il y a peu de temps, dans un passé relativement proche. *Naguère, quand les locomotives marchaient à la vapeur, le voyage de Paris à Marseille prenait une dizaine d'heures.* Registre soutenu. REM.

Naguère représente la contraction de *n'a guère,* il n'y a guère (de temps).

jaguar n.m. ♦ **Prononc.** [ʒagwaʀ], comme si le mot s'écrivait *ja-gouar.*

jais n.m. → **geai**

jalonner v.t. ♦ **Orth.** Avec deux *n*, comme *jalonnement, jalonneur.*

jalousie n.f. ♦ **Constr.** *Jalousie à l'égard de qqn, envers qqn : sa jalousie à mon égard n'a fait qu'empirer ; elle éprouve à l'égard de sa sœur une certaine jalousie.* - *Jalousie entre :* « *Étonnez-vous après qu'il existe une jalousie entre la garde et le sergent d'active* » (J. Anouilh).

jaloux, ouse adj. et n. ♦ **Constr. et sens. 1.** *Jaloux de qqn, de qqch. : il est jaloux de Pierre, de sa réussite* (= il en éprouve de l'envie et du dépit). - *Jaloux que* (+ subjonctif) *: il est jaloux que Pierre réussisse.* **2.** *Jaloux de qqch.* = très attaché à, intransigeant sur. *Il est très jaloux de ses prérogatives, de son autorité.*

jamais adv. ♦ **Emploi. 1.** Dans un sens négatif (= à aucun moment, en aucun temps). ❑ **En corrélation avec** *ne* **ou** *sans : je n'ai jamais vu cela ; on n'est jamais trop prudent ; il parle sans jamais élever la voix, sans jamais qu'on lui coupe la parole.*

Avec ellipse de *ne* : *j'ai jamais vu ça.* Ellipse habituelle dans l'expression orale relâchée. Dans l'expression soignée, l'ellipse de *ne* n'est admise que dans trois cas : dans les oppositions (*c'est le moment ou jamais ; mieux vaut tard que jamais ; elle s'habille de manière originale, jamais excentrique*) ; dans les réponses ou les exclamations (*jamais de sucre pour moi, merci ; « irez-vous la voir ? - Jamais ! »*) ; avant un adjectif épithète (*jamais content, toujours courageux, voilà le grognard de Bonaparte*). **2.** Dans un sens positif (= à un moment quelconque, un jour) : *l'avez-vous jamais entendu chanter ? ; si jamais vous repassez par ici ; elle est plus déterminée que jamais* (= plus qu'à tout autre moment auparavant). □ *À jamais, à tout jamais, pour jamais* = pour toujours. Registre littéraire. ◆ **Registre.** *Jamais, au grand jamais ; jamais de la vie.* Registre familier.

jambe n.f. ◆ **Emploi. 1.** *Par-dessous la jambe* = avec désinvolture, négligemment ; sans égard. *Faire qqch. par-dessous la jambe, traiter qqn par-dessous la jambe.* Fréquent mais moins correct : *par-dessus la jambe.* REM. On a dit d'abord *jouer qqn par-dessous la jambe* (= le traiter sans considération), par comparaison avec un jeu d'adresse dans lequel un joueur ferait étalage de sa supériorité en lançant ainsi la balle. **2.** *La jambe d'un cheval :* il est d'usage, chez les cavaliers, d'employer *jambe* pour désigner la patte du cheval. → **pied**

japper v.i. ◆ **Orth.** Avec deux *p* (à la différence de *laper*), de même que pour le dérivé *jappement*.

jaquette n.f. ◆ **Orth.** Avec -*qu*-. Ne prend pas de *c.* Ne pas se laisser influencer par le prénom *Jacques.*

jardinerie n.f. ◆ **Orth.** Avec une majuscule (nom déposé).

jaune adj. et n.m. ◆ **Accord.** *Des robes jaunes,* mais : *des robes jaune clair, des robes jaune citron, des robes jaune-vert.* → annexe, grammaire § 98

Javel (eau de) n.f. ◆ **Orth. 1.** On écrit *eau de Javel,* avec une majuscule à *Javel,* mais *de la javel* (= de l'eau de Javel), avec une minuscule. REM. Ce nom est celui de l'ancien village de Javel, devenu un quartier du XVe arrondissement de Paris, où de nombreuses usines chimiques étaient installées au XIXe siècle. **2.** Les dérivés formés sur *Javel* prennent deux *l* : *javelliser, javellisation.*

javeler v.t. ◆ **Conjug.** Attention à l'alternance -*ll*-/-*l*- : *il javelle, nous javelons ; il javelait ; il javela ; il javellera.* → annexe, tableau 16 et R.O. 1990

javelle n.f. ◆ **Orth.** Avec deux *l* alors que les autres mots de la famille ne prennent qu'un *l* : *javeler, javelage, javeleur, javeleuse.*

javelot n.m. ◆ **Orth.** Ne prend qu'un seul *l,* de même que *javeline,* de la même famille.

jazz n.m. inv. ◆ **Orth. 1.** Plur. : *jazz. Un improvisateur également à l'aise dans les jazz moderne et classique.* **2.** Les mots de la même famille sont : *jazz-band* (plur. : *des jazz-bands*), *jazzman* (plur. : *des jazzmans* ou *des jazzmen* → R.O. 1990) et *jazzy,* adjectif invariable.

je pron. personnel ◆ **Emploi.** Inversion de *je.* Dans l'interrogation et l'exclamation, on ne peut employer *je* après un verbe dont la forme conjuguée n'a qu'une syllabe, sauf pour : *ai-je ? dis-je ? dois-je ? puis-je ? suis-je ? vais-je ? vois-je ?* En dehors de ces exceptions, on emploie **est-ce que** : *est-ce que je sers ? est-ce que je dors ?* - On évite également, pour des raisons d'euphonie, l'inversion de *je* après les verbes en -*ge,* même s'ils comportent plusieurs syllabes, et dans tous les cas où cette inversion peut prêter à équivoque : *est-ce que je mange ? est-ce que je songe ? est-ce que je réponds ?* (Et non : *mange-je ? *songe-je ? *réponds-je ?) → aussi **est-ce que**. ◆ **Registre.** La forme en *-é* employée avec *je* à la première personne de l'indicatif présent des verbes du premier groupe (et *dussé-je, eussé-je, puissé-je*), dans l'interrogation ou l'exclamation avec inversion du pronom, appartient au registre littéraire ou très soutenu. Le *-é* final du verbe se prononce ouvert (comme). → R.O. 1990. ◆ **Accord.** Si la personne qui dit *je* est une femme, l'adjectif qui s'y rapporte est toujours au féminin : *je, soussignée Pierrette Audry, épouse Tarou, ...*

jean, jeans n.m. ◆ **Prononc.** *Jean* : [dʒin] ; *jeans* : [dʒins], en articulant le *s*. ◆ **Orth.** On dit, on écrit, *un jean* ou *un jeans* (= un pantalon), au singulier. **RECOMM.** Préférer *un jean*. - Plur. : *des jeans* (prononcer : [dɛdʒin], sans faire entendre le *s*. ◆ **Emploi.** On dit toujours *du jean* (= du denim, de la toile de jean), au singulier, en parlant du tissu.

Jeep n.f. ◆ **Orth.** *Jeep,* nom déposé d'une automobile tout-terrain créée par la société Willys Overland, s'écrit avec une majuscule. Pour désigner une automobile d'une marque quelconque comparable à la Jeep, on écrit avec une minuscule : *une jeep.*

je-ne-sais-quoi n.m. inv. ◆ **Orth.** *Un je-ne-sais-quoi,* avec trois traits d'union. - Plur. : *des je-ne-sais-quoi.*

jerricane, jerrican, jerrycan n.m. ◆ **Orth.** Les trois graphies *jerricane, jerrican* et *jerrycan,* sont admises. **RECOMM.** Préférer la graphie *jerricane,* plus conforme à l'orthographe française.

jésus n.m. ◆ **Orth.** Sans majuscule pour désigner une représentation de l'Enfant Jésus *(un jésus en plâtre),* un format de papier *(une rame de jésus),* un gros saucisson *(un jésus de Morteau).*

jeter v.t. et v.pr. ◆ **Conjug.** Attention à l'alternance *-tt-/-t-* : *il jette, nous jetons ; il jetait ; il jeta ; il jettera.* → annexe, tableau 16 et R.O. 1990

jeu n.m. ◆ **Orth. 1.** *Jeu de...* ◻ Avec le complément toujours au singulier : *des jeux d'esprit, des jeux d'adresse, des jeux de société, des jeux d'orgue.* ◻ Avec le complément toujours au pluriel : *un jeu d'écritures, un jeu de mots.* **2.** *Les jeux Olympiques, les jeux Floraux,* avec une minuscule à *jeu* et une majuscule à l'adjectif.

jeudi n.m. ◆ **Orth.** Sans majuscule pour désigner le jour de la semaine : *le jeudi, il joue au bridge.* - Avec une majuscule pour *le Jeudi saint.* ◻ Plur. : *tous les jeudis ; tous les jeudis après-midi, tous les jeudis matin, tous les jeudis soir.*

jeun (à) loc. adv. ◆ **Orth.** Sans accent circonflexe sur le *u* (alors qu'on écrit *jeûne, jeûner*).

jeune adj. et n. ◆ **Registre.** Le pluriel *jeunes* est aujourd'hui admis pour désigner des jeunes gens ou des jeunes filles et, collectivement, la jeunesse : *une bande de jeunes ; tarifs préférentiels pour les jeunes ; ce que veulent les jeunes...* ◻ Le singulier *un jeune, une jeune* pour désigner un jeune homme ou une jeune fille est courant dans l'expression orale relâchée : *ils ont engagé un jeune ; elle a été remplacée par une jeune.* **RECOMM.** Dans l'expression soignée, en particulier à l'écrit, préférer *un jeune homme, une jeune fille* ou *une personne jeune.* ◻ L'emploi substantif de *jeune* est admis dans tous les registres pour désigner de jeunes animaux : *après l'éclosion, le mâle et la femelle se relaient pour nourrir les jeunes. Une biche et un jeune.* ◆ **Emploi. 1.** *Jeune homme / homme jeune.* Un *jeune* *homme* est un adolescent ou un très jeune adulte (jusqu'à vingt-cinq ans environ). *Jeune homme* implique souvent, mais non nécessairement, que la personne ainsi désignée n'est ni mariée ni engagée dans la vie active. Passé l'âge de vingt-cinq à trente ans, un homme n'est plus guère appelé *un jeune homme :* on dit plutôt qu'il s'agit d'*un homme jeune.* ❑ *Jeune fille / jeune femme.* Les mêmes nuances s'appliquent, en gros, à *jeune fille* et *jeune femme.* Néanmoins, les usages de courtoisie commandant, pour un homme, de ne pas paraître remarquer l'âge d'une femme, il n'est pas rare d'entendre appeler *jeune fille* une femme célibataire jusqu'à trente ans et même un peu au-delà. En revanche, une femme mariée, même beaucoup plus jeune, n'est pas appelée *une jeune fille.* **2.** *Jeune homme* **employé comme appellatif.** *Jeune homme* peut être employé comme appellatif lorsque l'on s'adresse à un homme jeune : *vous désirez, jeune homme ? Par ici, jeune homme.* (Bien que correct, cet appellatif est moins courtois que *Monsieur.*) En revanche, un tel emploi n'est pas possible pour *jeune fille,* sauf par plaisanterie.

jeûner v.i. ◆ **Orth.** Avec un accent circonflexe sur le *u,* de même que pour *jeûne* et *jeûneur,* alors qu'on écrit *déjeuner* et *à jeun.* → R.O. 1990

joaillier, ère n. ◆ **Orth.** Attention à la finale en *-illier* (avec un *i* après les deux *l*). → R.O. 1990

jogging n.m. ◆ **Prononc.** : [dʒɔgin], l'initiale se prononce comme *dj-* dans *djinn,* et la finale comme *camping.* ◆ **Orth.** De cet anglicisme sont issus plusieurs dérivés formés sur le radical *jogg- : jogger* v.i. (= pratiquer le jogging) ; *joggeur, euse* n. (= personne qui pratique le jogging) ; *jogger* n.m. (= chaussure de jogging). REM. Ces dérivés ont gardé une prononciation proche de l'anglais pour le radical *jogg-,* prononcé *djog-,* mais leur terminaison est prononcée selon les habitudes françaises. ◆ **Emploi.** *Jogging,* mot anglais, a supplanté le faux anglicisme *footing,* aujourd'hui vieilli.

joindre v.t., v.i. et v.pr. ◆ **Conjug.** Attention au groupe *-gni-* aux première et deuxième personnes du pluriel, à l'indicatif imparfait et au subjonctif présent : *(que) nous joignions, (que) vous joigniez.* → annexe, tableau 62. ◆ **Constr. 1.** *Joindre à* (= ajouter, associer) : *joindre une pièce au dossier ; joindre le geste à la parole.* **2.** *Joindre à, avec* (= unir, allier). *Elle a su joindre l'utile à l'agréable. Chez lui, les qualités du cœur se joignent avec celles de l'intelligence.* REM. *Joindre à* est plus courant, *joindre avec* plus rare et plus soutenu. **3.** *Joindre une chose et une autre* (= les rapprocher, les rassembler) : *joindre le pouce et l'index.* **RECOMM.** Éviter le pléonasme **joindre ensemble.* ◆ **Orth.** *Veuillez examiner les documents ci-joints ; recevez ci-joint une copie de l'acte authentique.* → **ci-joint**

jointoyer v.t. ◆ **Conjug.** Attention, le *y* devient *i* devant *e* muet : *il jointoie* mais *il jointoyait.* - Bien noter le *i* après le *y* aux première et deuxième personnes du pluriel, à l'indicatif imparfait et au subjonctif présent : *(que) nous jointoyions, (que) vous jointoyiez.* → annexe, tableau 7

joliment adv. ◆ **Orth.** Sans *e* intérieur ni accent circonflexe sur le *i.*

jonc n.m. ◆ **Prononc.** Le *c* final ne se prononce pas.

jongleur, euse n. / **jongleur, jongleresse** n. ◆ **Emploi.** Au sens moderne de « artiste qui pratique l'art de jongler », le féminin de *jongleur* est *jongleuse.* Au sens ancien de « ménestrel », le féminin est *jongleresse.*

jonquille n.f. et adj. ◆ **Accord.** *Une jonquille, des jonquilles* (= des fleurs jaunes) mais : *des vestes jonquille.* → annexe, grammaire § 98

joufflu, e adj. ◆ **Orth.** Avec deux *f*.

joug n.m. ◆ **Prononc.** : [ʒu], le *g* final n'est plus prononcé.

jouir v.t.ind. et v.i. ◆ **Emploi.** *Jouir de* (= profiter de). Le complément doit désigner qqch. d'avantageux, de bénéfique : *jouir d'une santé florissante, d'une excellente réputation.* On dira en revanche : *souffrir d'une santé chancelante, pâtir d'une mauvaise réputation* (et non **jouir d'une santé chancelante, d'une mauvaise réputation*).

joujou n.m. ◆ **Orth.** Plur. : *des joujoux* (avec un *x*), comme *des bijoux, des cailloux, des choux, des genoux, des hiboux, des poux.*

jour n.m. ◆ **Sens.** *Mettre à jour / mettre au jour :* ne pas confondre ces deux locutions, voisines par la forme mais de sens bien différents. ❑ *Mettre à jour* = actualiser. *Mettre à jour sa comptabilité. Mettre à jour un dictionnaire.* ❑ *Mettre au jour* = amener à la lumière (notamment qqch. qui était enfoui, caché). *Le creusement du nouveau port a mis au jour un quai phocéen. - Au figuré : la police vient de mettre au jour un honteux trafic.* ◆ **Orth.** *À jour* (= évidé). Un jour est un vide ménagé dans le tissu, en couture, ou dans la maçonnerie, en architecture. L'usage veut que l'on écrive *un corsage à jours* (à trous) et *un clocher à jour* (qui laisse passer la lumière à travers les vides laissés dans la pierre).

journal n.m. ◆ **Emploi.** *Lire dans le journal.* On dit correctement *lire dans le journal* (comme on dit *lire dans un livre*). **RECOMM.** Dans l'expression soignée, en particulier à l'écrit, éviter **lire sur le journal*, fréquent dans l'expression orale relâchée.

jovial, e, als ou **aux** adj. ◆ **Orth.** Plur. : *des rires jovials* ou *des rires joviaux.*

jugé n.m. → 2. juger

jugeote n.f. ◆ **Orth.** Avec un seul *t*, à la différence de *bougeotte.*

1. juger v.t., v.t.ind. et v.pr. ◆ **Conjug.** Le *g* devient *-ge-* devant *a* et *o* : *il juge, nous jugeons ; il jugea.* → annexe, tableau 10. ◆ **Constr. 1.** *Juger qqch., qqn* : juger une affaire, un prévenu. **2.** *Juger sur, à d'après, par* : juger les gens sur la mine ; on vous jugera à vos actes ; à en juger d'après la presse... ; si on en juge par vos déclarations... **3.** *Juger de* (= porter une appréciation sur, se faire une idée de) : *avec le soleil de face, on ne peut pas juger de la distance ; il est difficile de juger de sa sincérité.* **4.** *Juger que.* Le verbe qui suit est à l'indicatif si *juger* est à la forme affirmative, au subjonctif si *juger* est à la forme négative ou interrogative : *il juge que cela vient trop tôt. Il ne juge pas que cela vienne trop tôt. Juge-t-il que cela vienne trop tôt ?*

2. juger n.m. / **jugé** n.m. ◆ **Sens et orth.** *Au juger* ou *au jugé* (= approximativement, par une estimation plus ou moins grossière) : *évaluer une distance au jugé ; tirer au juger,* sans viser. Les deux orthographes sont correctes ; *au jugé* est plus courant que *au juger.*

juif, juive adj. et n. ◆ **Orth. 1.** *Un Juif, une Juive* (avec une majuscule) : une personne appartenant au peuple juif, à la nation juive. *Elle rêve d'une Palestine où Juifs et Arabes vivraient en paix.* **2.** *Un juif, une juive* (avec une minuscule) : une personne de religion juive. *Un juif pratiquant.* ◆ **Emploi.** → hébreu

juillettiste n. ◆ **Emploi.** *Juillettiste,* personne qui prend ses vacances en juillet, est employé surtout dans la langue des médias (en particulier dans la phrase toute faite : « *le chassé-croisé des juillettistes et des aoûtiens* »).

juin n.m. ◆ **Prononc.** : [ʒɥɛ̃], le mot se prononce comme il s'écrit (la prononciation du *u* comme *ou* est dialectale).

jujube n.m. ◆ **Genre.** Masculin, aussi bien pour le fruit que pour la pâte qui en est tirée : *un jujube, du jujube.*

juke-box n.m. ◆ **Prononc.** : [dʒukboks], la première syllabe se prononce comme *djouk-*. ◆ **Orth.** Plur. : *des juke-box* (invariable) ou *des juke-boxes*. Préférer *des juke-box* → R.O. 1990

jumeau, elle adj. et n. ◆ **Emploi.** ❑ Aussi bien comme adjectif que comme nom : *des sœurs jumelles, elles sont jumelles. De vrais jumeaux.* ❑ Aussi bien au singulier qu'au pluriel : *elle nous a présenté sa jumelle. Castor, le jumeau de Pollux.*

jumelles n.f. plur. / **jumelle** n.f. sing. ◆ **Emploi.** Correct au singulier et au pluriel pour désigner l'instrument d'optique. Le pluriel est plus fréquent. Le singulier est employé surtout dans des expressions comme *une jumelle marine* ou *regarder l'horizon à la jumelle*. RECOMM. Dire *des jumelles* plutôt que **une paire de jumelles*, qui fait pléonasme.

jumeler v.t. ◆ **Conjug.** Attention à l'alternance *-ll-/-l-* : *il jumelle, nous jumelons ; il jumelait ; il jumela ; il jumellera*. → annexe, tableau 16 et R.O. 1990

jungle n.f. ◆ **Prononc.** : [ʒɛ̃gl], avec le son *un*, comme dans *humble*, ou [ʒɔ̃gl], avec le son *on*, comme dans *ongle*. La première prononciation est courante, la seconde est vieillie.

juridictionnel, elle adj. ◆ **Orth.** Avec deux *n*. (on a *juridiction / juridictionnel* comme on a *émotion / émotionnel, tradition / traditionnel*, etc.).

jurisprudentiel, elle adj. ◆ **Orth.** Avec un *t* (on a *jurisprudence / jurisprudentiel* comme on a *concurrence / concurrentiel, présidence / présidentiel*, etc. ; mais on écrit *révérenciel*).

jus n.m. ◆ **Orth.** *Jus de.* On écrit, avec le complément au singulier : *du jus de viande ; du jus de pomme, de raisin, de tomate.* Mais on écrit, avec le complément au pluriel : *du jus de fruits, de légumes.*

jusque prép. ◆ **Orth. 1.** Le *e* final s'élide toujours devant une voyelle : *jusqu'alors, jusqu'ici, jusqu'au jour où.* **2.** *Jusques* (avec un *s*) devant une voyelle. Ne s'emploie plus que dans la locution *jusques et y compris* et dans la langue littéraire : « *Les renouer, ces relations, à s'y tromper et jusques à provoquer de nouveau en lui un désir rémunérateur* » (M. Duras). REM. *Jusques* était habituel dans la langue classique : « *Et je vous verrais nu du haut jusques en bas / Que toute votre peau ne me tenterait pas* » (Molière). ◆ **Constr. 1.** *Jusqu'à (à la, au). Jusque* s'accompagne normalement de la préposition *à : jusqu'à la fin; jusqu'au bout de la rue ; jusqu'à hier, jusqu'à demain, jusqu'à aujourd'hui* (→ aujourd'hui). **2.** *Jusqu'alors, jusqu'ici, jusque-là, jusqu'où ; jusque* (+ préposition). *Jusque* se construit sans *à* quand il est suivi de l'un des adverbes *alors, ici, là, où*, ou d'une autre préposition : *jusque-là* (avec trait d'union), *jusqu'ici, jusqu'alors, jusqu'où, jusqu'en, jusque chez, jusque sur, jusque dans, jusque vers.* **3.** *Jusque* devant un adverbe d'intensité modifiant un adverbe de temps ou de lieu. *Jusque* se construit sans *à* avec les adverbes *assez, aussi, bien, fort, si, très,* modifiant un adverbe de temps ou de lieu : *jusqu'assez avant dans la nuit, jusque fort haut sur cette pente, jusque très avant dans le désert.* **4.** *Jusqu'à ce que* (+ subjonctif) : *il vous relancera jusqu'à ce que vous finissiez par lui céder.* **5.** *Jusqu'au moment où* (+ indicatif) : *il vous relancera jusqu'au moment où vous céderez.*

juste adj., n. et adv. ◆ **Orth.** *Juste* employé adverbialement. *Juste,* adverbe, est invariable : *deux heures juste* (= précisément), *ils chantent juste* (= sans détonner), *elles ont prévu trop juste* (= à peine assez).

justifier v.t. ◆ **Conjug.** Attention au redoublement du *i* aux première et deuxième personnes du pluriel, à l'indicatif imparfait et au subjonctif présent :

(que) nous justifiions, (que) vous justifiiez. →
annexe, tableau 10. ◆ **Constr. 1.** *Justifier
qqch.* (= montrer ou établir le bien-fondé
de) : *justifier ses actes, une dépense.* **2.**
Justifier de qqch. (= apporter la preuve, la
justification de) : *justifier du paiement d'une
dette, justifier de trois mois de salaire.*

jute n.m. ◆ **Genre.** Masculin : *un jute
résistant.*

juxta- préf. ◆ **Orth.** Les mots
composés avec le préfixe *juxta-* s'écrivent sans trait d'union, sauf si le second
élément commence par une voyelle :
*juxtalinéaire ; juxta-articulaire, juxta-épiphy-
saire.*

kabbale n.f. / **cabale** n.f. ◆ **Orth. et
sens. 1.** *Kabbale* (= interprétation juive
ésotérique et symbolique de la Bible),
avec un *k* et deux *b*. Dans ce sens, l'orthographe *cabale,* avec un *c,* n'est plus en
usage. **2.** *Cabale* (= science occulte ;
menées secrètes, intrigue), avec un *c* et
un seul *b.*

kakemono n.m. ◆ **Orth. et prononc.**
Le mot s'écrit sans accent mais se pro-
nonce comme s'il s'écrivait *kakémono.* →
R.O. 1990

kaki adj. et n.m. ◆ **Accord.** L'adjectif est
invariable : *des chemises kaki.* → annexe,
grammaire § 98 - Le substantif s'accorde
en nombre : *les bruns et les kakis des uniformes*

kalachnikov n.m. ◆ **Genre.** La plupart
des dictionnaires donnent le mot comme
masculin *(un kalachnikov,* pour *un fusil
kalachnikov),* mais dans l'usage le féminin
l'emporte *(une kalachnikov,* pour *une
mitraillette kalachnikov).* Cette arme étant,
techniquement, un fusil et non une
mitraillette, le masculin paraît plus justifié. - Plur. : *des kalachnikovs.* ◆ **Orth.** Avec
une minuscule, comme les autres noms
d'armes issus du nom de leur inventeur
(un chassepot, un lebel, un mauser).

kamikaze n.m. ◆ **Prononc.** [kamikaz],
sans faire entendre le *e* final. REM. La
prononciation avec *é* final (comme
-kazé), plus proche de la prononciation
japonaise, est usitée par les spécialistes
de l'histoire du Japon. ◆ **Orth.** Plur. : *les
kamikazes, les pilotes kamikazes.*

karatéka n. ◆ **Orth.** Plur. : *des karaté-
kas.* ◆ **Genre.** Le mot s'emploie aux deux
genres : *un karatéka, une karatéka.*

kasher, casher, cachère adj.
◆ **Orth.** Les trois graphies *kasher, casher* et
cachère sont admises. *Kasher* est la plus
fréquente. REM. **1.** L'usage est hésitant
sur le traitement orthographique de cette
transcription de l'hébreu. **2.** Les graphies
kascher, kachère et *casher* sont sorties de
l'usage. ◆ **Accord.** *Kasher* et *casher* restent
invariables en genre et en nombre.
Cachère, forme francisée, prend la
marque du pluriel : *des boucheries cachères.*

kayak n.m. ◆ **Orth.** Plur. : *des kayaks.* →
canoë-kayak

khan n.m. ◆ **Prononc.** [kã], comme
quand. ◆ **Orth.** Avec une minuscule, sauf
dans un nom propre : *Agha Khan, Gengis
Khan.*

khôl, kohol n.m. ◆ **Orth. et prononc.**
Les deux formes, *khôl* et *kohol,* sont
admises. *Khôl :* [kol], le groupe *kh-* se prononce *k* et le *o* fermé, comme dans *pôle.* -
Kohol se prononce exactement comme il
s'écrit.

kidnapping n.m. ◆ **Orth.** Avec deux *p.*
- Plur. : *des kidnappings.* ◆ **Anglicisme.** Cet
mot qui signifie littéralement « enlèvement d'enfant » (*kid* = gosse) a pris en
français le sens plus général de « enlèvement d'une personne ». RECOMM. Préférer
enlèvement, rapt à *kidnapping ; ravisseur, euse*
à *kidnappeur, euse ; enlever* à *kidnapper.*

kif-kif adj. inv. ◆ **Orth.** Avec un trait
d'union. → R.O. 1990. ◆ **Registre.** *C'est*

kif-kif (= c'est pareil) appartient au registre familier.

kilo n.m. ♦ **Orth.** Nom formé par abréviation de *kilogramme.* La dernière lettre est un *o* (et non un *g*). - Plur. : *des kilos.*

kilo- préf. ♦ **Sens. et orth. 1.** Devant le nom d'une unité de mesure, le préfixe *kilo-* signifie « mille fois ». - Symbole *k* (*k* minuscule, sans point abréviatif). ❑ On écrit, sans *s* final au singulier : *kiloampère* (symbole *kA*), *kilocalorie* (*kcal*), *kilocoulomb* (*kC*), *kilofranc* (*kF*), *kilogramme* (*kg*), *kilohertz* (*kHz*), *kilojoule* (*kJ*), *kilomètre* (*km*), *kilotonne*, *kilovolt* (*kV*), *kilowatt* (*kW*). **2.** En informatique, *kilo-* signifie « mille vingt-quatre fois » (2^{10}). - Symbole *K* (*K* majuscule, sans point abréviatif). ❑ On écrit *1 kilo-octet* ou *1 Koctet* (*Ko*) ; *1 kilobit* ou *1 Kbit.*

kilogramme n.m. ♦ **Orth.** Symbole *kg*, sans point abréviatif ni marque du pluriel : *10 kg ; la caisse pèse près de 100 kg.* REM. Le seul point possible après *kg* est le point final d'une phrase. ❑ On écrit : *kilogramme par mètre* (*kg/m*), *kilogramme par mètre carré* (*kg/m²*), *kilogramme par mètre cube* (*kg/m³*). - On n'utilise plus *kilogrammètre* (*kgm*), *kilogramme-force* (*kgf*), *kilogramme-poids* (*kgp*).

kilomètre n.m. ♦ **Orth. 1.** Symbole *km*, sans point ni marque du pluriel. REM. Le seul point possible après *km* est le point final d'une phrase. ❑ On écrit : *kilomètre carré* (*km²*), *kilomètre cube* (*km³*).

kilomètre-heure n.m. ♦ **Orth.** L'unité de mesure de vitesse est le *kilomètre par heure* (*km/h*), mais on dit, on écrit couramment : *kilomètre à l'heure* ou *kilomètre-heure.* - Plur. : *des kilomètres-heure.*

kilomètre-passager n.m. / **kilomètre-voyageur** n.m. ♦ **Orth.** S'écrivent avec un trait d'union. - Plur. : *un million de kilomètres-passagers, de kilomètres-voyageurs.*

kilométrer v.t. ♦ **Conjug.** Attention à l'accent, tantôt grave, tantôt aigu : *je kilomètre, nous kilométrons ; il kilométra.* → annexe, tableau 11 et R.O. 1990

kilowatt n.m. ♦ **Orth.** Avec deux *t.* - Plur. : *des kilowatts.* - Symbole *kW* (attention, *W* majuscule).

kilowattheure n.m. ♦ **Orth.** En un seul mot. - Plur. : *des kilowattheures.* Symbole *kWh* (attention, *W* majuscule).

kinésithérapeute n. ♦ **Orth.** Attention au groupe -*th*- de thérapeute au milieu du mot. ♦ **Emploi. 1.** Le mot s'emploie aux deux genres : *un, une kinésithérapeute.* **2.** À l'oral, le mot est souvent abrégé en *kiné* (ou, moins courant, en *kinési*). - En Belgique, on dit aussi *kinésiste.*

kit n.m. ♦ **Anglicisme.** Ensemble d'éléments vendus avec une notice de montage et que l'on peut assembler soi-même. - RECOMM. OFF. : *prêt-à-monter* (plur. : *des prêts-à-monter*). ♦ **Orth.** Plur. : *des kits. Des meubles en kits.*

Klaxon n.m. ♦ **Orth. 1.** Avec une majuscule pour désigner un avertisseur sonore de la marque de ce nom équipant une automobile. - Plur. : *des Klaxons.* ❑ Sans majuscule dans le sens courant (mais abusif) de « avertisseur sonore, quelle que soit sa marque ». RECOMM. Dans ce dernier sens, préférer *avertisseur.* **2.** Le dérivé *klaxonner* prend deux *n* et s'écrit sans majuscule.

Kleenex n.m. ♦ **Orth. et prononc.** Avec une majuscule (nom déposé) et deux *e* prononcés ensemble [i], : *un paquet de Kleenex.*

knock-down n.m. inv. ♦ **Orth. et prononc.** Avec un trait d'union et un *k* initial non prononcé. La finale -*own* se prononce *a-oune.* - Plur. : *des knock-down.* → R.O. 1990

knock-out n.m. inv. et adj. inv.
♦ **Orth.** Avec un trait d'union et un *k* initial non prononcé. La finale *-out* se prononce *a-oute*. - Plur. : *des knock-out.* → R.O. 1990. ♦ **Emploi.** *Knock-out* s'emploie surtout à l'écrit, dans des contextes techniques (ouvrages sur la boxe, chronique sportive, etc.). À l'oral, on emploie le plus souvent l'abréviation *K.-O.* → **K.-O.**

know-how n.m. inv. ♦ **Orth.** Invariable. ♦ **Anglicisme. RECOMM.** Dire, écrire *savoir-faire.* REM. À la différence des anglicismes adoptés en français en même temps que se répandent un objet, une technique ou un concept nouveaux, et pour lesquels il n'existe pas d'équivalents dans notre langue, *know-how* est en concurrence avec *savoir-faire,* mot français attesté depuis le XVIIe s., désignant une compétence reconnue. Il est donc particulièrement mal venu.

K.-O. n.m. inv. et adj. inv. ♦ **Prononc.** [kaɔ]. ♦ **Orth.** Abréviation de *knock-out* → **knock-out.** Avec deux majuscules. - Plur. : *des K.-O. techniques ; elles sont complètement K.-O.*

Kodak n.m. ♦ **Orth.** Avec une majuscule (nom déposé). - Plur. : *des Kodaks.*

kohol n.m. → khôl

kola, cola n.m. ♦ **Orth.** Les deux graphies, *kola* ou *cola,* sont admises. *Kola,* avec *k,* est plus fréquent. ♦ **Genre.** Masculin. Au sens de « noix du kolatier, masticatoire constitué par cette noix », le mot est employé au féminin dans les pays d'Afrique francophone : *mâcher de la kola.*

kolkhoze, kolkhoz n.m. ♦ **Orth.** Les deux graphies, *kolkhoze* ou *kolkhoz,* sont admises. *Kolkhoze* est plus fréquent. - Attention au *h* qui suit le deuxième *k.*

kopeck n.m. ♦ **Orth.** Finale en *-ck.* REM. Les graphies *copec, copeck* et *kopek* sont aujourd'hui sorties de l'usage.

kouglof n.m. ♦ **Orth.** La graphie *kouglof* (= gâteau), a aujourd'hui éliminé les nombreuses variantes de ce mot d'origine alsacienne : *kougloff, kougeloff, kougelhof, kugelhof, kugelhopf.*

krach n.m. ♦ **Prononc.** [kʀak], comme l'onomatopée *crac.* ♦ **Orth. et sens.** Ne pas confondre *krach* (= effondrement des cours de la Bourse) avec *crack* (= champion ; cocaïne cristallisée), ni avec *krak* (= forteresse construite par les croisés).

kraft n.m. ♦ **Orth.** Plur. : *des krafts blanc et brun ; des papiers krafts de grammages différents.*

krak n.m. → krach

krypton n.m. ♦ **Orth.** Attention au *y.*

ksar n.m. ♦ **Orth.** Ce mot arabe (= village fortifié, en Afrique du Nord), fait au pluriel *ksour : les ksour du djebel.*

K-way n.m. inv. ♦ **Orth.** Avec un *K* majuscule (nom déposé). - Plur. : *des K-way.*

kyrie n.m. inv. ♦ **Prononc.** [kiʀje], comme *kirié.* ♦ **Orth.** Au sens de « invocation grecque récitée ou chantée à la messe, commençant par les mots grecs *Kyrie eleison* (Seigneur, aie pitié) », avec une majuscule : *chanter le Kyrie, arriver au Kyrie.* Au sens de « morceau de musique composé pour le Kyrie », avec une minuscule : *composer un kyrie.* - Plur. : *des kyrie.*

kyste n.m. ♦ **Orth.** Avec un *y,* de même que dans les dérivés *kystique, enkystement, enkyster, s'enkyster.*

L

1. la article défini → **l. le**

2. la pron. personnel → **2. le**

là adv. ◆ **Orth. 1.** Avec un accent grave sur le *a* (à la différence de *la,* article féminin). **2.** *Ce (cet, cette, ces)... là.* On écrit tantôt avec trait d'union *(-là),* tantôt sans trait d'union *(...là).* ❑ Avec trait d'union lorsque le nom est placé immédiatement après le démonstratif *(ce, cet...)* et avant l'adverbe *(là)* : *cet enfant-là, cette femme-là, ce tire-bouchon-là, ce jeudi-là ;* ou lorsqu'il y a un nom de nombre : *ces deux-là, ces deux bandits-là.* ❑ Sans trait d'union lorsque le nom est séparé du démonstratif : *ce bel enfant là, cette brave femme là ;* ou lorsque le nom est séparé de l'adverbe *là : cet homme de peine là, ce jeudi soir là.* **3.** *Là-bas / là contre.* ❑ On écrit avec un trait d'union : *là-bas, là-dedans, là-dessous, là-dessus, là-haut, jusque-là, de-ci de-là* (ou *de-ci, de-là), par-ci par-là* (ou *par-ci, par-là).* ❑ On écrit sans trait d'union : *là contre, là même, là où, ça et là, de là, d'ici là, par là, par là même.* ◆ **Constr.** *Là où* peut servir à introduire une proposition relative *(j'irai là où il se trouve ; là où je vais, on n'a pas besoin d'argent),* sauf après *c'est,* qui commande *là que : c'est là que je vais.* ◆ **Emploi. 1.** *Là* **en emploi adverbial.** *Là,* adverbe de lieu, s'oppose à *ici : ne restez pas ici, allez*

là. *Mettez-vous là. Ne mettez pas le fauteuil ici, poussez-le plutôt là.* → **ici. 2.** *Là* **en emploi démonstratif.** *Là,* particule démonstrative, désigne ce qui est le plus éloigné, par opposition à *ci,* qui désigne ce qui est le plus proche. *Ce meuble-ci est italien, mais ce meuble-là* (ou : *celui-là), au fond, vient de Londres.* - *Là* désigne également ce dont il vient d'être question, par opposition à *ci,* qui annonce ce qui va suivre. *Nous avons vu ce dossier-là, passons à ce dossier-ci* (ou : *à celui-ci).* REM. En l'absence d'opposition, on emploie plutôt *là* que *ci.*

labial, e, aux adj. ◆ **Orth.** Masculin pluriel : *labiaux. Les muscles labiaux.*

labilité n.f. ◆ **Orth.** Avec une finale en *-ité* comme *facile / facilité* (à la différence de *habile / habileté)* et avec un seul *l* (à la différence de *imbécile / imbécillité).*

labo n.m. ◆ **Registre.** Abréviation familière de *laboratoire : labo photo, les labos de travaux pratiques.*

labyrinthe n.m. ◆ **Orth.** Attention au *y* et au groupe *-th-.*

lac n.m. / **lacs** n.m. ◆ **Orth. et sens. 1.** *Lac* n.m. = étendue d'eau. *Un lac volcanique.* **2.** *Lacs* n.m. = lacet muni d'un nœud coulant, collet. Toujours avec *s,* même au singulier (le mot se prononce comme s'il s'écrivait *lâ*). ◆ **Emploi.** *Tomber dans le lacs* (= tomber dans le piège, donner dans le panneau) est aujourd'hui sorti de l'usage. Cette expression n'a pas de rapport avec *être dans le lac* (= échouer, être tombé à l'eau) : *vous avez tout fait rater, maintenant, l'affaire est dans le lac.*

lacer v.t. ◆ **Conjug.** Le *c* devient *ç* devant *o* et *a* : *je lace, nous laçons ; il laça.* → annexe, tableau 9

lacérer v.t. ◆ **Conjug.** Attention à l'accent, tantôt grave, tantôt aigu : *je lacère, nous lacérons ; il lacéra.* → annexe, tableau 11 et R.O. 1990

lâche adj. et n. ◆ **Orth.** Avec un accent circonflexe sur le *a*, de même que dans *lâcheté*. REM. L'accent circonflexe a remplacé le *s* de l'ancien mot *lasche* vers la fin du XVIIᵉ s. ◆ **Genre.** L'emploi substantif est rare au féminin : *une lâche.* ◆ **Sens et emploi.** *Lâche* a deux sens, auxquels correspondent deux substantifs différents. ❑ À *lâche,* au sens de « qui n'a pas de courage », correspond le substantif *lâcheté* : *il est assez lâche, et cette lâcheté le rend peu sympathique.* ❑ À *lâche,* au sens de « relâché, détendu », correspond le substantif *laxité* : *les muscles sont lâches, et cette laxité favorise l'assoupissement.*

lacis n.m. ◆ **Orth.** Avec un *s* final qui ne se prononce pas (comme dans *avis, glacis, lattis, lambris, lavis, radis,* etc.).

lacrima-christi n.m. inv. ◆ **Orth.** Avec un *i* et sans majuscule (mots italiens signifiant « larme du Christ » et désignant un vin tiré de vignes proches du Vésuve). - Plur. : *des lacrima-christi* (invariable) → R.O. 1990

lacrymal, e, aux adj. ◆ **Orth.** Avec un *y*, de même que pour les autres mots formés sur le radical savant *lacryma* (du latin *lacrima*, larme) : *lacrymogène, lacrymo-nasal.*

lactose n.m. ◆ **Genre.** Masculin : *le lactose, du lactose.*

lacunaire adj. / **lacuneux, euse** adj. ◆ **Emploi.** 1. Les deux adjectifs ont le sens général de « qui présente des lacunes », mais *lacuneux* est rare et littéraire, alors que *lacunaire* est assez fréquent dans la langue didactique. 2. Ne pas confondre *lacunaire* avec *lagunaire*, relatif aux lagunes. → **lacune** ci-dessous.

lacune n.f. / **lagune** n.f. ◆ **Sens.** Ne pas confondre ces deux mots presque identiques. 1. *Lacune* n.f. = manque, trou, défaillance, insuffisance. *Il y a des lacunes dans son éducation. Le dossier d'instruction présente de telles lacunes que l'acquittement paraît probable.* 2. *Lagune* n.f. = étendue d'eau marine retenue derrière un cordon littoral. REM. Ne pas confondre *lagune* et *lagon*. → **lagon.** ◆ **Emploi.** On dit *combler une lacune, remplir une lacune* (et non *réparer une lacune*).

lacuneux, euse adj. → lacunaire

ladite adj. ◆ **Orth.** En un seul mot : *il était allé voir une spécialiste ; ladite spécialiste n'avait pas de réponse.* (Ne pas écrire *la dite*, en deux mots).

lady n.f. ◆ **Orth.** Plur. : *des ladys* (pluriel français) ou *des ladies* (pluriel à l'anglaise). RECOMM. Préférer *des ladys.* → R.O. 1990

lagunaire adj. → lacunaire

lagune n.f. → lacune

lagon n.m. / **lagune** n.f. ◆ **Sens.** Ne pas confondre ces deux mots de forme proche. 1. *Lagon* n.m. = étendue d'eau fermée par un récif corallien et située le plus souvent au centre d'un atoll. *Le lagon de Mururoa.* 2. *Lagune* n.f. = étendue d'eau marine retenue derrière un cordon littoral le plus souvent sableux ou vaseux. *La lagune de Venise.*

laïc adj. et n. → laïque

laideron n.m. ◆ **Genre.** *Laideron* est un nom masculin, bien qu'il désigne exclusivement une jeune fille ou une femme laide : « *Née avec une sorte de mauvaise chance, se jugeant mal partagée par la fortune, elle consentait le plus souvent à n'être qu'un laideron* » (E. Zola). – REM. **1.** Le mot était autrefois féminin : « *Ces mères, qui, dans une affreuse laideron, découvrent un chef-d'œuvre accompli de la nature* » (H. de Balzac). **2.** On trouve parfois le féminin *laideronne* : « *Violettes de février, laideronnes, pauvresses parfumées* » (Colette).

laïque ou **laïc, laïque** adj. et n. ◆ **Emploi et orth. 1.** Adjectif. L'adjectif peut s'écrire au masculin *laïc* ou *laïque* : *patronage laïc municipal ; enseignement primaire laïque, gratuit et obligatoire.* Au féminin, il s'écrit toujours *laïque* : *l'école laïque, une constitution laïque.* **2.** Nom. Selon l'usage actuellement le plus répandu, le nom s'écrit *laïc* au masculin et *laïque* au féminin : *un laïc* (opposé à *un clerc, un religieux*), *une laïque. La laïque* (= familièrement, l'école primaire laïque). REM. *Un laïque,* écrit *-que,* paraîtrait aujourd'hui inhabituel, mais ne serait pas fautif.

laissé-pour-compte, laissée-pour-compte n. / **laissé, laissée pour compte** loc. adj. ◆ **Orth. 1.** *Laissé-pour-compte,* substantif, s'écrit avec deux traits d'union : *porter les laissés-pour-compte à l'inventaire.* **2.** *Laissé pour compte,* adjectif, s'écrit sans trait d'union : *elle se sentait un peu solitaire et laissée pour compte.* ◆ **Sens et genre. 1.** *Laissé-pour-compte* (= marchandise, objet dont on a refusé de prendre livraison) est toujours masculin : *le client est passé à l'entrepôt, il y a un laissé-pour-compte.* **2.** *Laissé-pour-compte* (= familièrement, personne délaissée, rejetée) s'emploie aux deux genres : *c'est aujourd'hui un homme déclassé, à la dérive, un laissé-pour-compte ; elle n'a pas l'intention de rester vieille fille et de jouer les laissées-pour-compte.*

laisser v.t. et v.pr.
◆ **Accord.**
1. *Laisser* (+ infinitif) . Le participe passé s'accorde avec le complément d'objet qui le précède si ce dernier est aussi sujet de l'infinitif : *les petites voulaient absolument voir le sapin illuminé, nous les avons laissées entrer* (ce sont *elles,* les petites, que nous avons *laissées :* le participe s'accorde). Dans les autres cas, le participe passé reste invariable : *les murs qu'il a laissé envahir par le lierre* (il a laissé envahir, ce ne sont pas les murs qu'il a laissés : *laissé* ne s'accorde pas).
2. *Se laisser* (+ infinitif) . Le participe passé s'accorde avec le pronom si ce dernier est complément d'objet de *laissé : elle s'est laissée mourir* (= elle a laissé soi : *laissé* s'accorde). Si le pronom est complément d'objet de l'infinitif, *laissé* reste invariable : *ils se sont laissé prendre sans résistance* (= ils ont laissé prendre eux : *laissé* ne s'accorde pas).
❑ Ces règles d'application difficile (→ aussi annexe, grammaire § 109, 110) ne sont pas toujours observées dans l'usage. Aussi les R.O. 1990 proposent-elles l'invariabilité quand *laissé* est suivi d'un infinitif : *nous les avons laissé entrer dans la salle ; elle s'est laissé mourir.*
◆ **Constr.**
1. *Laisser* (+ infinitif) : **emploi du pronom.** On peut dire indifféremment : *je le laisse lire ce livre* ou *je lui laisse lire ce livre, nous l'avons laissée faire tout ce qu'elle a voulu* ou *nous lui avons laissé faire tout qu'elle a voulu, on les avait laissés emmener le chien* ou *on leur avait laissé emmener le chien.* La construction avec *le, la, les* est plus courante, celle avec *lui, leur* plus rare.
2. *Laisser* (+ infinitif à la forme pronominale) : **omission du pronom.** Cette

omission est correcte et très fréquente : *on a laissé échapper ce détenu ; vous avez laissé envoler ma perruche ; laissez égoutter le linge.* Mais on peut dire, tout aussi correctement : *on a laissé le détenu s'échapper, vous avez laissé ma perruche s'envoler, laissez le linge s'égoutter.*
♦ **Registre.**
1. *Ne pas laisser de* (+ infinitif) = ne pas cesser de, ne pas manquer de. *Cette attitude ne laissera pas de surprendre.* « *Des fantaisies qui lui passaient à ce sujet par la tête ne laissaient pas d'être parfois inquiétantes* » (J. Gracq). Registre littéraire ou soutenu. REM. La construction *ne pas laisser que de* (même sens), courante à l'époque classique, est aujourd'hui presque inusitée : « *Ces bruits pourtant, quoique si absurdes, ne laissaient pas que d'être écoutés* » (Racine).
2. *Laisser faire à* (= laisser faire le). « *Faites votre devoir, et laissez faire aux Dieux* » (Corneille). « *J'avance cette opinion ; mais parce qu'elle est nouvelle, je la laisse mûrir au temps* » (Pascal). Construction courante à l'époque classique, presque inusité aujourd'hui, sauf par archaïsme volontaire.

laisser-aller n.m. inv. ♦ **Orth.** Deux infinitifs joints par un trait d'union (à la différence de *laissez-passer*) forment ce nom masculin invariable : *chez lui, les deux laisser-aller, le moral et l'intellectuel, vont de pair.*

laissez-passer n.m. inv. ♦ **Orth.** Un impératif et un infinitif joints par un trait d'union forment ce nom masculin invariable. - Plur. : *des laissez-passer.*

lait n.m. ♦ **Orth.** On écrit indifféremment *du lait d'amande* ou *du lait d'amandes.* - On écrit avec un trait d'union : *du petit-lait.*

lamaserie n.f. ♦ **Orth. et prononc.** S'écrit avec un seul *s* et se prononce [lamazʀi], avec le son [z].

lambris n.m. ♦ **Orth.** Avec un *s* final qui ne se prononce pas (comme dans *avis, glacis, lacis, lattis, lavis, radis,* etc.).

lamento n.m. ♦ **Orth.** Plur. : *des lamentos.*

lance- élément de composition ♦ **Orth.** Mots composés avec *lance-* (verbe *lancer*). *Lance-* est toujours invariable. V. tableau ci-dessous et R.O. 1990.

Graphies et pluriel des mots composés avec *lance-*

Un lance-amarre, des lance-amarre ou *des lance-amarres*

Un lance-flamme ou *un lance-flammes, des lance-flammes*

Un lance-fusée ou *un lance-fusées, des lance-fusées*

Un lance-grenade ou *un lance-grenades, des lance-grenades*

Un lance-missile ou *un lance-misssiles, des lance-missiles*

Un lance-pierre ou *un lance-pierres, des lance-pierres*

Un lance-roquette ou *un lance-roquettes, des lance-roquettes*

Un lance-torpille ou *un lance-torpilles, des lance-torpilles.*

---

lancement n.m. / **élancement** n.m. ♦ **Sens.** Ne pas confondre ces deux mots de forme proche. **1.** *Lancement* n.m. = action de lancer. *Le lancement d'une fusée.* REM. L'emploi de *lancement* au sens de « élancement » est régional (Belgique et régions françaises limitrophes). **2.** *Élancement* n.m. = douleur aiguë et passagère. *Sa tendinite lui donne des élancements dans l'épaule.*

lancer v.t., v.i. et v.pr. ♦ **Conjug.** Le *c* devient *ç* devant *o* et *a : je lance, nous lançons ; il lança.* → annexe, tableau 9

landau n.m. ♦ **Orth.** Plur. : *des landaus.*

langage n.m. ◆ **Orth.** Sans *u* après le *g*. Ne pas se laisser influencer par *langue*, ni par l'anglais *language*.

langer v.t. ◆ **Conjug.** Le *g* devient -ge- devant *a* et *o* : *je lange, nous langeons ; il langea.* → annexe, tableau 10

langue n.f. ◆ **Orth.** *Langue-de-...* Les mots composés du type *langue-de-...* s'écrivent avec deux traits d'union : *langue-de-bœuf, langue-de-carpe, langue-de-chat, langue-de-serpent.* Le deuxième élément ne prend pas la marque du pluriel : *des langues-de-bœuf, des langues-de-carpe,* etc. ◆ **Registre.** *Prendre langue avec qqn* = se mettre en rapport avec lui. Registre soutenu.

lanthane n.m. ◆ **Orth.** Attention au groupe -*th*- (ne pas se laisser influencer par *titane,* qui ne prend pas d'*h*).

laparotomie n.f. ◆ **Orth.** Le mot s'écrit *laparo-*, avec *o*, en dépit de son étymologie (formé sur le grec *lapara,* abdomen, flanc).

laper v.t. ◆ **Orth.** Avec un seul *p* (contrairement à *japper*), de même que pour le dérivé *lapement.*

lapon, one ou **onne** adj. et n. ◆ **Orth.** On rencontre au féminin, les deux graphies, *lapone* et *laponne.* RECOMM. Préférer la graphie *lapone,* avec un seul *n,* comme dans *Laponie.*

laque n.f. / **laque** n.m. ◆ **Genre et sens.** Féminin ou masculin selon le sens. 1. *Laque* (= gomme-résine, vernis, peinture, ou produit pour la coiffure) est du féminin. *De la laque ; elle se met de la laque sur les cheveux.* 2. *Laque* (= objet d'art d'Extrême-Orient revêtu de nombreuses couches de laque) est du masculin. *Un laque d'époque Ming.*

laquelle pron. → lequel

largable adj. n.m. ◆ **Orth.** Ne prend pas de *u* entre *g* et *a* ; de même pour *largage* (bien que le verbe *larguer* garde le *u* dans toute sa conjugaison).

large adj. ◆ **Accord.** *Large* employé avec *ouvert.* Dans l'expression *large ouvert, large,* bien qu'en emploi adverbial, s'accorde avec l'adjectif : *une porte large ouverte, des battants larges ouverts.* ◆ **Emploi.** On dit indifféremment *trois mètres de large* ou *trois mètres de largeur.*

larghetto n.m. ◆ **Orth.** Plur. : *des larghettos.*

largo n.m. ◆ **Orth.** Plur. : *des largos.*

larmoiement n.m. ◆ **Orth.** Avec un *e* muet intérieur. *Larmoiement* correspond à *larmoyer,* verbe du 1er groupe (comme *aboiement* correspond à *aboyer* → aboiement).

larmoyer v.i. ◆ **Conjug.** Attention, le *y* devient *i* devant *e* muet : *il larmoie* mais *il larmoyait.* - Bien noter le *i* après le *y* aux première et deuxième personnes du pluriel, à l'indicatif imparfait et au subjonctif présent : *(que) nous larmoyions, (que) vous larmoyiez.* → annexe, tableau 7

larron n.m. ◆ **Genre.** Dans l'usage courant, toujours au masculin, même pour désigner une femme : *elle était le troisième larron de l'équipe* (emploi rare). REM. Les formes *larronne* et *larronnesse* sont aujourd'hui inusitées, sauf par archaïsme volontaire, comme dans cet exemple tiré du roman « médiéval » de V. Hugo, *Notre-Dame de Paris* : « *Une pendaison de larrons et larronnesses* ».

las, lasse adj. ◆ **Orth.** *De guerre lasse* → guerre. ◆ **Constr.** *Las de : je suis las de répéter sans cesse la même chose ; il est las de tout.*

lascivité, lasciveté n.f. ◆ **Orth.** Les deux formes, *lascivité* et *lasciveté,* sont admises. *Lascivité* est plus usité, *lasciveté* plus rare et vieilli. ◆ **Registre.** Registre littéraire.

laser n.m. ◆ **Prononc.** [lazɛʀ], comme pour rimer avec *rosaire*. ◆ **Orth.** Plur. : *des lasers*. ◆ **Accord.** L'usage reste encore hésitant sur l'accord quand *laser* est en emploi adjectif. On trouve *des disques laser* ou *des disques lasers ; des rayons laser* ou *des rayons lasers*. RECOMM. Préférer *des disques lasers, des rayons lasers*, avec la marque du pluriel à *laser*.

lasagne n.f. ◆ **Orth.** Plur. : *des lasagnes* ou *des lasagne*. RECOMM. Préférer le pluriel francisé *des lasagnes*.

lascar n.m. ◆ **Orth.** Sans *d* final.

lasser (se) v.pr. ◆ **Constr. 1.** *Se lasser de* : *on se lasse des meilleures choses ; il s'est lassé de l'attendre et il est parti.* Construction courante. **2.** *Se lasser à* (+ infinitif) = se fatiguer à. *Vous vous lassez à porter cette caisse sur l'épaule, mettez-la donc dans la brouette.* Construction devenue rare.

latifundium n.m. ◆ **Prononc.** [latifɔ̃djɔm], prononcer -*fund*- comme *fond* et -*um* comme dans *album*. ◆ **Orth.** Plur. : *des latifundiums* ou *des latifundia* (pluriel savant). → R.O. 1990

latin, e adj. ◆ **Orth.** On écrit sans majuscule *le Quartier latin, l'Amérique latine.* - On écrit sans trait d'union *bas latin.*

latins (mots) → appendice, grammaire § 52

lattis n.m. ◆ **Orth.** Avec un *s* final qui ne se prononce pas (comme dans *avis, glacis, lacis, lambris, lavis, radis*, etc.).

laurier n.m. ◆ **Orth.** Pluriel des noms composés : *des lauriers-cerises, des lauriers-roses*, mais *des lauriers-sauce.*

laurier-tin n.m. ◆ **Orth.** Attention à la graphie *tin* (et non *thym*). - Plur. : *des lauriers-tins*. REM. *Tin* vient du nom botanique latin : *viburnum tinus.*

lave- élément de composition ◆ **Orth.** Mots composés avec *lave-* (verbe *laver*). *Lave-* est toujours invariable. V. tableau ci-dessous et R.O. 1990.

Graphies et pluriels des mots composés avec *lave-*

Un lave-dos, des lave-dos

Un lave-glace, des lave-glaces

Un lave-linge, des lave-linge (invariable)

Un lave-mains, des lave-mains (invariable)

Un lave-pont, des lave-ponts

Un lave-tête, des lave-tête (invariable)

Un lave-vaisselle, des lave-vaisselle (invariable)

---

lavis n.m. ◆ **Orth.** Avec un *s* final qui ne se prononce pas (comme dans *avis, glacis, lacis, lattis, lambris, radis*, etc.).

laxité n.f. → lâche

lazzi n.m. ◆ **Orth.** Plur. : *des lazzis* ou *des lazzi*. RECOMM. Préférer le pluriel francisé *des lazzis*. ◆ **Emploi.** L'emploi au singulier *(un lazzi)* est rare.

1. le, la, les article défini
◆ **Orth.**
1. Élision. *Le* et *la* s'élident en *l'* devant un mot commençant par une voyelle ou un *h* muet : on dit *l'habit, l'hélice, l'hiver, l'horloge, l'huile*, mais *le hareng, la hernie, le hibou, la honte, la huppe.* - En revanche, *le* et *la* ne s'élident pas devant *oui, huit* et ses composés, *huitième, onze, onzième, uhlan, ululer* et ses dérivés, *un* (chiffre ou numéro), et la plupart des mots commençant par *y*, à l'exception

de *yeuse* et *ypérite*. - *Les* ne s'élide jamais : on dit *les haches, les harengs, les hélices, les hivers, les horloges*. ❑ En général, l'élision ne se fait pas devant les noms de lettres : *e* i *du verbe* aimer ; *redoublez le* n ; *le* h *muet*. REM. On entend, on lit parfois : *l'i du verbe* aimer, *redoublez l'*n ; *l'*h *muet*. Cette élision est rare, mais elle n'est pas fautive. ❑ L'élision ne se fait pas devant un mot cité : *le* « *homme* » *du début de la phrase est tellement mal écrit que j'avais d'abord lu* « *Rome* » *; le* « *expert* » *qui figure sur sa carte de visite est un peu usurpé*.

2. Contraction de l'article. *À le* se contracte en *au, à les* en *aux : boire au goulot* (= à le goulot)*, s'attendre aux difficultés* (= à les difficultés) ; *de le* se contracte en *du, de les* en *des : le cri du héron* (= de le héron) *; il revient des îles Marquises* (= de les îles)*.* L'article que l'on trouve dans certains noms de ville s'élide également : *aller au Havre, revenir des Andelys*. En revanche, *à la, de la* et l'article élidé ne se contractent jamais : *à la claire fontaine ; le cri de la chouette ; à l'homme illustre que nous admirons tous*. REM. Autrefois, *en les* se contractait en *ès* → **ès**

❑ Contraction de l'article faisant partie d'un titre d'œuvre.

Lorsqu'un titre d'œuvre commence par l'article *le* ou *les* suivi d'un nom (nom seul ou accompagné d'un ou plusieurs autres mots qui en déterminent le sens)*,* l'article se contracte : *le premier acte du Médecin malgré lui ; la trilogie des Chemins de la liberté ; le livret des Noces de Figaro*.

Si le titre contient *et* ou *ou,* la contraction se fait également : *l'une des adaptations au cinéma du Rouge et le Noir ; la fin du Vieil homme et la mer*.

La contraction se fait aussi lorsque le titre contient un verbe : *la bande-son des Oiseaux se cachent pour mourir ; la mise en scène du Roi s'amuse*. ❑ Il est toujours possible d'éviter la contraction en ajoutant un nom (*pièce, roman, opéra, film,* etc.) avant le titre complet : *le livret de l'opéra bouffe* les Noces de Figaro *; la bande-son du film* les Oiseaux se cachent pour mourir.

♦ **Emploi.**

1. Répétition ou omission de l'article devant des noms coordonnés ou juxtaposés.

❑ **L'article est normalement répété devant chaque nom :** *l'industrie minière, l'agriculture et la pêche constituent le secteur primaire; le maire, le député, le préfet assistaient à l'inauguration*.

❑ **L'article n'est jamais répété dans les cas suivants.**

- Lorsque le second nom explique le premier: *la marjolaine ou origan ; l'ictère ou jaunisse*.

- Lorsque les noms désignent le même être ou le même objet: *Claudie, la tante et marraine de Charlotte ; Egmont de Beaufort, le maître et seigneur des lieux ; Martine Balto, la productrice et réalisatrice du film*. Mais il faut que les noms soient du même genre (on ne peut pas dire **Martine Balto, la productrice et metteur en scène du film*).

- Lorsque les noms coordonnés ou juxtaposés désignent des êtres ou des objets conçus comme appartenant à un ensemble unique: *les soldats, marins et aviateurs* (ensemble « armée »)*; les parents et amis* (ensemble « familiers »)*; les père et mère* (ensemble « parents »)*; les nom, prénom et lieu de naissance* (ensemble « état civil »)*.* L'article est toujours au pluriel (on ne peut pas dire **le nom, prénom et lieu de naissance).

- Lorsque les noms forment une locution figée : *les arts et métiers, les ponts et chaussées, les eaux et forêts, les tenants et aboutissants, les allées et venues, les us et coutumes,* etc.

- Lorsque deux adjectifs coordonnés se rapportent à un nom qui désigne une chose ou un être unique : *le brave et honnête garçon*. En revanche, l'article est répété si les adjectifs sont juxtaposés: *le brave, l'honnête garçon*.

❏ **L'article peut être omis dans les cas suivants.**

- Dans les énumérations : « *Femmes, moine, vieillards, tout était descendu* » (La Fontaine).

- Dans des expressions figées : *travailler jour et nuit, remuer ciel et terre,* etc. (mais on peut dire aussi : *travailler le jour et la nuit, remuer le ciel et la terre*).

- Dans les dates: *les 10 et 11 janvier ; les XIXe et XXe siècles* (mais on peut dire aussi: *le 10 et le 11 janvier, le XIXe et le XXe siècle*).

- Lorsque deux adjectifs coordonnés (ou plus) suivent le nom, si ce nom désigne des choses ou des êtres appartenant à la même catégorie : *les pouvoirs spirituel et temporel du pape; les civilisations égyptienne, sumérienne et assyrienne; les langues grecque et latine* (mais on peut dire aussi : *le pouvoir temporel et le pouvoir spirituel du pape; la civilisation égyptienne, la civilisation sumérienne et la civilisation assyrienne; la langue grecque et la langue latine*). **RECOMM.** Éviter : **la langue grecque et la latine*. - En revanche, si les adjectifs coordonnés se rapportent à un nom unique et permettent de distinguer des catégories dans ce que désigne ce nom, l'article est répété: *la grande, la moyenne et la petite industrie; le bon et le mauvais goût.*

2. L'article à la place de l'adjectif possessif. L'article remplace l'adjectif possessif devant les noms qui désignent les parties du corps ou les facultés de l'esprit, en particulier lorsqu'un pronom réfléchi figure dans la phrase : *j'ai mal à la tête, à l'estomac* (et non **j'ai mal à ma tête, à mon estomac*) ; *elle se lave les mains* (et non : **elle lave ses mains*) ; *il perd le jugement, la mémoire ; elle leva les yeux au ciel.*

❏ L'article, et non le possessif, est également employé devant un complément qui décrit une attitude : *elles marchent les yeux baissés ; on le voit toujours la cigarette aux lèvres.*

❏ Lorsque le nom est accompagné d'un adjectif, ou suivi d'un complément qui en précise le sens, on emploie obligatoirement le possessif : *il a mal à sa pauvre tête ; il traîne sa jambe malade ; elle leva au ciel ses yeux d'azur* (et non **elle leva au ciel les yeux d'azur ;* en revanche on peut dire : *elle leva au ciel des yeux d'azur*).

❏ On emploie également le possessif pour marquer le caractère habituel ou périodique d'un mal qui touche une partie du corps plutôt que d'autres semblables : *j'ai mal à ma dent* (= à la dent qui me fait habituellement souffrir) ; *il souffre encore de sa jambe* (= de sa jambe malade) ; mais : *j'ai mal à la tête* (et non **à ma tête,* puisqu'on n'a qu'une seule tête).

❏ Dans l'expression soignée, on doit employer le possessif devant le nom d'un vêtement porté par le sujet ou lui appartenant : *elle a sali son tablier ; ils ont retiré leur veste.* En revanche, on emploie l'article devant le nom d'une partie de vêtement (notamment dans les locutions figées *saisir quelqu'un au collet* et *tirer quelqu'un par la manche*) : *l'autre l'avait empoigné par les revers.* **REM.** Dans le registre familier, on emploie souvent l'article défini, en particulier dans la locution *tomber la veste* (= ôter sa veste) : *pour pêcher dans le torrent, je mets les bottes et le chapeau* (au lieu de *mes bottes et mon chapeau,* ou de *des bottes et un chapeau*).

4. *Le, la, les* devant un patronyme.

❏ *Les* devant le nom d'une famille : *c'est bien lundi soir que nous dînons chez les Leroy ?* (= chez la famille Leroy) ; *les Georget divorcent* (M. et Mme Georget). Registre courant.

❏ Dans le parler rural ou populaire de certaines régions, on emploie habituellement l'article défini devant un nom ou un prénom de personne : « *Il y a de bonnes filles dans notre village. Il y a la Louise, la Sylvaine, la Claudie, la Marguerite* » (G. Sand). **RECOMM.** Cet emploi est à éviter dans l'expression soignée, sauf recherche d'un effet parodique ou de couleur locale : « *La Villeneuve était une espèce de sous-intendante à la maison* » (Chateaubriand).

❑ L'emploi de l'article défini est traditionnel devant le nom de famille ou le surnom de certains artistes italiens : *le Tasse* (Torquato Tasso), *l'Arioste* (Ludovico Ariosto), *le Primatice* (Francesco Primaticcio) ; *le Parmesan* (Francesco Mazzuoli, né à Parme), *le Tintoret* (Jacopo Robusti, dont le père était *tintore*, teinturier). Cet usage s'est étendu à certains prénoms : *le Titien* (Tiziano Vecelli), *le Giorgione* (le beau *Giorgio*), *le Guide* (Guido Reni), *le Dominiquin* (Domenico Zampieri) et même *le Dante* (Dante Alighieri). REM. L'emploi de l'article devant un prénom est parfois considéré comme abusif. En dehors des dénominations qui précèdent, passées dans l'usage, il est préférable de l'éviter.

❑ L'emploi de l'article défini est traditionnel également devant les noms de certaines grandes chanteuses lyriques et de certaines grandes danseuses étrangères. « *Tu regardais aussi la Malibran mourir* » (A. de Musset). *La Camargo. La Pavlova. La Callas.* REM. Cet emploi était courant au XVIIᵉ et au XVIIIᵉ s. devant les noms d'actrices, notamment de tragédiennes : *la Champmeslé ; « la supériorité des talents de la Dangeville et de la Clairon* [...] » (Diderot).

5. *Le, la* **devant un nom de bateau.** → appendice, grammaire § 34

♦ **Accord.** *Le, la, les* **devant un superlatif.** L'article s'accorde avec le nom ou le pronom qualifié par le superlatif lorsqu'il y a comparaison avec plusieurs êtres ou choses ; l'article demeure invariable quand on compare les différents degrés d'une qualité : « *Nous sommes dans une époque prodigieuse où les ventes les plus accréditées* (= accréditées plus que toutes les autres) *et qui semblaient le plus incontestables* (= incontestables au plus

haut point) *se sont vues attaquées, contredites, surprises et dissociées par les faits* » (P. Valéry). ❑ L'article garde la forme neutre *le* quand le superlatif modifie un verbe ou un adverbe : *parmi toutes les voix du chœur, c'est la sienne que j'ai le mieux entendue.*

2. **le, la, les** pron. personnel

♦ **Orth.**

1. Élision. *Le* et *la* s'élident en *l'* devant un mot commençant par une voyelle ou un *h* muet : *je l'aurais parié ; votre clé, vous l'aviez posée là ; ce scrupule l'honore.*

2. Trait d'union. Quand le pronom *le, la* ou *les* suit immédiatement le verbe dont il est complément (c'est le cas à l'impératif à la forme affirmative), il est lié à celui-ci par un trait d'union : *appelle-le ; donne-la.* Quand le verbe à l'impératif est suivi de deux pronoms, l'un représentant un complément direct, l'autre un complément indirect, le verbe et les deux pronoms sont liés par des traits d'union : *donne-la-moi, rappelle-le-lui.*

♦ **Emploi.**

1. *Le, la, les,* pronom personnel, accompagne toujours un verbe, à la différence de *le, la, les,* article, qui accompagne toujours un nom : *cette bague, je vous la donne* (*la,* pronom) ; *la bague que je vous donne* (*la,* article).

2. Dans beaucoup de locutions verbales figées, le pronom neutre *le* représente de manière vague l'ensemble de la situation (« les choses, les faits, ce qui se passe, ce qui est dit ») : *je vous le donne en mille, l'emporter sur qqn, il l'a pris de haut, tenez-vous le pour dit, il ne le cède à personne sur ce point, il me le paiera,* etc. - Dans d'autres locutions, en revanche, le pronom représente implicitement un nom, et prend la forme *le, la* ou *les* en fonction du genre et du nombre de ce nom : *vous me la baillez belle* (la balle), *il se la coule douce* (la vie), *tu les mets ?* (les voiles, les bouts, dans le registre familier).

◆ **Constr.**

1. Pronom et locution verbale. Dans l'usage courant, on ne reprend pas par un pronom un nom sans article faisant partie d'une locution verbale *(demander grâce, avoir peur, prendre conseil, chanter pouilles,* etc.) : on ne dit pas *s'il demande grâce, il l'obtiendra, *tout à l'heure j'avais faim, maintenant je ne l'ai plus, *j'ai pris conseil auprès de personnes compétentes et elles me l'ont donné, *son chef lui a chanté pouilles et il a bien fallu qu'il les entende. La langue littéraire est moins réticente : « *On doit pardonner aux chrétiens qui font pénitence. Je la fais* » (Voltaire, cité par Le Bidois). « *Si ce sommeil dura longtemps, je ne sais, car je n'en avais plus conscience et je ne la repris que sous l'effet d'un trouble intérieur* » (H. Bosco, cité par Hanse). **RECOMM.** Éviter à l'oral comme à l'écrit ce tour discuté. Dire par exemple : *tout à l'heure j'avais faim, maintenant cela m'a passé ; s'il demande sa grâce, il l'obtiendra ; j'ai pris conseil auprès de personnes compétentes qui m'ont aidé ; son chef lui a chanté pouilles et il a bien fallu qu'il l'écoute.*

2. *Le, la, les* ou *lui, leur* **sujets d'un infinitif.** Avec les verbes *apercevoir, écouter, entendre, laisser, ouïr, regarder, sentir, voir* suivis d'un infinitif complément, on peut employer indifféremment *le, la, les* ou *lui, leur : je les ai souvent entendu citer ce proverbe* ou *je leur ai souvent entendu citer ce proverbe ; nous l'avons laissé faire tout ce qu'elle a voulu* ou *nous lui avons laissé faire tout ce qu'elle a voulu ; on les a parfois vu prendre des décisions courageuses* ou *on leur a parfois vu prendre des décisions courageuses.*

3. Omission de *le,* **pronom neutre complément.** *Le,* pronom neutre, est souvent omis dans les cas suivants.

❑ Dans les propositions comparatives introduites par *que : il est plus malin que je ne pensais* (ou *que je ne le pensais*).

❑ Dans les propositions comparatives où un verbe tel que *croire, dire, faire, pen-ser, pouvoir, savoir, vouloir* reprend un autre verbe : *il a réparé le moteur mieux que n'aurait fait un mécanicien* (ou *mieux que ne l'aurait fait un mécanicien*) ; *j'en ai fait plus que vous ne vouliez* (ou *que vous ne le vouliez*).

❑ Dans les propositions incises au présent de l'indicatif, à la 1re personne du singulier, telles que *je t'assure, je crois, j'espère, j'imagine, je pense, je suppose : vous êtes arrivé hier, je crois ; ils aimeraient avoir une augmentation, je suppose ; elle n'a rien à voir dans cette affaire, je t'assure.*

❑ Avec les verbes *pouvoir, vouloir, dire : viens dès que tu peux ; nous nous rencontrerons où vous voudrez, quand vous voudrez ; il était comme K.-O., si j'ose dire ; je vous rembourserai tous vos frais, cela va sans dire.*

❑ À la forme négative, dans les emplois semi-figés : *je ne crois pas, je ne dis pas, je ne pense pas, je ne veux pas, je ne vois pas.*

4. *Le, la, les* **complément de verbes coordonnés.** Lorsque *le, la, les* est complément d'un verbe coordonné à d'autres, il est répété devant chacun des verbes complétés : *je les cherche mais je ne les trouve pas ; vous l'apprendrez ou vous l'oublierez, mais vous devez lire ce chapitre au moins une fois.* Aux temps composés, quand ni l'auxiliaire ni le sujet ne sont répétés, le pronom complément n'est pas répété : *je l'ai cherché et trouvé* pour *je l'ai cherché et je l'ai trouvé* ou *je l'ai cherché et l'ai trouvé* (registre soutenu).

◆ **Accord.**

1. Accord du pronom attribut.

❑ Pour représenter un nom sans article ou précédé d'un article indéfini, un adjectif qualificatif, un verbe ou un participe, on emploie le pronom neutre *le :* « *Êtes-vous française ? - Je le suis* » ; « *Vous devriez être contents. - Nous le sommes* » ; « *Mais vous êtes mariés ? - Nous ne le sommes plus depuis hier.* » **REM.** Cette règle formulée par Vaugelas et confirmée par Voltaire n'était pas encore fixée par l'usage à l'époque classique : « *Je veux que sur toutes choses vous soyez* *contente et quand vous la serez, je la serai »* (Sévigné).

❑ À l'écrit et dans le registre très soutenu, quand *le, la, les* représente un nom précédé de l'article défini, d'un démonstratif ou d'un possessif, il s'accorde avec ce nom : *« Je ne la suis plus, cette Rosine que vous avez tant poursuivie »* (Beaumarchais). *Je me regarde comme la mère de cet enfant ; je la suis de cœur* (Académie). REM. Quoique grammaticalement correctes, ces phrases paraîtraient aujourd'hui peu naturelles, non seulement dans la langue parlée, mais aussi dans la langue écrite courante. Spontanément, on dirait plutôt : *je ne suis plus la même* ou *je ne suis plus cette Rosine que vous avez tant poursuivie ; je me regarde comme la mère de cet enfant, et, de cœur, c'est bien ce que je suis.* Dans une réponse, on dirait *oui, c'est moi* (ou *non, ce n'est pas moi, ce n'est plus moi*) : *«Vous êtes pourtant la Rosine que j'ai tant poursuivie. - Non, ce n'est plus moi »* ; *« Êtes-vous la mère de cet enfant ? - Oui, c'est moi. »*
2. Accord du participe passé avec le pronom neutre *le*. Le participe passé reste au masculin singulier lorsque son complément d'objet direct est le pronom neutre *le* : *la difficulté était moins ardue que nous ne l'avions imaginé* (*l'* ne reprend pas ici *difficulté,* mais l'ensemble de l'idée exprimée, « la difficulté était moins ardue ». En revanche, dans la phrase *la difficulté, nous l'avions grossie en imagination,* le pronom *l'* reprend *difficulté* et le participe passé s'accorde au féminin).

leasing n.m. ◆ **Orth.** Plur. : *des leasings.*
◆ **Anglicisme.** L'équivalent français *crédit-bail* (plur. : *des crédits-bails*) est de plus en plus utilisé.

lebel n.m. ◆ **Orth.** On écrit *un lebel,* avec une minuscule, mais *un fusil Lebel,* avec une majuscule à *Lebel* - Plur. : *des lebels.* REM. *Lebel* est le nom du président

de la commission qui fit adopter ce fusil en 1886.

lèche- élément de composition
◆ **Orth. Mots composés avec *lèche-*** (verbe *lécher*) : les mots composés avec *lèche-* s'écrivent avec un trait d'union, sauf *lèchefrite. Lèche-* est toujours invariable : *un lèche-cul, des lèche-cul* (n.m. inv., vulgaire) ; *un lèche-bottes, des lèche-bottes* (n.m. inv., familier.) ; *du lèche-vitrines* (n.m. inv., familier) ou *du lèche-vitrine, des lèche-vitrines* (pluriel inusité, compte tenu du figement de l'expression *faire du lèche-vitrines*). → R.O. 1990.

lécher v.t. ◆ **Conjug.** Attention à l'accent, tantôt grave, tantôt aigu : *je lèche, nous léchons ; il lécha.* → annexe, tableau 11 et R.O. 1990

lecteur, trice n. / **liseur, euse** n. ◆ **Sens.** Ne pas confondre ces deux mots de sens proche. 1. *Lecteur, trice,* n. = personne qui lit. *Les lectrices d'un journal. Le premier lecteur du manuscrit a laissé des annotations en marge.* 2. *Liseur, euse* n. et adj. = personne qui aime lire, qui lit beaucoup. *Un grand liseur.*

ledit, ladite, lesdits, lesdites adj. ◆ **Orth.** En un seul mot.

léger, ère adj. ◆ **Emploi.** *Blessé léger* → blessé

légiférer v.i. ◆ **Conjug.** Attention à l'accent, tantôt grave, tantôt aigu : *je légifère, nous légiférons ; il légiféra.* → annexe, tableau 11 et R.O. 1990

légion, Légion n.f. ◆ **Orth.** Avec ou sans majuscule selon le sens. *Une légion romaine,* sans majuscule (nom commun). Mais : *la Légion arabe, la Légion étrangère* (corps de troupes), *la Légion américaine* (association d'anciens combattants), *la Légion d'honneur* (ordre de chevalerie), avec une majuscule (noms propres). - Dans *la légion Condor, la légion du Mérite,* la majuscule est au mot caractérisant, respectivement, ce corps de troupe et cet ordre. ◆ **Emploi.** Dans l'ordre de la Légion d'honneur, on est *nommé* chevalier (*nomination*), *promu* officier (*promotion*), *élevé à la dignité* de grand officier ou de grand-croix (*élévation*).

législation n.f. / **législature** n.f. ◆ **Sens.** Ne pas confondre ces deux mots de forme proche. **1.** *Législation* = ensemble de lois. *La législation française ; la législation du travail.* **2.** *Législature* = durée du mandat d'une assemblée législative. *Pendant la dernière législature.*

Lego n.m. ◆ **Orth.** Avec un *L* majuscule (nom déposé) et sans accent, malgré la prononciation [lego], comme dans *léger.*

legs n.m. inv. **Prononc.** [lɛg], en faisant entendre en finale le son *g*, ou [lɛ], comme *lait ;* cette dernière prononciation est moins courante. ◆ **Orth.** Avec un *s* final, même au singulier : *un legs.* - Plur. : *des legs.* REM. Le mot est issu de l'ancien français *lais*, de *laisser*, altéré en *legs* sous l'influence du latin *legatum,* don par testament. ◆

léguer v.t. ◆ **Conjug.** Attention à l'accent, tantôt grave, tantôt aigu : *je lègue, nous léguons ; il légua.* → annexe, tableau 11 et R.O. 1990

légume n. m. ou n. f. ◆ **Sens et genre.** Masculin au sens de « plante potagère » : *des légumes verts, des légumes secs.* Féminin dans l'expression familière *une grosse légume* (= un personnage important, influent) : *une grosse légume de la politique, de la finance.* REM. Au sens de « plante potagère », le mot était souvent féminin dans la langue classique. Il l'était également jusqu'au début du XXᵉ s. dans la langue populaire au sens collectif (= des légumes) : « *Avec un jardin à côté pour faire des fleurs et de la légume* » (A. Daudet).

leitmotiv n.m. ◆ **Prononc.** À l'allemande, [lajtmotif], en prononçant la première syllabe comme *ail*, ou à la française [lɛtmotif], avec un *è* ouvert comme dans *lettre.* Dans les deux cas, le *v* final se prononce [f], comme dans *motif.* ◆ **Orth.** Plur. : *des leitmotivs.* REM. On rencontre parfois le pluriel savant *leitmotive* (pluriel allemand, mais sans la majuscule initiale que prennent dans cette langue tous les substantifs).

lequel, laquelle, lesquels, lesquelles pronom relatif et interrogatif ◆ **Orth.** *À lequel* se contracte en *auquel, à lesquels* en *auxquels, à lesquelles* en *auxquelles.* - *De lequel* se contracte en *duquel, de lesquels* en *desquels, de lesquelles* en *desquelles.* - *À laquelle* et *de laquelle* ne se contractent pas.

◆ **Emploi.**
1. Ces pronoms peuvent avoir pour antécédent un nom d'être animé ou un nom de chose : *la jeune fille à laquelle j'ai parlé, les évènements auxquels je faisais allusion tout à l'heure, les personnages influents avec l'appui desquels elle est arrivée à ses fins, la cause pour laquelle vous avez consenti de si grands sacrifices.*
2. Ils s'emploient obligatoirement dans les cas suivants.
❏ À la place de *qui* quand l'antécédent est un nom de chose : « *J'aime la rue Mouffetard : elle ressemble à une fourmilière dans laquelle on a mis le pied* » (G. Duhamel). « *Il y a des paroles sur lesquelles on ne peut revenir, si légèrement qu'on les ait prononcées* » (J. Perret). « [...] *un bissac dans la poche duquel ballottaient quelques instruments* » (Balzac). - Toutefois, lorsque l'antécédent est le nom d'une chose personnifiée, l'emploi de *qui* reste possible : *l'Université, à qui Michel Durand s'est voué corps et âme, l'honore aujourd'hui de sa plus haute distinction.*

❏ À la place de *qui* après *parmi* et *dans :* il a revu à ce dîner plusieurs anciens du régiment, parmi lesquels Boyer ; « Ceux-ci étaient morts, dans lesquels le prince Louis avait le plus de confiance » (Stendhal).

❏ À la place de *dont* pour compléter un nom précédé d'une préposition : « *Voilà un chanteur dans la voix héroïque duquel rayonnent la joie et le soleil* » (Michelet) ; « *La pièce était une grande cuisine avec une haute cheminée au manteau de laquelle pendait une lampe à bec* » (A. Theuriet).

3. *Lequel* est également employé, dans le registre soutenu, à la place de *qui,* pour éviter une équivoque sur l'antécédent, pour insister sur celui-ci, ou pour éviter la répétition du pronom : *c'est la révolution suscitée par le travail de ce savant, lequel a commencé avec ce siècle ; « La lettre était déposée dans un coffret clos, lequel se dissimulait dans la mousse » (A. Gide) ; celui qui a vu le nouveau musée, lequel surpasse de beaucoup l'ancien.*

1. les article défini → 1. le

2. les pron. personnel → 2. le

lès prép. → lez

lèse- adj. ◆ **Orth.** Toujours joint par un trait d'union au mot qui suit : *crime de lèse-majesté.* ◆ **Emploi.** *Lèse-* (du latin *laesa,* blessée) ne s'emploie en principe que devant un nom féminin : *péché de lèse-espérance ; voilà une sottise qui est vraiment un crime de lèse-intelligence.* Toutefois, il est parfois employé devant un nom masculin, le plus souvent avec une intention plaisante : « *La revente lui semblait un crime de lèse-bric-à-brac* » (Balzac).

léser v.t. ◆ **Conjug.** Attention à l'accent, tantôt grave, tantôt aigu : *je lèse, nous lésons ; il lésa.* → annexe, tableau 11 et R.O. 1990

lésionnaire adj. ◆ **Orth.** Issu de *lésion* (au sens juridique de « préjudice »), prend deux *n* (comme *légion,* issu de *légionnaire*). → aussi **lésionnel**

lésionnel, elle adj. ◆ **Orth.** Avec deux *n* (on a *lésion / lésionnel* comme on a *émotion / émotionnel, fonction / fonctionnel,* etc.). → aussi **lésionnaire**

létal, e, aux adj. ◆ **Orth.** Sans *h* (issu du latin *letalis,* qui cause la mort). N'a pas de rapport avec *léthargie* (avec un *h*), qui vient du grec *lêthê,* oubli et *argos,* qui ne fait rien.

letton, one ou **onne** adj. et n. ◆ **Orth.** Au sens de « originaire de Lettonie », le mot a deux formes féminines : *lettone* ou *lettonne.* REM. On trouve aussi dans ce sens *lettonien, enne.* RECOMM. Préférer la forme *lettone,* avec un seul *n,* comme dans *Lettonie.* ◆ **Emploi.** Comme nom masculin, au sens de « langue balte parlée en Lettonie », on dit aussi *le lette.*

lettre n.f. ◆ **Orth. 1.** Toujours au pluriel au sens de « littérature, activité littéraire » : *professeur de lettres ; homme, femme de lettres, des gens de lettres ; les belles-lettres,* avec un trait d'union. **2.** On écrit *en toutes lettres* (= en écrivant toutes les lettres), au pluriel. *Du papier à lettres* (= pour écrire des lettres). **3.** Avec un complément tantôt au pluriel, tantôt au singulier. ❏ *Une lettre de condoléances, de félicitations, de remerciements* (= pour exprimer ses condoléances, ses félicitations, ses remerciements). REM. *Une lettre de remerciement,* au singulier, peut aussi être compris comme « une lettre pour "remercier" qqn, pour le congédier ». ❏ *Des lettres de recommandation. Des lettres de cachet. Des lettres de créance.* **4.** On écrit *une lettre de faire part,* sans trait d'union, mais *un faire-part,* avec un trait d'union. ◆ **Emploi.** On dit *lire, écrire dans une lettre* (et non *sur une lettre*).

1. leur pron. personnel. ◆ **Orth.** *Leur,* pronom personnel, est invariable, à la différence de *leur, leurs,* adjectif possessif → **2. leur.** ◆ **Emploi.** *Leur* sujet d'un infinitif *(je leur ai souvent entendu citer ce proverbe)* → **2. le**

2. leur, leurs adj. possessif. ◆ **Emploi. 1.** *Leur, leurs,* adjectif possessif, varie en nombre et accompagne un nom. Il marque l'existence de plusieurs possesseurs, par opposition à *son, sa, ses* qui indique que le possesseur est unique. **2.** *Chacun de son côté / chacun de leur côté* → chacun. ◆ **Orth. 1.** *Leur* toujours au singulier. *Leur* et le nom auquel il se rapporte sont au singulier quand une seule chose ou un seul être est commun à plusieurs possesseurs : *ils avaient du mal à cacher leur joie ; elles ont vu leur frère ; ils ont vendu leur maison.* **2.** *Leur* toujours au pluriel. *Leur* et le nom auquel il se rapporte sont au pluriel quand chacun des possesseurs détient ou possède plusieurs choses ou plusieurs êtres : *elles ont coupé leurs cheveux ; en été, les arbres ont toutes leurs feuilles ; les éleveurs ont vendu leurs bêtes un bon prix.* **3.** *Leur* au singulier ou au pluriel. Quand chacun des possesseurs détient ou possède une seule chose ou un seul être, *leur* et le nom auquel il se rapporte sont au singulier si l'on considère séparément chacune des choses ou chacun des êtres détenus ou possédés : *les hommes ont leur destin ; tous ces malades soignent leur gorge ; ils sont arrivés grâce à leur intelligence.* - Si l'on considère la pluralité des choses ou des êtres détenus ou possédés, *leur* et le nom auquel il se rapporte sont au pluriel : *« Cependant les marchands ont rouvert leurs boutiques »* (V. Hugo).

lève- élément de composition ◆ **Orth.** Mots composés avec *lève-* (verbe *lever*). *Lève-* reste toujours invariable : *un lève-vitre, des lève-vitres ; un lève-glace, des lève-glaces.*

levé, lever n.m. / **levée** n.f. / **lever** n.m. ◆ **Sens et orth.** Ne pas confondre ces trois homonymes. **1.** *Levé* ou *lever* n.m. = établissement d'un plan, d'une carte. *Un levé* ou *un lever topographique,* les deux graphies sont admises. **2.** *Levée* n.f. = action d'enlever, de faire cesser ou de collecter. *La levée des scellés ; la levée d'audience ; la levée du courrier.* **3.** *Lever* n.m. = action de se lever ou de lever ; instant où un astre apparaît au-dessus de l'horizon. *Le lever du rideau ; le lever du soleil.*

lever v.t. et v.i. ◆ **Conjug.** Attention à l'alternance *e/è* : *lever ; je lève, il lève,* mais *nous levons ; il lèvera ; qu'il lève* mais *que nous levions ; levé.* → annexe, tableau 12. ◆ **Emploi.** *Lever un lièvre.* On dit, au sens propre comme au sens figuré, *lever un lièvre* (et non *soulever un lièvre) : le chien a levé un lièvre* (= l'a fait sortir de son gîte) *; les policiers, au cours de cette enquête banale, ont levé un lièvre* (= ont mis au jour une grosse affaire).

levraut n.m. ◆ **Orth.** *Levraut* (= petit du lièvre) se termine par *-aut,* à la différence de *baleineau,* petit de la baleine, *chevreau,* petit de la chèvre, etc. → R.O. 1990

lévrier n.m. ◆ **Emploi.** La femelle du lévrier est la *levrette.*

lez, lès prép. ◆ **Prononc.** [lɛ], comme *lait.* ◆ **Sens.** *Lez,* écrit aussi *lès,* avec un accent grave, est une préposition (du latin *latus,* côté) qui signifie « à côté de, près de » et qui n'est plus employée que dans quelques noms de villes : *Péronnes-lez-Binche* (c'est-à-dire Péronnes près de Binche), *Villeneuve-lès-Avignon* (Villeneuve près d'Avignon), *Plessis-lez-Tours* (Plessis près de Tours). REM. Ne pas confondre *lez,* préposition, dans *Plessis-lez-Tours* avec *les,* article, dans *Gaillon-les-Tours* (Gaillon où il y a des tours). *Les* est également article dans *Aix-les-Bains, L'Haÿ-les-Roses, Montceau-les-Mines,* etc.

libelle n.m. ◆ **Genre.** Masculin : *un libelle.* ◆ **Registre.** Littéraire ou soutenu. ◆ **Sens.** Ne pas confondre *libelle,* petit écrit satirique, avec *libellé,* rédaction, formulation : *le libellé d'un jugement.*

libellé n.m. ◆ **Sens.** Ne pas confondre avec *libelle* → libelle

libération n.f. / **libéralisation** n.f. ◆ **Sens.** Ne pas confondre ces deux mots proches par la forme et par le sens. **1.** *Libération* = action de rendre la liberté à qqn. *La libération d'un détenu en fin de peine.* **2.** *Libéralisation* = action de rendre plus libéral, notamment en diminuant les interventions de l'État. *La libéralisation de l'économie dans les pays de l'ancien bloc communiste.*

libérer v.t. et v.pr. ◆ **Conjug.** Attention à l'accent, tantôt grave, tantôt aigu : *je libère, nous libérons ; il libéra.* → annexe, tableau 11 et R.O. 1990

libero n.m. ◆ **Orth.** Ce terme de football emprunté à l'italien s'écrit sans accent sur le *e.* - Plur. : *des liberos.*

libre- élément de composition ◆ **Orth.** Mots composés avec *libre-* (adjectif *libre*). *Libre,* premier élément d'un mot composé, s'accorde ou non en nombre, en fonction de l'usage et non d'une règle : v. tableau ci-contre.

libre-service n.m. ◆ **Orth.** → ci-dessus *libre-.* ◆ **Emploi.** RECOMM. Préférer *un restaurant en libre-service, un libre-service* à l'anglicisme *un self-service, un self.*

libyen, enne adj. et n. ◆ **Orth.** Attention à la place du *y* (après le *i,* et non l'inverse, faute très fréquente). REM. Le nom de la Libye est issu du latin *Libya,* du grec *Libuê.*

lice n.f. → lisse

Graphies et pluriels des mots composés avec *libre-*

Le libre-échange (usité seulement au singulier)

Le libre-échangisme, les libre-échangismes (sans *s* à *libre*)

Un libre-échangiste, des libre-échangistes (sans *s* à *libre*)

Un libre-service, des libres-services

La libre-pensée, les libres-pensées (mais on écrit aussi, sans trait d'union : *la libre pensée, les libres pensées*)

Un libre-penseur, des libres-penseurs (mais on écrit aussi, sans trait d'union : *un libre penseur, des libres penseurs*)

---

licence n.f. ◆ **Emploi.** *Licence ès lettres, ès sciences* → ès

licenciement n.m. ◆ **Orth.** Avec un *e* muet intérieur. *Licenciement* correspond à *licencier,* verbe du 1er groupe (on a *licencier / licenciement* comme on a *rapatrier / rapatriement*).

lichen n.m. ◆ **Prononc.** [likεn], avec -*ch*- se prononçant comme *k,* et la finale -*en* comme pour rimer avec *spécimen.*

lie-de-vin adj. ◆ **Accord.** Invariable : *des cravates lie-de-vin.* → annexe, grammaire § 98

lied n.m. ◆ **Orth.** Plur. : *des lieder* (pluriel à l'allemande) ou *des lieds* (pluriel francisé). REM. 1. Le pluriel allemand, *des lieder,* est plus fréquent. 2. Il s'écrit en français sans la majuscule initiale que prennent en allemand tous les substantifs.

1. lieu n.m. ◆ **Orth.** On écrit : *Un haut lieu, en haut lieu.* - *En tous lieux.* - *N'avoir ni feu ni lieu.* ❑ *Les Lieux saints* (avec une majuscule) = les sanctuaires et les endroits de Palestine liés au souvenir du

Christ. - *Un lieu saint* (sans majuscule) = un lieu de culte. *Les lieux saints du bouddhisme, de l'islam.* « *Vrai Dieu, messieurs, votre fugue est fort belle, / Et telle / Qu'à l'entendre on se croit aux saints lieux* » (H. Berlioz). ❑ Plur. : *lieux,* avec un *x* → **2. lieu**. ◆ **Emploi.** *Au lieu et place de qqn / en lieu et place de qqn* : dans le registre courant, les deux tournures sont exactement équivalentes. Dans le vocabulaire juridique, *agir en lieu et place d'une personne* signifie précisément « remplacer une personne dans l'exercice de ses droits, de ses fonctions ». ◆ **Constr. 1.** *Au lieu de* (+ nom) = à la place de, en remplacement de ; plutôt que du ou que des. *Nous attendons des actes au lieu de paroles.* ❑ *Au lieu de* (+ infinitif) = plutôt que de. *Vous feriez mieux d'agir, au lieu de parler. Le vendredi, j'ai l'habitude de courir 5 kilomètres au lieu de déjeuner.* **2.** *Au lieu que* (+ indicatif) = tandis que, alors que. « *Une paix injuste peut, momentanément du moins, produire des fruits utiles au lieu qu'une paix honteuse restera toujours par définition une paix stérile* » (G. Bernanos). Construction légèrement vieillie, qui n'est plus usitée que dans le registre soutenu. ❑ *Au lieu que* (+ subjonctif) = marque l'opposition entre l'action exprimée par le subjonctif et l'action que l'on attendait, et l'action qui s'est réellement produite. *Au lieu que cette explication l'ait rassuré, elle l'a encore plus inquiété.* Construction courante.

2. lieu n.m. ◆ **Orth.** *Lieu,* au sens de « poisson » fait au pluriel *lieus,* avec un *s* : *des lieus bien frais.*

lieu-dit, lieudit n.m. ◆ **Orth. 1.** Les deux graphies, *lieu-dit* ou *lieudit,* sont admises pour désigner un écart d'une commune, un endroit qui porte le nom d'une particularité topographique ou historique : *ce n'est pas même un village, c'est un lieu-dit.* - Plur. *Des lieux-dits.* → R.O. 1990. **2.** On écrit sans trait d'union : *la ferme est située au lieu dit « la*

Grenouillère » (= à l'endroit appelé, complément de lieu).

lieutenant n.m. ◆ **Orth.** On écrit : *lieutenant de vaisseau,* sans trait d'union (plur. *des lieutenants de vaisseau*) ainsi que *lieutenant général du royaume, lieutenant civil, lieutenant criminel* (noms de charges ou de fonctions sous l'Ancien Régime) ; *lieutenant-colonel,* avec un trait d'union (plur. : *des lieutenants-colonels*).

lièvre n.m. ◆ **Emploi. 1.** La femelle du lièvre est la *hase.* **2.** *Lever un lièvre* → **lever**

lige adj. ◆ **Orth.** *Homme lige* (= homme absolument dévoué à qqn), sans trait d'union. ◆ **Registre.** Littéraire.

lignerolle n.f. ◆ **Orth.** *Lignerolle* (= petite ligne, terme de marine), s'écrit avec deux *l,* à la différence de *artériole, bronchiole.* → R.O. 1990

lignite n.m. ◆ **Genre.** Masculin : *du lignite.* Ne pas se laisser influencer par les mots féminins en *-ite* désignant des minéraux, comme *bauxite* ou *latérite.*

ligoter v.t. ◆ **Orth.** Avec un seul *t.*

limace n.f. / **limaçon** n.m. ◆ **Sens.** Ne pas confondre. **1.** *Limace* = mollusque ressemblant à l'escargot, mais dépourvu de coquille. Mot courant. **2.** *Limaçon* = escargot. Mot sorti de l'usage. REM. On disait aussi *colimaçon,* qui n'est plus employé que dans la locution *escalier en colimaçon,* en hélice.

limbe n.m. / **nimbe** n.m. ◆ **Sens.** Ne pas confondre ces deux mots proches par la forme et par le sens. **1.** *Limbe* n.m. = couronne circulaire (notamment, couronne portant la graduation d'un instrument de mesure et bord lumineux du disque d'un astre ; du latin *limbus,* bord, marge). **2.** *Nimbe* n.m. = halo lumineux, auréole (du latin *nimbus,* nuage de pluie).

liminaire adj. / **préliminaire** adj.
◆ **Sens.** Ne pas confondre ces deux mots proches par le sens, la forme et l'étymologie (ils sont issus l'un et l'autre du latin *limen, liminis,* seuil, entrée). **1.** *Liminaire* = qui est au début d'un livre, d'un poème, d'un débat. *Avertissement liminaire.* **2.** *Préliminaire* = qui précède et prépare qqch. *Les rencontres préliminaires à ce sommet diplomatique se sont tenues secrètement à Helsinki.*

limite n.f. ◆ **Orth.** On écrit sans trait d'union : *date limite, cas limite* (plur. : *des dates limites, des cas limites*). - On écrit au pluriel *sans limites* : *un pouvoir sans limites, une autorité sans limites.* - *Hors limite* prend ou non la marque du pluriel, en fonction de la situation ou du contexte : *la déclaration étant parvenue hors limite, il n'est plus possible de donner suite à cette demande* (= après la limite, la date fixée) ; *la règle s'applique dans toute sa rigueur à l'intérieur de la circonscription mais, hors limites, elle est beaucoup plus souple* (= hors des limites, des frontières administratives). ◆ **Emploi.** On dit *atteindre la limite d'âge* (et non *être atteint par la limite d'âge*).

limitrophe adj. ◆ **Constr.** Avec ou sans complément : *la Belgique est limitrophe de la France ; des départements limitrophes* (= voisins).

limoger v.t. ◆ **Conjug.** Le *g* devient *-ge-* devant *a* et *o* : *je limoge, nous limogeons ; il limogea.* → annexe, tableau 10

limonade n.f. ◆ **Orth.** Avec un seul *n,* à la différence de *citronnade.*

lingual, e, aux adj. ◆ **Prononc.** [lɛ̃gwal], le groupe *-gua-* se prononce comme dans *gouaille.*

lippe n.f. ◆ **Orth.** Avec deux *p,* de même que le dérivé *lippu.*

liquation n.f. ◆ **Prononc.** [likwasjɔ̃], comme dans *équation,* à la différence de tous les autres dérivés de *liquide* dont le *-qu-* se prononce [k].

liqueur n.f. ◆ **Orth.** *Liqueur de framboise.* → confiture

liquide n.m. ◆ **Prononc.** Dans *liquide* et ses dérivés, le *-qu-* se prononce [k] et non [kw], à l'exception de *liquation* qui se prononce [likwasjɔ̃]. ◆ **Sens.** *Liquide / fluide* adj. et n.m. **1.** *Liquide* = qui coule. *L'eau est un liquide.* **2.** *Fluide* a un sens plus étendu que *liquide,* les *fluides* comprenant les *liquides* et les *gaz : l'air et l'eau sont des fluides.*

lire v.t. ◆ **Conjug.** → annexe, tableau 86. ◆ **Accord.** *Lu,* employé seul ou immédiatement avant le nom, reste invariable : *lu les documents, les pièces ci-jointes.* - De même dans la locution *lu et approuvé.* ◆ **Constr.** *Lire dans / lire sur :* on dit *lire dans un journal, dans un livre, dans une lettre, dans un catalogue, dans un recueil,* mais *lire sur une affiche, sur un écriteau, sur un mur,* etc. → **dans** (*dans / sur*). ◆ **Emploi.** Dans une formule finale de lettre, écrire *en espérant avoir bientôt le plaisir de vous lire* plutôt que *à vous lire* (formule critiquée). REM. *À vous lire,* au sens de « à vous en croire, si l'on est d'accord avec ce que vous écrivez » est correct : *à vous lire, on pourrait croire que le pays est à feu et à sang, mais il est en réalité très calme.*

lis, lys n.m. ◆ **Prononc.** [lis] comme *lisse.* REM. On prononçait autrefois [li], sans faire entendre le *s* final. ◆ **Orth.** Les deux graphies, *lis* et *lys,* sont admises. *Lis,* avec un *i,* est aujourd'hui plus courant.

liseré, liséré n.m. ◆ **Orth. et prononc.** Les deux graphies, *liseré* et *liséré,* sont admises. La graphie *liseré* correspond à la prononciation la plus usuelle [lizəʀe], avec un *e* intérieur (qui souvent n'est pas articulé : [lizʀe]) ; *liséré,* avec deux accents aigus, est la forme recommandée par l'Académie dans la 8ᵉ édition de son *Dictionnaire.*

liserer, lisérer v.t. ◆ **Orth.** Les deux formes, *liserer,* sans accent et *lisérer,* avec un accent aigu, sont admises. ◆ **Conjug.** *Liserer :* Attention à l'alternance *e/è* : *liserer ; je lisère, elle lisère,* mais *nous liserons ; elle lisèrera ; qu'elle lisère* mais *que nous liserions ; liseré.* → annexe, tableau 12. ❑ *Lisérer :* Attention à l'accent, tantôt grave, tantôt aigu : *je lisère, nous lisérons ; il liséra.* → annexe, tableau 11 et R.O. 1990

lisse, lice n.f. ◆ **Orth. 1.** Pour désigner la pièce du métier à tisser, les deux graphies, *lisse* ou *lice* (du latin *licium,* fil) sont admises. *Lisse* est plus courant. → aussi R.O. 1990. REM. Ne pas confondre la forme *lice* avec ses homographes *lice,* champ clos, et *lice,* femelle d'un chien de chasse. **2.** On écrit *métier de basse lisse, métier de haute lisse,* sans trait d'union, mais *un basse-lissier, une basse-lissière* et *un haute-lissier, une haute-lissière* (= un tapissier, une tapissière travaillant sur un métier de haute lisse ou de basse lisse), avec un trait d'union. - Plur. : *des basse-lissiers, des basse-lissières ; des haute-lissiers, des haute-lissières.*

listage n.m. → listing

liste n.f. ◆ **Emploi.** On écrit *il figure, il est inscrit* **sur** *une liste* (et non *dans une liste). → aussi listing

listing n.m. ◆ **Anglicisme.** Sortie sur une imprimante du résultat d'un traitement par ordinateur, en informatique. RECOMM. OFF. : *listage,* pour cette opération et *liste* pour son résultat.

lit n.m. ◆ **Orth. 1.** On écrit, avec le complément au pluriel : *un lit de roses, un lit de cailloux* (= un lit fait avec des roses ;

une couche, une assise constituée par des cailloux). - Avec le complément au singulier : *des lits de plume, de feuillage, de mousse* (= des lits faits avec de la plume, du feuillage, de la mousse). **2.** *Un lit gigogne,* sans trait d'union. - Plur. : *des lits gigognes,* comme *des lits jumeaux.* **3.** *Un lit-cage,* avec un trait d'union. - Plur. : *des lits-cages.*

lithuanien, enne adj. et n. → lituanien

littéraire adj. / **littéral, e** adj. ◆ **Sens.** Ne pas confondre ces mots proches par la forme mais présentant des sens bien distincts. **1.** *Littéraire* adj. = qui concerne la littérature, les belles-lettres. *Des études littéraires.* **2.** *Littéral, e* adj. = qui concerne la lettre, c'est-à-dire le sens strict. *Une traduction littérale.*

littéralement adv. ◆ **Registre.** *Littéralement* au sens de « à la lettre, dans un sens strict » s'emploie dans tous les registres : *traduire un texte littéralement ;* au sens de « très, à l'extrême » *(il est littéralement épuisé),* le mot relève de l'expression orale non surveillée. RECOMM. Dans l'expression soignée, en particulier à l'écrit, préférer les équivalents : *complètement, extrêmement, au plus haut point, au plus haut degré,* etc.

lituanien, enne adj. et n. ◆ **Orth.** Sans *h* après le *t.* REM. La graphie *lithuanien,* avec un *h,* est aujourd'hui sortie de l'usage.

living-room n.m. ◆ **Emploi.** Souvent abrégé en *living.* ◆ **Orth.** Plur. : *des living-rooms ; des livings* pour la forme abrégée. → R.O. 1990. ◆ **Anglicisme.** RECOMM. Préférer *salle de séjour* ou *séjour.*

lobby n.m. ◆ **Orth.** Plur. : *des lobbys.* → R.O. 1990. ◆ **Anglicisme.** RECOMM. Préférer *groupe de pression.*

lock-out n.m. ◆ **Orth.** Avec un trait d'union. → R.O. 1990

logarithme n.m. ◆ **Orth.** S'écrit avec un *i*, comme *algorithme* et *arithmétique* (sans rapport avec *rythme*). ◆ **Genre.** Masculin : *un logarithme, le logarithme d'un nombre décimal.*

loger v.i. et v.t. ◆ **Conjug.** Le *g* devient -*ge*- devant *a* et *o* : *je loge, nous logeons ; il logea.* → annexe, tableau 10

logiciel n.m. ◆ **Emploi.** *Logiciel* a complètement supplanté aujourd'hui l'anglicisme *software.*

loi n.f. ◆ **Orth. 1.** On écrit avec un trait d'union : *une loi-cadre, une loi-programme, un décret-loi.* - Plur. : *des lois-cadres, des lois-programmes, des décrets-lois.* **2.** On écrit sans trait d'union *se mettre hors la loi,* mais avec deux traits d'union *un hors-la-loi* (= un individu qui, par ses actions, s'est mis hors la loi, un bandit).

loin adv. ◆ **Emploi.** *De loin* loc. adv. = de beaucoup. *Il est de loin le meilleur ; Renaldo Dominguez domine le championnat du monde, et de loin.* REM. Cette locution, naguère critiquée, est aujourd'hui passée dans l'usage. ◆ **Constr.** *D'aussi loin que, du plus loin que,* etc., marquant le lieu, se construit généralement avec l'indicatif : *du plus loin qu'il m'a aperçu, il a commencé à crier pour m'avertir.* Pour marquer le temps, on emploie le subjonctif : *du plus loin que je me souvienne, je revois ma grand-mère avec ses lunettes.*

loi-cadre n.f. → loi

loi-programme n.f. → loi

lombago n.m. → lumbago

1. long, longue adj. ◆ **Prononc.** *Long* se prononce [lɔ̃g], comme le féminin *longue,* devant une voyelle ou un *h* muet. *Un long apprentissage.* ◆ **Emploi.** **1.** *De long* loc. adj. = de longueur. *Il faut un fil de trois mètres de long* (on dit indif-

féremment *trois mètres de long* ou *trois mètres de longueur*). **2.** *Au long de* loc. prép. = pendant. *Nous nous sommes perdus de vue au long de toutes ces années.* **3.** *Le long de* loc. prép. = en longeant. *Le long du fleuve, le paysage est verdoyant.* ◆ **Sens.** *Faire long feu* → feu

2. long adv. ◆ **Orth.** *Long,* employé comme adverbe, reste invariable : *elles aiment s'habiller long ; des silences qui en disent long ; ils avaient l'air d'en savoir long.*

long-courrier n.m. ◆ **Orth.** Avec un trait d'union. - Plur. : *des long-courriers,* comme des *moyen-courriers.*

longer v.t. ◆ **Conjug.** Le *g* devient -*ge*- devant *a* et *o* : *je longe, nous longeons ; il longea.* → annexe, tableau 10

long-jointé adj. ◆ **Orth.** Avec un trait d'union et *long* toujours invariable : *une jument long-jointée.* - Plur. : *long-jointés,* comme *bas-jointés.*

long-métrage n.m. ◆ **Orth.** Avec un trait d'union. En revanche, on écrit sans trait d'union *un film de long métrage.* - Plur. : *des longs-métrages,* comme *des courts-métrages, des moyens-métrages.*

loquace adj. ◆ **Prononc.** [lɔkas], le groupe -*qu*- se prononce comme un *k,* comme dans *raquette* (et non *kw* comme dans *aquarium*).

loque n.f. ◆ **Orth.** *En loques :* toujours au pluriel dans *être en loques, tomber en loques.*

lorsque conj. ◆ **Orth.** *Lorsque* s'élide en *lorsqu'* devant *il, elle, on, en, un, une : lorsqu'une telle occasion se présente ; lorsqu'on a cette chance ; lorsqu'en 1969 l'homme atterrit sur la Lune.* L'élision devant *avec, aussi, aucun, enfin* est presque systématique à l'oral, et tend à *louanger*

s'imposer dans la langue écrite. L'élision devant *en,* naguère critiquée, est passée dans l'usage.

louanger v.t. / **louer** v.t. ◆ **Conjug.** *Louanger :* le *g* devient *-ge-* devant *a* et *o : je louange, nous louangeons ; il louangea.* → annexe, tableau 10. ◆ **Emploi.** Les deux verbes ont le même sens (« faire l'éloge de ») mais *louanger* comporte une idée d'excès dans l'éloge, ou de flatterie, qui n'est pas dans *louer : « Notre littérature, et singulièrement la romantique, a louangé, cultivé, propagé la tristesse »* (A. Gide). REM. À ces deux verbes correspondent un seul nom d'action (*louange*) et un seul adjectif et nom d'agent (*louangeur, euse*).

loubard, loubar n.m. ◆ **Orth.** Les deux graphies, *loubard* et *loubar,* sont admises. *Loubard,* avec un *d,* est beaucoup plus fréquent. ◆ **Registre.** Familier.

loup n.m. ◆ **Orth. 1.** On écrit avec un trait d'union : *loup-cervier, loup-garou, chien-loup ;* avec deux traits d'union : *dent-de-loup, saut-de-loup, tête-de-loup.* - Plur. : *des loups-cerviers, des loups-garous, des chiens-loups ; des dents-de-loup, des sauts-de-loup, des têtes-de-loup.* **2.** On écrit *marcher à pas de loup,* avec *loup* au singulier.

loup-cervier n.m. → loup

loup-garou n.m. → loup

louvoiement n.m. ◆ **Orth.** Avec un *e* muet intérieur. *Louvoiement* correspond à *louvoyer,* verbe du 1er groupe (comme *aboiement* correspond à *aboyer* → **aboiement**).

louvoyer v.i. ◆ **Conjug.** Attention, le *y* devient *i* devant *e* muet : *il louvoie* mais *il louvoyait.* - Bien noter le *i* après le *y* aux première et deuxième personnes du pluriel, à l'indicatif imparfait et au subjonctif présent : *(que) nous louvoyions, (que) vous louvoyiez.* → annexe, tableau 7

lu part. passé → lire

luger v.i. ◆ **Conjug.** Le *g* devient *-ge-* devant *a* et *o : je luge, nous lugeons ; il lugea.* → annexe, tableau 10

lui pron. personnel ◆ **Orth.** On écrit *lui-même* (= lui en personne), avec un trait d'union (comme *moi-même, soi-même, nous-mêmes,* etc.), mais *même lui* (= lui y compris), sans trait d'union.
◆ **Emploi.**
1. *Lui (elle).* Pour remplacer un nom de personne, on emploie *lui (elle). Jacques n'est jamais disponible, Martine s'est un peu éloignée de lui* (et non **s'en est un peu éloignée). Clémentine est encore petite, fais bien attention à elle* (et non : **fais-y bien attention).*
❑ Pour les choses et les animaux non familiers, on emploie *en* et *y* pour *de lui (d'elle), à lui (à elle) : cet endroit vous rappelle trop de souvenirs, il vaudrait mieux vous en éloigner* (et non : **vous éloigner de lui) ; ce sont mes vacances, et je veux en profiter* (et non **profiter d'elles) ; cette question est importante, fais-y bien attention* (et non : **fais bien attention à elle) ; certains renards ont la rage, par ici, méfie-t'en* (plutôt que : **méfie-toi d'eux).* ❑ Pour les animaux domestiques familiers, dont on parle souvent comme de personnes, on peut employer *lui, elle : Rex a des puces en ce moment, ne vous approchez pas trop de lui* (plutôt que : *ne vous en approchez pas trop).*
2. *Lui* précédé d'une préposition.
❑ Si *lui* représente une personne, on peut l'employer après n'importe quelle préposition, sauf *dans* (que l'on remplace par *en) : il a senti en lui l'appel de la mer* (et non **il a senti dans lui) ; j'ai dîné avec lui avant-hier ; tu es déjà allée chez lui ?*
❑ Si *lui* représente une chose ou un animal non familier, on ne dit pas *sur lui,*

338

sous lui, dans lui, mais *dessus, dessous, dedans :* qu'on lui amène un cheval et qu'il monte dessus (et non *sur lui) ; voilà le hangar, vous pouvez mettre votre voiture dessous* (et non *sous lui) ; je te donnerai une belle boîte, tu rangeras tes lettres dedans* (et non *dans elle).* - En revanche, *lui* placé après les prépositions *avec, après, devant, derrière, au-dessus de,* etc., peut désigner une chose ou un animal : *l'incendie n'a rien laissé derrière lui ; le tracteur roulait au pas et après lui venait un camion ; le taureau était dans le pré, je me suis trouvé juste devant lui.* **3. Lui / soi.** Lorsque le pronom complément représente le sujet, on emploie *soi* pour désigner une personne indéterminée, *lui* pour représenter une personne déterminée : *chacun travaille pour soi ; Michel travaille pour lui.* - Dans le registre soutenu, en particulier à l'écrit, et dans certaines locutions figées, *soi* peut être employé au lieu de *lui* ou d'*elle :* « *Elle hochait la tête, regardant droit devant soi* » (Alain-Fournier) ; *il traîne tous les cœurs après soi.* - *Soi* est également employé pour éviter une équivoque : « *Cependant dona Manuela, laissant comme toujours sa fille s'occuper de soi* » (Aubry). **4. Lui sujet d'un infinitif.** *Je lui ai laissé dire tout ce qu'il voulait / je l'ai laissé dire tout ce qu'il voulait* → **2. le**

luire v.i. ◆ **Conjug.** Attention au passé simple, peu usité aux personnes autres que la 3e personne du singulier : *je luisis, ils luisirent.* Le participe passé, *lui,* est toujours invariable : *mille étincelles ont lui dans le ciel.* → annexe, tableau 77

lumbago, lombago n.m. ◆ **Prononc. 1.** *Lumbago* se prononce [lɛ̃bago], *lumb-* comme dans *limbe,* ou [lɔ̃bago], *lumb-* comme dans *lombes.* **2.** *Lombago* se prononce comme il s'écrit. ◆ **Orth.** Les deux graphies, *lumbago* et *lombago,* sont admises. *Lumbago* est la plus fréquente et la plus proche de l'étymologie (latin *lumbus,* reins, échine).

lumière n.f. ◆ **Orth. 1.** On écrit *une année de lumière, des années de lumière,* sans trait d'union, ou *une année-lumière, des années-lumière,* avec un trait d'union. Dans l'usage scientifique, on emploie aujourd'hui *année de lumière* de préférence à *année-lumière.* **2. Philosophie des lumières** (= mouvement philosophique du XVIIIe siècle) s'écrit le plus souvent avec une minuscule à *lumières,* mais on le rencontre également avec une majuscule : *le siècle des lumières* ou *le siècle des Lumières ;* « *Le marquis professait une haine vigoureuse pour les lumières. Ce sont les idées, disait-il, qui ont perdu l'Italie* » (Stendhal). ◆ **Emploi. 1.** On dit *éteindre la lumière, donner de la lumière, faire de la lumière* (ou, au figuré, *faire la lumière sur qqch.).* RECOMM. *Allumer la lumière* est un pléonasme fréquent dans l'expression orale relâchée. Dans l'expression soignée, en particulier à l'écrit, dire ou écrire : *faire* (ou *donner) de la lumière* ou *allumer la lampe.* **2.** *L'année-lumière* (dite aujourd'hui *année de lumière)* est en astronomie une unité de distance et non une unité de temps (c'est la distance parcourue par la lumière en une année). On peut donc dire, en emploi figuré, *cela se passait à des années-lumière* (= cela se passait très loin), mais non *cela se passait il y a des années-lumière* (pour *cela se passait il y a très longtemps).*

lunch n.m. ◆ **Prononc.** [lœ̃ʃ], comme si le mot s'écrivait *linche* ou [lœntʃ], comme s'il s'écrivait *leuntche.* REM. Le mot *punch,* dont la finale est similaire mais qui a été emprunté à l'anglais il y a plus longtemps, a une prononciation plus proche des habitudes françaises. → **punch.** ◆ **Orth.** Plur. : *des lunchs* (pluriel français) ou *des lunches* (pluriel à l'anglaise). RECOMM. Préférer *des lunchs.* → R.O. 1990.

lune, Lune n.f. ◆ **Orth.** Avec ou sans majuscule, selon le sens. **1.** *La lune* (=

le disque lumineux de l'astre) s'écrit avec une minuscule : *la pleine lune, un croissant de lune.* - On écrit également avec une minuscule les expressions figurées : *être dans la lune, demander la lune, tomber de la lune, la lune de miel,* etc. ❏ *La Lune* (= le satellite naturel de la Terre) s'écrit avec une majuscule : *la Lune tourne autour de la Terre ; l'homme a marché sur la Lune en 1969.* **2.** *Une lune* (= un satellite naturel d'une planète quelconque) s'écrit avec une minuscule : *les lunes de Jupiter, de Saturne.*

lunette n.f. ◆ **Orth.** Avec deux *t,* de même que *lunetterie* (mais *lunetier* s'écrit avec un seul *t*). ◆ **Emploi.** *Lunette / télescope* → **télescope**

luxation n.f. / **luxure** n.f. ◆ **Emploi.** Ne pas confondre ces deux noms proches par la forme mais éloignés par le sens. **1.** *Luxation* n.f. = déplacement des deux extrémités osseuses d'une articulation. *Une luxation de l'épaule avec déchirure ligamentaire.* Terme de médecine. **2.** *Luxure* n.f. = recherche sans retenue des plaisirs de l'amour physique. *« Tout travaille à doubler son extase, et le libertin y arrive au milieu des épisodes les plus bizarres de la luxure et de la dépravation »* (Sade). Registre soutenu.

luxueux, euse adj. / **luxurieux, euse** adj. / **luxuriant, ante** adj. ◆ **Emploi.** Ne pas confondre ces trois adjectifs proches par la forme mais éloignés par le sens. **1.** *Luxueux, euse* adj. = qui se signale par son luxe, son faste. *Ameublement luxueux.* **2.** *Luxurieux, euse* adj. = qui a trait à la luxure. *« Et cent autres, avec des cris luxurieux, / Emportent leur butin vivant dans la nuit noire. »* (Leconte de Lisle). Registre littéraire. **3.** *Luxuriant, ante* adj. = qui pousse, se développe de manière foisonnante. *La végétation luxuriante des régions équatoriales.*

lycée n.m. ◆ **Orth.** Attention au *y.* ◆ **Genre.** Masculin : *un lycée, aller au lycée.* Mot masculin à finale en *-ée,* comme *apogée, mausolée, musée, périnée, périgée,* etc.

Lycra n.m. ◆ **Orth.** Avec une majuscule (nom déposé) et un *y. Une jupe en Lycra.*

lymphome n.m. ◆ **Prononc. et orth.** [lɛ̃fom], avec un *o* fermé, comme dans *dôme,* malgré l'absence d'accent circonflexe.

lys n.m. → **lis**

M

macaroni n.m. ◆ **Orth.** Plur. : *des macaronis*. ◆ **Emploi.** *Macaroni*, comme les autres noms de pâtes d'origine italienne, peut être employé au singulier : *un macaroni*.

macérer v.t. et v.i. ◆ **Conjug.** Attention à l'accent, tantôt grave, tantôt aigu : *je macère, nous macérons ; il macéra*. → annexe, tableau 11 et R.O. 1990

mach n.m. ◆ **Orth.** On écrit sans majuscule : *mach 2, mach 3*. - *Mach* prend une majuscule dans *angle de Mach, ligne de Mach, nombre de Mach* (nom du physicien autrichien Ernst Mach, 1838-1916). ◆ **Emploi.** *Mach*, exprimant une vitesse, n'est jamais précédé d'un article. *Avion qui vole à mach 2*.

mâcher v.t. ◆ **Orth.** Avec un accent circonflexe sur le *a*, ainsi que dans *mâche, mâchement, mâcheur (-euse), mâchoire, mâchonnement, mâchonner, mâchouiller*. REM. L'accent circonflexe remplace le *s* de l'ancienne forme du verbe, *maschier* (du latin *masticare*), qui s'est conservé dans *mastiquer*.

machette n.f. ◆ **Orth.** Avec un *a* sans accent (mot issu de l'espagnol *machete*, sans rapport avec *mâcher*).

mâchicoulis n.m. ◆ **Orth. et prononc.** Avec un accent circonflexe sur le *a*, et un *s* final qui ne se prononce pas.

machine n.f. ◆ **Emploi.** *Machine* se lie par un trait d'union aux quelques substantifs avec lesquels il forme des composés : *machine-frein, machine-outil, machine-transfert*. - Plur. : *des machines-freins, des machines-outils, des machines-transferts*. ❏ Les désignations de machines formées avec *machine* suivi d'un adjectif s'écrivent sans trait d'union : *machine électrique, machine hydraulique, machine pneumatique*.

mackintosh n.m. / **Macintosh** n.m. inv. ◆ **Orth et sens.** Ne pas confondre ces deux noms. **1.** *Mackintosh* (avec -*ck*- et toujours avec une minuscule) n.m. = manteau imperméable. « *On tirait les parapluies, les ombrelles, les mackintosh* » (G. Flaubert). - Plur. : *des mackintoshs*, parfois *des mackintosh*, comme dans l'exemple qui précède. REM. *Mackintosh* (du nom de l'inventeur anglais de cet imperméable, Charles Mackintosh, 1766-1843) est attesté en français en 1854. Courant au XIXe s. et au début du XXe, ce mot est aujourd'hui sorti de l'usage. **2.** *Macintosh* (avec un *c* et toujours avec une majuscule) n.m. = ordinateur de la marque de ce nom. - Plur. : *des Macintosh*. REM. Dans la langue familière, *Macintosh* s'abrège très souvent en *Mac : un Mac, je travaille sur mon Mac.*

maçonner v.t. ◆ **Orth.** Avec deux *n*, ainsi que *maçonnage, maçonnerie* et *maçonnique*.

macro- préf. ◆ **Orth.** Les composés de *macro*- (du grec *makros*, grand) s'écrivent en un seul mot, sauf si le second élément commence par *i*, *o* (ou éventuellement *u*). Cela ne se réalise que dans *macro-instruction, macro-ordinateur*, ainsi que dans *macro-ion* et *macro-ionique* (qui s'écrivent aussi, respectivement, *macroion* et *macroionique*, compte tenu que le *i* de *ion* et de *ionique* est une semi-consonne). *Macro-zoom*, nom déposé, est toujours écrit avec un trait d'union et une majuscule.

madame n.f. ◆ **Orth.** 1. *Madame* fait au pluriel **mesdames** : *bonjour, mesdames ! Aujourd'hui, nous avons le plaisir d'accueillir parmi nous mesdames Leduc et Albert.* ❑ On écrit en abrégé : *Mme, Mmes* (ou *Mme, Mmes*) : *transmettez notre meilleur souvenir à votre charmante voisine, Mme Duval ; le président a regretté l'absence de Mmes Fontaine et Gagnon, excusées.* 2. *Madame* (avec majuscule) / *madame* / *Mme.* → monsieur. ◆ **Emploi.** 1. *Madame,* nom féminin, est souvent employé aujourd'hui avec des mots masculins désignant une fonction : *madame le proviseur, madame le maire.* 2. *Madame* peut être employé de manière autonome, indépendamment d'un nom : *une madame* (= une femme d'une grande distinction, ou qui affecte la distinction, qui se donne des airs de supériorité) : « *Ainsi, tu n'es même pas conscrit ; c'est uniquement à cause des beaux yeux de la madame que tu vas te faire casser*

les os » (Stendhal). - Plur. : *des madames. Toutes ces jolies madames sauront bien te faire sentir que tu n'es pas de leur monde.* Registre familier.

mademoiselle n.f. ◆ **Orth.** 1. *Mademoiselle* fait au pluriel **mesdemoiselles** : *en quoi puis-je vous être utile, mesdemoiselles ?* ❑ On écrit en abrégé : *Mlle, Mlles* (ou *Mlle, Mlles,* mais jamais *Melle) : *Mlle Duval a été admise à subir les épreuves orales ; Mlles Jandot et Moron devront se représenter en septembre.* 2. *Mademoiselle / Mlle.* → monsieur. ◆ **Emploi.** *Mademoiselle,* comme *madame,* peut être employé de manière autonome, indépendamment d'un nom : *une mademoiselle* (= une jeune fille de la bonne société). « *La mère était jalouse de sa fille,* [...] *rêvait de faire de cette enfant "une mademoiselle"* » (H. de Balzac). Emploi péjoratif et vieilli.

maestria n.f. ◆ **Orth.** Le *a* et le *e* ne sont pas liés. - Plur. : *maestrias.*

maestro n.m. ◆ **Orth.** Le *a* et le *e* ne sont pas liés. - Plur. : *des maestros.*

mafia, maffia n.f. ◆ **Orth.** 1. Les deux graphies, *mafia* et *maffia,* sont admises, mais *mafia,* avec un seul *f,* est aujourd'hui beaucoup plus fréquent. Le dérivé italien *mafioso* et son équivalent français *mafieux, euse* peuvent également s'écrire avec un *f* ou deux *(maffioso ; maffieux, euse).* 2. Avec une majuscule, quand on désigne l'organisation criminelle sicilienne. *Un « parrain » de la Mafia.* ❑ Avec une minuscule pour désigner une organisation criminelle du même type, ou, dans un sens atténué, un groupe occulte aux agissements plus ou moins malhonnêtes. *La mafia napolitaine, la Camorra ; il y a dans cette ville une mafia politique qui a fait main basse sur tous les postes clés.*

magasin n.m. / **magazine** n.m. ◆ **Orth. et emploi.** 1. *Magasin* (avec un *s*)

= boutique ou entrepôt. *Un magasin de nouveautés.* **2. *Magazine*** (avec un *z*) = périodique. *Un magazine féminin.* REM. *Magazine* vient de l'anglais qui a lui-même emprunté *magasin* au français. Au XIXe s., ce mot était employé dans les titres de plusieurs périodiques, comme celui du *Magasin pittoresque* (c'est-à-dire orné de gravures) de l'éditeur Hetzel.

mage n.m. ♦ **Orth.** On écrit *les Rois mages,* avec une majuscule à *Rois,* ou *les Mages.* Mais *un mage* (= celui qui est versé dans la magie, les sciences occultes), avec une minuscule.

magnéto- préf. ♦ **Orth.** Les composés formés avec *magnéto-* s'écrivent en un seul mot, sauf si le second élément commence par *i, o* (ou éventuellement *u*). On écrit : *magnéto-ionique* adj., *magnéto-optique* adj. - Au pluriel, *magnéto-* reste invariable : *des perturbations magnéto-ioniques, les propriétés magnéto-optiques d'un corps.*

magnificat n.m. ♦ **Prononc.** [maɲifikat], en prononçant *gn* comme dans *magnifique,* ou [magnifikat], en articulant séparément le *g* et le *n,* comme dans *agnostique* : *mag-nificat.* ♦ **Orth.** Au sens de « cantique de la Vierge Marie chanté aux vêpres, commençant par le mot latin *magnificat* », avec une majuscule : *chanter le Magnificat.* Au sens de « morceau de musique composé pour le Magnificat », avec une minuscule : *le magnificat de J.-S. Bach.* - Plur. : *des magnificats.*

magnificence n.f. / **munificence** n.f. ♦ **Emploi.** Ne pas confondre ces deux noms de forme proche. **1.** *Magnificence* = qualité de ce qui est magnifique. *La magnificence des églises moscovites.* **2.** *Munificence* = grande générosité. « *Puis Sartre, dont la muni-*

ficence était légendaire, nous embarqua dans un taxi, et [...] nous abreuva de cocktails jusqu'à deux heures du matin » (S. de Beauvoir).

mah-jong, ma-jong n.m. ♦ **Orth.** Les deux graphies, *mah-jong* et *ma-jong,* sont admises. → R.O. 1990

mai n.m. ♦ **Orth.** *Le Premier-Mai, le 1er-Mai* (= la fête du Travail), avec une majuscule à *Mai* et un trait d'union ; on trouve parfois *le Premier Mai,* sans trait d'union. *Les défilés du Premier-Mai, du 1er-Mai* ou *du Premier Mai, du 1er Mai.* - Mais jamais de majuscule ni de trait d'union s'il s'agit du simple énoncé de la date : *nous nous verrons le premier mai.*

mailing n.m. ♦ **Prononc.** [melin], avec le *ai* prononcé fermé, comme *é,* et la finale en *-ing* comme dans *camping.* ♦ **Anglicisme.** RECOMM. OFF. : *publipostage.*

main n.f. ♦ **Orth. 1.** *Main* reste au singulier dans : *bagage à main, frein à main ; un coup de main, des coups de main ; en un tour de main* (en un *tournemain* est vieilli) ; *homme de main ; à portée de main ; preuve en main ; acheter de première, de seconde main ; agir sous main* (ou *en sous-main*) ; *avoir* (prendre, tenir, etc.) *en main ; changer de main* (par fatigue) ; *saisir qqch à main nue* (mais *lutte à mains nues,* voir ci-dessous) ; *voter à main levée.* **2.** *Main* est toujours au pluriel dans : *homme à toutes mains ; lutte à mains nues ; entreprise qui change de mains ; votre affaire est en bonnes mains, en mains sûres.* **3.** *Main* peut s'écrire au pluriel ou au singulier dans : *circuler de mains en mains* (parfois : *de main en main*) ; *jeux de main, jeux de vilain* (parfois : *jeux de mains, jeux de vilains ;* le singulier est plus fréquent) ; *remettre qqch. à qqn en main propre* ou *en mains propres.* **4.** *Main* prend la marque du pluriel dans *poignée de main : une poignée de main, des poignées de mains* (mais l'Académie écrit *des poignées de*

main, avec *main* au singulier). ◆ **Accord.**
Fait main (= fait à la main, de manière
artisanale). *Main* reste invariable : *une
robe faite main, des robes faites main, des
meubles faits main.*

main-d'œuvre n.f. ◆ **Orth.** Avec un
trait d'union. - Plur. : *des mains-d'œuvre.*

main-forte n.f. sing. ◆ **Orth.** Avec un
trait d'union, comme *main-d'œuvre.* ◆
Emploi. Ne s'emploie qu'au singulier.

mainlevée n.f. ◆ **Orth.** En un seul
mot.

mainmise n.f. ◆ **Orth.** En un seul mot.
Le *n* de *main* s'est conservé devant *m.*

mainmorte n.f. ◆ **Orth.** En un seul
mot. Le *n* de *main* s'est conservé devant *m.*

maint, mainte adj. ◆ **Orth. et sens.**
1. *Maint, mainte,* au singulier = plus
d'un, plus d'une. *Je lui ai dit en mainte
occasion.* « *Enjambant maint ruisseau,
traversant mainte ruelle...* » (V. Hugo)
2. *Maints, maintes,* au pluriel = de
nombreux, de nombreuses. *Nous avons
eu maints problèmes avec lui. Je lui en ai
parlé maintes fois.* ◆ **Registre.** Littéraire,
sauf dans les locutions *en mainte
occasion, à maintes reprises* et *maintes fois*
(ou *maintes et maintes fois*), passées dans
l'usage courant.

maintenant adv. ◆ **Emploi.**
Maintenant (= à présent) peut
s'employer dans un récit au passé : « *Le
lion demeurait immobile. Mais ses yeux,
maintenant, ne me quittaient plus* »
(J. Kessel).

maintenir v.t. et v.pr. ◆ **Conjug.**
Comme *tenir.* → annexe, tableau 28

maire n.m. ◆ **Orth.** *Adjoint au maire* :
s'écrit sans trait d'union. → **adjoint.** ◆
Emploi. *Maire* s'emploie aujourd'hui
au masculin pour désigner une femme
exerçant la fonction de maire : *madame*

*Dubosc, le maire de notre commune, est
également conseiller général. Madame le
Maire.* **RECOMM.** Dans l'expression
soignée, éviter d'employer dans ce sens
mairesse, qui est familier et qui désigne
soit la femme d'un maire, soit une
femme exerçant les fonctions de maire.
REM. Autrefois, le mot ne désignait que
la femme d'un maire et s'employait le
plus souvent par plaisanterie : « *Mme
la mairesse m'invite à une soirée* »
(Chateaubriand).

1. **mais** conjonction de coordination ◆
Constr. *Mais* est généralement précédé
d'une virgule, sauf s'il joint deux mots
de même nature ou deux membres de
phrase sans verbe. *J'ai à sortir, mais
j'attends que la pluie cesse. Sa conduite est
imprévisible mais sensée. C'est un garçon
impulsif et plein de fougue mais intelligent et
généreux.* ◆ **Emploi.** *Mais bien, mais au
contraire,* s'emploient après une
proposition négative pour souligner
l'opposition. *Nous n'arriverons pas le
dimanche 7, mais bien le mardi suivant. Ils
ne sont pas paresseux, mais au contraire
courageux et travailleurs.* **RECOMM.** Éviter
les pléonasmes *mais pourtant, *mais
cependant.*

2. **mais** adv. ◆ **Emploi.** *N'en pouvoir
mais.* L'emploi adverbial de *mais* (latin
magis, plus) ne subsiste que dans cette
expression qui signifie « n'y rien
pouvoir, n'être pour rien dans qqch » :
« *Hellouin écarta les bras du corps, comme
s'il n'en pouvait mais* » (G. Duhamel).
Registre soutenu.

maison n.f. ◆ **Orth.** *Maison mère*
s'écrit sans trait d'union. *Notre maison
mère est à Bordeaux.* - Plur. *des maisons
mères.* ◆ **Accord.** *Maison,* employé en
apposition dans le sens de « particulier
à l'entreprise » ou de « fait à domicile »,
reste invariable : *des ingénieurs maison, des
gâteaux maison* (ou *faits maison*). **REM.**
Maison est parfois employé dans ce sens

en fonction d'attribut, en particulier dans la restauration : *toutes les charcuteries sont maison, sont garanties maison.*

1. maître, maîtresse n. ◆ **Orth. 1.** Avec un accent circonflexe sur le *i.* → R.O. 1990. **2.** *Maître, maîtresse de* (+ nom au singulier). On écrit avec le complément toujours au singulier : *des maîtres (des maîtresses) de ballet, des maîtres (des maîtresses) d'école, des maîtres (des maîtresses) d'étude, des maîtres (des maîtresses) de maison.* ◆ **Accord.** *Parler en maître.* La locution s'accorde en genre et en nombre : *ils parlent en maîtres ; elles régnèrent en maîtresses sur l'empire de la mode.*

2. maître n.m. ◆ **Orth. 1.** Avec un accent circonflexe sur le *i.* → R.O. 1990. **2.** *Maître,* joint à un nom de métier pour former un titre, s'écrit sans trait d'union : *maître coq, maître graveur, maître imprimeur, maître maçon, maître nageur, maître queux, maître tailleur ; maître à danser* (= professeur de danse, autrefois) ; *maître chanteur* (traduction de l'allemand *Meistersinger*). → **maître-à-danser, maître-assistant, maître-chien, maître-chanteur, maître-penseur. 2.** *Maître de* (+ nom au singulier). On écrit avec le complément toujours au singulier : *des maîtres de chapelle, des maîtres d'hôtel, des maîtres d'œuvre.* **3.** *Maître de* (+ nom au pluriel). On écrit avec le complément toujours au pluriel : *un maître d'armes, un maître de cérémonies, un maître de forges ; un maître des requêtes ; un maître de conférences →* **maître-assistant. 4.** *Maître,* **titre des avocats et des officiers ministériels.** *Maître* est le titre donné aux avocats, aux avoués, aux huissiers, aux notaires, aux commissaires-priseurs. *Maître Choukroun, avocat à la Cour. C'est maître Choukroun.* - Abréviation : *Me* (ou *Me*). *Me Rocoux, notaire à Paris.*

3. maître, maîtresse adj. ◆ **Orth. 1.** Avec un accent circonflexe sur le *i.* → R.O.

1990. **2.** *Maître, maîtresse* est adjectif dans *maître couple, maîtresse branche, maîtresse poutre,* etc., et signifie « qui est le plus gros, le plus important parmi d'autres semblables ». Il ne se lie pas par un trait d'union au mot qu'il qualifie. → **maître-autel, maître-cylindre. 3.** *Une maîtresse femme.* Sans trait d'union.

maître-à-danser n.m. ◆ **Orth.** *Maître-à-danser* (= compas d'épaisseur) s'écrit avec un accent circonflexe sur le *i* de *maître* (→ R.O. 1990) et deux traits d'union. Mais l'on écrit *le maître à danser de M. Jourdain* (= son professeur de danse), sans trait d'union.

maître-assistant, e n.m. ◆ **Orth.** Avec un accent circonflexe sur le *i* de *maître* (→ R.O. 1990) et un trait d'union. - Plur. : *des maîtres-assistants, des maîtres-assistantes.* ◆ **Emploi.** Ce titre est aujourd'hui remplacé par celui de *maître de conférences,* qui peut désigner un homme ou une femme.

maître-autel n.m. ◆ **Orth.** Avec un accent circonflexe sur le *i* de *maître* (→ R.O. 1990) et un trait d'union. - Plur. : *des maîtres-autels.*

maître-chanteur n.m. / **maître chanteur** n.m. ◆ **Orth. 1.** Avec un accent circonflexe sur le *i* de *maître* (→ R.O. 1990) et un trait d'union. **2.** Ne pas confondre *maître-chanteur,* avec un trait d'union, et *maître chanteur,* en deux mots. ❏ *Maître-chanteur* n.m. (avec un trait d'union) = individu qui pratique le chantage, l'extorsion de fonds. ❏ *Maître chanteur* n.m. (en deux mots) = musicien appartenant à une corporation de compositeurs, autrefois, en Allemagne (traduction de l'allemand *Meistersinger*). *Les Maîtres Chanteurs de Nuremberg,* opéra de Wagner.

maître-chien n.m. ◆ **Orth.** Avec un accent circonflexe sur le *i* de *maître* (→

R.O. 1990) et un trait d'union. - Plur. :
des maîtres-chiens

maître-cylindre n.m. ◆ **Orth.** Avec
un accent circonflexe sur le *i* de *maître*
(→ R.O. 1990) et un trait d'union. -
Plur. : *des maîtres-cylindres.*

maître-penseur n.m. ◆ **Orth.** Avec
un accent circonflexe sur le *i* de *maître*
(→ R.O. 1990) et un trait d'union. -
Plur. : *des maîtres-penseurs.*

majesté n.f. → excellence

major n.m. ◆ **Orth.** On écrit avec un
trait d'union : *sergent-major, adjudant-
major, médecin-major, infirmière-major* ;
sans trait d'union : *major général.*

majorité n.f. ◆ **Accord.** Avec *une
majorité de, la majorité des,* le verbe et
l'attribut se mettent le plus souvent au
singulier : *la majorité des participants s'est
déclarée satisfaite.* - Ils se mettent au
pluriel lorsque l'on veut mettre
l'accent sur l'idée de pluralité :
*quelques-uns de ses confrères se sont
montrés hostiles, mais la majorité d'entre eux
l'ont chaleureusement approuvé.* L'accord
se fait de la même façon avec *une
minorité de, la minorité des.*

majuscules (emploi des) → annexe,
grammaire § 27 à 32

mal n.m. ◆ **Constr.** *Mal de / mal à.* ❏
Mal, employé substantivement avec
un article ou un mot qui en détermine
le sens, se construit avec *de* : *elle a un
mal de dos épouvantable ; je vous passerais
bien mon mal de dents ; des calculs
compliqués, qui donnent le mal de tête.* ❏
Avec *avoir mal,* sans article, on
emploie *à* : *elle a terriblement mal au dos ;
j'ai mal aux dents ; des calculs compliqués
qui donnent mal à la tête.* ◆ **Emploi. 1.**
Avoir très mal. L'emploi de *avoir mal*
avec un adverbe est aujourd'hui passé
dans l'usage : *j'ai très mal à la tête ; elle a*

*tellement mal à la gorge qu'elle peut à peine
parler.* → **envie. 2.** *Pas mal (de)* loc. adv.
et prép. = assez de, une bonne
quantité de ; assez, plutôt. *J'ai pas mal
de travail à faire. Il a gagné pas mal
d'argent avec des placements. Je m'en
moque pas mal. Il est pas mal arriviste.*
Registre familier. **2.** *Pas mal* loc. adj.
inv. = plaisant, joli, agréable, bien fait.
Il est pas mal, ce film (on dit aussi, avec
ne : *il n'est pas mal, ce film). En ce moment,
il sort avec une fille pas mal.* Cet emploi
très courant appartient à l'expression
orale relâchée. **RECOMM.** Dans
l'expression soignée, préférer *agréable,
beau, convenable, correct, plaisant, joli, bien
fait, de qualité,* etc.

malachite n.f. ◆ **Prononc.** [malakit],
ch se prononce *k.*

maladroit, e adj. et n. ◆ **Orth.** S'écrit
en un seul mot.

malappris, e adj. et n. ◆ **Orth.** S'écrit
en un seul mot. ◆ **Emploi.** L'emploi au
féminin *(elle est assez malapprise, c'est une
malapprise)* est assez rare. On dit plutôt,
en parlant d'une femme, *elle est mal
élevée.*

malavisé, e adj. ◆ **Orth.** S'écrit en un
seul mot. ◆ **Registre.** Registre soutenu.

malbâti, e adj. et n. ◆ **Registre.** Mot
littéraire et vieilli. ◆ **Orth.** On écrit
plutôt aujourd'hui, en deux mots : *il
(elle) est mal bâti, mal bâtie* (= mal fait, en
parlant d'une personne).

mal-en-point, mal en point adj.
inv. ◆ **Orth.** Les deux graphies, *mal-en-
point,* avec deux traits d'union, et *mal en
point,* en trois mots, sont admises. La
graphie *mal-en-point* est plus fréquente.
Dans les deux cas, cet adjectif reste
invariable : *elles sont bien mal-en-point* ou
elles sont bien mal en point.

malentendu n.m. → quiproquo

mal famé, mal famée ou **malfamé, e** adj. ◆ **Orth.** Les deux graphies, *mal famé* et *malfamé,* sont admises, mais aujourd'hui on écrit le plus souvent *mal famé,* en deux mots : *des bars mal famés* ou *malfamés, des guinguettes mal famées* ou *malfamées.*

malgré prép. / **malgré que** loc. conj. ◆ **Emploi et registre. 1.** *Malgré* = contre le gré, la volonté de ; en dépit de. *Il a fait valoir son point de vue, malgré des opposants obstinés ; il est sorti malgré la pluie.* Emploi courant et correct. **1.** *Malgré que j'en aie, que tu en aies,* etc. = bien que cela me (te, etc.) contrarie, bien que cela soit à contrecœur. Registre soutenu. **2.** *Malgré que* (+ subjonctif) : *il sort en veste malgré qu'il fasse froid.* Cette construction est aujourd'hui courante, mais elle reste critiquée, quoiqu'elle ait été employée par de grands auteurs : « *Malgré que j'aie toujours étouffé dans mon cœur le patriotisme exagéré* » (Ch. Baudelaire) ; « *Mes enfants la revoient toujours avec plaisir, malgré que leurs goûts et les siens diffèrent de plus en plus* » (A. Gide). Dans l'expression soignée, en particulier à l'écrit, préférer *bien que* ou *quoique,* ou tourner la phrase autrement : *bien qu'il fasse froid, il sort en veste ; il sort en veste malgré le froid.*

malhonnête adj. et n. → **déshonnête**

malin, igne adj. et n. ◆ **Orth.** *Malin* fait au féminin *maligne* (comme *bénin* fait *bénigne*) : *une fille maligne ; une tumeur maligne.* Cependant, la forme féminine *maline,* au sens de « malicieuse, astucieuse », est de plus en plus courante à l'oral (probablement par analogie avec des paires comme *marin / marine, salin / saline,* etc.). **RECOMM.** Dans l'expression soignée, employer au féminin *maligne* plutôt que *maline.*

malintentionné, e adj. et n. ◆ **Orth.** S'écrit en un seul mot.

malmener v.t. ◆ **Conjug.** Comme *mener.* Attention à l'alternance *e/è* : *malmener ; je malmène, il malmène,* mais *nous malmenons ; il malmènera ; qu'il malmène* mais *que nous malmenions ; malmené.* → annexe, tableau 12

malpoli adj. ◆ **Registre.** *Malpoli* est familier. Dans un registre plus soutenu, on dit *impoli.* Le contraire, *poli,* s'emploie dans tous les registres.

malus n.m. → bonus

mal venu, mal venue ou **malvenue, e** ou adj. ◆ **Orth.** Les deux graphies, *mal venu* et *malvenu,* sont admises, mais aujourd'hui on écrit le plus souvent *mal venu,* en deux mots : *des remarques mal venues* ou *malvenues.* ◆ **Constr.** *Mal venu à, de* (= être peu fondé à, peu qualifié pour) : *il serait bien mal venu à se plaindre ; vous êtes malvenu de critiquer cette mesure que vous prôniez l'année dernière.*

mamelle n.f. ◆ **Orth.** *Mamelle* s'écrit avec un seul *m.* Parmi les mots de la même famille, certains s'écrivent avec un seul *m* : *mamelon, mamelonné, mamelu, mamillaire* ; d'autres avec deux : *mammaire, mammectomie, mammifère, mammite.* **REM.** Les mots de la famille de *mamelle* qui prennent deux *m* ont été formés tardivement sur l'élément *mamm(a-, i-, o-),* du latin *mamma,* mamelle, sein.

mamelouk, mameluk n.m. ◆ **Orth. et prononc.** Les deux graphies, *mamelouk* et *mameluk,* sont admises. *Mamelouk* est plus fréquent. *Mamelouk* et *mameluk* se prononcent [mamluk], le *e* reste muet et la finale se prononce comme pour rimer avec *bouc.*

management n.m. ◆ **Prononc.** [mɛnɛdʒmnt], à l'anglaise, en prononçant les deux *a* comme un *è,* le *g* comme *-dj-,* et sans articuler les *e* de

-*ement ;* ou à la française, en donnant au deux *a* leur articulation habituelle, et en articulant le reste du mot comme dans *ménagement.* ◆ **Emploi.** Cet anglicisme aujourd'hui courant est admis par l'Académie.

manager n.m. ◆ **Prononc.** [manadʒɛʀ] ou [manadʒœʀ], le *g* est prononcé comme *dj* et la finale comme -*ère* ou comme -*eur.* ◆ **Genre.** Toujours masculin, même pour désigner une femme. *Martine Balto est un manager de choc.* ◆ **Emploi.** Cet anglicisme est aujourd'hui courant. Si on souhaite néanmoins l'éviter, on peut le remplacer, selon le contexte, par *dirigeant, directeur* ou *gestionnaire.*

mancenillier n.m. ◆ **Prononc.** [mãsnije], la finale -*illier* se prononce comme la finale de *piller.* ◆ **Orth.** Attention à la finale en -*illier-,* avec un *i* après les deux *l.*

1. **manchot** n.m. → pingouin

2. **manchot, e** n. ◆ **Orth.** Attention au féminin *manchote,* qui n'a qu'un seul *t.*

mandant, e n. / **mandataire** n. Ne pas confondre ces deux mots de sens opposé. ◆ **Sens. 1.** *Mandant =* personne qui, par un mandat, donne à qqn le pouvoir de la représenter. **2.** *Mandataire =* personne qui a reçu de qqn, par un mandat, le pouvoir de la représenter.

mandater v.t. / **mander** v.t. Ne pas confondre ces deux mots. ◆ **Sens. 1.** *Mandater qqn =* donner à qqn un mandat, un pouvoir pour représenter qqn d'autre. **2.** *Mander qqn =* demander, faire venir qqn. ◆ **Registre.** *Mander* est un mot vieux.

mânes n.m. plur. ◆ **Orth.** Avec un accent circonflexe sur le *a : les mânes.* ◆ **Genre et nombre** Ce mot ne s'emploie

qu'au masculin pluriel : *les mânes paternels.*

mangeotter v.t. ◆ **Orth.** Avec deux *t.*

manger v.t. ◆ **Conjug.** Le *g* devient -*ge-* devant *a* et *o : je mange, nous mangeons ; il mangea.* → annexe, tableau 10. ◆ **Emploi.** *Mangé aux mites, mangé aux vers.* → à

mangetout, mange-tout n.m. inv. ◆ **Orth.** Les deux graphies, *mangetout* et *mange-tout,* sont admises. - Plur. : *des mangetout* ou *des mange-tout* (invariable). → R.O. 1990

mangeure n.f. ◆ **Prononc.** La finale -*geure* se prononce *jure,* comme dans *gageure.* ◆ **Orth.** Attention à la finale -*geure.* → R.O. 1990

maniaco-dépressif, ive adj. ◆ **Orth.** Avec un trait d'union.

maniement n.m. ◆ **Orth.** Avec un *e* muet intérieur. *Maniement* correspond à *manier,* verbe du 1er groupe (comme *aboyer* correspond à *aboiement,* → aussi **aboiement**)

manière n.f. ◆ **Emploi. 1.** *De manière que / de manière à ce que.* → à. **2.** *De toute manière* (= en tout cas), s'écrit au singulier.

manigance n.f. ◆ **Orth.** Pas de *u* après le *g.* ◆ **Emploi.** Le mot s'utilise souvent au pluriel : *qu'est-ce que c'est que ces manigances ? Ils se sont livrés à des manigances invraisemblables pour emporter le marché.*

manigancer v.t. ◆ **Orth.** Pas de *u* après le *g.* ◆ **Conjug.** Le *c* devient *ç* devant *o* et *a : je manigance, nous manigançons ; il manigança.* → annexe, tableau 9

mannequin n.m. ◆ **Genre.** Toujours masculin, même pour désigner une femme. *Linda, le mannequin vedette du couturier, présentait la traditionnelle robe de mariée.*

manquer v.i., v.t.ind. et v.t. ♦ **Constr. 1.** *Manquer à* = faire défaut à ; se soustraire à. *L'argent lui a manqué pour mener à bien son projet. Il a manqué à sa parole, à ses devoirs.* **2.** *Manquer de* (+ nom) = ne pas avoir en quantité suffisante, être dépourvu de. *Il manque d'argent. Il manque de parole* (= il ne tient pas ses promesses). **3.** *Manquer de, manquer* (+ infinitif) = être sur le point de, être tout prêt de, faillir. *J'étais excédé, j'ai manqué de tout laisser là et de ne plus revenir* (ou : *j'ai manqué tout laisser là...*). **4.** *Ne pas manquer de* (+ infinitif) = ne pas omettre, ne pas oublier de. *Il nous attendra, ne manquez pas d'y être. Je ne manquerai pas de vous prévenir dès que j'aurai des nouvelles.* ♦ **Registre. 1.** *Il ne manquerait plus que* tournure impersonnelle = il serait surprenant, choquant, scandaleux que. *Il ne manquerait plus qu'elles se plaignent, après ce que vous avez fait pour elles !* Registre courant. **2.** *Il ne manquerait plus que ça !* Registre familier.

manuscrit n.m. ♦ **Sens et emploi.** Dans son usage courant, *manuscrit* signifie « texte écrit à la main ». Comme terme technique d'édition et de presse, il désigne aujourd'hui un texte original destiné à l'impression, quelle que soit sa forme matérielle : *l'auteur remettra son manuscrit sur disquettes.* REM. L'utilisation quasi exclusive de l'ordinateur et des logiciels de traitement de texte dans les métiers du livre et de la presse tend à faire sortir de l'usage le terme *tapuscrit* (= manuscrit dactylographié).

mappemonde n.f. ♦ **Sens.** Une mappemonde est une carte, une représentation plane du globe terrestre divisé en deux hémisphères. Bien que courant, l'emploi de *mappemonde* pour

désigner un globe terrestre est abusif en géographie.

maraîcher, ère n. ♦ **Orth.** *Maraîcher, maraîchère* et les mots de la même famille, *maraîchage, maraîchin, ine* et *maraîchinage* s'écrivent avec un accent circonflexe sur le *i.* → R.O. 1990. REM. Cet accent circonflexe remplace le *s* de l'ancienne forme *maresc,* issue du latin médiéval *mariscus,* marais.

marc n.m. ♦ **Prononc.** [mar], on ne prononce pas le *c* final (contrairement à celui de *parc*).

marche n.f. ♦ **Emploi.** Les pléonasmes *marche à pied* et *marcher à pied,* très courants dans l'expression orale relâchée (probablement par analogie avec *course à pied,* opposé à *course automobile, course cycliste, course hippique, course au large,* etc.) sont à éviter dans l'expression soignée, en particulier à l'écrit.

marché n.m. ♦ **Emploi.** *Bon marché, à bon marché* loc. adv. et loc. adj. inv. = à bas prix ; peu coûteux. *Acheter à bon marché, acheter bon marché. Des chaussures bon marché.* Le comparatif *meilleur marché* a les mêmes emplois et reste également invariable : *vos concurrents achètent à meilleur marché, achètent meilleur marché que vous. J'ai trouvé des chaussures meilleur marché que les tiennes.* REM. Littré condamnait l'emploi, aujourd'hui passé dans l'usage, de *bon marché* sans la préposition *à.*

marchepied n.m. ♦ **Orth.** S'écrit en un seul mot.

marcher v.i. ♦ **Registre. 1.** Dans l'expression orale courante, *marcher* est très utilisé dans le sens vague de « être en activité, fonctionner, donner le résultat escompté » : *le magasin marche le samedi et le dimanche* (= est ouvert) ; *et ta petite, elle marche bien à l'école ?* (= elle suit bien, elle obtient de bons résultats ?) ; *ça marche !* (= d'accord, c'est entendu) ; *cet article a très bien marché l'été dernier* (= s'est très bien vendu). **RECOMM.** Dans l'expression soignée, préférer, en fonction de la situation et du contexte, les équivalents plus précis : *fonctionner, être en bon état de marche, être ouvert, être en activité, faire des progrès, prospérer, se vendre, donner de bons résultats,* etc. **2.** *Marcher sur ses quarante ans :* expression courante dans le registre familier. Dans l'expression soignée, en particulier à l'écrit, préférer *avoir bientôt : elle aura (ou elle a) bientôt vingt ans.*

marcotte n.f. ◆ **Orth.** Avec deux *t,* ainsi qu'à *marcotter* et *marcottage.*

mardi n.m. ◆ **Orth.** Sans majuscule pour désigner le jour de la semaine : *le mardi, nous allons au théâtre.* - Avec une majuscule pour le *Mardi gras,* le *Mardi saint.* ❏ Plur. : *tous les mardis ; tous les mardis après-midi, tous les mardis matin, tous les mardis soir.*

maréchal-ferrant n.m. ◆ **Orth.** Avec un trait d'union et un *t* final. - Plur. : *des maréchaux-ferrants.*

marémoteur, trice adj. ◆ **Orth.** Le mot est formé sur *marée* mais il ne comporte pas de *e* après le *é. L'usine marémotrice de la Rance.*

marengo adj. inv. ◆ **Orth.** *Des écharpes marengo* (= d'un brun-rouge foncé piqueté de blanc) → annexe, grammaire § 98 ; *des volailles marengo* (= détaillées et cuites dans une sauce à base de vin blanc et de tomate).

marger v.t. ◆ **Conjug.** Le *g* devient -ge- devant *a* et *o : je marge, nous margeons ; il margea.* → annexe, tableau 10

marguillier n.m. ◆ **Prononc.** [maʀɡije], la finale *-illier* se prononce comme la finale de *piller.* ◆ **Orth.** Attention à la finale en *-illier-,* avec un *i* après les deux *l.* → R.O. 1990

marial, e, als ou **aux** adj. ◆ **Orth.** *Marial* fait au pluriel *marials* ou *mariaux. Marials* est plus usité, probablement pour des raisons d'euphonie : *des sanctuaires marials.*

marier v.t. et v.pr. ◆ **Constr. 1.** *Marier à, marier avec, marier... et... :* elle a marié sa fille à Jacques Lavigne la semaine dernière ; marier la brique avec la pierre de taille ; le compositeur a marié les voix de femmes et le hautbois.* ❏ *Marier* = épouser, est vieux ou régional. *Quand la Clotilde a marié le Tiburce, la noce a duré trois jours.* **2.** *Se marier à, se marier avec :* le goût de la pintade se marie délicieusement à celui de l'ananas ; elle a fini par se marier avec Tanguy, son éternel soupirant.*

marijuana, marihuana n.f. ◆ **Prononc.** *Marijuana :* [maʀixwana], avec le *j* prononcé comme un *r* sourd, comme dans le mot espagnol *jota* (prononciation la plus courante), ou [maʀiɣwana], avec le *j* prononcé comme dans le prénom *Marie-Jeanne* (autre nom de ce stupéfiant). - *Marihuana :* [maʀixwana], comme la première prononciation indiquée pour *marijuana.* ◆ **Orth.** Les deux graphies, *marijuana* et *marihuana* sont admises. *Marijuana* est plus courant, *marihuana* transcrit plus fidèlement la prononciation habituelle du mot, à l'espagnole.

mariole, mariolle, mariol adj. et n.m. ◆ **Orth.** Les trois graphies *mariole, mariolle* et *mariol* sont admises pour ce mot familier. *Mariole* est la plus courante. → R.O. 1990

marketing n.m. ◆ **Prononc.** [maʀketiŋ] ou [maʀkətiŋ], le *e* se prononce fermé comme dans *marché,* ou comme le *e* de *petit.* ◆ **Emploi.**

RECOMM. OFF. : *mercatique,* et *marchéage* pour *marketing mix* (= coordination des actions commerciales). REM. *Marketing,* bien implanté, n'est pas encore remplacé dans l'usage courant par ses équivalents recommandés.

marmelade n.f. ♦ **Accord.** *Marmelade d'oranges* ou *d'orange.* → confiture

marocain, aine adj. et n. / **maroquin** n.m. ♦ **Orth. et sens. 1.** *Marocain, e* adj. et n. = originaire du Maroc, qui concerne le Maroc. *La côte marocaine ; les Marocains.* **2.** *Maroquin* n.m. = cuir de chèvre teinté utilisé en particulier en reliure. *Livre relié en maroquin rouge.* (De *maroquin* sont issus *maroquinerie* et *maroquinier.*) REM. Les deux mots ont la même origine : le maroquin a d'abord été importé du Maroc.

marquage n.m. ♦ **Orth.** S'écrit avec *-qu-* (comme *masquage,* à la différence de *masticage* et de *parcage*).

marqueter v.t. ♦ **Conjug.** Attention à l'alternance *-tt-/-t-* : *il marquette, nous marquetons ; il marquetait ; il marqueta ; il marquettera.* → annexe, tableau 16 et R.O. 1990

marqueterie n.f. ♦ **Prononc.** [maʀkɛtʀi] ou [maʀkətʀi], le premier *e* peut être prononcé comme *è* ou comme le *e* de *petit.* ♦ **Orth.** Avec un seul *t.*

marron n.m. / **châtaigne** n.f. ♦ **Sens.** Bien que souvent employés l'un pour l'autre, *marron* et *châtaigne* désignent deux fruits différents. Le *marron,* fruit du *marronnier* (comestible), ou du *marronnier d'Inde* (non comestible), est seul dans sa cupule. La *châtaigne,* fruit du *châtaignier,* est divisée en plusieurs amandes comestibles (trois, le plus souvent).

marron adj. inv. / **marron, onne** adj. / **marron** adj. inv. ♦ **Sens et accord.** Ces trois adjectifs ont des sens bien différents et ne s'accordent pas de la même façon. **1.** *Marron,* adjectif de couleur, est invariable: *des chaussures marron.* → annexe, grammaire § 98. **2.** *Marron, onne* adj. (= qui exerce sans titre ou aux marges de la légalité) s'accorde en genre et en nombre. *Des avocats marrons, des infirmières marronnes* REM. L'emploi au féminin est rare. **3.** *Marron* adj. inv. (= dupé, attrapé, refait, en argot) est invariable. *« Autrement, c'est nous qu'on serait marron dans la commande »* (E. Bourdet).

marronnier n.m. ♦ **Orth.** Avec deux *r* et deux *n.*

mars n.m. ♦ **Emploi.** *Arriver comme mars en carême* = arriver de façon inévitable, ou arriver à propos RECOMM. Ne pas employer l'expression à contresens pour « arriver mal à propos ». ♦ **Registre.** La locution est aujourd'hui vieillie et ne s'emploie plus que dans le registre soutenu.

marteau n.m. ♦ **Orth.** On écrit sans trait d'union : *marteau piqueur, marteau perforateur ;* avec un trait d'union : *marteau-pilon, marteau-piolet.* - Plur. : *des marteaux-pilons, des marteaux-piolets.*

martèlement n.m. ♦ **Orth.** Avec un *e* accent grave et un seul *l* (comme *écartèlement,* et à la différence de *nivellement*). → R.O. 1990

marteler v.t. ♦ **Conjug.** Attention à l'alternance *e/è* : *marteler ; je martèle, il martèle,* mais *nous martelons ; il martèlera ; qu'il martèle* mais *que nous martelions ; martelé.* → annexe, tableau 12

martyr, e n. et adj. / **martyre** n.m. ♦ **Sens et orth.** Ne pas confondre *un martyr, une martyre* (= une personne) et *le* martyre (= le supplice). **1.** *Martyr, e* n. et adj. = personne (à l'origine, chrétien) qui a souffert la mort pour sa foi, ou pour une cause à laquelle elle s'est sacrifiée. *Sainte Blandine est une martyre lyonnaise. Les martyrs de la Résistance.* - (Emploi adjectif) *Une enfant martyre,* victime de mauvais traitements. **2.** *Martyre* n.m. = supplice, souffrance des martyrs. *Le martyre infligé à sainte Blandine.*

martyrologe n.m. ◆ **Prononc.** [maRtiRɔlɔʒ], la fin du mot se prononce comme celle de *éloge* (et non comme celle de *catalogue*). ◆ **Orth.** *Martyrologe : -oge,* il n'y a pas de *u* après le *g.* → **nécrologe**

mas n.m. ◆ **Prononc.** [ma] ou [mas], on peut prononcer ou non le *s* final.

masquage n.m. ◆ **Orth.** S'écrit avec *-qu-* (comme *marquage,* à la différence de *masticage* et de *parcage*).

masse n.f. ◆ **Accord. 1.** *Masse de,* accord du complément. *Une masse de* est suivi, en fonction du sens, d'un complément au singulier ou au pluriel. Lorsque le complément est non comptable, il est au singulier : *il y a une masse de linge à repasser ; une masse de travail avoisinant les dix mille heures* (on dit dans ce sens : *du linge, du travail,* et non *des linges, des travaux*). Lorsque le complément est comptable, il est au pluriel : *la masse de documents à trier défie l'imagination* (on dit *des documents* et non *du document*). **2.** Accord du verbe et de l'attribut. Avec *une masse de, la masse des,* le verbe et l'attribut se mettent au singulier : *la masse des électeurs a été déçue et a sanctionné la majorité sortante.* ◆ **Registre. 1.** *Une masse de* (+ nom de personnes) : *une masse d'amis, une masse de gens.* Expression courante dans le registre familier. RECOMM. Dans l'expression soignée, en particulier à l'écrit, préférer *beaucoup d'amis, de très*

nombreux amis, une quantité d'amis, une foule de gens,* etc. **2.** *Pas des masses* = pas beaucoup. Courant dans l'expression orale relâchée. RECOMM. Dans l'expression soignée, en particulier à l'écrit, préférer *peu, trop peu, vraiment peu, un petit nombre, un trop petit nombre,* etc.

mass media n.m. plur. ◆ **Orth.** En deux mots, sans trait d'union. ◆ **Nombre.** Toujours au pluriel : *les mass media.* ◆ **Emploi.** Cet anglicisme désignant les moyens de communication de masse (télévision, radio, presse, cinéma, etc.), très utilisé à la fin des années 1960 et pendant les années 1970, tend à s'effacer aujourd'hui devant la forme francisée *médias* (*les médias ;* au singulier, *un média*). → **média**

masticage n.m. / **mastication** n.f. ◆ **Orth.** *Masticage.* S'écrit avec un *c,* comme *parcage,* et à la diférence de *masquage.* REM. *Masticage,* issu de *mastiquer,* est formé sur le radical *mastic.* ◆ **Sens.** *Masticage / mastication.* Ne pas confondre ces deux mots. **1.** *Masticage* = action de joindre ou de remplir avec du mastic. **2.** *Mastication* = action de mâcher. REM. Ces deux noms correspondent à deux verbes *mastiquer* de sens et d'étymologie différents.

m'as-tu-vu n. inv. et adj. inv. ◆ **Orth.** Avec deux traits d'union : *un m'as-tu-vu, une m'as-tu-vu.* - Plur. : *des m'as-tu-vu ; elles sont assez m'as-tu-vu.* REM. On rencontre parfois le nom féminin *une m'as-tu-vue.*

match n.m. ◆ **Orth.** Plur. : *des matchs* (pluriel français) ou *des matches* (pluriel anglais). RECOMM. Préférer le pluriel francisé, *matchs,* qui est d'ailleurs le plus fréquent aujourd'hui.

mater v.t. / **mâter** v.t. ◆ **Sens et orth.** Ne pas confondre ces deux verbes de sens bien différent ; l'un porte un accent circonflexe, l'autre non. **1.** *Mater* = maîtriser, dompter, rabaisser. REM. Le mot vient du jeu d'échecs, où *mater* signifie « mettre le roi ou l'adversaire en position de mat » (c'est-à-dire gagner). **2.** *Mâter* = munir d'un mât, de mâts. *Mâter un bateau.*

1. matériel, elle adj. → temps

2. matériel n.m. ◆ **Emploi.** *Matériel* est l'équivalent officiellement recommandé de l'anglicisme *hardware,* terme d'informatique désignant l'ensemble des éléments physiques d'un système. → aussi **logiciel**

math, maths n.f. plur. ◆ **Orth.** Les deux graphies, *math* et *maths,* sont admises : *un prof de math, un cours de maths.* ◆ **Registre.** Courant à l'oral. Dans l'expression écrite soignée, on emploie plutôt *mathématiques.*

mathématiques n.f. plur. / **mathématique** n.f. ◆ **Orth. et sens.** On écrit *mathématiques,* au pluriel, ou *mathématique,* au singulier, en fonction du sens. **1.** *Mathématiques* = sciences qui étudient les êtres abstraits tels que les nombres, les figures géométriques, les fonctions, les espaces, etc. *Un professeur de mathématiques.* **2.** *Mathématique* = l'ensemble de ces sciences, considérées comme formant un tout cohérent. *L'unification de la logique et de la mathématique.*

matin n.m. et adv. ◆ **Orth.** *Tous les dimanches matin,* sans *s* à *matin* (emploi adverbial). ◆ **Registre.** *Se lever matin* (= se lever tôt) appartient aujourd'hui au registre littéraire.

matinal, e, aux adj. / **matutinal, e, aux** adj. / **matineux, euse** adj. / **matinier, ère** adj. ◆ **Sens et emploi.** De ces quatre adjectifs ayant trait au matin, seul *matinal* est resté courant. **1.**

Matinal = du matin ; qui se lève tôt. *Rosée matinale. Six heures ! Tu es bien matinale aujourd'hui !* **2.** *Matutinal* = du matin ; qui a rapport à l'office de matines. *Je n'ai pas encore pris mon café matutinal.* Ce mot vieux est encore employé par plaisanterie, pour produire un effet d'archaïsme. **3.** *Matineux* = qui se lève tôt. Mot vieux, parfois employé sous forme d'allusion littéraire, *la belle matineuse,* à propos d'une jolie femme matinale (c'est le titre d'un sonnet de Voiture). **4.** *Matinier* = du matin ; qui se lève tôt. Mot littéraire et vieilli, surtout usité dans l'expression *l'étoile matinière* (= la planète Vénus, encore visible assez longtemps après le lever du soleil).

matricer v.t. ◆ **Conjug.** Le *c* devient *ç* devant *o* et *a : je matrice, nous matriçons ; il matriça.* → annexe, tableau 9

matricule n.f. / **matricule** n.m. ◆ **Genre et sens 1.** *Matricule* n.f. = registre contenant une liste de noms. *La matricule d'un corps de troupes.* **2.** *Matricule* n.m. = numéro d'inscription sur la matricule. *Mon matricule se terminait par un 7, ça m'a porté chance.*

maturation n.f. / **maturité** n.f. Ne pas confondre ces deux mots. ◆ **Sens. 1.** *Maturation* = transformation, évolution de ce qui mûrit. *La maturation d'un fruit, d'une idée.* **2.** *Maturité* = état de ce qui est mûr. *Fruit arrivé à maturité. Elle est d'une maturité étonnante pour son âge.*

maudire v.i. ◆ **Conjug.** Attention à la deuxième personne du pluriel de l'indicatif présent : *vous maudissez* (alors qu'on dit *vous dites* et *vous médisez*). → annexe, tableau 84

maure, more adj. et n. / **mauresque, moresque** adj. et n. ◆ **Orth.** On écrit plus souvent aujourd'hui *maure* et *mauresque* que *more* et *moresque,* qui sont des graphies vieillies. - L'emploi de *hispano-moresque,* en revanche, est encore fréquent en histoire de l'art : *l'architecture hispano-moresque.*

mausolée n.m. ◆ **Genre.** Masculin : *un mausolée.* Mot masculin à finale en *-ée,* comme *apogée, lycée, musée, périnée, périgée,* etc.

mauve adj. ◆ **Accord.** *Mauve,* adjectif de couleur, s'accorde (de même qu'*écarlate, pourpre* et *rose*) : *des rubans mauves.* → annexe, grammaire § 98

maxillaire n.m. ◆ **Prononc.** [maksilɛʀ], le groupe *-ill-* se prononce comme s'il n'y avait qu'un *l.* ◆ **Orth. 1.** Avec deux *l,* de même que les mots de la même famille : *maxille, maxillipède, maxillite* (les deux *l* se prononcent comme un seul). **2.** Les composés formés avec l'élément *maxillo-,* issu de *maxillaire,* s'écrivent avec un trait d'union : *maxillo-dentaire, maxillo-facial, maxillo-labial, maxillo-palatin.*

maximal, e, aux adj. ◆ **Emploi.** *Maximal* (= qui constitue ou atteint le plus haut degré) est l'adjectif correspondant au substantif *maximum,* comme *minimal* et *optimal* sont les adjectifs correspondant aux substantifs *minimum* et *optimum* : *la température maximale relevée aujourd'hui est de 28 degrés* (et non : **la température maximum relevée aujourd'hui...*).

maximum, plur. **maximums** ou **maxima** n.m. ◆ **Orth.** Les deux formes du pluriel, *des maximums* (pluriel français) et *des maxima* (pluriel latin), sont admises. RECOMM. Préférer le pluriel français, *des maximums.* ◆ **Emploi. 1.** RECOMM. Éviter *maximum* en emploi adjectif (**le parquet a requis la peine maximum*). → **maximal. 2.** *Au maximum* loc. adv. = jusqu'au plus haut degré, le plus possible. *Pousser le moteur au*

maximum. RECOMM. Éviter le pléonasme **au grand maximum.* Dans l'expression soignée, éviter également l'emploi, courant dans l'expression relâchée, de *au maximum* avec un adjectif ou un verbe exprimant une idée de diminution, de degré moins élevé : **réduire au maximum* (préférer *réduire au minimum* ou *réduire le plus possible*).

mazout n.m. ◆ **Prononc.** [mazut], on prononce le *t* final.

mea culpa, mea-culpa n.m. inv. ◆ **Orth.** Les deux graphies, *mea culpa,* sans trait d'union, et *mea-culpa,* avec trait d'union, sont admises. - Plur. : *des mea culpa, des mea-culpa.*

méandre n.m. ◆ **Genre.** Masculin : *un méandre.*

mécano n.m./ **Meccano** n.m. ◆ **Orth. et sens.** Ne pas employer l'un pour l'autre *mécano* et *Meccano.* **1.** *Mécano* n.m. = mécanicien (abréviation familière). *Un mécano,* avec une minuscule, un *e* accent aigu et un seul *c.* **2.** *Meccano* n.m. = jeu de construction mécanique. *Un jeu de Meccano, un Meccano,* avec une majuscule (nom déposé), un *e* sans accent et deux *c.*

mèche n.f. ◆ **Orth.** Avec un accent grave. Mais *mécher* et *méchage* s'écrivent avec un accent aigu.

mécher v.t. ◆ **Conjug.** Attention à l'accent, tantôt grave, tantôt aigu : *je mèche, nous méchons ; il mécha.* → annexe, tableau 11 et R.O. 1990

méconnaître v.t. ◆ **Orth.** Comme *connaître,* avec un accent circonflexe sur le *i.* → R.O. 1990. ◆ **Conjug.** Comme *connaître.* → annexe, tableau 71

médaillier n.m. ◆ **Prononc.** [medaje], la finale *-aillier* se prononce comme la finale de *pailler.* ◆ **Orth.** Attention à la finale en -*aillier-*, avec un *i* après les deux *l.*

médecin n.m. ◆ **Genre.** Toujours masculin, même pour désigner une femme : *Odette Lambert est un très bon médecin.* **RECOMM.** Lorsqu'il est nécessaire de préciser que le médecin dont on parle est du sexe féminin, dire ou écrire *femme médecin* (ou *médecin femme*). ◆ **Orth.** On écrit *médecin-chef, médecin-conseil,* avec un trait d'union. *Médecin généraliste, médecin militaire, médecin inspecteur,* sans trait d'union. ◆ **Constr.** *Aller chez le médecin.* On doit dire *aller chez le médecin.* **RECOMM.** Éviter le tour populaire *aller au médecin.* → à

médecine n.f. ◆ **Emploi.** *Médecine* n'est plus employé au sens de « médicament », sauf par plaisanterie, dans certaines phrases ou tournures semi-figées : *je déteste l'eau gazeuse, je bois ça comme une médecine.*

médecine-ball, medicine-ball n.m. ◆ **Orth.** Les deux graphies, *médecine-ball* et *medicine-ball,* sont admises. - Plur. : *des médecine-balls* ou *des medicine-balls.*

média n.m. ◆ **Orth.** Avec un accent aigu. - Plur. : *les médias.* ◆ **Nombre.** On emploie aujourd'hui *média* au singulier et au pluriel *(un média, les médias).* Les formes latines empruntées à l'anglais, *medium* n.m. *(un medium,* parfois francisée en *un médium)* et *media* n.m. inv. *(un media, les media)* sont vieillies. ◆ **Emploi.** *Média* tend à remplacer dans tous ses emplois l'anglicisme *mass media.*

médical, e adj. / **médicinal, e** adj. Ne pas confondre ces adjectifs. ◆ **Sens.** 1. *Médical* = relatif à la médecine, aux médecins. *Études médicales, visite médicale.* 2. *Médicinal* = qui sert de remède. *Plantes médicinales.*

médicament n.m. / **médication** n.f. ◆ **Sens.** Ne pas confondre ces deux mots. 1. *Médicament* = substance ou composition administrée pour soigner. *Une boîte de médicaments.* 2. *Médication* = ensemble des moyens utilisés pour soigner ; traitement (qui peut ne comporter aucun médicament). *La médication consiste en séances de kinésithérapie.* ◆ **Emploi.** *Médicament* est un mot courant, *médication* un terme de médecine.

médico-légal, e, aux adj. ◆ **Orth.** Avec un trait d'union.

médico-social, e, aux adj. ◆ **Orth.** Avec un trait d'union.

médiéval, e, aux adj. → moyenâgeux

médire v.t.ind. ◆ **Conjug.** Ce verbe ne se conjugue pas comme *dire,* mais comme *contredire* et *prédire :* il fait *vous médisez* à la deuxième personne du pluriel de l'indicatif présent. → annexe, tableau 83. ◆ **Constr.** *Médire de :* il médit *d'un peu tout le monde.* ◆ **Sens.** *Médire / calomnier. Médire d'une personne,* c'est tenir sur elle des propos malveillants mais qui ne sont pas mensongers (substantif correspondant : *la médisance*). *Calomnier une personne,* c'est chercher à l'atteindre dans sa réputation par des accusations que l'on sait fausses (substantif correspondant : *la calomnie*).

médium n.m. ◆ **Orth.** Avec un accent aigu. - Plur. : *des médiums.* ◆ **Genre.** Toujours masculin, même pour désigner une femme : *Madame Aïcha, le célèbre médium.*

méditerranéen, enne adj. et n. ◆ **Orth.** Avec deux *r,* comme dans *terre,* et un seul *n.* Au féminin, le *n* final est doublé : *méditerranéenne.*

meeting n.m. ◆ **Prononc.** Les deux *e* se prononcent [i], comme dans *mitigé*.

mégalomane adj. et n. / **mythomane** adj. et n. ◆ **Sens.** Ne pas confondre ces deux mots proches par la forme et dont les domaines d'emploi se recoupent en partie. **1.** *Mégalomane* = se dit en psychiatrie d'un malade atteint d'un délire caractérisé par la surestimation de soi, et, dans la langue courante, d'une personne qui manifeste des idées de grandeur, un orgueil excessifs. **2.** *Mythomane* = se dit d'une personne qui raconte, en les présentant comme réels, des faits imaginaires auxquels elle finit par croire. REM. La personne mythomane s'attribue le plus souvent un rôle flatteur dans les récits qu'elle invente, ce qui peut expliquer la confusion fréquente entre les deux mots.

mégalopole, mégapole n.f. ◆ **Orth.** *Mégapole* et *mégalopole* s'écrivent sans accent circonflexe. REM. L'élément *-pole* vient du grec *polis*, ville, que l'on retrouve dans *police, politique*. N'a pas de rapport avec *pôle*. ◆ **Emploi.** On emploie indifféremment *mégapole* ou *mégalopole*.

méhari n.m. ◆ **Orth.** Plur. : *des méharis*. Le pluriel arabe, *des méhara*, n'est plus employé.

meilleur, e adj. ◆ **Emploi.** *Meilleur* est la forme du comparatif de *bon*, qui, contrairement aux autres adjectifs, ne se construit pas avec l'adverbe *plus : si le gâteau est plus moelleux, il est meilleur*. On emploie également *meilleur* pour former le superlatif : *ce sont les meilleurs résultats de la région*. → aussi **bon.** ❑ Les locutions figées se construisent aussi avec *meilleur* : *de bonne humeur, de meilleure humeur ; de bonne heure, de meilleure heure*. RECOMM. Ne pas employer ensemble *meilleur* et *bon : avec les meilleures intentions du monde*

(et non *avec les meilleures bonnes intentions). ◆ **Constr. 1.** *La meilleure solution que je connaisse* ou *que je connais*. La proposition subordonnée relative qui suit *le meilleur* se met le plus souvent au subjonctif, mais l'indicatif est possible : *c'est la meilleure interprétation que nous ayons entendue jusqu'à aujourd'hui* (ou *que nous avons entendue*). *Il nous a indiqué le meilleur artisan qu'il connaît*. **2.** *C'est meilleur qu'il ne paraît* ou *qu'il paraît*. Après *meilleur,* on emploie la particule *ne* dans la proposition qui exprime le second terme de la comparaison : *sa santé est meilleure qu'elle n'était* (ou : *qu'elle ne l'était*) *ces derniers temps. Ne* est parfois omis après une proposition négative : *sa santé n'est pas meilleure qu'elle était* ou *qu'elle n'était*. **3.** *Beaucoup meilleur, bien meilleur*. Comme tous les autres comparatifs, *meilleur* peut être renforcé par *beaucoup : le gâteau serait beaucoup meilleur s'il était fait avec du beurre plutôt qu'avec de la margarine*. Cependant, c'est le plus souvent un autre adverbe qui est employé : on dit *bien meilleur, autrement meilleur, infiniment meilleur*, etc.

méjuger v.t., v.t.ind. et v.pr. ◆ **Conjug.** Le *g* devient -ge- devant *a* et *o : je méjuge, nous méjugeons ; il méjugea*. → annexe, tableau 10

mélanger v.t. / **mêler** v.t. ◆ **Conjug.** *Mélanger :* le *g* devient -ge- devant *a* et *o : je mélange, nous mélangeons ; il mélangea*. → annexe, tableau 10. ◆ **Sens.** Les deux verbes ont des sens très proches, mais *mélanger* implique souvent l'idée d'un assemblage volontaire, combiné avec des proportions déterminées dans un dessein précis, tandis que *mêler* évoque en général une action faite sans ordre et comme au hasard : *mélanger des cépages, mélanger des couleurs ; la Marne mêle ses eaux à celles de la Seine en amont de Paris*.

◆ **Constr.** *Mélanger* ou *mêler à, avec, et.* Les deux verbes se construisent de la même façon : *mélanger, mêler une chose à une autre* ou *avec une autre ; mélanger, mêler une chose et une autre ; mélanger, mêler plusieurs choses.*

mélanome n.m. ◆ **Prononc. et orth.** [melanom], avec un *o* fermé, comme dans *dôme,* malgré l'absence d'accent circonflexe.

melkite, melchite adj. et n. ◆ **Orth. et prononc.** Les deux graphies, *melkite* et *melchite,* sont admises. *Melchite* se prononce comme *melkite,* avec le son [k].

méli-mélo n.m. ◆ **Orth.** Avec un trait d'union → R.O. 1990. Les deux *e* prennent un accent aigu, et non un accent circonflexe, à la différence de *pêle-mêle.* - Plur. : *des mélis-mélos.*

melliflu, e ou melliflue adj. ◆ **Orth. et accord.** Les deux graphies, *melliflu* et *melliflue,* sont admises. *Melliflu* varie en genre et en nombre : *mot melliflu, paroles melliflues* (= douces, suaves). *Melliflue* (graphie adoptée par l'Académie) varie en nombre seulement : *mot melliflue, paroles melliflues.*

même adj., pr. et adv.
◆ **Accord.**
1. *Même* adjectif ou adverbe. *Même* s'accorde ou non selon qu'il est adjectif ou adverbe.
❑ *Même,* adjectif. *Même* est adjectif et variable : 1° Quand il précède immédiatement un nom. Dans ce cas, il marque la similitude, l'identité : *ils ont les mêmes goûts ; les mêmes joies, les mêmes peines ; les mêmes causes produisent les mêmes effets.* 2° Quand il suit immédiatement un nom ou un pronom. Dans ce cas, il marque une insistance ou souligne une précision : *cet homme était la bonté et la gentillesse mêmes ; les plus grands maîtres eux-mêmes sont passés par là. Ceux-là mêmes qui*

hier l'encensaient le dénigrent aujourd'hui.
❑ *Même,* adverbe. *Même* est adverbe et invariable quand il modifie un adjectif, un verbe ou un autre adverbe. Dans ce cas, il marque un renforcement, un renchérissement, une gradation : « *Les guerres même justes sont toujours regrettables* » (Fénelon). « *Mais il lui restait un ensemble de désirs et de sensations, de pensées même, dont il pressentait le peu de profondeur et le grand attrait* » (B. Vian). Il n'est pas toujours facile de déterminer si *même* est adjectif ou adverbe. En général, s'il ne peut pas être déplacé ou s'il a le sens de « eux-mêmes, elles-mêmes », il est adjectif et s'accorde : *ses paroles mêmes m'ont surpris* (= ses paroles elles-mêmes ; les mots qu'il a utilisés m'ont surpris, mais pas le reste). S'il peut être déplacé sans changer le sens de la phrase ou s'il a le sens de « aussi, de plus, encore plus », il est adverbe et invariable : *ses paroles même m'ont surpris* (= même ses paroles m'ont surpris ; tout m'a surpris, jusqu'aux mots qu'il a utilisés).
2. *Même,* pronom. *Même,* quand il est pronom, prend la marque du pluriel : *ce sont toujours les mêmes qui se dévouent ; nous ne fabriquons plus ces modèles en bleu, mais les mêmes existent en blanc.*
3. *Même,* adjectif, avec un pronom personnel au pluriel de convenance. Quand *même* se rapporte au *vous* de courtoisie, ou au *nous* de modestie ou de majesté, il reste au singulier : *vous m'avez vous-même proposé cette solution, cher ami ; que le lecteur nous pardonne de nous citer nous-même ; nous-même pensons, dit le roi, qu'il vaut mieux agir ainsi.*
◆ **Constr.**
De même que. Si *de même que* est placé en tête d'une phrase, *de même* doit être répété au début du deuxième élément de la phrase, ou être remplacé par *ainsi : de même que le XIXᵉ siècle a connu l'industrialisation, de même* (ou : *ainsi*) *le XXᵉ connaît l'automatisation.*

❏ Lorsqu'un verbe a pour sujet un nom suivi d'un autre nom introduit par *de même que,* le verbe ne s'accorde qu'avec le premier nom : *le dauphin, de même que la baleine, est un mammifère ; le dauphin, de même que la baleine et le cachalot, est un mammifère ; le dauphin et le cachalot, de même que la baleine, sont des mammifères .* Le groupe nominal introduit par *de même que* est toujours encadré par des virgules.

◆ **Orth.**
Même est lié par un trait d'union au pronom personnel qu'il renforce : *moi-même, vous-mêmes, eux-mêmes,* etc. Dans les autres cas, il n'y a jamais de trait d'union : *c'est de là même que vient l'expression ; nous l'avons rencontré ici même ; celui-là même qui est venu* (celui-là = pronom démonstratif, pas de trait d'union entre *celui-là* et *même*).

◆ **Registre.**
1. *Tout de même.* ❏ À l'oral, *tout de même* est couramment employé au sens de « malgré ce qui vient d'être dit, en dépit de ce qui est arrivé ou pourrait arriver » : *il a été très occupé, d'accord, mais il aurait tout de même pu passer un coup de fil.* RECOMM. Dans l'expression soignée, et en particulier à l'écrit, préférer *néanmoins, cependant, malgré cela, malgré tout : il a été très occupé, j'en conviens, néanmoins il aurait pu appeler.* ❏ *Tout de même* au sens de « exactement de la même manière » est vieux : *Ève croqua du fruit défendu, Adam croqua tout de même.*
2. *Même que* (= et qui plus est, à tel point que) est populaire : « *Oui, il y était... Même qu'ils ont couché dans l'avant-port, à cause du brouillard* ». (Simenon). RECOMM. Dans l'expression soignée, employer *même : ils ont même couché dans l'avant-port...*
3. *Quand même.* → quand
4. *Voire même.* → voire

mémento n.m. ◆ **Prononc.** Le groupe -en- se prononce [ɛ̃] comme

dans *examen.* ◆ **Orth.** Avec un accent aigu. -Plur. : *des mémentos.*

mémoire n.f. / **mémoire** n.m. ◆ **Sens et orth.** Ne pas confondre ces deux mots de sens et de genre différents. 1. *Mémoire* n.f. = capacité à se rappeler, souvenir. *Il a la mémoire des chiffres.* 2. *Mémoire* n.m. = écrit, rapport. *Un mémoire de soixante pages.* ❏ *Mémoires* n.m. plur. = relation écrite faite par une personne des évènements qui ont marqué sa vie, s'écrit avec une majuscule et un *s. Publier ses Mémoires.*

mémorandum n.m. ◆ **Orth.** Avec un accent aigu. - Plur. : *des mémorandums.* – rem. Le pluriel latin, *des memoranda,* n'est plus employé.

mémorial n.m. ◆ **Orth.** Plur. (rare) : *des mémoriaux.*

menacer v.t. ◆ **Conjug.** Le *c* devient *ç* devant *o* et *a : je menace, nous menaçons ; il menaça.* → annexe, tableau 9

ménager v.t. ◆ **Conjug.** Le *g* devient -ge- devant *a* et *o : je ménage, nous ménageons ; il ménagea.* → annexe, tableau 10

ménagement n.m. ◆ **Orth.** On écrit le plus souvent au singulier : *beaucoup de ménagement, plus de ménagement, sans ménagement, trop de ménagement ;* on écrit au pluriel : *avec ménagements.* REM. Quelques grammairiens préconisent d'écrire *sans ménagements* comme *avec ménagements,* au pluriel.

mener v.t. et v.i. ◆ **Conjug.** Attention à l'alternance *e/è : mener ; je mène, il mène,* mais *nous menons ; il mènera ; qu'il mène* mais *que nous menions ; mené.* → annexe, tableau 12. ◆ **Constr.** L'impératif présent suivi d'un pronom complément à la première personne et du pronom y *(mène-m'y, menez-m'y)* est grammaticalement correct, mais reste inusité pour des raisons d'euphonie. On dit correctement : *mènes-y-moi, menez-y-moi.* **RECOMM.** Éviter les barbarismes **mène-moi-z-y* et **menez-moi-z-y.*

menthol n.m. ◆ **Orth.** et prononc. S'écrit avec *-th-* et *-en-,* qui se prononce aujourd'hui le plus souvent [ɑ̃], comme dans *menthe.* REM. La prononciation avec [ɛ̃], comme dans *examen* était autrefois courante.

mentir v.i. ◆ **Conjug.** *Mentir* perd le *t* du radical au présent de l'indicatif, aux deux premières personnes du singulier : *je mens, tu mens* et à l'impératif, à la deuxième personne du singulier : *mens !* → annexe, tableau 26. ◆ **Accord.** *Mentir* étant un verbe intransitif, son participe passé *menti* est invariable : *elles ne se sont jamais menti.*

méprendre (se) v.pr. ◆ **Conjug.** Comme *prendre.* → annexe, tableau 61. ◆ **Constr.** Les substantifs compléments sont introduits par *sur, quant à, au sujet de, sur le compte de,* etc. *(se méprendre sur qqn, sur son compte ; il s'est mépris quant à l'intérêt que vous lui portiez),* mais on emploie *y* comme pronom complément dans *c'est à s'y méprendre.*

mer n.f. ◆ **Orth.** Dans les noms propres formés de *mer* suivi d'un adjectif ou d'un complément, c'est l'adjectif ou le complément qui prend la majuscule : *la mer Rouge, la mer Méditerranée, la mer Adriatique, la mer Baltique ; la mer du Nord ; la mer des Sargasses.*

merci n.m. / **merci** n.f. ◆ **Sens et genre.** Ne pas confondre *merci,* nom masculin et *merci,* nom féminin. 1. *Merci* = remerciement, est masculin. *Je vous dois un grand merci.* 2. *Merci* = pitié, grâce, est féminin. *Être à la merci de qqn, tenir qqn à sa merci, n'espérer aucune merci*

des vainqueurs. ◆ **Constr.** 1. *Merci de, merci pour* (+ nom) : *merci de votre visite, merci pour votre cadeau.* (Le nom désignant ce qui fait l'objet du remerciement est introduit par *de* ou par *pour.*) 2. *Merci à* (+ nom ou pronom) : *merci à vous tous ; un grand merci à vos amis.* (Le nom ou le pronom désignant la personne à qui est destiné le remerciement est introduit par *à.*) 3. *Merci de* (+ infinitif) : *merci d'être venu.* (L'infinitif est toujours introduit par *de.*)

mercredi n.m. ◆ **Orth.** Sans majuscule pour désigner le jour de la semaine : *le mercredi, il a son entraînement de foot.* - Avec une majuscule et sans trait d'union pour le *Mercredi saint.* - Avec un *m* minuscule pour *mercredi des Cendres* (mais un *C* majuscule à *Cendres*). ❑ Plur. : *tous les mercredis ; tous les mercredis après-midi, tous les mercredis matin, tous les mercredis soir.*

mère n.f. ◆ **Orth.** 1. On écrit sans trait d'union les expressions : *fille mère* (→ aussi **fille**), *idée mère, langue mère, maison mère, reine mère, société mère,* dans lesquelles *mère* est en apposition. 2. On écrit avec trait d'union : *grand-mère, mère-grand, belle-mère* ainsi que les termes d'anatomie : *dure-mère* et *pie-mère.* 3. On écrit, avec une minuscule : *la mère Agnès, supérieure de l'abbaye de Port-Royal.* - Avec une majuscule : *la fêtes des Mères.* ◆ **Constr.** *Le père et la mère / les père et mère.* → **le**

méritant, e adj. / **méritoire** adj. ◆ **Sens et emploi.** Ne pas confondre ces deux adjectifs de sens et d'emploi différents. 1. *Méritant, e* = qui a du mérite, se dit des personnes. *Une bourse est accordée aux élèves les plus méritants.* 2. *Méritoire* = digne d'estime, se dit des choses. *Une action, un geste, une œuvre méritoire.*

messeoir v.t.ind. et v. impers. ◆ **Conjug.** Comme *seoir.* Ce verbe n'est usité qu'à la troisième personne et seulement à quelques temps ; il n'a pas de temps composé. → annexe, tableau 53. ◆ **Emploi.** S'emploie surtout à la forme négative : « *Un peu de jalousie, même injuste, ne messied pas à un amant* » (Marivaux). Registre littéraire. ◆ **Orth.** Avec un *e* muet à l'infinitif, comme *asseoir.*

messieurs n.m. plur. ◆ **Emploi.** *Bonjour, messieurs dames* est populaire. On dit correctement, en s'adressant à un couple : *Bonjour Madame, Bonjour, Monsieur* ; en s'adressant à un groupe auquel appartiennent des personnes des deux sexes : *Bonjour, Mesdames, Messieurs,* ou *Bonjour, Mesdames et Messieurs,* ou *Bonjour Mesdames, Bonjour Messieurs.* ◆ **Orth.** *Messieurs / messieurs / MM.* → monsieur

mesure n.f. ◆ **Orth.** S'écrit au singulier dans les expressions : *en mesure (chanter, danser,* etc., *en mesure), être en mesure de, sans mesure, sur mesure, perdre toute mesure.* ◆ **Emploi.** 1. *Dans la mesure où* = selon que, dans la proportion où (et non : parce que). *Nous serons correct à votre égard dans la mesure où vous aurez été vous-même correct vis-à-vis de nous.* Mais : *il faut lui répondre puisqu'il nous a posé la question* (et non *dans la mesure où il nous a posé la question). 2. Au fur et à mesure que.* → fur et à mesure (au)

métempsycose n.f. ◆ **Orth.** On écrit *métempsycose,* sans *h,* bien que tous les mots de la même famille (*psyché, psychisme, psychiatre, psychique, psychologue,* etc.), issus du grec *psukhê,* souffle, âme, s'écrivent avec un *h.* REM. On rencontre parfois la graphie *métempsychose,* qui, bien que plus conforme à l'étymologie, n'a pas été retenue par l'Académie.

métis, isse adj. et n. → créole

mètre n.m. ◆ **Orth.** Symbole *m,* sans point abréviatif ni marque de pluriel : *l'allée mesure 17,25 m de long sur 2,35 m de large.* - Les symboles des principales unités de mesure fondées sur le mètre sont : m^2 (mètre carré ; unité de surface), m^3 (mètre cube ; volume), m/s (mètre par seconde ; vitesse) ; m/s^2 (mètre par seconde carrée ; accélération) ; m^3/kg (mètre cube par kilo, volume massique) ; m^2/s (mètre carré par seconde ; viscosité cinématique). ❏ On écrit sans trait d'union *double mètre, mètre carré, mètre cube,* etc. - Avec un trait d'union : *mètre-semaine* (plur. : *des mètres-semaine*).

métrer v.t. ◆ **Conjug.** Attention à l'accent, tantôt grave, tantôt aigu : *je mètre, nous métrons ; il métra.* → annexe, tableau 11 et R.O. 1990

mets n.m. ◆ **Orth.** Avec un *s* final, même au singulier : *un mets délicieux.* De même pour son composé *entremets.* ◆ **Emploi.** *Mets* est peu employé dans l'expression orale courante. Il est usité surtout à l'écrit, dans l'expression soignée, et comme terme technique de cuisine.

mettre v.t. ◆ **Conjug.** → annexe, tableau 64. ◆ **Accord.** *Mis à part,* placé en tête de phrase, est invariable : *mis à part cette petite difficulté, tout s'est bien passé* (mais on écrit : *cette petite difficulté mise à part...*). ◆ **Registre.** *Mettons que, mettez que* (+ indicatif ou subjonctif), pour *admettons que, admettez que* est familier : *mettons que vous ayez raison ; mettez que je n'ai rien dit.* ◆ **Constr.** 1. *Mettre à jour / mettre au jour.* → jour

meurtre n.m. → assassinat

mi- préf. ◆ **Orth.** *Mi-* est utilisé pour former des noms et des adjectifs : *la mi-carême, des mi-bas, mi-clos.* Il est toujours invariable : *des yeux mi-clos, des mi-*

carêmes. - *Mi-* sert également à former des locutions adverbiales de type ***à mi-*** (+ nom) : *à mi-chemin, à mi-distance, à mi-corps,* etc. → **demi, semi, mi-parti.** ◆ **Genre.** Les composés formés avec *mi-* et un nom de mois (masculin) sont féminins : *la mi-décembre, la mi-juin* (tout comme *la mi-carême).*

micro- préf. ◆ **Orth.** Les composés formés avec *micro-* (du grec *mikros,* petit) s'écrivent en un seul mot, sauf si le second élément commence par *i, o* ou éventuellement *u.* On écrit : *micro-informatique* et *micro-ordinateur* mais *microanalyse, microbiologie, microclimat, microélectronique,* etc.

micro-onde n.f. / **micro-ondes** n.m. inv. ◆ **Genre et nombre.** Attention au genre et au nombre de ces deux noms homonymes et presque homographes. 1. ***Micro-onde*** n.f. = onde électromagnétique d'une longueur comprise entre 1 m et 1 mm. *Une micro-onde, des micro-ondes.* 2. ***Micro-ondes*** n.m. inv., avec un *s* même au singulier = four à micro-ondes. *Réchauffer un plat surgelé au micro-ondes.*

micro-trottoir n.m. ◆ **Orth.** Plur. : *des micros-trottoirs.* REM. Dans *micro-trottoir, micro-* ne représente pas le préfixe *micro-,* très petit, mais le nom *micro,* microphone.

miction n.f. / **mixtion** n.f. ◆ **Prononc.** *Miction* [miksjɔ̃], à l'initiale près, le mot se prononcer comme *fiction.* - *Mixtion* [mikstjɔ̃], le mot commence comme *mixte.* ◆ **Orth. et sens.** Ne pas confondre ces deux mots de forme proche mais de sens bien différents. 1. *Miction* (avec *-ct-*) = action d'uriner (terme de médecine). Vient du latin *mictio,* de *mingere,* uriner. 2. *Mixtion* (avec *-xt-*) = mélange, dans un liquide, des substances composant un médicament (terme de pharmacie). Vient du latin *mixtio,* mixture, de *miscere,* mélanger.

midi n.m. / **minuit** n.m. ◆ **Genre.** *Midi* et *minuit* sont aujourd'hui des noms masculins : *midi et demi, minuit et demi, à midi précis. « Midi le juste »* (P. Valéry). REM. dans la langue littéraire, on trouve parfois *midi* ou *minuit* employés au féminin pour produire un effet d'archaïsme : *ce pouvait être vers la minuit.* ◆ **Accord.** Le verbe qui a pour sujet *midi* ou *minuit* se met normalement au singulier : *minuit sonne, vient de sonner.* REM. On trouve parfois *midi sonnent, minuit sonnent* (= les douze coups sonnent), mais cette orthographe est vieillie. ◆ **Constr.** 1. ***Midi*** (= heure du jour) n'est pas précédé de l'article défini : *il arrivera vers midi* (et non *vers les midi ou *vers le midi) ; *à midi, il déjeune souvent avec ses collègues* (et non *le midi, il déjeune). 2. ***Le midi*** (= la direction du sud ; la région située au sud) est précédé de l'article : *la façade est tournée vers le midi ; il s'est retiré dans le midi de la France* (ou, sans complément, *dans le Midi*). ◆ **Orth.** *Midi* avec ou sans majuscule → annexe, grammaire § 32

mie adv. → **ne**

mieux adv.
◆ **Emploi.** *Mieux* est le comparatif de *bien* (contrairement aux autres adverbes, *bien* ne se construit pas avec *plus*) : *elle chante mieux que les autres.* Précédé de l'article défini, il forme le superlatif de *bien* : *c'est elle qui chante le mieux.*
1. ***Il vaut mieux.*** On dit, on écrit : *il vaut mieux* (et non *il faut mieux) : *il vaut mieux partir tôt.*
2. ***Le mieux / du mieux.*** L'un et l'autre se disent : *il fait le mieux possible ; il fait du mieux qu'il peut.*
3. ***De mieux.*** Ce tour *(dix francs de mieux, une seconde de mieux)* appartient à l'expression orale relâchée. RECOMM. Dans

l'expression soignée, en particulier à l'écrit, tourner la phrase autrement : *c'est payé dix francs de plus, je gagne dix francs sur le prix,* etc. ; *il a amélioré son propre record d'une seconde, il a couru en une seconde de moins,* etc.

♦ **Accord.**

1. *Des mieux* (+ adjectif) : accord de l'adjectif.

❏ Quand le nom ou le pronom auquel l'adjectif se rapporte est au pluriel, l'adjectif s'accorde en genre et en nombre : *ces toiles sont des mieux peintes, ils sont des mieux informés.*

❏ Quand le nom ou le pronom auquel l'adjectif se rapporte est au singulier, l'adjectif s'accorde en genre mais se met normalement au pluriel : *cette toile est des mieux peintes ; il est des mieux informés* (*des mieux* = parmi les mieux). Néanmoins, *des mieux* peut être compris comme un équivalent de *très bien ;* aussi admet-on aujourd'hui que l'adjectif s'accorde en genre mais reste au singulier après un nom ou un pronom au singulier : *cette toile est des mieux peinte ; il est des mieux informé.*

❏ L'adjectif est toujours au masculin singulier s'il se rapporte à un pronom neutre : *c'est des mieux réussi.*

2. *À qui mieux mieux* (= chacun s'efforçant de faire mieux que l'autre) exige un sujet au pluriel : *ils s'épient et se jalousent à qui mieux mieux* (mais non : **il court à qui mieux mieux*).

3. *La maison la mieux ensoleillée / la maison le mieux ensoleillée.* → **le**

♦ **Constr.**

1. *Le mieux que* (+ subjonctif ou indicatif). *Le mieux que* est le plus souvent suivi du subjonctif : *le mieux qu'il puisse faire, c'est de rembourser la totalité des dégâts* (= ce qu'il a de mieux à faire, ce qu'il devrait faire, mais qu'il ne fera peut-être pas). L'indicatif, également employé, introduit une nuance différente : *le mieux qu'il peut faire, c'est de rembourser la moitié des dégâts* (= ce qu'il peut faire de mieux, il ne

pourra pas faire mieux de toute façon). **2.** *Mieux que... ne.* Dans l'expression soignée, en particulier à l'écrit, *mieux que* entraîne l'emploi du *ne* explétif : *c'est mieux que vous ne dites* (préférable à : *c'est mieux que vous le dites*). - Après une proposition interrogative ou négative, le *ne* explétif peut être omis : *est-ce mieux que vous le dites ? ce n'est pas mieux que vous le dites.*

3. *Mieux vaut... que de... / mieux vaut... que... (mieux vaut entendre cela que d'être sourd* ou *mieux vaut entendre cela qu'être sourd).* → **de**

mieux-être n.m. inv. ♦ **Orth.** Avec un trait d'union, tout comme *bien-être.* - Plur. : *des mieux-être.*

milieu n.m. ♦ **Emploi.** RECOMM. Éviter le pléonasme *milieu ambiant* (*ambiant* signifie en soi « qui a rapport au milieu »).

mille adj. numéral

♦ **Orth.**

1. *Mille* est un adjectif numéral invariable. On écrit : *trois mille francs ; il gagne des mille et des cents.* REM. *Mille,* suivi d'autres nombres s'écrivait autrefois *mil* dans les dates : *mobilisé en mil neuf cent quatorze, il a fait toute la Grande Guerre.* Bien qu'elle ne soit pas fautive, la graphie *mil* est aujourd'hui vieillie et, pratiquement, on écrit *mille* dans tous les cas. ❏ *Mille* n'est pas un nom (contrairement à *million*). Placé après *cent,* il empêche l'accord de celui-ci ; on écrit *trois cent mille hommes* (sans *s* à *cent*), mais *trois cents millions d'hommes* (avec un *s* à *cent*).

2. Ne pas confondre l'adjectif numéral *mille* avec les noms masculins *mille* et *mile,* unités de distance : *le bateau est à trois milles de la côte.*

3. *Les Mille et Une nuits,* titre du recueil de contes arabe, s'écrit avec une majuscule à *Mille* et une majuscule à *Une.*

◆ **Emploi.**
1. *Des dizaines de milliers de... / des dizaines de mille.* Avec un complément, on n'emploie pas *mille,* mais le nom *millier : ce monument reçoit chaque année plusieurs dizaines de milliers de visiteurs* (et non **plusieurs dizaines de mille de visiteurs). -* En l'absence de complément, on peut employer *mille* ou *millier : les organisateurs parlent de plusieurs dizaines de milliers de manifestants, la préfecture d'une vingtaine de mille (ou : d'une vingtaine de milliers).*
2. *Mille deux cents / douze cents.* Pour exprimer les nombres compris entre 1 100 et 1 999, on peut utiliser *mille* ou *cent : une machine de mille deux cents chevaux* ou *de douze cents chevaux ; elle était née en mille neuf cent* ou *en dix-neuf cent.*
◆ **Constr.** *Mille un, mille une* s'emploie pour exprimer le nombre exact de 1 001. *La commune comptait mille un habitants au dernier recensement. Les météorologues ont dénombré sur le trajet de l'orage mille une traces d'impacts de foudre.*
❑ *Mille et un, mille et une* s'emploie pour exprimer un nombre élevé et indéterminé : *on a dit mille et une choses sur cette affaire, et surtout beaucoup de choses inexactes.*

mille-feuille n.m. / **mille-feuille** n.f.
◆ **Orth.** Avec un trait d'union et sans *s* à *feuille* au singulier. → R.O. 1990. ◆ **Sens et genre.** Ne pas confondre les deux mots *mille-feuille,* de sens et de genres différents. 1. *Mille-feuille* n.m. = gâteau. - Plur. : *des mille-feuilles.* 2. *Mille-feuille* n.f. = achillée (plante). - Plur. : *des mille-feuilles.*

millénaire n.m. ◆ **Orth.** En traitement de texte et en imprimerie, on écrit avec des grandes majuscules : *le II*e *millénaire* (mais avec des petites majuscules : *le XVII*e *siècle*).

mille-pattes n.m. inv. ◆ **Orth.** Avec un trait d'union et un *s* à *pattes,* même au singulier. → R.O. 1990

million n.m. / **milliard** n.m. ◆ **Orth.** *Million* et *milliard* sont des noms (et non des adjectifs numéraux). Ils s'accordent donc en nombre et, placés après *vingt* ou *cent,* ils n'empêchent pas l'accord de ceux-ci : *quatre-vingts millions d'habitants ; cinq cents milliards de kilomètres.* ◆ **Constr.** *Million de, milliard de.* Le nom complément de *million* ou de *milliard* se construit toujours avec *de : un million d'années, trois milliards d'hommes.* À l'écrit, la préposition est conservée, même si le nombre de millions ou de milliards est en chiffres : *3 000 000 d'hommes.* En revanche, la préposition disparaît devant un symbole : *3 000 000 F* (et non **3 000 000 de F*), mais on la restitue en lisant (*3 000 000 F* se lit « *trois millions de francs* » et non « **trois millions francs* »). ◆ **Accord.** *Un million de, un milliard de* commande le plus souvent l'accord du verbe au pluriel : *un million de vacanciers sont attendus sur les routes.* Mais on peut dire ou écrire : *un million de vacanciers est attendu sur les routes.* Avec *le million de, le milliard de,* l'accord se fait le plus souvent au singulier : *le million de vacanciers attendu sur les routes subira du mauvais temps.*

millionnaire adj. et n. ◆ **Orth.** Avec deux *n,* à la différence de *millionième.*

millionième adj. et n. ◆ **Orth.** Avec un seul *n,* à la différence de *millionnaire.*

mimosa n.m. ◆ **Accord.** On écrit *mimosa* au singulier dans *des bouquets de mimosa, des œufs mimosa.*

mini- préf. ◆ **Orth.** Les composés formés avec *mini-* s'écrivent en un seul mot, sauf si le deuxième élément commence par une voyelle. On écrit : *mini-informatique, mini-ordinateur, mini-usine,* mais *minibus, minijupe, minichaîne.*

Minicassette n.f. ◆ **Orth.** Toujours avec une majuscule (nom déposé) : *une Minicassette.*

minima (a) loc. adv. ◆ **Orth.** Le *a* ne prend pas d'accent, comme dans *a priori* : faire appel *a minima* (de la locution latine *a minima poena,* de la plus petite peine). Terme juridique.

minimaliser v.t. / **minimiser** v.t. ◆ **Sens.** Ne pas confondre ces deux verbes, formés sur le même radical, mais présentant une importante nuance de sens. **1.** *Minimaliser* = réduire jusqu'au seuil minimal. *Minimaliser les frais.* - Le nom d'action correspondant est : *minimalisation.* **2.** *Minimiser* = accorder une moindre importance à, réduire l'importance de. *Minimiser un incident.* - Le nom d'action correspondant est : *minimisation.*

minimum n.m. et adj. → **maximum**

ministère n.m. ◆ **Orth.** C'est le complément, et non *ministère,* qui prend la majuscule dans : *le ministère des Affaires étrangères, le ministère de l'Intérieur, le ministère de la Santé,* etc.

ministre n. ◆ **Genre.** L'emploi du mot au féminin est désormais admis en France, même dans l'usage protocolaire : *Madame la ministre de la Défense. La ministre du Budget.* REM. Dans les autres pays francophones, notamment en Belgique, au Canada et en Suisse, l'emploi de *ministre* au féminin est admis depuis longtemps. ◆ **Orth. 1.** On écrit : *le ministre des Affaires étrangères, le ministre de l'Intérieur, le ministre de la Santé,* etc., avec la majuscule au complément, comme pour *ministère.* - On écrit : *le Premier ministre* avec une majuscule à *Premier* et une minuscule à *ministre.* **2.** *Ministre* reste toujours au singulier dans les quelques locutions où il est employé en apposition : *des bureaux ministre, des papiers ministre.*

Minitel n.m. ◆ **Orth.** Avec une majuscule (nom déposé) : *le Minitel.*

minorité n.f. ◆ **Accord.** Accord du verbe et de l'attribut avec l'expression *une minorité de..., la minorité des...* → majorité

minuit n.m. → midi

minuscules (emploi des) → annexe, grammaire § 27 à 32

minute n.f. ◆ **Orth.** Le symbole de la minute, unité de mesure du temps, est *min* (sans point abréviatif) : *le meilleur temps est de 13 min 20 s, le moins bon de 16 min 33 s.* REM. L'ancien symbole *mn* n'est plus en usage. ❑ Le symbole de la minute, unité de mesure d'angle est ′ : *1° est égal à 60′.*

minutie n.f. ◆ **Prononc.** [minysi], en prononçant le *t* comme un *s* (comme dans *facétie, inertie* et *péripétie*). REM. La transcription du *t* latin (*minutie* vient de *minutia*) a donné lieu à de nombreuses hésitations : au XVIIe s., on hésitait encore entre le *c* (*minucie*) et le *t* (*minutie*). C'est au XVIIIe s. que le *t* a été définitivement retenu (avec la prononciation [s]).

mi-parti, e adj. ◆ **Accord.** *Mi-parti* s'accorde en genre et en nombre avec le nom auquel il se rapporte : *une robe mi-partie vert et bleu* (ou *mi-partie verte, mi-partie bleue* ou *mi-partie de vert et de bleu*). REM. *Mi-parti* représente l'ancien participe passé de *mi-partir* (« partager en deux ») ; la forme la plus logique est donc *mi-parti de* (*une robe mi-partie de vert et bleu*), mais les deux autres sont admises.

mirabelle n.f. et adj. inv. ◆ **Accord.** Invariable comme adjectif de couleur : *des robes mirabelle* → annexe, grammaire § 98

mire-œuf, mire-œufs n.m. ◆ **Orth.** On peut écrire au singulier : *un mire-œuf* (sans *s*) ou *un mire-œufs* (avec *s* à *œuf*). - Plur. : *des mire-œufs* (avec un *s* à *œuf* seulement). → R.O. 1990

mis à part loc. prépositive ou adjective → mettre

miscible adj. ◆ **Orth.** Attention au groupe -sc- (comme dans *imputrescible*). REM. *Miscible* est issu du latin *miscere*, mélanger.

mise n.f. ◆ **Orth.** *Mise en plis* : avec un *s* à *plis*, même au singulier. ❑*Mise en pages / mise en page.* Les deux orthographes sont admises, mais on écrit plus souvent avec un *s* à *page* : *mise en pages, mettre en pages, metteur en pages.*

miserere n.m. inv. / **miséréré** n.m. ◆ **Orth.** Les deux graphies sont admises : *miserere*, sans accent (comme en latin), ou *miséréré*, avec trois accents aigus (forme francisée). - Plur. : *des miserere* (invariable) ou *des miséréré* (avec *s*).

miss n.f. ◆ **Orth.** Plur. : *des miss* ou *des misses* (à l'anglaise). ❑ *Miss,* dans le titre d'une reine de beauté. Toujours avec une majuscule : *elle a été élue Miss France.* ◆ **Emploi.** Quand il désigne une demoiselle anglaise, *miss* doit être suivi du prénom *(miss Helen)* ou du nom de famille *(miss Smith).*

mite n.f. ◆ **Emploi.** *Mangé aux mites.* → à

mitigé, e adj. ◆ **Sens et emploi.** Le sens premier de *mitigé* est « atténué, tempéré, devenu ou rendu moins vif ou moins rigide » (le mot vient du latin *mitis*, doux) : « *Sa politesse, on l'appelle froideur ; son ironie, si mitigée qu'elle soit, méchanceté* » (Ch. Baudelaire). Dans le registre courant, le mot est employé aujourd'hui au sens de « mêlé, mélangé, qui est à mi-chemin entre deux extrêmes » : *éprouver des sentiments mitigés.* « *Quand M. de Guermantes eut terminé la lecture de mon article, il m'adressa des compliments, d'ailleurs mitigés* » (M. Proust). RECOMM. Cet emploi est critiqué. Dans l'expression

soignée, en particulier à l'écrit, on peut remplacer *mitigé* par *ambigu, équivoque, mêlé, mélangé, partagé.*

mitiger v.t. ◆ **Conjug.** Le *g* devient -ge-devant *a* et *o* : *je mitige, nous mitigeons ; il mitigea.* → annexe, tableau 10

mitonner v.t. ◆ **Orth.** Avec deux *n*. REM. *Mitonner* vient d'un ancien mot d'un parler de l'ouest de la France, *miton*, morceau de mie de pain.

mitrailler v.t. ◆ **Conjug.** Attention au groupe -illi- aux première et deuxième personnes du pluriel, à l'indicatif imparfait et au subjonctif présent : *(que) nous mitraillions, (que) vous mitrailliez.*

mitre n.f. ◆ **Orth.** Le *i* ne prend pas d'accent circonflexe (comme *pupitre* et *chapitre* et à la différence d'*épître*). De même pour les dérivés *mitral* et *mitré*. REM. *Mitre* vient du latin *mitra,* bandeau, qui ne présente pas de *s* susceptible de donner en français un accent circonflexe.

mi-voix (à) loc. adv. ◆ **Orth.** Avec un trait d'union.

mixeur, mixer n.m. ◆ **Orth.** Les deux graphies, *mixeur* (graphie francisée) ou *mixer* (graphie anglaise), sont admises. RECOMM. Préférer *mixeur.*

mixtion n.f. → miction

Mobylette n.f. ◆ **Orth. 1.** Avec une majuscule pour désigner un cyclomoteur de la marque de ce nom. *Une Mobylette.* - Plur. : *des Mobylettes.* **2.** Sans majuscule dans le sens courant (mais abusif) de « cyclomoteur, quelle que soit sa marque ». *Une mobylette.* RECOMM. Préférer *cyclomoteur,* sauf dans les situations où l'on souhaite désigner précisément un cyclomoteur de la marque Mobylette. REM. Dans le registre familier, *mob* remplace souvent *mobylette : on lui a volé sa mob.*

mode n.f. ◆ **Orth.** *Bœuf mode.* Avec *mode* toujours au singulier et sans trait d'union : *des bœufs mode.* REM. Dans *des bœufs mode,* le pluriel *bœufs* se prononce [bœf], en faisant entendre le *f* comme au singulier, et non [bø], (prononciation normale de ce pluriel).

modèle n.m. ◆ **Genre.** Toujours masculin, même pour désigner une femme qui pose pour un peintre, un sculpteur, etc. : *elle a des formes très rondes, on dirait un modèle de Maillol.*

modeler v.t. et v.pr. ◆ **Conjug.** Attention à l'alternance *e/è* : *modeler ; je modèle, il modèle,* mais *nous modelons ; il modèlera ; qu'il modèle* mais *que nous modelions ; modelé.* → annexe, tableau 12

modéliste n. ◆ **Orth.** Avec un *e* accent aigu (à la différence de *modèle*) et un seul *l.*

modem n.m. ◆ **Orth.** Plur. : *des modems.* REM. *Modem* est l'acronyme de *MOdulateur DÉModulateur,.*

moderato adv. ◆ **Orth.** Sans accent aigu (mot italien).

modéré, e adj. / **modeste** adj. / **modique** adj. ◆ **Sens.** Ne pas confondre ces trois mots proches par la forme et par le sens. 1. *Modéré* = mesuré, tempéré ; qui n'est pas trop élevé (prix). *Des propos modérés, un loyer modéré.* 2. *Modeste* = qui est sans orgueil, sans prétention (personnes) ou sans faste (choses). *Elle est restée modeste malgré son succès. Un logement modeste.* 3. *Modique* = peu élevé, de faible valeur. *Des revenus modiques.*

modérer v.t. et v.pr. ◆ **Conjug.** Attention à l'accent, tantôt grave, tantôt aigu : *je modère, nous modérons ; il modéra.* → annexe, tableau 11 et R.O. 1990

modus vivendi n.m. ◆ **Orth.** Plur. : *des modus vivendi* (invariable). ◆ **Sens et emploi.** Un *modus vivendi* est un accord, un accommodement, un compromis : « *Il faut être raisonnable. Il faut trouver un modus vivendi, il faut tâcher de s'entendre* » (E. Ionesco). RECOMM. Ne pas utiliser cette locution latine au sens que donne sa traduction littérale : « mode de vie, manière de vivre », mais bien au sens de « transaction, arrangement ».

moelle n.f. ◆ **Prononc.** [mwal], avec le son *oi* comme dans *toile, voile.* RECOMM. Ne pas prononcer le groupe *-oe-* comme dans *Noël.* De même pour *moelleux* et *moelleusement.* ◆ **Orth.** Avec un *e* sans tréma séparé du *o.* De même pour *moelleux* et *moelleusement.*

moellon n.m. ◆ **Prononc.** [mwalɔ̃], avec le son *oi,* comme dans *toile.* ◆ **Orth.** Avec *e* sans tréma et séparé du *o.*

mœurs n.f. plur. ◆ **Prononc.** [mœRs], en faisant entendre le *s* final ou [mœR], comme *tu meurs.* La deuxième prononciation est moins fréquente. REM. L'orthographe a longtemps hésité entre *mœurs* (avec un *o*) et *meurs* (sans *o*). Au XVIIᵉ s., la graphie avec *o* l'a emporté par fidélité à l'étymologie (*mœurs* vient du latin *mores*) et à cause du risque de confusion avec *tu meurs,* deuxième personne du verbe *mourir.*

moi pron. personnel ◆ **Emploi.** La politesse exige que la personne qui parle se nomme après les autres. On dit donc : *vous et moi ; ma femme, mon père et moi.* Et non : **moi et vous ; *moi, ma femme et mon père.* ◆ **Constr.** *Mènes-y-moi, menez-y-moi.* → mener

moindre adj. ◆ **Emploi.** 1. *Moindre,* comparatif de *petit,* peut être renforcé par *bien* et par *beaucoup* mais non par *très* : on peut dire *bien moindre, beaucoup moindre* ou *moindre, de beaucoup* mais non **très moindre.* 2. *Moindre* avec *petit.* RECOMM. Dire : *la moindre difficulté* *l'arrête* ou *la plus petite difficulté l'arrête* (mais non : *la moindre petite difficulté l'arrête). REM. Ce pléonasme a été employé à des fins expressives dans la langue littéraire, notamment par La Fontaine : « *Pas le moindre petit morceau...* ». Hors d'une recherche d'effet délibérée, il est préférable de l'éviter.

moindrement adv. ◆ **Emploi.** *Le moindrement* (= le moins du monde) s'emploie surtout avec la négation : *elle n'avait pas l'air le moindrement gênée.* Registre littéraire.

moins adv.
◆ **Emploi.**
1. *Au moins / du moins.* Exprimant une restriction (= en tout cas, de toute façon, néanmoins), ces deux locutions sont équivalentes : *il n'est pas très capable, mais au moins il est honnête ; il n'est pas malhonnête, au moins ? ; c'est terminé, du moins le croit-elle.* - *Au moins* est souvent employé au milieu d'une phrase ou rejeté à la fin : *si vous ne voulez pas vous occuper de cette affaire, au moins laissez-moi m'en charger ; tu pourrais t'excuser, au moins.* - *Du moins* n'est jamais rejeté en fin de phrase et entraîne généralement l'inversion du sujet : *s'il n'est pas brillant, du moins est-il sérieux et persévérant.* ❏ On emploie dans le même sens **tout au moins, pour le moins** et **à tout le moins.** *Au moins, du moins,* appartiennent à l'usage courant ; *tout au moins* et *pour le moins* relèvent de l'expression soignée, *à tout le moins* du registre soutenu.
2. *Rien moins que / rien de moins que* → rien
3. *Des moins* (+ adverbe). *Des moins,* employé le plus souvent devant un adjectif (v. ci-dessous, accord), peut aussi être employé devant un adverbe : *il était vêtu des moins correctement, et il avait l'air ivre.*

◆ **Accord.**
1. *Des moins* (+ adjectif) : accord de l'adjectif.
❏ Quand le nom ou le pronom auquel l'adjectif se rapporte est au pluriel, l'adjectif s'accorde en genre et en nombre : *ces nouvelles sont des moins captivantes ; ils sont des moins intéressants.*
❏ Quand le nom ou le pronom auquel l'adjectif se rapporte est au singulier, l'adjectif s'accorde en genre mais se met normalement au pluriel : *cette nouvelle est des moins captivantes ; il est des moins intéressants* (*des moins* = parmi les moins). Cependant, *des moins* peut être compris comme un équivalent de *très peu* ; aussi admet-on aujourd'hui que l'adjectif s'accorde en genre mais reste au singulier après un nom ou un pronom au singulier : *cette nouvelle est des moins captivante ; il est des moins intéressant.*
❏ L'adjectif est toujours au masculin singulier s'il se rapporte à un pronom neutre ou à un infinitif : *cela n'est pas des moins pénible pour lui ; travailler dans ces conditions est des moins agréable.*
2. *Moins de deux,* accord du verbe. Avec *moins de deux,* le verbe se met au pluriel : *moins de deux années ont passé.* REM. Avec *plus d'un,* le verbe est au singulier : *plus d'un voudra être présent ce jour-là.* Dans les deux cas, c'est le nom commandé par le numéral qui régit l'accord.

◆ **Orth.** *Le moins / la moins,* accord de l'article. → le
◆ **Constr.**
1. *Moins de / moins que.*
❏ Dans l'indication d'une quantité, d'une mesure, etc., on emploie *moins de :* *elle a moins de trente ans, votre fenêtre mesure moins de deux mètres.*
❏ Dans une comparaison entre deux quantités ou deux grandeurs, on emploie *moins que :* *trois fois quatre font moins que sept fois deux.*

❏ Avec *à demi, à moitié, aux trois quarts*, etc., on emploie *moins que* : *la gourde est moins qu'à moitié pleine ; quand l'inauguration officielle a eu lieu, les travaux était moins qu'aux trois quarts achevés. Moins de (la gourde est moins d'à moitié pleine)* est vieilli. **2. *Moins que... ne.*** Avec *moins que*, on utilise, dans l'expression soignée, le *ne* explétif : *il est moins sourd qu'il ne le laisse paraître ; nous la voyons moins souvent que nous ne le souhaiterions.* - Dans le registre courant, l'omission de *ne* est fréquente : *il est moins sourd qu'il le laisse paraître ; nous la voyons moins souvent que nous le souhaiterions.* **RECOMM.** Dans l'expression soignée, en particulier à l'écrit, préférer le tour avec *ne* explétif. **3. *À moins de*** (+ nom) : *à moins d'un incident, il devrait être ici dans une heure.* - *À moins de* (+ infinitif) : *à moins d'être retenu par un incident, il devrait être ici dans une heure.* Ces tours sont usuels et corrects dans tous les registres. ❏ *À moins que de* (+ infinitif) : *à moins que d'être retenu par un incident...* Ce tour vieilli n'est plus employé que dans le registre très soutenu. **4. *À moins que*** (+ subjonctif). Avec *à moins que*, on emploie le subjonctif et la particule *ne* : *à moins qu'il n'ait été retenu, il devrait être ici dans moins d'une heure ; je risque d'être obligé d'abandonner, à moins que vous n'acceptiez de m'aider.* - L'omission de *ne* est fréquente dans le registre familier : *à moins qu'il ait été retenu..., à moins que vous acceptiez de m'aider.* **RECOMM.** Dans l'expression soignée, en particulier à l'écrit, préférer le tour avec *ne* explétif.

moins-disant n.m. ◆ **Orth.** Plur. : *des moins-disants.*

moins-perçu n.m. ◆ **Orth.** Plur. : *des moins-perçus.*

moins-value n.f. ◆ **Orth.** Plur. : *des moins-values.*

moissonneur n.m. ◆ **Orth.** Avec deux *n*, comme tous les mots de la famille de *moisson* : *moissonnage, moissonner, moissonneuse.*

moissonneuse-batteuse n.f. ◆ **Orth.** Plur. : *des moissonneuses-batteuses.*

moissonneuse-lieuse n.f. ◆ **Orth.** Plur. : *des moissonneuses-lieuses.*

moitié n.f. ◆ **Orth.** *À moitié prix, à moitié chemin* : jamais de trait d'union. ❏ *Moitié-moitié.* Toujours avec un trait d'union. ◆ **Accord.** *La moitié de.* Après *la moitié de*, le verbe peut être au singulier ou au pluriel. Si *la moitié* désigne une proportion exacte (0,5 ; 1 sur 2), il est au singulier : *lors du vote, la moitié des présents s'est déclarée hostile au projet.* Toutefois, le pluriel est admis en cas d'indécision sur le sens. - Si *la moitié* désigne une proportion approximative (à peu près 1 sur 2), l'accord se fait avec le complément : *la moitié des gens étaient opposés à ce projet ; la moitié du groupe était opposé au projet.* ◆ **Constr.** *À moitié*, dans *moins qu'à moitié, moins d'à moitié, plus qu'à moitié, plus d'à moitié*, etc., est le plus souvent précédé de *que*, parfois de *de* : *un gâteau entamé plus qu'à moitié, un travail moins d'à moitié fait.* - *Moins qu'à moitié, plus qu'à moitié*, etc., est courant, *moins d'à moitié, plus d'à moitié*, etc., est plus rare et vieilli. ◆ **Registre.** *Moitié moins* est courant dans le registre familier : *cette année, elle a gagné moitié moins que l'année dernière.* **RECOMM.** Dans l'expression soignée, en particulier à l'écrit, tourner la phrase autrement : *cette année, ses gains se sont réduits de moitié* ou *elle n'a gagné que la moitié de ce qu'elle a gagné l'année dernière*, etc.

mol adj. → **mou**

molécule n.f. ◆ **Genre.** Féminin : *une molécule.*

molécule-gramme n.f. ◆ **Orth.** Plur. : *des molécules-grammes.*

moleter v.t. ◆ **Conjug.** Attention à l'alternance *-tt-/-t-* : *il molette, nous moletons ; il moletait ; il moleta ; il molettera.* → annexe, tableau 16 et R.O. 1990

molleton n.m. ◆ **Orth.** Avec deux *l.* Les dérivés s'écrivent avec deux *l* et deux *n* : *molletonner, molletonneux.*

moment n.m. ◆ **Orth.** *À tout moment,* au singulier (mieux que : *à tous moments,* que l'on rencontre parfois). ◆ *De moment en moment,* toujours au singulier. ❑ *Par moments,* au pluriel. ◆ **Emploi.** *Au moment où : au moment où elle partait, on a sonné.* REM. *Au moment que,* vieilli, n'est plus employé que dans le registre littéraire : « *La chose se passe au moment qu'on ne l'attendait plus* » (G. Bernanos). ❑ *À partir du moment où / du moment où.* L'un et l'autre sont corrects. *À partir du moment où* est plus courant : *à partir du moment où il a pris sa décision* (ou *du moment où il a pris sa décision*), *plus rien ne l'arrête.* ❑ *Du moment que* = dès lors que, puisque. « *Du moment que tu aspires aux bénéfice, prend les charges* » (Balzac). REM. *Du moment que* n'est plus employé aujourd'hui au sens de « dès que », comme il l'était dans la langue classique : « *Plus de chant : il perdit la voix / Du moment qu'il gagna ce qui cause nos peines* » (La Fontaine). ◆ **Constr.** *Jusqu'au moment où* (+ indicatif). À la différence de *jusqu'à ce que,* toujours suivi du subjonctif, *jusqu'au moment où* est suivi de l'indicatif : *elles sont restées jusqu'au moment où le froid est venu* (mais : *elles sont resté jusqu'à ce que le froid vienne*).

momerie n.f. / **mômerie** n.f. ◆ **Sens.** Ne pas confondre ces deux mots très proches par la forme et par le sens, mais distincts. 1. *Momerie* (sans accent circonflexe) = affectation de sentiments que l'on n'éprouve pas (en particulier, affectation de piété) : « *Son attitude à l'église édifiait tout le monde, mais elle méprisait tout bas ces momeries* »

(M. Yourcenar). REM. *Momerie* est issu de l'ancien français *mommer,* mettre un masque, se déguiser. 2. *Mômerie* (avec un accent circonflexe sur le *o*) = enfantillage. *J'ai passé l'âge de jouer aux devinettes, cessez ces mômeries et dites-moi la vérité.* REM. *Mômerie,* dans ce sens, vient de *môme,* enfant. Le mot a été employé autrefois au sens collectif de « ensemble des mômes » : *la mômerie précède volontiers les régiments* (Nouveau Larousse universel). ◆ **Registre.** *Momerie* est littéraire, alors que *mômerie* est familier.

momifier v.t. ◆ **Conjug.** Attention au redoublement du *i* aux première et deuxième personnes du pluriel, à l'indicatif imparfait et au subjonctif présent : *(que) nous momifiions, (que) vous momifiiez.*

mon, ma, mes adj. possessif ◆ **Prononc. et orth.** *Ma* devient *mon* devant un mot commençant par une voyelle ou un *h* muet : *mon ancienne propriétaire, mon amie, mon habitude* (mais *ma honte*). REM. Dans ce cas, *n* se lie avec le mot qui suit, et la prononciation de *-on* tend parfois vers *o,* notamment en Ile-de-France. Il en va de même pour *ton* et *son.* ◆ **Emploi.** *Mon, ma, mes* remplacé par *le* (*mon bras est cassé / je me suis cassé le bras*). → **le**

monde n.m. ◆ **Orth.** *Le Nouveau Monde, l'Ancien Monde.* Le mot *monde* s'écrit toujours avec une minuscule, sauf dans les expressions *le Nouveau Monde* (= l'Amérique) et *l'Ancien Monde* (= l'Europe, l'Afrique et l'Asie). - On écrit : *parcourir le monde, le vaste monde, notre monde n'est qu'une boule minuscule égarée dans l'Univers.* ❑ *Monsieur Tout-le-monde.* Avec une majuscule à *tout* et deux traits d'union. ◆ **Accord.** *Un monde de.* Le verbe qui suit se met au singulier : *un monde de marins, de trafiquants et d'aventuriers peuplait le port et la ville.*

mondovision

mondovision n.f. ◆ **Orth.** En un seul mot, comme *Eurovision,* mais avec une minuscule. **RECOMM.** Ne pas déformer en **mondiovision* sous l'influence d'*audiovisuel.* **REM.** *Mondovision,* système de transmission, est un nom commun ; *Eurovision* est le nom propre d'un organisme.

monnaie n.f. ◆ **Orth.** Attention aux dérivés. **1.** Avec deux *n* : *monnayable, monnayer, monnayeur.* **2.** Avec un seul *n* : *monétaire, monétarisation, monétarisme.* **REM.** *Monnaie,* issu de latin *moneta,* ne s'est écrit avec deux *n* qu'à partir du XVIIIᵉ s.

mono- préf. ◆ **Orth.** À l'exception de *mono-industrie* n.f., et de *mono-iodé* adj., les composés formés avec *mono-* (du grec *monos,* seul, unique) s'écrivent en un seul mot, même si le second élément commence par une voyelle. On écrit : *monoacide, monoatomique, monoénergétique, monoïque ; monodisciplinaire, monofilament, monogerme,* etc. Quand le second élément commence par *i,* celui-ci porte un tréma : *monoïque, monoïdéique,* etc. - Tous les composés écrits en un seul mot prennent normalement la marque du pluriel. Les deux composés écrits avec un trait d'union prennent la marque du pluriel au second élément seulement : *des mono-industries ; des composés mono-iodés, des substances mono-iodées.*

monnayer v.t. ◆ **Conjug.** Les formes conjuguées du verbe peuvent s'écrire avec un *y* ou un *i* devant *e* muet : *il monnaie* ou *il monnaye, il monnaiera* ou *il monnayera.* - Attention au *i* après le *y* aux première et deuxième personnes du pluriel, à l'indicatif imparfait et au subjonctif présent : *(que) nous monnayions, (que) vous monnayiez (monnayiez).* → annexe, tableau 6

monosyllabe n.m. ◆ **Prononc.** [monosillab], avec le son *s,* comme dans *syllabe.* De même pour *monosyllabique.*

monseigneur n.m. ◆ **Orth. 1.** *Monseigneur* s'abrège en *Mgr,* sans point abréviatif. **REM.** L'abréviation s'emploie dans les mêmes conditions que pour *monsieur.* → **monsieur. 2.** *Messeigneurs / nosseigneurs.* Au pluriel, on dit *messeigneurs* lorsqu'on parle à plusieurs personnes ayant droit au titre, et *nosseigneurs* lorsqu'on parle d'elles : *Nosseigneurs les évêques de France.* ❑ *Messeigneurs* ne s'abrège pas. *Nosseigneurs* s'abrège en *NN.SS.* ◆ **Emploi.** Le titre de *Monseigneur* est donné aux princes des familles souveraines, aux cardinaux, aux archevêques, aux évêques, aux prélats.

monsieur, messieurs n.m. ◆ **Orth.**
1. Abréviations. *Monsieur* s'abrège en *M.* (et non en *Mr,* qui est l'abréviation de l'anglais *mister*) : *M. Martin. M. le Président. M. le professeur Berthier.* - *Messieurs* s'abrège en *MM.* : *MM. Martin et Leroy, géomètres-experts. MM. les jurés apprécieront.*
2. Majuscule. *Monsieur (madame, mademoiselle)* s'écrit avec une majuscule dans les cas indiqués ci-dessous en 1°, 2°, 3°, 6° ; avec une minuscule dans les cas indiqués en 4°, 5°, 7°.
◆ **Emploi.** (Les règles indiquées ci-dessous valent également pour *madame* et *mademoiselle*).
Abréviation. *Monsieur (madame, mademoiselle)* ne s'abrège que s'il est suivi d'un nom de personne ou d'une qualité. *Monsieur (madame, mademoiselle)* ne s'abrège jamais dans les cas suivants :
1° dans les formules de politesse de la correspondance : *Recevez, Monsieur, mes sincères salutations. Veuillez agréer, Monsieur le Ministre, ... ;*
2° dans les adresses : *Monsieur Jean-Luc Devallois 33, rue de la Pierre-à-Moulin 69130 La Ferté-Dumez.* **REM.** Cette règle relève plus des bienséances que de

l'orthographe. Elle est de moins en moins observée dans les adresses manuscrites ; elle ne l'est plus que très rarement dans les adresses écrites par des procédés automatiques (étiquettes d'abonnements, publipostages, etc.) ;

3° Dans les titres d'ouvrages : *Monsieur de Pourceaugnac, comédie de Molière ;*

4° dans la transcription d'une parole adressée à quelqu'un : *bonjour, monsieur* (forme la plus courtoise) ; *bonjour, monsieur Durand* (forme familière, qui implique que la personne qui parle occupe un rang hiérarchique ou une position sociale considérés comme plus élevés que la personne à qui elle s'adresse) ;

5° lorsqu'on parle d'une personne sans la nommer par son nom : *transmettez mon meilleur souvenir à monsieur votre père ;*

6° lorsqu'un employé de maison parle du maître de maison (ou de la maîtresse de maison, de leur fils, de leur fille), ou lorsqu'un tiers parle de celui-ci (ou de celle-ci) à un employé de maison. *Je n'ai pas vu Monsieur de la journée. Monsieur va vous recevoir dans un instant ;*

7° lorsque *monsieur* est employé non pas comme un titre, mais pour désigner une personne : *elle a rencontré un monsieur avec qui elle a sympathisé ; la valise est à ce monsieur, le sac à cette dame ; un monsieur d'un certain âge ; un monsieur bien vêtu.*

monstre n.m. et adj. ◆ **Genre.** Toujours masculin, même pour parler d'une femme : *dans son réquisitoire, le substitut a présenté la jeune femme comme un monstre.* ◆ **Accord.** Employé comme adjectif, *monstre* s'accorde en nombre avec le nom auquel il se rapporte. *Des soldes monstres. Les parades monstres des élections américaine.* Registre familier.

mont n.f. ◆ **Orth.** Dans les noms propres formés de *mont* suivi d'un adjectif ou d'un complément, c'est l'adjectif ou le complément qui prend la majuscule : *le mont Blanc* (= sommet des Alpes), *le mont Sacré* (= colline de Rome), *le mont des Oliviers* (= colline proche de Jérusalem, souvent mentionnée dans les Écritures). Mais l'on écrit *le Mont-Blanc* (= le massif des Alpes auquel appartient le mont Blanc) avec deux majuscules et un trait d'union.

mont-blanc n.m. ◆ **Orth.** Avec un trait d'union. - Plur. : *des monts-blancs.* ◆ **Sens.** Ne pas confondre *un mont-blanc* (= un entremet aux marrons) avec *le mont Blanc* (= sommet des Alpes).

mont-de-piété n.m. ◆ **Orth.** Avec deux trait d'union. - Plur. : *des monts-de-piété.*

mont-d'or n.m. ◆ **Orth.** Avec un trait d'union. - Plur. : *des monts-d'or.* ◆ **Sens.** Ne pas confondre *un mont-d'or* (= un fromage) avec *le mont d'Or* (= le sommet du Jura qui a donné son nom à ce fromage).

monte-charge n.m. ◆ **Orth.** Avec un trait d'union. - Plur. : *des monte-charge* (invariable, sans *s*) ou *des monte-charges* (avec un *s* à *charge*). → R.O. 1990

monte-en-l'air n.m. inv. ◆ **Orth.** Avec deux trait d'union. - Plur. : *des monte-en-l'air* (sans *s*).

monte-plat, monte-plats n.m. ◆ **Orth.** Avec un trait d'union. Deux possibilités au singulier : *un monte-plat* (sans *s*) ou *un monte-plats* (avec un *s* à *plat*). - Plur. : *des monte-plats* (avec un *s* à *plat*). → R.O. 1990

monter v.i. et v.t. ◆ **Conjug.** Transitif, *monter* se conjugue avec l'auxiliaire *avoir* : *j'ai monté les sept étages à pied ; le bagagiste a monté les valises.* Intransitif, *monter* se conjugue avec l'auxiliaire *être,* sauf quand il signifie « atteindre un niveau plus élevé » : *je suis monté me* *coucher vers vingt-trois heures, ils sont montés sur leurs grands chevaux* ; mais : *l'eau a encore monté cette nuit, les prix ont monté.* ◆ **Constr. 1.** *Monter à / dans.* On emploie *monter à* pour indiquer un passage rapide, *monter dans* lorsqu'on veut marquer une certaine durée : *il est monté à sa chambre pour prendre ses clés* ; mais : *tu cherches Pierre ? il est monté dans sa chambre.* **2.** *Monter à bicyclette / en voiture.* → à. ◆ **Emploi. 1.** *Monter assez haut, très haut, moins haut,* sont des emplois courants et corrects. **RECOMM.** Éviter le pléonasme **monter en haut* ; dire simplement : *monter.* **2.** *Monter le coup à qqn.* → coup. ◆ **Registre.** *Monter à Paris.* Expression courante dans le registre familier. **RECOMM.** Dans l'expression soignée, préférer *se rendre à Paris, s'installer à Paris.* **REM.** S'agissant d'une personne jeune au début d'une carrière artistique, l'expression *monter à Paris* est consacrée : *débutante, elle monte à Paris pour passer le concours du Conservatoire.*

monte-sac, monte-sacs n.m. ◆ **Orth.** Deux possibilités au singulier : *un monte-sac* (sans s) ou *un monte-sacs* (avec un s à sac). - Plur. : *des monte-sacs* (avec un s à sac). → R.O. 1990

montre n.f. ◆ **Sens.** *Faire montre.* Dans son emploi courant, l'expression n'est pas péjorative : *elle a fait montre de beaucoup de clairvoyance* (= elle a montré de la clairvoyance, elle a fait preuve de clairvoyance). - Le sens péjoratif de « faire étalage de » est légèrement vieilli : *il connaît bien ce domaine et il aime assez faire montre de son savoir.*

montre-bracelet n.f. ◆ **Orth.** Avec un trait d'union. - Plur. : *des montres-bracelets* (avec s à chaque mot).

moquer v.t. et v.pr. ◆ **Accord.** À la forme pronominale, le participe s'accorde toujours avec le sujet : *elles se sont moquées de lui.* ◆ **Constr. 1.** *Se moquer de qqn : les enfants se moquent de vous ; nous nous moquions gentiment de ce vieil original.* Construction normale et courante. ❑ *Se moquer,* sans complément, est vieilli, sauf dans quelques tours exclamatifs figés : *vous vous moquez ! C'est se moquer ! Moquez-vous ! Vous moqueriez-vous, par hasard ?* Registre soutenu. **2.** *Moquer qqch., qqn.* La construction directe, vieillie dans l'usage courant, n'est plus utilisée que dans le registre littéraire : « *Moi, dont tu as si souvent moqué l'optimisme* » (J. Romains). **3.** *Se faire moquer de soi.* Tournure admise par l'usage, bien qu'elle fasse pléonasme (*de soi* répète *se*). **RECOMM.** Dans l'expression soignée, en particulier à l'écrit, préférer : *faire rire de soi, être tourné en dérision, avoir l'air ridicule,* etc. **4.** *Se moquer que* (+ subjonctif) : *je me moque que cela lui plaise ou non, c'est comme ça.*

morcellement n.m. ◆ **Orth.** Avec deux *l* (comme *musellement* et à la différence de *martèlement*). → R.O. 1990

morceler v.t. ◆ **Conjug.** Attention à l'alternance *-ll-/-l-* : *il morcelle, nous morcelons ; il morcelait ; il morcela ; il morcellera.* → annexe, tableau 16 et R.O. 1990

mordancer v.t. ◆ **Conjug.** Le *c* devient *ç* devant *o* et *a* : *je mordance, nous mordançons ; il mordança.* → annexe, tableau 9

mordiller v.t. ◆ **Conjug.** Attention au groupe *-illi-* aux première et deuxième personnes du pluriel, à l'indicatif imparfait et au subjonctif présent : *(que) nous mordillions, (que) vous mordilliez.*

mordre v.t. , v.t.ind. et. v.pr. ◆ **Conjug.** → annexe, tableau 59

more adj. et n. → maure

moresque adj. → **mauresque**

morfondre (se) v.pr. ◆ **Conjug.** Comme *fondre.* → annexe, tableau 59. ◆ **Accord.** Le participe s'accorde toujours avec le sujet : *elles se sont morfondues pendant tout le voyage.*

morigéner v.t. ◆ **Conjug.** Attention à l'accent, tantôt grave, tantôt aigu : *je morigène, nous morigénons ; il morigéna.* → annexe, tableau 11 et R.O. 1990

morphogenèse n.f. → **genèse**

mort, e adj. et n. ◆ **Orth.** Jamais de trait d'union dans les locutions : *eau morte* (= eau stagnante), *ivre mort, rester lettre morte, nature morte, poids mort, point mort, mort vivant, à demi mort.* ◆ **Accord.** *Faire le mort* (= faire semblant d'être mort).. L'expression reste le plus souvent au masculin singulier : *lorsqu'on touche certaines scolopendres, elles s'enroulent et font le mort.* L'accord au féminin n'est pas fautif, mais il est beaucoup plus rare : *elles font les mortes.* - Employée comme terme de bridge, l'expression est toujours au masculin singulier : *c'est Marie-Gladys qui fait le mort, c'est Marie-Gladys le mort.*

mort-aux-rats n.f. inv. ◆ **Orth.** Avec deux traits d'union. - Plur. : *des mort-aux-rats* (sans *s* à *mort*).

morte-eau n.f. ◆ **Orth.** *Morte-eau / eau morte. Une morte-eau,* ou *marée de morte-eau* (avec trait d'union) est une marée de faible amplitude alors qu'une *eau morte* (sans trait d'union) est une eau stagnante. - Plur. : *mortes-eaux, eaux mortes.*

morte-saison n.f. ◆ **Orth.** Avec un trait d'union. - Plur. : *des mortes-saisons.*

mortifier v.t. ◆ **Conjug.** Attention au redoublement du *i* aux première et deuxième personnes du pluriel, à l'indicatif imparfait et au subjonctif présent : *(que) nous mortifiions, (que) vous mortifiiez.*

mort-né, e adj. et n. ◆ **Orth.** Avec un trait d'union. ◆ **Accord.** Dans *mort-né, mort* demeure invariable alors que *né* varie en genre et en nombre : *des enfants mort-nés, une petite mort-née.*

mortuaire adj. ◆ **Sens.** Ne pas confondre avec *funèbre.* → **funèbre**

mot n.m. ◆ **Orth.** Les locutions avec *mot* s'écrivent sans trait d'union, sauf *à demi-mot : au bas mot, à mots couverts, mot à mot, mot pour mot, mot d'esprit, mot d'ordre ; un jeu de mots* (toujours avec un *s* à *mot,* même au singulier). ◆ **Accord.** Au pluriel, les locutions employées comme nom suivent la règle d'accord habituelle : *des jeux de mots, des mots d'esprit, des mots d'ordre.* ◆ **Emploi.** Toujours au singulier : *au bas mot, à demi-mot.* Toujours au pluriel : *à mots couverts.*

mots-croisés, mots croisés n.m. plur. ◆ **Orth.** Les deux graphies, *mots-croisés,* avec un trait d'union, ou *mots croisés,* sans trait d'union, sont admises. ◆ **Nombre.** Le mot s'emploie le plus souvent au pluriel : on dit *faire des mots-croisés.* Toutefois, on rencontre également, dans l'usage courant, *faire un mots-croisés* (= remplir une grille de mots-croisés). Même dans ce cas, *mots-croisés* s'écrit avec un *s* à *mot* et un *s* à *croisé* (la grille croise plusieurs mots).

mots-croisiste n. ◆ **Orth.** Avec un *s* à *mot* et un trait d'union. - Plur. : *des mots-croisistes.* ◆ **Sens et emploi.** Ne pas confondre *mots-croisiste* (= auteur de mots-croisés) et *cruciverbiste* (= amateur de mots-croisés).

mots composés → annexe, grammaire § 47, 48

mou ou **mol, molle** adj. ◆ **Emploi.** *Mou / mol.* Ce mot a deux formes au masculin singulier, *mou* et *mol*. *Mol* s'emploie devant un nom masculin singulier commençant par une voyelle ou un *h* muet. *Le doute, « mol oreiller » au dire de Montaigne. Le mol obstacle d'une résistance toute passive.* ◆ **Registre.** La forme *mol* appartient aujourd'hui au registre soutenu, car dans le registre courant, *mou* est désormais le plus souvent placé après le nom : *l'obstacle mou d'une résistance toute passive.* **2.** *Mou comme une chiffe.* → chiffe

moucher v.t. et v.pr. ◆ **Emploi.** L'emploi intransitif est vieilli, sauf dans *moucher beaucoup* (= avoir des sécrétions nasales abondantes, avoir le nez qui coule). ◆ **Registre.** *Moucher qqn* (= remettre qqn à sa place, le reprendre vertement) est familier.

moucheter v.t. ◆ **Conjug.** Attention à l'alternance *-tt-/-t-* : *il mouchette, nous mouchetons ; il mouchetait ; il moucheta ; il mouchettera.* → annexe, tableau 16 et R.O. 1990

moudjahid n.m. ◆ **Orth.** Plur. : *moudjahidine* (avec un *e* à la fin, graphie francisée) ou *moudjahidin* (transcription anglaise du pluriel arabe). RECOMM. Préférer *moudjahidine.*

moudre v.t. ◆ **Conjug.** Attention au présent (*je mouds* mais *nous moulons*), au futur (*je moudrai*), au subjonctif (*que je moule*) et au passé simple (*je moulus*). ◆ annexe, tableau 65

moufle n.f. ◆ **Orth.** Avec un seul *f*, à la différence de *souffle*. ◆ **Genre.** Féminin : *une moufle.*

mouiller v.t. ◆ **Conjug.** Attention au groupe *-illi-* aux première et deuxième personnes du pluriel, à l'indicatif imparfait et au subjonctif présent : *(que) nous mouillions, (que) vous mouilliez.*

mourir v.i. ◆ **Orth.** Avec un seul *r* comme *courir* (et à la différence de *nourrir* et *pourrir*). ◆ **Conjug.** Avec l'auxiliaire *être*. Le *r* est doublé au futur : *je mourrai.* → annexe, tableau 30

moustache n.f. ◆ **Nombre.** Comme tous les noms qui désignent une chose constituée de deux parties, *moustache* peut s'employer indifféremment au singulier ou au pluriel : *il a une belle moustache* ou *il a de belles moustaches.* - Pour les animaux, *moustache* ne s'emploie qu'au pluriel : *les moustaches du chat* - Pour désigner le duvet de la lèvre supérieure, chez une femme, on emploie toujours *moustache* au singulier : *elle est très brune, il faut qu'elle se décolore la moustache.*

moustiquaire n.f. ◆ **Genre.** Féminin : *une moustiquaire.*

moût n.m. ◆ **Orth.** Avec un accent circonflexe sur le *u*. → R.O. 1990. REM. L'accent circonflexe remplace le *s* de la forme originelle *moust*, du latin *mustum*.

moutier n.m. ◆ **Orth.** *Moutier,* monastère, s'écrit aujourd'hui sans accent circonflexe sur le *u*. REM. Issu du latin ecclésiastique *monasterium*, le mot a eu au XIIIᵉ s. la forme *moustier*, qui subsiste à côté de *moûtier* dans des noms de lieux : *Moustiers-Sainte-Marie, Saint-Pierre-le-Moûtier.* La forme actuelle est apparue au début du XVIIᵉ s.

moutonneux, euse adj. / **moutonnier, ère** adj. ◆ **Orth.** Avec deux *n*, comme tous les dérivés de *mouton*. ◆ **Sens et emploi.** Ne pas confondre. **1.** *Moutonneux, euse* = dont l'apparence rappelle celle de la laine du mouton. *Une mer moutonneuse, un ciel moutonneux* (= couvert de nuages blancs et floconneux). **2.** *Moutonnier, ère* = qui fait comme tout le monde, qui suit sans réfléchir l'exemple des autres, comme les moutons d'un troupeau. *Une foule moutonnière.*

mouvoir v.t. et v.pr. ◆ **Orth.** Attention à l'accent circonflexe du participe passé au masculin singulier : *mû*, absent au féminin et au pluriel : *mue, mus, mues* → R.O. 1990. ◆ **Conjug.** → annexe, tableau 41

moyen n.m. ◆ **Emploi.** 1. *Avoir les moyens.* Au sens de « richesses, ressources pécuniaires » et « capacités intellectuelles ou physiques », le mot s'emploie au pluriel : *vivre selon ses moyens, au-dessus de ses moyens ; perdre tous ses moyens* (= se troubler). 2. *Trouver moyen de* s'emploie au sens de « parvenir, réussir à » et souvent ironiquement : *il a trouvé moyen de se fâcher avec tous ses amis.* **RECOMM.** Éviter le solécisme *tâcher moyen, fréquent dans la langue populaire.

Moyen Âge n.m. ◆ **Orth.** On écrit *Moyen Âge,* avec majuscules et sans trait d'union. **REM.** C'est la règle classique pour l'orthographe des périodes historiques *(l'Antiquité, le Moyen Âge et les Temps modernes ; la Renaissance ; la Terreur),* bien qu'on trouve parfois le mot écrit sans majuscules ou avec trait d'union. → aussi moyenâgeux

moyenâgeux, euse adj. ◆ **Orth.** En un seul mot (alors que *Moyen Âge* est en deux mots) et avec un seul *n.* ◆ **Sens.** *Moyenâgeux / médiéval.* Ne pas confondre ces deux mots qui présentent des sens proches, mais distincts. 1. *Moyenâgeux* = qui rappelle le Moyen Âge, qui en a certains des caractères (sans nécessairement dater de cette époque) : *promenez-vous dans les rues moyenâgeuses de la vieille ville. - Des idées moyenâgeuses :* des idées désuètes, surannées, dépassées. 2. *Médiéval* = du Moyen Âge. *La société médiévale. Une*

forteresse médiévale. ◆ **Emploi.** *Moyenâgeux* est un mot courant, *médiéval* appartient au vocabulaire didactique (manuels, livres d'histoire, etc.).

moyen-courrier n.m. ◆ **Orth.** Avec un trait d'union. - Plur. : *des moyen-courriers,* sans *s* à *moyen* (*moyen* ne qualifie pas *courrier* : il s'agit de courriers sur une distance moyenne) → aussi long-courrier

moyen-métrage n.m. ◆ **Orth.** Avec un trait d'union. En revanche, on écrit sans trait d'union *un film de moyen métrage.* - Plur. : *des moyens-métrages,* comme *des courts-métrage, des longs-métrages.*

moyennant prép. ◆ **Emploi.** Dans *moyennant finance* (= contre de l'argent, en payant), *finance* est au singulier.

mû part. passé → mouvoir

mufle n.m. ◆ **Orth.** Avec un seul *f,* à la différence de *buffle.*

mugir v.i. / **rugir** v.i. ◆ **Sens.** Les deux verbes signifient « pousser le cri propre à son espèce », mais *mugir* se dit des bovidés (bœuf, taureau, vache, buffle, bison, etc.), *rugir* des grands félins (lion, tigre, panthère, etc.).

muguet n.m. ◆ **Emploi.** Pour désigner la plante fleurie, *muguet* ne s'emploie qu'au singulier : *du muguet, des brins de muguet* (et non *des muguets). En revanche, le pluriel peut être utilisé pour désigner plusieurs variétés de l'espèce : *les muguets à fleurs blanches et à fleurs roses.*

mulâtre adj. et n. ◆ **Genre.** 1. Comme adjectif, *mulâtre* s'emploie au masculin et au féminin : *un garçon mulâtre ; une jeune fille mulâtre.* 2. *Mulâtre / mulâtresse.* Comme nom, *mulâtre* a normalement pour féminin *mulâtresse,* mais cette forme est vieillie. Aussi trouve-t-on maintenant *mulâtre* employé au féminin : *une jolie mulâtre.* - Comme les autres noms et adjectifs faisant référence à la couleur de la peau et pouvant passer pour discriminatoires, *mulâtre* et *mulâtresse* sont peu employés de nos jours.

multi- préf. ◆ **Orth. 1.** Les composés formés avec le préfixe *multi-* (du latin *multus*, nombreux) s'écrivent toujours en un seul mot : *multicouche, multiethnique, multimillionnaire, multiplex,* etc. **2.** Les noms et adjectifs formés avec *multi-* s'écrivent sans *s* au singulier (le préfixe détermine le sens mais ne commande pas le pluriel du second élément du composé) ; ils prennent la marque du pluriel : *une assurance multirisque, des contrats multirisques ; un téléviseur multinorme, des téléviseurs multinormes..* On écrit cependant *un appareil multifonction* ou *multifonctions ; un cinéma multisalle* ou *multisalles.*

multiplier v.t., v.i. et v.pr. ◆ **Conjug.** Attention au redoublement du *i* aux première et deuxième personnes du pluriel, à l'indicatif imparfait et au subjonctif présent : *(que) nous multipliions, (que) vous multipliiez.* ◆ **Emploi.** *Se multiplier* (= se reproduire). L'emploi pronominal est le plus fréquent : *les lapins se multiplient rapidement.* L'emploi intransitif *(les lapins multiplient rapidement)* est aujourd'hui vieilli.

multitude n.f. ◆ **Accord. 1.** Avec *la multitude des*, le verbe se met normalement au singulier : *la multitude des étoiles ne peut pas être reproduite sur un petit planisphère.* **2.** Avec *une multitude de*, le verbe se met au pluriel : *une multitude d'étoiles brillent dans le ciel.*

munificence n.f. → magnificence

mûr, e adj. ◆ **Orth.** *Mûr,* parvenu à maturité, s'écrit avec un accent circonflexe sur le *u*, à la différence de

mur, paroi, qui n'en prend pas : *des poires bien mûres ; un mur de pierre.* → R.O. 1990.

mural, e, aux adj. ◆ **Orth.** Masculin pluriel : *muraux. Des papiers muraux, des tentures murales.*

mûre n.f. ◆ **Orth.** Avec un accent circonflexe sur le *u*, comme *mûrier*, qui en est issu. → R.O. 1990

muscat, e adj. ◆ **Genre.** Cette adjectif est employé presque exclusivement au masculin : *raisin muscat* (= à saveur musquée). Le féminin est rare mais se rencontre parfois (notamment dans le titre du récit de Colette : *la Treille muscate*).

musculaire adj. / **musculeux, euse** adj. ◆ **Sens.** Ne pas confondre. **1.** *Musculaire* = des muscles. *La force musculaire.* **2.** *Musculeux, euse* = qui est formé de muscles ; qui a des muscles bien marqués. *Le tissu musculeux ; des bras musculeux.*

musée n.m. ◆ **Orth.** Finale masculine en *-ée* comme *apogée, lycée, mausolée, périnée, périgée,* etc.

musellement n.m. ◆ **Orth.** Avec deux *l* (comme *morcellement* et à la différence de *martèlement*). → R.O. 1990

museler v.t. ◆ **Conjug.** Attention à l'alternance *-ll-/-l-* : *il muselle, nous muselons ; il muselait ; il musela ; il musellera.* → annexe, tableau 16 et R.O. 1990

muserolle n.f. ◆ **Orth.** *Muserolle* (= pièce du harnais d'un cheval), s'écrit avec deux *l*, à la différence de *artériole, bronchiole.* → R.O. 1990

muséum n.m. ◆ **Orth.** Avec un accent aigu (mot latin francisé). - Plur. : *des muséums.* - On écrit : *le Muséum d'histoire naturelle,* avec un *M* majuscule, pour désigner ce musée national ; *muséum*, sans majuscule, pour désigner tout autre musée consacré aux sciences naturelles.

music-hall n.m. ◆ **Prononc.** [mysikol], comme *musique* suivi de la finale de *tôle* (*o* fermé). ◆ **Orth.** Avec un trait d'union. - Plur. : *des music-halls.*

must n.m. ◆ **Prononc.** [mœst], le *u* se prononce comme le voyelle de *œuf.* ◆ **Orth.** Plur. : *des musts.* ◆ **Registre.** Cet anglicisme appartient au registre familier. Dans l'expression soignée, on dit, plutôt que *c'est un must : il faut l'avoir fait, l'avoir vu,* etc. ; *c'est un devoir, une nécessité, une obligation ; on ne peut pas ne pas le faire, ne pas le voir, ne pas le connaître,* etc.

mutuel, elle adj. / **réciproque** adj. ◆ **Emploi.** *Mutuel* et *réciproque* ont des sens très proches, mais n'ont pas exactement les mêmes emplois. **1.** *Mutuel, elle* peut être employé quel que soit le nombre des êtres ou des choses dont on parle : « [...] *une organisation du monde établissant, d'une manière durable, la solidarité et l'aide mutuelle des nations dans tous les domaines* » (Ch. de Gaulle). REM. *Réciproque* ne pourrait pas être employé dans ce cas. **2.** *Réciproque* ne s'emploie que lorsque deux choses, deux êtres ou deux groupes échangent des actes ou des sentiments équivalents : « *Il y avait entre elle et cette princesse une amitié fondée sur ce besoin d'une confiance réciproque, qui rend si souvent les femmes nécessaires les unes aux autres* » (Voltaire). REM. *Mutuel* pourrait être employé ici à la place de *réciproque : ce besoin d'une confiance mutuelle...*

mutuellement adv. ◆ **Emploi.** Employé avec un verbe exprimant la réciprocité, ce mot forme pléonasme. On dit *s'entraider* ou *s'aider mutuellement* mais non *s'entraider mutuellement.

myrrhe n.f. / **myrte** n.m. ◆ **Orth. et sens.** Bien distinguer ces deux mots de sonorité proche **1.** *Myrrhe* n.f., avec un *y*, deux *r* et un *h* (latin *myrrha*, du grec) = résine odorante. *La myrrhe et l'encens.* **2.** *Myrte* n.f., avec un *y* seulement (grec *murtos*) = arbuste. *Les feuilles de la myrte symbolisaient pour les Anciens l'amour et la gloire.*

mystifier v.t. / **mythifier** v.t. ◆ **Orth.** Avec un *y* au début pour les deux mots, mais un *h* seulement pour *mythifier* (issu de *mythe*). ◆ **Sens.** Ne pas confondre ces deux mots proches par la forme, mais dont les sens sont bien distincts. **1.** *Mystifier* = abuser de la crédulité de qqn pour s'amuser à ses dépens. *Les élèves de troisième année ont mystifié toute l'école avec un énorme canular.* **2.** *Mythifier* = donner un caractère de mythe à. *Le système du vedettariat mythifie les chanteurs et les acteurs.* → aussi **démystifier** et **démythifier**

mythomane adj. et n. → **mégalomane**

N

nacarat n.m. et adj. inv. ◆ **Accord.** Invariable comme adjectif de couleur : *des ceintures nacarat* (= rouge clair à reflets nacrés). → annexe, grammaire § 98. ◆ **Registre.** Littéraire.

nacre n.f. ◆ **Genre.** Féminin : *de la nacre.*

nævus n.m. ◆ **Orth. et prononc.** Avec un *æ* (*a* et *e* conjoints) qui se prononce [e] comme un *é* (accent aigu). - Plur. : *des nævus* (pluriel français, courant) ou *des nævi* (pluriel latin, savant). REM. Mot latin signifiant « tache, verrue », qui a gardé longtemps son pluriel latin.

nager v.i. et v.t. ◆ **Conjug.** Le *g* devient *-ge-* devant *a* et *o : je nage, nous nageons ; il nagea.* → annexe, tableau 10

naguère adv. → jadis

nain, naine n. ◆ **Emploi.** L'expression *petit nain* est traditionnelle dans les contes pour désigner une créature imaginaire, d'apparence humaine mais de très petite taille. Pour désigner une personne atteinte de nanisme, on dit simplement *nain* (*petit nain, comme *grand géant, est dans ce cas un pléonasme).

naître v.i. ◆ **Orth.** Avec un accent circonflexe sur le *i* à l'infinitif. ◆ **Conjug.** *Naître* se conjugue avec l'auxiliaire *être.* L'accent circonflexe sur le *i* se conserve dans toute la conjugaison devant *t.* → annexe, tableau 72, R.O. 1990, et **né, e**

naphte n.m. ◆ **Genre.** Masculin : *du naphte.* REM. Le mot a été féminin jusqu'au début du XIXe siècle, d'après le latin *naphta*, bitume.

narco- préf. ◆ **Orth.** *Narco-* se soude toujours à l'élément qui le suit : *narcoanalyse, narcodollar, narcolepsie.*

narval n.m. ◆ **Orth.** Plur. : *des narvals,* comme *des chacals.*

nasal, e, aux adj. ◆ **Orth.** Masculin pluriel : *nasaux* (à distinguer du pluriel du substantif *les naseaux*). REM.La forme *nasals* est parfois employée pour éviter la confusion avec le pluriel du substantif ; elle n'est pas usuelle.

natal, e, als adj. ◆ **Orth.** Masculin pluriel courant : *natals. Les sols natals.* - Les composés *prénatal, postnatal, périnatal* font leur pluriel en *-als* ou en *-aux : prénatals, postnatals, périnatals* (plus fréquents) ou *prénataux, postnataux, périnataux* (plus rares).

natif, ive adj. et n. ◆ **Emploi.** *Natif de / né à.* Les deux expressions ne sont pas exactement synonymes. *Natif de,* à la différence de *né à,* implique que la personne dont on parle est née en un lieu d'où sont également originaires ses parents, où elle a ses racines familiales. - *Né natif de* est un pléonasme à éviter dans l'expression soignée, mais qui est souvent employé par plaisanterie dans le registre courant.

national, e, aux adj. ◆ **Orth.** Avec un seul *n,* comme *régional,* issu de *région.* Les mots de la même famille, *nationalisation, nationaliser, nationalisme, nationaliste, nationalité* s'écrivent également avec un seul *n.*

national-socialiste adj. et n. ◆ **Orth.** Au féminin : *national-socialiste. Les doctrines national-socialistes* (plutôt que *la doctrine nationale-socialiste, les doctrines nationales-socialistes.*) - Masculin pluriel : *nationaux-socialistes.*

nature n.f. et adj. inv. ◆ **Orth.** Employé comme adjectif, le mot reste invariable : *des yaourts nature, deux cafés nature.* - *Grandeur nature* (= aux dimensions réelles) s'écrit sans trait d'union et reste invariable : *des portraits grandeur nature.* - *Nature morte* s'écrit sans trait d'union et prend la marque du pluriel : *un peintre de natures mortes.* - *De toute nature* s'écrit au singulier : *des objets de toute nature.* ◆ **Emploi. 1.** L'emploi adjectif est courant pour qualifier des choses : *des yaourts nature, du thé nature* (= au naturel, sans addition). S'appliquant à des personnes, cet emploi est familier : *elles sont très nature* (= spontanées et naturelles). **2.** *Nature,* employé comme adverbe (forme abrégée de *naturellement*) est argotique : « *Ton père ne vendra jamais ? Nature.* » (R. Vercel).

naturel n.m. ◆ **Emploi.** On dit *au naturel : elle est mieux au naturel qu'en photo ; peindre quelqu'un au naturel* (et non *en naturel*).

naufrager v.i. ◆ **Conjug.** Le *g* devient *-ge-* devant *a* et *o : je naufrage, nous naufrageons ; il naufragea.* → annexe, tableau 10

nautonier n.m. ◆ **Orth.** Avec un seul *n.*

naval, e, als adj. ◆ **Orth.** Masculin pluriel : *navals. Des chantiers navals.* - Le composé *aéronaval* suit la même règle : *dispositifs aéronavals.*

navigable adj. ◆ **Orth.** Sans *u,* comme son dérivé *navigabilité.* → aussi **navigant**

navigant, e adj. et n. / **naviguant** part. présent. ◆ **Orth.** Ne pas confondre l'adjectif *navigant* et le participe présent *naviguant.* **1.** *Navigant, e,* adjectif issu du verbe *naviguer,* s'écrit sans *u : le personnel navigant d'une compagnie aérienne ; les navigants.* **2.** *Naviguant,* participe présent de *naviguer,* garde le *u* de l'infinitif comme toutes les formes conjuguées du verbe : *avis aux bâtiments naviguant en Manche et en mer du Nord* → annexe, grammaire § 58

navires (genre des noms de) → annexe, grammaire § 34

nazi, e adj. et n. ◆ **Orth.** Jamais de majuscule initiale : *le parti nazi ; les nazis.* - Féminin : *nazie. Les troupes d'occupation nazies.*

ne adv.
◆ **Emploi.**
I. *Ne* employé en corrélation.
1. *Ne... pas.* C'est la forme courante et neutre de la négation dans le français actuel : *je ne l'aime pas, je n'en veux pas, je n'irai pas.*
❑ Cependant, *ne* est omis dans les phrase elliptiques : *pas question que vous partiez ; pas de danger qu'il vienne aujourd'hui ; pas un souffle, pas un brin de vent.*

❑ Dans l'expression orale relâchée, *ne* est très souvent omis : *j'irai pas, il veut jamais, c'est pas moi.* **RECOMM.** Dans l'expression soignée, en particulier à l'écrit, employer la négation complète : *je n'irai pas, il ne veut jamais, ce n'est pas moi.*

❑ Au lieu de l'exclamation *(Que de mensonges il a inventés !)* on emploie souvent l'interrogation négative : *Quels mensonges n'a-t-il pas inventés ?* ou *Combien de mensonges n'a-t-il pas inventés ?* Les deux tours fusionnent parfois en une exclamation négative : *Que de mensonges n'a-t-il pas inventés !* Ce tour naguère critiqué est aujourd'hui admis, pourvu que son sens soit clair : *quelle ne fut pas notre surprise ! que de fois ne vous l'ai-je pas expliqué !*

2. *Ne... point, ne... goutte.* ❑ *Ne... point* est vieilli ou régional : « *Avec ça que l'on ne sait point ce que vous pensez !* » (P. Claudel). → **pas.** ❑ *Ne... goutte,* littéraire et vieilli, n'est plus guère employé que dans des expressions comme *n'y voir goutte, n'y entendre goutte, n'y comprendre goutte.* **REM.** *Ne... mie* est vieux et n'est plus employé que dans la langue littéraire, pour produire un effet d'archaïsme : « *[...] tu n'es mie dans l'esprit de ton rôle* » (Th. Gautier).

3. *Ne* + adverbe ou indéfini. *Ne* peut aussi s'employer en corrélation avec d'autres adverbes *(plus, jamais, guère, nulle part, aucunement, nullement,* etc.) ou avec des pronoms ou adjectifs indéfinis *(personne, rien, nul, aucun),* auxquels *ne* donne une pleine valeur négative : *je n'irai plus ; je n'y pense guère ; il ne t'en veut nullement ; nul n'y songerait ; je n'en ai pris aucun ; je n'ai rien vu.* Ces éléments (adverbes, pronoms indéfinis, adjectifs indéfinis) peuvent se combiner entre eux, chacun apportant une nuance particulière : *je n'en ai jamais rien dit à personne ; je ne vais jamais nulle part non plus.* Mais ils ne peuvent pas être employés en même temps que *pas,*

point ou *goutte* (on ne dit pas : **je ne bois pas goutte* ; **je n'en veux pas guère* ; **je n'y vais pas jamais*). **REM.** L'expression familière *ce n'est pas rien* (= c'est quelque chose de considérable) ne contredit cette règle qu'en apparence : *rien* y est employé dans le sens de « néant, nul ».

4. *Ne... que.* *Ne* s'emploie avec une valeur restrictive en corrélation avec *que,* au sens de « seulement » : *je n'ai que trois francs* (= j'ai seulement trois francs) ; *il n'a plus qu'un jour de vacances ; je ne compte plus guère que sur vous.* **RECOMM.** Éviter le pléonasme *ne... que... seulement.* Dire : *je n'ai que trois francs* ou *j'ai trois francs seulement* (et non **je n'ai que trois francs seulement*).

5. *Ne... pas que.* Cette locution est souvent employée comme contraire de *ne... que : je n'ai pas que cela à faire ; il ne fait pas que s'amuser ; on ne vit pas que pour soi.* Cette tournure naguère critiquée est aujourd'hui passée dans l'usage. Si l'on juge néanmoins préférable de l'éviter, on peut la remplacer par *ne... pas seulement... : on ne vit pas seulement pour soi.*

II. *Ne* employé seul, sans *pas.*

1. *Ne* est toujours employé seul dans les cas suivants.

❑ Dans certaines locutions figées : *n'avoir cure de, n'avoir garde de, il n'importe, qu'à cela ne tienne, ne dire mot,* etc.

❑ Quand deux négations sont séparées par *ni,* ou quand *ni* est répété : *il ne le peut ni ne le veut.* « *Ni l'or ni la fortune ne nous rendent heureux* » (La Fontaine).

❑ Dans le tour interrogatif *que... ne...* exprimant le regret : *Que ne vous ai-je écouté ? Que n'a-t-il couru, il serait arrivé à temps.*

❑ Après *qui* sujet dans une interrogation de forme négative mais de sens positif : *qui ne souhaiterait pouvoir en faire autant ?* (= tout le monde le souhaiterait) ; *qui ne perdrait patience, à ma place ?* (= quiconque perdrait patience). - Mais s'il s'agit d'une véritable interrogation, on emploie la négation complète *ne... pas* :

qui *n'a pas compris la réponse ? qui ne viendra pas à la prochaine réunion ?* De même, *qui* complément exige *ne... pas : qui n'a-t-elle pas encore reçu ?*

❏ Après *savoir que* (+ infinitif) : *nous ne savons que faire ; je ne sais que dire.*

2. Ne peut être employé seul dans les cas suivants.

❏ Avec les verbes *cesser, oser, pouvoir : il ne cesse de vous le demander ; je n'ose vous le dire ; elle ne peut vous répondre,* Cet emploi, facultatif, relève de l'expression soignée. On peut toujours dire : *il ne cesse pas de vous le demander, je n'ose pas vous le dire, elle ne peut pas vous répondre.*

❏ Après *depuis que, il y a (telle durée) que, voici (telle durée) que,* suivis d'un verbe à un temps composé : *il a grandi, depuis que je ne l'ai vu ; voici trois mois qu'il ne m'a écrit ; il y aura bientôt une semaine qu'il n'a téléphoné.* Cependant, on peut dire aussi correctement : *voici trois mois qu'il ne m'a pas écrit ; il y a une semaine qu'il n'a pas téléphoné.* - Le verbe au présent ou à l'imparfait, exige la négation complète : *voici deux mois que nous ne nous voyons plus ; depuis qu'il ne venait plus chez nous...*

III. *Ne* explétif.

Le *ne* dit « explétif » (qui n'est pas nécessaire au sens de la phrase, ou qui n'est pas absolument exigé par la syntaxe) est le plus souvent omis dans la langue orale. Il s'emploie, surtout à l'écrit.

❏ Dans les propositions subordonnées, après les verbes à la forme affirmative exprimant la crainte, la précaution, l'empêchement : *j'ai peur qu'il ne tombe, prenez garde qu'il ne se sauve, évitez qu'il ne se salisse.* - Quand le verbe est à la forme négative, *ne* explétif est omis : *je ne crains pas qu'il vienne ; vous n'éviterez pas qu'il tombe.* → aussi **craindre, empêcher, éviter,** etc.

❏ Facultativement, dans les propositions subordonnées, après des verbes à la forme négative exprimant le doute ou la négation : *je ne doute pas qu'il*

ne vienne (ou *qu'il vienne*) *; je ne nie pas qu'il ne soit brillant* (ou *qu'il soit brillant*). → **douter** et **nier**

❏ Facultativement après certaines conjonctions telles que *de peur que, avant que, à moins que, sans que :* donnez-lui votre bras, de peur qu'elle ne tombe ou de peur qu'elle tombe ; elle n'en sortira pas à moins qu'elle ne soit* (ou : *à moins qu'elle soit*) *au-dessus de toutes les difficultés.* - Si *que,* seul, est mis pour l'une de ces conjonctions, il exige *ne* : « *elle n'en sortira pas qu'elle ne soit au-dessus de toutes les difficultés* » (Diderot).

◆ **Constr.** Place de la négation.

1. Les deux éléments de la négation, *ne* et *pas,* encadrent le verbe conjugué : *il ne chante pas ; elle ne dit rien.*

2. Quand la négation porte sur un verbe à l'infinitif, elle le précède : *elle se tient à la rampe pour ne pas tomber ; elle est sûre de ne pas le trouver.* REM. La construction avec l'infinitif intercalé dans la négation n'est plus employée aujourd'hui, sauf pour produire un effet d'archaïsme : « *Et, pour ne bouger pas encore, je me fais couper les cheveux* » (A. Gide). *Êtes-vous sûre de n'y tenir point ?*

3. Quand le verbe conjugué est un semi-auxiliaire suivi d'un verbe à l'infinitif, la négation peut, en fonction du sens, soit encadrer le verbe auxiliaire, soit encadrer l'infinitif : *je ne peux pas venir* (= il m'est impossible de venir), *je peux ne pas venir* (= j'ai la possibilité de venir ou de ne pas venir) ; *il n'ose pas le dire* (= il est trop timide pour le dire), *il ose ne pas le dire* (= il a l'audace de le taire).

4. *Pour que ne... pas.* La négation devant encadrer le verbe conjugué, on dit : *j'ai fermé la porte pour qu'il ne sorte pas.* RECOMM. Bien que courante dans l'expression orale relâchée, la tournure **pour ne pas que,* (*j'ai fermé la porte pour ne pas qu'il sorte) est un solécisme à éviter dans l'expression soignée, en particulier à l'écrit.

né, e adj. ◆ **Orth.** Les mots composés avec *né* prennent un trait d'union et les deux éléments s'accordent toujours au pluriel sauf avec *nouveau* et *mort* : *une aveugle-née ; des artistes-nés, des musiciennes-nées.* ❑ *Mort-né, nouveau-né.* Dans *mort-né* et *nouveau-né, mort* et *nouveau* sont considérés comme des adverbes et restent invariables : *des enfants mort-nés ; des filles nouveau-nées ; des nouveau-nés.* → aussi **nouveau.** ❑ *Dernier-né, premier-né.* Attention, les deux éléments varient : *les derniers-nés, les dernières-nées ; les premiers-nés, les premières-nées.* REM.*La fille premier-née, la premier-née,* avec *premier* invariable, est sorti de l'usage. ◆ **Emploi.** *Né à / natif de.* → natif

néandertalien, enne adj. et n.m. ◆ **Orth.** Sans *h* après le *t.* REM.*La graphie néanderthalien n'est plus en usage.*

nécessiter v.t. ◆ **Sens.** *Nécessiter =* rendre nécessaire. RECOMM. Éviter le sens de « avoir besoin » (*les volets nécessitent une couche de peinture*). Dire : *les volets ont besoin d'une couche de peinture,* ou *demandent, exigent une couche de peinture.* ◆ **Emploi.** *Nécessiter* a pour sujet un nom de chose : *une telle affirmation nécessite quelques explications.* RECOMM. Éviter l'emploi avec un nom de personne (**ces chercheurs nécessitent des crédits importants*). Dire : *les travaux de ces chercheurs nécessitent des crédits importants.*

nécrologe n.m. / **nécrologue** n. ◆ **Sens et orth.** Ne pas confondre ces deux mots proches par la forme et par le sens. 1. *Nécrologe* (finale en *-oge*) = liste, registre des morts. *Le nécrologe des combattants de Verdun.* REM. *Nécrologe,* comme *éloge* et *martyrologe,* est issu du latin *elogium,* inscription tombale, épitaphe. Ne pas se laisser influencer par *catalogue,* issu du latin *catalogus,* du grec *katalogos,* liste. 2. *Nécrologue* (finale en *-ogue*) = auteur d'une nécrologie, de nécrologies.

néfaste adj. ◆ **Sens et registre. 1.** *Néfaste* = qui est marqué par des événements funestes, tragiques. *Jour, année néfaste.* Registre soutenu. REM. *Néfaste* est issu du latin *nefastus,* interdit par la loi divine, qui se disait, dans l'Antiquité romaine, des jours où il était défendu de vaquer aux affaires publiques. → aussi **faste. 2.** *Néfaste* = qui peut causer des dommages. *Une politique, une influence néfaste ; un individu néfaste.* Registre courant. ◆ **Constr.** *Néfaste à, pour.* Les deux constructions sont admises : *cette politique a été néfaste au pays* ou *pour le pays.*

négationnisme n.m. ◆ **Orth.** Avec deux *n* (on a *négation / négationnisme* comme on a *abolition / abolitionnisme, déviation / déviationnisme,* etc.). De même : *négationniste.*

négligeant part. prés. / **négligent, e** adj. ◆ **Orth.** Ne pas confondre le participe *négligeant* et l'adjectif *négligent.* 1. *Négligeant,* participe présent du verbe *négliger,* prend un *e* pour garder le son [ʒ] (comme dans *joie*) devant *a* : *négligeant les détails, il va droit à l'essentiel.* → **négliger. 2.** *Négligent, e,* adjectif issu du latin *negligens* s'écrit sans *a,* comme *négligence* et *négligemment* (v. ces mots) : *un homme négligent, une personne négligente.* → annexe, grammaire § 57

négligemment adv. ◆ **Orth.** Avec *e* (il n'y a pas de *a*) → **négligeant / négligent**

négligence n.f. ◆ **Orth.** Avec *e* (il n'y a pas de *a*) → **négligeant / négligent**

négliger v.t. et v.pr. ◆ **Conjug.** Le *g* devient *-ge-* devant *a* et *o* : *je néglige, nous négligeons ; il négligea.* → annexe, tableau 10

négocier v.t. ◆ **Sens et emploi.** *Négocier,* c'est discuter en vue d'un accord *(négocier un contrat)* ou monnayer une valeur *(négocier des titres).* - *Négocier un virage, une courbe* (= manœuvrer pour prendre un virage dans les meilleures conditions, en automobile) est un calque de l'anglais *to negociate a curve.* Cet anglicisme naguère critiqué est aujourd'hui passé dans le vocabulaire technique du sport automobile. Dans l'expression soignée, non technique, on peut le remplacer par *prendre un virage, une courbe, un tournant.*

nègre adj. / **nègre, négresse** n. ◆ **Genre.** La forme féminine *négresse* s'emploie pour le nom *(une négresse),* mais non pour l'adjectif : *la musique nègre.* ◆ **Emploi.** ❑ Le mot *nègre* ayant souvent été employé dans des contextes discriminatoires ou racistes, on lui préfère aujourd'hui des équivalents neutres : dans tous les registres, *noir,* nom et adjectif *(un Noir, une Noire, les Noirs ; la musique noire américaine)* ; dans l'expression soignée, *homme de couleur, femme de couleur, personne de couleur,* nom ; dans le registre familier, l'anglicisme *black,* nom *(un Black, une Black, les Blacks),* récemment apparu. ❑ Le mot *nègre* est neutre comme terme d'histoire de l'art dans la locution *art nègre.* Il fut revendiqué par les tenants de la négritude (mouvement littéraire et politique d'émancipation des Africains et des Antillais, né vers 1935) : « *Je pousserai d'une telle raideur le grand cri nègre que les assises du monde en seront ébranlées* » (A. Césaire). ◆ **Orth. et accord.** 1. *Nègre blanc, négresse blanche* n. (= personne noire atteinte d'albinisme) s'écrit sans trait d'union. 2. *Nègre blanc* adj. (= ambigu, qui vise à concilier des avis contraires) est invariable : *des motions nègre blanc.*

negro spiritual n.m. ◆ **Prononc.** [neɡʀospirituɔl] la finale est prononcée *-ol,* comme pour rimer avec *école.* ◆ **Orth.** Mot anglo-américain, sans accent sur le *e,* et le plus souvent sans trait d'union (la graphie *negro-spiritual,* avec trait d'union, est néanmoins admise). → R.O. 1990. - Plur. : *des negro spirituals,* sans *s* à *negro.* ◆ **Emploi.** L'expression est légèrement vieillie. On dit plutôt aujourd'hui *gospel* ou *gospel song* (littéralement, chant évangélique).

neiger v. impers. ◆ **Conjug.** *Neiger,* verbe impersonnel, n'est employé qu'à la à la troisième personne du singulier. Le *g* devient *-ge-* devant *a:* il *neige, il neigea, il neigeait.* → annexe, tableau 10

nénuphar n.m. ◆ **Orth.** Avec *ph* et finale *-r.* → R.O. 1990. REM.La graphie qui correspond à l'étymologie est *nénufar* (de l'arabe *nainufar*), mais elle est presque entièrement sortie de l'usage aujourd'hui.

néo- préf. ◆ **Orth.** *Néo-* (du grec *neos,* nouveau) se soude à l'élément qui le suit, sauf si celui-ci commence par *i* (et, éventuellement, par *o* ou *u*) ; sauf, également, dans les adjectifs dérivés de noms géographiques dont le premier élément est *Nouveau(x)-, Nouvelle(s)-.* On écrit *néoplatonicien, néoréalisme,* mais : *néo-impressionnisme, néo-calédonien* (de Nouvelle-Calédonie), *néo-zélandais* (de Nouvelle-Zélande), *néo-hébridais* (des Nouvelles-Hébrides).

néolithique n.m. et adj. ◆ **Orth.** Attention au groupe *-th-,* comme dans *lithographie.*

néophyte n. et adj. ◆ **Orth.** Attention au groupe *-ph-* et au *y.*

nerf n.m. ◆ **Prononc.** [nɛʀ], sans faire entendre le *f* final. REM. La prononciation [nɛʀf] faisant entendre le *f* final, que l'on rencontrait naguère dans les emplois figurés *avoir du nerf* (= de l'énergie) et *le nerf de la guerre* (= l'argent), ne s'entend plus guère aujourd'hui, sauf dans certaines régions de France (Sud-Ouest, notamment).

n'est-ce-pas adv. interrogatif ◆ **Orth.** **1.** Placé en fin de phrase, *n'est-ce-pas* est suivi d'un point d'interrogation : *je peux compter sur vous, n'est-ce-pas ?* **2.** Avec *n'est-ce-pas* placé en tête de phrase, le point d'interrogation est reporté à la fin de la phrase : *n'est-ce pas, je peux comptez sur vous ?* **3.** Placé en incise, *n'est-ce-pas* ne demande pas de point d'interrogation : *je peux, n'est-ce-pas, compter sur vous.*

net adj. et adv. ◆ **Orth.** *Net,* employé comme adverbe, est invariable : *payer deux cent francs net, la marchandise pèse net cent kilos* (ou *pèse cent kilos net*). - Employé comme adjectif, *net* s'accorde : *aux cent kilos nets il faut ajouter le poids de la caisse ; ces sommes s'entendent nettes de toute taxe.*

nettoiement n.m. ◆ **Orth.** Avec un *e* muet intérieur. *Nettoiement* correspond à *nettoyer,* verbe du 1er groupe (comme *aboiement* correspond à *aboyer* → aussi **aboiement**). ◆ **Emploi.** *Nettoiement* n.m. / *nettoyage* n.m. *Nettoiement* est employé principalement dans le vocabulaire administratif pour désigner l'ensemble des opérations par lesquelles on nettoie l'espace public : *nettoiement des rues, des plages ; les services du nettoiement du port. Nettoyage* désigne de manière plus large l'action de nettoyer (et inclut donc l'idée de nettoiement). *Le nettoyage d'une rue, d'un local, d'une façade, des vêtements ; une entreprise de nettoyage ; nettoyage par le vide.*

nettoyer v.t. ◆ **Conjug.** Attention, le *y* devient *i* devant *e* muet : *il nettoie* mais *il nettoyait.* - Bien noter le *i* après le *y* aux première et deuxième personnes du

pluriel, à l'indicatif imparfait et au subjonctif présent : *(que) nous nettoyions, (que) vous nettoyiez.* → annexe, tableau 7

neuf adj. numéral et n.m. inv. ◆ **Prononc.** Se prononce [nœf], en faisant entendre le *f,* dans la plupart des cas : *il a neuf* [f] *cartes ; le neuf* [f] *de cœur ; neuf* [f] *arbres ; neuf* [f] *hommes.* - Exception : *neuf* [v] *ans* et *neuf* [v] *heures,* conformément à l'ancienne tendance selon laquelle *f* se prononçait [v] devant une voyelle ou un h muet. REM. L'ancienne prononciation [nœ], sans faire entendre le *f* devant une consonne n'est plus en usage, sauf dans certaines régions, devant *cent : dix neu(f) cent, mille neu(f) cent.* ◆ **Orth.** *Neuf* est invariable comme nom : *avoir les quatre neuf dans son jeu.*

neuf, neuve adj. / **nouveau, nouvelle** adj. ◆ **Sens. 1.** *Neuf* = fait depuis peu et qui n'a pas ou presque pas servi. *Une voiture neuve.* **2.** *Nouveau* = qui vient après qqn ou qqch. de même espèce et le remplace. *Ma nouvelle voiture est une voiture d'occasion.* ◆ **Emploi.** *Quoi de neuf ?* considéré naguère comme familier, est aujourd'hui passé dans l'usage courant. Dans l'expression soignée, en particulier à l'écrit, on emploie plutôt *quoi de nouveau ?*

neutraliser v.t. ◆ **Emploi.** On dit correctement : *neutraliser un avant-poste, une position d'artillerie,* etc., et, par extension, *neutraliser un concurrent dangereux, un groupe de pression.*

névrose n.f. ◆ **Orth. et prononc.** [nevroz], comme *pause,* avec un *o* fermé mais sans accent circonflexe.

new-look n.m. inv. et adj. inv. ◆ **Orth.** Toujours avec un trait d'union et invariable : *des tailleurs new-look.* → R.O. 1990

new-yorkais, e adj. et n. ◆ **Orth.**
L'adjectif *new-yorkais* est francisé et
s'écrit avec un trait d'union, à la
différence du nom propre *New York*. Le
nom (= habitant de New York) prend la
majuscule : *un New-Yorkais, une New-
Yorkaise, les New-Yorkais.*

nez n.m. ◆ **Orth. 1.** Jamais de trait
d'union dans : *à vue de nez, un pied de
nez, nez à nez.* **2.** Toujours un trait
d'union à : *un cache-nez, des cache-nez.*

ni conjonction de coordination
◆ **Emploi.**
❑ **Éléments coordonnés par *ni*.** *Ni,*
répété, coordonne toujours des éléments (mots, membres de phrases,
propositions) de même nature. Ainsi
on dit : *elle n'a ni pris du bon temps ni fait
des économies* (et non *elle n'a pris ni du
bon temps ni fait des économies*)
❑ **Répétition de *ni*.** *Ni* est habituellement répété devant chacun des éléments qu'il coordonne et sur lesquels
porte la négation : *il n'est ni meilleur ni pire
que d'autres.* « *Ni l'or, ni la grandeur ne nous
rendent heureux* » (La Fontaine). « *Ni le
sergent, ni le général, ni les balles n'avaient
plus cours* » (Saint-Exupéry).
- On peut employer à la place du
premier *ni* une autre négation : *ne...
pas, ne... plus, jamais, personne, rien,* etc. :
*il n'est pas froid ni distant ; nous ne pouvons
plus les secourir ni leur venir en aide ; je n'ai
jamais compris ni essayé de comprendre le
fonctionnement de cet appareil ; « sans
compter l'hygiène ni la matière médicale »*
(G. Flaubert). REM. L'emploi de *ni* sans
négation ou autre *ni* qui le précède est
archaïque : « *Je serais bien fâché que ce fût
à refaire, Ni qu'elle m'envoyât assigner la
première* » (Racine).
❑ *Ne... pas, ne... plus, rien...* après *ni*
répété. Après *ni* répété on peut
employer *ne... plus, ne... jamais, rien...,*
mais on ne peut pas employer *ne... pas,
ne... point.* On peut dire *ni l'argent ni les*

honneurs ne l'ont jamais tenté, mais non
*ni l'argent ni les honneurs ne l'ont pas
tenté.
❑ *Ni* avec *de* partitif.* *Ni* n'est pas
employé devant le premier terme d'une
série si celui-ci est précédé d'un *de* partitif : *il n'y a pas d'augmentation ni d'avancement à attendre* (et non : *il n'y a ni
d'augmentation ni d'avancement...*).
❑ *Ni / et.* *Ni* ne s'emploie plus dans une
proposition affirmative, contrairement
à l'usage de l'époque classique :
« *Patience et longueur de temps / Font plus
que force ni que rage* » (La Fontaine). On
dirait aujourd'hui : *Font plus que force et
que rage* (ou bien : *Font plus que force ou
que rage*).
❑ *Ni* remplacé par *et*. *Et* peut être
employé à la place de *ni* dans une proposition négative : *je n'ai jamais prôné ce
genre de doctrine et ces idées.* Mais on peut
également dire, pour insister, en séparant plus nettement les compléments :
*je n'ai jamais prôné ce genre de doctrine ni
ces idées* ou *je n'ai jamais prôné ni ce genre
de doctrine ni ces idées.*
❑ *Sans* et *ni*. On dit aujourd'hui : *on
n'arrive pas sans effort ni peine* ou *on n'arrive pas sans effort et sans peine.* La tournure avec *ni sans,* bien que correcte, est
littéraire et légèrement vieillie : *on n'arrive pas sans effort ni sans peine.*
◆ **Accord.**
**1. Accord du verbe avec deux sujets
(ou plus) réunis par *ni*.**
❑ Si l'un des sujets est au pluriel, le
verbe se met au pluriel : *ni Marie-Line ni
ses amis ne sont au courant.*
❑ Si *ni.. ni...* coordonne des sujets singuliers de la troisième personne, le
verbe peut se mettre au pluriel ou au
singulier. - Il se met généralement au
pluriel : *ni Marie-Line ni Pierrette ne sont
au courant ; « Ni l'or ni la grandeur ne nous
rendent heureux* » (La Fontaine). - Il se
met au singulier si l'on conçoit séparément pour chacun des sujets l'action
ou l'état exprimés : *ni Marie-Line ni*

Pierrette n'est au courant ; « Ni mon grenier ni mon armoire / Ne se remplit à babiller » (La Fontaine). - Le verbe est au singulier si les deux sujets s'excluent l'un l'autre : *ni le docteur ni le colonel n'est le meurtrier, puisqu'on les a vus au cercle ce soir-là.*

❏ Avec deux sujets (ou plus) représentant des personnes grammaticales différentes, on met le verbe au pluriel et à la personne qui l'emporte normalement pour l'accord : *ni lui ni toi n'avez rien à vous reprocher ; ni toi ni moi n'avons rien à nous reprocher ; ni lui ni moi n'avons rien à nous reprocher.*

2. Accord de l'adjectif. L'adjectif ne prend la marque du pluriel que s'il se rapporte aux deux éléments coordonnés par *ni* : *ce n'est ni le lieu ni le moment adéquats* ; mais : *elle l'a fait sans hypocrisie ni gêne apparente.* Il s'accorde normalement en genre : *ce n'est ni le lieu ni l'heure adéquats, ce n'est ni la place ni l'heure adéquates.*

◆ **Orth.** Emploi de la virgule.
❏ Quand *ni... ni...* coordonne deux mots de même nature (noms, adjectifs, verbes, adverbes), ceux-ci ne sont pas séparés par une virgule : *des gens sans feu ni lieu ; elles ne sont ni laides ni bêtes ; ils ne le disent ni ne le pensent ; il ne faut agir ni impulsivement ni mollement.*
❏ Quand *ni* est répété plus de deux fois, les éléments coordonnés sont séparés par des virgules : *des gens sans feu, ni lieu, ni aveu ; elles ne sont ni laides, ni bêtes, ni paresseuses.*

niable adj. ◆ **Emploi.** Surtout en tournure négative : *cela n'est pas niable.* ◆ **Constr.** *Il n'est pas niable que* (+ indicatif) : *il n'est pas niable que le dossier a progressé.*

nickeler v.t. ◆ **Conjug.** Attention à l'alternance *-ll-/-l-* : *il nickelle, nous nickelons ; il nickelait ; il nickela ; il nickellera.* → annexe, tableau 16 et R.O. 1990

nid n.m. ◆ **Orth.** Jamais de trait d'union à : *nid d'aigle, nid à rats, nid à poussière.* - Toujours un trait d'union à : *un nid-d'abeilles, un nid-de-pie, un nid-de-poule.* V. ces mots. ◆ **Accord.** *Nid de,* accord du complément. 1. *Nid de* (+ nom d'une espèce animale). Le complément est au pluriel lorsque les animaux constructeurs du nid appartiennent à une espèce vivant en colonies (insectes) ou dont les portées sont relativement nombreuses (mammifères) : *un nid de frelons, de guêpes, de rats, de musaraignes.* Le complément est au singulier lorsqu'il désigne un oiseau : *un nid de loriot, de bergeronnette.* 2. *Nid de* (+ nom autre qu'un nom d'espèce animale). *Nid de résistance : résistance* est toujours au singulier. - *Nid de mitrailleuse* ou *de mitrailleuses : mitrailleuse* peut être au singulier ou au pluriel, en fonction du nombre d'armes. - *Nid de brigands, d'escrocs :* le complément est toujours au pluriel.

nid-d'abeilles n.m. ◆ **Orth.** *Nid-d'abeilles* (= point de broderie ; tissu ; matériau alvéolé) s'écrit avec un trait d'union et prend un *s,* même au singulier. *Couper des serviettes dans du nid-d'abeilles. Un tissage en nid-d'abeilles.* - Plur. : *des nids-d'abeilles ; les nids-d'abeilles des circuits de refroidissement sont à remplacer.*

nid-de-pie n.m. ◆ **Orth.** *Nid-de-pie* (= poste d'observation) s'écrit avec deux traits d'union. - Plur. : *des nids-de-pie.*

nid-de-poule n.m. ◆ **Orth.** *Nid-de-poule* (= trou dans une chaussée) s'écrit avec deux traits d'union. - Plur. : *des nids-de-poule.*

nième adj. ◆ **Orth.** S'écrit parfois pour *énième.* RECOMM. Préférer la graphie *énième* ou *N^{ième}.* → **énième**

nier v.t. ◆ **Conjug.** Attention au redoublement du *i* aux première et deuxième personnes du pluriel, à l'indicatif imparfait et au subjonctif présent : *(que) nous niions, (que) vous niiez.* ◆ **Constr. 1.** *Nier que* (+ subjonctif ou indicatif). *Nier que* se construit le plus souvent avec le subjonctif : *je nie qu'elle soit partie à sept heures.* L'indicatif, plus rare, insiste davantage sur la négation (ou sur l'affirmation, si la principale est à la forme négative ou interrogative) de ce qui est énoncé dans la subordonnée : *elle nie qu'elle est partie à sept heure ; je ne nie pas qu'elle est partie à sept heures ; niez-vous qu'elle est partie à sept heures ?* **2.** *Nier* (+ infinitif) : *il nie l'avoir rencontrée.* ❏ *Nier de* (+ infinitif) : *il nie de l'avoir rencontrée.* Cette construction vieillie n'est plus employée qu'à l'écrit, dans le registre très soutenu.

nigaud, e adj. et n. ◆ **Genre.** Le féminin *nigaude* est correct mais peu usité.

nigérian, e adj. et n. / **nigérien, enne** adj. et n. ◆ **Sens.** Ne pas confondre ces deux mots de forme proche et concernant des pays voisins. **1.** *Nigérian, nigériane* = du Nigéria (ancienne possession anglaise, capitale Lagos). **2.** *Nigérien, nigérienne* = du Niger (ancienne possession française, capitale Niamey).

nimbo-stratus n.m. inv. ◆ **Orth.** En deux mots, avec un trait d'union (comme *strato-cumulus,* à la différence de *altocumulus*). - Plur. : *des nimbo-stratus* (invariable).

n'importe quel adj. indéfini → importer

nippon, nipponne ou **nippone** adj. et n. ◆ **Orth.** Deux possibilités au féminin : *nipponne* (avec deux *n*) ou *nippone* (avec un seul *n*). **RECOMM.** La

graphie avec deux *n* est plus conforme à la morphologie habituelle des adjectifs et noms ethniques *(breton, bretonne ; saxon, saxonne,* etc.).

niveau n.m. ◆ **Emploi.** *Au niveau de.* La locution *au niveau de* est très utilisée dans l'expression orale relâchée avec le sens vague de « dans le domaine de » : *les progrès accomplis au niveau de l'émancipation féminine ; les actions bénévoles menées au niveau du quartier.* Dans l'expression soignée, en particulier à l'écrit, réserver *au niveau de* aux domaines où il est possible de distinguer concrètement des hauteurs différentes ou, au figuré, à ceux dans lesquels il existe une hiérarchie, une gradation, une progression : *l'ascenseur est resté bloqué au niveau du premier sous-sol ; au niveau des techniciens et des ingénieurs, la prime annuelle est moins importante.* Dans les autres cas, préférer *en matière de, en ce qui concerne, dans,* etc. : *les progrès accomplis en matière d'émancipation féminine ; les actions bénévoles menées dans le quartier.*

niveler v.t. ◆ **Conjug.** Attention à l'alternance *-ll-/-l-* : *il nivelle, nous nivelons ; il nivelait ; il nivela ; il nivellera.* → annexe, tableau 16 et R.O. 1990

nivellement n.m. ◆ **Orth.** Avec deux *l* comme *ensorcellement* (mais à la différence de *écartèlement*). → R.O. 1990

noce n.f. ◆ **Nombre.** On écrit toujours au pluriel : *épouser en secondes, en troisièmes noces ; convoler en justes noces ; noces d'argent, d'or, de diamant.* - On écrit le plus souvent au pluriel, rarement au singulier : *nuit de noces, voyage de noces.* - On écrit indifféremment au singulier ou au pluriel : *repas de noce* ou *repas de noces ; n'avoir jamais été à pareille noce* ou *à pareilles noces.* **REM.** Il y a hésitation entre le singulier et le pluriel pour un certain nombre d'expressions, car la célébration du mariage et les réjouissances qui l'accompagnent sont appelées aussi bien *la noce* que *les noces*.

noctambule adj. et n. / **som-nambule** adj. et n. ♦ **Sens.** Ne pas confondre ces deux mots de forme proche mais de sens bien différents. **1.** *Noctambule* = qui aime sortir tard le soir, se divertir la nuit. **2.** *Somnambule* = atteint de somnambulisme, trouble du sommeil qui conduit à marcher en dormant.

nocturne n.f. / **nocturne** n.m. ♦ **Sens et genre.** Ne pas confondre *une nocturne* et *un nocturne*. **1.** *Nocturne* n.f. = ouverture en soirée d'un magasin, ou réunion sportive en soirée. *Cette nocturne d'athlétisme réunira trois champions de France.* **2.** *Nocturne* n.m. = morceau de musique ; oiseau de nuit ; tableau. *Jouer un nocturne de Chopin ; la chouette est un nocturne ; un nocturne représentant les toits de Paris sur fond de ciel étoilé.*

nodule n.m. ♦ **Genre.** Masculin : *un nodule.*

Noël, noël n.m. et n.f. ♦ **Orth.** Avec ou sans majuscule, selon le sens. **1.** *Noël* (= fête de la Nativité ; période de l'année autour de cette fête) s'écrit toujours avec une majuscule : *passer Noël à la montagne ; fêter la Noël en famille ; un sapin de Noël ; le Père Noël.* **2.** *Noël* (= cantique, chant) s'écrit toujours avec une minuscule : *chanter un vieux noël alsacien.* ♦ **Genre. 1.** *Noël* n.m. = fête. *Se souvenir d'un Noël particulièrement gai, des anciens Noëls ; fêter son premier Noël ; passer un heureux Noël ; joyeux Noël !* **2.** *Un noël* n.m. = une cantique célébrant la Nativité ; une chanson inspirée par la fête de Noël. *Un noël saintongeais.* **3.** *La Noël* n.f. = la fête de Noël, la période de Noël. *La Noël, fêtée dans la maison de famille, fut très joyeuse ; vous partez pour la Noël ?*

noir, e adj. et n. ♦ **Orth.** Jamais de majuscule pour l'adjectif : *le blues et le gospel, sources de la musique noire américaine.* - Toujours avec une majuscule pour le nom désignant une personne : *un Noir, une Noire, les Noirs.* ♦ **Emploi.** Comme nom (= personne noire) et comme adjectif (= qui concerne les personnes noires, les peuples d'Afrique ou issus de l'Afrique), *noir* remplace dans presque tous ses emplois le mot *nègre,* aux connotations méprisantes et racistes. → nègre

noisette n.f. et adj. inv. ♦ **Accord.** Invariable comme adjectif de couleur : *des yeux noisette.* → annexe, grammaire § 98

noix n.f. ♦ **Emploi.** On dit *noix de muscade* ou *noix muscade. Noix de muscade* est plus courant.

nom n.m. ♦ **Orth.** *Des noms de.* ❏ On écrit, avec le complément toujours au singulier : *des noms de baptême, des noms de famille, des noms de guerre, des noms de plume, des noms d'emprunt,* etc. ❏ On dit et on écrit, conformément au sens : *un nom d'animal, des noms d'animaux ; un nom de bateau, des noms de bateaux ; un nom de personne, des noms de personnes.* ❏ Lorsqu'un adjectif qualificatif se rapporte au complément, le pluriel peut être ambigu : *des noms de personnes germaniques* signifie-t-il « des noms germaniques portés par plusieurs personnes » ou « des noms (quelle que soit leur origine) portés par des personnes appartenant à un peuple germanique » ? Pour éviter l'ambiguïté, on peut mettre le complément au singulier : *des noms de personne germaniques* (= des noms germaniques portés par une ou plusieurs personnes), *des noms de village gaulois,* etc. On peut aussi tourner la phrase autrement : *des noms germaniques désignant des personnes, des noms gaulois désignant des villages.*

noms (genre des ~, pluriel des ~ composés, pluriel des ~ propres) → annexe, grammaire § 33 à 37, 54 à 56, 47 et 48

no man's land n.m. inv. ◆ **Orth.** *Des no man's land* (invariable).

nombre n.m. ◆ **Accord. 1.** *Un grand nombre de.* Avec *un grand nombre, un petit nombre, un certain nombre, le plus grand nombre, le plus petit nombre,* etc., l'accord peut se faire au singulier ou au pluriel selon que prédomine l'idée d'ensemble ou celle de pluralité : *un grand nombre de voyageurs a été retardé par le mauvais temps* (= une foule nombreuse de voyageurs a été retardée) ; *un grand nombre de voyageurs ont été retardés par le mauvais temps* (= beaucoup de voyageurs, des voyageurs en grand nombre, ont été retardés). **2.** *Nombre de* exige le verbe au pluriel : *nombre de médecins croyaient alors à la génération spontanée.* ◆ **Emploi.** *Être au nombre des / du nombre des.* Les deux expressions sont également correctes : *Capucine et Vanessa sont au nombre des stagiaires* ou *du nombre des stagiaires.* - Quand il n'y a pas de complément, seul *du nombre* est possible : *elles sont quelques-unes à suivre le stage, Capucine et Vanessa sont du nombre.*

nombril n.m. ◆ **Orth. et prononc.** Avec un *l* final, qu'on fait entendre [nɔ̃bʀil] ou non [nɔ̃bʀi]. La première prononciation est plus courante, la seconde plus soutenue.

nomenclature n.f. ◆ **Orth.** Avec un seul *m,* contrairement à *nommer.*

nominal, e, aux adj. ◆ **Orth.** Avec un seul *m,* contrairement à *nommer.*

nomination n.f. ◆ **Orth.** Avec un seul *m,* contrairement à *nommer.*

nominativement adv. / **nommément** adv. ◆ **Orth.** *Nominativement,*

avec un seul *m.* - *Nommément,* avec deux *m.* ◆ **Emploi.** Les deux adverbes signifient l'un et l'autre « en appelant par son nom ou par leur nom la ou les personnes dont il est question » : *désigner nominativement* ou *nommément quelqu'un. Nommément* est souvent employé dans des phrases exprimant une idée de faute ou de culpabilité, tels que *accuser, mettre en cause, incriminer,* alors que *nominativement* est habituellement utilisé dans des contextes plus neutres : *plusieurs journaux l'ont nommément désigné comme le vrai responsable de la catastrophe ; une liste répertoriant nominativement les présents circule dans la salle.*

nominer v.t. ◆ **Sens et emploi.** Ce calque de l'anglais *to nominate,* sélectionner une personne, une œuvre pour un prix, une distinction est fréquent dans la langue des médias ; il reste très critiqué malgré sa fréquence. **RECOMM.** Préférer *sélectionner. Le film a été sélectionné* (ou, plus précis, *faisait partie de l'ultime sélection*) *pour le Grand prix du festival de Narvik.*

nommément adv. → nominativement

nommer v.t. ◆ **Orth.** Avec deux *m.*

non adv. et n.m. inv.
◆ **Orth.** Employé comme nom, *non* est invariable : *des oui et des non ; voilà des non qui ressemblent à des oui.*
◆ **Emploi.**
1. *Moi non plus / moi aussi. Non plus* remplace *aussi* dans les phrases négatives : *tu l'aimes, moi aussi* mais *tu ne l'aimes pas, moi non plus.* - *Aussi* est parfois employé à la place de *non plus* pour éviter la répétition de *plus* : *toi aussi, tu ne le vois plus* (plutôt que : *toi non plus, tu ne le vois plus*). **REM.** Dans la langue classique, *aussi* pouvait être employé dans une phrase négative : *« Elle ne disait mot, ni lui aussi »* (Sévigné).

Cet archaïsme de style se rencontre encore chez quelques auteurs contemporains.

2. *Non* **équivalent de** *n'est-ce pas, n'est-il pas vrai.* Dans l'expression orale, *non* est souvent employé, avec une intonation interrogative, comme un équivalent familier de *n'est-ce pas, n'est il pas vrai : j'ai quand même le droit d'être ici, non ?* - Dans un dialogue, *non* interrogatif peut également marquer l'étonnement ou le doute : *« Est-ce possible ? Il m'a fait un discours. - Non ? - Bien sûr »* (Declercq).

3. *Non plus que* = pas plus que. Cette tournure vieillie n'est plus usitée que dans le registre littéraire ou très soutenu : *non plus que les oiseaux du large, il ne supporte longtemps la terre ; je ne l'ai jamais vue, non plus que vous.*

4. *Lui non, moi non / lui pas, moi pas.* → pas

♦ **Constr.**

1. *Non que, non pas que* (+ subjonctif) : *« Riquet vivait dans le moment présent, non qu'il manquât de mémoire, mais il ne se délectait point à se souvenir »* (A. France).

2. *Non seulement... mais. Non seulement* s'emploie en corrélation avec *mais, mais aussi, mais encore, mais même,* pour opposer deux termes dont le second renchérit sur le premier : *non seulement je ne vais pas m'opposer à ce projet, mais même je vais vous aider à le mener à bien ; non seulement je ne l'ignorais pas, mais encore c'est moi qui le lui ai dit.* - *Non seulement* et *mais* précèdent toujours les termes qu'ils opposent ; ceux-ci doivent être de même nature : *non seulement je l'ai revu, mais encore je lui ai parlé* (et non : *je l'ai non seulement revu, mais encore je lui ai parlé*). - Avec *non seulement... mais,* le verbe s'accorde avec le sujet qui suit *mais.* On écrit : *non seulement les faubourgs et les quartiers sud, mais même le centre ville a été touché par la crue ; non seulement la ville basse, mais même les quartiers nord ont été touchés par la crue.*

non- élément de composition ♦ **Orth. 1.** *Non-,* **élément d'un substantif.** *Non,* employé en composition pour former un substantif, se lie à l'élément qui le suit (nom ou infinitif) par un trait d'union : *pacte de non-agression, non-assistance à personne en danger, fin de non-recevoir.* **2.** *Non* **devant un adjectif.** *Non* ne se lie jamais par un trait d'union à l'adjectif qui le suit et avec lequel il forme une unité pour le sens : *un couple non conformiste, un débiteur non solvable, des militants non violents.*

non compris loc. prépositive et loc. adjectivale → compris

nonpareil, eille adj. ♦ **Orth.** Sans trait d'union et avec *n* devant *p.* REM.L'orthographe a longtemps hésité entre les graphies *nompareil* (avec un *m*) et *nonpareil* (avec *n*) ; ce n'est qu'au XVIIIe s. que *nonpareil* (avec un *n*) est définitivement retenu (au détriment de *nompareil*) pour éviter la confusion entre *nom* (le substantif) et *non* (la négation).

nord n.m. ♦ **Orth.** *Le nord,* point cardinal → annexe, grammaire § 32

nord-est / nord-ouest n.m. inv. et adj. inv. ♦ **Prononc.** Les deux prononciations, avec ou sans la liaison en *d,* sont admises. La prononciation sans liaison est beaucoup plus courante. ♦ **Orth.** → annexe, grammaire § 32

nordiste n. et adj. ♦ **Orth.** Attention, jamais de majuscule.

nota bene n.m. inv. ♦ **Orth.** Sans accent sur les *e* de *bene,* malgré la prononciation (on prononce *béné*), et sans trait d'union. - Plur. : *des nota bene* (invariable). S'abrège le plus souvent en *N.B.*

notabilité n.f. → notable

notable adj. / **notoire** adj. ◆ **Sens.** Ne pas confondre ces deux mots de forme proche, mais assez différents par le sens. **1.** *Notable* = digne d'être noté, signalé ; important, remarquable. *Un préjudice notable. Les personnalités notables de la commune* (ou, substantivement, *les notables*). - À *notable* correspond le substantif *notabilité* : *la notabilité de l'évènement est soulignée par plusieurs observateurs. « Pendant mon séjour à Damas, je reçus tout ce qui s'y trouvait de notabilités politiques, religieuses, administratives [...] »* (Ch. de Gaulle). **2.** *Notoire* = connu d'un grand nombre de personnes, public, célèbre. *Le fait est notoire. C'est une vérité notoire. Un voyou notoire.* - À *notoire* correspond le substantif *notoriété* : *« La notoriété attire toutes sortes d'interviews et d'enquêtes [...] »* (R. Martin du Gard). À la différence de *notabilité, notoriété* ne peut pas désigner une personne (on ne dit pas *une notoriété pour *une personne connue*).

note n.f. ◆ **Orth.** On écrit *prendre des notes,* avec *note* au pluriel, mais *prendre note* ou *prendre en note,* avec *note* au singulier. ◆ **Constr.** *Prendre note que* (= noter que). *J'ai pris note que vous ne pourriez être présent à la réunion* (de préférence à : *j'ai pris note de ce que vous ne pourriez être présent à la réunion,* grammaticalement correct mais lourd).

notifier v.t. ◆ **Conjug.** Attention au redoublement du *i* aux première et deuxième personnes du pluriel, à l'indicatif imparfait et au subjonctif présent : *(que) nous notifiions, (que) vous notifiiez.*

notoire adj. → notable

notoriété n.f. → notable

notre adj. / **nôtre** pronom, adj. et n.m. ◆ **Orth. 1.** *Notre,* adjectif possessif, s'écrit sans accent sur le *o* quand il est employé comme épithète : *notre maison est là ; voici notre maison.* - Plur. : *nos (nos maisons sont là, voici nos maisons).* **2.** *Nôtre,* adjectif possessif, s'écrit avec un accent circonflexe sur le *o* quand il est employé comme attribut : *nous faisons nôtre votre suggestion ; cette idée est nôtre.* - Plur. : *nôtres (nous faisons nôtres vos suggestions ; ces idées sont nôtres).* **3.** *Le nôtre, la nôtre, les nôtres,* pronom possessif, s'écrit avec un accent circonflexe sur le *o* : *cette maison est la nôtre.* **4.** *Le nôtre,* nom masculin, s'écrit avec un accent circonflexe sur le *o* : *nous y avons mis du nôtre* (= nous avons fait des efforts) ; *les nôtres* (= ceux qui sont proches de nous, notre famille, notre groupe).

Notre-Dame n.f. ◆ **Orth. 1.** *Notre-Dame* s'écrit toujours avec deux majuscules et un trait d'union, que le mot désigne la Vierge Marie, une église qui lui est dédiée, ou son effigie peinte ou sculptée : *prier Notre-Dame, les deux tours de Notre-Dame, des Notre-Dame en plâtre peint.* **2.** Lorsque *Notre-Dame* a pour complément le nom du lieu où se trouve l'église, le complément n'est pas lié à *Notre-Dame* par un trait d'union : *Notre-Dame de Paris, Notre-Dame de Chartres* (= l'église Notre-Dame qui est à Paris, à Chartres). - En revanche, lorsque le complément est autre que le nom du lieu où se trouve l'église, tous les éléments sont liés par un trait d'union : *l'église Notre-Dame-de-Bon-Secours ; Notre-Dame-de-la-Garde ; l'église Notre-Dame-de-Lourdes, à Paris.* - Il en est de même dans les noms de localité : *Notre-Dame-de-Bellecombe* (Savoie), *Notre-Dame-de-Gravenchon* (Seine-Maritime). ◆ **Accord.** Invariable : *des Notre-Dame en bois polychrome.*

nouille adj. et n.f. ◆ **Accord.** *Nouille,* employé comme adjectif, s'accorde toujours : *ce qu'elles peuvent être nouilles !* Registre familier.

nourrir v.t. ◆ **Orth.** Attention, *nourrir* s'écrit avec deux *r*, comme *pourrir* (et à la différence de *mourir* et *courir*). - Les dérivés s'écrivent avec deux *s* : *nourrissage, nourrissant, nourrisseur, nourrisson,* sauf *nourrice* et *nourricier,* qui s'écrivent avec un *c*.

nous pron. personnel
◆ **Accord.**
1. *Nous,* **pluriel de modestie ou de majesté.** *Nous,* employé comme pluriel de modestie ou de majesté, commande l'accord du verbe au pluriel, mais les adjectifs ou les participes qui se rapportent au pronom restent au singulier : *nous sommes reconnaissant à nos collègues de leurs précieux conseils ; le roi dit « nous sommes persuadé de l'attachement de nos sujets à notre personne ».* - Lorsque la personne qui emploie le *nous* de convenance est une femme, l'accord des adjectifs ou des participes se fait au féminin : *désireuse de faire toute la lumière sur cette affaire, nous nous sommes livrée à une enquête approfondie.*
2. *Beaucoup d'entre nous.* Après *beaucoup d'entre nous* (ou *combien, un grand nombre, la plupart, plusieurs, trop,* etc., *d'entre nous*) le verbe se met normalement à la troisième personne du pluriel : *beaucoup d'entre nous ont compris que c'était fini.* - L'emploi de la première personne est rare, mais correct. Il permet à la personne qui parle ou qui écrit de souligner son appartenance au groupe dont il est question : *la plupart d'entre nous, naïfs jeunes gens, avons été leurrés par ces promesses d'aubes radieuses.*
◆ **Registre.**
1. *Nous,* **employé pour** *tu* **ou** *vous.* Dans le registre familier, *nous* peut remplacer *tu* ou *vous* lorsque l'on s'adresse à quelqu'un : *alors, nous sommes méchante, aujourd'hui ?* L'adjectif et le participe restent au singulier et varient en genre. **RECOMM.** Cet emploi

marque souvent une forme de supériorité ou de condescendance de la personne qui parle envers celle à qui elle s'adresse (une mère parlant à son enfant, par exemple). Il faut donc n'y recourir qu'avec précaution.
2. **Reprise de** *nous* **par** *on* : *nous, on n'en sait rien.* La reprise de *nous* par *on* appartient à l'expression orale relâchée. **RECOMM.** Dans l'expression soignée, dire *nous, nous n'en savons rien.*
3. *Nous deux.* → deux
4. *Nous autres.* → autre

nouveau ou **nouvel, nouvelle** adj.
◆ **Orth.**
1. *Nouveau / nouvel.* Ce mot a deux formes au masculin singulier, *nouveau* et *nouvel. Nouvel* s'emploie devant un nom masculin singulier commençant par une voyelle ou un *h* muet. *Un nouvel arrivant, un nouvel habit.* - Devant *et,* on emploie *nouveau* si le nom qualifié commence par une consonne, *nouvel* s'il commence par une voyelle : *« Ce mot me fut nouveau et inconnu »* (B. Pascal) ; *« Ce nouveau et long séjour »* (Sainte-Beuve). *Un nouvel et précieux ami.*
2. On écrit : *le Nouveau Monde* (opposé à *l'Ancien Monde*), *le Nouveau Testament,* mais *le nouvel an.*
◆ **Accord.**
1. *Nouveau* **devant un adjectif substantivé.** ❑ Devant un adjectif substantivé, *nouveau* s'accorde en genre et en nombre : *un nouveau venu, une nouvelle venue, des nouveaux venus, des nouvelles venues ; un nouveau marié, une nouvelle mariée, des nouveaux mariés, des nouvelles mariées ; un nouveau converti, une nouvelle convertie, des nouveaux convertis, des nouvelles converties.* ❑ *Nouveau riche* obéit à la même règle, mais le féminin *une nouvelle riche, des nouvelles riches* est rare ; l'expression est de plus en plus perçue comme un mot unique (comme *nouveau-né*). En emploi adjectif, on dit plutôt *elle fait nouveau riche, elle est très nouveau riche.*

L'emploi substantif *une nouveau riche* est virtuel. ❑ Dans *nouveau-né,* il y a un trait d'union entre les deux éléments et *nouveau* reste invariable : *des nouveau-nés, des nouveau-nées.*

2. Des vins nouvellement tirés / des vins nouveau tirés. On dit *des vins nouvellement tirés.* On pouvait dire autrefois *des vins nouveau tirés,* mais l'emploi adverbial de *nouveau* devant un adjectif ou un participe passé (*nouveau* restant dans ce cas invariable) est aujourd'hui sorti de l'usage.

♦ **Emploi.** *De nouveau / à nouveau.*
1. De nouveau = encore, une fois de plus. *Il a de nouveau gagné son pari. Aujourd'hui, la Bourse a de nouveau monté*
2. À nouveau = d'une façon différente de la fois ou des fois précédentes. *Elle s'est remariée; elle refait sa vie à nouveau.* ❑ (Emploi critiqué) Encore, une fois de plus, de nouveau : « *Et à nouveau tout se brouillait, devenait flou* » (E. Triolet). L'emploi de *à nouveau* pour *de nouveau* est aujourd'hui si fréquent que l'on ne peut plus le tenir pour fautif. Dans le registre soutenu, on pourra, si on le juge absolument nécessaire, réserver l'emploi de *à nouveau* aux actions recommencées autrement, aux tentatives différentes de celles qui ont précédé : *la première version du plan de communication ne plaisait pas au client, il a fallu le présenter à nouveau.*

♦ **Sens.** *Nouveau / neuf.* → neuf

nouveau-né adj. et n. → né

novembre n.m. ♦ **Orth.** *Le 11-Novembre* (= la fête de l'Armistice), avec une majuscule à *Novembre* et un trait d'union ; on trouve parfois *le 11 Novembre,* sans trait d'union. *Les célébrations du 11-Novembre* ou *du 11 Novembre.* - Mais jamais de majuscule ni de trait d'union s'il s'agit du simple énoncé de la date : *elle est née un 11 novembre.*

noyau n.m. ♦ **Orth.** *Fruit à noyau.* Avec *noyau* toujours au singulier : *les fruits à noyau.* ❑ *Eau de noyau(x).* On écrit généralement *une eau (une liqueur, une crème) de noyau,* avec *noyau* au singulier, mais le pluriel *(une liqueur de noyaux)* n'est pas fautif.

noyer v.t. et v.pr. ♦ **Conjug.** Attention, le *y* devient *i* devant *e* muet : *il se noie* mais *il se noyait.* - Bien noter le *i* après le *y* aux première et deuxième personnes du pluriel, à l'indicatif imparfait et au subjonctif présent : *(que) nous nous noyions, (que) vous vous noyiez.* → annexe, tableau 7

nu, e adj. ♦ **Orth.** *Nu* reste invariable devant les noms *jambes, pieds* et *tête* employés sans article ; il se joint à eux par un trait d'union pour former les expressions toutes faites *nu-jambes, nu-pieds, nu-tête : se promener nu-jambes, marcher nu-pieds, sortir nu-tête.* En revanche, on écrit : *se promener les jambes nues, marcher les pieds nus, sortir la tête nue.*

nuancer v.t. ♦ **Conjug.** Le *c* devient *ç* devant *o* et *a : je nuance, nous nuançons ; il nuança.* → annexe, tableau 9

nuée n.f. ♦ **Accord.** *Une nuée de.* Avec *nuée,* l'accord du verbe se fait au singulier : *une nuée de criquets a dévasté les cultures.*

nue-propriété n.f. ♦ **Orth.** Avec un trait d'union et accord de *nue.* → aussi **nu-propriétaire.** - Plur. *des nues-propriétés.*

nuire v.t.ind ♦ **Conjug.** → annexe, tableau 77. - Le participe passé est *nui,* sans féminin ni pluriel (comme *luire*) : *elles se sont nui.*

nul, nulle adj. et pron. ♦ **Accord.** *Nul,* adjectif, ne peut prendre la marque du pluriel que devant un nom qui n'a pas de singulier : *nuls honoraires ne furent* *perçus ; nulles vacances n'ont jamais été aussi heureuses.* ◆ **Constr. 1. Nul,** adjectif ou pronom indéfini, se construit avec *ne* ou *sans : nul argument ne pourrait la convaincre ; nul n'est censé ignorer la loi ; sans nulle part où aller.* **2. Nul doute que.** → doute

nullement adv. ◆ **Constr.** *Nullement* (= pas, point, aucunement), se construit avec *ne* ou *sans : il n'est nullement responsable; elle a continué sans nullement se décourager.* Il peut également être employé devant un adjectif à la place de *non, pas : nullement effrayé, il continua ; il est courageux, mais nullement téméraire.* ◆ **Registre.** *Nullement* relève de l'expression soignée. Dans le registre courant, on dit plutôt *pas du tout.*

nûment, nuement adv. ◆ **Orth.** Les deux graphies, *nûment,* avec un accent circonflexe sur le *u,* et *nuement,* avec un *e,* sont admises. → R.O. 1990

numéral, e, aux adj. / **numérique** adj. ◆ **Sens et emploi.** Ne pas confondre ces deux adjectifs qui ont trait l'un et l'autre à l'idée de nombre. **1.** *Numéral* = qui désigne, représente, indique un nombre. *Symbole, adjectif numéral.* **2.** *Numérique* = qui est représenté, traduit par un nombre. *Valeur numérique, supériorité numérique, affichage numérique.*

numéral (adjectif) → annexe, grammaire § 71

numération n.f. / **numérotation** n.f. ◆ **Sens et emploi.** Ne pas confondre ces deux mots de forme proche mais de sens distincts. **1.** *Numération* = action de compter, de dénombrer ;

façon d'écrire les nombres et de les énoncer. *Numération décimale, duodécimale, binaire.* **2. Numérotation** = attribution d'un numéro. *La nouvelle numérotation téléphonique. Numérotation des pages de I à XXIV.*

numérique adj. → numéral

numéro n.m. ◆ **Orth.** S'abrège en *n°, N°* (au pluriel *n°s, N°s*) seulement s'il est suivi d'un chiffre et quand il n'est pas immédiatement précédé d'un article : *le quai n° 3 ; la chambre n° 408 ; le Bien public, n° 915.* Dans les autres cas, on n'abrège pas : *un numéro pair, le numéro 8.*

numérotation n.f. → numération

nu-pieds n.m. ◆ **Orth.** *Des nu-pieds* (= des sandales légères) est invariable : *un nu-pieds, des nu-pieds.*

nu-propriétaire, nue-propriétaire n. ◆ **Orth.** Avec un trait d'union et accord de *nu : un nu-propriétaire, une nue-propriétaire.* → aussi **nue-propriété.** - Plur. *des nus-propriétaires, des nues-propriétaires.*

nuptial, e, aux adj. ◆ **Orth.** Masculin pluriel : *nuptiaux.*

Nylon n.m. ◆ **Orth.** Avec une majuscule pour désigner le tissu synthétique de la marque de ce nom : *du Nylon ; des bas Nylon.* - Sans majuscule dans le sens courant (mais abusif) de « tissu synthétique semblable au Nylon, quelle que soit sa marque » : *une blouse en nylon.*

nymphe n.f. ◆ **Orth.** Avec *y* et *-ph-,* comme *nymphéa, nymphée, nymphette, nymphomane,* etc.

O

ô, oh, ho interj. ◆ **Orth. et emploi.** Ces trois graphies représentent conventionnellement trois « interjections » distinctes, qui ne correspondent en réalité dans la langue orale qu'à une seule exclamation, [o], prononcée comme un *o* plus ou moins explosif, plus ou moins fermé et plus ou moins long. Les valeurs que l'on attribue par tradition à ces trois graphies sont les suivantes. **1.** *Ô* (avec un accent circonflexe ; n'est jamais suivi immédiatement d'un point d'exclamation) sert à interpeller, à invoquer un être ou une chose, ou à souligner, dans un registre littéraire et emphatique, l'expression d'un sentiment intense (admiration, joie, douleur, etc.) : « *Ô rage ! ô désespoir ! ô vieillesse ennemie !* » (Corneille). « *Ô inquiétudes nouvelles !* » (A. Gide). « *Ô trois fois chère solitude* » (A. de Musset). **2.** *Oh* (toujours immédiatement suivi d'un point d'exclamation) marque la surprise, l'admiration, la supplication, l'indignation, l'hostilité, le dégoût, etc. ; sert à souligner une affirmation, une émotion, une restriction ; sert à appeler ou à interpeller : « *Oh ! C'est curieux... Je n'aurais jamais cru* » (Colette). « *Oh ! La bonne odeur de soupe au fromage* » (A. Daudet). « *Oh ! mon père, grâce ! pardonnez-moi* » (P. Mérimée). « *Oh ! Jouissons encore un peu, naïvement, de ces beaux actes !* » (P. Valéry). « *Enfants ! Oh !* Revenez !* » (V. Hugo). **3.** *Ho* (toujours immédiatement suivi d'un point d'exclamation) sert à appeler, à interpeller : *ho ! qui va là ? ; ho ! hisse !* REM. On voit que les différences qui séparent ces trois interjections sont minimes.

oasis n.f. ◆ **Prononc.** [ɔazis], le *s* final se prononce. ◆ **Genre.** Féminin : *une oasis saharienne.*

obéir v.t.ind. ◆ **Constr.** *Obéir à : obéir à ses chefs, aux ordres.* ◆ **Emploi.** *Obéir* peut être employé au passif : *elle aime être obéie. Être obéi de* ou *par ses subordonnés.*

obélisque n.m. ◆ **Genre.** Masculin : « *Les obélisques gris s'élançaient d'un seul jet* » (V. Hugo).

obérer v.t. ◆ **Conjug.** Attention à l'accent, tantôt grave, tantôt aigu : *j'obère, nous obérons ; il obéra.* → annexe, tableau 11 et R.O. 1990. ◆ **Sens et emploi.** *Obérer* = charger de dettes. Éviter le pléonasme **obérer de dettes.*

objet n.m. ◆ **Emploi. 1.** *Objet / sujet.* Ces deux mots ne sont synonymes qu'au sens de « ce sur quoi porte une réflexion, une activité, ce dont on parle » : *l'objet* ou *le sujet d'une recherche,* *d'une réunion, d'une polémique.* **2.** *Objet / but.* Dans l'expression soignée, on emploie *avoir pour objet* quand le sujet est une chose : *cette loi, cette décision, cette mesure a pour objet de réduire l'inflation* ; quand le sujet est une personne, on dit plutôt *avoir pour but* : *le Premier ministre a pour but de réduire l'inflation.* **3.** *Être l'objet de / faire l'objet de.* On emploie indifféremment *être l'objet de* ou *faire l'objet de* : *il a été l'objet de poursuites, il a fait l'objet de poursuites.*

obligeamment adv. ◆ **Orth.** Attention au groupe *-gea-* (vient de *obligeant*) et aux deux *m*.

obliger v.t. ◆ **Conjug.** Le *g* devient *-ge-* devant *a* et *o* : *j'oblige, nous obligeons ; il obligea.* → annexe, tableau 10. ◆ **Constr.** **1.** *Obliger à / obliger de* (= contraindre). Dans ce sens, *obliger* se construit avec *à* à la voix active et avec *de* à la voix passive : *on m'oblige à le faire, je suis obligé de le faire.* - *Obliger de* à l'actif est vieilli : *on m'oblige de le faire.* **2.** *Obliger de* (= rendre service, être agréable, faire plaisir). Dans ce sens, *obliger* se construit avec *de* suivi d'un infinitif ou d'un substantif, ou avec le gérondif : *je vous suis obligé de prendre soin d'elle* ou *du soin que vous prenez d'elle ; vous m'obligeriez en venant demain.* Registre soutenu.

oblitérer v.t. ◆ **Conjug.** Attention à l'accent, tantôt grave, tantôt aigu : *j'oblitère, nous oblitérons ; il oblitéra.* → annexe, tableau 11 et R.O. 1990

obséder v.t. ◆ **Conjug.** Attention à l'accent, tantôt grave, tantôt aigu : *j'obsède, nous obsédons ; il obsédera.* → annexe, tableau 11 et R.O. 1990

obsèques n.f. plur. ◆ **Nombre.** Toujours au pluriel : *des obsèques nationales.*

observance n.f. / **observation** n.f. ◆ **Sens et emploi.** Le sens, commun à ces deux mots, de « action d'observer une règle, une loi » s'applique pour *observance* au domaine religieux, et pour *observation* aux autres domaines : *des bénédictins de stricte observance ; l'observation des règlements, des lois, des codes.*

observatoire n.m. ◆ **Orth.** Nom masculin en *-oire* (comme *ciboire, déboire, grimoire, infusoire, ivoire*).

obsessionnel, elle adj. ◆ **Orth.** Avec deux *n* (on a *obsession / obsessionnel* comme on a *émotion / émotionnel, occasion / occasionnel,* etc.).

obstructionnisme n.m. ◆ **Orth.** Avec deux *n* (on a *obstruction / obstructionnisme* comme on a *abstention / abstentionnisme, négation / négationnisme* , etc.)

obtempérer v.t.ind. ◆ **Conjug.** Attention à l'accent, tantôt grave, tantôt aigu : *j'obtempère, nous obtempérons ; il obtempéra.* → annexe, tableau 11 et R.O. 1990

obtenir v.t. ◆ **Conjug.** Comme *tenir.* → annexe, tableau 28. ◆ **Constr.** *Obtenir que* (+ subjonctif ou conditionnel) : *nous avions obtenu qu'il vienne* (ou : *qu'il viendrait*) *en mars.* **RECOMM.** Éviter la construction avec l'indicatif futur : **nous avons obtenu qu'il viendra.* ❏ *Obtenir de* (+ infinitif) : *il a obtenu de pouvoir partir plus tôt.*

obus n.m. ◆ **Prononc.** [oby], le *s* final ne se prononce pas.

obvier v.t.ind. ◆ **Constr.** *Obvier à* (= faire obstacle à, prévenir) : *obvier à un inconvénient.* ◆ **Registre.** Registre soutenu.

occasionnel, elle adj. ◆ **Orth.** Avec deux *n* (on a *occasion / occasionnel,* comme on a *émotion / émotionnel, obsession / obsessionnel,* etc.).

occasionner v.t. ◆ **Orth.** Avec deux *n* (de *occasion*), comme tous les verbes issus de substantifs en *-on* (sauf *s'époumoner, violoner, dissoner*).

occitan, e adj. et n. ◆ **Orth.** Féminin *occitane,* avec un seul *n* (comme *persan, persane*).

occire v.t. ◆ **Conjug.** *Occire* n'est usité qu'à l'infinitif et au participe passé *occis, occise.*

occlure v.t. ◆ **Conjug.** Comme *conclure,* mais, au participe passé : *occlus, occluse* (comme *inclus, reclus,* à la différence de *conclu*) → annexe, tableau 76. ◆ **Orth.** Avec deux *c* ; de même pour *occlusif, occlusion.*

occuper v.t. et v.pr. ◆ **Constr. et sens.** 1. *S'occuper à* = consacrer son temps (et en particulier, son temps libre, ses loisirs) à. *Il s'occupe à jardiner ; elle est occupé à graisser sa bicyclette.* 2. *S'occuper de* = se charger de, prendre soin de. *Il s'occupe du jardin ; il s'occupe bien de ses enfants ; elle s'occupe de graisser sa bicyclette.* RECOMM. Éviter le solécisme fréquent : **je n'ai pas que ça à m'occuper.* Dire : *il n'y a pas que cela qui m'occupe, ce n'est pas l'unique chose dont je m'occupe.* 3. *Être occupé avec qqn* est fréquent dans l'expression orale relâchée. RECOMM. Dans l'expression soignée, préférer : *être avec qqn, s'occuper de qqn, recevoir qqn.*

occurrence n.f. ◆ **Orth.** Avec deux *c* et deux *r.*

océanien, enne adj. / **océanique** adj. ◆ **Sens.** Ne pas confondre ces deux adjectifs de forme proche. 1. *Océanien, enne* = d'Océanie. *Les atolls océaniens.* 2. *Océanique* = relatif à un océan, aux

océans. *Climat océanique.* REM. Il existe également un adjectif *océan, ane* (rare au masculin), usité surtout dans le registre littéraire au sens de « océanique » : *les profondeurs océanes.*

ocre n. et adj. ◆ **Orth.** Invariable comme adjectif de couleur : *des murs ocre* → annexe, grammaire § 98. ◆ **Genre.** Nom féminin au sens de « pigment argileux » : *une ocre pulvérulente.* Nom masculin au sens de « couleur brun-jaune ou brun-rouge » : *un ocre chaud.*

octave n.f. ◆ **Genre.** Féminin : *chanter une octave plus haut, monter d'une octave.*

octobre n.m. ◆ **Orth.** *La révolution d'Octobre,* avec une majuscule (nom propre). Mais *son anniversaire tombe en octobre,* sans majuscule.

octroyer v.t. et v.pr. ◆ **Conjug.** Attention, le *y* devient *i* devant *e* muet : *il octroie* mais *il octroyait.* - Bien noter le *i* après le *y* aux première et deuxième personnes du pluriel, à l'indicatif imparfait et au subjonctif présent : *(que) nous octroyions, (que) vous octroyiez.* → annexe, tableau 7

oculaire adj. et n.m. ◆ **Orth.** Un seul *c,* ainsi que pour les mots de la même famille : *oculariste, oculiste, oculus,* etc.

oculiste n. / **ophtalmologiste** n. / **ophtalmologue** n. / **opticien, enne** n. / **oculariste** n. ◆ **Emploi et sens.** Ne pas confondre ces cinq mots. 1. L'*oculiste* (du latin *oculus,* œil) et l'*ophtalmologiste,* ou *ophtalmologue* (du grec *ophtalmos,* œil) sont des médecins spécialisés dans les troubles de la vision et les maladies de l'œil. 2. L'*oculariste* est celui qui fabrique des prothèses de l'œil, l'*opticien* celui qui fabrique et qui vend des verres, des lentilles de vue, des lunettes.

odorant, e adj. / **odoriférant, e** adj. ◆ **Emploi et sens. 1.** *Odorant* = qui répand une odeur, bonne ou mauvaise. *Des fromages faits et odorants.* **2.** *Odoriférant* = qui répand une odeur agréable. *Les plantes odoriférantes de la garrigue.*

œ- ◆ **Prononc. 1.** Le *e* dans l'*o* se prononce [ø] *(= eu)*, comme dans *bœuf*, s'il est suivi d'un *i* ou d'un *u* : *œil, œuf, œuvre.* **2.** Devant une consonne, il se prononce [e] *(= é)* : *œcuménisme, œdème, œdipe, œnologie, œsophage,* ou [ɛ] *(= è)* : *œstrogène.* Seuls quelques mots étrangers, prononcés *eu-*, font exception : *œrsted, œrstite.*

œcuménique adj. → œ-

œdème n.m. → œ-

œil n.m. ◆ **Orth.** Le pluriel normal de *œil* est *yeux,* sauf dans quelques cas. **1.** Dans les mots composés : *des œils-de-bœuf, des œils-de-chat, des œils-de-perdrix, des œils-de-pie, des œils-de-tigre,* etc. **2.** Employé comme terme technique, au sens de « trou, ouverture » : *des œils épissés ; les œils des meules, des caractères d'imprimerie.* **3.** *Clin d'œil* → clin. **4.** L'expression familière *entre quat'z-yeux* est en général orthographiée ainsi, telle qu'elle est prononcée. ◆ **Emploi.** *Avoir l'œil sur qqn* = le surveiller. □ *Avoir les yeux sur qqn* = avoir les yeux fixés sur lui, le regarder attentivement.

œuf n.m. ◆ **Prononc.** Un *œuf* : [œf], le groupe *œu-* se prononce comme *eu* dans *neuf* ; des *œufs* : [ø], le mot se prononce comme *eu* dans *peu.* ◆ **Orth.** On écrit : *des blancs, des jaunes d'œufs ; un œuf au plat* ou *sur le plat.* REM. Débarrasser un œuf dur de sa coquille se dit *écaler un œuf.*

œuvre n.f. / **œuvre** n.m. ◆ **Genre.** Ne pas confondre *œuvre* n.f. et *œuvre* n.m. **1.** *Œuvre* n.f. = travail ; production, réalisation ; production artistique ou littéraire ; ensemble des réalisations d'un écrivain ou d'un artiste. *Se mettre à l'œuvre ; une œuvre collective ; une œuvre romanesque* (= un roman) ; *Hugo a produit une œuvre poétique considérable ; les œuvres complètes de Voltaire.* Courant dans tous les registres. **2.** *Œuvre* n.m. = ensemble de ce qu'un artiste a produit, notamment de ce qu'il a produit au moyen d'une technique particulière. *L'œuvre gravé de Salvador Dali.* Registre soutenu ou didactique (textes sur l'histoire de l'art, critiques d'art, etc.). □ *Le gros œuvre* = les fondations, les murs et les planchers d'un bâtiment. □ *Le grand œuvre* = la fabrication de la pierre philosophale, en alchimie. ◆ **Orth.** Avec un trait d'union : *un chef-d'œuvre* (plur. *des chefs-d'œuvre*) ; *de la main-d'œuvre* (plur. *des mains-d'œuvre*) ; *un hors-d'œuvre* (invariable).

offenser v.t. et v.pr. ◆ **Constr. 1.** *S'offenser de* (+ nom ou pronom) : *il s'est offensé de votre plaisanterie ; il s'en est offensé.* **2.** *S'offenser de* (+ infinitif) : *elle s'est offensée d'être ainsi traitée.* **3.** *S'offenser que* (+ subjonctif) : *ils se sont offensés qu'on ne les attende pas.* **4.** *S'offenser de ce que* (+ indicatif) : *il s'est offensé de ce qu'on l'a pris pour un autre.* Cette tournure est généralement considérée comme moins correcte que la précédente, *s'offenser que* (+ subjonctif).

office n.m. ◆ **Genre.** Masculin : *un office.* REM. Le mot était autrefois féminin dans le sens de « local attenant à la cuisine où l'on prépare le service de la table » ; il est aujourd'hui masculin dans tous les cas.

officiel, elle adj. / **officieux, euse** adj. ◆ **Sens.** Ne pas confondre ces deux mots de sens opposés. **1.** *Officiel* = qui émane d'une autorité reconnue ; qui a un caractère légal. *Décision, nomination, publication officielle.* **2. Officieux** = qui émane d'une source autorisée sans être authentifié. *Pour le moment, la nouvelle n'est qu'officieuse, elle sera officielle demain.*

offrir v.t. et v.pr. ◆ **Conjug.** → annexe, tableau 23. ◆ **Constr. 1.** *Offrir de* (+ infinitif) : *il a offert de m'aider.* **2. S'offrir à, de, pour** (+ infinitif) : *il s'est offert à m'aider* (ou : *de m'aider, pour m'aider*).

offshore, off shore adj. et n.m. ◆ **Orth.** On rencontre les deux graphies, *offshore,* en un seul mot, et *off shore,* en deux mots. *Offshore,* en un seul mot, est de plus en plus fréquent.

offusquer v.t. ◆ **Constr.** *S'offusquer* se construit comme *s'offenser.* → **offenser**

ogive n.f. ◆ **Orth.** On écrit : *croisée d'ogives ; voûte sur croisée d'ogives* (préférable à *voûte en ogive* pour désigner une voûte reposant sur deux arcs en diagonale).

oh interj. → **ô**

ohmmètre n.m. / **ohm-mètre** n.m. ◆ **Orth.** Ne pas confondre ces deux mots semblables au trait d'union près. **1.** *Ohmmètre* = appareil de mesure de la résistance électrique **2.** *Ohm-mètre* = unité de mesure de la résistivité (plur. : *des ohms-mètres*).

oignon n.m. ◆ **Prononc.** [ɔɲɔ̃], comme pour rimer avec *rognon.* ◆ **Orth. 1.** Avec *oi-,* en dépit de la prononciation. → R.O. 1990. **2.** On écrit : *en rang d'oignons,* avec *s ; pelure d'oignon* (vin rosé), sans *s.* → **pelure**

oindre v.t. ◆ **Conjug.** Comme *joindre.* → annexe, tableau 62.

oiseleur n.m. / **oiselier, ère** n. ◆ **Sens.** Ne pas confondre ces deux mots proches par la forme. *Oiseleur* = celui

qui prend les oiseaux ; *oiselier, oiselière* = celui, celle qui élève ou qui vend des oiseaux.

oiseux, euse adj. / **oisif, ive** adj. et n. ◆ **Emploi et sens.** Ne pas confondre ces deux mots proches par la forme. **1.** *Oiseux* = creux et vain (se dit surtout des paroles). *Discussion oiseuse, discours oiseux.* **2.** *Oisif* = qui n'a pas d'occupation, désœuvré. *Rester oisif. Mener une vie oisive.*

oisillon n.m. / **oison** n.m. ◆ **Sens.** Ne pas confondre *oisillon* (= petit d'un oiseau, quelle que soit son espèce) et *oison* (= petit de l'oie).

olécrane n.m. ◆ **Orth.** Sans accent circonflexe sur le *a,* bien que ce mot, qui désigne l'apophyse du coude, soit formé du grec *ôlenê,* bras, et *kranion,* tête (comme *crâne*).

oligo- préf. ◆ **Orth.** Préfixe, du grec *oligos,* peu, en petit nombre, qui sert à former des mots comme *oligoélément, oligopole* (sans trait d'union).

olive n.f. et adj. ◆ **Orth. 1.** On écrit : *de l'huile d'olive* (au singulier). **2.** Invariable comme adjectif de couleur : *des tissus olive, vert olive* → annexe, grammaire § 98

olographe, holographe adj. ◆ **Orth.** Les deux graphies, *olographe* et *holographe,* sont admises. La graphie sans *h* est plus fréquente : *testament olographe* (= entièrement rédigé, daté et signé de la main du testateur). → aussi **holographie**

olympiade n.f. ◆ **Sens et emploi. 1.** *Olympiade,* au singulier = période de quatre ans entre deux célébrations successives des jeux Olympiques (de nos jours ou chez les anciens Grecs). Emploi normal et correct. **2.** *Olympiades,* au pluriel = jeux Olympiques. *Les athlètes médaillés aux* *dernières olympiades.* Emploi critiqué. **RECOMM.** Dans ce sens, dire plutôt *jeux Olympiques.*

ombragé, e adj. / **ombreux, euse** adj. ◆ **Emploi.** Ne pas confondre ces deux adjectifs proches par la forme et par le sens. **1.** *Ombragé* = abrité du soleil par des feuillages. *Un banc ombragé du parc.* Registre littéraire. → aussi **ombrageux. 2.** *Ombreux* = où il y a de l'ombre ; qui donne de l'ombre. *Une ruelle ombreuse ; se promener sous les tilleuls ombreux.* Registre poétique.

ombrager v.t. ◆ **Conjug.** Le *g* devient -ge- devant *a* et *o : j'ombrage, nous ombrageons ; il ombragea.* → annexe, tableau 10

ombrageux, euse adj. ◆ **Sens et emploi.** *Ombrageux* se dit au sens propre d'un cheval, d'un mulet, etc., qui a peur de son ombre et, au figuré, d'une personne soupçonneuse, susceptible. **RECOMM.** Ne pas dire *ombrageux* pour *ombragé* ou *ombreux.* → **ombragé**

ombre n.f. ◆ **Emploi.** *Ombre* entre dans plusieurs locutions proches par leur forme, qu'il faut bien distinguer. **1.** *À l'ombre de : nous nous sommes étendus à l'ombre des grands arbres.* Sens propre. - Au figuré. « *Une populace en haillons* [...] *qui végétait à l'ombre du palais* » (G. Flaubert) = dans sa proximité et sous sa protection. **2.** *Sous l'ombre de : se promener sous l'ombre noire des sapins.* Sens propre. - Au figuré : *sous l'ombre d'œuvres sociales s'est développée une affaire très lucrative* (= sous le couvert de). **3.** *Sous ombre de, que* = sous prétexte de, que. « *Et sous ombre d'agir pour ses folles amours* [...] » (Corneille). « *Sous ombre que vous écrivez comme un petit Cicéron, vous croyez qu'il vous est permis de vous moquer des gens* » (Sévigné). Tournure littéraire et vieillie.

ombré, e adj. ◆ **Sens et emploi.** *Ombré* = où les ombres sont marquées, en parlant d'un dessin, d'une peinture, etc. Ne pas confondre avec *ombragé, ombreux.* → **ombragé**

ombreux, euse adj. → **ombragé**

omettre v.t. ◆ **Conjug.** Comme *mettre.* → annexe, tableau 64

omni- préf. ◆ **Orth.** Préfixe, du latin *omnis,* tout, servant à former des mots comme *omnipotent, omniscient, omniprésent, omnivore,* tous sans trait d'union.

omnisports adj. ◆ **Orth.** Avec un *s* final, même au singulier : *club, salle omnisports,* où l'on pratique plusieurs sports.

omoplate n.f. ◆ **Genre.** Féminin : *une omoplate ; avoir les omoplates saillantes.*

on pron. indéfini
◆ **Prononc.** *On,* devant un verbe commençant par une voyelle, se prononce de la même façon, qu'il soit ou non suivi de la négation *n' : on y va, on n'y va pas ;* il convient donc à l'écrit, de s'assurer de la forme affirmative ou négative de la phrase, en remplaçant *on* par un autre pronom (*on n'entend rien, il n'entend rien*).
◆ **Orth.** Dans une phrase interrogative, *on* se lie par un trait d'union au verbe dont il est le sujet : *peut-on entrer ? va-t-on rester ?*
◆ **Emploi.**
1. *On,* sens indéfini (= quelqu'un, tout le monde, quiconque) : *on a volé trois tableaux au musée municipal ; on croit à tort que c'est facile ; ce n'est pas ce que je voulais dire, on l'aura compris.* Emploi usuel et correct.
❑ Dans cet emploi, *on* est repris par *se, soi* dans une même proposition : *comme on se retrouve ! On ramène tout à soi.* « *On a*

souvent besoin d'un plus petit que soi » (La Fontaine). - Il peut également être repris par *nous* ou par *vous* dans une proposition différente : « *Qu'on hait un ennemi quand il est près de nous* » (Racine). « *Quand on se plaint de tout, il ne vous arrive rien de bon* » (J. Chardonne).

❑ Le possessif correspondant est *son, sa, ses* : *on arrive, on accroche son manteau ou sa veste et on salue ses collègues.*

2. *On* employé pour *nous* : *on est allés au cinéma avec des amis ; nous, on n'est pas d'accord.* Emploi très courant dans l'expression orale non surveillée.
RECOMM. Dans l'expression soignée, en particulier à l'écrit, préférer *nous* : *nous sommes allés au cinéma avec des amis ; nous, nous ne sommes pas d'accord.*

❑ Dans l'emploi familier, le possessif correspondant est *notre, nos* : *on s'est occupé de notre jardin et de nos fleurs.*

3. *On* employé pour *tu* ou pour *vous* : « *Eh bien ! petite, est-on toujours fâchée ?* » (G. de Maupassant). Emploi courant dans l'expression orale et impliquant un certain degré de familiarité entre la personne qui parle et celle à qui elle s'adresse. Peut également marquer la condescendance ou le mépris : *alors, on a voulu faire le malin ?* REM. *Nous* connaît un emploi comparable. → **nous**

❑ Le possessif correspondant est *son, sa, ses* : *alors, on est tout seul, on fait son repassage, sa popote, ses petites courses ?*

4. *On* employé pour *je* : *on a tenté dans le présent ouvrage de brosser un tableau d'ensemble de l'économie contemporaine.* C'est le *on* de modestie, utilisé surtout dans l'expression soignée, en particulier à l'écrit. REM. *Nous* connaît un emploi comparable. → **nous**

❑ Le *on* de modestie est parfois utilisé par plaisanterie dans l'expression orale courante : « *Tu sais qui a dit ça ? - Qu'est-ce que tu crois, on a des lettres !* » - Le possessif correspondant est *son, sa, ses* : « *Il paraît que tu les as beaucoup impressionnés. - Eh oui, on fait toujours son petit effet !* »

5. *On* / *l'on*.

❑ Dans l'expression soignée, *l'on* remplace *on* pour des raisons d'euphonie après *et, ou, où, que, à qui, à quoi, si* : *savoir où l'on va ; si l'on considère ce à quoi l'on doit s'attendre.*

Mais *l'on* doit être remplacé par *on* dans le cas d'allitérations peu élégantes : *si on le lui disait* (et non : *si l'on le lui disait*).

❑ *L'on* est utilisé à discrétion par certains auteurs (hormis les cas mentionnés à l'alinéa ci-dessus) sans que cet emploi constitue une faute.

❑ Après *que*, et devant un verbe commençant par *con-*, il est préférable d'utiliser *l'on* : *il faut que l'on comprenne* (mieux que : *il faut qu'on comprenne*).

❑ *L'on* en tête de phrase est une tournure vieillie : *l'on ne saurait mieux dire.*

6. Répétition de *on*. *On* doit être répété devant chacun des verbes dont il est le sujet : *on mange, on boit et l'on s'amuse.* En revanche, cette répétition est fautive si *on* correspond à des sujets distincts ; on dira donc : *nous avons pris ce qu'on nous a donné,* et non : *on a pris ce qu'on nous a donné.*

◆ **Accord.**
L'adjectif ou le participe passé attribut de *on* prend le genre et le nombre du sujet que ce pronom représente.

❑ Quand *on* est employé comme indéfini (= quelqu'un, tout le monde, quiconque), l'accord se fait au masculin singulier : *à quinze ans, on est encore naïf.*

❑ Quand *on* remplace *je, tu* ou *vous, il* ou *elle, ils* ou *elles, nous,* l'accord se fait en genre et en nombre avec le sujet représenté par *on* : *on est arrivés ce matin ; on n'est pas sûre de soi ? alors, on est contentes ?*

onde n.f. ◆ **Orth.** *Onde* reste toujours au singulier dans *longueur d'onde* : *une longueur d'onde, des longueurs d'onde.*

on-dit n.m. ◆ **Orth.** Avec un trait d'union, invariable : *des on-dit.*

ondoyer v.i. et v.t. ◆ **Conjug.** Attention, le *y* devient *i* devant *e* muet : *il ondoie* mais *il ondoyait.* - Bien noter le *i* après le *y* aux première et deuxième personnes du pluriel, à l'indicatif imparfait et au subjonctif présent : *(que) nous ondoyions, (que) vous ondoyiez.* → annexe, tableau 7

onéreux, euse adj. ◆ **Emploi.** *Onéreux* signifie « qui occasionne des frais » : *un déplacement onéreux.* **RECOMM.** Éviter les pléonasmes : *frais onéreux, *dépenses onéreuses.* Dire : *frais élevés, dépenses importantes.*

onomatopée n.f. ◆ **Orth.** Aucune consonne n'est doublée. Finale en *-ée.*

ontogénétique adj. ◆ **Orth.** Noter la transformation du *e* de *ontogenèse* en *e* accent aigu dans l'adjectif correspondant *ontogénétique* (on a *ontogenèse /· ontogénétique* comme on a *genèse / génétique*). → **genèse**

onze adj. numéral ◆ **Orth.** Il est d'usage ne pas élider l'article ou la préposition qui précède *onze* ou *onzième,* bien qu'ils commencent par une voyelle : *il part le onze juin ; il est arrivé le onzième ; il n'y en a plus que onze* (et non *qu'onze). - Seule exception : l'expression familière *bouillon d'onze heures* (= breuvage empoisonné). → aussi **huit, un.** ◆ **Prononc.** On ne fait pas la liaison avec *onze* et *onzième* : *les onze personnes présentes* se prononce [lɛ ɔ̃z], comme dans le prénom *Léon* et non comme dans *les ombres.*

onzième adj. et n. → onze

open adj. inv. et n.m. ◆ **Orth. et emploi.** **1.** Cet adjectif emprunté à l'anglais est invariable : *des tournois open, des billets open.* → R.O. 1990. **2.** Employé comme nom pour désigner une compétition open, il prend la marque du pluriel : *des opens de tennis.*

opéra n.m. ◆ **Orth.** On écrit sans trait d'union : *un opéra sérieux, un opéra bouffe* (de préférence à *opéra-bouffe*), *un opéra rock,* mais toujours avec un trait d'union : *un opéra-ballet, un opéra-comique. -* Plur. : *des opéras bouffes* (ou *des opéras-bouffes*), *des opéras-comiques.* Sans *s* au deuxième élément pour *des opéras rock.*

opération n.f. ◆ **Orth.** On écrit, avec *opération* au singulier : *une table d'opération, une salle d'opération* (plur. : *des tables d'opération, des salles d'opération*) ; avec *opérations* au pluriel : *un plan d'opérations* (militaires), *un théâtre d'opérations.*

opérationnel, elle adj. ◆ **Orth.** Avec deux *n* (on a *opération / opérationnel,* comme on a *émotion / émotionnel, obsession / obsessionnel,* etc.).

opérer v.t., v.i. et v.pr. ◆ **Conjug.** Attention à l'accent, tantôt grave, tantôt aigu : *j'opère, nous opérons ; il opéra.* → annexe, tableau 11 et R.O. 1990

ophtamologiste ou **ophtalmologue** n. → oculiste

opiniâtre adj. ◆ **Orth.** Avec un accent circonflexe sur le *a,* ainsi que dans les dérivés *opiniâtrement* et *opiniâtreté.*

opinion n.f. ◆ **Orth.** Reste au singulier dans les expressions : *liberté d'opinion, journal d'opinion.*

opportunité n.f. ◆ **Orth.** Avec deux *p,* de même qu'*opportun.* ◆ **Sens et emploi.** L'emploi au sens de « caractère de ce qui vient à propos, de ce qui est opportun, favorable, propice » est courant et unanimement admis : « *Toutes* [...] *s'interrogeaient sur l'opportunité d'offrir des fleurs à Mme Porteur* » (M. Aymé). *Il a fait, avec beaucoup d'opportunité, plusieurs objections.* ❑ L'emploi au sens de « circonstance opportune », critiqué comme calque de l'anglais *opportunity,* est admis par l'Académie : *profiter de l'opportunité.*

opposer (s') v.pr. ◆ **Constr.** *S'opposer à* (+ nom), *s'opposer à ce que* (+ subjonctif) : *il s'oppose à un départ trop matinal, il s'oppose à ce que nous partions trop tôt.*

oppresser v.t. / **opprimer** v.t. ◆ **Emploi.** Ne pas confondre ces deux verbes apparentés, mais de sens distincts. 1. *Oppresser* signifie « gêner, tourmenter ». Il a pour sujet un nom de chose : *ce douloureux souvenir l'oppressait ; le poids de ses soucis l'oppresse.* – Le verbe est aussi employé au sens concret de « gêner la respiration de » : *elle a été prise d'une crise d'asthme qui l'a oppressée toute la nuit.* 2. *Opprimer* signifie « accabler par violence, par abus d'autorité » : *un régime autoritaire qui opprime le peuple.* ❑ Le substantif *oppression* correspond aux deux verbes *(l'oppression causée par le spasme des bronches ; lutter les armes à la main contre l'oppression)* alors que le substantif *oppresseur* et l'adjectif *oppressif* correspondent seulement à *opprimer.*

oppresseur n.m. ◆ **Genre.** S'emploie toujours au masculin, même lorsqu'il s'agit d'une femme : *elle a été l'oppresseur de son peuple.* → oppresser

opprobre n.m. ◆ **Orth.** La finale est -*bre* et non -*be* (ne pas se laisser influencer par *probe,* honnête). ◆ **Genre.** Masculin : *encourir un éternel opprobre.*

opticien, enne n. → oculiste

optimal, e adj. → maximal

optimiser ou **optimaliser** v.t. ◆ **Emploi.** Les deux verbes ont le même sens et s'emploient dans les mêmes conditions. *Optimiser* reste le plus fréquent.

optimum n.m. → maximum

optionnel, elle adj. ◆ **Orth.** Avec deux *n* (on a *option / optionnel,* comme on a *ascension / ascensionnel, confession / confessionnel,* etc.).

optique n.f. ◆ **Genre.** Féminin : *une optique déformante.*

opus n.m. ◆ **Emploi.** S'écrit le plus souvent sous la forme abrégée *op.,* qu'il s'agisse d'un renvoi bibliographique (*op. cit.,* ouvrage cité) ou de la référence d'une pièce musicale (le Stabat Mater de Dvorak, op. 58).

opuscule n.m. ◆ **Genre.** Masculin : *un opuscule séditieux.*

1. or conj. ◆ **Emploi.** La conjonction *or,* qui unit le plus souvent des phrases, est généralement précédée d'une ponctuation forte (point ou point virgule). *Il était absent. Or, il avait dit qu'il viendrait.* ❑ La virgule après *or* est fréquente, mais elle n'est pas obligatoire. Sa présence correspond à l'oral à une pause qui marque une nouvelle étape dans la pensée. *Or il arriva que...* « *Or, l'analyse a réduit tous les produits de cette nature à quatre corps simples* » (H. de Balzac). REM. On rencontre encore parfois *or donc : or donc, la sorcière avait jeté un sort à la princesse. Or çà* et *or sus,* fréquents autrefois, sont aujourd'hui sortis de l'usage.

2. or n.m. ◆ **Orth.** On écrit *étalon-or,* avec un trait d'union, ou *étalon or,* sans trait d'union. La graphie avec trait d'union, *étalon-or,* est aujourd'hui la plus fréquente. *Franc-or* s'écrit toujours avec trait d'union. ◆ **Accord.** *Or,* employé comme adjectif de couleur, reste invariable : *des bordures or ; des bannières sang et or.* → annexe, grammaire § 98

orange n.f., adj. inv. et n.m. / **orangé, e** adj. et n.m. ◆ **Emploi.** *Orange,* employé comme adjectif de couleur, qualifie ce qui a la couleur même du fruit, alors que *orangé* se dit de ce qui a une couleur qui tire sur celle de l'orange. ◆ **Orth. 1.** *Orange.* Comme tous les autres noms employés comme adjectifs de couleur, *orange* reste invariable quand il a la valeur d'un adjectif : *des toiles orange ; des tissus orange.* → annexe, grammaire § 98. ❏ Le nom de la couleur prend la marque du pluriel : *un orange clair, des oranges vifs.* **2.** *Orangé,* lui, s'accorde dans tous les cas : *les traînées orangées dans le ciel du soir ; « des orangés fulgurants comme du fer rougi »* (Van Gogh).

orang-outan, orang-outang n.m. ◆ **Orth.** Les deux graphies, *orang-outan* et *orang-outang,* sont admises.

orateur, trice n. ◆ **Genre.** Le masculin *orateur* s'emploie aussi bien pour désigner un homme qu'une femme. Le féminin *oratrice* est rare : *Claudie Delannoy est un remarquable orateur* (ou, plus rare, *une remarquable oratrice*).

orbite n.f. ◆ **Genre.** Féminin dans toutes les acceptions : *un satellite sur orbite basse ; des yeux aux orbites très profondes.*

ordinal (nombre) → annexe, grammaire § 71

ordinand n.m. / **ordinant** n.m. ◆ **Orth. et sens.** Ne pas confondre ces deux homonymes. **1.** *Ordinand* (avec un *d*) = celui qui va recevoir l'ordination. **2.** *Ordinant* (avec un *t*) = évêque qui procède à l'ordination.

ordinateur n.m. ◆ **Orth.** *Ordinateur,* avec un seul *n*. Mais *ordonnateur, trice* (= personne qui ordonne, met en ordre), avec deux *n*.

ordonnancer v.t. ◆ **Conjug.** Le *c* devient *ç* devant *o* et *a* : *j'ordonnance,*

nous ordonnançons ; il ordonnança. → annexe, tableau 9

ordonnateur, trice n. → ordinateur

ordonner v.t. ◆ **Constr. 1.** *Ordonner que* (+ subjonctif) : *il a ordonné que les listes soient closes.* C'est la construction habituelle. **2.** *Ordonner que* (+ indicatif) : *le tribunal ordonne que M. X rend son bien au plaignant ; il ordonne qu'il aura à publier un avis dans la presse.* Cette construction est employée dans la langue juridique et administrative.

ordre n.m. ◆ **Orth.** *Ordre,* désignant une association de professionnels libéraux, une compagnie honorifique, une congrégation religieuse, ne prend jamais de majuscule : *l'ordre des médecins, le conseil de l'ordre ; l'ordre national du Mérite ; l'ordre des Dominicains, l'ordre des Jésuites* (mais on écrit : *un dominicain, un jésuite,* sans majuscule).

oreille n.f. ◆ **Orth. 1.** On écrit *bourdonnement d'oreille, sifflement d'oreille,* avec *oreille* au singulier, de préférence à *bourdonnement d'oreilles, sifflement d'oreilles.* Le singulier s'impose si le contexte indique qu'une seule oreille est affectée, par exemple : *j'ai à droite un bourdonnement d'oreille très désagréable.* - Le mot s'accorde en nombre dans *boucle d'oreille* : *elle a mis ses jolies boucles d'oreilles, elle a perdu une boucle d'oreille.* - Toujours au pluriel dans l'expression *être tout yeux, tout oreilles.* **2.** *Oreille* en **composition.** Les noms composés (notamment de plantes, d'animaux ou de dispositifs techniques) formés sur le modèle *oreille-de-...* s'écrivent avec deux traits d'union. Au pluriel, *oreille* prend un *s,* le troisième élément reste invariable : *une oreille-d'âne, une oreille-de-chat, une oreille-de-Judas, une oreille-de-mer, une oreille-de-souris.* - Plur. : *des oreilles-d'âne, des oreilles-de-chat, des oreilles-de-Judas, des oreilles-de-mer, des* *oreilles-de-souris.* ◆ **Emploi.** *Avoir les oreilles rebattues de qqch.* → rebattre

orémus n.m. ◆ **Orth.** Avec *e* accent aigu (mot latin francisé) - Plur. : *des orémus.*

organisationnel, elle adj. ◆ **Orth.** Avec deux *n* (on a *organisation / organisationnel,* comme on a *opération / opérationnel, relation / relationnel,* etc.).

organo- préf. ◆ **Orth.** Les mots composés avec *organo-* s'écrivent en un seul mot, sans trait d'union : *organogenèse, organométallique.*

orge n.f. ◆ **Genre.** Féminin : *l'orge hâtive,* sauf dans les expressions figées *orge mondé, orge perlé* (masculin). REM. Le masculin dans *orge mondé, orge perlé,* est un vestige d'un genre hésitant jusqu'au XVIIIᵉ s.

orgue n.m. ◆ **Genre et nombre.** Masculin : *un orgue du XVIIᵉ siècle ; les orgues de ces trois églises sont neufs.* - Le mot est aussi employé au féminin pluriel pour désigner un instrument unique, notamment dans l'expression figée *grandes orgues* : « *Car M. Dorval habitait Rouen, où il tenait à Saint-Ouen les grandes orgues que venait de livrer Cavaillé-Coll* » (A. Gide). ◆ **Orth.** On écrit le plus souvent *orgue* au singulier dans *jeux d'orgue, buffet d'orgue, tuyau d'orgue* et au pluriel dans *facteur d'orgues.*

orgueil n.m. ◆ **Orth.** Attention à la place du *u,* après le *g* et avant le *e,* pour avoir le son [g], comme dans *gué.*

oriflamme n.f. ◆ **Genre.** Féminin : *une longue oriflamme.*

original, e adj. et n. / **originel, elle** adj. / **originaire** adj. ◆ **Sens.** Bien distinguer ces trois adjectifs apparentés. 1. *Original* = qui émane directement de la source, de l'origine ;

qui semble se produire ou qui se produit pour la première fois. *Le certificat sera établi d'après l'acte original ; une édition originale ; une idée tout à fait originale.* ❑ *Original* s'emploie aussi comme nom : *établir un certificat d'après l'original* (= d'après la pièce originale). 2. *Originel* = qui remonte à l'origine, qui date de l'origine. *Sens originel d'un mot.* 3. *Originaire de* = qui tire son origine de (tel lieu) : *un alcool de prune originaire des Balkans.* C'est le sens et la construction les plus fréquents, mais *originaire* est également employé comme synonyme de *originel : tare originaire.*

ornemaniste n. ◆ **Orth.** Attention, *ornemaniste* (= professionnel spécialisé dans la conception ou la réalisation d'ornements) est issu de *ornement,* mais s'écrit avec un *a.*

ornithorynque n.m. ◆ **Orth.** Attention au groupe *-th-* et à la place du *y* dans le mot. REM. Le mot est formé de l'élément *ornitho-* (du grec *ornis, ornithos,* oiseau) et de l'élément *-rhynque* (du grec *rhugkos,* bec).

orque n.f. ◆ **Genre.** Féminin : *une orque.* Le mot est féminin, toutefois on note la fréquence de plus en plus marquée du masculin *(un orque)* à l'oral. RECOMM. Dans l'expression soignée, en particulier à l'écrit, employer le mot au féminin.

orthodontie n.f. ◆ **Prononc.** La finale se prononce [si], comme dans *scie* (prononciation à rapprocher de celle de *inertie, facétie,* etc.). ◆ **Orth.** Noter le groupe *-th-* de l'élément *orth(o)-,* du grec *orthos,* droit, que l'on retrouve dans *orthographe.*

orthographe n.f. ◆ **Genre.** Féminin : *il a une bonne orthographe ; l'orthographe du mot est indécise.*

os n.m. ◆ **Prononc.** Se prononce [ɔs] au singulier, comme dans *cosse* et [o] au pluriel comme *eau,* le *s* ne se faisant plus entendre. REM. *Os* est le seul mot de la langue française dont le pluriel n'est pas marqué à l'écrit et l'est à l'oral.

oscar n.m. ◆ **Orth.** Au sens de « haute récompense cinématographique », s'écrit avec une minuscule et prend la marque du pluriel : *film couronné par trois oscars.*

osciller v.i. ◆ **Prononc.** Les deux *l* se prononcent comme s'il n'y en avait qu'un. On entend donc [ile], comme dans *filer,* et non [ije], comme dans *piller.* Cette prononciation est aussi celle des dérivés *oscillant, oscillation, oscillateur.*

oser v.t. ◆ **Emploi.** *Oser,* suivi d'un infinitif, peut être employé sans *pas* dans une phrase négative : *je n'ose le dire* ou, moins soutenu, *je n'ose pas le dire.*

osso-buco n.m. inv. ◆ **Orth.** Avec deux *s,* mais un seul *c,* et un trait d'union entre les deux éléments qui composent le mot. → R.O. 1990. REM. On trouve parfois la graphie *osso buco,* sans trait d'union. - Plur. : *des osso-buco,* sans *s.*

ostrogoth, e n. et adj. ◆ **Prononc. et orth.** [ɔstʀogo], comme pour rimer avec *logo,* on ne prononce pas le *-th* final. REM. Ce mot d'origine germanique s'est également écrit *ostrogot.*

otage n.m. ◆ **Orth.** S'écrit sans accent circonflexe sur le *o.* REM. L'ancienne forme du mot était *ostage* (de la même famille que *hôte*). Contrairement à d'autres mots, le *s* disparu n'a pas été remplacé par un accent circonflexe dans la graphie moderne. ◆ **Accord.** L'usage laisse *otage* au singulier dans l'expression *en otage : les gangsters ont pris en otage trois clients de la banque* ; mais : *trois clients de la banque sont gardés comme otages.* ◆ **Genre.** S'emploie toujours au masculin, même s'il s'agit d'une femme : *elle était leur dernier otage.*

ôté prép. ◆ **Accord.** *Ôté,* employé comme préposition, reste invariable : *ôté une ou deux scènes un peu maladroites, c'est un excellent premier film.*

oto-rhino n. ◆ **Registre.** *Oto-rhino* se dit familièrement pour *oto-rhino-laryngologiste.* - Plur. : *des oto-rhinos.*

oto-rhino-laryngologie n.f. ◆ **Orth.** Avec deux traits d'union. Le *h* se trouve après le *r* (*rhino-* est issu du grec *rhinos,* nez) et non après le *t* (*oto-* est issu du grec *ôtos,* oreille) : penser au nom féminin *otite,* qui s'écrit sans *h.* REM. Les trois éléments du mots correspondent à trois organes distincts.

ou conj.
◆ **Orth.**
1. La conjonction *ou* s'écrit sans accent, ce qui la distingue de l'adverbe et pronom relatif *où.*
2. Emploi de la virgule devant *ou.*
❏ Deux éléments (mots, membres de phrase ou propositions) coordonnés par *ou* marquant une simple alternative ne sont pas séparés par une virgule : *toi ou moi, peu importe ; nous irons en voiture ou en train ; ce soir, je regarderai la télévision ou je lirai le journal.* - Mais, lorsqu'il y a plus de deux éléments coordonnés par *ou,* on emploie généralement la virgule, en particulier dans le style soigné : *toi, ou moi, ou lui, peu importe ; nous irons en voiture, ou en train, ou en avion.*
❏ Lorsque la conjonction *ou* coordonne deux propositions dont les sujets sont différents, elle est généralement précédée par une virgule, en particulier dans le style soigné : *tu peux afficher toi-même ces information, ou Pierre s'en chargera ; la sagesse l'a emporté sur la colère, ou la lassitude a eu raison de sa*

combativité. Cependant, lorsque les propositions sont brèves, la virgule est souvent omise : *ici, tout l'automne le vent souffle ou la pluie tombe.*

❏ Lorsque la conjonction *ou* est répétée devant chacun des termes coordonnés (*ou* a le sens de *soit... soit*), la virgule précède chacun des *ou* sauf le premier : *il est ou dans son bureau, ou au service commercial, ou à l'atelier ; il doit ou accepter ces conditions, ou démissionner.*

❏ Lorsque la conjonction *ou* a le sens de « ou même, ou plutôt, ou du moins... », elle est précédée par une virgule : *sera-t-il remplacé en cas de départ, ou en cas d'absence prolongée* (= ou du moins) ; *ton étourderie, ou ta négligence, te perdra* (= ou plutôt).

❏ Lorsque la conjonction *ou* coordonne des propositions ou des termes qui s'opposent par le sens (*ou* a le sens de « sinon »), elle est précédée par une virgule : *il arrivera ce soir même, ou nous devrons l'attendre longtemps encore ; il faut absolument arriver à ce résultat, ou le succès même de l'opération est compromis.*

❏ Lorsque la conjonction *ou* introduit une équivalence, une explication ou une traduction (*ou* a le sens de « c'est-à-dire »), elle est précédée par une virgule : *la spirée, ou reine-des-prés, a des fleurs odoriférantes* (en cours de phrase, l'équivalence est encadrée par des virgules).

◆ **Accord.**

1. Accord du verbe. Après deux noms au singulier unis par *ou*, le verbe se met au singulier ou au pluriel, selon que l'un des termes exclut l'autre ou que la conjonction a un sens voisin de *et*. On écrit : *La France ou l'Australie accueillera les prochains championnats du monde* (c'est-à-dire : soit un pays, soit l'autre) ; mais : *pour ce tonnage, un camion ou une camionnette conviennent* (c'est-à-dire : l'un et l'autre sont adaptés). - Si *ou* ne fait qu'indiquer une équivalence entre deux termes, l'accord se fait avec le premier de ceux-ci : *le naja, ou cobra, est un serpent venimeux ; les îles Sorlingues, ou îles Scilly, sont situées à l'ouest de la Cornouailles.*

2. Accord de l'adjectif. Si l'adjectif se rapporte à un seul des deux noms unis par *ou*, il s'accorde avec le nom auquel il se rapporte : *une veste en cuir ou en laine épaisse.* - Si l'adjectif se rapporte aux deux noms unis par *ou*, il se met au pluriel (au masculin pluriel si les deux noms sont de genres différents) : *une perceuse ou une scie électriques ; on recrute un ouvrier ou une ouvrière qualifiés.*

◆ **Emploi.**

1. *Ou* et *ni*. *Ou* ne peut être employé que dans une phrase affirmative. Dans une phrase négative, on emploie *ni* : *vous pouvez l'approuver ou le blâmer* ; mais : *je ne peux ni l'approuver ni le blâmer* (et non *je ne peux pas l'approuver ou le blâmer*).

2. *Ou* dans une approximation (*trois ou quatre, trois à sept*). → à

3. *Soit..., ou...* → soit

où adv. et pron. relatif

◆ **Orth.**

L'adverbe et pronom relatif *où* s'écrit avec un *u* accent grave, ce qui le distingue de la conjonction *ou*.

◆ **Emploi.**

1. *Où* peut marquer le lieu aussi bien que le temps : *c'est le café où nous avions rendez-vous ; par où êtes-vous entré ? ; le jour où nous l'avons rencontré ; c'est l'année où j'étais aux États-Unis.* REM. L'emploi de *que* pour *où*, courant à l'époque classique, est aujourd'hui un archaïsme de style : « *Du temps que les bêtes parlaient* » (La Fontaine). « [...] *aux moments que, recru de fatigue, il souhaitait le repos* [...] » (G. Duhamel).

2. *D'où* et *dont*. Les deux pronoms relatifs sont souvent en concurrence lorsqu'ils sont compléments de verbes se construisant avec *de* : *la maison d'où elle est sortie* (ou *dont elle est sortie*) mais *la* *famille dont il descend* (et non **d'où il descend*). → aussi **dont**

2. *Où* et *pour*. On emploie parfois *où* à la place de *pour* : *nous cherchons une salle où danser ; il ne reste pas une place où poser ses affaires.*

♦ **Constr.**

Où que est suivi du subjonctif : *Aude le suivra où qu'il aille.*

ouate n.f. ♦ **Orth.** L'expression courante comme l'expression soignée admettent l'élision ou l'absence d'élision : *de l'ouate* ou *de la ouate ; un morceau d'ouate* ou *de ouate.* En revanche, il n'y a ni élision ni liaison devant le pluriel : *des ouates cardées* (ne pas prononcer **des-z-ouates*) et devant les dérivés : *ouater (je ouate, nous ouatons), la ouatine, des ouatines* (ne pas prononcer **des-z-ouatines*).

oublier v.t. ♦ **Conjug.** Attention au redoublement du *i* aux première et deuxième personnes du pluriel, à l'indicatif imparfait et au subjonctif présent : *(que) nous oubliions, (que) vous oubliiez.* ♦ **Constr. et registre.** *Oublier que* (+ indicatif ou subjonctif) : *j'oubliais qu'il était là, j'oubliais qu'il fût là.* L'indicatif est courant, le subjonctif très soutenu. ❑ *Ne pas oublier que* (+ indicatif) : *je n'oubliais pas qu'il était là.*

oued n.m. ♦ **Orth.** Plur. : *des oueds.* REM. *Oueds* est le pluriel francisé. Le pluriel arabe, *des ouadi,* n'est plus en usage.

ouest n.m. ♦ **Orth.** *L'ouest,* point cardinal. → annexe, grammaire § 32

oui adv. et n.m. ♦ **Prononc.** Dans l'expression soignée, le mot qui précède *oui* n'est jamais élidé : *je crois que oui.* Dans l'expression orale courante, il l'est souvent : *je crois qu'oui, je crois bien qu'oui.* Sauf exception (transcription de la langue orale ou

exemple de dictionnaire) l'élision n'est jamais écrite. ♦ **Orth.** Employé comme nom, *oui* est invariable : *des oui qui ressemblent à des non ; au référendum, les oui l'ont emporté sur les non.* ♦ **Emploi.** La réponse affirmative à une interrogation négative n'est pas *oui,* mais *si* : « *Ne comptiez-vous pas sur lui ? – Si.* »

ouï-dire n.m. inv. → ouïr

ouillère, ouillière, oullière n.f. ♦ **Orth.** Les trois graphies, *ouillère, ouillière,* et *oullière* (= mode de culture de la vigne) sont admises. → R.O. 1990

ouïr v.t. ♦ **Conjug.** *Ouïr* n'est usité aujourd'hui qu'à l'infinitif présent, au participe passé et aux temps composés. → annexe, tableau 38. ♦ **Emploi.** Ce verbe très défectif n'est plus employé que dans quelques cas. ❑ Par archaïsme volontaire, sur le mode plaisant, dans *j'ai ouï dire, il a ouï dire,* etc. : *j'ai ouï dire que vous aviez quelques soucis.* ❑ Par plaisanterie, dans « *oyez, braves gens !* » (allusion à l'injonction des jurés crieurs, sous l'Ancien Régime). ❑ Dans la locution figée *par ouï-dire* et le nom masculin invariable *ouï-dire : je l'ai appris par ouï-dire, par des ouï-dire* (= par la rumeur publique, par des bruits qui courent). ❑ Au participe passé, employé comme préposition dans la langue juridique (v. ci-dessous, accord). ♦ **Accord.** Employé comme préposition, le participe passé est invariable : *ouï les experts, la cour ordonne que...*

ouistiti n.m. ♦ **Prononc.** Avec *ouistiti,* on ne fait ni liaison ni élision : *le ouistiti* (et non **l'ouistiti*) ; *un drôle de ouistiti* (et non : **un drôle d'ouistiti*). *Les ouistitis* se prononce [lɛwistiti], comme *les oui* et *les non,* et non comme *les ouïes* (d'un poisson).

ouléma, uléma n.m. ♦ **Orth. et prononc.** Selon que l'on prononce l'initiale [u], comme dans *ourlet* ou [y], comme dans *hurler,* on écrit *ouléma* ou *uléma.*

ours n.m., **ourse** n.f. ◆ **Orth.** La femelle de l'ours est *l'ourse* (n.f., avec un *e* final).

outil n.m. ◆ **Prononc.** Le *l* final ne se prononce pas, comme dans *fusil.*

outrager v.t. ◆ **Conjug.** Le *g* devient *-ge-* devant *a* et *o* : *j'outrage, nous outrageons ; il outragea.* → annexe, tableau 10

outre prép. et adv. ◆ **Orth.** *Outre,* employé comme élément de composition au sens de « qui est situé au-delà de », se lie par un trait d'union à l'élément qu'il précède : *partir outre-Manche, outre-Atlantique, outre-Rhin.* ◆ **Emploi. 1.** *Outre* adv. (= au-delà, plus loin) : *il aurait dû se limiter à son exigence de départ, mais il a voulu aller outre.* Dans ce sens, *passer outre* est d'un emploi plus courant : *il n'a pas voulu écouter mes recommandations, il a passé outre.* ❑ *En outre* loc. adv. (= de plus) : *ils sont arrivés à un excellent résultat, en outre ils sont en avance sur leur programme de travail ; il a écrit plusieurs romans et, en outre, une biographie de Schubert.* ❑ *Outre mesure* loc. adv. (= avec excès, au-delà de la mesure raisonnable), s'emploie toujours au singulier et s'écrit sans trait d'union : *ils avaient bu outre mesure.* ❑ *Plus outre* loc. adv. (= au-delà) ne s'emploie plus que dans le registre littéraire : « *On décida de déjeuner sans aller plus outre* » (G. Duhamel). **2.** *Outre* préposition (= en plus de) est employé surtout dans l'expression soignée : *outre son service habituel, il assure une garde de nuit.* **RECOMM.** L'emploi de la locution prépositionnelle *en outre de* étant critiqué, il est préférable de s'en abstenir, bien qu'il soit attesté chez de bons écrivains : « *Une trentaine de mille francs restaient toujours à payer en outre de*

mes vieilles dettes » (Chateaubriand). ◆ **Constr. 1.** *Passer outre à qqch.* (= ne pas en tenir compte) : *il a passé outre à mes recommandations et il a fait comme il l'entendait.* **2.** *Outre que* (+ indicatif) : « *Mon étourneau m'amuse autant qu'il me dérange ; outre que je ne me lasse pas de l'observer, lui n'a de cesse qu'il ne soit perché sur mon épaule* » (A. Gide).

outre-mer adv. / **outremer** n.m. et adj. inv. ◆ **Orth. et sens.** Avec ou sans trait d'union selon le sens. **1.** *Outre-mer* (avec un trait d'union) adv. = au-delà des mers (par rapport à la métropole). *Aller s'établir outre-mer.* **2.** *Outremer,* (sans trait d'union) n.m. et adj. inv. = lapis-lazuli (pierre fine) ; bleu intense. *Des étoffes outremer.*

outsider n.m. ◆ **Prononc.** Se prononce à l'anglaise [awtsajd ʀ], comme *a-ou-t-sail-deur.*

ouvrable adj. / **ouvré, e** adj. ◆ **Sens.** Bien distinguer ces deux adjectifs qui n'ont pas tout à fait le même sens. **1.** *Jour ouvrable* = jour où l'on peut travailler, jour qui n'est pas férié. *Une semaine type comporte six jours ouvrables* (du lundi au samedi inclus). **2.** *Jour ouvré* = jour où l'on travaille effectivement. *Une semaine type comporte cinq jours ouvrés* (du lundi au vendredi inclus). **REM.** *Ouvrable* et *ouvré* sont issus d'un ancien verbe *ouvrer,* travailler (à rapprocher de *œuvrer*) et n'ont pas de rapport avec *ouvrir.*

ouvrage n.m. ◆ **Genre.** Masculin, sauf dans l'expression *de la belle ouvrage,* naguère familière, aujourd'hui admise dans tous les registres pour parler d'un travail ou d'une œuvre artistique particulièrement soignés et réussis.

ouvrager v.t. ◆ **Conjug.** Le *g* devient *-ge-* devant *a* et *o* : *j'ouvrage, nous ouvrageons ; il ouvragea.* → annexe, tableau 10

ouvre- élément de composition ◆ **Orth.** Au singulier, le deuxième élément des mots composés avec *ouvre-* (qui désignent un appareil, un dispositif pour ouvrir les...) peut prendre ou non la marque du pluriel : *un ouvre-boîte* ou *un ouvre-boîtes, un ouvre-bouteille* ou *un ouvre-bouteilles, un ouvre-huître* ou *un ouvre-huîtres.* L'élément *ouvre-* reste toujours invariable. - Plur. : *des ouvre-boîtes, des ouvre-bouteilles, des ouvre-huîtres.* → R.O. 1990

ouvrir v.t., v.i. et v.pr. ◆ **Conjug.** → annexe, tableau 23

ovaire n.m. ◆ **Genre.** Masculin : *un ovaire.*

overdose n.f. ◆ **Anglicisme.** RECOMM. OFF. : *surdose.*

ovni n.m. ◆ **Orth.** *Ovni,* mot formé à partir des initiales de la locution *objet volant non identifié,* prend la marque du pluriel : *des ovnis.*

ovule n.m. ◆ **Genre.** Masculin : *un ovule.*

oxygéner v.t. et v.pr. ◆ **Conjug.** Attention à l'accent, tantôt grave, tantôt aigu : *j'oxygène, nous oxygénons ; il oxygéna.* → annexe, tableau 11 et R.O. 1990

ozonation ou **ozonisation** n.f. → ozoner

ozoner ou **ozoniser** v.t. ◆ **Emploi.** Les deux verbes ont le même sens et s'emploient dans les mêmes conditions. *Ozoniser* reste le plus fréquent. De même, on emploie *ozonation* ou *ozonisation, ozoneur* ou *ozoniseur.* REM. On trouve aussi parfois *ozonateur.*

ozoneur ou **ozoniseur** n.m. → ozoner

P

pacager v.i. ◆ **Conjug.** Le *g* devient -*ge*-devant *a* et *o* : *je pacage, nous pacageons ; il pacagea* → annexe, tableau 10

pacha n.m. ◆ **Orth.** Jamais de majuscule ; employé avec un nom propre, *pacha* se place derrière celui-ci sans trait d'union : *le général Osman pacha ; Mustapha Kémal pacha ; des pachas.* → bey, dey

pachy- préf.◆ **Prononc.** [paʃi] comme dans *hachis,* et non [paki] comme dans *tachycardie.* **Orth.** Avec *y* (vient du grec *pakhus,* épais). *Pachy-* se soude toujours à l'élément qui le suit : *pachyderme, pachydermie, pachydermique.*

pachyderme n.m.◆ **Prononc. et orth.** V. ci-dessus *pachy-.*◆ **Emploi.** Les zoologistes appellent désormais « ongulés » les animaux à sabots ou à onglons comme le cheval, le porc ou l'éléphant autrefois dénommés « pachydermes » . Dans l'usage courant, le mot n'est plus employé qu'au sens figuré pour désigner quelqu'un de très corpulent ou encore une personne dépourvue de sensibilité et de finesse.

pacifique adj. / **pacifiste** adj. et n. ◆ **Emploi.** Ne pas confondre ces deux mots. 1. *Pacifique* adj. = qui aspire à la paix, qui tend à la paix. *Un souverain pacifique ; une action pacifique.* 2. *Pacifiste* adj. et n. = qui préconise la recherche de la paix internationale par la négociation, le désarmement, la non-violence. *Une militante pacifiste ; les pacifistes.*

pacifiste adj. et n. ◆ **Sens.** Ne pas confondre avec *pacifique* → pacifique

package n.m. ◆ **Anglicisme.** Ensemble de produits ou de services vendus ensemble pour une somme forfaitaire. RECOMM. : *achat groupé, forfait.*

packager n.m. ◆ **Anglicisme.** Professionnel de l'édition qui sous-traite la conception et la réalisation de livres pour les éditeurs. RECOMM. OFF. : *réalisateur éditorial.*

packaging n.m. ◆ **Anglicisme.** Emballage, conditionnement. RECOMM. OFF. : *conditionnement.*

pagaie n.f. ◆ **Prononc.** [pagɛ], comme dans *sagaie.* ◆ **Orth.** Ne pas confondre avec *pagaïe* (désordre) avec tréma sur le *i.* → pagaille

pagaille, pagaye, pagaïe n.f. ◆ **Prononc.** [pagɑj], comme dans *paille.* ◆ **Orth.** On écrit de plus en plus souvent *pagaille.* Les orthographes *pagaye* et *pagaïe,* aujourd'hui moins courantes, sont correctes. → R.O. 1990. - Ne pas confondre avec *pagaie* (courte rame), sans tréma.

pagayer v.i. ◆ **Conjug.** Les formes conjuguées du verbes peuvent s'écrire avec un *y* ou avec un *i* devant *e* muet : *il pagaie* ou *il pagaye, il pagaiera* ou *il pagayera.* On écrit plus souvent aujourd'hui *il pagaie, il pagaiera.* - Attention au *i* après le *y* aux première et deuxième personnes du pluriel, à l'indicatif imparfait et au subjonctif présent : *(que) nous pagayions, (que) vous pagayiez* → annexe, tableau 6. ◆ **Prononc.** *Il pagaie* : [ilpagɛ], la finale se prononce comme *gai.* - *Il pagaye* : [ilpagɛj], la finale se prononce comme celle d'*abeille.*

page n.f. ◆ **Orth.** *Mise en pages / mise en page.* Les deux orthographes sont admises, mais on écrit plus souvent avec un *s* à *page : mise en pages, mettre en pages, metteur en pages.*

paie, paye n.f. ◆ **Prononc.** Dans l'expression soignée : [pɛ] comme dans *paix,* pour les deux graphies. Dans l'expression courante : [pɛ] pour *paie* ; [pɛj], comme dans *veille,* pour *paye.* ◆ **Orth.** *Paie* est aujourd'hui l'orthographe la plus fréquente. *Paye* demeure correct.

paiement, payement n.m. ◆ **Prononc.** *Paiement, payement* : [pɛmã], comme dans *aimant.* ◆ **Orth.** Le mot s'écrit aujourd'hui *paiement* ; *payement,* quoique vieilli, reste admis. Attention au *e* muet intérieur. *Paiement* correspond à *payer,* verbe du 1er groupe.

paille adj. inv. ◆ **Accord.** Comme adjectif, le mot reste invariable : *des chemisiers paille ; des jaunes paille* annexe, grammaire § 98

pailleter v.t. ◆ **Conjug.** Attention au redoublement du t devant e muet : *je paillette, il paillettera* mais *nous pailletons ;*

il pailletait. → annexe, tableau 16 et R.O. 1990

pain d'épice, pain d'épices n.m. ◆ **Orth.** *Pain d'épice* ou *pain d'épices.* **REM.** *Pain d'épices,* avec *s,* a été longtemps proscrit. Cette orthographe est aujourd'hui admise ; elle est la plus courante en Belgique.

pair n.m. / **paire** n.f. ◆ **Orth. et sens.** Ne pas confondre ces deux mots. 1. *Pair* n.m. = égalité de valeur (dans certaines expressions). *Hors de pair, hors pair :* sans égal, exceptionnel. *Aller, marcher de pair :* aller, marcher ensemble. *Les deux vont de pair.* 2. *Paire* n.f. = ensemble de deux choses identiques ou symétriques. *Les deux font la paire.*

paître v.i. et v.t. ◆ **Conjug.** Toujours un accent circonflexe sur le *i* devant un *t* : *il paît, il paîtra.* Verbe défectif : pas de passé simple, de subjonctif imparfait, de passé simple. annexe, tableau 71 et R.O. 1990. ◆ **Constr.** Intransitive *(les vaches paissent dans le pré)* ou transitive, le complément d'objet désignant la nourriture de l'animal *(les vaches paissent l'herbe).* **REM.** La construction transitive avec le complément d'objet désignant l'animal *(le berger paît ses brebis)* est aujourd'hui littéraire et vieillie. ◆ **Registre.** *Envoyer paître qqn,* le repousser, l'éconduire avec humeur, est très familier.

pal n.m. ◆ **Orth.** Plur. : *des pals.*

palabre n.f. ou n.m. ◆ **Genre.** **RECOMM.** Utiliser le féminin. La plupart des dictionnaires donnent ce mot comme appartenant aux deux genres, mais le féminin est aujourd'hui plus fréquent : *de vaines palabres.* ◆ **Emploi.** Plus fréquent au pluriel : *des palabres oiseuses.* **REM.** En français d'Afrique, le mot n'est pas péjoratif et désigne le débat coutumier qui réunit, souvent à l'ombre d'un grand arbre *(l'arbre à palabre)*, les hommes d'une communauté villageoise. Dans ce sens, le mot est normalement employé au singulier : *la palabre du soir.*

paladin n.m. / **baladin** n.m. ◆ **Sens.** Ne pas confondre ces deux mots. 1. *Paladin* = chevalier errant. 2. *Baladin* = comédien ambulant.

palais, Palais n.m. ◆ **Orth.** Avec une minuscule ou une majuscule selon l'emploi. 1. **Avec majuscule.** *Le Palais de Justice,* ou, absolument, *le Palais,* pour l'édifice parisien. REM. Ce sont des majuscules d'usage. Mais on écrit avec des minuscules *palais de justice* pour l'édifice d'une ville quelconque : *le palais de justice de Bordeaux.* 2. **Avec majuscule** pour certains édifices parisiens : *le Grand Palais, le Petit Palais, le Palais-Royal* (avec trait d'union). 3. Avec *p* minuscule (et majuscule au nom qui suit) : *le palais Bourbon, le palais Garnier, le palais des Glaces, le palais d'Hiver, le palais des Papes.* REM. C'est le nom qui suit qui caractérise le nom propre de l'édifice ; il prend la majuscule. 4. **Avec P majuscule** quand on parle non de l'édifice, mais de l'ensemble des personnes qui y exercent une activité : *le Palais* (magistrats, avocats, etc.) ; *tout le Palais était venu écouter la plaidoirie de maître X. - Le Palais-Bourbon* = l'Assemblée nationale, l'ensemble des députés. *Le Palais-Bourbon doit examiner le texte gouvernemental.*

palefrenier n.m. ◆ **Orth.** Deux *e* intérieurs. ◆ **Prononc.** [palfʀənje], le premier *e* ne se prononce pas.

palier n.m. ◆ **Orth.** Un seul *l.* Ne pas confondre avec le verbe *pallier* → **pallier.** - *Par paliers :* toujours avec un *s.*

palliatif, ive adj. et n.m. ◆ **Constr.** Avec *de* (et non avec *à*) : *des médicaments*

palliatifs de la douleur ; un palliatif de cette difficulté pourrait être...

pallier v.t. ◆ **Orth.** Deux *l* : ne pas confondre avec *palier* (d'escalier) qui n'en a qu'un seul. **Constr.** Le verbe est transitif direct et l'on doit dire *pallier qqch.* (et non **pallier à*) : *pallier une défaillance, une faute,* c'est étymologiquement les cacher, les couvrir comme avec un manteau *(pallium,* en latin). ◆ **Emploi.** RECOMM. N'utiliser le mot que dans son sens strict de « masquer un défaut, une difficulté »ou de « porter superficiellement remède à un mal, sans s'attaquer à ses causes profondes ». REM. Du sens de « voiler, couvrir », le mot est passé à celui de « remédier de manière incomplète ou provisoire à ». L'évolution actuelle de la langue tend à effacer l'idée d'insuffisance ou de caractère provisoire du remède, qu'il serait pourtant souhaitable de conserver, en raison notamment du sens du dérivé *palliatif,* « expédient, moyen provisoire ».

pâlot, otte adj. ◆ **Orth.** Accent circonflexe sur le *â,* comme dans *pâle,* et deux *t* au féminin.

palpitant adj. ◆ **Registre.** Familier. *Palpitant* = passionnant. RECOMM. Dans l'expression soignée, préférer les équivalents : *captivant, fascinant, passionnant.* Dans le registre courant, ce mot qui fait image est tout à fait acceptable.

pâmer (se) v.pr. ◆ **Orth.** Accent circonflexe sur le *a.* ◆ **Constr.** Ne s'emploie plus qu'à la forme pronominale : *se pâmer de rire.* La construction intransitive *(pâmer de rire)* n'est plus en usage. ◆ **Emploi.** Le mot appartient au registre littéraire. Il est employé le plus souvent avec une intention plaisante ou ironique. Il signifie alors « manifester une admiration ou une émotion excessive » : *tout le monde se pâme devant cet acteur, moi je trouve qu'il joue faux.*

pamplemousse n.m. ♦ **Genre.** Masculin : *un pamplemousse.* REM. Considéré naguère par l'Académie comme des deux genres, ce mot n'est plus employé qu'au masculin.

pampre n.m. ♦ **Genre.** Masculin : *un pampre.* ♦ **Emploi.** Un pampre étant une branche de vigne portant grappes et feuilles (ou, pour les botanistes, un rameau de l'année non encore lignifié), *pampre de vigne* est un pléonasme à éviter. Toutefois, on peut dire, à propos d'une vigne déterminée : *les pampres de votre vigne, le jeune pampre de la vieille vigne,* etc.

panacée n.f. ♦ **Sens.** Remède qui guérirait tous les maux (grec *panakeia,* de *pan* « tout » et *akos* « remède »). RECOMM. Le mot *panacée,* employé seul, suffit à exprimer l'idée. On évitera le pléonasme *panacée universelle* et les tours de sens comparable *(la panacée de tous les maux, une panacée qui guérit tout),* en dépit d'exemples illustres (« *La panacée universelle, le crédit* », H. de Balzac).

pandit n.m. ♦ **Prononc.** [pãdit], avec *t* final sonore, comme dans *site.*

panégyrique n.m. ♦ **Prononc.** Bien prononcer [paneʒiʀik], (-*irique* comme dans *satirique* et non -*érique* comme dans *Amérique*) ♦ **Orth.** Noter le *y.* ♦ **Emploi.** *Panégyrique / apologie.* Dans le registre courant, ces deux mots peuvent être tenus aujourd'hui pour synonymes. À l'écrit, dans l'expression soignée, on réservera *panégyrique* à des situations impliquant un éloge officiel et public et *apologie* à des contextes où l'idée d'excuse, de justification ou de plaidoyer est présente. REM. Selon son étymologie, le panégyrique est un discours à la louange d'une personne ou d'une institution, prononcé devant « tout le monde rassemblé » (grec *panêguris*). Le

panégyrique est oral et public. En revanche, l'apologie (grec *apologia*) peut être soit orale, soit écrite ; elle a pour but la défense ou la justification d'une personne ou d'une action (l'anglais *to apologize,* s'excuser, a conservé quelque chose de ce sens).

paniquer v.t. et v.i. ♦ **Registre.** Le mot appartient au registre familier. RECOMM. Équivalents pour la construction intransitive *(le feu gagnait, il a paniqué)* : *s'affoler, s'effrayer, s'inquiéter, perdre son sang-froid* ; pour la construction transitive *(il a paniqué tout le monde avec ses hurlements)* : *affoler, alarmer, angoisser, effrayer, épouvanter, inquiéter, terrifier, faire perdre son sang-froid à.* ♦ **Conjug.** Le groupe -*qu*- se conserve dans toute la conjugaison.

panonceau n.m. ♦ **Orth.** Un seul *n*, à la différence de *panneau.*

panser v.t. ♦ **Orth.** Avec un *a,* dans le sens de « poser un pansement » ou de « prendre soin de (un animal) », à la différence de *penser,* « réfléchir », qui prend un *e.* ♦ **Emploi.** 1. *Panser un blessé* = poser un pansement sur sa plaie (on dit aussi *panser une blessure*). 2. *Panser un animal* = prendre soin de lui. Le mot s'emploie surtout pour les chevaux et signifie en l'occurrence « bouchonner, étriller ». REM. Dans de nombreuses régions de France, le mot s'applique aussi aux animaux de basse-cour. *Panser les poules, les lapins,* consiste à leur donner du grain ou de l'herbe, à nettoyer le poulailler ou le clapier, etc.

pantalon n.m. ♦ **Emploi.** Au singulier : *son pantalon, déchiré au genou droit, laissait voir la peau.* Le pluriel pour désigner un seul vêtement est aujourd'hui régional ou vieilli. REM. Jusqu'aux premières décennies du XIXe s., les hommes portaient soit le pantalon, qui descendait comme aujourd'hui jusqu'au dessus du pied, soit la culotte, qui s'arrêtait au genou et qui était alors un vêtement exclusivement masculin. La culotte masculine n'est plus portée aujourd'hui que dans de rares circonstances (par les cavaliers, par exemple), mais la langue en a conservé le souvenir dans l'expression familière *c'est elle qui porte la culotte*, (c'est elle qui mène le couple, c'est elle qui fait l'homme dans le ménage).

panteler v.i. ◆ **Conjug.** Le *l* est doublé devant *e* muet : *je pantelle, il pantelle, nous pantelons ; il pantelait ; il pantellera.* → annexe, tableau 16 et R.O. 1990. ◆ **Emploi.** Pratiquement, n'est usité qu'à l'infinitif et sous la forme de l'adjectif verbal *pantelant, e.* ◆ **Registre.** Littéraire.

pantomime n.f. ◆ **Orth. et prononc.** *Pantomime* [pɑ̃tɔmim], avec un *m*, comme dans *mime* (même famille). Sans rapport avec *mine*.

pantoufle n.f. ◆ **Orth.** Un seul *f*, comme dans *moufle* et à la différence de *souffle*.

paon n.m. ◆ **Prononc.** [pɑ̃], comme dans *pantoufle. Paonne* n.f. (= femelle du paon) se prononce [pan], comme *panne ; paonneau* n.m. (= petit du paon) se prononce [pano], comme *panneau*. Le *o* ne se prononce jamais dans ces mots.

papal, e, aux adj. ◆ **Emploi.** Ce mot est peu usité au masculin pluriel, probablement pour des raisons d'euphonie. On dit plus volontiers, par exemple, *les États pontificaux* que *les États papaux*.

papeterie n.f. ◆ **Orth.** Pas d'accent malgré la prononciation courante → **bonneterie.** ◆ **Prononc.** [papɛtri], avec un *e* prononcé *è,* comme pour rimer avec *laiterie,* est aujourd'hui courant et recommandé, même si la prononciation [paptri], ne laissant pas entendre le *e,* était considérée naguère comme la meilleure.

papier n.m. ◆ **Orth.** Mots et expressions composés avec *papier :* v. tableau page suivante.

papilionacé, ée adj., **papilionacée** n.f. ◆ **Orth.** Avec un seul *l,* conformément à l'étymologie (lat. *papilio,* papillon). Mais *papillon* et *papillonner* prennent deux *l.* ◆ **Prononc.** Ne pas prononcer *-illo-* [ijɔ], comme dans *papillo(n),* mais *-ilio-* [iljɔ], comme dans *lio(n).*

papille n.f. ◆ **Prononc.** [papij], avec un [j], comme dans *famille. Papilleux* se prononce également avec un [j], mais les dérivés savants *papillaire* [papilɛR], *papillifère* [papilifɛR] et *papillome* (v. ci-dessous) ont conservé la prononciation avec *l,* autrefois la plus courante.

papillome n.m. ◆ **Prononc. et orth.** [papilom], en prononçant le groupe *-illo-* comme *îlot* (v. *papille,* ci-dessus), et avec un *o* fermé, comme dans *dôme,* malgré l'absence d'accent circonflexe.

papillon n.m. ◆ **Orth.** *Brasse papillon, bec papillon, nœud papillon :* sans trait d'union. Invariable quand il est un élément d'un mot composé : *brasses papillon, becs papillon, nœuds papillon. - Papillonner* et ses dérivés prennent deux *n.*

papillote n.f. ◆ **Orth.** Avec un seul *t,* ainsi que les dérivés *papillotage, papillotement, papilloter.*

papyrus n.m. ◆ **Orth.** Plur. : *des papyrus.*

pâque n.f. / **Pâques** n. ◆ **Orth. et emploi.** Féminin ou masculin, singulier ou pluriel, avec ou sans article, avec ou sans majuscule, selon le sens. **1.** Nom féminin singulier, toujours employé avec l'article, majuscule facultative. *La pâque* ou *la Pâque* = fête juive *(Pessah) ;* fête des églises chrétiennes d'Orient. REM. La majuscule est habituelle dans

Graphies et pluriels des mots composés avec *papier*		
Sans trait d'union		**Avec trait d'union**
Du papier alfa, / des papiers alfa.	Du papier kraft, / des papiers kraft.	Du papier-calque, / des papiers-calque ou / des papiers-calques.
Du papier aluminium, / des papiers aluminium.	Du papier machine, / des papiers machine.	Du papier-carton, / des papiers-cartons.
Du papier argent, / des papiers argent.	Du papier maïs, / des papiers maïs.	Du papier-cuir, / des papiers-cuirs.
Du papier bible, / des papiers bible.	Du papier maroquin, / des papiers maroquin / (ou *maroquins*).	Du papier-émeri, / des papiers émeri.
Du papier bristol, / des papiers bristol.	Du papier ministre, / des papiers ministre.	Du papier-filtre, / des papiers-filtres.
Du papier brouillard, / des papiers brouillard.	Du papier mousseline, / des papiers mousselines.	Du papier-monnaie, / des papiers-monnaies.
Du papier bulle, / des papiers bulle.	Du papier pelure, / des papiers pelures.	Du papier-parchemin, / des papiers-parchemins.
Du papier buvard, / des papiers buvards.	Du papier registre, / des papiers registre.	Du papier-support, / des papiers-supports.
Du papier carbone, / des papiers carbone.	Du papier toile, / des papiers toile / (ou *toiles*).	Du papier-tenture, / des papiers-tentures.
Du papier chiffon, / des papiers chiffon.	Du papier torchon, / des papiers torchon.	**Avec à**
Du papier Chine, / des papiers Chine.	Du papier tue-mouche, / (ou *tue-mouches*), / des papiers tue-mouche / (ou *tue-mouches*).	Du papier à cigarettes, / des papiers à cigarettes.
Du papier corde, / des papiers corde.	Du papier vélin, / des papiers vélin ou / des papiers vélins.	Du papier à la cuve, / des papiers à la cuve.
Du papier cristal, / des papiers cristal.	Du papier velours, / des papiers velours.	Du papier à lettres, / des papiers à lettres.
Du papier Hollande, / des papiers Hollande.	Du papier gros grain, / des papiers gros grain.	**Avec de**
Du papier Japon, / des papiers Japon.		Du papier d'Arménie, / des papiers d'Arménie.
Du papier joseph, / des papiers Joseph.		Du papier de riz, / des papiers de riz.
Du papier journal, / des papiers journal		Du papier de soie, / des papiers de soie.
		Du papier de verre, / des papiers de verre.

les contextes historiques ou religieux : « *La Pâque était venue. On avait dans les fours / Cuit les pains sans levain qu'on vend aux carrefours* » (V. Hugo). **2.** Nom féminin, toujours avec article, sans majuscule. *La* **pâque** = l'agneau pascal. *Immoler la pâque, manger la pâque.* **3.** Nom masculin singulier avec un s final, employé sans article, avec majuscule. **Pâques** = fête des églises chrétiennes d'Occident (catholique et réformées). Dans cet emploi, *Pâques* n'est jamais accompagné d'une épithète : *Pâques est tombé tard cette année.* **4.** Nom féminin pluriel, sans article, avec majuscule. *Pâques* = temps de l'année où l'on célèbre Pâques. *Les vacances de Pâques.* Dans cet emploi, le mot peut être accompagné d'une épithète. *Joyeuses Pâques !* **5.** Nom féminin pluriel, avec minuscule, uniquement dans la locution **faire ses pâques** = se confesser et communier pour Pâques. **6.** *Pâques* **fleuries** = le dimanche des Rameaux.

paquet n.m. ♦ **Orth.** *Paquet cadeau, paquet-poste. Un paquet cadeau, des paquets cadeaux. Un paquet-poste, des paquets-poste.* REM. *Paquet cadeau* a une variante, *emballage cadeau,* qui souligne la relative indépendance des deux éléments composant l'expression. Aussi écrira-t-on *paquet cadeau* sans trait d'union. Pour le pluriel, l'orthographe *paquets cadeaux* est recommandée (« tous les paquets sont des cadeaux »), mais *paquets cadeau* n'est pas fautif (« tous les paquets sont arrangés comme pour un cadeau »). - *Paquet-poste* n'a pas de variante (on ne dit pas « un emballage-poste », « un paquet-courrier », etc.) et peut être considéré comme un mot à part entière. On écrira donc *un paquet-poste, des paquets-poste* (des paquets conçus pour être acheminés par la poste).

par prép. ♦ **Orth.** 1. *Par-deçà, par-dedans, par-dehors, par-delà, par-derrière, par-dessous, par-dessus, par-devant, par-devers ; par-ci, par-là* (ou *par-ci par-là) :* avec trait d'union. 2. *Par en haut, par en bas, par ici, par là :* sans trait d'union. 3. *Par* = chaque. Le nom qui suit est au singulier : *payer tant par personne ; vous y allez combien de fois par semaine ? Vous vérifierez dossier par dossier* 4. *Par* (+ nom désignant des éléments qui, par nature, sont plusieurs). Le nom est au pluriel : *le papier tombe par lambeaux* (ce sont des lambeaux qui tombent, et non un seul) : *vous classerez ces papiers par dossiers ; compter par unités.* **Emploi.** 1. *De par* = à cause de. RECOMM. Utiliser de préférence les équivalents *du fait de, en raison même de, à cause de, étant donné,* etc. : *elle est, du fait de sa situation, obligée d'assister à ces soirées* plutôt que *elle est, de par sa situation, obligée d'assister à ces soirées.* REM. *De par a* souvent été critiqué pour sa lourdeur sauf dans les deux cas suivants. 2. *De par le roi :* signifie étymologiquement

« de la part du roi ». 3. *De par le monde.* A signifié d'abord « quelque part dans le monde » : *aller de par le monde, à l'aventure.* 4. *Par ailleurs.* → ailleurs. 5. *Par contre.* → contre. 6. *Par / à* (je l'ai entendu *dire par Sophie* ou *à Sophie).* → à. 7. *Par* ou *de* (être estimé *par ses collègues* ou *de ses collègues).* → de

paradis n.m. ♦ **Orth.** Jamais de majuscule. ♦ **Constr.** *En paradis / au paradis :* l'un et l'autre sont corrects aujourd'hui. *En paradis,* un peu vieilli, appartient à une langue plus soignée. Même dans l'expression figée *ne pas l'emporter en paradis, à* remplace de plus en plus souvent *en* (*ne pas l'emporter au paradis).*

parafe n.m. → paraphe

paraffine n.f. ♦ **Orth.** Un *r,* deux *f* (comme dans *affinité,* la paraffine étant un corps stable, présentant peu d'*affinités* chimiques).

paragraphe n.m. ♦ **Orth.** Avec *-ph-,* comme dans *graphique.* Sans rapport avec *agrafe.* Le mot est symbolisé par le signe § (qui peut également se lire « alinéa »).

paraître v.i. ♦ **Conjug.** *Paraître* se conjugue avec l'auxiliaire *avoir.* Dans le sens de « être publié » (*ce livre a paru, ce livre est paru),* il peut se conjuguer avec *avoir* ou avec *être,* mais les deux constructions expriment des nuances de sens différentes. Celle avec *avoir* présente l'action, celle avec *être* insiste davantage sur le résultat. Ainsi, on dira plutôt *le roman a d'abord paru en feuilleton dans une revue* mais *le dernier volume de la série est enfin paru.* ❑ Toujours un accent circonflexe sur le *i* devant un *t : il paraît, il paraîtra.* → annexe, tableau 71 et R.O. 1990. ♦ **Sens.** 1. *Paraître / apparaître.* Les deux verbes n'ont pas tout à fait le même sens. Employé avec un adjectif, le premier exprime une impression, le second un constat. *Le projet paraît réalisable* = il a l'air réalisable, probablement est-il réalisable. *Le projet apparaît réalisable* = il est manifestement réalisable, il n'y a pas de raison de douter qu'il soit réalisable. **2.** *Paraître / sembler :* employé avec un adjectif, *paraître* décrit de manière neutre l'aspect, l'apparence : *il paraît jeune* (et il l'est, pour autant qu'on sache). *Sembler* laisse entendre que la réalité pourrait ne pas correspondre à l'apparence : *il semble jeune* (mais peut-être est-il plus vieux qu'il ne paraît). ◆ **Registre.** *Paraît-il / à ce qu'il paraît.* À *ce qu'il paraît* est familier et appartient à la langue parlée. À l'écrit et dans l'expression soignée, on utilisera de préférence *paraît-il.*

1. parallèle n.m. / **parallèle** n.f. ◆ **Orth.** Deux *l* puis un seul *l.* ◆ **Sens.** Ne pas confondre ces deux mots. **1.** *Un parallèle* n.m. = un cercle imaginaire sur la sphère terrestre. *Le quarante-cinquième parallèle de l'hémisphère Nord passe près de Bordeaux.* **2.** *Une parallèle* n.f. = une ligne parallèle à une autre. *« Par un point extérieur à une droite, on ne peut mener qu'une parallèle à cette droite »* (postulat d'Euclide).

2. parallèle n.m. / **parallélisme** n.m. ◆ **Sens.** Ne pas confondre ces deux mots. **1.** *Un parallèle* = une comparaison. *Faire un parallèle entre 1914 et 1939 ; mettre en parallèle 1914 et 1939.* **2.** *Un parallélisme* = une similitude entre deux séries de faits, d'événements aux cours comparables. *« [...] le parallélisme de deux processus, l'un qui se reflète dans l'écriture, l'autre dans la biographie »* (L. Aragon).

paraphe, parafe n.m. ◆ **Orth.** Les deux orthographes, *paraphe* et *parafe*, sont correctes ; *paraphe* reste plus fréquent. ◆ **Sens.** Le mot n'est pas un synonyme de *signature.* Un paraphe est soit le trait de plume ajouté à une signature pour l'orner ou la rendre difficile à imiter, soit une signature abrégée réduite aux seules initiales : *apposer son paraphe au bas des pages d'un contrat.*

paravalanche n.m. ◆ **Orth.** En un seul mot : *un paravalanche.*

parc n.m. ◆ **Emploi.** *Parc de stationnement, parc à voitures, parc-autos* (plur. *des parcs-autos*). Utiliser ces expressions de préférence à l'anglicisme *parking.*

parcage n.m. ◆ **Sens.** Action de parquer, de garer un véhicule. ◆ **Orth.** Avec le *c* de *parc,* à la différence du verbe correspondant *parquer.* ◆ **Emploi.** *Parcage* est l'un des équivalents à utiliser de préférence à l'anglicisme *parking* → parc

parce que conj. ◆ **Orth.** Le *-e* final ne s'élide que devant *à, il, elle, on, en, un, une* (*parce qu'il, parce qu'elle,* etc.). ◆ **Sens.** Ne pas confondre *parce que* et *par ce que.* **1.** *Parce que* = par la raison que. *Je n'irai pas parce qu'il est trop tard.* **2.** *Par ce que* = par cela même que, du fait de. *Il me déplaît par ce qu'il a d'artificiel. Je sens par ce que vous me dites qu'il vaut mieux se méfier.* ◆ **Constr.** L'ellipse du sujet et du verbe *être* est admise : *« Voilà l'histoire d'un homme autrefois heureux, parce que sage, aujourd'hui malheureux, parce que fou »* (Cl. Farrère). **RECOMM.** Ce tour un peu particulier (il peut paraître soit littéraire, soit au contraire plutôt familier) est à réserver aux situations de communication dont on a la parfaite maîtrise. Dans le doute, exprimer le verbe (*il est heureux parce qu'il est sage* plutôt que *il est heureux parce que sage*). ◆ **Emploi. 1.** *Parce que / puisque.* → puisque. **2.** *Parce que / car.* → car

par-ci, par-là loc. adv. ◆ **Orth.** Avec trait d'union, avec ou sans virgule : *j'en ai retrouvé quelques-uns par-ci, par-là* (ou *par-ci par-là*). En revanche, lorsque la locution sert à construire deux groupes nominaux différents (*et sa famille par-ci,*

et son travail par-là) les deux groupes sont toujours séparés par une virgule.
◆ **Registre.** Familier. Dans la langue écrite soignée, utiliser plutôt *çà et là, ici et là, par endroits, par places,* etc.

parcourir v.t. ◆ **Orth.** Attention aux deux *r* au futur et au conditionnel présent, comme pour *courir : je parcourrai ; je parcourrais* → annexe, tableau 33

par-deçà, par-dedans, par-dehors, par-delà, par-derrière, par-dessous → par

pardessus n.m. / **par-dessus** prép.
◆ **Sens.** Ne pas confondre ces deux mots. 1. *Un pardessus* n.m. = un manteau d'homme. *Passer un pardessus.* 2. *Par-dessus* prép. (avec un trait d'union). = par le haut de. *Sauter par-dessus la barrière.*

pardonnable adj. ◆ **Emploi.** Peut se dire d'une chose ou d'une personne. *Une faute pardonnable. Elle est pardonnable de s'être trompée dans un moment pareil.*

pardonner v.t. et v.t.ind. ◆ **Constr.** 1. *Pardonner quelque chose.* Tournure correcte : *pardonner les offenses ; pardonnez ma franchise, mais....* REM. *Pardonner à quelque chose,* tournure correcte, appartient aujourd'hui à un registre soutenu, voire un peu archaïque : *pardonnez à ma faiblesse ; « Les prêtres peuvent le mieux pardonner aux péchés qu'ils ne commettent pas »* (M. Proust). 2. *Pardonner à quelqu'un.* Tournure correcte : *pardonner à quelqu'un ses écarts de conduite ; je lui ai pardonné son indiscrétion.* REM. *Pardonner quelqu'un,* bien qu'attesté chez les meilleurs écrivains (Flaubert, Mauriac, Aragon, entre autres) est à éviter dans l'expression soignée, en particulier à l'écrit. 3. *Pardonner à qqn de* (+ infinitif). Tournure correcte : *je ne lui pardonne pas d'être parti sans nous dire au revoir ; je lui ai pardonné d'avoir été indiscret ; on lui par-*

donnerait de mentir, mais non de voler. ❑ *Pardonner que* + subjonctif *(je ne pardonne pas qu'il soit parti sans nous dire au revoir)* tend à se répandre, mais cette tournure est encore tenue pour incorrecte par certains grammairiens. 4. *Être pardonné.* Tournure correcte, aussi bien avec un sujet nom de chose *(l'erreur est pardonnée)* qu'avec un sujet nom de personne *(Paul est pardonné) : vous êtes tout pardonné ; il est reparti pardonné.* Ce dernier emploi est correct à la voix passive et déconseillé à la voix active. (→ **pardonner qqn, ci-dessus, 2).*

pare- élément de composition ◆ **Orth.** Mots composés avec *pare-* (verbe *parer*) : *pare-* est toujours invariable ; v. tableau ci-dessous et R.O. 1990. REM. Dans la première série du tableau *(pare-boue, pare-brise, pare-feu,* etc.), les seconds éléments *(boue, brise, feu)* désignent pour la plupart des choses que l'on ne peut pas dénombrer (« non comptables ») alors que, dans la deuxième série au contraire, ils désignent des choses comptables *(chocs, clous, éclats,* etc.). Cette explication n'a rien d'absolu : on dit *une flamme, cinq flammes, des flammes* et *de la cendre* (aussi

---

Graphies et pluriels des mots composés avec *pare-*

Avec le second élément au singulier
Un pare-boue, des pare-boue
Un pare-brise, des pare-brise
Un pare-feu, des pare-feu
Un pare-flamme, des pare-flamme
Un pare-neige, des pare-neige
Un pare-soleil, des pare-soleil
Un pare-vent, des pare-vent

Avec le second élément au pluriel
Un pare-balles, des pare-balles
Un pare-cendres, des pare-cendres
Un pare-chocs, des pare-chocs
Un pare-clous, des pare-clous
Un pare-éclats, des pare-éclats
Un pare-étincelles, des pare-étincelles
Un pare-pierres, des pare-pierres

---

bien que *les cendres, des cendres*) et l'on écrit pourtant *pare-flamme*, sans *s* et *pare-cendres*, avec *s*. Dans ces deux cas, l'orthographe est plutôt fondée sur l'usage que justifiée par le sens.

pareil, eille adj. **Emploi.** 1. *Pareil* = adverbe. Tournure incorrecte (*elles sont habillées pareil toutes les deux ; *Paul s'habille toujours pareil). **RECOMM.** Dire ou écrire *de la même façon, de la même manière, pareillement* ou tourner la phrase autrement : *elles sont habillées de la même façon toutes les deux ; Paul porte toujours les mêmes vêtements.* 2. *Pareil à*/*pareil que*. **RECOMM.** Dire ou écrire : *il est pareil à nous, il est comme nous* (et non *il est pareil que nous*). ◆ **Orth.** *Sans pareil,* loc. adj. *Pareil* s'accorde en genre et en nombre avec le nom auquel *sans pareil* se rapporte lorsque ce nom est féminin : *une intelligence sans pareille ; des beautés sans pareilles.* Lorsque le nom est masculin, l'accord en nombre est le plus fréquent (*des talents sans pareils*) mais il demeure facultatif (*des talents sans pareil*). **REM.** L'invariabilité, plus rare, n'est pas incorrecte : *des perles sans pareil* (= sans rien de pareil). L'accord semble cependant plus conforme à la tendance actuelle de l'usage.

parent n.m. ◆ **Emploi.** *Un parent* = le père ou la mère (d'un enfant déterminé). Cet emploi naguère critiqué est aujourd'hui tellement répandu, notamment en milieu scolaire (*un parent d'élève*), qu'il ne peut plus être considéré comme une incorrection, du moins dans l'usage courant. Dans l'expression soignée, on pourra le remplacer par *un père ou une mère d'élève, l'un des deux parents du petit X*, etc.

parenthèse n.f. ◆ **Orth.** *Par parenthèse / entre parenthèses.* Par parenthèse au singulier ; *entre parenthèses* au pluriel. ◆ **Sens.** 1. *Parenthèse* = remarque,

digression insérée dans une phrase plus longue et présentant un sens différent de celle-ci. 2. *Parenthèse* = chacun des deux signes qui, dans l'écriture, encadrent la parenthèse. ◆ **Emploi.** 1. On dit correctement : *je vous signale cet incident qui, par parenthèse, n'a pas eu lieu sur le territoire de la commune ; écrivez la date de naissance entre parenthèses après le nom.* En revanche on aurait naguère critiqué, surtout à l'écrit, la tournure : *je vous signale cet incident qui, entre parenthèses, n'a pas eu lieu sur le territoire de la commune.* Elle est devenue si banale aujourd'hui qu'elle ne peut plus être tenue pour une impropriété. 2. *Ouvrir une parenthèse,* naguère considéré comme familier, est aujourd'hui admis, même dans l'expression soignée.

parer v.t. et v.t.ind. ◆ **Conjug.** Pas d'accent circonflexe sur le *i* à la 3e pers. du sing. de l'imparfait : *le boxeur parait du gauche et contrait du droit.* - Ne pas confondre avec la 3e pers. du sing. de l'indicatif présent du verbe *paraître* (*il paraît fatigué*). ◆ **Constr.** 1. *Parer* = détourner de soi (une attaque, un coup), pour se protéger. *Parer un direct* (en boxe), *une attaque en flèche* (en escrime), etc. 2. *Parer à* = remédier à, se préserver de, se prémunir contre. *Parer au plus pressé ; parer à un danger ; parer aux risques d'épidémie.*

parfaire v.t. ◆ **Conjug.** N'est usité qu'à l'infinitif et aux temps composés. → annexe, tableau 89

parfait, e adj. ◆ **Constr. et sens.** Bien qu'exprimant une qualité absolue, *parfait* peut s'employer avec *moins, plus* et *trop.* Cet emploi est courant lorsque *parfait* signifie « achevé, accompli, mené à son terme » : *j'ai dû travailler très vite, c'est moins parfait que la dernière fois.*

parier v.t. ◆ **Conjug.** Attention au redoublement du *i* aux première et deuxième personnes du pluriel, à l'indicatif imparfait et au subjonctif présent : *(que) nous pariions, (que) vous pariiez* → annexe, tableau 5. ◆ **Constr. 1.** *Parier avec qqn / parier contre qqn.* Les deux sont corrects, mais *parier avec qqn* est plus fréquent : *je parie cent francs avec vous ; contre qui avait-il parié ?* **2.** *Je te parie... / je vous parie...* À réserver à l'usage familier. Dans l'expression soignée, préférer : *je parie avec toi, je suis prêt à parier avec toi que...* **3.** *Parier pour / parier sur.* Employer *parier pour* si le nom qui suit désigne une personne ; *parier pour* ou *parier sur* s'il désigne un animal ; *parier sur* dans les deux cas si l'enjeu est indiqué : *je parie pour X dans le championnat d'Europe des mi-lourds ; vous pariez mille francs sur X ! Il a parié sur Princesse du Gazon dans la troisième* (moins courant, mais correct : *il a parié pour Princesse du Gazon*).

parjure n. et adj. ◆ **Emploi. 1.** *Un parjure* n.m. = un faux serment, une violation de serment. *Commettre un parjure.* **2.** *Un, une parjure* n. = un homme, une femme qui a commis un parjure. **3.** *Parjure* adj. = qui a commis un parjure. *Témoin parjure.*

parking n.m. ◆ **Emploi.** Anglicisme courant. **RECOMM.** Sans qu'il s'agisse d'une recommandation officielle, il est préférable d'utiliser les équivalents *parc de stationnement, parc à voitures, parc-autos* pour le lieu où les véhicules sont garés et *parcage, stationnement* pour l'action de garer ou le fait d'être garé.

Parkinson (maladie de) n.f. ◆ **Orth.** *La maladie de Parkinson* n.f., mais *un parkinson* (sans majuscule) n.m., comme *un alzheimer.*

Parlement, parlement n.m. ◆ **Orth.** Avec ou sans majuscule selon l'emploi. **1.** *Le Parlement* = l'assemblée ou l'ensemble des assemblées qui exer-

cent le pouvoir législatif, dans un régime constitutionnel. Avec une majuscule : *l'Assemblée nationale et le Sénat forment en France le Parlement ; le Long Parlement anglais (1640-1648).* **2.** *Un parlement* = une cour souveraine de justice, en France, sous l'Ancien Régime. Avec une minuscule : *les parlements de Paris, Bordeaux, Aix, Grenoble.*

parler v.i. et v.t. ◆ **Constr. 1.** *Parler avec / parler à qqn* : les deux constructions sont correctes mais n'ont pas tout à fait le même sens. *Parler à qqn* = s'adresser à lui, sans nécessairement recevoir de réponse. *Parler avec qqn* = échanger des paroles, avoir avec lui une conversation. → **causer. 2.** *Parler de qqch., de qqn.* Quand le sujet de la conversation est de type général, l'ellipse de la préposition *de* est fréquente et correcte : *parler politique, parler chiffons, parler voitures.* Mais *de* ne peut être sous-entendu si le complément est une personne ou un sujet précis : *parler de Danielle, des dernières élections.* ◆ **Registre.** *Parler le français comme une vache espagnole* = le parler très mal. Cette locution est familière. **RECOMM.** Dans l'expression soignée, en particulier à l'écrit, recourir à des équivalents : *écorcher le français, mal s'exprimer, maltraiter la syntaxe...* **REM.** Certains grammairiens ont voulu voir dans cette locution imagée très ancienne (elle est attestée dès 1640) une déformation populaire de *parler le français comme un Basque espagnol* ou *comme un Basque l'espagnol.* Cette explication paraît aujourd'hui hasardeuse. Il s'agirait plutôt d'un renforcement plaisant, lié à la fois au sens intensif de *comme une vache* - voir d'autres locutions populaires telles que *pleuvoir comme vache qui pisse, tirer comme une vache (sur la corde),* etc. - et à des connotations négatives (hâblerie, vantardise), aujourd'hui disparues, de l'adjectif *espagnol.*

parmi prép. ◆ **Orth.** Sans *s* final. ◆ **Constr.** 1. *Parmi.* À employer devant un pluriel ou un nom collectif : *cette pièce figure parmi les plus belles de sa collection ; déambuler parmi la foule.* REM. La construction avec un nom au singulier qui n'est pas un collectif est perçue de nos jours comme peu naturelle dans l'usage courant (comme dans cet exemple tiré d'Ed. de Goncourt : « *Un coin de la chambre où elle aimait à se tenir parmi le demi-jour* »). 2. *Parmi* (+ relatif). Toujours employer *lesquels, lesquelles,* qu'il s'agisse ou non de personnes : *les pêcheurs de l'île, parmi lesquels j'ai vécu trois ans* (et non *parmi qui).

parodie n.f. → plagiat

parquer v.t. ◆ **Conjug.** Le groupe *-qu-* est conservé dans toute la conjugaison : *il parqua, nous parquons.*

parqueter v.t. ◆ **Prononc.** [paʀkəte], comme dans *jeter. Parqueteur* [paʀkətœʀ], et *parqueteuse* [paʀkətœz], dérivés de *parqueter,* se prononcent avec [ə] (*e,* comme dans *petit*) alors que *parqueterie,* dérivé de *parquet,* se prononce avec [ɛ], (*-et-* comme dans *parquet*). ◆ **Conjug.** Attention au redoublement du *t* devant *e* muet : *il parquette, il parquettera* mais *nous parquetons ; il parquetait* → annexe, tableau 16 et R.O. 1990

parricide n et adj. ◆ **Orth.** Deux *r,* comme dans *parrain.* ◆ **Emploi.** 1. *Parricide* n.m. = meurtre du père, de la mère ou d'un ascendant. *Commettre un parricide.* 2. *Un, une parricide* n. = un homme, une femme qui a commis un parricide. *Œdipe fut un parricide.* 3. *Parricide* adj. = qui a commis un parricide. *Un enfant parricide.*

parsemer v.t. ◆ **Conjug.** Attention à l'accent grave dans certaines formes : *je parsème* mais *nous parsemons* → annexe, tableau 12

part n.f. ◆ **Orth.** 1. *De part en part, de part et d'autre :* dans ces locutions, *part* reste au singulier. 2. *De toutes parts, de toute part :* indifféremment au pluriel ou au singulier, mais le pluriel est plus fréquent aujourd'hui. 3. *Faire part de... / un faire-part :* écrire en deux mots *faire part de son prochain mariage,* mais *envoyer un faire-part de mariage,* avec un trait d'union. ◆ **Constr.** 1. *De la part de qui venez-vous ?* RECOMM. Ne pas dire *de quelle part.* 2. *Faire part que* (+ indicatif). RECOMM. Préférer : *faire part de, informer de* (+ nom), *informer que* (+ verbe à l'indicatif). *Je vous fais part* ou *je vous informe de ma prochaine arrivée ; je vous informe que j'arriverai prochainement* (plutôt que *je vous fais part que j'arriverai prochainement,* qui, sans être fautif, est lourd et inélégant). ◆ **Accord.** *Mis à part.* Devant le nom, reste invariable : *mis à part les deux bagues que j'ai vendues...* Après le nom, s'accorde avec celui-ci : *les deux bagues que j'ai vendues mises à part...* ◆ **Emploi.** *À part que.* À réserver au registre familier.

partager v.t. ◆ **Conjug.** Le *g* devient *-ge-* devant *a* et *o : je partage, nous partageons ; il partagea* → annexe, tableau 10. ◆ **Constr.** 1. *Partager avec (qqn).* Implique que la personne qui partage conserve une part pour elle-même : *nous avons partagé nos provisions avec nos voisins.* 2. *Partager entre (plusieurs personnes).* Implique que rien de ce qui est partagé n'est conservé par la personne qui procède au partage : *le notaire a partagé les biens entre les trois enfants.* REM. La construction *partager entre,* au sens de « distribuer » *(partager le travail entre les ouvriers)* a remplacé la construction *partager à (partager le travail aux ouvriers)* qui, sans être incorrecte, paraît aujourd'hui vieillie.

parti n.m. ◆ **Orth.** 1. Au singulier, pas de *s* final, malgré le dérivé *partisan.* 2. *Parti pris.* Sans trait d'union : *juger avec* des partis pris ; la perspective est déformée, c'est un parti pris de l'artiste. ◆ **Emploi.** Ne pas confondre avec *partie*, les deux mots étant employés dans plusieurs expressions → **partie. 1.** *Faire un mauvais parti à qqn* = le mettre à mal, lui faire subir des violences. REM. Au XVIIᵉ s., *parti* voulait dire entre autres « condition, état » ; *faire un mauvais parti à qqn*, c'est, littéralement, « le mettre en mauvais état ». **2.** *Prendre parti contre* (ou *pour*) *qqn* = se déclarer opposé à (ou partisan de) qqn.

partial, e, aux adj./ **partiel, elle** adj. ◆ **Sens.** Ne pas confondre ces deux adjectifs de sens différents. **1.** *Partial, e* = qui est sans objectivité, qui prend *parti*. - Masculin pluriel en *-aux : des juges partiaux ; des avis partiaux.* **2.** *Partiel, elle* = limité, qui ne représente qu'une *partie. Les résultats partiels d'une élection ; une élection partielle.*

participe passé (accord du) → annexe, grammaire § 107, 108, 109, 110

participe présent → annexe, grammaire § 57, 58

participer v.t.ind. ◆ **Constr. et sens.** Attention aux sens différents selon les constructions. **1.** *Participer à* = prendre part à. *Participer à une réunion. Participer aux frais.* **2.** *Participer de* = présenter une similitude avec, tenir de. « *Un de ces petits commerces qui participent de l'épicerie, de la mercerie, du bazar* » (J. Romains).

particule *de, du* particule onomastique (dite abusivement « nobiliaire »). ◆ **Orth.** Jamais de majuscule : *Joachim du Bellay, Michel de Montaigne, Louis de Broglie.* → **de**

partie n.f. ◆ **Emploi.** Ne pas confondre *prendre qqn à partie*, s'en prendre à lui, l'attaquer en paroles (dans cette expression, *partie* a le sens juridique de « personne qui plaide

contre qqn », comme dans *partie civile* ou dans *être à la fois juge et partie*) et *faire un mauvais parti à qqn, prendre parti contre qqn* → **parti. ◆ Accord. 1.** *Une partie de.* Quand le nom qui suit cette expression est au pluriel, le verbe s'accorde au singulier si l'on considère le groupe constitué par la partie : *une partie des musiciens joue faux.* L'accord se fait au pluriel si l'on veut insister sur l'idée de nombre d'individus : *une partie des bovins sont contaminés.* **2.** *La plus grande partie de.* L'accord du verbe se fait toujours au singulier : *la plus grande partie du fleuve est gelée ; la plus grande partie des arbres a été abattue par la tempête.*

partir v.i.
◆ **Conjug.**
Toujours avec l'auxiliaire *être*. La conjugaison avec *avoir*, encore admise par Littré pour le sens « faire feu » » – *le fusil a parti tout d'un coup* – n'est plus en usage. – Le *t* du radical disparaît devant le *s* de la terminaison : *je pars, tu pars* → annexe, tableau 31
◆ **Constr.**
1. *Partir à / en / chez* (+ complément indiquant la destination) : ces constructions sont devenues courantes. Elles n'étaient que tolérées naguère devant un nom commun ou un pronom *(partir en vacances, en voyage ; partir chez soi)* et elles étaient proscrites devant un nom propre *(partir à Marseille ; partir en Touraine).* RECOMM. Dans l'expression soignée, en particulier à l'écrit, *partir pour* est préférable : *partir pour Marseille, pour la Touraine.*
2. *Partir à, partir dans* (+ complément indiquant le lieu d'arrivée) : *sa fille est partie à la montagne ; il est parti dans sa famille depuis longtemps.* Ces constructions naguère critiquées sont aujourd'hui couramment admises.
3. *Partir pour* (+ complément indiquant la durée) : *elle part pour une semaine.* Cette

partisan

construction devenue fréquente peut être utilisée dans les situations de communication courantes. Elle reste déconseillée dans l'expression soignée, en particulier à l'écrit. **RECOMM.** *Elle s'absente une semaine, pendant une semaine ; elle va s'absenter une semaine ; elle demeurera absente une semaine.*
4. *Partir pendant est incorrect. **RECOMM.** Tourner la phrase autrement : *il s'est absenté trois semaines, pendant trois semaines ; il est resté trois semaines absent* (plutôt que *il est parti pendant trois semaines*). **REM.** La construction avec une préposition *(pendant)* marquant la durée ne convient pas au verbe *partir*, qui indique la mise en mouvement : on ne se met pas en mouvement pendant trois semaines.
5. *Partir soldat* = aller faire son service militaire, est populaire. **RECOMM.** Dans l'expression soignée, préférer : *partir comme conscrit, comme soldat ;* dans le registre soutenu : *être appelé sous les drapeaux.*

◆ **Emploi.** *À partir de* (+ nom d'une matière première) : admis dans l'usage courant. **RECOMM.** Dans la langue soignée, surtout à l'écrit, utiliser de préférence *extrait de* (et *extraire de*), *tiré de* (et *tirer de*), *à base de : un plastique tiré du pétrole, à base de pétrole* (plutôt que *un plastique fabriqué à partir du pétrole*). **REM.** La tournure est admise lorsqu'elle s'applique à des opérations non matérielles ou à des œuvres de l'esprit (par exemple : *une théorie conçue à partir d'éléments disparates ; un conte imaginé à partir de récits populaires*).

partisan, e n. et adj. ◆ **Genre. 1.** *Partisan, e* n. = personne combattant dans une unité n'appartenant pas à une armée régulière. Dans ce sens, le féminin *partisane* est admis : *les résistantes et les partisanes qui combattirent dans les maquis.* **2.** *Partisan, e* n. = personne qui prend parti pour une idée, pour un

groupe, etc. Le féminin *partisane* est généralement admis aujourd'hui. **RECOMM.** Éviter le barbarisme *partisante. **REM.** Plusieurs grammairiens ont naguère condamné l'emploi de *partisane,* féminin pourtant utile et bien attesté (on trouve notamment dans la correspondance de Voltaire cette phrase souvent citée : « *Vous n'avez point de partisane plus sincère* »). Cet interdit paraît aujourd'hui excessif, mais, si l'on souhaite s'y conformer, on peut employer les équivalents : *une adepte, une fidèle, une sympathisante.* **3.** *Partisan, e* adj. = inspiré par l'esprit de parti, par des opinions préconçues. *Un esprit partisan, des querelles partisanes.* Dans ce sens, l'emploi du féminin est normal et courant. **4.** *Partisane de* = favorable à. *Elle est partisane de la réforme de l'orthographe.* **REM.** Cet emploi peut être admis aujourd'hui. Néanmoins, il a fait l'objet des mêmes critiques que le substantif féminin. À l'écrit et dans l'expression soignée, on pourra utiliser les équivalents *être attachée, dévouée, favorable, fidèle à.* Éviter de toute façon le barbarisme *partisante de.*

partition n.f. ◆ **Emploi.** Au sens de « partage politique (d'une unité territoriale) », ce calque de l'anglais *partition* (découpage, division, partage) est désormais bien intégré au français. **REM.** Le mot est attesté en ancien français dans le sens de « partage ». C'est par ailleurs un terme d'héraldique (*la partition de l'écu* = sa division en plusieurs parties).

partout adv. ◆ **Emploi. 1.** *De partout* = de tous les endroits. *Ils accouraient de partout.* Emploi normal et courant. **2.** *De partout* = sur toute la surface (*sa blouse est tachée de partout*). Emploi déconseillé. **RECOMM.** Employer *partout* seul (*sa blouse est tachée partout*) ou tourner la phrase autrement (*sa blouse est toute tachée, entièrement tachée, parsemée* ou *constellée de taches,* etc.). **3.** *Tout partout* = dans tous les endroits sans en excepter un seul (*les gendarmes ont fait des recherches tout partout). Cet emploi est généralement ressenti comme populaire. **RECOMM.** Employer *partout* seul *(les gendarmes ont fait des recherches partout)* ou tourner la phrase autrement (*dans toute la région, chez tous les habitants, dans les moindres recoins,* etc.).

parution n.f. ◆ **Sens.** Fait de paraître, d'être publié ; moment où un ouvrage paraît. ◆ **Emploi.** Naguère critiqué, cet emploi est aujourd'hui usuel non seulement dans le vocabulaire de la librairie et de l'édition, mais dans la langue courante, pour les livres publiés à l'époque contemporaine ou récemment. Pour un livre publié dans un passé relativement ancien, préférer *édition* ou *publication : l'édition des* Essais de Montaigne.

parvenir v.t.ind. ◆ **Conjug.** Toujours avec l'auxiliaire *être : elle est parvenue à ses fins* → annexe, tableau 28. ◆ **Constr.** *Parvenir à ce que* (+ subjonctif). Plutôt que cette tournure admise mais lourde *(il est parvenu à ce que nous renoncions)* employer une construction plus légère : *il est parvenu à nous faire renoncer.*

parvis n.m. ◆ **Emploi.** Un *parvis* étant une place devant un édifice religieux, des expressions telles que *le parvis d'une église, un parvis de temple* constituent des pléonasmes. En revanche, on peut dire en parlant d'un édifice déterminé : *le parvis de l'église du village, le parvis de Notre-Dame.* ◆ **Sens.** Le mot est parfois utilisé aujourd'hui par les urbanistes pour désigner l'esplanade aménagée qui s'étend devant certains édifices civils récents *(le parvis de la gare Montparnasse, à Paris).* Cet emploi tend à passer dans la langue courante.

1. pas n.m. ◆ **Orth. 1.** *Un faux pas, aller à pas de loup, la salle des pas perdus,*
jouer un pas redoublé : sans trait d'union **2.** *Aller à grands pas, à petits pas, à pas comptés :* adjectifs accordés au pluriel. **3.** *Le pas de Suse* (défilé), *le pas de Calais* (détroit), sans trait d'union, avec la majuscule au nom propre qui suit, mais *le Pas-de-Calais* (département), avec traits d'union et majuscules. **4.** *Pas-de-porte* = somme payée pour obtenir la jouissance d'un local commercial, avec trait d'union, mais *prendre le frais sur le pas de la porte,* sans trait d'union.

2. pas adv. ◆ **Emploi. 1.** *Ne... pas / ne... point :* même s'il est toujours compris, *ne... point* est désormais complètement sorti de l'usage oral spontané chez les Français les plus jeunes. Il reste vivant dans quelques régions de France et des pays francophones, mais s'efface de plus en plus devant *ne... pas.* À l'écrit, il relève aujourd'hui d'un style littéraire, voire recherché. **RECOMM.** N'employer *ne... point* que dans des situations de communication dont on a la parfaite maîtrise, pour obtenir un effet de style. **2.** *Lui pas, moi pas / lui non, moi non.* On emploie parfois *pas* au lieu de *non* pour remplacer toute une proposition : *nous étions fatigués, lui pas.* **RECOMM.** Dans l'expression soignée, employer plutôt *non : nous étions fatigués, lui non.* **3.** Omission de *ne* dans les phrases négatives (*j'irai pas). → **ne. 4.** *Ne* employé sans *pas (ne dire mot, il ne le craint ni ne le désire, qui ne le connaît,* etc.). → **ne. 5.** Place de *ne (il ne peut pas partir / il peut ne pas partir).* → **ne. 6.** *Pour ne les trouver pas / pour ne pas les trouver.* → **ne. 7.** *Pour qu'il ne parte pas /* *pour ne pas qu'il parte,* *pour pas qu'il parte.* → **ne. 8.** *Il n'y a pas que (il n'y a pas que vous pour faire ce travail).* → **il. 9.** *Pas mal.* → **mal. 10.** *Pas rien.* → **rien. 11.** *Pas un.* → **un**

pascal, e, als ou **aux** adj. ◆ **Emploi.** *Pascals* est plus usité que *pascaux,* sans doute pour des raisons d'euphonie : *les agneaux pascals, les agneaux pascaux.*

passant, e adj. / **passager, ère** adj. ♦ **Emploi.** 1. *Passant, ante* = fréquenté, où il passe beaucoup de monde, beaucoup de voitures. *Une rue passante ; le boulevard circulaire est le plus passant de la ville.* 2. *Passager, ère* = qui est de passage en un lieu ; qui dure peu, éphémère. *Une espèce migratrice, passagère sur les côtes bretonnes ; la colère est une folie passagère.* RECOMM. Ne pas dire, ne pas écrire *une rue passagère.

passe n.m. ♦ **Registre.** Abréviation familière de *passepartout* (= clé). - Plur. : *des passes.*

passe- élément de composition ♦ **Orth.** Mots composés avec *passe-* (verbe *passer*) : *passe-* est toujours invariable ; v. tableau ci-dessous et annexe, R.O.1990.

Graphies et pluriels des mots composés avec *passe-*

Un passe-boules, des passe-boules
Une passe-crassane, des passe-crassane (inv.)
Un passe-droit, des passe-droits
Un passe-lacet, des passe-lacets
Un passe-lait, des passe-lait (inv.)
Un passe-montagne,
des passe-montagnes
Un passe-partout, des passe-partout (inv.)
passe-passe (dans la loc. *un tour de passe-passe*). Toujours sing.
Un passe-purée, des passe-purée (inv.)
Un passe-sauce, des passe-sauce (inv.)
Un passe-thé, des passe-thé (inv.)
Un passe-temps, des passe-temps (inv.)

---

passe-passe n.m. ♦ **Orth.** Avec un trait d'union : *un tour de passe-passe* R.O.1990

passé prép. et adj. ♦ **Accord.** 1. *Passé* prép. = après. Reste invariable : *passé la frontière, vous verrez la différence ; passé vingt-deux heures, ce café est fermé.* 2. *Passé,* participe passé employé comme adjectif et placé après le mot auquel il se rapporte, s'accorde : *ma fille a huit ans passés.*

passé (emploi des temps du) → annexe, grammaire § 85, 91, 92

passer v.i. et v.t. ♦ **Conjug.** 1. *Passer,* verbe intransitif. Aujourd'hui, *passer,* verbe de mouvement, est presque toujours conjugué avec l'auxiliaire *être* dans son emploi intransitif *(la manifestation est passée par les boulevards).* REM. La conjugaison avec l'auxiliaire *avoir (la manifestation a passé par les boulevards),* sans être incorrecte, paraît vieillie. La nuance entre la conjugaison avec *avoir,* exprimant l'action, et la conjugaison avec *être,* exprimant le résultat de l'action ou le fait accompli, est de moins en moins sentie dans la langue contemporaine. REM. Cette nuance reste perceptible à la lecture des anciens auteurs, par exemple chez Mme de Sévigné : « *J'ai passé par là, c'est une des choses les plus cruelles du monde* » ; mais, chez le même auteur : « *Je suis passée de l'excès de l'insolence à l'excès de la timidité* ». 2. *Passer,* verbe transitif. Se conjugue toujours avec *avoir :* ils ont passé la frontière à pied ; où avez-vous passé les vacances ? ♦ **Emploi.** 1. *Passer outre.* → outre. 2. *Passer chef, passer cadre.* Utiliser de préférence *être nommé, être promu, devenir : il a été promu directeur ; il est devenu cadre.* REM. Emploi courant dans la langue familière, mais qu'il est préférable d'éviter dans l'expression soignée.

passette n.f. ♦ **Emploi.** On rencontre parfois ce terme régional comme synonyme correct de *passe-thé.*

passion, Passion n.f. ♦ **Orth.** Avec ou sans majuscule selon le sens. 1. *Une passion* (avec *p* minuscule) = un sentiment d'attachement puissant et exclusif. Les dérivés de *passion* prennent deux *n : passionné, passionnel,* etc. 2. *La Passion* (avec *P* majuscule) : l'ensemble des évènements de la vie de Jésus, de son arrestation à sa mort.

pastel n.m. / **pastel** adj. inv. ◆ **Accord. 1.** *Pastel* n.m. = plante tinctoriale ; crayon de couleur ; dessin fait avec ce type de crayon. - Plur. : *des pastels*. **2.** *Pastel* adj. inv. = qui a la nuance délicate du pastel. *Des couleurs pastel.* Sans *s*.

pastiche n.m. → plagiat

patauger v.t. ◆ **Conjug.** Le *g* devient *-ge-* devant *a* et *o* : *je patauge, nous pataugeons ; il pataugea* → annexe, tableau 10

pâte n.f. ◆ **Accord.** *Pâte d'amandes, pâte de coings,* etc., avec le complément (*amandes, coings,* etc.) au pluriel → **confiture.** - *Pâte à pain,* avec le complément au singulier (= pâte pour faire du pain), mais *pâte à choux, pâte à crêpes,* avec le complément au pluriel (= pâte pour faire des choux, des crêpes).

pater n.m. ◆ **Prononc.** [patɛʀ], comme dans *patère.* **Accord. 1.** *Pater* = prière. Le mot reste invariable et prend une majuscule : *dire cinq Pater et cinq Ave.* **2.** *Pater* = grain de chapelet. Avec minuscule initiale et -s au pluriel : *dans un rosaire, il y a quinze paters et cent cinquante avés.*

patio n.m. ◆ **Prononc.** [patjo], avec le son *t* comme dans *flûtiau,* ou [pasjo], avec le son *s* comme dans *passion.* RECOMM. [patjo], avec le son *t*.

patron n.m. ◆ **Orth.** Les dérivés *patronage* et *patronal* (masc. plur. *patronaux*) prennent un seul *n*, ainsi que le mot apparenté *patronyme.* En revanche, *patronne, patronner, patronnier* et *patronnesse* prennent deux *n*.

patte n.f. → pied

patte-d'oie n.f. ◆ **Orth.** Attention au trait d'union et au pluriel : *des pattes-d'oie.*

paturon n.m. Partie de la jambe du cheval. ◆ **Orth.** Sans accent circonflexe sur le *a*, à la différence de *pâture* et des autres mots de la même famille (*pâturable, pâturage, pâturer, pâturin*).

pause n.f. / **pose** n.f. ◆ **Sens.** Ne pas confondre ces deux mots. **1.** *Pause* = temps d'arrêt, de repos. *Faire une pause, prendre une pause.* **2.** *Pose* = attitude, maintien du corps. *Une pose nonchalante, une pose étudiée.* ◆ **Orth.** *Pause café* ou *pause-café ; des pauses café* ou *pauses-café.*

pauvre adj. ◆ **Constr. et sens.** *Pauvre* prend des sens différents selon qu'il est placé avant ou après le nom. **1.** Avant le nom, *pauvre* signifie « qui est à plaindre, pitoyable » ou « sans capacité, sans caractère, sans intelligence » : *le pauvre homme est gravement malade et il n'est pas bien riche ; c'est un pauvre gars, il s'est laissé entraîner.* Il s'emploie également par euphémisme (à la place de *feu* ou de *défunt*) devant le nom d'une personne décédée : *comme mon pauvre père disait toujours...* **2.** Après le nom, *pauvre* signifie « qui n'a que peu de ressources, peu d'argent pour vivre » : *c'est une famille pauvre, elle a droit à l'aide sociale.* ◆ **Accord.** L'adjectif *pauvre* conserve la même forme aux deux genres (v. ci-après *pauvre,* n.) : *un pauvre homme, une pauvre femme.*

pauvre n. / **pauvresse** n.f. ◆ **Emploi. 1.** *Pauvre* n. = personne qui a peu de bien, de ressources. *Un, une pauvre d'esprit.* **2.** *Pauvresse* n.f. = femme que son aspect et en particulier ses vêtements désignent comme indigente : « *Là sanglotait une pauvresse agenouillée* » (A. Gide) ; *elle a de l'argent, mais elle est toujours habillée comme une pauvresse.* REM. *Pauvresse* est du registre soutenu et dit plus que *pauvre.*

paye, paie n.f. → paie

payement n.m. → paiement

payer v.t. ◆ **Conjug.** Les formes conjuguées du verbe peuvent s'écrire avec un *y* ou avec un *i* devant *e* muet : *il paie* ou *il paye, il paiera* ou *il payera*. On écrit plus souvent aujourd'hui *il paie, il paiera*. - Attention au *i* après le *y* aux première et deuxième personnes du pluriel, à l'indicatif imparfait et au subjonctif présent : *(que) nous payions, (que) vous payiez* → annexe, tableau 6. ◆ **Prononc.** *Il paie :* [ilpɛ], la finale se prononce comme *paix*. - *Il paye :* [ilpɛj], la finale se prononce comme celle de *abeille*. ◆ **Registre.** *Payer qqch à qqn* = le lui offrir (*j'ai payé un vélo à mon fils), est familier. RECOMM. Employer plutôt *offrir, faire cadeau de : j'ai offert un vélo à mon fils ; je lui ai fait cadeau d'un vélo.*

pays n.m. ◆ **Prononc.** [pei], comme dans *la paix y règne*. La prononciation [peji], comme dans *treillis,* est dialectale. ◆ **Constr.** Préposition devant un nom de pays : *en Albanie, en Irak* mais *au Luxembourg, au Pakistan.* → en. ◆ **Orth.** 1. *Le Pays basque,* avec un *P* majuscule. *Les Pays-Bas,* avec un *P* et un *B* majuscules et un trait d'union. 2. *Le pays d'Auge, le pays de Bray,* avec un *p* minuscule à *pays* et une majuscule au nom propre qui le suit.

paysan, anne n. ◆ **Orth.** Deux *n* pour le féminin : *paysanne* (à la différence de *partisane, artisane*) ainsi que pour les dérivés *paysannerie, paysannat.*

pêche n.f. ◆ **Orth.** Accent circonflexe sur le premier *e,* qu'il s'agisse de la capture du poisson ou du fruit comestible du pêcher. ◆ **Constr.** *Pêche de / pêche à.* Dans un registre soutenu, on dit, on écrit *la pêche du thon, de la truite,* mais *la pêche au lancer, à la cuiller.* Dans un registre courant, on dit, on écrit aussi bien *la pêche du poisson d'eau douce, la pêche de la carpe* que *la pêche au poisson d'eau douce, la pêche à la carpe.* En revanche, quand *pêche* est suivi de deux

compléments, l'un désignant l'animal, l'autre le moyen ou l'engin utilisé pour sa capture, on utilise la construction *la pêche de... à...* ou *la pêche à... de....* Ainsi : *la pêche de la truite au lancer, la pêche au filet du thon.* ◆ **Emploi.** *Pêche / chasse à la baleine* → baleine

pêcher v.t. / **pécher** v.i. ◆ **Orth.** *Pêcher / pécher.* Ne pas confondre ces deux mots. 1. *Pêcher* v.t. = prendre ou chercher à prendre du poisson. Avec un accent circonflexe sur le premier *e.* 2. *Pécher* v.i. = commettre le péché, transgresser la loi divine. Avec un accent aigu sur le premier *e.* ◆ **Conjug.** 1. *Pêcher du poisson :* le *ê* se conserve dans toute la conjugaison : *il pêche, il pêchera, nous pêcherons.* 2. *Pécher :* = commettre le péché. Attention à l'accent, tantôt grave, tantôt aigu : *il pèche, il péchera, nous pécherons* → annexe, tableau 11 et R.O. 1990

pêcheur, pêcheuse n. / **pécheur, pécheresse** n. ◆ **Sens.** Ne pas confondre ces deux mots. 1. *Un pêcheur, une pêcheuse* (avec accent circonflexe) = une personne qui pratique la pêche par profession ou pour son plaisir. 2. *Un pécheur, une pécheresse* (avec accent aigu) = une personne qui commet le péché.

pécule n.m. / **pécune** n.f. ◆ **Sens.** Ne pas confondre ces deux mots. 1. *Pécule* n.m. = petit capital économisé peu à peu. 2. *Pécune* n.f. = ressources, moyens, argent : *ce n'est pas le courage qui manque, c'est la pécune.* **Registre.** *Pécule* est un mot courant, *pécune* appartient au registre littéraire et plaisant.

pécuniaire adj. ◆ **Orth.** Au masculin comme au féminin, il faut dire et écrire *pécuniaire* (et non *-ier* comme dans *financier*) : *le poste qu'on lui propose est très intéressant du point de vue pécuniaire.* REM. Vient du lat. *pecuniarius* et signifie « qui consiste en argent, qui concerne l'argent » ; de *pecunia,* argent, pécune ; de *pecus,* le troupeau, celui-ci symbolisant la richesse dans l'ancienne Rome.

pédiatre n. ◆ **Orth.** Avec un *a* sans accent, car il s'agit du suffixe *-iatre* (grec *iatros,* médecin) et non du suffixe *-âtre* (comme dans *douceâtre, blanchâtre,* etc.). ◆ **Genre.** *Un* ou *une pédiatre.*

pedigree n.m. inv. ◆ **Orth. et prononc.** Le mot ne prend pas d'accent, bien qu'il se prononce comme s'il s'écrivait *pédigré.* → R.O. 1990. - Plur. : *des pedigree* (invariable).

peigner v.t. / **peindre** v.t. ◆ **Sens et conjug.** Ne pas confondre *peigner* = coiffer avec un peigne et *peindre* = couvrir de peinture, malgré un certain nombre de formes communes aux deux verbes (→ annexe, tableaux 3 et 62). Bien noter qu'au passé simple *peigner* donne *il peigna, ils peignèrent* alors que *peindre* donne *il peignit, ils peignirent.* Au futur, *peigner* donne *je peignerai, il peignera ; peindre* donne *je peindrai, il peindra.* Ne pas oublier le *i* après *-gn-* à l'imparfait et au subjonctif présent dans l'une et l'autre conjugaison *(que) nous peignions, (que) vous peigniez.*

peindre v.t. ◆ **Conjug.** Ne pas confondre avec *peigner.* → **peigner**

peindre v.t. / **peinturer** v.t. / **peinturlurer** v.t. ◆ **Sens.** Ne pas confondre ces trois verbes. **1.** *Peindre* = couvrir de peinture (*peindre un mur*), tracer à la peinture (*peindre un chiffre*) ou représenter par la peinture (*peindre un paysage*). **2.** *Peinturer* = barbouiller de peinture ou enduire d'une couleur qui masque la couleur naturelle. REM. Le mot n'appartient pas à l'usage courant, mais ce n'est pas un barbarisme. **3.** *Peinturlurer* = peindre grossièrement ou avec des couleurs criardes : *j'ai peinturluré la clôture*

avec de vieux fonds de pots. Le mot appartient au registre familier.

peine n.f. ◆ **Orth. 1.** *À grand-peine,* avec un trait d'union. **2.** *Sans peine,* sans trait d'union. **3.** Mots apparentés à *peine : pénible* et *péniblement* s'écrivent *pé-* et non *pei-* (contrairement à *peiner*), ainsi que *pénal* (du latin *pœnalis*) et ses dérivés *pénalement, pénalisant, pénalisation, pénaliser, pénaliste, pénalité.* ◆ **Constr. 1.** *À peine* en tête de phrase : le sujet se place le plus souvent après le verbe si c'est un pronom personnel *(à peine fut-elle arrivée que....) ;* il est généralement repris par un pronom personnel placé après le verbe si c'est un nom *(à peine la jeune femme fut-elle arrivée que....).* **2.** *Avoir peine à / avoir de la peine à.* Ne pas confondre ces deux expressions. ❑ *Avoir peine à* = éprouver de la répugnance à. *Il a peine à accepter de telles conditions de travail* ❑ *Avoir de la peine à* = éprouver de la difficulté à. *Il a de la peine à se déplacer.* **3.** *Être en peine de* (+ infinitif) / *être en peine de* (+ substantif). Ne pas confondre les deux constructions. ❑ *Être en peine de* (+ infinitif) = éprouver de la difficulté à. *J'étais bien en peine de lui répondre.* ❑ *Être en peine de* (+ substantif) = manquer de (souvent employé en tournure négative : *n'être pas en peine de*). *C'est un homme qui n'est jamais en peine de bonnes fortunes.* **4.** *C'est à peine si* (+ indicatif), marquant la restriction (= très peu, pour ainsi dire pas). *C'est à peine s'il dîne* = il ne dîne pour ainsi dire pas. **5.** *Cela vaut la peine de, ce n'est pas la peine de* (+ infinitif) / *cela vaut la peine que, ce n'est pas la peine que* (+ subjonctif) : les deux tours sont également corrects, mais le subjonctif est plus précis que l'infinitif puisqu'il mentionne le sujet de l'action. **6.** *Sous peine de* (+ substantif ou infinitif passif) / *sous peine que* (+ subjonctif). La construction avec substantif est la plus fréquente : *défense d'entrer sous peine de poursuites.* Les constructions avec l'infinitif passif ou le subjonctif, correctes mais lourdes, sont plus rares : *défense est faite à quiconque d'entrer, sous peine d'être poursuivi ; gardez-vous d'entrer, sous peine qu'on (ne) vous poursuive.*

peintre n. ◆ **Orth. 1.** *Artiste peintre,* sans trait d'union. **2.** *Peintre-graveur,* avec un trait d'union. **3.** *Peintre en bâtiment,* sans *s* à *bâtiment.* ◆ **Genre.** La tendance générale à la féminisation des noms de métiers fait progressivement passer *une peintre* dans l'usage : *Suzanne Valadon fut écuyère de cirque avant d'être une remarquable peintre.* Néanmoins, dans l'expression soignée, on préfère encore le masculin, même pour parler d'une femme : *Suzanne Valadon fut écuyère de cirque avant d'être un remarquable peintre.* REM. S'il est nécessaire d'insister sur l'appartenance au sexe féminin de la personne dont on parle, on peut dire *une artiste peintre, une femme peintre.*

peinturer v.t. → peindre

peinturlurer v.t. → peindre

pêle-mêle n.m. inv. ◆ **Orth.** Avec un trait d'union. - Plur. : *des pêle-mêle* → R.O. 1990

peler v.t. ◆ **Conjug.** *Il pèle, nous pelons, vous pelez ; il pelait ; il pela ; il pèlera ; que nous pelions, qu'ils pèlent* → annexe, tableau 12

pèlerin n.m. ◆ **Orth. 1.** Avec un accent grave (comme les dérivés *pèlerinage* et *pèlerine*). **2.** *Criquet pèlerin, requin pèlerin* et *faucon pèlerin,* sans trait d'union.

pelletée n.f. ◆ **Orth.** Avec deux *l* comme *pelle* et une finale en *-ée* comme les autres mots désignant un contenu (*assiettée, bouchée, cuillerée,* etc.).

pelleter v.t. ◆ **Conjug.** Attention au redoublement du *t* devant *e* muet : *je pel-*

lette, il pellettera mais *nous pelletons ; il pelletait* → annexe, tableau 16 et R.O. 1990

pelleterie n.f. ◆ **Prononc.** [pɛltʀi], sans faire entendre le deuxième *e.*

pelotari n.m. ◆ **Orth.** *Des pelotaris,* avec un *s.*

pelote n.f. ◆ **Orth.** Avec un seul *t* comme *pelotage* et *peloter,* et leurs dérivés *peloteur, peloton, pelotonnement* et *pelotonner.*

pelotonner v.t. ◆ **Orth.** Avec un seul *t* (comme *pelote*) et deux *n.*

pelure n.f. ◆ **Orth. 1.** *Du papier pelure* (sans trait d'union), *des papiers pelures* ◆ **papier. 2.** *Un vin pelure d'oignon* ou, n.m. inv., *un pelure d'oignon,* sans *s* à *oignon. Les pelure d'oignon se boivent en général frais, comme les rosés.*

pelvis n.m. ◆ **Prononc.** [pɛlvis], avec un *s* final sonore comme dans *une vis.*

pénal, e, aux adj. ◆ **Orth. 1.** Avec un *é* (et non *-ei-* comme *peine*) → **peine. 2.** *Le Code pénal,* majuscule à *Code,* minuscule à *pénal.*

penalty n.m. ◆ **Orth.** Pas d'accent sur le *e* malgré la prononciation [penalti], comme dans *pénal.* - Plur. : *des penaltys* (pluriel français) ou *des penalties* (pluriel à l'anglaise). RECOMM. Préférer *des penaltys.* ◆ **Prononc.** Que l'on écrive *penaltys* ou *penalties,* on ne prononce pas le *s* du pluriel. ◆ **Emploi.** Anglicisme. L'équivalent français *pénalité (coup de pied de pénalité)* tend à se répandre.

pénates n.m. plur. ◆ **Orth.** Toujours au masculin pluriel : *regagner ses chers pénates ;* jamais de majuscule.

penaud, e adj. ◆ **Genre.** Le féminin *penaude* est rare mais correct.

1. pendant n.m. ◆ **Orth. 1.** *Un pendant d'oreille, des pendants d'oreilles.* **2.** *Faire* *pendant / se faire pendant.* Au singulier : *l'aile gauche du château fait exactement pendant à l'aile droite.* Au pluriel, on écrit en principe, en accord avec le sens : *les deux torchères en bronze font pendants de chaque côté du vestibule* (= il y a deux « pendants », deux objets symétriques), mais *les deux torchères se font pendant...* (= chacune forme avec l'autre une symétrie). REM. Toutefois, l'usage est hésitant et l'on ne saurait tenir pour fautives les orthographes : *les deux torchères font pendant ; les deux torchères se font pendants.*

2. **pendant** prép. ♦ **Emploi.** *Pendant* et *durant* n'ont pas exactement le même sens ni les mêmes emplois → **durant**

pendant que loc. conj. / **tandis que** loc. conj. ♦ **Emploi. 1.** Ces deux expressions s'emploient pour marquer la simple simultanéité de deux actions : *réfléchissez-y pendant que vous vous promènerez ; vous faites bien d'en profiter tandis que vous êtes jeune.* Dans cet emploi, *tandis que* appartient au registre soutenu. **2.** Seul *tandis que* ajoute une idée de contraste ou d'opposition : *vous hésitez tandis qu'il faudrait aller de l'avant.* RECOMM. Éviter *pendant que* dans ce sens.

pendre v.t. et v.pr. ♦ **Conjug.** → annexe, tableau 59

pendule n.f. / **pendule** n.m. ♦ **Sens.** Ne pas confondre. **1.** *Une pendule* = une horloge. **2.** *Un pendule* = un balancier. *Le pendule de l'horloge ; les oscillations du pendule.*

pêne n.m. ♦ **Orth.** Bien distinguer *le pêne,* avec accent circonflexe (= partie d'une serrure) de ses deux homonymes féminins *la peine* (= le chagrin) et *une penne* (= une plume).

pénétrer v.t. et v.i. ♦ **Conjug.** Attention à l'accent sur le deuxième *e,* tantôt grave, tantôt aigu : *je pénètre, nous pénétrons ; il pénétrera* → annexe, tableau 11 et R.O. 1990

péninsule n.f. ♦ **Orth.** *La péninsule Ibérique* (minuscule à *péninsule,* majuscule à *Ibérique*) mais *la Péninsule* (avec majuscule).

pénitencier n.m. / **pénitentiaire** adj. ♦ **Orth.** *Pénitencier* s'écrit avec un *c* alors que *pénitentiaire* s'écrit avec un *t.* ♦ **Sens.** Ne pas confondre *pénitencier,* n.m. et *pénitentiaire,* adj. **1.** *Pénitencier* n.m. = prison où sont purgées les peines de réclusion. **2.** *Pénitentiaire* adj. = relatif aux prisons, aux détenus. *Régime pénitentiaire. Établissement pénitentiaire.*

pénitentiel, elle adj. ♦ **Orth.** Avec un *t* (on a *pénitence / pénitentiel* comme on a *concurrence / concurrentiel, pestilence / pestilentiel,* etc. ; mais on écrit *révérenciel*).

pense-bête n.m. ♦ **Orth.** Plur. : *des pense-bêtes* (avec un *s* à *bête*).

pensée n.f. ♦ **Orth.** *Libre pensée* s'écrit sans trait d'union.

penser v.i., v.t. et v.t.ind. ♦ **Accord. 1.** Aux formes conjuguées avec le participe passé, celui-ci reste invariable si le complément direct du verbe, exprimé ou non, est un infinitif ou une proposition subordonnée : *une tâche plus ardue qu'il n'avait pensé* (= qu'il n'avait pensé qu'elle serait) ; *elles ont trouvé plus de compréhension qu'elles n'avaient pensé* (= qu'elles n'avaient pensé en trouver) ou *quelles ne l'avaient pensé* (*l',* pronom neutre, ne reprend pas *compréhension* mais la proposition principale *elles ont trouvé plus de compréhension*). **2.** Dans les autres cas, l'accord du participe passé se fait normalement avec le complément d'objet direct si celui-ci est placé avant le verbe : *la solution qu'il a mûrement pensée* (= conçue, imaginée). ♦ **Constr. 1.** *Penser que* (+ indicatif ou conditionnel). À la forme affirmative, *penser que* est suivi de l'indicatif ou du conditionnel : *nous pensons qu'il sera présent ; nous pensions qu'il serait présent.* À la forme négative ou interrogative, *penser que* peut être suivi soit de l'indicatif ou du conditionnel *(je ne pense pas qu'il viendra ; pensiez-vous qu'il viendrait ?)* soit du subjonctif *(je ne pense pas qu'il vienne),* qui marque plus nettement que l'indicatif l'hypothèse ou le doute. **2.** *Penser* v.i. = former des idées, avoir une activité de l'esprit consciente et organisée : « *Je pense donc je suis* » (R. Descartes). **3.** *Meilleur que tu penses, que tu ne le penses* → **le, ne**

penseur, euse n. ◆ **Orth.** *Libre penseur* → **libre.** ◆ **Genre.** Le féminin *penseuse* est rare mais correct.

pensum n.m. ◆ **Prononc.** [pɛ̃sɔm], sons *in* comme dans *pinte* et *o* ouvert comme dans *somme*. ◆ **Orth.** Plur. : *des pensums.*

penta- préf. ◆ **Prononc.** [pɛ̃ta], avec le son *in* comme dans *pinte* (et non le son *en* comme dans *pente)*. ◆ **Orth.** *Penta-* se soude à l'élément qui le suit, sans trait d'union *(pentacorde, pentacrine, pentadactyle,* etc.).

pentagone n.m. ◆ **Prononc.** [pɛ̃tagon], *-in-* comme dans *pinte* (et non *-an-* comme dans *pente)*. ◆ **Orth.** *Le Pentagone,* avec une majuscule, pour désigner le secrétariat à la Défense et l'état-major des forces armées des États-Unis.

Pentecôte n.f. ◆ **Orth.** Toujours avec une majuscule. ◆ **Constr.** Toujours avec l'article *(à la Pentecôte, pour la Pentecôte,* et non *à Pentecôte ou *pour Pentecôte)* sauf après la préposition *de,* où l'on peut l'employer soit seul *(le lundi de Pentecôte),* soit avec l'article *(le lundi de la Pentecôte).*

pépiement n.m. ◆ **Orth.** Avec un *e* muet intérieur qui ne se prononce pas (on prononce comme dans *piment).*

Pépiement correspond à *pépier,* verbe du 1ᵉʳ groupe.

péplum n.m. ◆ **Prononc.** [peplɔm], prononcé avec un *o* ouvert comme dans *l'homme*. ◆ **Orth.** Avec un accent aigu sur le *e.* - Plur. : *des péplums.*

perce- élément de composition ◆ **Orth.** Mots composés avec *perce-* (verbe *percer)*. *Perce-* est toujours invariable : *un perce-muraille, un perce-oreille, un perce-pierre.* - Plur. : *des perce-murailles, des perce-oreilles, des perce-pierres* → R.O. 1990

perce-neige n.m. inv. ou n.f. inv. ◆ **Orth.** Plur. : *des perce-neige* → R.O. 1990. ◆ **Genre.** On peut dire *un perce-neige* ou *une perce-neige ; un perce-neige* est toutefois plus fréquent.

percer v.t. ◆ **Conjug.** Le *c* devient *ç* devant *a* et *o : je perce, nous perçons ; il perça.* → annexe, tableau 9. ◆ **Emploi.** *Percer un trou,* longtemps critiqué comme pléonasme, est aujourd'hui passé dans l'usage courant. **RECOMM.** Dans l'expression soignée, utiliser soit *percer* seul, soit *faire* ou *pratiquer un trou.*

percevoir v.t. ◆ **Conjug.** Le *c* devient *ç* devant *o* et *u : je perçois, nous percevons ; il perçut.* → annexe, tableau 39

perclus, e adj. ◆ **Orth.** Le féminin est *percluse (elle est percluse de rhumatismes)* et non *perclue.*

perdre v.t., v.i. et v.pr. ◆ **Conjug.** → annexe, tableau 59. ◆ **Sens.** *Perdre* et *égarer* ne sont pas synonymes → **égarer**

père n.m. **Orth. 1.** Jamais de majuscule pour nommer un ecclésiastique *(le père Durand, le père abbé, les pères jésuites)* sauf dans les abréviations *(le P. Durand, les PP. Durand et Legrand)*. **2.** Toujours avec une majuscule pour nommer *le Saint-Père* (le pape) et les *Pères de l'Église.* **3.** *De père en fils,* avec *père* au singulier.

◆ **Constr.** *Le père et la mère, ton père et ta mère.* RECOMM. Dans l'expression soignée, répéter l'article ou le possessif. Le tour avec un seul article ou un seul possessif au pluriel pour les deux noms *(les père et mère, tes père et mère)* est familier.

pérégrination n.f. ◆ **Prononc.** Bien prononcer deux *é*, comme dans *péréquation* (et non avec un *i* comme dans *périgourdin).* ◆ **Emploi.** Presque exclusivement au pluriel. REM. De son sens ancien de « voyage en pays lointain » (du latin *peregrinus* voyageur, étranger), le mot est passé à un sens plus large de « déplacements en de nombreux endroits » : *il aime les longues pérégrinations dans Paris.*

péremption n.f. / **préemption** n.f. ◆ **Sens.** Ne pas confondre ces deux mots. **1.** *Péremption* = fait de se périmer (à l'origine, terme de droit). *Péremption d'un acte de procédure. La date de péremption des denrées doit être mentionnée sur l'emballage.* **2.** *Préemption* = faculté d'acquérir un bien en priorité. *Droit de préemption de l'État dans les ventes de terres agricoles.*

perestroïka n.f. ◆ **Orth.** Le mot s'écrit sans accent, bien que les deux *e* se prononcent comme des *é.* → R.O. 1990.

perfectionnisme adj. et n. ◆ **Orth.** Avec deux *n* (on a *perfection / perfectionnisme* comme on a *abolition / abolitionnisme, négation / négationnisme,* etc.). De même : *perfectionniste.*

performant, e adj. ◆ **Emploi.** *Performant* = susceptible de bonnes ou d'excellentes performances, en parlant d'un matériel technique. *Des machines-outils performantes.* RECOMM. Dans l'expression soignée, utiliser de préférence *compétitif (une entreprise compétitive)* ou *efficace (une armée efficace).* REM. Le mot est

de plus en plus employé, dans l'usage courant, hors de tout contexte technique.

péri- préf. ◆ **Orth.** Se soude toujours à l'élément qui le suit, sans trait d'union *(périphérique, péricarpe).*

périgée n.m. ◆ **Genre.** Masculin : *le périgée d'un satellite artificiel.* Mot masculin à finale en *-ée,* comme *apogée, lycée, mausolée, musée, périnée,* etc.

péril n.m. ◆ **Sens.** *Il n'y a pas péril en la demeure* → demeure

périmer (se) v.pr. ◆ **Constr.** Ne se conjugue en principe qu'à la forme pronominale : *ces théories se sont vite périmées.* RECOMM. Éviter l'emploi à la forme active, fréquent mais peu correct (*une découverte qui périme les anciennes théories).

périnée n.m. ◆ **Genre.** Masculin : *une déchirure du périnée.* Mot masculin à finale en *-ée,* comme *apogée, lycée, mausolée, musée, périgée,* etc.

période n.f. ◆ **Genre.** Toujours féminin *(il traverse une période difficile),* sauf dans l'expression littéraire et aujourd'hui très rare *au plus haut période* signifiant « au point le plus haut » *(au plus haut période de son bonheur).*

péripétie n.f. ◆ **Prononc.** [peʀipesi], avec une finale *-tie* prononcée *si* comme dans *récit (comme facétie, inertie, orthodontie).*

périple n.m. ◆ **Emploi.** *Périple* = voyage maritime autour du globe, d'un continent, d'une mer (du grec *péri-,* autour et *plous,* navigation) : *le périple de Magellan.* - Par extension, long voyage. RECOMM. Éviter le pléonasme *périple autour* (*un périple autour de la Corse).* Dire plutôt *une croisière autour de la Corse, un périple corse.* REM. Le sens étendu de *périr*

« long voyage », naguère critiqué, est aujourd'hui passé dans l'usage.

périr v.i. ◆ **Conjug.** Auxiliaire *avoir (ils ont tous péri).* REM. Pendant longtemps, *périr* a pu se conjuguer avec l'auxiliaire *être* (« *elle serait périe de misère et faute de secours* », E. et J. de Goncourt). Cet emploi n'existe plus aujourd'hui, sauf en droit. Il survit également comme régionalisme dans l'expression figée *les péris en mer (Notre-Dame des péris en mer).* ◆ **Registre.** Littéraire. ◆ **Sens.** *Périr,* dans le cas d'une personne, implique une mort qui arrive avant le terme naturel (mort violente ou accidentelle en particulier) : *ils ont tous péri dans la catastrophe ; il était désespéré, il s'est laissé périr* (mais on ne dit pas **il a péri de vieillesse).* ◆ **Emploi.** RECOMM. Éviter *périr quelqu'un* et *se faire périr.* Dire, écrire : *faire périr, tuer ; se suicider, se tuer.*

périssable adj. ◆ **Registre.** Littéraire quand il s'agit des êtres humains ou de ce qui leur est propre : *les hommes sont périssables* ; « *les plus belles choses* [...] *et les mieux ordonnées sont périssables par accident* » (P. Valéry). Courant lorsqu'il s'agit d'une denrée : *un produit périssable.*

permettre v.t. ◆ **Conjug.** → annexe, tableau 64. ◆ **Accord.** *Les choses qu'elle s'est permis de lui dire / les choses qu'elle s'est permises* : devant un infinitif, le participe passé reste toujours invariable (*les choses qu'elle s'est permis de lui dire* et non **qu'elle s'est permise de lui dire*). En revanche, quand *se permettre* n'est pas suivi d'un infinitif, le participe passé s'accorde normalement avec le complément d'objet placé avant le verbe (*toutes les choses qu'elle s'est permises*). ◆ **Constr.** *Permettre que* est suivi du subjonctif : *il permet que l'on prenne des photos.*

permuter v.t. et v.i ◆ **Constr.** 1. *Permuter, permuter contre* v.t. = intervertir, substituer l'un à l'autre. *Permuter deux*

vacataires. *Permuter des mots, un mot contre un autre.* 2. *Permuter, permuter avec qqn* v.i. = faire un échange de postes. *Les deux préfets ont permuté. Il a permuté avec un collègue.*

perpétuer v.t. / **perpétrer** v.t. ◆ **Conjug.** *Perpétrer :* attention à l'alternance accent grave *(je perpètre)* / accent aigu *(je perpétrerai)* annexe, tableau 11 et R.O. 1990. ◆ **Sens.** Ne pas confondre les deux verbes. 1. *Perpétrer* v.t. = commettre (un acte criminel). *Perpétrer un meurtre.* 2. *Perpétuer* v.t. = faire durer. *Perpétuer une tradition.*

persan, e adj. et n. / **perse** adj. et n. ◆ **Orth.** 1. *Persane,* avec un seul *n,* au féminin. 2. Toujours une majuscule au nom *(un Persan, une Persane ; un, une Perse ; les Perses),* jamais à l'adjectif *(une femme persane ; l'empire perse).* ◆ **Sens.** Ne pas confondre les deux mots. 1. *Persan, e* adj. et n. = de la Perse médiévale ou moderne (du VIIᵉ s. jusqu'en 1935, année où la Perse a repris son ancien nom d'Iran.) 2. *Perse* adj. et n. = de la Perse ancienne (jusqu'au VIIᵉ s. après J.-C.).

persévérer v.i. ◆ **Conjug.** Attention à l'accent sur le troisième *e,* tantôt grave, tantôt aigu : *je persévère, nous persévérons ; il persévérera* → annexe, tableau 11 et R.O. 1990

persifler v.t. ◆ **Orth.** Un seul *f,* contrairement à *siffler ;* de même pour *persiflage* et *persifleur.* → annexe, R. O. 1990

persil n.m. ◆ **Prononc.** [pɛʀsi], comme *merci,* sans prononcer le *l* final.

1. **personne** n.f. ◆ **Genre.** Toujours féminin, bien que le mot désigne aussi bien un homme qu'une femme : *ce monsieur était-il la personne attendue ?* ◆ **Orth.** *En personne,* toujours invariable : *le maire et son adjoint se sont déplacés en personne.*

2. **personne** pron. ◆ **Genre.**
Masculin : *personne n'est parfait.* ◆
Accord. L'accord se fait au féminin
quand le mot, d'après le contexte ou la
situation, désigne clairement une
femme : *personne n'est aussi bien faite.* ◆
Sens. *Personne* = quelqu'un, quiconque,
lorsque *personne* est employé dans une
comparaison *(je le sais mieux que personne)*, une phrase interrogative *(avez-
vous entendu personne le dire ?)*, avec un
verbe de sens négatif *(elle a nié l'avoir
révélé à personne)* ou avec *avant que (avant
qu'elle ait pu prévenir personne).*

persuader v.t. et v.pr. ◆ **Constr. 1.**
Persuader de / persuader à. Les constructions *persuader qqn de qqch., persuader qqn
de* (+ infinitif) sont les plus courantes :
*j'ai fini par la persuader de ma bonne foi ;
nous les avons persuadés de nous suivre.* ❏
Persuader qqch. à qqn. Cette construction est correcte, mais elle appartient au
registre soutenu et ne se rencontre plus
guère aujourd'hui qu'à l'écrit : *l'approche
de leur fin persuade souvent aux hommes la
vanité de toute gloire.* RECOMM. Éviter
dans tous les cas la tournure incorrecte
*persuader de ce que. REM. *Se persuader*
peut aussi se construire directement :
« *la passion se ment à elle-même et se persuade ses mensonges* » (Bescherelle). Cet
emploi grammaticalement correct mais
devenu très rare passerait aujourd'hui
pour affecté, surtout à l'oral. ◆ **Accord.**
Se persuader que, accord du participe
passé. L'accord peut se faire ou non :
*ils se sont persuadé qu'ils en viendraient faci-
lement à bout* ou *ils se sont persuadés qu'ils
en viendraient facilement à bout.* REM. Dans
le premier cas, *se* est considéré comme
un complément indirect *(persuader à
soi),* il n'y a pas d'accord. Dans le
second, *se* est considéré comme un
complément direct *(persuader soi),* l'accord se fait. L'usage penche plutôt
aujourd'hui pour l'invariabilité *(ils se
sont persuadé..., sans s).*

pèse- élément de composition ◆ **Orth.**
Mots composés avec *pèse-* (verbe
peser). *Pèse-* est toujours invariable. V.
tableau ci-dessous et R.O. 1990.
RECOMM. Quand le mot désigne un instrument destiné à mesurer un degré de
concentration, le considérer comme
invariable, comme *des pèse-vin.*

Graphies et pluriels des mots composés avec *pèse-*

Un pèse-acide, des pèse-acide ou
des pèse-acides

Un pèse-alcool, des pèse-alcool (inv.)

Un pèse-bébé, des pèse-bébé ou
des pèse-bébés

Un pèse-lait, des pèse-lait (inv.)

Un pèse-lettre, des pèse-lettre ou
des pèse-lettres

Un pèse-liqueur, des pèse-liqueur ou
des pèse-liqueurs

Un pèse-moût, des pèse-moût ou
des pèse-moûts

Un pèse-personne, des pèse-personne ou
des pèse-personnes

Un pèse-sel, des pèse-sel ou *des pèse-sels*

Un pèse-sirop, des pèse-sirop ou
des pèse-sirops

Un pèse-vin, des pèse-vin (inv.)

---

peser v.i. et v.t. ◆ **Accord. 1.** *Peser* v.i
= avoir un certain poids. Le participe
passé ne varie pas : *les quatre kilos que le
linge a pesé sont réduits à deux maintenant
qu'il est sec.* **2.** *Peser* v.t. = déterminer le
poids de. Le participe passé s'accorde :
les valises que nous avons pesées.

peseta n.f. ◆ **Prononc.** [pezeta] ou
[peseta], les *e* se prononcent comme des
é et le *s* comme *z* ou comme *ç*. ◆ **Orth.**
Pas d'accent sur les *e,* en dépit de la prononciation → R. O. 1990

peso n.f. ◆ **Prononc.** [pezo] ou [peso], le
e se prononce comme un *é* et le *s*
comme *z* ou comme *ç*. ◆ **Orth.** Pas d'accent sur le *e,* en dépit de la prononciation → R. O. 1990

pestilentiel, elle adj. ◆ **Orth.** Avec un *t* (on a *pestilence / pestilentiel* comme on a *concurrence / concurrentiel*, *pénitence / pénitentiel*, etc. ; mais on écrit *révérenciel*).

pétale n.m. ◆ **Genre.** Toujours masculin : *les longs pétales de la marguerite*.

péter v.i. et v.t. ◆ **Conjug.** Attention à l'accent, tantôt grave, tantôt aigu : *le bois sec pète dans le feu*, mais : *il pétera* → annexe, tableau 11 et R.O. 1990

pétiole n.m. ◆ **Prononc.** [pesjɔl], avec le son *s*, comme dans *luciole*. ◆ **Genre.** Masculin : *un pétiole*.

petit, e adj. ◆ **Sens et orth.** 1. *Petit* = de taille réduite ; jeune ou très jeune. Dans ce sens, *petit* suit les règles ordinaires de graphie et d'accord des adjectifs : pas de trait d'union, *e* au féminin, *s* au pluriel : *un petit appartement, des petites maisons ; un petit garçon, une petite fille*. 2. *Petit* = éloigné d'une génération dans l'ordre de la parenté. Dans ce sens, *petit* est lié par un trait d'union au mot qui le suit, indiquant la nature du lien de parenté, et s'accorde avec lui : *son petit-fils, ses petits-fils ; une petite-nièce, des petites-nièces*. En composition avec *arrière*, marquant un écart de deux générations, les trois mots sont liés par des traits d'union, *petit* s'accorde, *arrière* reste invariable : *des arrière-petites-filles*. 3. *Tout petit / tout-petit*. → tout-petit. 4. *Petit* en composition avec un nom. V. tableau ci-après.

pétitionnaire n. ◆ **Orth.** Deux *n* dans le dérivé *pétitionnaire*, comme dans *pétitionner* (comme pour *action / actionnaire / actionner, fonction / fonctionnaire / fonctionner*, etc.).

petit déjeuner n.m. ◆ **Orth.** En deux mots, sans trait d'union : *nous prenons le petit déjeuner à huit heures*. Pas d'accent circonflexe sur *-jeu-* (malgré *jeûne*).

Graphies et pluriels des mots composés avec *petit-*

Un petit-beurre, des petits-beurre

Un petit-bois, des petits-bois

Un petit-bourgeois,
*   des petits-bourgeois ;*

Une petite-bourgeoise,
*   des petites-bourgeoises*

Un petit-four, des petits-fours

Un petit-gris, des petits-gris

Le petit-lait, les petits-laits

Un petit-maître, des petits-maîtres ;

Une petite-maîtresse, des petites-maîtresses

Petit-nègre, n.m. sing.

Un petit-suisse, des petits-suisses

---

petit-déjeuner v.i. ◆ **Orth.** Avec trait d'union : *nous petit-déjeunons à huit heures*. ◆ **Registre.** Ce verbe tend à passer dans l'usage courant, mais il appartient encore au registre familier.

petit pois n.m. ◆ **Orth.** Sans trait d'union. - Plur. : *des petits pois*.

pétrolier, ère adj. / **pétrolifère** adj. ◆ **Sens.** Ne pas confondre ces deux adjectifs. 1. *Pétrolier, ère* adj. = qui a trait au pétrole. *Forage pétrolier ; valeurs pétrolières* (en Bourse). 2. *Pétrolifère* adj. = qui renferme du pétrole, qui en produit, en parlant d'un terrain. *Gisement pétrolifère ; schistes pétrolifères*.

peu adv. et n.m.
◆ **Orth.**
Peu de chose = quelque chose de négligeable, de faible importance, de faible valeur. *Chose* ne prend pas de *s* : *ça m'a coûté peu de chose ; tu te contentes de peu de chose*. Mais on écrit : *peu de choses sont aussi importantes pour eux*, avec un *s* (= peu de questions sont aussi importantes pour eux).
◆ **Accord.**
1. Accord du verbe après *peu* seul. Le verbe s'accorde au pluriel car *peu si-*

gnifie « un petit nombre » : *peu le savent.*
2. **Accord du verbe après *peu de* (+
substantif).** Le verbe s'accorde en
nombre avec le substantif qui suit *peu
de* : *peu de monde se déplacera.* Mais : *peu
de gens se déplaceront.*
3. **Accord du verbe et du participe
passé après *le peu de*.** Si *le peu de* signifie « le manque de, l'insuffisance de »,
l'accord se fait au masculin singulier :
« *le peu de confiance que vous m'avez témoigné m'a ôté le courage* » (Littré). Si *le peu de*
signifie « quelque, une quantité suffisante de », l'accord se fait avec le nom
qui suit : « *le peu de confiance que vous
m'avez témoignée m'a rendu le courage* »
(Littré).
♦ **Emploi.**
1. **Devant un comparatif.** *Peu* ne s'emploie pas seul devant un comparatif (à
la différence de *bien* et de *beaucoup*). On
dit : *il est un peu meilleur, de peu meilleur,
un peu supérieur, de peu supérieur.*
2. ***Peu*** = un court délai, un petit laps de
temps. *Depuis peu* = récemment. *Dans
peu, sous peu, avant peu, avant qu'il soit peu*
= bientôt.
3. *Tant soit peu, un tant soit peu* = légèrement, à peine, presque pas (emploi
adverbial) ; une petite quantité (emploi
nominal) : *il est tant soit peu imbu de lui-
même ; prenez-en un tant soit peu.* Registre
soutenu.
♦ **Registre.**
1. *Un petit peu, un tout petit peu* = légèrement, très légèrement. *Je regrette un
peu ; avance un tout petit peu.* Ces emplois
étaient considérés par Littré comme
populaires et l'Académie les tenait
naguère pour familiers. Ils appartiennent désormais à la langue courante et
ne sont pas déplacés même dans l'expression soignée.
2. *Un peu,* **emplois expressifs.**
Employé expressivement dans un
ordre, une demande ou une question
(*venez un peu que nous causions ; allez,
dépêchez un peu, nous sommes pressés*), *un*

peu est familier. - Employé comme équivalent de « à coup sûr, sans aucun
doute » pour renforcer une affirmation
(notamment en réponse à une ques-
tion), *un peu* est très familier : *tu ne vas
pas faire ça, quand même ? - Un peu, oui !*
Ou : - *Un peu, que je vais le faire !*
L'assonance plaisante *un peu, mon neveu,*
parfois employée, marque un degré de
plus dans la familiarité.
3. ***Un peu beaucoup*** = un peu trop ou
beaucoup trop, est familier. *Je trouve qu'il
boit un peu beaucoup. Il commence à être un
peu beaucoup insolent, ce petit monsieur.*
♦ **Constr.**
1. *Peu s'en faut que... ne* (+ subjonctif).
Après *peu s'en faut que,* le verbe est au
subjonctif : *peu s'en est fallu qu'il ne prenne
la mouche.* La particule *ne* est facultative,
mais elle est le plus souvent employée :
peu s'en fallait qu'il partît ou *qu'il ne partît.*
2. *C'est peu que* (+ subjonctif), *c'est peu
de* (+ infinitif) = il ne suffit pas que, de.
*C'est peu qu'il le dise, il faudrait qu'il le
fasse ; c'est peu de le dire* (ou : *que de le dire*),
il faudrait le faire.

peur n.f. ♦ **Emploi.** *Avoir peur*
employé avec un adverbe. *Avoir très
peur, bien peur, trop peur* → **envie.** ♦
Constr. et registre. **1.** *Avoir peur que* (+
subjonctif). La locution *avoir peur que* se
construit avec le subjonctif. ❑ *Avoir peur
que* + subordonnée affirmative. Dans le
registre familier, le *ne* explétif est souvent omis, surtout à l'oral : *j'ai peur qu'il
arrive trop tard.* Il s'impose, même à
l'oral, dans l'expression soignée : *j'ai
peur qu'il n'arrive trop tard.* ❑ *Ne pas avoir
peur que* (ou, interrogatif, *as-tu, a-t-il
peur que...*) + subordonnée affirmative.
La subordonnée ne comporte pas de *ne*
explétif : *je n'ai pas peur qu'elle m'en
veuille ; auriez-vous peur qu'il boive trop ?* ❑
Avoir peur que + subordonnée négative.
La subordonnée comporte le *ne... pas* de
la négation : *elle a peur qu'ils ne viennent
pas ; as-tu peur qu'ils ne viennent pas ?* ❑

Ne pas avoir peur que + subordonnée négative. La subordonnée comporte le *ne... pas* de la négation : *elle n'a pas peur qu'ils ne viennent pas, au contraire, elle préfère ; je n'ai pas peur qu'il ne réussisse pas, il s'est bien préparé.* **2.** *De peur que* (+ subjonctif). *De peur que* se construit avec le subjonctif et entraîne presque toujours l'emploi du *ne* explétif : *rentrez vos plantes de peur qu'elles ne gèlent* (bien moins courant, mais correct : *de peur qu'elles gèlent*). REM. *De peur que* appartient à la langue soignée, ce qui explique sans doute qu'il soit rarement employé sans le *ne* explétif, qui relève du même registre.

peut-être adv. ◆ **Orth.** Avec un trait d'union : *j'irai peut-être ; vous me direz peut-être pourquoi.* RECOMM. Bien distinguer *peut-être,* adverbe, de *il, elle peut être,* sans trait d'union (passé *il, elle pouvait être*). *Elle peut être déjà partie. Il peut être environ six heures, tout au plus.* ◆ **Constr. 1.** *Peut-être* (+ indicatif ou conditionnel). Selon la nuance exprimée (degré de probabilité ou de doute), *peut-être* se construit avec l'indicatif ou le conditionnel : *peut-être qu'il acceptera* ou *qu'il accepterait de nous recevoir.* **2.** *Peut-être* **en tête de phrase.** Placé en tête d'une phrase dont le verbe a pour sujet un pronom, *peut-être* entraîne en général l'inversion du sujet ou du pronom personnel qui reprend celui-ci : *peut-être est-il malade ; peut-être sa famille l'a-t-elle aidé.* REM. L'absence d'inversion *(peut-être il est malade)* relève surtout de l'expression orale.

phalène n.f. ◆ **Genre.** Féminin : *une phalène.* REM. Quelques poètes, notamment A. de Musset et V. Hugo, ont employé le mot au masculin.

phantasme n.m. ◆ **Orth.** On écrit plus couramment *fantasme.*

pharamineux, euse adj. ◆ **Orth.** On écrit plus couramment *faramineux.*

philosophe n. ◆ **Genre.** S'agissant d'une femme, le mot peut être employé au masculin ou au féminin : *Mme Sophie Etarcos est une philosophe* (ou *un philosophe*) *spécialiste de métaphysique.*

philtre n.m. → filtre

photo- préf. ◆ **Orth.** Les mots composés avec *photo-* (grec *phôs, phôtos,* lumière) s'écrivent en un seul mot *(photobiologie, photocathode, photochimie,* etc.), à l'exception de ceux dont le second élément commence par un *i (photo-ionisation, photo-ioniser,* etc.) ; en revanche, les mots composés avec l'abréviation de *photographie* prennent un trait d'union : *photo-finish, photo-interprète, photo-interprétation, photo-robot* et *photo-roman* - Plur. : *des photo-interprètes, des photo-interprétations, des photo-robots, des photo-romans ; des photo-finish* (invariable).

phratrie n.f. / **fratrie** n.f. ◆ **Sens.** Ne pas confondre ces deux mots. **1.** *Phratrie* = groupe de clans, en sociologie. **2.** *Fratrie* = ensemble des frères et sœurs, dans une famille.

phtisie n.f. ◆ **Orth.** Attention, uniquement des *i* (pas de *y*).

phylogenèse n.f. ◆ **Orth.** Attention au *y* du préfixe *phylo-* (du grec *phûlon,* tribu, espèce ; sans rapport avec *philo-,* du grec *philos,* ami). Attention également au *e* de *-genèse,* qui devient *é* dans les dérivés *phylogénétique, phylogénie, phylogénique.*

piano n.m. et adv. ◆ **Orth. 1.** *Piano* n.m. = instrument de musique. - Plur. : *des pianos.* **2.** *Piano* adv. = doucement (nuance d'interprétation), invariable. **3.** *Piano* n.m. = morceau ou passage joué piano, invariable. *Des piano et des forte.*

pic n.m. ◆ **Orth.** *Paroi à pic,* mais *un à-pic.* → à-pic

pie adj. inv. ◆ **Orth.** *Pie,* adjectif de couleur, est invariable : *des vaches pie ; cheval à robe pie noir, pie rouge.* → annexe, grammaire § 98

pièce n.f. ◆ **Orth. 1. Au pluriel.** *De toutes pièces : histoire forgée de toutes pièces ; aux pièces : être payé, travailler aux pièces ; mettre en pièces.* **2. Au singulier.** *Faire pièce à* = tenir en échec.

pied n.m. ◆ **Orth. 1.** *Au pied de qqch.* = à sa base, *pied* sans *s* : *être au pied d'un arbre, d'une montagne, du mur.* **2.** *Aux pieds de qqn,* avec *x* à *aux* et *s* à *pieds : se jeter aux pieds de qqn, se jeter à ses pieds* (et non *à son pied*). **3.** *Aller à pied, à pied sec,* sans *s* à *pied.* **4.** *Sur pied* = debout (ou, fig., sain, en bon état). Sans *s* à *pied : il a été malade, mais il est aujourd'hui sur pied ; l'entreprise a été remise sur pied par un bon gestionnaire.* **5.** *Sur pied* = non abattu, non débité, en parlant d'arbres, de bois. Sans *s* à *pied : acheter des chênes sur pied.* **6.** *Pieds nus / nu-pieds :* on écrit sans trait d'union *marcher pieds nus* mais avec un trait d'union *marcher nu-pieds.* **7.** *Coup de pied / cou-de-pied* → **cou-de-pied.** ◆ **Emploi. 1.** *Marche à pied, marcher à pied.* Les expressions *marche à pied, marcher à pied* ont souvent été critiquées comme faisant pléonasme. Elles sont aujourd'hui passées dans l'usage orale courante. **RECOMM.** Dans l'expression soignée, en particulier à l'écrit, préférer : *marche ; marcher, aller à pied.* **REM.** *Marche à pied* a probablement été formé par analogie avec *course à pied,* opposé à *course automobile, course cycliste, course hippique, course au large,* etc. **2.** *Pied / patte* ❏ *Pied* (chez l'être humain) = partie articulée à l'extrémité de la jambe. ❏ *Pied* (chez l'animal) = extrémité du membre, chez les espèces munies d'onglons ou de sabots. *Pied d'un cheval, d'une vache, d'un éléphant.* ❏ *Patte* = membre, chez les animaux qui marchent, courent, sautent ou se perchent. *Pattes d'un crabe, d'un lièvre, d'une sauterelle, d'un faisan.* **REM.** Il est d'usage, chez les cavaliers, d'employer *jambe* pour désigner la patte du cheval.

pied- élément de composition ◆ **Orth.** La plupart des mots composés avec *pied-* prennent la marque du pluriel à leur premier élément, le deuxième élément restant invariable, comme indiqué dans le tableau ci-dessous. Ceux qui suivent une autre règle ou qui présentent une difficulté particulière sont traités à leur ordre alphabétique.

Graphies et pluriels des mots composés avec *pied-*

*Un pied-d'alouette,
  des pieds-d'alouette*
Un pied-de-biche, des pieds-de-biche
Un pied-de-lion, des pieds-de-lion
Un pied-de-loup, des pieds-de-loup
*Un pied-de-mouton,
  des pieds-de-mouton*
Un pied-de-veau, des pieds-de-veau
Un pied-d'oiseau, des pieds-d'oiseau

---

pied-à-terre n.m. ◆ **Orth.** Invariable : *des pied-à-terre.*

pied-bot n. ◆ **Orth.** Ne pas confondre. **1.** *Pied-bot* = personne atteinte d'une malformation congénitale du pied. Avec un trait d'union : *un, une pied-bot ; des pieds-bots.* **2.** *Pied bot* = pied atteint d'une telle malformation. Sans trait d'union : *il a un pied bot.*

pied-de-poule n.m. et adj. ◆ **Orth. 1.** *Pied-de-poule* n.m. = tissu. La marque du pluriel est portée par le premier élément : *des pieds-de-poule clairs.* **2.** *Pied-de-poule* adj. = qui ressemble au tissu pied-de-poule par la forme, le motif. Invariable : *des impressions pied-de-poule.*

piédestal n.m. ◆ **Orth.** Plur. : *des piédestaux.*

pied-noir n. et adj. ◆ **Orth. 1.** *Pied-noir* n. = Français, Française d'Afrique du Nord. *Les pieds-noirs. Lui est alsacien, elle, c'est une pure pied-noir de Constantine.* **2.** *Pied-noir* adj. = relatif aux pieds-noirs. *Les foyers pieds-noirs. La culture pied-noir.* REM. La plupart des dictionnaires et des grammaires tiennent le mot pour invariable en genre. Pourtant l'accord de l'adjectif au féminin *(la culture pied-noire),* bien que rare, est attesté.

pied-plat n.m. ◆ **Orth.** Plur. : *des pieds-plats.*

piédroit, pied-droit n.m. ◆ **Orth.** La graphie *piédroit,* avec accent aigu sur le *e* et sans trait d'union, est la plus fréquente aujourd'hui. - Plur. : *des piédroits* ou *des pieds-droits.*

piéger v.t. ◆ **Conjug.** Le *g* devient *-ge-* devant *a* et *o* : *je piège, nous piégeons ; il piégea ;* attention à l'accent, tantôt grave, tantôt aigu : *je piège, nous piégeons, vous piégez ; il piégea ; il piégera* → annexe, tableau 15

pierre n.f. ◆ **Orth. 1.** *Pierre* = matière minérale ; matériau de construction. Le mot s'emploie au singulier : *construire en pierre de taille.* **2.** *Pierre* = morceau de cette matière, caillou. Le mot prend, normalement, le *s* du pluriel : *un tas de pierres.* REM. Lorsque le mot peut être compris dans l'un ou l'autre sens, les deux orthographes sont possibles : *un mur de pierre* (= construit avec de la pierre) ou *de pierres* (= construit avec des pierres).

pierreries n.f. plur. ◆ **Nombre.** Ce mot ne s'emploie jamais au singulier. REM. *Pierre précieuse* ou *pierre fine* peut remplacer *pierreries* dans le cas où l'emploi du singulier est nécessaire. Toutefois, aucune de ces deux expressions n'est un synonyme parfait, car des pierreries sont par définition taillées.

pietà n.f. ◆ **Orth.** Ce mot italien a conservé son orthographe originelle : pas d'accent sur le *e,* accent grave sur le *a.* → R.O. 1990. - Plur. : *des pietà.*

piéton n.m. ◆ **Genre.** Le substantif n'a pas de féminin, à la différence de l'adjectif *piéton, piétonne.* V. ci-après.

piéton, onne adj. / **piétonnier, ière** adj. ◆ **Emploi.** *Piétonnier, ière* adj. = réservé aux piétons, à l'exclusion de tout véhicule. Le mot fait aujourd'hui partie de l'usage courant. RECOMM. Dans l'expression soignée, en particulier à l'écrit, préférer *piéton, piétonne* : *un espace piéton, une rue piétonne.* REM. L'emploi adjectif de *piéton* était habituel autrefois, lorsqu'il y avait lieu de distinguer la *porte cochère* d'une maison (par où passaient les voitures à chevaux, les coches) de la *porte piétonne.*

piger v.t. ◆ **Conjug.** Le *g* devient *-ge-* devant *a* et *o : je pige, nous pigeons ; il pigea* → annexe, tableau 10. ◆ **Registre.** Le verbe *piger,* comprendre, est familier. Le verbe *piger,* mesurer, appartient au vocabulaire technique.

pile adv. ◆ **Orth.** Toujours invariable : *s'arrêter pile ; tomber pile ; huit heures pile.* ◆ **Registre.** Le mot est familier. RECOMM. Dans l'expression soignée, dire plutôt : *s'arrêter net ; tomber à point ; huit heures précises.*

pilori n.m. ◆ **Orth.** Finale en *-i,* à la différence de *pilotis.*

pilote n.m. ◆ **Orth.** Sans trait d'union en emploi épithète *(une expérience pilote, un centre pilote, une région pilote),* sauf dans *classe-pilote,* expression passée dans l'usage, qui peut s'écrire avec ou sans trait d'union. - Plur. : *des expériences pilotes, des centres pilotes,* etc. ; *des classes-pilotes* ou *des classes pilotes.*

pilule n.f. ◆ **Orth.** Un seul *l* à chaque fois, à la différence de *pulluler.*

pince-monseigneur n.f. ◆ **Orth.** Plur. : *des pinces-monseigneur.*

pincer v.t. ◆ **Conjug.** Le *c* devient *ç* devant *a* et *o* : *je pince, nous pinçons ; il pinça* → annexe, tableau 9

pincette n.f. ◆ **Nombre.** Plus fréquent au pluriel : *des pincettes* (pour saisir les bûches). *« François réclamait ses pincettes, sa pelle à feu et son soufflet »* (M. Barrès). *Pincette d'horloger* (rare ; les horlogers disent *précelles* ou *brucelles*).

pineau n.m. / **pinot** n.m. ◆ **Orth. et sens.** Ne pas confondre. **1.** *Pineau* = cépage originaire du Val de Loire (qui ne fait pas partie de la famille des pinots, v. ci-après). *Pineau d'Aunis* = cépage rouge. **2.** *Pineau* = vin de liqueur charentais. **3.** *Pinot* = cépage français commun à toutes les régions. *Pinot noir, blanc, gris ; pinot chardonnay ; pinot meunier.*

pingouin n.m. / **manchot** n.m. ◆ **Sens. 1.** *Pingouin* = oiseau marin de l'hémisphère Nord, au corps massif, au bec aplati. **2.** *Manchot* = oiseau marin de l'hémisphère Sud, au plumage noir et blanc, remarquable par sa silhouette dressée qui évoque la silhouette humaine. REM. Les manchots sont souvent dénommés *pingouins* par erreur.

ping-pong n.m. inv. ◆ **Orth.** Nom déposé d'une marque tombée dans le domaine public, qui s'écrit correctement aujourd'hui avec deux minuscules et un trait d'union : *ping-pong.* → R.O. 1990. ◆ **Emploi.** La dénomination officielle de ce jeu (et sport olympique) est *tennis de table.* REM. Le mot a donné le dérivé *pongiste* = joueur, joueuse de tennis de table.

pioncer v.t. ◆ **Conjug.** Le *c* devient *ç* devant *a* et *o* : *je pionce, nous pionçons ; il pionça* → annexe, tableau 9. ◆ **Registre.** Argotique.

pipeline n.m. ◆ **Emploi.** RECOMM. Employer de préférence les termes français plus précis : *gazoduc* (pour le transport du gaz), *oléoduc* (pour le transport du pétrole). **Orth.** *Pipeline,* sans trait d'union, tend à s'imposer. Il est préférable d'utiliser de toute façon les équivalents français. → R.O. 1990

pique- élément de composition ◆ **Orth.** Composés avec *pique-* (verbe *piquer*). *Pique-* reste invariable. V. tableau ci-après et R.O. 1990.

Graphies et pluriels des mots composés avec *pique-*

Un(e) pique-assiette, des pique-assiettes ou *des pique-assiette* (inv.)
Un pique-bœuf ou *un pique-bœufs, des pique-bœufs* ou *des pique-bœuf* (inv.)
Un pique-feu, des pique-feu (inv.)
Un pique-niqueur, une pique-niqueuse, des pique-niqueurs, des pique-niqueuses.
Un pique-notes, des pique-notes (inv.)

---

piqueter v.t. ◆ **Conjug.** Attention au redoublement du *t* devant *e* muet : *je piquette, il piquettera* mais *nous piquetons ; il piquetait* → annexe, tableau 16 et R.O. 1990

piqûre n.f. ◆ **Orth.** Avec un accent circonflexe sur le *u.* → R.O. 1990. ◆ **Emploi.** S'agissant d'un insecte, on utilise le mot *piqûre (une piqûre de moustique).* À propos d'un serpent, c'est *morsure* qui doit être employé (*une morsure de crotale* et non *une piqûre de crotale).

pirate n.m → corsaire

pire adj. / **pis** adv.
◆ **Sens. 1.** *Pire* adj. = plus mauvais (contraire de *meilleur*). **2.** *Pis* adv. = plus mal (contraire de *mieux*).
◆ **Emploi.**
1. *Pire / plus mauvais. Pire* peut souvent être remplacé par *plus mauvais* (à la dif-

férence de *meilleur,* qui ne peut jamais être remplacé par *plus bon) : le progrès rend-il l'homme meilleur ou pire ?* (ou : *meilleur ou plus mauvais ?*). **RECOMM.** *Pire* reste de règle dans deux cas. ❑ Avec un nom désignant qqch. dont on pâtit *(douleur, erreur, faute, mal, malheur, souffrance,* etc.) : *cette faute est pire que l'autre* (et non *plus mauvaise).* ❑ Dans les proverbes et les expressions toutes faites : *il n'est pire eau que l'eau qui dort ; le remède est pire que le mal.*

2. *Pire* après *plus, moins, tant.* Ces emplois, fautifs, sont à proscrire, sauf si l'on recherche un effet de style particulier : imitation du langage enfantin *(il a fait une bêtise « plus pire » que l'autre)* ou insistance plaisante *(la dévaluation serait un remède, passez-moi l'expression, moins pire).* **RECOMM.** Éviter dans tous les cas *tant pire.*

3. *Pire* avec un pronom indéfini. *Quelque chose de pire que la peur, l'angoisse. Rien de pire que cette interminable attente.* **REM.** Ces tournures sont devenues si courantes aujourd'hui qu'elles ne peuvent plus être tenues pour fautives. *Pis,* considéré naguère comme seul correct dans ce cas par beaucoup de grammairiens, continue d'être employé dans le registre très soutenu : *quelque chose de pis que la peur ; rien de pis que cette attente.*

4. *Le pire* (emploi nominal) = ce qu'il y a de pire. *Il faut s'attendre au pire. « Le pire n'est pas toujours certain »* (L. Daudet).

5. *Pis.* Dans la langue courante, en particulier à l'oral, *pis,* ressenti aujourd'hui comme littéraire, voire comme vieilli, est le plus souvent remplacé par *pire.* Il subsiste surtout dans des expression toutes faites *(tant pis, aller de mal en pis, dire pis que pendre de qqn)* et dans la langue soutenue : ❑ Comme comparatif de supériorité de *mal* (contraire de *mieux). C'est pis que jamais.* ❑ En emploi nominal. *Le pis* = la pire chose. *Mettre les choses au pis. Au pis aller* = dans le pire des cas (sans trait d'union, à la

différence de *un pis-aller,* v. ci-dessous). **6.** *Pis* renforcé par *bien,* par *encore* ou par *n fois. C'est bien pis, c'est encore pis, c'est cent fois pis* (mais jamais : *c'est plus pis, *c'est beaucoup pis).*

pis-aller n.m. inv. ◆ **Orth.** Avec un trait d'union. Ne pas confondre avec *au pis aller,* sans trait d'union (v. ci-dessus, *pis,* Emploi, 5). - Plur. : *des pis-aller.*

pisse-vinaigre n. inv. ◆ **Orth.** Plur. : *des pisse-vinaigre* (invariable). → R.O. 1990

pistache adj. inv. ◆ **Accord.** Employé comme adjectif, le mot reste invariable : *des chemises pistache.*

pithécanthrope n.m. ◆ **Orth.** Deux fois -*th*-.

pitre n.m. ◆ **Orth.** Pas d'accent circonflexe sur le *i,* comme dans *chapitre, pupitre* (et à la différence de *épître).*

placage n.m. / **plaquage** n.m. ◆ **Orth. et sens. 1.** *Placage* = revêtement (notamment, revêtement en bois) de faible épaisseur. **2.** *Plaquage* ou *placage* = action de plaquer un adversaire au rugby ; abandon (de l'un des deux partenaires par l'autre, dans une relation amoureuse). Dans ce dernier sens, le mot est du registre familier. **3.** *Plaquage* = action de recouvrir d'un placage. *Plaquage à chaud et sous pression.*

place n.f. ◆ **Orth. 1.** *De place en place :* jamais de *s.* « *De place en place, de grands navires à l'ancre le long des berges du fleuve* » (G. de Maupassant). **2.** *Par places :* toujours avec *s. Gazon pelé par places.* **3.** *Sur place :* jamais de trait d'union ni de *s,* ni en emploi adverbial *(rester sur place)* ni en emploi nominal *(faire du sur place).* **4.** *Place* = espace urbain, carrefour. Pour l'emploi de la majuscule dans une adresse ou dans la désignation d'un ministère *(la Place Vendôme* = le ministère de la Justice) → rue. **5.** *En lieu et place de.* → lieu. ◆ **Emploi. 1.** *Remettre qqch. en place, à sa place* = le ranger. L'une et l'autre tournure sont également correctes. **2.** *Remettre qqn à sa place* = le rappeler aux égards qu'il doit. RECOMM. Ne pas dire : *remettre qqn en place. **3.** *Places assises, places debout :* ces expressions naguère critiquées peuvent aujourd'hui être employées même dans l'expression soignée.

placebo n.m. ◆ **Prononc.** [plasebo], avec le son *é,* comme dans *placé.* ◆ **Orth.** Pas d'accent sur le *e.* → R.O. 1990. - Plur. : *des placebos.*

placer v.t. ◆ **Conjug.** Le *c* devient *ç* devant *a* et *o : je place, nous plaçons ; il plaça* → annexe, tableau 9

plafond n.m. ◆ **Orth.** Sans trait d'union en emploi épithète : *un prix plafond.* - Plur. : *des prix plafonds.*

plagiat n.m. / **parodie** n.f. / **pastiche** n.m. ◆ **Sens.** Ne pas confondre ces trois mots de sens proche. **1.** *Plagiat* = action de plagier, de copier l'œuvre de qqn d'autre en la faisant passer pour sienne. **2.** *Parodie* = imitation burlesque (d'une œuvre) ; caricature. *Une parodie de justice* **3.** *Pastiche* = imitation d'une œuvre ou du style d'un auteur, comportant souvent, mais non nécessairement, une intention burlesque. *La Bruyère a écrit un amusant pastiche de Montaigne.*

plaidoirie n.f. / **plaidoyer** n.m. ◆ **Orth.** *Plaidoirie,* sans *e* intérieur. ◆ **Sens.** Ne pas confondre ces deux mots de sens proches. **1.** *Plaidoirie* = discours d'un avocat pour défendre son client. **2.** *Plaidoyer* = plaidoirie, mais aussi discours en faveur d'une cause, d'une thèse, d'un système. *Un vibrant plaidoyer en faveur de la paix internationale.*

plain-chant n.m. ◆ **Orth.** Avec un trait d'union et un *a* à *plain* (pour l'étymolo-

gie, v. ci-dessous *plain-pied*). - Plur. : *des plains-chants.*

plaindre v.t. et v.pr. ◆ **Conjug.** Attention à l'alternance *-n- / -gn- : je plains* mais *nous plaignons ;* attention également au *i* après *-gn-* aux première et deuxième personnes du pluriel, à l'indicatif imparfait et au subjonctif présent : *(que) nous plaignions, (que) vous plaigniez.* → annexe, tableau 62. ◆ **Accord.** *Les voyageurs se sont plaints des retards répétés. Elle s'est plainte de ses rhumatismes.* ◆ **Constr. 1.** *Se plaindre que* (+ subjonctif). Cette construction est la plus courante : *il se plaint qu'on l'ait menacé.* **2.** *Se plaindre que* (+ indicatif). La construction avec l'indicatif, moins courante et plus littéraire, n'est pas incorrecte. Elle insiste davantage sur la réalité du fait que la construction avec le subjonctif : *il se plaint qu'on l'a menacé* (le fait est certain, on l'a en effet menacé). **3.** *Se plaindre de ce que* (+ indicatif ou subjonctif) : *ils se sont plaints de ce qu'on les a avertis trop tard* ou *de ce qu'on les ait avertis trop tard.* RECOMM. Préférer la construction avec l'indicatif, tenue généralement pour plus correcte.

plain-pied (de) loc. adv. et adj. ◆ **Orth.** Avec trait d'union et *a* (*plain* vient du latin *planus,* plat, uni ; sans rapport avec *terre-plein*).

plaire v.t.ind. et v.pr. ◆ **Conjug. 1.** Attention à l'accent circonflexe sur le *i* à l'indicatif présent, à la troisième personne du singulier : *il plaît ; s'il vous plaît* → annexe, tableau 90. ◆ **Accord.** *Plu,* participe passé, est toujours invariable : *elles se sont plu à nous taquiner ; ils se sont rencontrés et ils se sont plu.* REM. Les composés *complu* et *déplu* sont invariables également. ◆ **Emploi. 1.** *Plaise à Dieu, plût à Dieu :* ces deux formes sont également correctes ; elles appartiennent au registre soutenu. *Plaise à Dieu* s'emploie plutôt à propos d'un espoir, *plût à*

Dieu à propos d'un regret : *si je deviens riche un jour, plaise à Dieu...* Mais : *si j'étais encore jeune, plût à Dieu...* On trouve aussi : *plaise* (ou *plût*) *au Ciel, à la Providence,* etc. **2.** *Ce qui me plaît, ce qu'il me plaît (je fais ce qui me plaît* ou *ce qu'il me plaît)* → ce qui

plan n.m. ◆ **Registre.** *Être, laisser, rester en plan,* appartiennent à la langue familière. ◆ **Constr. 1.** *Sur le plan de* = du point de vue de, quant à. **RECOMM.** Employer la construction correcte : *sur le plan des équipements sportifs, la ville est abondamment pourvue* (et non : **au plan des équipements sportifs*).

plancher n.m. ◆ **Orth.** Sans trait d'union en fonction d'épithète : *un prix plancher.* - Plur. : *des prix planchers.*

planisphère n.m. ◆ **Genre.** Masculin comme *hémisphère* (ne pas se laisser influencer par *sphère*) : *un planisphère.*

planning n.m. ◆ **Orth.** Deux *n,* à la différence de *planifier.*

plaquage n.m. → placage

plaquer v.t. ◆ **Registre.** *Plaquer qqn* = le quitter, l'abandonner soudainement appartient à la langue familière, comme le dérivé *plaquage* (ou *placage*).

plastic n.m. / **plastique** n.m. ◆ **Orth. et sens.** Ne pas confondre ces deux mots. **1.** *Plastic* = explosif. **2.** *Plastique* = matière plastique. **REM.** À *plastic,* correspondent les dérivés *plastiquer, plastiquage* (ou *-cage*) ; à *plastique : plastifier, plastification.*

plastiquage, plasticage n.m. ◆ **Sens.** Action de plastiquer, de faire sauter avec du plastic.

plat de côtes n.m. / **plates côtes** n.f. plur. ◆ **Emploi.** Les deux désignations de ce morceau du bœuf sont également correctes, mais *plat de côtes* (qui

peut s'écrire aussi *plat-de-côtes,* avec trait d'union) est aujourd'hui plus courant.

plat-, plate- éléments de composition ◆ **Orth.** Composés avec *plat-, plate-* : avec trait d'union et *s* aux deux éléments du pluriel. *Plate-bande, plate-forme, plat-bord.* - Plur. : *des plates-bandes, des plates-formes, des plats-bords* ◆ aussi R.O. 1990

plateau-repas n.m. ◆ **Orth.** Plur. : *des plateaux-repas.*

plâtras n.m. ◆ **Orth.** Accent circonflexe sur le premier *a,* comme dans tous les mots de la famille de *plâtre,* et finale en *-as,* à la différence de *gravats.*

Pléiade n.f. / **pléiade** n.f. ◆ **Orth.** Pas de tréma sur le *i* ; avec ou sans majuscule initiale, selon le sens. **1.** *La Pléiade* = groupe d'étoiles de la constellation du Taureau (les Anciens, par tradition, en comptaient sept) appelé aujourd'hui *les Pléiades* par les astronomes (amas d'environ 3 000 étoiles). Avec une majuscule. **2.** *La Pléiade* = groupe de sept poètes grecs d'Alexandrie ; groupe de sept poètes français de la Renaissance. Avec une majuscule. **3.** *Une pléiade* = un grand nombre (de personnes remarquables). *Une pléiade de hauts fonctionnaires est sortie de cette école.* Avec une minuscule. **REM.** Cet emploi était naguère critiqué comme non conforme à l'étymologie qui voudrait qu'une *pléiade* ne compte qu'un petit nombre de membres (sept, en toute rigueur). Il est aujourd'hui passé dans l'usage.

plein prép. ◆ **Orth.** *Plein,* préposition ou adjectif. Dans des constructions comme : *de la monnaie plein les poches, des souvenirs plein la tête, du shampooing plein les yeux, plein* est employé comme préposition et ne s'accorde pas. Mais *plein* est adjectif et s'accorde dans : *les poches pleines de monnaie, la tête pleine de souve-*

nirs, les yeux pleins de shampooing. ◆ **Registre.** *Plein de, tout plein de :* ces emplois relèvent de la langue familière, orale surtout. **RECOMM.** Dans la langue soignée, orale ou écrite, utiliser de préférence *beaucoup de : il y a beaucoup de gens qui se sont enrichis dans ces spéculations* (de préférence à : *il y a plein de gens qui se sont enrichis...*).

plein n.m. ◆ **Orth. et sens.** *Battre son plein* → battre

plein-emploi, plein emploi n.m. ◆ **Orth.** Les deux graphies, *plein-emploi* et *plein emploi,* sont admises. On écrit de plus en plus souvent *plein-emploi,* avec un trait d'union.

plein temps (à) loc. adv. et adj. / **plein-temps** n.m. et adj. inv. ◆ **Orth.** 1. *Travailler à plein temps, travail à plein temps,* sans trait d'union. 2. *Un plein-temps* n.m. = un travail à plein temps, avec un trait d'union. *Elle vient de quitter son emploi, elle cherche un plein-temps.* 3. *Plein-temps* adj. inv. = employé à plein temps, avec trait d'union. *Une secrétaire plein-temps.*

plénier, ère adj. ◆ **Orth.** *Plénier* s'écrit avec un *é* et non avec *-ei-* (vient du latin *plenarius,* de *plenus,* plein, et non du français *plein*) : *indulgence plénière, assemblée plénière.*

pléthore n.f. ◆ **Orth.** Avec *-th-.* ◆ **Sens.** *Pléthore* = abondance excessive (n'est pas un simple synonyme d'*abondance*).

pleur n.m. ◆ **Nombre et registre.** Le mot se rencontre surtout dans le registre soutenu et au pluriel : *ses pleurs étaient sans doute sincères ; être en pleurs, tout en pleurs.* Employé au singulier dans le registre courant, il a le plus souvent une valeur plaisante : *il n'est vraiment pas sympathique, ses ennuis ne me feront pas verser un pleur.*

pleuvoir v.i. et v. impers. ◆ **Conjug.** 1. *Pleuvoir,* verbe impersonnel, ne se conjugue qu'à la 3e personne du singulier. *Il pleuvait, il pleut, il pleuvra.* 2. *Pleuvoir* v.i. = tomber en abondance, peut aussi se conjuguer à la 3e personne du pluriel. *Les coups, les injures pleuvaient.* ◆ annexe, tableau 54

Plexiglas n.m. ◆ **Prononc.** [plɛksiglas], en prononçant le *s* final comme dans *glace.* ◆ **Orth.** Avec *P* majuscule (nom déposé).

plier v.t. et v.i. ◆ **Conjug.** Attention au redoublement du *i* aux première et deuxième personnes du pluriel, à l'indicatif imparfait et au subjonctif présent : *(que) nous pliions, (que) vous pliiez* ◆ annexe, tableau 10. ◆ **Constr. et sens.** *Plier / ployer :* employés au sens propre et transitivement *(plier un drap, ployer une branche)* les deux verbes ne sont pas synonymes. En revanche, ils ont un sens très proche dans leurs emplois figurés intransitifs *(plier devant l'autorité, ployer sous le joug).* 1. *Plier* v.t. = rabattre sur soi-même une ou plusieurs fois. *Plier une couverture. Plier un double mètre.* 2. *Ployer* v.t. = faire fléchir, courber. *La tempête a ployé les blés.* 2. *Plier* et *ployer* v.i. = céder, reculer. *Le gouvernement a plié* ou *a ployé sous la pression de la rue.* ◆ **Registre.** *Ployer* est plus soutenu, *plier* plus courant.

plinthe n.f. ◆ **Orth.** Avec *-in-* et *-th-* ; ne pas confondre avec *plainte.*

ploiement n.m. ◆ **Orth.** Avec un *e* muet intérieur. *Ploiement* correspond à *ployer,* verbe du 1er groupe (comme *aboyer* correspond à *aboiement* → aussi **aboiement**)

plomb (à) / aplomb / d'aplomb → aplomb (d')

plonger v.t. ◆ **Conjug.** Le *g* devient *-ge-* devant *a* et *o : je plonge, nous plongeons ; il plongea* → annexe, tableau 10

ployer v.t. et v.i. ◆ **Conjug.** Les formes conjuguées du verbes s'écrivent avec un *i* devant *e* muet : *je ploie, tu ploies, nous ployons.* - Attention au futur et au conditionnel : *je ploierai ; je ploierais.* - Attention également au *i* après le *y* aux première et deuxième personnes du pluriel, à l'indicatif imparfait et au subjonctif présent : *(que) nous ployions, (que) vous ployiez.* → annexe, tableau 7. ◆ **Constr. et sens.** *Ployer / plier* → plier

plume n.f. ◆ **Orth.** 1. *Du gibier à plume*, sans -s. REM. *Plume* signifie ici « plumage » comme *poil* signifie « pelage » dans *gibier à poil* → poil. 2. *Lit, oreiller de plume :* on écrit habituellement *un lit de plume, un oreiller de plume*, sans *s* (= lit, oreiller fait avec de la plume) mais un *oreiller de plumes d'oie* (fait avec des plumes d'oie). REM. *Lit, oreiller de plumes*, moins courants, ne sont pas fautifs. 3. *Poids plume,* sans trait d'union, invariable : *des boxeurs poids plume ; les combats des poids plume se dérouleront en début de rencontre.*

plupart (la) n.f. ◆ **Accord.** 1. *La plupart.* Employé sans complément, *la plupart* entraîne l'accord du verbe au pluriel : *la plupart vous diront que l'histoire est fausse.* 2. *La plupart de :* quand le nom qui suit cette expression est au pluriel, le verbe s'accorde au pluriel : *la plupart de ses amis l'ont soutenu.* - Quand le nom qui suit est au singulier, le verbe s'accorde au singulier : *la plupart de la foule s'échappait par les issues de secours.* - Quand *la plupart* est suivie *d'entre nous, d'entre vous*, le verbe s'accorde à la 3e personne du pluriel : *la plupart d'entre nous sont passés par là ; la plupart d'entre vous le savent déjà.*

plural, e, aux adj. ◆ **Orth.** Masculin pluriel : *pluraux. Le système des votes pluraux sera appliqué.*

pluri- préf. ◆ **Orth.** *Pluri-* se soude toujours à l'élément qui le suit : *pluriannuel, pluridisciplinaire, plurilinguisme.*

plus adv. et n.m.
◆ **Prononc.**
1. En liaison avec une voyelle ou un *h* muet. Se prononce toujours [plyz] comme dans *use : nous n'irons plus au bois* (« *plus-z-au-bois* ») ; devant un nom propre, la règle ne s'applique pas.
2. Devant une consonne et dans les locutions négatives *ne plus, non plus.* Se prononce [ply], comme dans *il a plu*, sans faire entendre le *s* final : *le cas le plus fréquent ; je n'en veux plus.*
3. En finale, devant une pause ou en position accentuée, dans le sens de « davantage ». Se prononce [plys], comme dans *puce*, en faisant entendre le *s* final : *j'en veux plus* [s] *; il a reçu plus* [s] *que moi.*
4. *Plus* = ajouté à, en arithmétique. Se prononce en faisant entendre le *s* final : *2 plus* [s] *2 égale 4.*
5. *Le plus* = le maximum. Se prononce en faisant entendre le *s* final : *le plus* [s] *que je puisse faire.*
6. *Un plus* = un élément, un avantage supplémentaire. Se prononce en faisant entendre le *s* final : « *[la représentation ne communique à l'image] aucun caractère nouveau, aucun plus* [s] » (J.-P. Sartre).
◆ **Accord.**
1. *Des plus* (+ adjectif). S'il se rapporte à un nom, l'adjectif est au pluriel : *c'est une personne des plus brillantes* (= parmi les plus brillantes). S'il se rapporte à un verbe ou à un sujet neutre, l'adjectif reste invariable : *il n'est pas des plus facile d'arrêter de fumer.* REM. Certains grammairiens, voyant en *des plus* un superlatif, sans idée de pluriel, ont préconisé *une personne des plus brillante*, sans *s* (= une personne brillante au plus haut point). Cette règle peu logique n'est plus suivie de nos jours.
2. *Le plus* (+ adjectif ou participe) :

accord de l'article. En règle générale, l'article s'accorde lorsqu'il y a comparaison (superlatif relatif) : *ces œuvres sont les plus précieuses de la collection* (= plus précieuses que toutes les autres œuvres) ; *votre idée est la plus astucieuse* (= plus astucieuse que toutes les autres idées). L'article reste invariable lorsque la notion exprimée est celle de degré extrême, sans comparaison (superlatif absolu) : *c'est toujours dans ces moments-là qu'elle se montre le plus courageuse.* REM. La distinction n'est pas toujours facile à établir et, dans certains cas, l'accord se fait ou non sans changement appréciable de sens : *les comédiens qui ont été les plus acclamés* ou *le plus acclamés.*

3. *Plus d'un* (+ nom au singulier). Le verbe est au singulier *(il y en a plus d'un qui vous le confirmera)*, sauf s'il exprime la réciprocité : *plus d'un concurrent se regardaient à la dérobée.* ◻ *Plus d'un* (+ nom au pluriel). L'accord du verbe est facultatif : *plus d'un de ses ennemis avait* (ou *avaient*) *juré sa perte.* Noter que l'accord avec *moins de deux* se fait au pluriel → **moins.**

4. *Plus que, pas plus que.* Quand deux sujets sont liés par *plus que, pas plus que,* le verbe s'accorde seulement avec le premier sujet : *sa mère, plus que son père, tenait à ce qu'il fasse des études ; le chien, pas plus que le chat, n'est autorisé à entrer dans la maison.*

◆ **Constr.**

1. *Des plus* (+ deux adjectifs). Lorsque *des plus* précède deux adjectifs, il n'est pas nécessaire de le répéter : *une nourriture des plus délicates et savoureuses.* Toutefois, la répétition *(une nourriture des plus délicates et des plus savoureuses)* n'est pas incorrecte.

2. *Le plus que* (+ indicatif ou subjonctif) : *la plus grande hauteur qu'il peut franchir* ou *qu'il puisse franchir à la perche.* Le subjonctif est plus fréquent.

3. *Plus que* dans une comparaison où figurent deux verbes. Quand le verbe employé comme deuxième terme de la comparaison est conjugué, il est nécessairement précédé de *ne : il fait plus qu'il ne dit.* Mais : *il fait plus que parler* → **autre, moins, plutôt**

◆ **Emploi.**

1. *Plus que / plus de.* Avec *à demi, à moitié, aux trois quarts,* etc., on emploie en général *plus que : une bouteille plus qu'aux trois quarts vidée.* REM. *Plus de* n'est pas incorrect dans ce cas, mais paraît aujourd'hui vieilli : *une page plus d'à moitié écrite.* ◻ Devant une quantité dénombrable, on emploie toujours *plus de : il y a plus de cent voyageurs par voiture.*

2. *De plus / en plus* ◻ *De plus* (= d'ailleurs, en outre) renchérit sur ce qui vient d'être dit : *cette robe vous va bien, de plus, elle vous fera de l'usage.* ◻ *En plus* (= aussi, par-dessus le marché) indique que qqch. vient en complément. *Elle m'a indiqué le chemin, en plus elle m'a donné un plan.*

3. *En plus de* (= outre, en supplément de). *En plus de ses enfants, elle s'occupe de ses parents.* Considérée naguère comme familière, cette locution fait désormais partie de l'usage courant → **en**

plutôt adv. / **plus tôt** adv. ◆ **Orth. et emploi.** Ne pas confondre. **1.** *Plutôt (que),* en un seul mot = de préférence (à) ; au lieu de. *J'irai plutôt à la montagne. Il ferait mieux de profiter de la vie plutôt que de travailler sans arrêt.* **2.** *Plus tôt (que),* en deux mots = avant ; plus vite. *Plus tôt* implique une idée de temps et s'oppose à *plus tard : il est parti plus tôt que prévu ; il n'eut pas plus tôt parlé qu'il regretta ses paroles.* ◆ **Constr. 1.** *Plutôt que de* (+ infinitif). Devant un infinitif employé comme second terme d'une comparaison, la préposition *de* est facultative : *il se laisserait couper la langue plutôt que de se dédire* ou *que se dédire.* **2.** *Plutôt que* dans une comparaison où figurent deux verbes Quand le verbe employé comme deuxième terme de la comparaison est conjugué, il est nécessairement précédé de *ne : il crie plutôt qu'il ne chante* (= il ne chante pas, il crie). Mais : *cela s'appelle crier plutôt que chanter.* ◆ **Accord.** *Plutôt que* unissant deux sujets d'un même verbe. Lorsque *plutôt que* unit deux sujets d'un même verbe, celui-ci est au singulier : *la rage, plutôt que le chagrin, la faisait sangloter* → aussi **plus.** ◆ **Emploi.** *Plutôt* = assez, passablement. *Elle est plutôt jolie.* Cet emploi naguère critiqué est aujourd'hui admis dans le registre courant.

pluvial, e, aux adj. ◆ **Orth.** Masculin pluriel : *pluviaux.* ◆ **Sens.** *Pluvial / pluvieux* → pluvieux

pluvieux, euse adj. ◆ **Sens.** *Pluvial / pluvieux.* Ne pas confondre ces deux mots. 1. *Pluvieux* = caractérisé par la pluie. *Saison pluvieuse. Climat pluvieux. Région pluvieuse,* où il pleut souvent. REM. Ce dernier emploi, naguère critiqué, est aujourd'hui courant. 2. *Pluvial* = de pluie, de la pluie. *Eaux pluviales. Régime pluvial.*

pneu n.m. ◆ **Orth.** Plur. *Des pneus* (pluriel en *s*, exception à la règle du pluriel en *x* des mots en *-eu,* comme *bleu* et *feu* au sens de « défunt »).

poche n.f. ◆ **Orth.** 1. *En poche*, sans *s : avoir de l'argent en poche.* 2. *De poche*, sans *s : argent de poche ; mouchoir de poche.* ◆ **Constr.** On dit *avoir les* (ou *ses*) *mains dans ses* (ou *les*) *poches. Avoir ses clefs dans sa* (ou *la*) *poche.*

poêle n.m. / **poêle** n.f. ◆ **Orth.** Accent circonflexe sur le *e* pour les mots *poêle* n.m. et *poêle* n.f. ainsi que pour leurs dérivés. ◆ **Prononc.** [pwal], prononcé [wa] comme dans *poil.* REM. Noter la différence avec *moelle* qui a la même prononciation, mais pas d'accent circonflexe.

poétesse n.f. ◆ **Orth.** Attention au *é* (e accent aigu), à la différence de *poète* (e

accent grave). ◆ **Emploi.** Cette forme féminine est normale et bien formée. Elle est toutefois moins employée que *poète* n.m. (pour parler d'une femme) ou *femme poète : Anna de Noailles, poétesse du début du XXᵉ s.* ou *femme poète du début du XXᵉ s. ; Louise Labé fut l'un des grands poètes de l'amour.*

poignée n.f. ◆ **Orth.** 1. *Poignée de main*, sans *s* à main : *une poignée de main, des poignées de main.* 2. *À poignée* ou *à poignées* = en abondance, à profusion, peut s'écrire au singulier ou au pluriel. Le singulier est plus fréquent. 3. *Par poignées,* toujours au pluriel.

poigner v.t. ◆ **Conjug.** → annexe, tableau 3. ◆ **Registre.** *Poigner* = étreindre douloureusement, émouvoir d'une façon aiguë et pénible. Appartient à la langue littéraire : « *un sentiment profond a poigné mon cœur* » (Chateaubriand) ; « *l'anxiété de ses enfants commençait à le poigner à son tour* » (A. Daudet). REM. À la suite de Littré qui voyait en *poigner* un « barbarisme » formé sur *poignant* (participe présent du verbe *poindre*), de nombreux grammairiens ont condamné ce verbe. À leurs yeux, *poigné, a poigné, poigna,* etc., ne seraient que des formes « parasites » pour *poindre, a point, poignit,* etc. Pourtant, *poigner* forme avec *poigne* et *empoigner* une série régulière. → poindre

poil n.m. ◆ **Orth.** *Du gibier à poil*, sans *s*, comme *du gibier à plume.* → plume. ◆ **Registre.** *À poil* (= tout nu) et *au poil* (= exactement, tout juste) sont du registre familier.

poinçonner v.t. ◆ **Orth.** Avec *ç* et deux *n* comme tous ses dérivés.

poindre v.i. et v.t. ◆ **Conjug.** Attention au groupe *-gni-* aux première et deuxième personnes du pluriel, à l'indicatif imparfait et au subjonctif présent : *(que) nous poignions, (que) vous poigniez.*

→ annexe, tableau 72. ◆ **Registre.**
Poindre appartient au registre soutenu et
se rencontre surtout à l'écrit. ◆ **Emploi.**
1. *Poindre* v.i. = commencer à paraître.
Est usité surtout à l'infinitif et aux 3e
personnes des temps simples : *le jour
commence à poindre ; quand la jonquille
poindra, quand les jonquilles poindront, le
printemps sera proche.* REM. *Poindre* v. t. =
piquer, ne survit plus guère à l'oral que
dans quelques proverbes (notamment :
*oignez vilain, il vous poindra, poignez vilain,
il vous oindra*), et à l'écrit, dans la langue
littéraire : « *le sentiment qui le poignait
n'était ni l'indignation ni la honte, mais ce mal
plus tendre qui se nomme la pitié* » (M.
Yourcenar). 2. *Poindre / pointer.* Dans
l'usage contemporain, *poindre* (= commencer à pousser sous forme de pointe)
tend à être remplacé par *pointer.* Ainsi,
on trouve chez J.-J. Rousseau : « *les bourgeons commençaient à poindre* », mais
R. Rolland écrit « *déjà quelques fils d'herbe
d'un vert tendre pointaient* ». 3. *Poindre /
poigner* → poigner

poing n.m. ◆ **Orth.** 1. *Coup de poing* =
coup porté avec le poing. Sans trait
d'union. - Plur. : *des coups de poing.* 2.
Coup-de-poing = arme ; outil préhistorique. Avec deux traits d'union. - Plur. :
des coups-de-poing.

point adv. → pas

point n.m. ◆ **Orth.** *En tout point, de tout
point* = quel que soit le point considéré.
Toujours au singulier. ◆ **Emploi du point**
→ annexe, ponctuation § 3, 4, 5

point de vue n.m. ◆ **Orth.** Plur. : *des
points de vue.* ◆ **Constr. et registre.** *Au
point de vue de, du point de vue de, sous
le point de vue de* doivent être suivis de
l'article défini : *au point de vue de la qualité ; du point de vue du confort.* RECOMM.
Éviter aussi bien l'ellipse de l'article *(au
point de vue aménagement)* que celle de la
préposition *(point de vue chauffage, ça*

revient cher), qui appartient au style
relâché. En revanche, les constructions
avec un adjectif *(au point de vue énergétique, du point de vue architectural,* etc.)
sont correctes.

points cardinaux ◆ **Orth.** *Nord / nord,
Est / est,* etc. : emploi de la majuscule →
annexe, grammaire § 32

point-virgule n.m. ◆ **Orth.** Plur. : *des
points-virgules.* ◆ **Emploi du point-virgule**
→ annexe, ponctuation § 9

pointillé n.m. ◆ **Orth.** *En pointillé,*
sans *s.*

polaire adj. et n.f. ◆ **Orth.** 1. Pas d'accent circonflexe sur le *o,* comme dans
tous les autres dérivés de *pôle (polarisa-
tion, polariser, polarimétrie,* etc.). 2. *L'étoile
Polaire* ou, substantivement, *la
Polaire* = l'étoile qui indique le nord.
Avec majuscule.

pôle n.m. ◆ **Orth.** 1. Avec un accent
circonflexe sur le *o,* comme dans *dôme,*
mais les dérivés ne prennent pas cet
accent → polaire. 2. *Le pôle Nord, le pôle
Sud* = les points d'intersection de l'axe
de rotation de la Terre et de la surface
de celle-ci ; les régions environnant ces
points. Avec majuscule : *les bases scientifiques de la terre Adélie et du pôle Sud* (mais
*le pôle nord, le pôle sud d'une aiguille aiman-
tée,* sans majuscule). REM. *Le Pôle,*
employé absolument (= le pôle Nord
ou le pôle Sud) s'écrivait naguère avec
une majuscule. On rencontre plus fréquemment aujourd'hui la graphie sans
majuscule : « *On croit se promener au pôle
dans la neige* » (A. de Saint-Exupéry).

poli adj. ◆ **Registre.** Le contraire de *poli*
est *impoli. Malpoli* est familier.

policer v.t. ◆ **Conjug.** Le *c* devient *ç*
devant *a* et *o : je police, nous policçons ; il
policça* → annexe, tableau 9. REM. Ne pas
confondre *nous policçons, vous policez,*

formes du verbe *policer,* avec *nous polissons, vous polissez,* formes du verbes *polir,* qui se prononcent de la même façon.

policlinique n.f. / **polyclinique** n.f. ◆ **Sens.** Ne pas confondre ces deux homonymes. **1.** *Policlinique* (préfixe *poli-,* du grec *polis,* cité, ville) = clinique où l'on pratique la médecine « de ville », où l'on ne peut pas être hospitalisé (elle ne comporte pas de lits). **2.** *Polyclinique* (préfixe grec *poly-,* plusieurs) = clinique où l'on dispense des soins relevant de plusieurs spécialités médicales.

poliment adv. ◆ **Orth.** Sans *e* intercalaire entre le *i* et le *m,* comme dans *hardiment* et *joliment.*

polyester n.m. ◆ **Orth.** Attention au *y ;* pas de *h* après le *t.*

polynôme n.m. ◆ **Orth.** Attention au *y* de *poly-,* et à l'accent circonflexe sur le *o,* comme dans *monôme* et *binôme.*

polyptyque n.m. ◆ **Orth.** Avec deux *y* : préfixe *poly-* et *-ptyque* comme dans *diptyque* et *triptyque* (grec *ptux, ptukhos,* pli).

pomme n.f. ◆ **Orth. 1.** *...de pomme(s). Une compote de pommes, de la confiture de pommes* (faite avec des pommes), avec un *s.* Mais *du jus de pomme* (= du jus de la pomme), sans *s.* **2.** *Pommes de terre en robe des champs* ou *en robe de chambre* → robe. ◆ **Registre.** *Dans les pommes* = évanoui (surtout dans *tomber dans les pommes* et *être dans les pommes*). Tournure familière. RECOMM. Dans l'expression soignée, en particulier à l'écrit, préférer les équivalents *se sentir mal, avoir un malaise, s'évanouir, perdre connaissance, être sans connaissance,* etc. Proscrire de toute façon *tomber dans les pâmes,* naguère prôné par quelques puristes sur la base d'une étymologie incertaine (v. ci-après). REM. À la suite d'Albert

Dauzat, certains historiens de la langue ont cru voir dans *tomber* (ou *être) dans les pommes* une corruption populaire de *tomber, être dans les pâmes,* c'est-à-dire « en pâmoison, évanoui ». Il n'existe pas d'argument déterminant en faveur de cette supposition. La locution *être dans les pommes cuites,* aujourd'hui sortie de l'usage mais attestée dans la correspondance de George Sand, pourrait fournir un début d'explication : la consistance molle de la pomme pochée évoque l'état de faiblesse et de relâchement musculaire qui accompagne la perte de connaissance. Mais ce n'est qu'une hypothèse.

pommeler (se) v.pr. ◆ **Conjug.** *Le ciel se pommelle, se pommelait, se pommela, se pommellera* → annexe, tableau 16 et R.O. 1990

ponceau adj. inv. ◆ **Accord.** *Ponceau,* adjectif de couleur, est invariable : *un tissu ponceau, des étoffes ponceau* annexe, grammaire § 98

poncer v.t. ◆ **Conjug.** Le *c* devient *ç* devant *a* et *o* : *je ponce, nous ponçons ; il ponça* → annexe, tableau 9

punch n.m. ◆ **Orth. et prononc.** Le mot s'écrit avec un *u,* mais le groupe *-un-* se prononce *on* → R.O. 1990

ponctuation → annexe, ponctuation

pondérer v.i. ◆ **Conjug.** Attention à l'accent, tantôt grave, tantôt aigu : *je pondère, nous pondérons ; il pondérera* → annexe, tableau 11 et R.O. 1990

pondre v.t. ◆ **Conjug.** → annexe, tableau 59. ◆ **Emploi.** *Pondre* = produire, déposer un œuf, des œufs. RECOMM. Éviter le pléonasme **pondre un œuf* (comme on éviterait **manger de la nourriture). En revanche, on peut dire, avec une épithète ou un numéral :

pondre un petit œuf, un œuf clair, deux œufs par semaine. Également, en parlant d'un œuf déterminé : « *Après tout, c'est un oiseau qui a pondu l'œuf de Colomb, et où seraient aujourd'hui les Amériques si cette poule ou cette oie n'avait pas pondu cet œuf ?* » (J. Prévert). ◆ **Registre.** *Pondre* = écrire, rédiger, est familier. Comporte le plus souvent une nuance dépréciative : *ce n'est jamais que le cinquième rapport qu'il pond sur le sujet.*

pont n.m. → rue

pont-l'évêque n.m. inv. ◆ **Orth.** *Un pont-l'évêque* = un fromage fabriqué à Pont-l'Évêque ou dans sa région. Sans majuscule et invariable : *des pont-l'évêque bien faits.*

populaire adj. / **populeux, euse** adj. ◆ **Sens.** Ne pas confondre ces deux mots. **1.** *Populaire* adj. = qui appartient au peuple, qui concerne le peuple. *Expression populaire. Quartiers populaires.* **2.** *Populeux, euse* adj. = très peuplé, où la population est dense. *Les ruelles populeuses de la vieille ville.*

porc-épic n.m. ◆ **Prononc.** [pɔʀkepik], avec les deux *c* prononcés *k* comme dans *képi,* au singulier comme au pluriel. - Plur. : *des porcs-épics.*

portable adj. / **portatif** adj. ◆ **Sens.** Ces deux adjectifs sont aujourd'hui en concurrence dans les domaines de l'informatique et des télécommunications pour qualifier certains appareils, les ordinateurs notamment. **1.** *Portable* = conçu pour être déplacé commodément par une seule personne et utilisé dans des endroits différents. **2.** *Portatif* = qui présente une taille et un poids réduits, et dispose d'une alimentation électrique autonome par piles ou batteries. REM. Cette distinction n'est pas toujours clairement faite dans l'usage

courant non technique. Ainsi parle-t-on plus volontiers aujourd'hui de *téléphone portable* que de *téléphone portatif,* en dépit de la taille et du mode de fonctionnement de cet appareil.

porte n.f. ◆ **Orth. 1. Expressions avec *porte*.** On écrit au singulier : *aller de porte en porte, habiter porte à porte.* On écrit avec deux traits d'union et au singulier : *faire du porte-à-porte.* **2. Dans les noms des « portes » de villes** (= places, quartiers correspondant aux portes de fortifications disparues). Minuscule à *porte,* majuscule au nom propre ou à l'adjectif qui suit : *la porte des Lilas, la porte Dauphine* (à Paris). **3.** *La Porte, la Sublime Porte* : le gouvernement d'Istanbul, du temps de l'empire ottoman. **4. Mots composés avec l'élément *porte-*** (nom féminin *porte*) : *une porte-croisée, une porte-fenêtre, une porte-grille.* - Plur. : *des portes-croisées, des portes-fenêtres, des portes-grilles.* ◆ **Emploi. 1.** *Être sur le pas de sa porte, sur le seuil de sa porte, à sa porte.* RECOMM. Ne pas dire, ne pas écrire **être sur sa porte* dans ce sens. **2.** *La clé est sur la porte, à la porte* (et non **après la porte*). **3.** *Trouver porte close* = ne pas trouver qqn chez lui, ou être éconduit par qqn qui fait dire qu'il ne peut pas recevoir. RECOMM. Dans l'expression soignée, préférer cette expression au pittoresque *trouver porte de bois* (formé par analogie avec *faire visage de bois*), que son impropriété doit cantonner à l'usage familier ou plaisant.

porte- élément de composition ◆ **Orth.** Mots composés avec l'élément *porte-* (verbe *porter*). L'élément *porte* est toujours invariable. Les graphies et pluriels en usage, figurent dans le tableau pages suivantes. Les mots présentant une difficulté autre que celle de l'accord au pluriel sont traités à leur ordre alphabétique → R.O. 1990

Graphies et pluriels des mots composés avec *porte-* (verbe *porter*)	
Invariables **Second élément sans -s** Un *porte-bonheur*, des *porte-bonheur* Un *porte-fort*, des *porte-fort* Un *porte-malheur*, des *porte-malheur* Un *porte-monnaie*, des *porte-monnaie* Un *porte-parole*, des *porte-parole* Un *porte-vent*, des *porte-vent* **Invariables** **Second élément avec -s ou avec -x** Un *porte-aéronefs*, des *porte-aéronefs* Un *porte-à-faux*, des *porte-à-faux* Un *porte-autos*, des *porte-autos* Un *porte-avions*, des *porte-avions* Un *porte-bagages*, des *porte-bagages* Un *porte-clés* ou *un porte-clefs*, des *porte-clés* ou des *porte-clefs* Un *porte-conteneurs*, des *porte-conteneurs* Un *porte-croix*, des *porte-croix* Un *porte-hélicoptères*, des *porte-hélicoptères* Un *porte-jarretelles*, des *porte-jarretelles*	Un *porte-serviettes*, des *porte-serviettes* Un *porte-voix*, des *porte-voix* **Prend la marque du pluriel** **Au singulier, le second élément** **s'écrit sans -s** Un *porte-paquet*, des *porte-paquets* **Prennent la marque du pluriel** **Au singulier, le second élément** **peut être écrit avec ou sans -s** Un *porte-affiche* ou *un porte-affiches*, des *porte-affiches* Un *porte-billet* ou *un porte-billets*, des *porte-billets* Un *porte-bouteille* ou *un porte-bouteilles*, des *porte-bouteilles* Un *porte-carte* ou *un porte-cartes*, des *porte-cartes* Un *porte-cigare* ou *un porte-cigares*, des *porte-cigares* Un *porte-cigarette* ou *un porte-cigarettes*, des *porte-cigarettes* Un *porte-document* ou *un porte-documents*, des *porte-documents*

porte-à-faux n.m. ◆ **Orth. 1.** *Porte-à-faux* = partie d'ouvrage qui n'est pas à l'aplomb de son point d'appui. Avec deux traits d'union et invariable : *les audacieux porte-à-faux des viaducs d'Eiffel.* **2.** *En porte à faux* = qui n'est pas à l'aplomb de son point d'appui (ou, au figuré : qui est dans une situation ambiguë). Sans traits d'union : *travée en porte à faux* REM. Sous l'influence du n.m., on trouve aussi la graphie *en porte-à-faux.*

pose n.f. → pause

positionner v.tr. ◆ **Orth.** Attention aux deux *n,* comme dans *abandonner,* autre verbe dérivé d'un nom terminé par *-on.* ◆ **Sens et emploi.** Ce mot a plusieurs acceptions techniques, notamment en technologie générale, banque et commerce. RECOMM. Ne pas l'utiliser en dehors de ces emplois comme un

simple synonyme (qu'il n'est pas) de *placer.* Préférer *asseoir, camper, disposer, fixer, établir, implanter, installer, mettre en place, poser, poster, ranger.*

possesseur n.m. ◆ **Genre.** Masculin, même s'il renvoie à un féminin, comme dans : *sa famille est possesseur de plusieurs immeubles de la ville.*

possible adj. ◆ **Accord. 1.** *Le plus, le moins de* (+ nom au pluriel) *possible.* Dans ces constructions, *possible* se rapporte à *plus* ou à *moins* et demeure invariable : *il cherchait le plus d'indices possible* (= le plus possible d'indices) ; *faire le moins d'erreurs possible* (= le moins possible d'erreurs). **2.** *Possible* = concevable, imaginable, réalisable. *Possible* s'accorde normalement avec le nom auquel il se rapporte : *le meilleur des mondes possibles ; envisager toutes les solu-*

Graphies et pluriels des mots
composés avec *porte-* (verbe *porter*)

Considérés soit comme invariables,
soit comme prenant le *-s* du pluriel
au second élément

Un porte-aiguille, des porte-aiguille ou
des porte-aiguilles

Un porte-amarre, des porte-amarre ou
des porte-amarres

Un porte-balai, des porte-balai ou *des*
porte-balais

Un porte-bannière, des porte-bannière
ou *des porte-bannières*

Un porte-barge, des porte-barge ou *des*
porte-barges

Un porte-bébé, des porte-bébé ou *des*
porte-bébés

Un porte-bouquet, des porte-bouquet ou
des porte-bouquets

Un porte-brancard, des porte-brancard
ou *des porte-brancards*

Un porte-copie, des porte-copie ou *des*
porte-copies

Un porte-couteau, des porte-couteau ou
des porte-couteaux

Un porte-crayon, des porte-crayon ou
des porte-crayons

Un porte-drapeau, des porte-drapeau
ou *des porte-drapeaux*

Un porte-épée, des porte-épée ou *des*
porte-épées

Un porte-étendard, des porte-étendard
ou *des porte-étendards*

Un porte-étrivière, des porte-étrivière ou
des porte-étrivières

Un porte-fanion, des porte-fanion ou
des porte-fanions

Un porte-glaive, des porte-glaive ou
des porte-glaives

Un porte-greffe, des porte-greffe ou *des*
porte-greffes

Un porte-hauban, des porte-hauban ou
des porte-haubans

Un porte-lame, des porte-lame ou *des*
porte-lames

Un porte-menu, des porte-menu ou
des porte-menus

Un porte-montre, des porte-montre ou
des porte-montres

Un porte-objet, des porte-objet ou *des*
porte-objets

Un porte-outil, des porte-outil ou *des*
porte-outils

Un porte-papier, des porte-papier ou
des porte-papiers

Un porte-parapluies, des porte-
parapluie ou *des porte-parapluies*

Un porte-plume, des porte-plume ou
des porte-plumes

Un porte-queue, des porte-queue ou
des porte-queues

Un porte-savon, des porte-savon ou
des porte-savons

---

tions possibles ; il lui a fait tous les compliments possibles. ◆ **Constr.** *Il est possible que* (+ subjonctif). *Il est possible qu'il soit absent. Est-il possible qu'il comprenne un jour ?* REM. Les constructions avec l'indicatif pour marquer la certitude *(est-il possible que vous aurez toujours ainsi le mot pour rire ?)* ou avec le conditionnel pour marquer l'hypothèse *(est-il possible que vous seriez fâché ?)* sont aujourd'hui tombées en désuétude.

post- préf. ◆ **Orth.** Les mots formés avec ce préfixe s'écrivent sans trait d'union : *postcombustion, postface, postnatal, postopératoire,* etc. Le trait d'union

n'est maintenu que pour quelques composés d'origine latine *(post-abortum, post-partum ;* v. ci-dessous pour *post-scriptum)* et pour les mots dont le second élément commence par un *t* : *post-test, post-traumatique,* etc.

postdater v.t. / **antidater** v.t. ◆ **Sens.** Ne pas confondre ces deux mots de sens opposés. → antidater

poste n.f. ◆ **Orth. 1.** *La poste* (sans majuscule) = le service de transport du courrier ; le bureau de poste. *Le cachet de la poste faisant foi ; retirer un pli recommandé à la poste.* **2.** *La Poste* (avec majuscule à

La et à *Poste*) = l'entreprise publique chargée en France du transport du courrier et de certaines opérations financières. *Les conseillers financiers de La Poste.* REM. Le nom *La Poste* a fait l'objet d'un dépôt de marque en 1989.

poster v.t. ◆ **Registre.** Au sens de « mettre à la poste », ce mot est passé dans l'usage courant. Considéré naguère comme relevant de la langue « commerciale », il était déconseillé dans l'expression soignée.

postérieur, e adj. ◆ **Emploi. RECOMM.** Ne pas dire *plus postérieur ou *moins postérieur. On peut, en revanche, utiliser *postérieur* avec les adverbes marquant l'intensité (*très, peu,* etc.) : *très postérieur, bien postérieur, de beaucoup postérieur* sont corrects. REM. Comme *antérieur, postérieur* (issu d'un comparatif latin) implique, par sa signification même (= après par rapport à un autre) une comparaison. **Constr.** *Postérieur à : ces évènements sont bien postérieurs à votre départ.*

posteriori (a) loc. adv. ◆ **Orth.** → a posteriori

posthume adj. ◆ **Orth.** Attention au groupe *-th-*.

posthumement adv. ◆ **Orth.** *Posthumement,* sans accent aigu.

post-partum n.m. inv. ◆ **Prononc.** [pɔstparRtɔm], *post-* comme *poste* et *-um* comme dans *maximum.* **Orth.** Avec un trait d'union. - Plur. : *les post-partum,* invariable.

post-scriptum n.m. inv. ◆ **Prononc.** [pɔstskRiptɔm], *post-* comme *poste* et *-um* comme dans *maximum.* ◆ **Orth.** Plur. : *des post-scriptum* (invariable). On écrit en abrégé *P.-S.,* en majuscules avec un trait d'union.

postulant, e n. / **impétrant, e** n. ◆ **Sens.** Ne pas confondre ces deux mots. → impétrant

pot n.m. ◆ **Prononc.** *Pot à eau, pot-au-feu, pot au noir, pot aux roses,* ont une liaison en-t- même au pluriel. - *Pot à bière, pot à confiture, pot à feu, pot à tabac, pot à vin,* jamais de liaison, ni au singulier ni au pluriel (ni en-t- ni en *-s-*). ◆ **Orth. 1.** *Pot-au-feu, pot-de-vin, pot-pourri,* avec un trait d'union. (pour *pot-pouri,* → R.O. 1990). - *Pot à eau, pot à bière, pot à confiture, pot à feu, pot au noir, pot aux roses, pot à tabac, pot à vin,* sans trait d'union. **2.** *Des pot-au-feu,* invariable. - *Des pots-de-vin, des pots-pourris,* avec un *s* à *pot.* **Sens. 1.** *Un pot de vin* (sans trait d'union) = un récipient contenant du vin. *Le pot de vin primeur de 50 cl, 17 F.* **2.** *Un pot-de-vin* (avec trait d'union) = une somme d'argent versée pour obtenir plus ou moins illégalement un avantage ou un passe-droit. ◆ **Constr.** *Pot à eau / pot d'eau* → à

potable adj. ◆ **Registre.** L'emploi de *potable* au sens de « acceptable, passable » *(un travail tout juste potable)* est familier.

potage n.m. / **soupe** n.f. ◆ **Sens. 1.** Pris au sens strict, les deux mots ne sont pas synonymes : *potage* n.m. = bouillon à base de légumes, de viandes, etc., assez liquide. ; *soupe* n.f. = bouillon épaissi avec des tranches de pain ou des légumes non passés. **2.** Au sens large, on ne fait plus guère cette distinction de sens et la différence entre les deux mots tient surtout aujourd'hui à leur emploi : *soupe* est plus courant, *potage* plus soutenu.

pot-au-feu n.m. inv. ◆ **Orth.** Avec un trait d'union. - Plur. : *des pot-au-feu.*

pot-pourri n.m. ◆ **Orth.** Avec un trait d'union. ◆ R.O. 1990. - Plur. : *des pots-pourris.*

pou n.m. ◆ **Orth.** Plur. : *des poux* (avec un *x*), comme *des bijoux, des cailloux, des choux, des genoux, des hiboux, des joujoux.*

pouce-pied n.m. ◆ **Orth.** Avec un trait d'union. ◆ R.O. 1990. - Plur. : *des pouces-pieds.*

pouding n.m. → pudding

pou-de-soie n.m. → pout-de-soie

poudroiement n.m. ◆ **Orth.** ◆ **Orth.** Avec un *e* muet intérieur. *Poudroiement* correspond à *poudroyer,* verbe du 1er groupe (comme *aboiement* correspond à *aboyer* → aboiement).

poudroyer v.i. ◆ **Conjug.** Avec *i* devant *e* muet *(la route poudroie ; la route poudroyait ; la route poudroiera).* - Attention au *i* après le *y* aux première et deuxième personnes du pluriel, à l'indicatif imparfait et au subjonctif présent : *(que) nous poudroyions, (que) vous poudroyiez.* → annexe, tableau 7

pouffiasse, poufiasse n.f. ◆ **Orth.** Les deux graphies, *poufiasse* et *pouffiasse,* sont admises ; *pouffiasse* avec deux *f* semble plus fréquent. ◆ **Registre.** Ce mot méprisant et injurieux pour désigner une femme (notamment une femme de forte corpulence et d'apparence vulgaire) est très familier.

pouilles n.f. plur. ◆ **Emploi.** Uniquement au pluriel dans l'expression *chanter pouilles à quelqu'un* (= l'accabler de reproches).

poulette n.f. ◆ **Orth.** *Sauce poulette,* sans trait d'union. - Plur. : *des sauces poulette* (= *à la poulette*).

poulpe n.m. ◆ **Genre.** Masculin : *un poulpe.* Ne pas se laisser influencer par le synonyme féminin *une pieuvre.*

pouls n.m. ◆ **Prononc. et orth.** S'écrit avec *-ls* à la fin mais se prononce [pu], comme *pou.* REM. La finale *-ls* rappelle l'étymologie du mot (*pulsus,* choc, battement). On retrouve le groupe *-ls-* dans les mots de la même famille (*pulsation, pulsion, impulsion, expulsion,* etc.).

poult-de-soie n.m. → pout-de-soie

pour prép. ◆ **Registre. 1.** *C'est fait pour.* L'emploi de *pour* sans complément (*il a tout fait pour, c'est étudié pour,* etc.) est familier. **2.** *Être pour* = être favorable à qqch. D'emploi courant avec un complément (*être pour la conduite accompagnée, pour le scrutin uninominal à deux tours*), mais légèrement familier quand il n'est suivi d'aucun complément (*tout le monde était pour*). RECOMM. Dans l'expression soignée, préférer *être favorable à, être partisan de.* **3.** *Pour moi* = à mon avis. Légèrement familier. RECOMM. Préférer *selon moi* ou *à mon avis.* **4.** *Pour de bon, pour de vrai, pour de rire. Pour de bon* est légèrement familier. *Pour de vrai* est familier. *Pour de rire* appartient au langage enfantin. **5.** *Pour grand qu'il soit / si grand qu'il soit.* Les deux constructions sont correctes. Celle avec *pour* est très littéraire et légèrement vieillie. « *Pour grands que soient les rois, ils sont ce que nous sommes* » (Corneille). REM. Dans les propositions marquant l'opposition, *pour* est habituellement suivi du subjonctif. L'indicatif, parfois employé, insiste sur la réalité du fait énoncé : *pour exactes que sont ces mesures, leur interprétation demeure délicate.* **6.** *Pour être juste, elle n'en est pas moins sévère.* Tour correct mais littéraire, voire un peu vieilli. (La proposition principale est toujours négative.) ◆ **Constr. 1.** *Pour venir / pour qu'il vienne.* Infinitif si le sujet de la proposition de but est le même que celui de la principale : *il l'a fait pour faire plaisir à sa mère* (et non *il l'a fait pour qu'il fasse plaisir à sa mère*). Subjonctif si les deux sujets sont différents : *il l'a fait pour qu'elle soit contente.* **2.** *Pour qu'il ne vienne pas.* Le déplacement de la négation avant *que* (*pour ne pas que*) est fréquent aujourd'hui dans l'expression orale relâchée, mais doit être évité dans l'expression soignée, en particulier à l'écrit. RECOMM. Dire *pour qu'il ne vienne pas* et

non *pour ne pas qu'il vienne. ♦ **Emploi.**
1. *Pour / afin de.* → afin. **2.** *Pour autant que.* → autant. **-** *Pour le moins.* → moins. **-** *Pour peu que.* → peu.

pour cent loc. adj. ♦ **Orth.** Sans trait d'union *(dix pour cent).* ♦ **Registre.** *10 %* dans la langue commerciale (taux d'intérêt, d'escompte, de bénéfice, etc.) ; *10 pour 100* ou *10 p. 100* dans les textes didactiques ou scientifiques ; *dix pour cent,* en toutes lettres, dans un texte de registre soutenu. ♦ **Accord. 1.** Quand *pour cent* est suivi d'un complément au singulier, le verbe se met généralement au singulier *(dix pour cent de la production part pour l'étranger)* mais le pluriel, plus rare, n'est pas fautif *(dix pour cent de la production partent pour l'étranger).* Quand *pour cent* est suivi d'un complément au pluriel, le verbe se met au pluriel *(dix pour cent des pièces doivent être changées).* **2.** *Les dix pour cent qui restent seront distribués.* Quand *pour cent* est précédé d'un article (ou d'un démonstratif) au pluriel, le verbe se met toujours au pluriel.

pourfendre v.t. ♦ **Conjug.** Comme *fendre.* → annexe, tableau 59

pourlécher (se) v.pr. ♦ **Conjug.** Comme *lécher.* Attention à l'accent, tantôt grave, tantôt aigu : *je me pourlèche, nous nous pourléchons ; il se pourlécha.* → annexe, tableau 11 et R.O. 1990. ♦ **Accord.** *La chatte s'est pourléchée / la chatte s'est pourléché les babines.* Le participe s'accorde avec le sujet sauf lorsqu'il y a un complément d'objet : *elle s'est pourléchée* (accord) mais *elle s'est pourléché les babines* (invariable). → annexe, grammaire § 110

pourparlers n.m. plur. ♦ **Nombre.** Toujours au pluriel : *de longs pourparlers ; entrer en pourparlers.*

pourpoint n.m. → brûle-pourpoint (à)

pourpre n.f. / **pourpre** n.m. ♦ **Genre.** *Pourpre* est masculin ou féminin selon le sens. **1.** *La pourpre* n.f. = matière colorante ; étoffe teinte avec cette matière ; dignité dont cette étoffe (ou sa couleur) est le signe. *La pourpre cardinalice :* la dignité de cardinal. *Aspirer à la pourpre.* **2.** *Le pourpre* n.m. = la couleur. *Satin d'un joli pourpre. Le pourpre de la honte lui montait aux joues.*

pourpre adj. ♦ **Accord.** *Pourpre,* adjectif de couleur, prend la marque du pluriel. *Des tulipes pourpres.*

pourquoi adv. ♦ **Orth.** *Pourquoi / pour quoi.* En un seul mot ou en deux mots selon le sens. **1.** *Pourquoi* = pour quelle raison. La réponse attendue est : *parce que... Pourquoi luttent-ils ? Parce qu'ils veulent gagner.* **2.** *Pour quoi* = pour quelle chose, pour quel objectif (s'oppose à *pour qui,* pour quelle personne). La réponse attendue est : *pour ceci, pour telle chose. Pour quoi luttent-ils ? Pour la victoire.* **3.** *Ce pour quoi / ce pourquoi.* Les deux graphies sont admises aujourd'hui. *Ce pourquoi,* naguère critiqué, est plus courant, *ce pour quoi* plus soigné. ♦ **Emploi.** **1.** *Pourquoi non / pour quoi pas.* → non. **2.** *Pourquoi vient-il ? / pourquoi il vient ?* La question sans inversion *(pourquoi il vient)* relève de l'expression orale relâchée. **RECOMM.** Dans l'expression soignée, en particulier à l'écrit, faire l'inversion du sujet. **3.** *Pourquoi est-ce qu'il vient ?* Construction grammaticalement correcte mais qu'il est préférable d'éviter à cause de sa lourdeur. **RECOMM. 1.** Préférer *pourquoi vient-il ? 2.* Proscrire dans tous les cas les deux constructions incorrectes : *pourquoi qu'il vient ? et *pourquoi c'est qu'il vient ?

pourrir v.i. et v.t. ♦ **Orth.** Avec deux *r* comme dans *nourrir* (mais à la différence de *mourir* et de *courir*). **REM.** *Pourrir* vient du latin populaire *putrire* (latin classique *putrescere*). Le groupe -*tr*- s'est transformé en -*rr*- (comme dans *nutrire* qui a donné *nourrir*). On retrouve le groupe -*tr* dans les mots empruntés plus tardivement au latin : *putréfaction, putride.*

pourrissage n.m. / **pourrissement** n.m. / **pourriture** n.f. / **putréfaction** n.f. ◆ **Sens.** Ne pas confondre ces quatre mots. **1.** *Pourrissage* n.m. = conservation des pâtes céramiques en atmosphère humide. **2.** *Pourrissement* n.m. = au sens figuré, détérioration ; plus rarement, au sens propre, décomposition. *Le pourrissement d'un conflit social. Le pourrissement d'un fruit.* **3.** *Pourriture* n.f. = état d'un corps en décomposition. *Tomber en pourriture.* **4.** *Putréfaction* n.f. = décomposition bactérienne d'un organisme mort. *Cadavre en état de putréfaction.* REM. *Pourrissement* et *pourriture* vont de pair : *pourrissement* désigne le processus, *pourriture* le résultat. Mais *pourrissement* ne s'emploie guère qu'au sens figuré (*le pourrissement d'une situation*). *Putréfaction,* comme *pourrissement,* désigne un processus ; c'est un mot qui appartient au vocabulaire didactique et qui n'est employé qu'à propos des êtres vivants.

pour-soi n.m. inv. ◆ **Orth.** Toujours avec un trait d'union.

poursuivre v.t. ◆ **Conjug.** Comme *suivre.* annexe, tableau 69. ◆ **Emploi.** *Poursuivre un but* → **but**

pourvoir v.t., v.t.ind. et v.pr. ◆ **Conjug.** Attention au futur : *je pourvoirai* (sans *e*) ; attention également au *i* après le *y* aux première et deuxième personnes du pluriel, à l'indicatif imparfait et au subjonctif présent : *(que) nous pourvoyions, (que) vous pourvoyiez.* → annexe, tableau 50. ◆ **Constr. 1.** *Pourvoir de. Pourvoir quelqu'un d'une lettre de recommandation ; pourvoir une cuisine de tout le nécessaire ; être*

pourvu de tout ce qu'il faut. **2.** *Pourvoir à. Pourvoir à quelque chose* (= assurer, subvenir à) est courant : *pourvoir aux besoins d'une famille ; pourvoir à l'entretien d'une maison.* En revanche, *pourvoir à quelqu'un* (= subvenir à ses besoins) ne se dit plus. **3.** *Pourvoir quelqu'un* (= l'établir dans la société en le mariant ou en lui donnant un emploi) est vieux. **4.** *Pourvoir un poste, un emploi* (= y nommer quelqu'un) est correct et usuel. **5.** *Se pourvoir en cassation* est un terme du vocabulaire juridique.

pourvu que loc. conj. ◆ **Orth.** Invariable. ◆ **Constr.** *Pourvu que* (+ subjonctif) : *je le verrai, pourvu qu'il veuille bien me recevoir. Pourvu qu'il ne pleuve pas !*

pousse-café n.m. inv. ◆ **Orth.** Plur. : *des pousse-café* (invariable). → R.O. 1990

pousse-pousse n.m. inv. ◆ **Orth.** Plur. : *des pousse-pousse* (invariable). → R.O. 1990.

poussette-canne n.f. ◆ **Orth.** Plur. : *des poussettes-cannes,* avec un *s* à chaque élément.

pout-de-soie, pou-de-soie, poult-de-soie n.m. ◆ **Orth.** Les trois graphies *pout-de-soie, pou-de-soie* et *poult-de-soie* sont admises ; toujours avec un trait d'union. - Plur. : *des pouts-de-soie, des poux-de-soie, des poults-de-soie.*

1. pouvoir v.t. ◆ **Conjug. 1.** *Pouvoir* n'a pas d'impératif. → annexe, tableau 44. **2.** *Je peux / je puis.* Les deux formes sont correctes, mais *je puis* ne s'emploie plus que dans le registre très soutenu (*je ne puis faire autrement*) sauf dans les phrases interrogatives avec inversion du sujet où il remplace obligatoirement *je peux* : *puis-je vous aider ?* ◆ **Accord.** Le participe passé ne s'accorde jamais : *il a rassemblé toutes les informations qu'il a pu.* ◆ **Emploi. 1.** *Il se peut que* (+ subjonctif) : *il se peut qu'il pleuve.* La construction avec le subjonctif est la construction usuelle. On emploie parfois l'indicatif *(il se peut qu'il a trouvé mieux)* ou, pour marquer l'éventualité, le conditionnel *(il se peut qu'il trouverait plus facilement ailleurs).* RECOMM. Dans l'expression soignée, en particulier à l'écrit, préférer *il se peut que* + subjonctif. **2.** *Pouvoir* et *possible / impossible.* *Pouvoir* exprimant la même idée que *possible* (et son contraire *impossible*), on évite de les employer dans la même phrase : *il est possible que nous réussissions, que nous y parvenions* (et non : *il est possible que nous puissions, *il est impossible que nous puissions*). **3.** *Il pourra peut-être venir.* L'emploi de *pouvoir* avec *peut-être* n'est plus considéré comme une faute. REM. *Peut-être* étant formé sur *pouvoir*, l'emploi de ces deux mots dans une même proposition a longtemps été tenu pour une répétition fautive ou du moins inélégante. Aujourd'hui, *peut-être* est perçu comme un mot unique (équivalant à *probablement* ou à *vraisemblablement*) d'où l'idée de *pouvoir* s'est à peu près effacée. **4.** *Je ne pourrais / je ne saurais.* → savoir

2. **pouvoir** n.m. ◆ **Orth.** *Fondé de pouvoir* ou *fondé de pouvoirs* → **fondé**

praticable adj. ◆ **Orth.** Avec un *c*, à la différence de *pratiquer* et *pratiquant* (mais comme *applicable*).

pratiquement adv. ◆ **Sens et registre.** **1.** *Pratiquement* = de manière pratique (opposé à *théoriquement*). *Pratiquement, cette découverte n'a pas d'utilité, mais elle est d'un grand intérêt scientifique.* Emploi correct et courant. **2.** *Pratiquement* = presque. *C'est pratiquement terminé.* Cet emploi naguère critiqué (calque de l'anglais *practically*) est aujourd'hui très courant. RECOMM. Dans l'expression soignée, en particulier à l'écrit, préférer les équivalents *à peu près, pour ainsi dire, presque.*

pré- préf. ◆ **Orth.** Toujours soudé à l'élément qui suit, sans trait d'union *(préavis, précancéreux, préétabli, préhistorique, préindustriel, etc.).*

préavis n.m. ◆ **Emploi.** L'emploi de *préavis* au sens de « délai expressément notifié par un avis » est aujourd'hui courant. *Recevoir un préavis de quinze jours. Il a reçu une proposition intéressante pendant son préavis.*

précédant part. présent / **précédent, e** adj. **Orth.** Ne pas confondre le participe présent *précédant* (avec un *a*) et l'adjectif *précédent* (avec un *e*). **1.** *Précédant,* part. présent, est invariable et peut recevoir un complément d'objet direct : *les semaines précédant les vacances avaient été très chargées.* **2.** *Précédent, e,* adj., s'accorde et ne peut pas recevoir de complément : *nous sommes partis en vacances le 1er août, les semaines précédentes avaient été très chargées.*

précédent n.m. ◆ **Orth.** *Sans précédent,* toujours au singulier.

précéder v.t. ◆ **Conjug.** Comme *céder.* Attention à l'accent, tantôt grave, tantôt aigu : *je précède, nous précédons, il précéda.* → annexe, tableau 11 et R.O. 1990

précepteur, trice n. / **percepteur** n.m. ◆ **Sens.** Ne pas confondre ces deux mots de prononciation voisine. **1.** *Précepteur* n.m. = éducateur à domicile. **2.** *Percepteur* n.m. = fonctionnaire du Trésor.

prêchi-prêcha n.m. inv. ◆ **Orth.** Avec un trait d'union. → R.O. 1990. - Plur. : *des prêchi-prêcha* (invariable).

précieux, euse adj. et n. ◆ **Orth.** Jamais de majuscule, même au nom : *les précieuses de l'époque de Molière.* REM. En revanche on écrit : *une représentation des* Précieuses ridicules (dans ce cas, *Précieuses* prend la majuscule des titres d'œuvres).

précis, e adj. ◆ **Orth.** Toujours au masculin avec *minuit* et *midi* : *à midi précis, à minuit précis.* Féminin dans les autres cas : *à une heure précise ; à une heure vingt précise ; à deux heures précises.*

précurseur n.m. ◆ **Genre.** Toujours masculin, même pour désigner une femme : *Marie Curie fut un précurseur dans l'étude de la radioactivité.*

prédécesseur n.m. ◆ **Genre.** Toujours masculin, même pour désigner une femme : *Mme Martine Balto a été à ce poste le prédécesseur de M. Antoine Germain.*

prédication n.f. / **prédiction** n.f. ◆ **Sens.** Ne pas confondre ces deux mots de prononciation voisine. **1.** *La prédication* = l'action de prêcher ; le sermon. **2.** *La prédiction* = l'action de prédire ; ce qui est prédit. ◆ **Emploi.** *Prédiction.* → prédire

prédire v.t. ◆ **Conjug.** Attention : *vous prédisez* (comme *vous contredisez, vous médisez, vous vous dédisez*). → annexe, tableau 83. ◆ **Emploi. RECOMM.** Éviter le pléonasme *prédire à l'avance* ou *prédire d'avance.* En revanche on peut dire *prédire bien à l'avance, longtemps à l'avance, peu à l'avance.* La même observation s'applique au nom *prédiction.*

préemption n.f. / **péremption** n.f. ◆ **Sens.** Ne pas confondre ces deux mots de prononciation voisine. → péremption

préfacer v.t. ◆ **Conjug.** Le *c* devient *ç* devant *o* et *a* : *je préface, nous préfaçons, il préfaça.* → annexe, tableau 9

préfecture n.f. ◆ **Orth.** On écrit toujours avec un *p* minuscule : *la préfecture de Pau ; la préfecture de police de Paris* (ou, sans complément, *la préfecture de Police*), *la préfecture de police de Marseille ; la préfecture du Vaucluse.* - Avec un *P* majuscule à *police : la préfecture de Police* (= la préfecture de police de Paris).

préférentiel, elle adj. **Orth.** Avec un *t* (on a *préférence / préférentiel* comme on a *concurrence / concurrentiel, démence / démentiel*, etc. ; mais on écrit *révérenciel*).

préférer v.t. ◆ **Conjug.** Attention à l'accent, sur le deuxième *e*, tantôt grave, tantôt aigu : *je préfère, nous préférons ; il préféra.* → annexe, tableau 11 et R.O. 1990. ◆ **Constr. 1.** *Il préfère partir plutôt que de rester / il préfère partir que de rester / il préfère partir que rester.* Les deux constructions *préférer partir que de rester* et *préférer partir que rester* appartiennent à l'usage courant. La construction *préférer partir plutôt que de rester* s'emploie dans l'expression soignée, en particulier à l'écrit. **2.** *Préférer* (+ infinitif) *à* (+ infinitif) : « *J'ai préféré ne pas vous voir à vous voir ainsi* » (H. de Montherlant). Cette construction avec deux infinitifs n'est plus guère employée que pour produire un effet d'archaïsme.

préhensile adj. **Orth.** *Préhensile* = qui peut saisir. *Les pieds préhensiles des singes.* Finale en *-ile* et non en *-ible.* Ne pas se laisser influencer par *compréhensible* (= qui peut être compris).

préjudice n.m. ◆ **Orth.** *Préjudice* est au singulier dans l'expression *sans préjudice de* (= sans porter atteinte à, sans que renonciation soit faite de). ◆ **Constr.** On dit *causer un préjudice à quelqu'un,* avec l'article, mais *porter préjudice à quelqu'un,* sans article.

préjudiciel, elle adj. ◆ **Orth.** Avec un *c* (comme *artificiel, circonstanciel, superficiel*).

préjuger v.t. et v.t.ind. ◆ **Conjug.** Comme *juger.* Le *g* devient *-ge-* devant *a* et *o : je préjuge, nous préjugeons, il préjugea.* → annexe, tableau 10. ◆ **Constr.** *Préjuger quelque chose / préjuger de quelque chose.* Les deux constructions sont désormais admises. *Préjuger qqch.* est plus soutenu, *préjuger de qqch.* plus courant. **REM.** *Préjuger* est à l'origine un *préléver*

verbe transitif *(sans rien préjuger)*. Dès le XIXᵉ s., sous l'influence de *juger de* et de *présumer de*, il s'est construit de plus en plus fréquemment avec la préposition *de (il ne faut préjuger de rien)*. Cette construction a fini par s'imposer.

préléver v.t. ◆ **Conjug.** Comme *lever*. Attention à l'alternance *e/è* du deuxième *e* : *préléver ; je prélève, il prélève,* mais *nous prélevons ; il prélèvera ; qu'il prélève* mais *que nous prélevions ; prélevé*. → annexe, tableau 12

prémices n.f. plur. / **prémisse** n.f. ◆ **Sens. et orth.** Ne pas confondre ces deux mots qui se prononcent de la même façon. 1. *Les prémices,* avec un *c* (toujours au pluriel) = les premières manifestations, les débuts de qqch. *Les prémices de l'automne, d'une crise.* 2. *Une prémisse,* avec deux *s* = en logique, chacune des deux premières propositions d'un syllogisme ; par extension, proposition ou fait d'où découle une conséquence. *Contester les prémisses mêmes d'un raisonnement ; ces négligences ont constitué les prémisses de l'accident.*

premier, ère adj. ◆ **Orth.** 1. *1ᵉʳ, 1ᵉʳ.* On abrège le féminin en *1ʳᵉ* (sans noter le *e* accent grave). 2. Jamais de trait d'union dans les dates *(le 1ᵉʳ septembre)* sauf quand il s'agit d'une fête : *le 1ᵉʳ-Mai.* 3. On écrit *le Premier ministre,* avec une majuscule à *Premier* et une minuscule à *ministre.* De même : *le Premier consul* (Bonaparte). ◆ **Accord.** *Les premiers arrivés. Premier* s'accorde quand il est employé adverbialement dans le sens de « en premier » : *les premiers arrivés, les premières arrivées ; les tout premiers arrivés ; les toutes premières arrivées.* (Attention, *tout* reste invariable au masculin mais s'accorde au féminin ; *premier* s'accorde dans tous les cas.)

premier-né, première-née adj. ◆ **Orth.** Attention, les deux éléments

varient : *les premiers-nés, les premières-nées.*

prémisse n.f. / **prémices** n.f. plur. ◆ **Sens.** Ne pas confondre → prémices

prénatal, e, als ou **aux** adj. ◆ **Orth.** Les deux pluriels, *prénatals* et *prénataux,* sont admis : *des examens prénatals* ou *prénataux.*

prendre v.t. ◆ **Conjug.** annexe, tableau 79. ◆ **Accord.** 1. *S'y prendre mal, bien,* etc. Dans cette construction, le participe passé s'accorde toujours avec le sujet : *elles s'y sont mal prises.* 2. *Se prendre au jeu.* Le participe passé s'accorde toujours avec le sujet : *elles se sont prises au jeu.* 3. *S'en prendre à quelqu'un.* Le participe passé s'accorde toujours avec le sujet : *elles s'en sont prises à lui.* 4. *Se prendre de.* Le participe passé s'accorde toujours avec le sujet : *elles se sont prises d'une haine profonde pour lui.* 5. *L'envie lui a pris de / l'envie l'a prise de.* L'accord ne se fait jamais avec le complément d'objet indirect *(quant à ces femmes, l'envie leur a pris de...),* mais se fait toujours avec le complément d'objet direct *(l'envie les a prises de...).* ◆ **Constr.** 1. *L'envie lui a pris de partir / l'envie l'a prise de partir.* Les deux constructions sont désormais admises ; la construction avec complément d'objet indirect *(l'envie lui a pris)* est plus soutenue, celle avec complément d'objet direct *(l'envie l'a pris)* plus courante. 2. *S'en prendre à quelqu'un / se prendre à quelqu'un.* Aujourd'hui, *se prendre à quelqu'un* ne se dit plus (sauf dans le registre littéraire, pour produire un effet d'archaïsme). *S'en prendre à quelqu'un* l'a remplacé en prenant sa signification *(il s'en prend à elle continuellement* = il rejette toutes les fautes sur elle, il l'attaque continuellement). REM. À l'origine, ces deux expressions avaient des sens différents : *se prendre à quelqu'un* signifiait « l'attaquer, le provoquer » et *s'en prendre à* *quelqu'un* « l'incriminer, rejeter sur lui une faute ». **3.** *Prendre le plus court / prendre au plus court.* Les deux tournures sont également correctes ; la seconde est plus fréquente. ◆ **Emploi. 1.** *Prendre qqn à partie / prendre parti contre qqn.* → partie. ◆ **Registre.** *Prendre une secrétaire. Prendre* au sens de « engager » est légèrement familier.

préparer v.t. et v.pr. ◆ **Emploi.** *Préparer à l'avance → avance (à l')

prépositionnel, elle adj. ◆ **Orth.** Avec deux *n* (on a *préposition / prépositionnel,* comme on a *addition / additionnel, constitution / constitutionnel,* etc.).

près adv. et prép. ◆ **Orth.** Ne pas confondre la locution *à peu près* et le substantif *un à-peu-près.* **1.** *À peu près* (sans trait d'union) loc. adv. = approximativement. *Il est à peu près huit heures.* **2.** *À-peu-près* (avec trait d'union) n.m. inv. = approximation. *Je dis cent, mais c'est un à-peu-près, ce peut être quatre-vingt-quinze ou cent cinq.* - Plur. : *des à-peu-près* (invariable). ◆ **Constr.** *Près de. Près,* préposition, s'emploie avec *de (leur maison est près de la nôtre, la voie ferrée passe près de la rivière),* sauf dans le vocabulaire juridique *(expert près les tribunaux).* ◆ **Emploi.** Ne pas confondre *près de* et *prêt à.* **1.** *Près de* = sur le point de. *Il était bien près de réussir.* **2.** *Prêt, prête à* = préparé ou décidé à ; en état de. *Nous sommes prêts à partir ; la machine est maintenant prête à fonctionner.*

présager v.t. ◆ **Conjug.** Le *g* devient *-ge-* devant *a* et *o : je présage, nous présageons ; il présagea.* → annexe, tableau 10. ◆ **Constr. 1.** *Présager qqch.* = annoncer. *Des grondements lointains présageaient l'orage.* **2.** *Présager de* = tirer (telle conjecture, telle supposition) de. *Nous présagions cette éventualité des nouvelles qui nous sont parvenues.* **3.** *Présager que* (+ indicatif) = supposer, présumer. *Je pré-*

sage que vous voudrez partir de bonne heure. ◆ **Registre.** Soutenu.

prescience n.f. ◆ **Orth.** Pas d'accent sur le *e,* contrairement à *présage.* ◆ **Sens.** → prescient

prescient, ente adj. / **préscientifique** adj. ◆ **Orth. et sens.** Ne pas confondre ces deux adjectifs. **1.** *Prescient, ente* (sans accent aigu sur le *e*) adj. = qui a la connaissance intuitive de l'avenir. *Médium prescient.* REM. Ce mot est rare. **2.** *Préscientifique* (avec un *é*) adj. = qui a trait aux façons de penser, aux raisonnements antérieurs à l'avènement des sciences. *De l'astrologie, connaissance préscientifique du ciel, est née l'astronomie.*

prescrire v.t. ◆ **Conjug.** Comme *écrire.* → annexe, tableau 79

présenter v.t. et v.pr. ◆ **Emploi.** *Présenter un examen* appartient à l'expression orale relâchée. RECOMM. Dans l'expression soignée, en particulier à l'écrit, préférer *se présenter à un examen.*

président n.m. ◆ **Orth.** *Président-directeur général* : le trait d'union se place entre *président* et *directeur.* - Abréviation : *P.-D.G.* REM. Un président-directeur général est un dirigeant de société anonyme qui exerce d'une part les fonctions de président du conseil d'administration et d'autre part celles de directeur général. Le trait d'union qui marque le cumul des fonctions ne doit donc en aucun cas être mis entre *directeur* et *général.*

présidentiel, elle adj. ◆ **Orth.** Avec un *t* (on a *présidence / présidentiel* comme on a *concurrence / concurrentiel, démence / démentiel,* etc. ; mais on écrit *révérenciel*).

présider v.t. et v.t.ind. ◆ **Constr. et sens. 1.** *Présider* v.t. = diriger (une assemblée, ses débats) ; être le président de. *Présider un conseil d'administration.* **2.**

Présider à v.t.ind. = veiller à l'exécution de ; avoir une influence déterminante sur. *Présider aux préparatifs d'une fête. Les forces qui président à nos destinées.*

presque adv. ◆ **Orth.** *Presque* ne s'élide que dans *presqu'île.* ◆ **Constr.** *Presque* (+ préposition + nom). *Presque* est placé avant la préposition *(la maison est presque sur la plage ; j'avais de l'eau presque jusqu'aux genoux),* sauf si le nom qui suit celle-ci est précédé de *aucun, chacun, chaque, nul, pas un, tous, tout.* Dans ce cas, *presque* se place plutôt après la préposition : *une difficulté différente se pose dans presque chaque cas ; cette chanson était sur presque toutes les lèvres.* La construction inverse, sans être fautive, est moins claire : *une difficulté différente se pose presque dans chaque cas ; la chanson était presque sur toutes les lèvres.* ◆ **Emploi.** Dans l'expression orale relâchée, *presque* est souvent employé comme un équivalent de *quasi-* : *il a été élu à la presque unanimité ; la presque totalité du stock a été vendue.* **RECOMM.** Dans l'expression soignée, en particulier à l'écrit, préférer : *il a été élu presque à l'unanimité ; la quasi-totalité du stock a été vendue.*

press-book n.m. ◆ **Orth.** Plur. : *des press-books.* → aussi R.O. 1990.

presse- élément de composition ◆ **Orth.** Mots composés avec *presse-* (verbe *presser*) : *presse-* est toujours invariable ; v. tableau ci-après et R.O.1990.

pressentir v.t. ◆ **Conjug.** Comme *sentir.* → annexe, tableau 26. ◆ **Emploi.** *Pressentir à l'avance. → **avance (à l')**

prêt, prête adj. ◆ **Orth.** *Elles sont fin prêtes.* → fin. ◆ **Emploi.** *Prêt à / près de.* → près

prétantaine n.f. → prétentaine

prétendre v.t. et v.t.ind. ◆ **Conjug.** Comme *tendre.* → annexe, tableau 59. ◆

Graphies et pluriels des mots composés avec presse-

Un presse-agrumes, des presse-agrumes.

Un presse-citron, des presse-citron ou des presse-citrons.

Un presse-étoupe, des presse-étoupe ou des presse-étoupes.

Un presse-fruits, des presse-fruits.

Un presse-papiers, des presse-papiers.

Un presse-purée, des presse-purée.

Un presse-raquette, des presse-raquette ou des presse-raquettes.

Un presse-viande, des presse-viande.

Presse-bouton, adj. inv. : *la guerre presse-bouton, les guerres presse-bouton.*

Constr. et sens. 1. *Prétendre à* (+ nom) = aspirer à, rechercher. *Tous les hommes prétendent au bonheur.* **2.** *Prétendre* (+ infinitif) = chercher à ; affirmer. *Tous les hommes prétendent être heureux. Je prétends avoir raison.* **3.** *Prétendre que* (+ indicatif ou subjonctif) = affirmer. *Je prétends que j'ai raison. Je ne prétends pas qu'il l'a dit en ces termes mêmes. Prétendez-vous qu'il ait raison ?* Le subjonctif ne s'emploie qu'après la forme interrogative ou négative, pour souligner l'idée de doute ou de faible probabilité. **4.** *Prétendre* (+infinitif) ou *prétendre que* (+ subjonctif) = avoir l'intention de. *Je prétends réussir, et je m'en donnerai les moyens. « Je prétends que ce livre soit écrit froidement, délibérément »* (A. Gide). **REM.** : *Prétendre* est ici assimilé à un verbe de volonté. Mais la construction *prétendre que* (+ subjonctif) est littéraire et assez rare.

prétendument adv. ◆ **Orth.** S'écrit sans accent circonflexe sur le *u,* comme *absolument* et contrairement à *assidûment.* annexe, grammaire § 16

prétentaine, prétantaine n.f. ◆ **Orth.** Les deux graphies, *prétentaine* et *prétantaine,* sont admises. *Prétentaine,* avec un *e,* est plus fréquent. **REM.**

L'orthographe *pretentaine,* avec un *e* sans accent, est sortie de l'usage.

préteur n.m. / **prêteur, euse** adj. et n. ◆ **Orth.** Ne pas confondre ces deux mots qui ne se distinguent que par l'accent, aigu pour l'un, circonflexe pour l'autre. **1.** *Préteur* n.m. = magistrat romain. **2.** *Prêteur, euse* adj. et n. = qui prête ; personne qui prête.

prétexte n.m. ◆ **Sens et emploi.** Un prétexte étant une raison apparente que l'on met en avant pour cacher le véritable motif d'une manière d'agir, il est préférable de parler de *mauvais prétexte* ou de *prétexte spécieux, fallacieux* plutôt que de **faux prétexte.* ◆ **Accord.** Lorsque la locution *être prétexte à* a plusieurs sujets au singulier, le mot *prétexte* peut être soit au singulier soit au pluriel. *Le soleil et la chaleur sont prétexte à ne rien faire,* ou : *sont prétextes à ne rien faire.*

preuve n.f. ◆ **Registre.** Les constructions sans verbe *à preuve que, preuve que, pour preuve que* sont courantes dans l'expression orale relâchée. **RECOMM.** Dans l'expression soignée, en particulier à l'écrit, préférer : *c'est la preuve que, la preuve est que.*

prévaloir v.i. et v.pr. ◆ **Conjug.** *Prévaloir* se conjugue comme *valoir,* sauf au subjonctif présent : *que je prévale, que tu prévales,* etc. → annexe, tableau 47. ◆ **Accord.** À la forme pronominale, le participe passé s'accorde aux temps composés avec le sujet. *Elle s'est prévalue de sa renommée.* ◆ **Registre.** Soutenu. *Son opinion a prévalu.* « *Et le monde m'écrase, mais je prévaudrai contre lui* » (P. Claudel).

prévenir v.t. ◆ **Conjug.** Comme *venir.* → annexe, tableau 28. ◆ **Emploi.** **Prévenir à l'avance.* → **avance (à l').** ◆ **Constr.** *Prévenir que* (+ indicatif ou conditionnel). *Je vous préviens que je serai en retard. Je l'ai prévenu que nous serions en*

retard. **RECOMM.** : éviter **prévenir de ce que.*

prévisionnel, elle adj. ◆ **Orth.** Avec deux *n* (on a *prévision / prévisionnel,* comme on a *addition / additionnel, confusion / confusionnel,* etc.).

prévoir v.t. ◆ **Conjug.** Attention à l'absence de *e* muet intérieur au futur : *je prévoirai, nous prévoirons.* - Attention également au *i* après le *y* aux première et deuxième personnes du pluriel, à l'indicatif imparfait et au subjonctif présent : *(que) nous prévoyions, (que) vous prévoyiez.* annexe, tableau 49. ◆ **Emploi.** **Prévoir à l'avance* → **avance (à l').**

prie-Dieu n.m. inv. ◆ **Orth.** Toujours avec une majuscule à Dieu. - Plur. : *des prie-Dieu* (invariable). R.O. 1990

prier v.t. ◆ **Conjug.** Attention au redoublement du *i* aux première et deuxième personnes du pluriel, à l'indicatif imparfait et au subjonctif présent : *(que) nous priions, (que) vous priiez.* → annexe, tableau 5. ◆ **Constr. et registre. 1.** *Prier qqn de* (+ infinitif) = demander instamment à qqn de. *Je vous prie de bien vouloir m'excuser.* Construction la plus courante. **2.** *Prier qqn à déjeuner, à dîner* = l'inviter. « *J'aurais pu lui demander de me faire la grâce de venir, et le prier à dîner* » (M. Proust). Cette construction appartient au registre très soutenu ; elle est légèrement vieillie.

prière n.f. ◆ **Orth. 1.** *Être en prière* : *prière* est toujours au singulier. **2.** *Un livre de prières* : *prière* est toujours au pluriel. ◆ **Genre.** La locution nominale *prière d'insérer* est du masculin. *Le prière d'insérer présente cet ouvrage comme un usuel indispensable.* ◆ **Emploi.** *Prière de* (+ infinitif) = il est demandé de. *Prière de fermer la porte.* Sauf effet de style délibéré, cette tournure ne s'emploie qu'à l'écrit, dans les avis publics.

primauté n.f. / **priorité** n.f. ◆ **Sens.** Ne pas confondre ces deux mots de sens proche. **1.** *Primauté* n.f. = prééminence, premier rang, supériorité. *La primauté du spirituel sur le temporel.* **2.** *Priorité* = fait de venir le premier, de passer avant les autres en raison de son importance ou de conventions. *Donner la priorité au rendement ; priorité à droite.*

prime time n.m. ◆ **Prononc.** À l'anglaise : [pʀajmtajm], le *i* se prononce comme *ail*. ◆ **Orth.** Plur. : *des prime times*. → R.O. 1990. ◆ **Anglicisme.** Cet mot désignant la tranche horaire du début de soirée à la télévision et à la radio est aujourd'hui intégré au français comme terme de métier. RECOMM. En dehors de l'usage technique, préférer *heure de grande écoute*.

primeur n.f. ◆ **Genre.** Toujours féminin, quel que soit le sens. *Je vous en laisse la primeur. De belles primeurs.* ◆ **Nombre.** *Primeurs,* au sens de « fruits et légumes », est toujours au pluriel : *marchand de primeurs.*

primordial, e, aux adj. ◆ **Emploi.** Le sens premier de cet adjectif, « qui existe depuis l'origine, qui est le plus ancien » ne se rencontre plus que rarement : « *Cette molécule doit se diviser en autant de parties ; mais si elle se divise, elle cesse d'être l'unité, la molécule primordiale* » (G. Flaubert). Le sens le plus courant aujourd'hui est « essentiel, très important » : *notre objectif primordial est la réussite du projet.* Naguère critiqué, cet emploi est passé dans l'usage.

priorité n.f. → primauté

privilégier v.t. ◆ **Conjug.** Attention au redoublement du *i* aux première et deuxième personnes du pluriel, à l'indicatif imparfait et au subjonctif présent : *(que) nous privilégiions, (que) vous privilégiiez.* → annexe, tableau 5.

probable adj. ◆ **Constr. 1.** *Il est probable que* (+ indicatif ou conditionnel). *Il est probable qu'elle partira avant la fin de la réunion. Il était probable qu'il viendrait.* **2.** *Est-il probable que / il n'est pas probable que / il est peu probable que* (+ subjonctif). *Il est peu probable qu'il vienne.* Le subjonctif souligne le doute ou la faible probabilité. ◆ **Emploi.** *Probable* s'emploie pour qualifier un événement ou un fait. Pour parler d'une personne, on utilise plutôt *présumé : un déficit probable, une réussite probable* mais *un candidat présumé, un coupable présumé.* ◆ **Registre.** L'emploi de *probable* pour *probablement* relève de l'expression orale relâchée : « *Tu viendras jeudi ? - Probable...* ». - Il en va de même pour *probable que* (pour *il est probable que*) en tête de proposition : *il est en retard, probable qu'il est en panne sur la route.*

problème n.m. ◆ **Emploi.** Dans l'expression orale relâchée, *problème* est souvent employé aujourd'hui dans le sens très général de « question, affaire » ou de « difficulté, incident » : *ça, c'est ton problème ; un spécialiste des problèmes économiques ; nous avons eu des problèmes avec ce client ; il n'y a pas de problème, c'est sans problème.* RECOMM. Dans l'expression soignée, en particulier à l'écrit, préférer, en fonction de la situation et du contexte, *affaire, question* ou *difficulté, embarras, empêchement, ennui : ça, c'est ton affaire ; un spécialiste des questions économiques ; nous avons eu des difficultés avec ce client ; ça ne présente aucune difficulté, il n'y a aucun empêchement.*

procéder v.i. et v.t.ind. ◆ **Conjug.** Comme *céder.* Attention à l'accent, tantôt grave, tantôt aigu : *je procède, nous procédons, il procéda.* → annexe, tableau 11 et R.O. 1990

procès-verbal n.m. ◆ **Orth.** Toujours avec un trait d'union, à la différence de *compte rendu,* qui peut s'écrire avec ou sans trait d'union. - Plur. : *des procès-ver-baux.*

proche adj. ◆ **Accord.** *Proche,* adjectif, prend la marque du pluriel : *les maisons qui sont proches de la ville.* REM. On n'emploie plus *proche* comme adverbe ou comme préposition : *ils demeurent ici proche* (Académie) ; *ils habitent proche de chez moi.* On dirait aujourd'hui *ils demeurent près d'ici ; ils habitent près de chez moi.* ◆ **Orth.** *De proche en proche* (= par degrés, progressivement) s'écrit toujours au singulier.

proche-oriental, e, aux adj. ◆ **Orth.** Plur. : *proche-orientaux. Proche* demeure invariable.

procréer v.t. ◆ **Conjug.** Comme *créer.* → annexe, tableau 8

prodige n.m. / **prodigue** adj. et n. ◆ **Sens.** Ne pas confondre ces deux mots de prononciation voisine et qui entrent avec *enfant* dans deux locutions de sens bien différents. **1.** *Prodige* n.m. = fait, évènement extraordinaire. *Enfant prodige* = enfant d'une grande précocité et qui manifeste des talents exceptionnels. **2.** *Prodigue* adj. et n. = qui dépense avec excès, sans compter. *Enfant, fils prodigue* = enfant, fils qui revient au domicile paternel après avoir dissipé son bien (par allusion à la parabole de l'Enfant prodigue, dans l'Évangile).

produire v.t. ◆ **Conjug.** Comme *conduire.* → annexe, tableau 78

proférer v.t. ◆ **Conjug.** Attention à l'accent, tantôt grave, tantôt aigu : *je profère, nous proférons ; il proféra.* → annexe, tableau 11 et R.O.

professeur n.m. ◆ **Genre.** Dans l'expression soignée, *professeur* est employé au masculin, même pour désigner une femme : *Madame Jeanne-Thérèse Demorel, professeur agrégé de médecine.*

Martine Balto est un excellent professeur. Lorsqu'il est nécessaire de préciser que le professeur appartient au sexe féminin, on dit ou on écrit *femme professeur* (ou *professeur femme*). - Dans l'expression orale courante, *professeur* s'emploie au féminin pour désigner une femme : *une professeur d'anglais, de lettres.* ◆ **Emploi.** Dans l'usage familier (dans les collèges et les lycées, en particulier), *professeur* est souvent abrégé en *prof* et s'emploie aux deux genres. *Un jeune prof. La prof d'histoire-géo. Elle est prof à Montpellier.*

professionnel, elle adj. et n. ◆ **Orth.** Avec deux *n* (on a *profession / professionnel,* comme on a *émotionnel / émotionnel, confession / confessionnel,* etc.). De même : *professionnalisme,* à la différence de *traditionalisme.*

profiter v.t.ind. ◆ **Constr. 1.** *Profiter de ce que* (+ indicatif) :*je vais profiter de ce que je suis en vacances pour me reposer.* RECOMM. Éviter *profiter que. ◆ **Emploi.** *Occasion à profiter (parfois écrit sur les panonceaux publicitaires de marchandises soldées) est incorrect. RECOMM. Dire ou écrire : *occasion à saisir* ou *profitez de l'occasion.*

programmateur, trice n. / **programmeur, euse** n. ◆ **Sens.** Ne pas confondre ces deux noms de métiers ayant trait l'un et l'autre à des programmes, mais dans des domaines très différents. **1.** *Programmateur, programmatrice* = personne chargée d'établir des programmes de télévision, de radio, de cinéma, etc. **2.** *Programmeur, programmeuse* = spécialiste chargé de la mise au point de programmes informatiques.

prohibitionnisme n.m. ◆ **Orth.** Avec deux *n* (on a *prohibition / prohibitionnisme,* comme on a *abolition / abolitionnisme, perfection / perfectionnisme,* etc.). De même pour *prohibitionniste.*

projectionniste n. ◆ **Orth.** Avec deux *n* (on a *projection / projectionniste,* comme on a *abolition / abolitionniste, perfection / perfectionniste,* etc.).

projeter v.t. ◆ **Conjug.** Comme *jeter.* Attention à l'alternance *-tt-/-t- : il projette, nous projetons ; il projetait ; il projeta ; il projettera.* → annexe, tableau 16 et R.O. 1990

proliférer v.i. ◆ **Conjug.** Attention à l'accent, tantôt grave, tantôt aigu : *je prolifère, nous proliférons ; il proliféra.* → annexe, tableau 11 et R.O. 1990

prolongation n.f. / **prolongement** n.m. ◆ **Sens et emploi.** Ne pas employer l'un pour l'autre ces deux mots aux domaines d'emploi bien distincts. 1. *Prolongation :* action de prolonger dans le temps, d'accroître en durée. *La prolongation d'un délai, d'un congé.* 2. *Prolongement :* action d'augmenter la longueur de qqch. *Les travaux de prolongement de l'autoroute commenceront à l'automne.* On n'emploie plus *prolongation* au sens de *prolongement : « Il travailla [...] à la prolongation de la fameuse méridienne »* (Fontenelle).

prolonger v.t. / **proroger** v.t. ◆ **Conjug.** Le *g* devient *-ge-* devant *a* et *o : je prolonge, je proroge ; nous prolongeons, nous prorogeons. Il prolongea, il prorogea.* → annexe, tableau 10. ◆ **Sens et emploi.** Ne pas confondre ces deux verbes de sens différents. 1. *Prolonger :* augmenter la longueur ou la durée de. *Prolonger une avenue, une allée. Prolonger une trêve.* 2. *Proroger :* repousser à une date ultérieure la limite de validité de. *Proroger une échéance, un contrat.* ◆ **Registre.** *Prolonger* est un mot courant, *proroger* est un terme du vocabulaire du droit et des affaires.

promener v.t., v.i. et v.pr. ◆ **Conjug.** Comme *mener.* Attention à l'alternance *e/è : promener ; je promène, il promène,* mais *nous promenons ; il promènera ; qu'il promène* mais *que nous promenions ; promené.* → annexe, tableau 12. ◆ **Constr.** Au sens de « marcher, faire une promenade », *promener* s'emploie dans la plupart des cas avec le pronom réfléchi : *ils sont partis se promener ; je vais me promener; venez vous promener avec nous* (et non *ils sont partis promener ; *je vais promener ; *venez promener avec nous,* qui sont des constructions aujourd'hui sorties de l'usage). - Toutefois, le pronom est omis dans la locution *envoyer promener* (v. ci-après). ◆ **Registre.** *Envoyer promener qqch., qqn* (=se débarrasser de qqch. ou éconduire qqn avec vivacité) est familier.

promettre v.t. ◆ **Conjug.** Comme *mettre.* → annexe, tableau 64. ◆ **Constr. et registre.** 1. *Promettre que* (+ futur ou conditionnel) = s'engager pour l'avenir à ce que. *Je te promets qu'il n'ira pas ; il m'a promis qu'il ne dirait rien.* Emploi correct et courant. 2. *Promettre que* (+ présent ou passé) = assurer, affirmer avec une certaine solennité, est aujourd'hui familier. *Je vous promets que c'est vrai.* REM. Dans la langue classique, cette construction n'était pas familière. ◆ **Accord.** *Se promettre :* attention à l'accord du participe passé avec le complément d'objet direct : *elle s'est promise à un jeune homme* (s' = pronom réfléchi, complément d'objet direct) ; *les lettres qu'ils se sont promises* (*qu',* pour *lettres,* est le complément d'objet direct.) - Mais le participe passé reste invariable si le complément d'objet direct est un infinitif : *elle s'est promis de réussir ; les lettres qu'ils se sont promis d'écrire* (*réussir* et *écrire* sont les compléments d'objet direct ; *s'* et *se* sont des compléments indirects ; *qu'* pour *lettres* est complément de *écrire*).

promotion n.f. → promouvoir

promotionnel, elle adj. ◆ **Orth.** Avec deux *n* (vient de *promotion,* comme *directionnel* de *direction, fonctionnel* de *fonction*, etc.).

promouvoir v.t. ◆ **Conjug.** Comme *émouvoir.* S'emploie surtout à l'infinitif et aux temps composés → annexe, tableau 42. - Le participe passé *promu* s'écrit sans accent circonflexe. ◆ **Emploi.** *Promouvoir* (du latin *pro,* en avant) implique un degré ou un rang supérieur à celui qui a précédé. Il ne s'emploie donc pas en parlant du premier échelon d'un grade ou d'une dignité ; ainsi est-on *nommé* chevalier de la Légion d'honneur *(nomination)* et *promu* officier ou commandeur *(promotion).* REM. Pour *grand officier* ou *grand-croix,* il est d'usage de dire *élevé à la dignité de ...* → aussi **légion**

prompt, e adj. ◆ **Prononc.** [pʀɔ̃], [pʀɔ̃t], sans prononcer le second *p.* Les dérivés *promptement* et *promptitude* se prononcent le plus souvent aujourd'hui [pʀɔ̃ptəma] et [pʀɔ̃ptityd], en faisant entendre le groupe *-pt-* Au masculin, on prononce [pʀɔ̃], rimant avec *tronc,* sans faire entendre le *t.*

promu, e part. passé et adj. → **promouvoir**

pronominaux (accord du participe passé des verbes) → annexe, grammaire § 110

pronoms personnels → annexe, grammaire § 76 à 80

prononcer v.t. et v.pr. ◆ **Conjug.** Le *c* devient *ç* devant *o* et *a* : *je prononce, nous prononçons ; il prononça.* → annexe, tableau 9

pronostiquer v.t. ◆ **Orth.** La finale en *-ic* de *pronostic,* se change en *-qu-* dans *pronostiquer* et ses dérivés : *pronostiquer, pronostiqueur,* comme dans *diagnostic / diagnostiquer* (alors qu'on écrit *encaustique / encaustiquer*).

propager v.t. et v.pr. ◆ **Conjug.** Le *g* devient *-ge-* devant *a* et *o* : *je propage, nous propageons ; il propagea.* → annexe, tableau 10

prophète n.m. et adj. ◆ **Genre. 1.** Le nom féminin correspondant à *prophète* est *prophétesse.* **2.** Comme adjectif, *prophète* s'emploie dans le registre littéraire au masculin et au féminin : « *Plus de charbon ardent sur la lèvre prophète* » (Leconte de Lisle). ◆ **Orth.** *Un faux prophète,* sans trait d'union. - *Le Prophète,* avec un P majuscule = Mahomet.

proportion n.f. ◆ **Orth.** On écrit au singulier *à proportion, en proportion (de), hors de (toute) proportion, sans proportion.* - On écrit au singulier ou au pluriel *toute(s) proportion(s) gardée(s).*

proportionnel, elle adj. ◆ **Orth.** Avec deux *n* (vient de *proportion,* comme *directionnel* de *direction, fonctionnel* de *fonction,* etc.).

propos n.m. ◆ **Orth. 1.** On écrit au singulier *à tout propos, de propos délibéré.* **2.** Les locutions adverbiales *à propos, hors de propos, mal à propos,* s'écrivent sans trait d'union. **3.** Ne pas confondre *à propos* et *à-propos.* ❏ *À propos* loc. adverbiale, sans trait d'union = au fait ; à point nommé. *À propos, il faut que je vous dise ... ; il est arrivé fort à propos.* ❏ *À-propos* n.m., avec un trait d'union = pertinence, sens de la repartie. *Il est intervenu avec à-propos ; avoir l'esprit d'à-propos ; manquer d'à-propos.*

proposer v.t. et v.pr. ◆ **Constr.** *Proposer que* (+ subjonctif) : *je propose que nous partions tôt demain matin.* ◆ **Accord.** *Se proposer* v.pr. Attention à l'accord du participe passé avec le complément d'objet direct : *elle s'est proposée pour ce travail (s'* = pronom réfléchi direct). - Mais le participe passé reste invariable si le complément d'objet direct est un infinitif : *les lettres qu'ils s'étaient proposé d'écrire* (écrire = complément d'objet direct de *proposer* ; s' = pronom indirect ; *qu'*, pour *lettres* = complément d'objet direct d'*écrire*).

propre adj. ◆ **Orth.** On écrit au singulier ou au pluriel *en main(s) propre(s)*. ◆ **Constr. 1.** Place de *propre*. *J'ai employé ses propres termes* (= les mêmes termes, les termes tels qu'il les a prononcés) ; *j'ai employé les termes propres* (= les termes qui conviennent, les mots justes, appropriés). *J'irai avec ma propre voiture* (= celle qui m'appartient) mais *j'irai avec ma voiture propre* (= que je ferai laver avant mon départ). **2.** *Propre à* = qui convient à, pour ; spécifique de : *des substances propres à soulager les migraines ; les caractéristiques propres à ce véhicule.* → aussi propre-à-rien.

propre-à-rien n. ◆ **Orth.** Avec des traits d'union quand il s'agit du nom désignant une personne sans aucune capacité. Ne pas confondre avec la construction adjectivale *propre à rien* dont ce mot composé est issu : *cette personne n'est propre à rien ; c'est un propre-à-rien, une propre-à-rien.* - Plur. *Des propres-à-rien.*

propylée n.m. ◆ **Orth.** Attention au *y*. ◆ **Genre.** Masculin : *un propylée.* Mot masculin à finale en -*ée*, comme *apogée, lycée, mausolée, musée, périnée, périgée,* etc.

prorata n.m. inv. ◆ **Orth.** Invariable : *des prorata.* ◆ **Emploi.** *Prorata* est le plus souvent employé dans la locution prépositive *au prorata de* (= en proportion de) : *bénéfices calculés au prorata de la mise de fonds.* L'emploi comme substantif autonome est possible, mais rare. *Les prorata ont été calculés de manière équitable.* REM. *Prorata* est issu du latin *pro*, pour et *rata [parte]*, [partie] fixée,

proroger v.t. ◆ **Conjug.** Le *g* devient -*ge*- devant *a* et *o* : *je proroge, nous proro-*

geons ; *il prorogea.* → annexe, tableau 10. ◆ **Sens.** Ne pas confondre avec *prolonger* → prolonger

proscrire v.t. ◆ **Conjug.** Comme *écrire.* → annexe, tableau 79

proscénium, proscenium n.m. ◆ **Orth.** Les deux graphies, *proscénium* ou *proscenium,* sont admises. *Proscénium,* avec un accent aigu, est aujourd'hui plus courant. → R.O. 1990

prospérer v.t. ◆ **Conjug.** Attention à l'accent, tantôt grave, tantôt aigu : *je prospère, nous prospérons ; il prospéra.* → annexe, tableau 11 et R.O. 1990

protagoniste n. ◆ **Sens et emploi.** Le *protagoniste* est au théâtre l'acteur qui a le rôle principal ; par extension, c'est la personne qui joue le rôle principal ou l'un des rôle principaux dans une affaire. **RECOMM.** Éviter d'associer *protagoniste* à des mots tels que *premier* ou *principal,* qui font pléonasme.

protectionnisme n.m. ◆ **Orth.** Avec deux *n* (vient de *protection,* comme *abolitionnisme* de *abolition, perfectionnisme* de *perfection,* etc.) De même pour *protectionniste.*

protéger v.t. ◆ **Conjug.** Attention au changement d'accent devant un *e* muet, ainsi qu'au *e* intercalaire devant *a* et *o* pour garder au *g* le son [ʒ] : *je protège, nous protégeons* → annexe, tableau 15. ◆ **Constr. 1.** *Protéger, se protéger de* ou *contre qqch. : se protéger du froid, contre le froid ; cette crème vous protégera du soleil, contre le soleil.* Les deux constructions sont correctes ; celle avec *contre* est plus courante, celle avec *de* plus soutenue. **2.** *Protéger, se protéger contre qqn : se protéger contre les médisants et les envieux.* ◆ **Sens et emploi.** *Protéger de qqch.* peut avoir deux sens. **1.** « Garantir contre » ; le complément désigne un inconvénient, un dommage, un danger : *le feuillage nous protège de la pluie.* **2.** « Mettre à l'abri grâce à » ; le complément désigne le moyen : *le feuillage nous protège de sa fraîcheur* REM. Lorsque *protéger* a deux compléments indirects, l'un est construit avec *de,* l'autre avec *contre : le feuillage nous protège de sa fraîcheur contre l'ardeur du soleil.*

protractile adj. ♦ **Orth.** Attention au *r* après le *t* (comme dans *traction*), dans cet adjectif qui exprime l'idée de « tirer vers l'avant » : *le caméléon a une langue protractile* (= qui peut être étirée, projetée vers l'avant). REM. *Protactile n'existe pas.

prou adv. ♦ **Emploi.** Ne se rencontre plus guère que dans l'expression *peu ou prou,* plus ou moins (registre soutenu). REM. Cet adverbe qui signifie « beaucoup, assez » était déjà vieux au XVIIe s. : « »Prou« est un vieux mot françois pour dire »assez«, dont plusieurs usent encore en parlant ; mais il ne vaut rien à écrire » (Vaugelas).

provenir v.i. ♦ **Conjug.** Comme *venir.* Avec l'auxiliaire *être.* → annexe, tableau 28

providentiel, elle adj. ♦ **Orth.** Avec un *t* (on a *providence / providentiel,* comme on a *concurrence / concurrentiel, démence / démentiel,* etc. ; mais on écrit *révérenciel*).

proverbe n.m. ♦ **Sens.** Ne pas confondre avec *dicton* et *maxime* → **dicton**

provocant, e adj. / **provoquant** part. prés. ♦ **Orth. et emploi.** Ne pas confondre. **1.** *Provocant, e* (avec un *c*) est un adjectif : *un ton provocant, une attitude provocante.* **2.** *Provoquant* (avec *-qu-*) est le participe présent du verbe *provoquer : cette apparition, provoquant l'enthousiasme populaire, faillit causer une émeute.* → annexe, grammaire § 57, 58

prud'homal, e, aux adj. ♦ **Orth.** *Prud'homal* et *prud'homie* (mots issus de *prud'homme*) s'écrivent avec une apostrophe (→ **prud'homme**), mais ne prennent qu'un seul *m,* comme le mot latin *homo* (= homme) sur lequel ils ont été calqués. → R.O. 1990. ♦ **Emploi.** Ne pas confondre avec *prudhommerie* et *prudhommesque* (v. ces mots).

prud'homie ♦ **Orth.** → prud'homal et R.O. 1990

prud'homme n.m. ♦ **Orth.** Avec une apostrophe devant *homme* et avec deux *m.* → aussi **prud'homal** et R.O. 1990. REM. Le mot est issu de *prod,* forme ancienne de *preux,* brave, vaillant, et de *homme.*

prudhommerie n.f. ♦ **Orth.** *Prudhommerie* et *prudhommesque* s'écrivent en un seul mot, sans trait d'union ni apostrophe et avec deux *m.* (Ces deux mots sont issus du nom propre *Joseph Prudhomme,* personnage de bourgeois borné et sentencieux créé par le caricaturiste français Henri Monnier.) ♦ **Emploi.** Ne pas confondre avec *prud'homie* et *prud'homal* (v. ces mots).

prudhommesque adj. → prudhommerie

prunellier n.m. ♦ **Orth. et prononc.** *Prunellier* s'écrit avec deux *l,* bien que le mot se prononce comme pour rimer avec *atelier.* → R.O. 1990

prytanée n.m. ♦ **Orth.** Attention au *y.* ♦ **Genre.** Masculin : *le prytanée militaire de La Flèche.* Mot masculin à finale en -*ée,* comme *apogée, mausolée, musée, périnée, périgée,* etc.

pseudo- préf. ♦ **Orth.** Les composés formés avec *pseudo-* (du grec *pseudês,* menteur trompeur, faux, erroné, de *pseudein,* tromper) s'écrivent en un seul mot, sauf si le second élément commence par *e* ou *i*. On écrit : *pseudo-eucli-dien, pseudo-inflammatoire, pseudo-intran-sitif* mais *pseudonyme, pseudopode, pseudorhumatisme*. On écrit également en deux mots les composés librement formés dans lesquels *pseudo-* est un équivalent de « prétendu, soi-disant, faux » : *le pseudo-libéralisme à la mode, un pseudo-mystique, de pseudo-policiers*. Dans quelques composés, le *o* s'élide devant la voyelle du second élément, en particulier dans *pseudarthrose* (n.f., terme de médecine), *pseudaxis* (n.m., cerf du Japon) et *pseudépigraphe* (n.m., livre attribué fictivement à un auteur ancien).

psychanalyse n.f. ◆ **Orth.** Avec deux *y*, ainsi que dans les dérivés *psychanaly-ser, psychanalyste, psychanalytique*.

psychiatre n. ◆ **Orth.** *Psychiatre* et *psy-chiatrie* s'écrivent avec un *y* puis un *i* (du grec *psukhê*, âme, esprit). - Sans accent circonflexe sur le *a*, comme dans *pédiatre, pédiatrie*.

psychiatrie n.f. → psychiatre

psychose n.f. ◆ **Orth. et prononc.** [psikoz] comme *pause*, avec un *o* fermé mais sans accent circonflexe.

ptôse n.f. ◆ **Orth.** Avec un accent cir-conflexe sur le *o*, conformément à l'éty-mologie (du grec *ptôsis*, chute).

pu part. passé ◆ **Orth.** Toujours inva-riable → **pouvoir**

publicitaire n. / **publiciste** n. ◆ **Sens et emploi.** Ne pas confondre ces deux mots de forme proche. **1.** *Publicitaire* (de *publicité*) = personne qui s'occupe de publicité. **2.** *Publiciste* (de *public*) = juriste spécialisé en droit public ; journaliste. Le mot *publiciste* est vieilli dans ces deux sens et son emploi, abusif, dans le sens de « publicitaire » tend à se généraliser. **RECOMM.** Dans l'expression soignée, préférer *publicitaire*

pour désigner un professionnel de la publicité. Lorsque le contexte peut don-ner lieu à une confusion sur le sens du mot, on peut remplacer *publiciste* par *juriste* ou *spécialiste du droit public* ou par *journaliste, éditorialiste*, selon le cas.

puce n.f. et adj. inv. ◆ **Accord.** *Puce*, adjectif de couleur (= brun-rouge foncé), est invariable : *des soies puce*. → annexe, grammaire § 98

pudding, pouding n.m ◆ **Orth. et prononc.** Les deux graphies *pudding* ou *pouding* sont admises. La finale de ce mot emprunté à l'anglais se prononce comme celle de *camping*. - Plur. : *des puddings, des poudings*.

pudeur n.f. / **pudicité** n.f. ◆ **Registre.** Ces deux mots sont syno-nymes, mais *pudeur* (latin *pudor*) est du registre courant, alors que *pudicité* (de *pudique*, d'après le latin *pudicitia*) est du registre soutenu ou littéraire. → aussi **impudeur**

puérilisme n.m. / **puérilité** n.f. ◆ **Emploi.** Ne pas confondre ces deux mots proches par la forme et par le sens. **1.** *Puérilisme* = comportement d'un adulte évoquant, par son manque de maturité, celui d'un enfant. Terme de psychologie et de médecine. REM. Ce terme est à distinguer de *infantilisme* (= arrêt pathologique du développement). **2.** *Puérilité* = caractère puéril, enfantin, d'une personne ou de son comporte-ment. Mot courant.

puîné, e adj. et n. ◆ **Orth.** Avec un accent circonflexe sur le *i*, comme dans *aîné*. REM. Le *puîné* est le cadet, celui qui est « puis né » ; le *s* tombé est rappelé par l'accent circonflexe. À rapprocher de *aîné* « né avant ».

puis adv. ◆ **Sens et emploi.** *Puis* signi-fie « ensuite, après cela » : « *D'abord il s'y pris mal, puis un peu mieux, puis bien* » (La

Fontaine). **RECOMM.** Éviter le pléo-nasme *et puis ensuite.* En revanche, *et puis encore,* marquant une gradation, une progression, est correct : *non seulement j'ai lavé le linge, mais je l'ai repassé et puis encore rangé.*

puisque conj. ◆ **Orth.** Le *e* de *puisque* s'élide devant *il(s), elle(s), on, en, un(e)* : *il ira, puisqu'il y est obligé ; puisqu'on vous le dit !* ◆ **Registre.** L'ellipse du sujet et du verbe *être* après *puisque* appartient au registre familier : *accueillant et chaleureux, puisque méridional.* **RECOMM.** Dans l'expression soignée, exprimer le sujet et le verbe *être* : *accueillant et chaleureux, puisqu'il est méridional* ◆ **Emploi.** *Puisque / parce que.* Ces deux conjonctions sont séparées par une nuance de sens. **1.** *Puisque* introduit la justification de ce qui précède (= étant donné que, du moment que) : *je viens puisqu'on m'y invite ; puisque vous êtes là, restez-y.* **2.** *Parce que* , introduit une explication ou l'énoncé d'une cause objective et répond à la question « pourquoi ? », exprimée ou non : *je pars parce qu'on m'attend ailleurs.*

puits n.m. ◆ **Orth.** Finale en *-ts,* même au singulier : *tomber dans un puits.* - Le *t* disparaît dans les dérivés *puisard, puisatier, puiser.* REM. *Puits* est issu du latin *puteus,* trou, fosse. Le mot, écrit *puz, puiz* et *puis* au début du XIIᵉ s., a pris un *t* étymologique au XVIᵉ s. pour éviter la confusion avec l'adverbe *puis.*

pull-over ou **pull** n.m. ◆ **Prononc.** [pylɔvɛʀ] ou [pyl] (mot anglais francisé). La prononciation [pul], comme *poule,* est attestée mais rare. ◆ **Orth.** Plur. *Des pull-overs* ou *des pulls.*

pulluler v.i. ◆ **Orth.** Attention aux deux *l* (ne pas se laisser influencer par *pilule*) et aux places respectives de *-ll-* et de *-l-.* ◆ **Emploi.** *Pulluler* signifiant « se multiplier rapidement, proliférer », le sujet doit toujours désigner ce qui se

reproduit, se répand, existe en grand nombre : *le gibier pullule dans cette région ; une plaie où pullulent les microbes ; les fautes pullulent dans la copie.* Ne pas confondre avec certains synonymes comme *foisonner, abonder,* qui peuvent aussi avoir pour sujet un nom de lieu : *le gibier abonde dans ces bois ; ces bois abondent en gibier.*

pupillaire adj. ◆ **Orth. et prononc.** Avec deux *l* prononcés comme un seul ; de même pour le substantif correspondant *pupillarité.*

pupille n.f. ◆ **Prononc.** [pypij], avec la finale *-ille* prononcée comme dans *famille* est aujourd'hui admis ; c'est d'ailleurs la prononciation la plus courante ; [pypil], prononcé comme *facile,* longtemps considéré comme seul correct, devient plus rare, mais n'est pas fautif. REM. Les mots de la famille de *pupille (pupillaire, pupillarité)* ont conservé la prononciation avec *l.* → aussi **papille.** ◆ **Sens et emploi.** *Pupille / iris.* Ne pas confondre ces deux mots souvent employés l'un pour l'autre. **1.** *Pupille* = orifice (dit aussi *prunelle*) situé au centre de l'iris de l'œil. *La pupille apparaît toujours noire.* **2.** *Iris* = cercle coloré qui entoure la pupille.

pupitre n.m. ◆ **Orth.** Sans accent circonflexe sur le *i,* comme *chapitre* et *pitre,* et à la différence de *épître.*

purée n.f. ◆ **Orth. 1.** On écrit au singulier *des pommes purée* (= pour la purée, ou préparées en purée). **2.** On écrit le complément au singulier ou au pluriel. *Une purée de pommes* (= faite avec *des* pommes) mais une *purée de saumon* (= faite avec *du* saumon). → aussi **confiture**

purger v.t. ◆ **Conjug.** Le *g* devient *-ge-* devant *a* et *o* : *je purge, nous purgeons ; il purgea.* → annexe, tableau 10

pur-sang n.m. inv. ◆ **Orth.** Invariable : *des pur-sang.* - *Pur-sang / pur sang.* Ne pas confondre le nom composé et la locution adjectivale : *un pur-sang* mais *un cheval de pur sang.*

pusillanime adj. ◆ **Orth. et prononc.** Avec un *s* prononcé [z] comme dans *fusil*, et deux *l* prononcés [l] comme dans *ville.*

putsch n.m. ◆ **Orth.** Attention au groupe *-tsch.* - Plur. : *des putschs.* ◆ **Prononc.** [putʃ], le *u* se prononce *ou* comme dans *bouche* (le mot *putsch* est d'origine allemande).

puzzle n.m. ◆ **Prononc.** [pœzœl], à l'anglaise, comme si le mot s'écrivait *peuzeul.*

pygmée adj. et n. ◆ **Orth.** Attention au *y.* ◆ **Genre.** Le mot s'emploie aux deux genres : *un Pygmée, une Pygmée.* Le masculin se rattache à la famille des mots masculins en *-ée,* comme *apogée, lycée, musée,* etc.

pylône n.m. ◆ **Orth.** Avec un *y* et un accent circonflexe sur le *o.* REM. Ce mot issu du grec *pulôn,* portail, a d'abord désigné le portail monumental d'un temple égyptien, encadré de deux piliers décoratifs, puis les piliers eux-mêmes. Il désigne le plus souvent aujourd'hui un support en forme de tronc de pyramide, et en particulier un support de ligne électrique à haute tension.

pylore n.m. ◆ **Orth.** Avec un *y* et sans accent circonflexe sur le *o,* à la différence de *pylône.*

pyrénéen, enne adj. et n. ◆ **Orth.** Avec un *y* et un seul *n.* - Attention à la place des deux *n* au féminin : *la chaîne pyrénéenne.*

Q

q- / qu- ◆ **Orth.** Seuls quelques mots d'origine étrangère (empruntés au persan, à l'arabe, au chinois) commencent par la lettre *q* non suivie de *u* : *qanat, qasida, qat, qibla, qin.*

quadr- préf. → quadri-

quadrature n.f. ◆ **Prononc.** [kwadratyr] ou [kwadratyr]. ◆ **Sens.** Ce mot appartient aux domaines des mathématiques et de l'astronomie. Ne pas confondre avec *cadrature*, terme d'horlogerie → cadrature

quadrille n.m. ◆ **Prononc.** Toujours [kadrij], comme dans *carré*, sans faire entendre le *u*, bien que ce mot soit issu de l'espagnol *cuadrilla*. ◆ **Genre.** Masculin : *le quadrille des lanciers.* REM. Le féminin pour désigner les groupes de cavaliers d'un carrousel n'est plus usité.

quadriller v.t. ◆ **Prononc.** Ce mot, ainsi que ses dérivés *quadrillé* et *quadrillage,* se prononce toujours [ka], sans faire entendre le *u*, comme dans *quadrille* dont il est issu → quadrille

quadr(i)- préf. ◆ **Prononc.** Les mots commençant par le préfixe *quadr(i)-*, qui signifie « quatre » ont le plus souvent la double prononciation [kwa] ou [ka].

quadriparti, e adj. / **quadripartite** adj. ◆ **Orth.** *Quadriparti* fait au féminin *quadripartie.* ◆ **Sens et emploi.** Les deux formes *quadriparti, e* et *quadripartite* (du latin *quadripartitus,* partagé en quatre) sont admises. *Quadripartite* est plus fréquent dans le vocabulaire politique : *comité quadripartite, commission quadripartite* (= qui réunit des représentants de quatre pays, de quatre mouvements politiques, etc.). → aussi **biparti**

qualifier v.t. ◆ **Constr.** *Qualifier de. Qualifier* se construit normalement aujourd'hui avec *de* : *on le qualifia de menteur ; une œuvre qualifiée de plagiat.* La construction sans *de* est vieillie : « *Les lettres du roi, l'arrêt le qualifient chevalier* » (Académie). Elle subsiste toutefois dans la langue juridique : *le meurtre avec préméditation est qualifié assassinat.*

quand adv. et conj.
◆ **Orth.** *Quand / quant.* → quant
◆ **Constr.**
1. Dans l'interrogation directe, *quand* s'emploie seul ou précédé des prépositions *à, de, depuis, jusqu'à, pour,* avec inversion du sujet, ou avec la locution *est-ce que* sans inversion du sujet : *quand viendras-tu ; quand est-ce que tu viendras ? depuis quand la connais-tu ? depuis quand est-ce que tu la connais ?* RECOMM. Dans

l'expression soignée, préférer la tournure avec inversion du sujet, moins lourde. REM. *Quand* précédé d'une préposition peut être remplacé par des équivalents tels que *à quelle époque, depuis quel moment, pour quelle date,* etc. : *depuis quelle époque la connais-tu ? pour quelle date voulez-vous ce travail ?*
2. Dans l'interrogation indirecte, *quand* s'emploie sans inversion du sujet et de préférence sans la locution *est-ce que : je me demande quand vous viendrez* (plutôt que : *je me demande quand est-ce que vous viendrez*).
♦ **Emploi.**
1. *Quand* (+ indicatif) marque le temps : *je lui parlerai quand je le verrai* (= au moment où, lorsque).
2. *Quand* (+ conditionnel) marque l'opposition : *tu te plains quand tu devrais être content* (= alors que). Registre soutenu.
3. *Quand, quand même, quand bien même* (+ conditionnel) marque une éventualité considérée comme improbable : *quand tu me supplierais à genoux, je refuserais ; quand (bien) même il me l'interdirait, je le ferais* (= même si). Registre soutenu.
4. *Quand même.* Employé seul au sens de « malgré tout, malgré cela », *quand même* est aujourd'hui admis dans l'expression soignée : *si tu refuses, j'irai quand même* (= tout de même). REM. *Quand même* n'était autrefois admis que comme conjonction introduisant une subordonnée exprimée (v. ci-dessus, Emploi, 3).
5. *Quand / lorsque.* → **lorsque**
♦ **Registre.** Comme conjonction, l'emploi de *quand* précédé d'une préposition est familier : *c'est une robe de quand j'étais petite ; ils achètent une maison pour quand ils seront vieux.* - Dans l'expression soignée, tourner la phrase autrement : *c'est une robe qui date de l'époque où j'étais petite ; ils achètent une maison pour l'habiter quand ils seront vieux* ou *pour leurs vieux jours.* → aussi ci-dessus Constr.

quant à loc. prépositive ♦ **Orth.** Avec un *t*. - Ne pas confondre avec *quand,* adverbe et conjonction. ♦ **Constr.** *Quant* est toujours suivi de la préposition *à* (ou des articles contractés *au, aux*) et a le sens de « en ce qui concerne, pour ce qui est de » : *quant à toi, je te conseille de te taire ; je ne sais rien quant à cette affaire.* - Attention à certaines constructions inversées dans lesquelles *quand,* adverbe de temps, est suivi de *à : quand à la beauté s'ajoute l'esprit...* (= quand l'esprit s'ajoute à la beauté). ♦ **Emploi.** *Quant à* peut être utilisé en début de phrase ou de proposition pour souligner ou mettre en relief un ou plusieurs mots : *quant à cette affaire, nous la traiterons le moment venu ;* il peut aussi mettre simplement en relation deux éléments de phrase, avec la valeur de « au sujet de, pour ce qui concerne » : *je ne sais rien quant à cette affaire.* RECOMM. Éviter l'interversion de consonnes *tant qu'à (*tant qu'à moi) pour *quant à (quant à moi).*

quanta n.m. plur. → **quantum**

quantième n.m. ♦ **Registre.** *Quantième* ne s'emploie plus guère aujourd'hui que dans le registre soutenu, ou dans la langue administrative, pour désigner le rang du jour dans le mois. « *À quel quantième du mois sommes-nous?* » (Académie). *Préciser le quantième, le quantième du mois.* Dans la langue courante, on dit et on écrit correctement : *quel jour du mois sommes-nous ?* En revanche, *le combien sommes-nous ? le combien est-ce aujourd'hui ?* relèvent de l'expression orale relâchée et sont à éviter dans le registre soigné. RECOMM. Éviter dans tous les cas le barbarisme *combientième → **combien.** REM. *Quantième* était aussi autrefois un adjectif désignant « le rang, l'ordre numérique dans un grand nombre. « *Le quantième êtes-vous dans votre compa-*

gnie ? » (Littré, qui ajoute : « Vieux en ce sens, et c'est dommage »).

quantité n.f. ◆ **Accord.** *Une quantité de.* L'accord se fait, selon le sens, avec *quantité* ou avec le complément : *une quantité de gens est accourue à l'annonce des soldes ; une quantité de postulants ont vu leur demande rejetée.* - *Quantité de.* L'accord se fait toujours au pluriel : *quantité de villages ont été désertés par les habitants.*

quantum n.m. ◆ **Prononc.** [kɑ̃tɔm], en prononçant la première syllabe comme *quand*, ou [kwɑ̃tɔm], en prononçant *qu-* comme dans *couac.* ◆ **Orth.** Plur. *Des quanta. La théorie des quanta.* REM. Ce mot savant emprunté au latin (neutre singulier de *quantus* « combien grand ») a gardé le pluriel latin en *a.*

quart n.m. ◆ **Orth.** *Trois quarts / trois-quarts.* 1. *Trois quarts.* On écrit *trois quarts,* sans trait d'union, pour exprimer la fraction : *les trois quarts du temps ; le travail est plus qu'aux trois quarts fait ; portrait pris de trois quarts.* 2. *Trois-quarts, quatre-quarts.* On écrit avec un trait d'union : *un trois-quarts* (= un attaquant, au rugby ; un manteau court), *un quatre-quarts* (= un gâteau). ◆ **Emploi.** 1. *Une heure et quart / une heure un quart.* On dit le plus souvent aujourd'hui *une heure et quart, midi et quart, neuf heures et quart ;* la construction *une heure un quart (midi un quart,* etc.), également correcte, tend à vieillir. Quand il y a plus d'un quart, on omet le *et : une heure trois quarts.* ❑ On dit aussi *le quart de midi, de huit heures (il est le quart de midi* et, elliptiquement, *il est le quart)* ou encore *le quart après midi, après huit heures,* mais cette dernière tournure est plus lourde. 2. *Une heure moins le quart / une heure moins un quart.* On dit aujourd'hui *une heure moins le quart, midi moins le quart,* plutôt que *une heure moins un quart, midi moins un quart,* qui est vieilli. 3. *Plus d'aux trois quarts / plus qu'aux trois quarts.* → moins. ◆ **Accord.**

Le quart de. Après *le quart de,* le verbe peut être au singulier ou au pluriel. Si *le quart* désigne une proportion exacte (0,25 ; 1 sur 4), le verbe est en principe au singulier : *le quart des électeurs a voté pour lui.* Toutefois, le pluriel est admis. - Si *le quart* désigne une proportion approximative (à peu près 1 sur 4), l'accord se fait avec le complément : *près d'un quart des personnes présentes ont été incommodées.* → moitié

quartier n.m. ◆ **Orth.** On écrit avec une majuscule *le Quartier latin* (à Paris), mais avec une minuscule *le quartier de Recouvrance* (à Brest), *le quartier du Panier* (à Marseille), *le quartier de Soho* (à Londres).

quart-monde n.m. ◆ **Orth.** Avec un trait d'union, comme *tiers-monde.*

quartz n.m. ◆ **Prononc.** [kwaʀts], en prononçant le début du mot comme *quoi.*

quasi adv. ◆ **Prononc.** [kazi], comme les deux premières syllabes de *casino.* ◆ **Orth.** 1. Employé en composition avec un nom, *quasi-* se lie à celui-ci par un trait d'union : *un quasi-contrat, un quasi-délit. Quasi* étant un adverbe, il reste invariable dans les noms composés ainsi formés : *des quasi-certitudes.* 2. Joint à un adjectif ou à un adverbe, *quasi* se comporte comme n'importe quel autre adverbe, il ne prend pas de trait d'union : *ils sont quasi morts de froid ; cela n'arrive quasi jamais.* → quasiment

quasiment adv. ◆ **Registre.** Familier. RECOMM. Dans l'expression soignée, remplacer *quasiment* par les équivalents *quasi, presque, à peu près.*

quatre adj. numéral et n.m. inv. ◆ **Orth.** 1. Qu'il soit employé comme adjectif numéral ou comme nom, *quatre* est toujours invariable : *fournir quatre exemplaires ; ils étaient là tous les quatre ;*

avoir trois quatre dans son jeu, au bridge. **2.**
Entre quat'z-yeux. L'expression familière *entre quat'z-yeux* (= en tête à tête)
est en général orthographiée ainsi, telle
qu'elle est prononcée, avec une fausse
liaison plaisante et un trait d'union.

quatre- adj. numéral ◆ **Orth.** *Quatre*
se lie souvent par un trait d'union à
d'autres mots avec lesquels il forme des
noms composés : *marchand de quatre-sai-
sons* (= marchand forain de primeurs),
un quatre-quarts (= un gâteau), *un quatre-
quatre* (= une automobile) *un quatre-mâts*
(= un voilier), etc. ❏ En revanche *quatre
heures* (= goûter) s'écrit en général sans
trait d'union : *le chocolat, c'est pour mon
quatre heures.* ◆ **Prononc.** Dans les noms
composés ainsi formés, le *r* de *quatre-*
est souvent omis dans la prononciation
courante lorsque le second élément
commence par une consonne.

quatre-quatre n.m. inv. ou n.f. inv.
◆ **Prononc.** [katʀkatʀ] ou [katkat]. Les *r*
sont souvent omis dans la prononciation courante. → **quatre.** ◆ **Orth.**
S'écrit aussi *4 × 4.* ◆ **Genre.** Le mot
s'emploie au féminin ou au masculin :
une 4 × 4 (= une voiture à quatre roues
motrices), *un 4 × 4* (= un véhicule à
quatre roues motrices).

quatre-vingts adj. numéral ◆ **Orth.**
1. Avec un trait d'union, comme tous
les adjectifs numéraux composés infé-
rieurs à *cent.* **2.** S'écrit avec un *-s* à *vingt*
s'il n'est pas suivi d'un autre adjectif
numéral : *quatre-vingts ans* (qui se prononce en faisant la liaison). **3.** S'écrit
sans *-s* à *vingt* s'il est suivi d'un autre
adjectif numéral : *quatre-vingt-deux ans,
quatre-vingt-dix-huit ans, quatre-vingt mille
francs* (*mille* est un adjectif numéral) mais
quatre-vingts millions, quatre-vingts milliards
(*million* et *milliard* sont des noms). **4.**
S'écrit sans *-s* à *vingt* quand il est
employé comme adjectif numéral ordinal, à la place de *quatre-vingtième : page*

quatre-vingt ; année mil neuf cent quatre-
vingt ; les années quatre-vingt.

quatuor n.m. ◆ **Prononc.** [kwatɥɔʀ],
en prononçant la première syllabe
comme *quoi.* ◆ **Orth.** Plur. *Des quatuors.*

que conj., pron. et adv.
◆ **Orth.** Le *e* de *que* s'élide devant une
voyelle ou un *h* muet. *Je souhaite qu'elle
vienne. Je ne crois pas qu'honnête veuille dire
« naïf ».*
◆ **Emploi.**
I. *Que,* pronom
1. Pron. relatif complément d'objet
direct ou attribut. *L'homme que je vois.
Misérables que nous sommes.*
❏ *Que / où. Que* pouvait s'employer
autrefois en fonction de complément
indirect, comme un équivalent de *dont*
et de *où* : « *Me voyait-il de l'œil qu'il me voit
aujourd'hui?* » (Racine) ; *du train que vont
les choses.* Cet emploi semble aujour-
d'hui vieilli et un peu affecté : on dit plutôt *le jour où je l'ai vu, du train où vont les
choses.* → **dont, où**
❏ *C'est de cela que / c'est cela dont.* Les
deux constructions sont également correctes : *c'est cela dont j'ai besoin, c'est de cela
que j'ai besoin ; c'est de lui que je parle, c'est
lui dont je parle.* **RECOMM.** Éviter en
revanche de mêler les deux constructions dans les tournures incorrectes :
*c'est de cela dont..., *c'est de lui dont...
2. Pron. interrogatif. *Que faites-vous?
Que devenez-vous? Il ne sait que faire.* →
quoi
II. *Que,* adverbe
1. Adv. exclamatif. *Que c'est beau!* Dans
cet emploi, *que* est souvent précédé par
ce dans le registre familier : *ce que c'est
beau !*
2. Adv. interrogatif. Dans le registre
soutenu, *que,* au sens de « pourquoi »,
exprime une nuance de regret : *que ne lui
avez-vous dit?*
III. *Que,* conjonction.
Que est une conjonction autonome,
mais s'associe aussi à d'autres éléments

pour former un très grand nombre de locutions conjonctives *(après que, avant que, dès que,* etc.).

1. *Que* peut remplacer une conjonction ou une locution conjonctive pour éviter sa répétition : *quand tu auras fini ce travail et que tu auras plus de loisirs... ; comme j'étais dehors et qu'il faisait beau...*

2. *Que* s'emploie en corrélation avec des mots exprimant une comparaison, pour introduire le second terme de celle-ci : *il est plus grand que toi ; il est tel que je l'avais imaginé ; il est si grand qu'il peut toucher le plafond.*

3. Employé en tête de phrase avec un verbe au subjonctif à la 3e personne, *que* exprime l'ordre, le souhait, l'interdiction *(qu'on m'oublie ! qu'ils attendent !)* ou l'indignation : « *Moi, héron, que je fasse une si pauvre chère !* » (La Fontaine).

4. Avec *ne,* *que* a une valeur restrictive. *Il n'a que la peau et les os.* → **ne**

5. Dans le registre familier, *que* précédant *oui, non, si* a une valeur d'emphase, d'insistance. *Que oui !*

6. Dans l'expression orale relâchée, *que* est souvent employé comme particule explétive, avec une valeur d'intensité. *Il crie que ça fait peine à entendre ; il pleuvait que c'en était une bénédiction.*

7. *Que* s'emploie également comme particule explétive dans certaines tournures admises par l'usage. *Drôles de gens que ces gens-là. Cela ne laisse pas que de nous surprendre. Ce n'est pas trop que de le dire. Si j'étais que de vous.* **RECOMM.** Éviter en revanche les constructions du type : **il ne peut pas dépenser tout son argent tellement qu'il en a, *où qu'il est ? *d'où que tu viens ?*

♦ **Constr.**

1. *Que,* placé en tête de phrase, demande le subjonctif. *Qu'il veuille partir, je le sais* (mais : *je sais qu'il veut partir*).

2. Répétition de *que.*

❏ Quand deux *que* se suivent immédiatement, on en supprime un. *Je ne demande pas mieux qu'il vienne* (= **je ne*

demande pas mieux que qu'il vienne). Il est parfois nécessaire de tourner la phrase autrement : *j'aime mieux qu'il parte plutôt qu'il soit malheureux* ou *j'aime mieux qu'il parte que de le voir malheureux* et non **j'aime mieux qu'il parte que qu'il soit malheureux.*

❏ On évite également la succession de deux subordonnées introduites par *que :* *le scandale qu'il croit que j'ai déclenché* est une phrase grammaticalement correcte, mais lourde. **RECOMM.** Dire plutôt : *le scandale que, croit-il, j'ai déclenché.*

3. *Que / que de.* Après les locutions *autant ... que, il vaut mieux ... que, plutôt ... que,* etc., et devant un infinitif employé comme second terme de la comparaison, la préposition *de* est facultative : *il vaut mieux tenir que courir ; autant décider tout de suite que de tergiverser* ou *que tergiverser.*

4. *Que / que ne.* Avec *plus que, moins que, mieux que, autre que,* etc., la particule *ne* dans la subordonnée est facultative : *il va mieux que je ne croyais* (ou *que je croyais*). Toutefois, si la principale est négative ou interrogative, on ne met pas *ne* dans la subordonnée : *il n'est pas autrement que j'avais cru.*

3. *Que / à ce que.* → **à**

♦ **Sens.** *Ne faire que / ne faire que de.* Ne pas confondre ces deux locutions. ❏ *Ne faire que* = ne pas cesser de, ne pas faire autre chose que. *Il ne fait qu'entrer et sortir* (= il entre et sort sans cesse). ❏ *Ne faire que de* = venir à peine de. *Il ne fait que de sortir* (= il est sorti il y a un instant). → **faire**

québécois, e adj. et n. ♦ **Orth.** *Québécois, québécoise* prend deux accents aigus. → R.O. 1990

quel adj. ♦ **Emploi.** 1. *Quel que / quelque.* → **quelque.** 2. *Tel quel.* → **tel.**

quelconque adj. indéfini et adj. ♦ **Constr. et emploi.** 1. Ne pas confondre *quelconque,* adjectif indéfini et *quelconque,* adjectif qualificatif. ❑ *Quelconque,* adj. indéfini. = n'importe quel. *Il s'est absenté sous un prétexte quelconque.* ❑ *Quelconque,* adj. qualificatif = médiocre, ordinaire. *Il est bien gentil, mais il est assez quelconque.* **2.** *Quelconque,* adj. indéfini, suit le nom qu'il qualifie. *Soit deux droites quelconques.* ❑ Précédé de l'article indéfini *un, quelconque* a toujours un sens péjoratif : *il a confié ce travail à un quelconque tâcheron.*

quelque adj. et adv.

◆ **Orth.** *Quelque* ne s'élide que devant *un* ou *une* : *j'attends quelqu'un ; quelqu'une de ses amies.*

◆ **Accord.**

1. Au sens de « un petit nombre de, plusieurs », *quelque* est adjectif et variable : *il reste quelques gâteaux dans la boîte ; cela m'a coûté quelques francs.* ❑ *Quelque* s'accorde parfois avec un nom sous-entendu : *cela m'a coûté cent francs et quelques* (= cent francs et quelques francs). **2.** Au sens de « environ, à peu près », *quelque* est adverbe ; il est donc toujours invariable devant un nombre : *j'ai dû perdre dans l'affaire quelque cinq mille francs ; il y a quelque dix ans de cela.* **3.** *Quelque... que* (+ subjonctif). Exprimant la concession, *quelque* peut être adjectif et variable ou adverbe et invariable. ❑ Devant un nom précédé ou non d'un autre adjectif, *quelque* est adjectif et variable : *quelques excuses que vous présentiez, on vous tiendra rigueur de votre absence ; quelques bonnes excuses que vous présentiez on vous en tiendra rigueur.* ❑ Devant un adjectif seul ou un adverbe, *quelque* est adverbe et invariable : *quelque bonnes que soient vos excuses, on vous en tiendra rigueur* (= si bonnes que soient vos excuses) ; *quelque humblement que vous vous excusiez, on vous en tiendra rigueur* (= aussi humblement que vous vous excusiez).

◆ **Emploi.**

1. *Quelques... que* (+ subjonctif) /

quelques... que (+ indicatif). Ne pas confondre *quelques... que* (+ subjonctif), exprimant la concession *(quelques économies qu'il fasse, il ne pourra jamais acheter de maison)* et *quelques... que* (+ indicatif), dans lequel *quelques* est un adjectif indéfini et *que* un pronom relatif *(quelques économies qu'il avait faites lui ont permis d'acheter une maison).*

2. *Quelque / quel que.* Quelque... que (+ subjonctif) exprimant la concession s'écrit *quel que,* en deux mots, quand il précède immédiatement un verbe *(être,* le plus souvent) ou un pronom personnel sujet. *Quel* s'accorde alors en genre et en nombre avec le sujet du verbe : *quelle que soit l'impatience que vous éprouvez ; je veux connaître ses intentions, quelles qu'elles soient.* - On dit, on écrit en revanche : *quelque impatience que vous puissiez éprouver... ; quelques intentions qu'il ait pu avoir...* REM. Pour exprimer la concession, on employait autrefois *quel... que* : « *En quel lieu que ce soit, je veux suivre tes pas* » (Molière). L'expression actuelle *quelque... que* est le résultat de la soudure des deux éléments et de la répétition du relatif *que.*

3. *Quelque chose que.* → chose

quelquefois adv. ◆ **Emploi.**

Quelquefois / quelques fois. Ne pas confondre ces deux formes. **1.** *Quelquefois* = certaines fois, parfois, en quelques occasions. *Il vient quelquefois nous voir.* **2.** *Quelques fois* = (à) un certain nombre de reprises. *Il est venu nous voir quelques fois* (= plusieurs fois). ◆ **Registre.** *Si quelquefois* est familier, *quelquefois que* relâché : *si quelquefois il pleuvait, quelquefois qu'il pleuvrait.* RECOMM. Dans l'expression soignée, préférer *si par hasard* : *si par hasard il pleuvait.*

quelqu'un, quelques-uns, quelqu'une, quelques-unes pron. indéfini ◆ **Orth.** Au singulier : *quelqu'un, quelqu'une* avec une apostrophe mar-

quant l'élision du *e*. - Au pluriel : *quelques-uns, quelques-unes,* avec un trait d'union. ◆ **Genre.** Au sens de « personne qui a de la valeur », *quelqu'un* est masculin, même quand il s'applique à une femme : *cette fille est vraiment quelqu'un.* ◆ **Constr.** *Quelqu'un de.* Lorsque *quelqu'un* est qualifié, la particule *de* s'interpose devant l'adjectif : *c'est quelqu'un d'important ; tu n'as que de mauvais outils, je vais t'en prêter quelques-uns de meilleurs.* ◆ **Emploi. 1.** Employé sans complément au masculin singulier, *quelqu'un* ne peut désigner qu'une personne indéterminée. *Je cherche quelqu'un. Quelqu'un m'a-t-il demandé ce matin ?* **2.** Au pluriel, ou au singulier mais suivi d'un complément introduit par *de, quelqu'un* peut s'appliquer à des personnes ou à des choses (= certains, un ou une de). *Quelques-uns de mes amis, quelques-unes de mes bonnes bouteilles. Avez-vous souffert de quelqu'un de ces maux ? « [...] quelqu'une de ces langues impénétrables qu'il est plus aisé d'enseigner que d'entendre »* (P. Valéry). ◆ **Registre. 1.** L'emploi de *quelqu'un* au singulier suivi d'un complément partitif *(quelqu'un de ces maux, quelqu'une de ces langues)* appartient au registre soutenu. **2.** *C'est quelqu'un !* (= c'est extraordinaire, c'est trop fort) est populaire : *t'as beau leur expliquer, ils comprennent pas : c'est quelqu'un, quand même !*

qu'en-dira-t-on n.m. inv. ◆ **Orth.** Le mot est invariable et s'écrit avec des traits d'union. *Ne pas se soucier des qu'en-dira-t-on.*

querelle n.f. ◆ **Prononc.** [kəʀɛl], en faisant entendre le premier *e,* comme dans *bretelle.*

quérir v.t. ◆ **Orth.** Avec un accent aigu sur le *e.* ◆ **Emploi.** *Quérir* (= chercher dans l'intention de ramener, de rapporter) ne s'emploie plus qu'à l'infinitif, dans un style littéraire ou volontairement archaïque, avec les verbes *aller,*

venir, envoyer, faire. Aller quérir le médecin. Envoyer quérir des nouvelles.

qu'est-ce que, qu'est-ce qui

◆ **Emploi.** Comme toutes les formules interrogatives composées avec *est-ce que, qu'est-ce que* et *qu'est-ce qui* doivent être exclusivement réservées à l'interrogation directe. *Qu'est-ce que tu vas faire? Qu'est-ce qui vous permet de penser cela ?* Dans l'interrogation indirecte, on emploie seulement *ce que, ce qui. Je te demande ce que tu vas faire. Je me demande ce qui vous permet de dire cela.* → annexe, grammaire § 119

questeur n.m. ◆ **Prononc.** On dit le plus souvent aujourd'hui [kɛstœʀ] en prononçant la première syllabe comme *caisse.* La prononciation [kɥɛstœʀ], dans laquelle le *u* de *qu-* était articulé comme celui de *huile,* considérée naguère comme plus correcte, est devenue rare. De même pour *questure.*

question n.f. ◆ **Constr.** *Il est question de* (+ infinitif) / *que* (+ subjonctif) = il s'agit de, que. *Il est question de partir. Il est question qu'il parte.* ◆ **Registre. 1.** *Question argent.* Le tour qui consiste à faire suivre le mot *question* d'un mot en apposition est familier. *C'est la question argent qui nous embarrasse. Question rapidité, l'avion est la meilleure solution.* **RECOMM.** Dans l'expression soignée, préférer *la question de* ou *c'est (c'est la question de l'argent, c'est l'argent qui nous embarrasse)* ou recourir à des tournures telles que *quant à, en ce qui concerne, pour ce qui est de : pour ce qui est de la rapidité, l'avion est la meilleure solution.* **2.** *Question de* (+ infinitif) = pour, dans l'intention de. *Si on buvait déjà un coup, question de s'ouvrir l'appétit ?* Registre familier.

questure n.f. → questeur

queue n.f. ◆ **Orth.** Dans les composés de *queue,* le complément introduit par *de* est toujours invariable : *une queue-*

d'aronde, *des queues-d'aronde ; une queue-de-cheval, des queues-de-cheval ; une queue-de-pie, des queues-de-pie,* etc. - Ces composés s'écrivent avec des traits d'union. ◆ **Emploi.** On dit, on écrit aujourd'hui *faire la queue : faire la queue devant un magasin. Faire queue* est vieilli. « *Comme on en voit à l'entrée des théâtres où la foule fait queue* » (G. Duhamel).

queux n.m. / **queux** ou **queue** n.f.
◆ **Genre et sens.** Ne pas confondre *queux* n.m. et *queux* n.f. **1.** *Queux* n.m. Ce mot issu du lat. *coquus* ou *cocus,* cuisinier (de *coquere,* cuire ou faire cuire) n'est usité que dans *maître queux* (= chef de cuisine, cuisinier), expression vieillie employée le plus souvent aujourd'hui par plaisanterie. **2.** *Queux* ou *queue* n.f. = pierre à aiguiser (du lat. *cos, cotis*). *Une queux à faux.*

qui pron.
◆ **Emploi.**
I. *Qui,* pronom relatif.
1. *Qui,* sujet, peut représenter des personnes ou des choses. *L'homme qui parle. Le chien qui aboie. La pomme qui tombe.*
2. *Qui,* complément, précédé d'une préposition (*à, de, par, pour, sur,* etc.), ne peut représenter que des personnes, des choses personnifiées, ou des animaux domestiques - notamment des animaux de compagnie, souvent assimilés à des personnes : *il est l'homme par qui le scandale arrive ; les grands peupliers à qui elle confiait ses secrets lui répondaient par des murmures ; mon chien, à qui je viens de donner sa pâtée, me regarde d'un air satisfait.* - Un nom de chose non personnifiée ne peut être repris que par les pronoms relatifs *auquel, duquel, lequel,* etc. (qui peuvent également reprendre un nom de personne, mais qui sont plus souvent utilisés pour reprendre un nom de chose) *Ce souvenir, auquel j'attache beaucoup d'importance. La personne à laquelle* (ou *à qui*) *il est resté fidèle* → **lequel.** REM. Jusqu'au XVIIe s., *qui* précédé d'une pré-

position pouvait avoir pour antécédent un nom de chose : « *Soutiendrez-vous un faix sous qui Rome succombe* » (Racine). Cet emploi archaïque se rencontre parfois chez certains écrivains contemporains qui l'utilisent comme effet de style : « *Les exigeantes et dures racines par qui l'arbre prend et vit* » (P. Claudel).
3. *Qui... qui...* est employé avec une valeur distributive au sens de « ceux-ci... ceux-là, les uns... les autres ». *Ils accouraient de toutes parts, qui avec un balai, qui avec un seau.* Registre soutenu.
4. *De qui / dont.* → **dont**
REM. Au Moyen Âge et jusqu'au XVIe s., *qui* avait aussi la valeur de « si l'on » ou de « si quelqu'un ». On retrouve cet emploi dans l'expression *comme qui dirait* et dans le proverbe *Tout vient à point, qui sait attendre,* dont la forme actuelle (*tout vient à point à qui sait attendre*) a légèrement modifié le sens.
II. *Qui,* pronom interrogatif.
Qui / quel.
❑ *Qui,* pron. interrogatif, se dit des personnes, mais ne se dit pas des choses : *qui est cet homme ?* (On ne dit pas : **qui est cette fleur ?*). Il s'emploie comme sujet, attribut ou complément dans l'interrogation directe ou indirecte. *À qui parles-tu ? Je te demande qui est cet homme à qui tu parlais.*
❑ *Quel* se dit aussi bien des personnes que des choses. *Quel est cet homme ? Quelle est cette fleur ?* **RECOMM.** En parlant des personnes, *qui* interroge plutôt sur l'identité et *quel* sur d'autres caractéristiques. *Qui est cet homme* (= quel est son nom ?). *Quel est cet homme ?* (= que fait-il ? d'où vient-il ?) « *Quel est cet homme ? / Oh ! qu'il est pâle, et comme / Son poil est roux !* » (H. Berlioz, *la Damnation de Faust*).
❑ Quand l'interrogation comporte une relative avec *qui,* on emploie de préférence *quel,* qui évite la répétition de *qui : quel est celui qui ose se plaindre ?* (plutôt que : *qui est celui qui ose se plaindre ?*).

♦ **Accord.**

1. Accord du verbe avec *qui* sujet.

Avec *qui* sujet, le verbe s'accorde en règle générale en nombre et en personne avec l'antécédent. *C'est moi qui suis la plus grande. C'est vous qui entrerez le premier. Il n'y a que toi et moi qui le savons.* ❑ Toutefois, lorsque *qui* a pour antécédent un attribut se rapportant à un pronom personnel de la 1re ou de la 2e personne, l'accord se fait avec cet attribut :
- S'il est précédé de l'article défini ou d'un adjectif démonstratif : *vous êtes l'homme qui a traversé la Manche à la nage ; je suis celui qui ne va rien dire jusqu'à ce qu'il fâche pour de bon* (on ne dit pas : *vous êtes l'homme qui avez traversé..., *je suis celui qui ne vais rien dire...*).
- Si la proposition principale est à la forme négative ou interrogative : *vous n'êtes pas quelqu'un qui s'affole pour un rien ; suis-je celui qui pourra assumer une telle tâche ?* (on ne dit pas : *vous n'êtes pas quelqu'un qui vous affolez...., *suis-je celui qui pourrai...*)
❑ Quand *qui* a pour antécédent *le seul, le premier* ou *le dernier* en fonction d'attribut, l'accord peut se faire soit avec l'antécédent, soit avec le pronom personnel : *vous êtes le seul qui connaisse la route* ou *vous êtes le seul qui connaissiez la route.*

2. Accord du verbe après *un des... qui.*
→ un

♦ **Constr.**

1. *Qui que ce soit* se construit avec le subjonctif : *qui que ce soit qui vienne, je le recevrai bien.*

2. *Qui / qu'il.* Avec des verbes pouvant être employés en construction impersonnelle, il y a parfois concurrence entre *qui* et *qu'il.*
❑ *Qui* marque une construction personnelle : *je me demande ce qui lui arrive* (= quelque chose arrive) ; *le travail qui lui reste à faire* (= du travail reste à faire).
❑ *Qu'il* marque une construction impersonnelle : *je me demande ce qu'il lui arrive* (= il arrive quelque chose) ; *le travail qu'il lui reste à faire* (= il reste du travail à faire). Ces constructions, si semblables par le sens et par la prononciation, peuvent souvent s'employer indifféremment. Cependant, avec le verbe *plaire,* on note une nuance entre *je fais ce qui me plaît* et *je fais ce qu'il me plaît* (→ **ce**). Avec le verbe *falloir,* on emploie toujours la construction impersonnelle : *je ne sais pas ce qu'il faut* (et non : *je ne sais pas ce qui faut, qui appartient à l'expression orale relâchée).

quiconque pron. ♦ **Emploi.** *Quiconque,* pronom relatif indéfini, est le plus souvent employé au sens de « toute personne qui ; celui, quel qu'il soit, qui ». « *Le devoir de quiconque prétend parler au public des ouvrages d'autrui est de faire tout l'effort qu'il faut pour les entendre* » (P. Valéry). *Quiconque frappera par l'épée périra par l'épée.* ❑ L'emploi comme pronom indéfini, au sens de « n'importe qui, qui que ce soit », naguère critiqué, est aujourd'hui passé dans l'usage : « *La vieille [...] ne lui adressait jamais la parole, non plus qu'à quiconque* » (A. Gide). REM. *Un quiconque, tout quiconque* sont des régionalismes. ♦ **Accord.** *Quiconque,* généralement masculin, peut commander l'accord au féminin si la situation ou le contexte indique clairement que la phrase où il est employé concerne des femmes : *les candidates passeront les épreuves en juin, quiconque aura obtenu à l'écrit une moyenne de 10 sera admise à l'oral.* ♦ **Registre.** *Quiconque* appartient au registre soutenu.

quidam n.m. ♦ **Prononc.** [kidam], avec la première syllabe prononcée comme *qui,* ou [kɥidam], avec la première syllabe prononcée comme *cuit.* La première prononciation, [ki], est aujourd'hui plus fréquente. ♦ **Registre.** *Quidam* appartient au registre familier.

quiet, quiète adj. ◆ **Prononc.** Le groupe *qui-* se prononce aujourd'hui [kj], comme dans *inquiet* et *inquiétude*, sans faire entendre le *u*. De même pour *quiétude*. ◆ **Registre.** *Quiet* et *quiétude* s'emploient surtout dans l'expression soignée. Le nom est plus fréquent que l'adjectif.

quiétude n.f. → quiet

quincaillier, ère n. ◆ **Orth.** Attention à la finale en *-aillier-*, avec un *i* après les deux *l*, comme dans *joaillier, marguillier*. → R.O. 1990

quinqu(a)- préf. → quint-

quint- préf. ◆ **Prononc.** *Quint-* et *quinq(a)-*. La prononciation faisant entendre le *u* (comme si *quint-* et *quinqu[a-]* s'écrivaient *cuint-* et *cuincua-*), autrefois seule admise, est aujourd'hui concurrencée par la prononciation [kɛ̃t] / [kɛ̃ka], (comme *kint-* et *kinka-*). Se prononcent toujours avec un simple [k] : *quinquennal, quinquennat, quinte, quintessence, quintuple, quintupler, quintuplés*. Hésitent entre les deux prononciations : *quindécemvir, quinquagénaire, quinquagésime, quintette, quintidi, quintillion*. REM. Ces deux préfixes sont issus du latin, respectivement *quintus,* cinquième, et *quinque,* cinq.

quiproquo n.m. / **malentendu** n.m. ◆ **Prononc.** *Quiproquo* se prononce [kipʀoko], sans faire entendre le *u,* comme dans *qui.* ◆ **Orth.** Plur. : *des quiproquos.* ◆ **Sens.** *Quiproquo / malentendu.* Ne pas employer l'un pour l'autre ces deux mots que sépare une importante nuance de sens. **1.** *Quiproquo* = méprise qui fait prendre une personne, une chose pour une autre. *Il y a eu un quiproquo, la lettre adressée à Claude Duval a été ouverte par Claudine Duval* **2.** *Malentendu* = incompréhension entre deux ou plusieurs personnes, reposant notamment sur une

interprétation différente d'une parole, d'un mot. *C'est un malentendu : j'ai dit que vous étiez insouciant de nature, je n'ai pas dit que vous étiez négligent.*

quitte adj. ◆ **Accord.** *Quitte* s'accorde lorsqu'il est attribut du sujet ou du complément d'objet : *nous en sommes quittes pour la peur ; on les a tenus quittes de tous leurs engagements antérieurs.* - *Quitte* est invariable dans la locution *quitte à* (comme *sauf* dans *sauf à*) : *nous ferons ce que nous avons toujours fait, quitte à être montrés du doigt* (= au risque d'être montrés du doigt) ; *quitte à partir, ils préfèrent partir loin* (= s'il leur faut partir). ◆ **Constr. et sens.** 1. *Être quitte de* = être libéré de (un obligation, une contrainte, une dette). *Être quitte d'une corvée, d'un impôt.* **2.** *En être quitte pour* = n'avoir à subir que l'inconvénient de. *Si vous échouez, vous en serez quitte pour recommencer ; j'en suis quitte pour deux heures de travail supplémentaire.* **3.** *Quitte à* (+ infinitif), *quitte à ce que* (+ subjonctif) = au risque de, que ; avec la possibilité de, que. *Nous lui ferons part de nos remarques, quitte à lui déplaire* ou *quitte à ce qu'elles lui déplaisent.* ◆ **Emploi.** *Quitte ou double.* On dit plus souvent aujourd'hui *jouer quitte ou double* que *jouer à quitte ou double,* mais *jouer à quitte ou double* est correct.

quitus n.m. inv. ◆ **Prononc.** [kitys], la première syllabe se prononce comme *qui.* ◆ **Orth.** Plur. : *des quitus* (invariable).

quoi pron. relatif et interrogatif ◆ **Emploi.** Qu'il soit pronom relatif ou pronom interrogatif, *quoi* ne représente jamais une personne. I. *Quoi,* pronom relatif **1.** *Quoi,* pronom relatif, se rapporte le plus souvent à un pronom neutre (*ce, rien, quelque chose*, etc.) ou à une proposition : *ce à quoi je pense ; il n'y a rien à quoi je ne m'attende ; voilà quelque chose sur quoi on peut compter ; lisez d'abord le livre, après* *quoi vous pourrez le critiquer.* **REM.** Dans la langue classique, *quoi* pouvait représenter un nom de chose de sens déterminé, et on employait *à quoi, sur quoi…,* là où nous dirions aujourd'hui *auquel, à laquelle, sur lequel, sur laquelle…* : « *Ce n'est pas le bonheur après quoi je soupire* » (Molière). Certains écrivains contemporains usent encore parfois de ce tour littéraire : « *Une de ces bornes à quoi l'on amarre les bateaux* » (F. Mauriac).

2. De quoi. *Quoi* s'emploie sans antécédent dans la tournure *de quoi* + infinitif (= ce qu'il faut pour) : *heureusement, il avait de quoi payer son billet de retour ; il a de quoi vivre.* ❑ *De quoi* s'emploie aussi absolument : *il a de quoi, c'est un homme qui a de quoi* (= qui a ce qu'il faut pour vivre dans l'aisance). Registre familier.

II. Quoi, pronom interrogatif (= quelle chose ?) s'emploie dans l'interrogation directe et indirecte : *à quoi veux-tu en venir ? Je me demandais à quoi tu voulais en venir.*

1. Quoi / que. Dans l'expression orale, *quoi* s'emploie couramment à la place de *que,* comme complément d'un infinitif ou après un verbe à un mode personnel : *il ne sait quoi faire ; quoi répondre ? ; tu en penses quoi ?* **RECOMM.** Dans l'expression soignée, en particulier à l'écrit, préférer *que : il ne sait que faire ; que répondre ? ; qu'en penses-tu ?*

2. *Quoi* est également fréquent dans les interrogations sans verbe : *quoi de neuf, aujourd'hui ?* **RECOMM.** Pour faire répéter à son interlocuteur ce qu'il vient de dire, préférer *pardon* ou *comment dites-vous.* « *Cette maladie est causée par une bactérie Gram positif. - Pardon ?* » (et non : « *-Quoi ?* »).

◆ **Constr.**

1. Quoi que (+ subjonctif) : *quoi qu'il fasse, il réussit.* Ne pas confondre *quoi que* et *quoique* → **quoique**

2. Quoi qu'il en ait. L'expression *quoi qu'il en ait,* qui signifie « malgré le dépit qu'il en a » résulte de la contamination de la locution *malgré qu'il en ait* (= quelque mauvais gré qu'il en ait) par *quoi que.* Longtemps critiquée, elle est aujourd'hui admise, mais elle reste d'un emploi peu courant.

◆ **Orth. et sens.** Ne pas confondre *pour quoi* et *pourquoi* → **pourquoi**

quoique conj. ◆ **Orth.** *Quoique* ne s'élide que devant *il(s), elle(s), on, un* et *une.* ◆ **Constr. 1.** *Quoique* (+ subjonctif) : « *Tu te plains, quoiqu'on ne t'ait rien pris* » (La Fontaine). « *Il était généreux, quoiqu'il fût économe* » (V. Hugo). La subordonnée introduite par *quoique* se met normalement au subjonctif. Cependant, on rencontre parfois l'indicatif ou le conditionnel, notamment dans des propositions présentant une objection à ce qui vient d'être énoncé. *Quoique* équivaut alors à *cependant, mais :* « *Nous le savions bien, quoique cette amitié, avouez-le, était bougrement exigeante* » (J. Giono). « *…je ne peux pas le forcer à aller chez elle, quoique j'aimerais mieux qu'il lui fût un peu plus fidèle…* » (M. Proust). **2.** *Quoique* peut également introduire une subordonnée sans verbe conjugué : *il obtenait des résultats satisfaisants, quoique légèrement en baisse.* « *Il était, quoique riche, à la justice enclin* » (V. Hugo). ◆ **Sens.** *Quoique / quoi que.* Ne pas confondre la conjonction *quoique* et le pronom relatif indéfini *quoi que.* **1.** *Quoique* (= encore que, bien que) introduit une subordonnée conjonctive de concession : *quoiqu'il soit malade, il sera présent à la réunion.* **2.** *Quoi que* = quelle que soit la chose que, la chose qui. *Quoi que vous en pensiez, je ferai aboutir le projet ; quoi que vous deveniez, on ne vous oubliera pas ; quoi qu'il arrive, restez calme.* On écrit *quoi que* en deux mots si on ne peut pas le remplacer par *bien que.* ❑ On écrit toujours *quoi que* en deux mots dans les expressions *quoi qu'il en soit* (= de toute façon, en tout état de cause) et *quoi que ce soit* (= n'importe quoi ou rien, selon le contexte) : *s'il arrive quoi que ce soit, nous serons en fâcheuse posture ; je n'ai jamais pu obtenir de lui quoi que ce soit.*

quorum n.m. ◆ **Prononc.** [kɔʀɔm], en prononçant la première syllabe comme celle de *quotient,* ou [kwo] comme dans *squaw* (la première prononciation est la plus fréquente) ; la finale se prononce toujours [ɔm] comme dans *rhum.* ◆ **Orth.** Plur. : *des quorums* → annexe, grammaire § 52

quota n.m. ◆ **Prononc.** [kɔta], en prononçant la première syllabe comme celle de *quotient* ou [kwo] comme dans *squaw* ; la première prononciation est la plus fréquente. ◆ **Orth.** Plur. : *des quotas* → annexe, grammaire § 52. REM. *Quota* est un singulier latin (féminin de l'adjectif *quotus*), à la différence de beaucoup de mots en -*a* d'origine latine (*addenda, agenda,* etc.), qui sont des pluriels.

quote-part n.f. ◆ **Prononc.** [kɔtpaʀ], comme *cote* et *par.* ◆ **Orth.** S'écrit avec *qu-* (et non avec *c-*) et avec un trait d'union. → R.O. 1990. - Plur. : *des quotes-parts.* REM. *Quote-part* est la traduction de l'expression latine *quota pars,* part qui revient à chacun, et *quote* n'est utilisé que dans ce nom composé.

R

rabâcher v.t. et v.i. ◆ **Orth.** Avec un accent circonflexe sur le deuxième *a* ; de même pour les dérivés *rabâchage* et *rabâcheur.* ◆ **Registre.** Familier. Dans l'expression soignée, préférer *répéter, radoter* et leurs dérivés.

rabais n.m. ◆ **Orth.** Avec une finale en -*ais* (penser à *rabaisser*), comme dans *dais, relais.*

rabat-joie n.m. inv. ◆ **Orth.** Avec un trait d'union. - Plur. : *des rabat-joie* (invariable). → R.O. 1990

rabattre v.t. ◆ **Orth.** Avec un seul *b* et deux *t* ; de même pour les dérivés *rabattage,   rabattement,   rabatteur.* ◆ **Conjug.** Comme *battre* : *je rabats , tu rabats, il rabat, nous rabattons* → annexe, tableau 63. ◆ **Emploi. 1.** *Rabattre le caquet.* On dit correctement *rabattre le caquet à quelqu'un, lui rabattre son caquet* (= le faire taire, le remettre à sa place). **2.** *Rabattre / rebattre.* Ne pas employer *rabattre* pour *rebattre* dans l'expression *rebattre les oreilles.* → rebattre

rabbin n.m. ◆ **Orth.** Avec deux *b* ; de même pour les dérivés *rabbinat, rabbinique.*

râble n.m. ◆ **Orth.** Avec un accent circonflexe sur le *a*, ainsi que *râblé.*

raboter v.t. ◆ **Orth.** Avec un seul *t* ; de même pour les autres mots de la famille : *rabotage, raboteur, raboteuse* et *raboteux.*

raccommoder v.t. et v.pr. ◆ **Orth.** Avec deux *c* et deux *m,* comme dans *accommoder* ; de même pour les autres mots de la famille : *raccommodage, raccommodement, raccommodeur.* ◆ **Registre.** Familier au sens de « réconcilier » : *ils ont été longtemps brouillés, mais ils se sont raccommodés.*

raccroc n.m. ◆ **Orth. et prononc.** Avec deux *c,* et finale en -*oc* dont on ne prononce pas le *c,* comme dans *croc.*

raccrocher v.t., v.i. et v.pr. ◆ **Orth.** Avec deux *c,* comme dans *raccroc* et *accrocher.* ◆ **Registre.** Familier au sens de « ressaisir, rattraper » *(il est arrivé à raccrocher l'affaire)* et au sens de « abandonner définitivement une activité » *(il était dans le métier depuis quarante ans, il a raccroché il y a six mois).*

racial, ale adj. / **raciste** adj. et n. ◆ **Emploi.** Ne pas confondre ces deux adjectifs. **1.** *Racial* adj. = relatif à la race. Ne qualifie jamais un nom de personne : *les caractères raciaux de la vache montbéliarde ; discrimination raciale.*

2. Raciste adj. et n. = qui relève du racisme, qui prône le racisme. S'emploie pour qualifier des personnes, des idées, des propos, des actes, etc. : *les idéologues racistes ; des propos racistes ; un, une raciste.*

racketter v.t. ◆ **Orth.** Ce dérivé de *racket* s'écrit avec deux *t,* de même que son dérivé *racketteur.*

racler v.t. ◆ **Orth. et prononc.** Le *a* ne prend pas d'accent circonflexe, bien qu'il se prononce comme dans *bâcler.* De même pour les dérivés *raclette, racleur, racleuse, racloir, raclure.*

racoler v.t. ◆ **Orth.** Avec un seul *c* et un seul *l* ; de même pour ses dérivés *racolage, racoleur.* REM. Ce verbe est issu de *col,* cou (sans rapport avec *colle*).

racontar n.m. ◆ **Orth.** Finale en *-ar* comme dans *bazar* (et non en *-ard* comme dans *hasard*). ◆ **Registre.** Familier.

racornir v.t. ◆ **Orth.** Un seul *c* (ne pas se laisser influencer par les mots de la famille de *accord*).

radar n.m. ◆ **Orth. et accord.** *Radar* est employé fréquemment en apposition ou comme deuxième élément d'un mot composé et signifie selon le cas « qui utilise un radar », « qui appartient au radar », « qui est émis, capté par un radar ». L'usage hésite sur l'emploi du trait d'union et sur le pluriel. RECOMM. Il est préférable de traiter, dans tous les cas, *radar* comme un nom en apposition, sans trait d'union *(un avion radar, une image radar)* et, au pluriel, de mettre un *s (des contrôles radars, des écrans radars, des stations radars,* etc.). REM. Dans les textes spécialisés, on peut recourir au sens pour mettre ou non un *s* selon qu'il s'agit d'un seul radar ou de plusieurs.

radier v.t. / **rayer** v.t. ◆ **Sens.** Ces deux verbes de sens proches ont une origine commune (latin *radiare,* rayer), mais ne peuvent pas être employés l'un pour l'autre. **1. Radier** = exclure par décision d'autorité. *Le conseil de son ordre l'a radié pour indélicatesse.* **2. Rayer** = annuler au moyen d'un trait, barrer. *Rayer un nom dans une liste.* REM. On dit aussi *rayer quelqu'un d'une liste* (= rayer son nom).

radin, e adj. et n. ◆ **Registre.** Mot familier (= avare). ◆ **Accord.** Lorsqu'il se rapporte à un nom féminin, cet adjectif peut s'accorder ou rester invariable en genre : *ce qu'elle est radine !* ou *ce qu'elle est radin !* L'invariabilité est plus fréquente.

1. radio- préf. ◆ **Orth.** À l'exception de *radio-taxi* et de *radio-réveil* (qui peut s'écrire aussi *radioréveil*), les composés formés avec *radio-* (du latin *radius,* rayon, par l'intermédiaire des mots français *radiodiffusion, radiographie* et *radioactif)* s'écrivent en un seul mot, sauf dans les cas où la rencontre du *o* et du *i* conduirait à la prononciation *oi.* On écrit ainsi : *radioélectrique, radiométallographie, radionavigation* mais *radio-immunologie, radio-isotope.*

2. radio- préf. ◆ **Orth.** Les termes d'anatomie formés avec *radio-* (= du radius, os de l'avant-bras) s'écrivent tous avec un trait d'union : *radio-carpien,* du radius et du carpe ; *radio-huméral,* du radius et de l'humérus, *radio-palmaire,* du radius et de la paume, etc.

radioréveil, radio-réveil n.m. ◆ **Orth.** Les deux graphies, *radioréveil* et *radio-réveil* sont admises. - Plur. : *des radioréveils* ou *des radios-réveils.* REM. Dans *radio-réveil* (= réveil intégré à une radio), *radio* signifie « poste récepteur de radio ».

radio-taxi n.m. ◆ **Orth.** *Radio-taxi,* avec un trait d'union. - Plur. : *des radio-*

taxis. REM. Dans *radio-taxi* (= taxi équipé d'une radio), *radio* signifie « poste émetteur et récepteur de radio ».

raffiner v.t. et v.i. → affiner

raffut n.m. ◆ **Orth.** Avec deux *f* ; pas d'accent circonflexe sur le *u* (ne pas se laisser influencer par *raffûter,* terme de rugby, voir ci-dessous). ◆ **Registre.** Familier. RECOMM. Dans l'expression soignée, préférer *vacarme, tapage.*

raffûter v.t. ◆ **Orth.** Avec deux *f* et un accent circonflexe sur le *û,* à la différence de *raffut.* ◆ **Emploi.** Terme de rugby.

rafle n.f. ◆ **Orth.** Sans accent circonflexe sur le *a,* et avec un seul *f,* de même que le verbe *rafler.* ◆ **Registre.** Le nom *rafle* est admis dans le registre courant au sens de « action de tout emporter » ou de « opération policière ». En revanche, le verbe *rafler* est familier.

rafraîchir v.t., v.i. et v.pr. ◆ **Orth.** Avec un accent circonflexe sur le *i* du radical. De même pour *rafraîchissant* et *rafraîchissement* → R.O. 1990

rager v.i. ◆ **Conjug.** Le *g* devient *-ge-* devant *a* et *o* : *je rage, nous rageons ; il ragea* → annexe, tableau 10

ragot n.m. ◆ **Orth.** Sans accent circonflexe (comme *dévot, fagot...*).

ragoût n.m. ◆ **Orth.** Avec un accent circonflexe sur le *u* → R.O. 1990

ragoûtant, e adj. ◆ **Orth.** Avec un accent circonflexe sur le *u* → R.O. 1990. ◆ **Emploi.** *Ragoûtant* (= appétissant, au sens propre comme au sens figuré) ne s'emploie qu'en tournure négative : *un court-bouillon peu ragoûtant ; des trafics d'influence pas très ragoûtants.*

rai n.m. / **raie** n.f. ◆ **Orth. 1.** *Rai,* rayon, ne prend pas de *s.* REM. La graphie *rais,* autrefois en concurrence avec la graphie *rai,* n'est plus en usage. **2.** *Raie,* ligne, prend un *e.* ◆ **Sens et registre.** Ne pas confondre ces deux homonymes. **1.** *Rai* = rayon. Le mot appartient au registre littéraire, et n'est plus employé que dans l'expression *un rai de lumière* (= un rayon de lumière). L'emploi technique *(les rais d'une roue de charrette)* est vieux. **2.** *Raie* = ligne, bande. Mot courant.

raide adj. et adv. ◆ **Accord.** Employé comme épithète ou comme attribut, *raide* prend un *s* au pluriel : *des pentes raides ; les deux dernières volées de l'escalier sont trop raides.* - En emploi adverbial, *raide* est invariable *(dans la montagne, les chemins montent raide),* sauf dans l'expression *raide mort : elles sont tombées raides mortes.*

rail n.m. ◆ **Genre.** Masculin : *un rail.* - Plur. : *des rails.*

rainette n.f. → reinette

raison n.f. ◆ **Accord.** On écrit au singulier *non sans raison* et *pour raison de santé.* → santé. ◆ **Emploi.** *À raison de / en raison de.* Ne pas employer ces deux locutions l'une pour l'autre. **1.** *À raison de* = en proportion de, en fonction de, selon telle quantité. *Être remboursé à raison de ses frais. La colonne de secours progresse à raison de vingt kilomètres par jour.* **2.** *En raison de* = à cause de, en considération de. *En raison d'un mouvement de grève du personnel, le trafic ferroviaire sera perturbé.* ❏ *En raison directe de, en raison inverse de* = de façon directement proportionnelle à, inversement proportionnelle à. *Les corps s'attirent en raison directe de leur masse et en raison inverse du carré des distances.* ◆ **Registre.** *Comme de raison* (= comme il est normal, comme il est juste) est aujourd'hui admis dans tous les registres.

raisonner v.i. ◆ **Orth.** *Raisonner* et les autres dérivés de *raison* s'écrivent tous avec deux *n* : *raisonnable, raisonnement, raisonneur...* ◆ **Sens.** *Raisonner / résonner.* → résonner

rajeunir v.i. et v.t. ◆ **Constr. et conjug.** *Rajeunir,* en emploi intransitif, se conjugue avec l'auxiliaire *avoir* ou avec l'auxiliaire *être* selon que l'on veut marquer l'état ou l'action : *grâce à cette rencontre, elle est rajeunie d'une dizaine d'années* (état) ; *elle a rajeuni de dix ans grâce à cette rencontre* (action). - *Rajeunir,* en emploi transitif, se conjugue toujours avec l'auxiliaire *avoir : cette rencontre l'a rajeunie d'une dizaine d'années.*

ralliement n.m. ◆ **Orth.** Avec un *e* muet intérieur. *Ralliement* correspond à *rallier,* verbe du 1er groupe (comme *aboiement* correspond à *aboyer* → **aboiement**).

rallonge n.f. ◆ **Emploi.** *Rallonge* a supplanté *allonge* dans la quasi-totalité de ses emplois, sauf dans la langue des sports : *les rallonges d'une table ; une rallonge électrique ;* mais : *un boxeur qui a une bonne allonge.* ◆ **Registre.** Familier dans le sens de « somme d'argent supplémentaire ».

rallonger v.t. et v.i. ◆ **Conjug.** Comme *allonger.* Le *g* devient *-ge-* devant *a* et *o : je rallonge, nous rallongeons ; il rallongea* → annexe, tableau 10. ◆ **Sens.** Ne pas confondre avec *allonger* → **allonger**

ramager v.t. et v.i. ◆ **Conjug.** Le *g* devient *-ge-* devant *a* et *o : je ramage, nous ramageons ; il ramagea* → annexe, tableau 10

ramassage n.m. ◆ **Emploi.** *Ramassage* est couramment employé pour désigner le transport par autocar des élèves ou des travailleurs entre leur domicile et leur école *(ramassage scolaire)* ou leur lieu de travail. L'expression est critiquée, car on ramasse des objets inertes, et non des personnes : on parle par exemple de *ramassage des fruits,* ou de *ramassage des ordures ménagères.* **RECOMM.** Dans l'expression soignée, préférer *transport (transport scolaire), navette, service de navettes.*

ramener v.t. et v.pr. ◆ **Conjug.** Attention à l'alternance *è/e : je ramène, il ramène,* mais *nous ramenons ; il ramènera ; il ramènerait ; qu'il ramène* mais *que nous ramenions.* → annexe, tableau 12. ◆ **Sens et emploi.** Ne pas employer *ramener* pour *rapporter* → **apporter**

ramollir v.t. ◆ **Sens et registre.** Au sens de « ôter l'énergie à, diminuer les facultés intellectuelles de (qqn) », *ramollir* et son participe passé *ramolli* sont familiers : *ce temps orageux me ramollit complètement ; il est un peu ramolli.*

ramoner v.t. ◆ **Orth.** Avec un seul *n,* ainsi que ses dérivés *ramoneur, ramonage.*

rancard, rancart ou **rencard** n.m. / **rancart** n.m. ◆ **Orth. et sens.** Ne pas confondre ces deux mots. 1. *Rancard, rancart* ou *rencard,* n.m. = renseignement ou rendez-vous. La graphie *rancard* (avec le *d* final présent dans *rancarder*) est la plus fréquente. 2. *Rancart* n.m., avec un *t,* ne s'emploie que dans l'expression *mettre, jeter au rancart* (= au rebut). ◆ **Registre.** *Rancard,* au sens de « renseignement » ou de « rendez-vous » est argotique, de même que son dérivé *rancarder* (= donner rendez-vous à). ❑ *Mettre au rancart* est familier.

rancuneux, euse adj. ◆ **Registre.** Ce synonyme de *rancunier* appartient au registre littéraire.

rang n.m. ◆ **Orth.** On écrit *se mettre en rang* ou *en rangs.* Le pluriel est plus fréquent. ❑ On écrit *en rang d'oignons* ou *en rangs d'oignons* selon qu'il y a un ou plusieurs rangs, mais *oignons* est toujours au pluriel. ◆ **Registre.** *De rang* (= à la suite) est familier : *travailler dix heures de rang.* RECOMM. Dans l'expression soignée, préférer *à la suite, de suite, d'affilée* : *travailler dix heures d'affilée.*

ranger v.t. et v.pr. ◆ **Conjug.** Le *g* devient *-ge-* devant *a* et *o* : *je range, nous rangeons ; il rangea* → annexe, tableau 10

ranimer v.t. → réanimer

rapatriement n.m. ◆ **Orth.** Avec un *e* muet intérieur. *Rapatriement* correspond à *rapatrier,* verbe du 1er groupe (comme *aboiement* correspond à *aboyer* → aboiement).

rapeur, euse ou **rappeur, euse** n. ◆ **Orth.** L'usage n'a pas encore fixé l'orthographe de ce dérivé de *rap,* qui peut s'écrire avec un *p* ou deux *p.*

rapiécer v.t. ◆ **Conjug.** Attention à l'accent sur le premier *e,* tantôt grave, tantôt aigu, ainsi qu'au *c* qui devient *ç* devant *a* et *o* : *je rapièce, il rapièce, nous rapiéçons ; il rapiéça ; qu'il rapiéçât, qu'ils rapiéçassent.* → annexe, tableau 13. REM. Dans la 9e édition de son dictionnaire (1993) l'Académie écrit au futur et au conditionnel : *je rapiècerai, je rapiècerais.*

rappeler v.t. et v.pr. ◆ **Conjug.** Attention à l'alternance *-ll-/-l-* : *il rappelle, nous rappelons ; il rappelait ; il rappela ; il rappellera* → annexe, tableau 16 et R.O. 1990. ◆ **Constr. 1.** *Se rappeler qqch., qqn* : *je me rappelle ma vieille école et mon institutrice du cours élémentaire ; c'est un évènement qui s'est passé il y a vingt ans, mais je me le rappelle fort bien ; un évènement que je me rappelle fort bien.* RECOMM. I. *Se rappeler* ne peut pas avoir pour complément les pronoms personnels de première et de deuxième personne (*il se te rappelle). On utilise dans ce cas *se souvenir de : il se souvient de toi.* 2. Bien

que cette construction soit aujourd'hui très courante dans l'expression orale relâchée, il faut éviter d'employer *de, en* et *dont* avec *se rappeler ;* ne pas dire : *je me rappelle de ma vieille école, *cet évènement s'est passé il y a vingt ans mais je m'en rappelle, *un évènement dont je me rappelle. En revanche, *en* et *dont* peuvent être employés avec *se rappeler* lorsqu'ils complètent non pas ce verbe, mais un nom dans la phrase : *ma vieille école, dont je me rappelle fort bien l'institutrice* (= je me rappelle l'institutrice de l'école) ; *un évènement dont je me rappelle fort bien tout les détails* (= je me rappelle les détails de l'évènement). **2.** *Se rappeler* (+ infinitif) : *je me rappelle avoir vu ce film à la télévision il y a quelques mois* (et non : *d'avoir vu ce film). **3.** *Rappeler à qqn de faire qqch.* signifie « lui faire penser à le faire » : *rappelle-moi de te donner les papiers la prochaine fois.* On peut ainsi avoir avec le verbe réfléchi : *rappelle-toi de lui donner les papiers la prochaine fois.*

rappliquer v.i. ◆ **Registre.** Familier.

rapport n.m. ◆ **Constr. 1.** *Avoir rapport à* = se rapporter à, avoir trait à, concerner. *Cet ouvrage a rapport à la culture de la vigne.* Dans cette locution figée, *rapport* n'est jamais précédé d'un article ni accompagné d'un adjectif. **RECOMM.** Ne pas confondre *avoir rapport à,* locution verbale, et *rapport à,* locution prépositive (voir ci-dessous, Registre). **2.** *Avoir un rapport avec, être en rapport avec* = avoir un lien avec, être en relation avec. *Cette question n'a aucun rapport avec le sujet étudié. Son refus serait-il en rapport avec son absence ? Non, cela est sans rapport.* **3.** *Sous le rapport de* = du point de vue de, sur le plan de. *Nous étudierons le problème sous le rapport de l'économie, puis sous le rapport de la sociologie* (ou : *sous le rapport économique, puis sous le rapport sociologique*). Cette expression est moins souvent employée que ses équivalents

du point de vue de et *sur le plan de,* mais elle est assez courante sous la forme *sous tous (les) rapports : un jeune homme bien sous tous rapports ; vous avez fait une excellente affaire sous tous les rapports.*
♦ **Registre.** *Rapport à* appartient à l'expression relâchée : *elle est absente rapport à sa fille qui est malade ; je vous écris rapport aux nuisances de la décharge municipale.* - RECOMM. Expression à remplacer, en fonction du contexte, par *à cause de, à propos de, en ce qui concerne, pour* : elle est absente à cause de sa fille qui est malade ; je vous écris à propos des nuisances causées par la décharge municipale.

rapporter v.t. → apporter

rapprendre v.t. → réapprendre

rapsodie n.f. → rhapsodie

rare adj. ♦ **Orth.** Dans la famille de *rare, rarement* et *rareté* s'écrivent avec un premier *e* sans accent, alors que le verbe *raréfier* et ses dérivés *raréfaction* et *raréfiable* s'écrivent avec un accent aigu. ♦ **Accord.** Ne pas oublier d'accorder *rare* quand il se trouve en tête de phrase en fonction d'attribut : *rares sont les exceptions qui démentent cette règle.*

raréfier v.t. → rare

rarement adv. ♦ **Constr. 1.** Contrairement à *jamais* qui a un sens négatif, *rarement* a un sens positif. Il s'emploie donc sans le *ne* de négation : *rarement la visite d'un souverain étranger avait soulevé de telles polémiques* (et non *n'avait soulevé). **2.** Dans l'expression soignée, *rarement,* placé en tête de phrase, peut entraîner l'inversion du sujet si le sujet est un pronom personnel, ou la reprise du sujet par un pronom personnel si le sujet est un substantif : *rarement avions-nous eu l'occasion d'en parler ouvertement ; rarement une proposition avait-elle provoqué autant d'enthousiasme.* ❏ L'emploi de *rarement* en tête

de phrase entraîne souvent l'omission de l'article devant le sujet et le complément d'objet du verbe dont *rarement* modifie le sens : *rarement orateur vit public plus attentif.* ❏ *Rarement* en tête de phrase n'est jamais suivi d'une virgule.

ras adj. ♦ **Accord.** *Ras,* adjectif, s'accorde en genre et en nombre *(un gazon ras, une herbe rase, des pelouses rases),* mais reste invariable en emploi adverbial : *tondez vos pelouses bien ras pour que l'herbe pousse plus dru.* ♦ **Orth.** *Ras le bol, ras du cou.* Les locutions *en avoir ras le bol* (registre familier) et *un pull ras du cou* s'écrivent sans trait d'union, mais les noms *ras-le-bol* et *ras-du-cou* prennent un trait d'union : *un ras-le-bol général ; un ras-du-cou en mohair noir.* ♦ **Emploi.** *À ras de, au ras de.* Les deux formes sont admises : *l'eau est montée à ras du quai, au ras du quai. Au ras de* est plus fréquent. - On emploie toujours *à ras de* dans l'expression *à ras de terre : les hirondelles volent à ras de terre ; des propos à ras de terre.*

rassasiement n.m. ♦ **Orth.** Avec un *e* muet intérieur. *Rassasiement* correspond à *rassasier,* verbe du 1er groupe (comme *aboiement* correspond à *aboyer* → aboiement).

rasseoir v.t. et v.pr. ♦ **Conjug.** Comme *asseoir, rasseoir* a une conjugaison complexe présentant de nombreuses formes doubles : *je me rassieds* ou *je me rassois, nous nous rasseyons* ou *nous nous rassoyons ; vous vous rasseyez* ou *vous vous rassoyez.* - Attention au *i* après le *y* aux première et deuxième personnes du pluriel, à l'indicatif imparfait et au subjonctif présent : *(que) nous nous rasseyions* ou *(que) nous nous rassoyions, (que) vous vous rasseyiez* ou *(que) vous vous rassoyiez.* → annexe, tableau 51 et R.O. 1990. ♦ **Emploi.** Le verbe est habituellement employé à la forme pronominale, *se rasseoir* (= s'asseoir de nouveau, après s'être levé), mais il peut aussi être employé transitivement : *rasseoir qqch.* (= asseoir de nouveau, replacer) : *rasseoir une statue sur son socle.*

rasséréner v.t. et v.pr. ◆ **Orth.** Attention à l'ordre des consonnes : *ras-sé-ré-ner ;* ne pas intervertir les syllabes finales. Penser aux autres mots de la même famille : *serein, sérénité.* ◆ **Conjug.** Attention à l'accent sur le deuxième *e*, tantôt grave, tantôt aigu : *je rassérène, nous rassérénons ; il rassérénera.* → annexe, tableau 11 et R.O 1990

rassir v.i. ◆ **Emploi.** Ce verbe est formé sur *rassis,* participe passé de *rasseoir.* Son emploi, naguère critiqué, est aujourd'hui admis : *le pain de campagne rassit moins vite que la baguette parisienne ; ne laisse pas rassir la brioche.* ◆ **Conjug.** Ce verbe défectif ne s'emploie qu'à l'infinitif *(laisser rassir du pain),* au participe passé *(un pain rassis, une miche rassise)* ainsi qu'à la troisième personne du singulier, au présent, au futur, et aux temps composés de l'indicatif *(le pain rassit, a rassis, avait rassis, eut rassis, rassira, aura rassis) ;* au présent, au passé et au plus-que-parfait du subjonctif *(que le pain rassisse, qu'il ait rassis, qu'il eût rassis) ;* au conditionnel *(le pain rassirait, aurait rassis, eût rassis).*

rassis, e adj. ◆ **Orth.** Dans l'expression soignée, il faut conserver à ce mot sa forme originelle de participe passé du verbe *rasseoir : du pain rassis, une miche rassise.* Dans la langue courante, on trouve de plus en plus souvent les formes *rassi* pour le masculin et *rassie* pour le féminin : *du pain rassi, de la baguette rassie.* REM. Le mot tend à s'aligner sur les participes passés en *-i, -ie* de nombreux verbes du troisième groupe *(sortir, partir, bouillir,* etc.).

rat adj. inv. ◆ **Orth.** *Rat* reste invariable quand il est employé comme adjectif dans le sens de « avare » : *elles sont drôlement rat, tes copines !* ◆ **Registre.** Familier.

râteler v.t. ◆ **Orth.** Avec un accent circonflexe, comme son dérivé *râtelage,* et *râtelier,* de la même famille que *râteau.* REM. *Râteau* est issu du latin *rastellus,* croc à plusieurs dents pour travailler la terre, qui a donné *rastel* en ancien français ; le *s* a disparu au profit de l'accent circonflexe. *Ratisser,* bien qu'il signifie « travailler au râteau », se rattache à un ancien verbe *rater,* racler. ◆ **Conjug.** Attention à l'alternance *-ll-/-l-* : *il râtelle, nous râtelons ; il râtelait ; il râtela ; il râtellera* → annexe, tableau 16 et R.O. 1990

rationalisme n.m. ◆ **Orth.** Attention, un seul *n* pour *rationalisme* (et *rationaliste),* comme pour *nationaliste,* alors que l'adjectif *rationnel* prend deux *n,* comme *émotionnel.*

ratisser v.t. ◆ **Orth.** Sans accent circonflexe, à la différence de *râteler* et des mots de la famille de *râteau.* → **râteler**

rattraper v.t. ◆ **Orth.** Avec deux *t,* mais un seul *p,* tout comme *attraper.*

ravager v.t. ◆ **Conjug.** Le *g* devient *-ge-* devant *a* et *o* : *je ravage, nous ravageons ; il ravagea* → annexe, tableau 10

ravigoter v.t. ◆ **Orth.** Ne prend qu'un seul *t,* tout comme le nom de la sauce *ravigote.*

ravioli n.m. ◆ **Orth.** Plur. : *des raviolis* (pluriel français) ou *des ravioli* (pluriel à l'italienne). RECOMM. Préférer *des raviolis.*

ravoir v.t. ◆ **Conjug.** Verbe défectif, employé seulement à l'infinitif. ◆ **Registre.** Familier au sens de « redonner l'aspect du neuf à (qqch.) ». ◆ **Emploi.** L'emploi à la forme pronominale, *se ravoir* (= reprendre haleine, retrouver ses esprits) est régional (Belgique et régions de France limitrophes).

rayer v.t. ◆ **Conjug.** Comme les autres verbes en *-ayer*, ce verbe peut garder le *y* dans toute sa conjugaison ou changer *y* en *i* devant *e* muet : *il raye* ou *il raie ; il rayera* ou *il raiera*. Les graphies avec *y* se prononcent [Rɛj] (comme dans *pareille*), celles avec *i* se prononcent [Rɛ] (comme dans *il paraît*). - Attention au *i* après le *y* aux première et deuxième personnes du pluriel, à l'indicatif imparfait et au subjonctif présent : *(que) nous rayions, (que) vous rayiez*. RECOMM. Préférer les formes conjuguées en *y* : *il raye, il rayera, il rayerait*, aujourd'hui plus usitées et seules admises par certains grammairiens. ◆ **Sens.** *Rayer / radier.* → radier

rayonner v.i. et v.t. ◆ **Orth.** *Rayonner* et les autres mots de la familles de *rayon* s'écrivent tous avec deux *n : rayonnage, rayonnant, rayonnement*.

raz-de-marée ou **raz de marée** n.m. inv. ◆ **Orth.** Les deux graphies, *raz-de-marée* et *raz de marée* sont admises ; celle avec traits d'union est aujourd'hui la plus fréquente. - Plur. : *des raz-de-marée* ou *des raz de marée*.

razzia n.f. ◆ **Orth et prononc.** Toujours écrit avec deux *z*, le mot se prononce indifféremment [Radzja], en faisant entendre le son *dz*, ou [Razja], comme dans *asiatique*.

re-, ré-, r- préf. ◆ **Sens.** Ce préfixe peut marquer le retour à un état antérieur (*renouer*), un changement de direction (*retourner*), un renforcement (*rechercher*), la répétition (*redire, refaire*), etc. C'est dans ce dernier sens qu'il est le plus productif en français contemporain : tous les verbes sont susceptibles de former un composé avec *re-* ; seuls les plus fréquents de ces composés sont enregistrés dans les dictionnaires. ◆ **Emploi.** RECOMM. Éviter la redondance causée par l'emploi dans la même phrase de *de nouveau* et d'un mot composé avec *re-* marquant la répétition (*il nous l'a redit de nouveau hier*. Dire ou écrire : *il nous l'a redit hier* ou *il nous l'a dit de nouveau hier*.) ◆ **Orth.** Généralement, on emploie *re-* devant consonne et *h* aspiré (*redonner, rehausser*) et *ré-* devant voyelle et *h* muet *(réorganiser, réhydrater)*. Devant *a-*, on a souvent le choix entre *r-* et *ré-* : *rapprendre* ou *réapprendre, rajuster* ou *réajuster*. Cependant, *ré-* tend à s'imposer lorsqu'il s'agit du préfixe de répétition : *réaffirmer* (et non *raffirmer*).

réaction n.f. ◆ **Constr.** La construction la plus courante est *en réaction contre, par réaction contre*, mais on trouve également *en réaction à, par réaction à*.

réaliser v.t. ◆ **Emploi et registre.** 1. Au sens de « comprendre, prendre clairement conscience de qqch. » ; *réaliser* est un calque de l'anglais *to realize*, aujourd'hui passé dans l'usage courant. RECOMM. Dans l'expression soignée, en particulier à l'écrit, préférer les équivalents *prendre conscience de, se représenter clairement, pleinement comprendre*, etc. 2. Au sens de « concrétiser, accomplir », l'expression *réaliser un but* est peu correcte. RECOMM. Préférer *atteindre un but*. → aussi but. ◆ **Constr.** *Réaliser qqch., réaliser que* : *il a réalisé la gravité de la situation, que la situation était grave*. - Sans complément : *tu réalises enfin !*

réanimation n.f. → ranimer

réanimer v.t. / **ranimer** v.t. ◆ **Emploi.** Bien que formés de la même façon (préfixe *r[e]-* + *animer*), *réanimer* et *ranimer* ont des emplois différents. 1. *Réanimer* s'emploie au sens médical de « rétablir les fonctions vitales de (qqn) » : *réanimer un noyé*. Le nom correspondant, *réanimation*, est courant. 2. *Ranimer* est d'un emploi plus général au propre comme au figuré *(ranimer un feu, ranimer des souvenirs, ranimer l'enthousiasme…)*. Aucun substantif ne lui correspond.

réapparaître v.i. ◆ **Conjug.** Comme *reparaître* → tableau 71, R.O. 1990 et reparaître

réapprendre, rapprendre v.t. ◆ **Orth.** Les deux formes, *réapprendre* et *rapprendre,* sont admises ; *réapprendre* est aujourd'hui plus fréquent : *une leçon à réapprendre* ou *une leçon à rapprendre.* ◆ **Conjug.** Comme *apprendre* et *prendre.* → annexe, tableau 61

réattaquer v.t. ◆ **Orth.** On dit, on écrit *réattaquer* (et non *rattaquer).

rebattre v.t. / **rabattre** v.t.◆ **Conjug.** Comme *battre.* → annexe, tableau 63. ◆ **Emploi.** *Rebattre / rabattre.* 1. *Rebattre les oreilles.* Ne pas confondre *rebattre* avec *rabattre* dans les expressions *rebattre les oreilles à quelqu'un* et *avoir les oreilles rebattues : cessez de me rebattre les oreilles de vos jérémiades ; j'en ai les oreilles rebattues.* REM. *Rebattre* signifiait autrefois « répéter de façon ennuyeuse ». Aujourd'hui, on ne l'emploie plus en dehors de ces expressions et il est rare dans le sens de « battre à nouveau », sauf comme terme de jeu : *rebattre les cartes.* 2. *Rabattre le caquet.* → rabattre

rébellion n.f. ◆ **Orth.** Avec un accent aigu, alors que l'adjectif et nom *rebelle* et le verbe *se rebeller* s'écrivent sans accent et se prononcent [ʀəbɛl], [səʀəbɛle], avec le premier *e* articulé comme dans *petit.*

rebours n.m. ◆ **Registre.** *À rebours, au rebours.* En emploi adverbial ou adjectif, on dit *à rebours : il a commencé à rebours ; vous faites tout à rebours.* En revanche, on dit aussi bien *à rebours de* que *au rebours de : cela allait à rebours de mes intentions* ou *au rebours de mes intentions.*

rebouteux, euse ou **rebouteur, euse** n.m. ◆ **Registre.** Les deux formes masculines *rebouteux* et *rebouteur* sont admises, mais *rebouteux* est plus courant.

rebuffade n.f. ◆ **Orth.** Avec deux *f,* comme *bouffon* et *bouffe* (= comique, dans *opéra bouffe*), issus du même radical italien *buff-.*

rebut n.m. ◆ **Orth.** Attention au *t* final que l'on retrouve dans *rebuter,* repousser, dont il est issu. ◆ **Prononc.** Le *t* ne se prononce pas.

recaler v.t. ◆ **Registre.** Familier dans le sens « refuser à un examen ». Dans l'expression soignée, utiliser des tournures équivalentes : *il a échoué, il a été refusé à l'examen.* ❑ Admis dans tous les registres au sens de « caler à nouveau ».

recel n.m. ◆ **Prononc.** [ʀəsɛl], en prononçant la première syllabe comme dans *revoir* et la deuxième comme *sel.*

receler, recéler v.t. ◆ **Orth. et prononc.** Les deux graphies, *receler* et *recéler* sont admises. L'Académie préconise *recéler. Receler* et *recéler* ont la même prononciation : le deuxième *e* se prononce comme dans *recel.* ◆ **Conjug.** *Receler.* Attention à l'alternance *e/è : receler ; je recèle, il recèle,* mais *nous recelons ; il recèlera ; qu'il recèle* mais *que nous recelions ; recelé.* → annexe, tableau 12. - *Recéler.* Attention à l'alternance *é/è : recéler ; je recèle, il recèle,* mais *nous recélons ; il recèlera ; qu'il recèle* mais *que nous recélions ; recélé.* → annexe, tableau 11 et R.O. 1990

receleur, euse n. ◆ **Orth. et prononc.** Ne prend pas d'accent sur le deuxième *e,* bien que les deux premières syllabes se prononcent comme *recel,* voir ci-dessus.

recéper, receper v.t. ◆ **Orth.** Les deux graphies, *recéper* et *receper* sont admises. ◆ **Conjug.** *Recéper :* attention à l'alternance *è/é : je recèpe, nous recépons ; il recépera.* → annexe, tableau 11 et R.O. 1990. ❑ *Receper :* attention à l'alternance *è/e : il recèpe, nous recepons ; il rece-*

pait ; il recepa ; il recèpera ; (que) je recèpe, (que) nous recepions ; il recèperait, nous recèperions. → annexe, tableau 12

réceptionnaire n. ◆ **Orth.** Avec deux *n,* comme les autres dérivés de *réception : réceptionner, réceptionniste.*

réceptionner v.t. ◆ **Sens et emploi.** *Réceptionner* signifie « prendre livraison d'une marchandise et vérifier son état » ou « recevoir la balle, le ballon, dans un jeu, un sport ». RECOMM. Éviter de donner pour complément d'objet à ce verbe un nom de personne, sauf par plaisanterie : *j'irai vous réceptionner à l'aéroport.* Dire ou écrire *accueillir, aller chercher, recevoir : j'irai vous chercher à l'aéroport ; il a reçu tous ses amis lors d'une grande fête.*

recevoir v.t. et v.pr. ◆ **Conjug.** → annexe, tableau 39. ◆ **Accord.** *Reçu la somme de...* → reçu

rechaper v.t. ◆ **Orth.** *Rechaper un pneu* (= rénover sa bande de roulement) s'écrit avec un premier *e* sans accent et un seul *p,* à la différence de *réchapper (d'un danger),* voir ci-dessous.

réchapper v.t.ind. ◆ **Orth.** Avec un accent aigu sur le premier *e* et deux *p,* à la différence de *rechaper.* ◆ **Conjug.** Se conjugue avec l'auxiliaire *avoir : ils ont réchappé de l'accident par miracle.* - La conjugaison avec l'auxiliaire *être,* qui insiste sur l'état, est vieillie : *ils sont réchappés de la catastrophe.* ◆ **Constr.** *Réchapper à / réchapper de.* Les deux constructions sont aujourd'hui admises. Dans l'expression soignée, on emploie plutôt *réchapper à* au sens de « échapper par chance à (un grave danger) » *(réchapper à un accident)* et *réchapper de* au sens de « se sortir vivant de, se tirer de » *(on n'est pas sûr qu'il réchappera de l'opération),* mais cette nuance assez fine est de moins en moins observée dans l'usage courant.

réciproque adj. ◆ **Emploi.** À la différence de *mutuel, réciproque* ne s'emploie que lorsque deux choses, deux êtres ou deux groupes échangent des actes ou des sentiments équivalents : *les deux communautés témoignent d'une tolérance réciproque.* → mutuel. RECOMM. Éviter le pléonasme consistant à employer *réciproque* avec *de part et d'autre, mutuellement,* ou d'autres mots de sens analogue (*ils se portent mutuellement une aide réciproque)

récital n.m. ◆ **Orth.** Plur. : *des récitals.*

récitation n.f. ◆ **Sens et emploi.** Au sens de « texte littéraire récité par cœur », le mot relève du domaine scolaire : *leur instituteur leur a donné une récitation à apprendre pour la semaine prochaine ; savoir sa récitation.* RECOMM. éviter le pléonasme *réciter une récitation ;* dire ou écrire : *réciter un texte, un poème, une poésie.*

réclame n.f. ◆ **Emploi.** *Réclame* au sens de « publicité » est vieilli et n'est plus guère employé que par plaisanterie chez les Français les plus jeunes. On dit aujourd'hui *publicité, promotion.* ◆ **Orth.** *Articles en réclame* ou *articles-réclames,* avec un trait d'union et un *s* à chaque mot.

reclus, e adj. ◆ **Orth.** Avec un *e* sans accent, à la différence de *réclusion,* qui s'écrit avec un accent aigu. Se termine par *s* au masculin singulier et a pour féminin *recluse,* comme *inclus* et contrairement aux autres adjectifs issus de participes passés d'un verbe en *-ure (exclure / exclu, conclure / conclu).*

recommandation n.f. ◆ **Orth.** Reste au singulier dans *des lettres de recommandation.* ◆ **Constr.** On dit aujourd'hui *sur la recommandation de : il s'est adressé à nous sur la recommandation de M. X.* - *À la recommandation de* est vieilli.

reconnaissant, e adj. ♦ **Constr. et sens. 1.** *Être reconnaissant à qqn de qqch., de faire qqch.* : *il avait été reconnaissant à son ami de sa mise en garde ; il lui en avait été reconnaissant ; il lui est reconnaissant de l'avoir mis en garde.* On emploie cette construction notamment dans les formules de politesse : *je vous serais reconnaissant de me faire parvenir, de bien vouloir m'indiquer…* ❑ La tournure avec *de ce que* (+ indicatif) est correcte, mais lourde : *je te suis reconnaissant de ce que tu es venu me chercher.* Préférer la tournure avec l'infinitif : *je te suis reconnaissant d'être venu me chercher.* RECOMM. Dans l'expression soignée, éviter d'omettre le complément qui indique la raison pour laquelle on est reconnaissant : *je vous en suis reconnaissant,* plutôt que **je vous suis reconnaissant.* **2.** *Être reconnaissant envers qqn* : *il a toujours été reconnaissant envers celle qui l'avait élevé ; je suis infiniment reconnaissante envers vous qui m'avez soutenue tout au long de ce projet.* Cette tournure implique un sentiment plus profond et plus sincère que la précédente, qui est une formule de remerciement convenue.

record n.m. ♦ **Accord.** Reste invariable lorsqu'il est employé comme adjectif : *les résultats ont atteint cette année des chiffres record* (= qui constituent un record). On trouve aussi parfois l'accord au pluriel : *des augmentations records,* qui est admis, mais qui paraît moins logique.

recouvert part. passé / **recouvré** part. passé ♦ **Sens.** Ne pas confondre *recouvert,* participe passé du verbe *recouvrir,* et *recouvré,* participe passé du verbe *recouvrer.* → **recouvrer**

recouvrable adj. ♦ **Orth.** Sans accent, alors que son opposé *irrécouvrable* s'écrit avec un accent aigu : *des sommes recouvrables.*

recouvrer v.t. / **recouvrir** v.t. / **retrouver** v.t. ♦ **Conjug.** Ne pas confondre la conjugaison de *recouvrer* (= rentrer en possession de), verbe du 1er groupe, et celle de *recouvrir* (= pourvoir d'une couverture), verbe du 3e groupe (comme *couvrir* → annexe, tableau 23) : *le malade recouvra la santé après sa cure ; le peintre recouvrit les fauteuils avant les travaux ; il a recouvré la santé ; il a recouvert les fauteuils ; le percepteur recouvrera les impôts jusqu'au 15 septembre ; nous recouvrirons les murs de papier peint.* Certaines formes se confondent : *il recouvre la santé ; il recouvre les fauteuils.* ♦ **Sens.** *Recouvrer / retrouver.* Ces deux verbes ont des sens proches, mais distincts. **1.** *Recouvrer* = rentrer en possession de (ce que l'on n'a plus, ce qui a été pris). *Recouvrer un bien. Recouvrer la vue, la santé.* **2.** *Retrouver* = trouver (ce qui avait disparu, ce qui était égaré). *Retrouver ses lunettes, ses clefs.* ♦ **Registre.** *Recouvrer* appartient au registre soutenu, *retrouver* est courant.

récrire ou **réécrire** v.t. ♦ **Orth.** Les deux formes, *récrire* ou *réécrire,* sont correctes et usuelles. ♦ **Conjug.** Comme *écrire.* → annexe, tableau 79

recroître v.i. ♦ **Conjug.** Comme *accroître,* sauf au participe passé : *recrû* (avec un accent circonflexe, comme *crû*), *recrus, recrue, recrues. Un scion recru, des scions recrus ; une pousse recrue, des pousses recrues.* → annexe, tableau 74. L'accent circonflexe du participe passé masculin singulier permet de distinguer *recrû,* qui a cru de nouveau, de *recru,* harassé.

recru, e adj. ♦ **Sens et orth.** S'écrit sans accent au masculin singulier, à la différence de *recrû,* participe passé du verbe *recroître.* REM. Ce mot est issu de l'ancien français *se recroire,* s'avouer vaincu, et signifie « fatigué, harassé ». ♦ **Emploi.** Le mot s'emploie le plus souvent dans la locution semi-figée *recru de fatigue* (ou *de lassitude, d'effort,* etc.). L'emploi autonome, sans complément, appartient aujourd'hui à la langue littéraire : « *Nous étions en même temps fiévreux et recrus* » (G. Duhamel).

recrue n.f. ♦ **Genre.** *Recrue,* jeune soldat ou nouveau membre d'une société ou d'un groupe, est toujours féminin : *on le considérait comme une bonne recrue.*

reçu part. passé ♦ **Accord.** *Reçu,* employé sans auxiliaire et placé devant l'énoncé d'une somme pour en reconnaître le paiement, reste invariable : *reçu ce jour la somme de dix mille francs ; reçu dix mille francs de M. X.* - Il s'accorde s'il suit l'énoncé de la somme : *mille francs reçus en acompte.*

recueil n.m. ♦ **Prononc.** [Rəkœj], la finale se prononce comme celle de *fauteuil.* ♦ **Orth.** Attention à la place du *u,* après le *c* et devant le *e.* De même pour *recueillement* et *recueillir.*

recueillir v.t. et v.pr. ♦ **Orth.** Attention à la place du *u,* après le *c* et devant le *e,* comme dans *recueil.* ♦ **Conjug.** Comme *cueillir.* → annexe, tableau 29

reculons (à) loc. adv. ♦ **Orth.** Avec un *s* final (comme pour *à croupetons, à tâtons*) : *il est sorti à reculons.*

récupérer v.t. et v.i. ♦ **Conjug.** Attention à l'accent sur le deuxième *e,* tantôt grave, tantôt aigu : *je récupère, nous récupérons ; il récupérera.* → annexe, tableau 11 et R.O. 1990

recurer v.t. / **récurer** v.t. ♦ **Sens.** *Recurer / récurer* Ne pas confondre *recurer,* curer de nouveau, et *récurer,* nettoyer en frottant. → curer

redéploiement n.m. ♦ **Orth.** Avec un *e* muet intérieur. *Redéploiement* cor-

respond à *redéployer,* verbe du 1er groupe (comme *aboiement* correspond à *aboyer* → **aboiement**).

redevenir v.i. ♦ **Conjug.** Avec l'auxiliaire *être.* - Comme *devenir* → annexe, tableau 28

rédiger v.t. ♦ **Conjug.** Le *g* devient -*ge-* devant *a* et *o* : *je rédige, nous rédigeons ; il rédigea* → annexe, tableau 10

réduire v.t., v.i. et v.pr. ♦ **Conjug.** → annexe, tableau 78

réécrire v.t. → récrire

réemploi, remploi n.m. ♦ **Orth.** Les deux formes, *réemploi* et *remploi,* sont admises. *Réemploi* est plus fréquent.

réemployer, remployer v.t. ♦ **Orth.** Les deux formes, *réemployer* et *remployer,* sont admises. *Réemployer* est plus fréquent. ♦ **Conjug.** Comme *employer.* Attention, le *y* devient *i* devant *e* muet : *je réemploie* mais *je réemployais.* - Bien noter le *i* après le *y* aux première et deuxième personnes du pluriel à l'indicatif imparfait et au subjonctif présent : *(que) nous remployions, (que) vous remployiez.* → annexe, tableau 7

réengager v.t. → rengager

réessayage, ressayage, n.m. ♦ **Orth.** Les deux formes, *réessayage* et *ressayage,* sont admises. *Réessayage* est aujourd'hui plus fréquent.

réessayer, ressayer v.t. ♦ **Orth.** Les deux formes, *réessayer* ou *ressayer,* sont admises. *Réessayer* est aujourd'hui plus fréquent. ♦ **Conjug.** Comme *essayer.* → annexe, tableau 6

référence n.f. ♦ **Accord.** *...de référence* reste au singulier dans *ouvrages de référence* (ouvrages auxquels on se réfère : dictionnaires et encyclopédies, en particulier). *Indices, modèles de référence.* REM. Un livre *de références* (au pluriel) serait un livre contenant *des* références, par exemple un catalogue, un nuancier, une liste de pièces détachées, etc.

référencer v.t. ◆ **Conjug.** Le *c* devient *ç* devant *o* et *a* : *je référence, nous référençons ; il référença* → annexe, tableau 9

référendum n.m. ◆ **Prononc.** [ʀefeʀɑ̃dɔm] ou [ʀefeʀɛ̃dɔm], la deuxième syllabe peut se prononcer comme *rang* ou comme *rein, -um* se prononce comme dans *maximum*. ◆ **Orth.** Mot latin francisé, qui prend un accent aigu sur chacun des deux premiers *e*. - Plur. : *des référendums*.

référentiel, elle adj. **Orth.** Avec un *t* (on a *référence / référentiel*, comme on a *concurrence / concurrentiel, présidence / présidentiel*, etc. ; mais on écrit *révérenciel*).

référer v.t.ind. et v.pr. ◆ **Sens et constr.** 1. *En référer à* = en appeler à. *En référer à ses supérieurs hiérarchiques.* 2. *Se référer à* = se rapporter à. *Je me réfère à votre lettre du mois dernier.* 3. *Référer à* = avoir pour référent, désigner. Terme technique des sciences du langage. ◆ **Conjug.** Attention à l'accent sur le deuxième *e*, tantôt grave, tantôt aigu : *je réfère, nous référons ; il référera.* → annexe, tableau 11 et R.O. 1990

réfléchir v.t. et v.i. ◆ **Constr.** *Réfléchir à, sur, que.* Au sens général de « penser », *réfléchir* peut se construire avec *à, sur* ou *que* : *réfléchir aux conséquences ; réfléchir sur une énigme ; je n'avais pas réfléchi qu'il fait nuit à cette heure-là.*

refléter v.t. et v.pr. ◆ **Conjug.** Attention à l'accent sur le deuxième *e*, tantôt grave, tantôt aigu : *je reflète, nous reflétons ; il reflétera.* → annexe, tableau 11 et R.O. 1990

réflexe n.m. et adj. / **reflex** adj. et n.m. ◆ **Sens et orth.** Bien distinguer ces

deux homophones. 1. *Réflexe*, terme de physiologie, prend un accent aigu sur le premier *e* et un *e* final : *un réflexe conditionné.* 2. *Reflex*, terme de photographie emprunté à l'anglais, s'écrit sans accent ni *e* final. - Plur. : *des appareils reflex, des reflex.*

réflexion n.f. ◆ **Orth.** Toujours au singulier dans l'expression *(toute) réflexion faite.*

reflux n.m. ◆ **Orth. et prononc.** Avec un *x* final qui ne se prononce pas, comme *flux.*

réfréner, refréner v.t. ◆ **Orth. et prononc.** Attention au groupe *-frén-*, avec un accent aigu (ne pas confondre avec l'orthographe de *freiner*). Les deux graphies, *réfréner* et *refréner,* sont admises pour ce mot de la famille de *frein. Réfréner* est aujourd'hui plus fréquent. *Refréner* se prononce comme *réfréner.* → R.O. 1990. ◆ **Conjug.** Attention à l'accent sur le deuxième *e*, tantôt grave, tantôt aigu : *je réfrène (je refrène), nous réfrénons (nous refrénons) ; il réfrénera (il refrénera).* → annexe, tableau 11 et R.O. 1990

réfrigérer v.t. ◆ **Conjug.** Attention à l'accent sur le deuxième *e*, tantôt grave, tantôt aigu : *je réfrigère, nous réfrigérons ; il réfrigérera.* → annexe, tableau 11 et R.O. 1990

refuser v.t. ◆ **Constr.** 1. *Refuser de* (+ infinitif) / *que* (+ subjonctif) : *il refuse de partir ; il refuse que nous l'aidions.* 2. *Se refuser à* (+ infinitif) : *je me refuse à admettre que nous ne puissions pas faire mieux.*

régal n.m. ◆ **Orth.** Plur. : *des régals,* comme *des récitals.*

regarder v.t., v.t.ind., v.i. et v.pr. ◆ **Emploi.** *Regarder à* = être très attentif à. *Regardez bien à ce que vous faites, à vos* *affaires.* - *Regarder à la dépense* = être très économe. ❑ *Y regarder à deux fois* = bien réfléchir, envisager soigneusement l'ensemble de la situations (avant d'agir).

régénérer v.t. ◆ **Conjug.** Attention à l'accent sur le troisième *e*, tantôt grave, tantôt aigu : *je régénère, nous régénérons ; il régénérera.* → annexe, tableau 11 et R.O. 1990

régisseur n.m. ◆ **Genre.** Toujours masculin, même pour désigner une femme : *elle était le régisseur du domaine.*

registre n.m. ◆ **Orth.** Sans accent sur le *e* de *re-* ; de même dans *enregistrement, enregistrer.* ◆ **Emploi.** On trouve correctement employées avec *registre* les prépositions *sur (porter une annotation sur un registre), dans (lire un nom dans un registre)* et *à (inscrit au registre de l'état civil).*

règlement n.m. ◆ **Orth.** Avec un *e* accent grave, contrairement à *réglable, réglage, réglé, réglementaire, réglementairement, réglementation, réglementer, régler, réglette, régleur, régloir.* → R.O. 1990

régler v.t. ◆ **Conjug.** Attention à l'accent sur le premier *e,* tantôt grave, tantôt aigu : *je règle, nous réglons ; il réglera.* → annexe, tableau 11 et R.O. 1990

réglisse n.f. / **réglisse** n.m. ◆ **Genre.** Féminin pour désigner la plante et le jus sucré que l'on en tire : *gâteau parfumé à la réglisse.* Le masculin est courant aujourd'hui pour désigner un bonbon à la réglisse : *ils sont bons, ces petits réglisses.*

régner v.i. ◆ **Conjug.** Attention à l'accent sur le premier *e,* tantôt grave, tantôt aigu : *je règne, nous régnons ; il régnera.* → annexe, tableau 11 et R.O. 1990. ◆ **Accord.** Attention au participe passé dans les phrases avec un complément de temps au pluriel : *les vingt ans qu'il a régné* (= les vingt ans pendant lesquels il

a régné, *vingt ans* est complément de temps et non complément d'objet direct, *régné* ne s'accorde pas).

regorger v.i. ◆ **Conjug.** Le *g* devient -*ge-* devant *a* et *o* : *je regorge, nous regorgeons ; il regorgea.* → annexe, tableau 10

regret n.m. ◆ **Orth.** Toujours au singulier dans : *à regret, au regret de, sans regret.* ◆ **Constr. et registre.** 1. *Être au regret de* (+ infinitif), *que* (+ subjonctif) : *je suis au regret de devoir partir ; je regrette que vous arriviez si tard.* 2. *Avoir le regret de* (+ infinitif) : *j'ai le regret de vous annoncer mon prochain départ.* ❑ *Avoir le regret que* (+ subjonctif) appartient au registre soutenu : *j'avais le regret qu'elle fût obligée de partir.* REM. Les constructions *avoir regret de* (+ infinitif), *avoir regret que* (+ subjonctif), courantes dans la langue classique, sont aujourd'hui sorties de l'usage.

réhabiliter v.t. ◆ **Sens.** 1. *Réhabiliter qqn* = le rétablir dans ses droits, lui faire recouvrer l'estime, la considération qu'il avait perdue. *Réhabiliter un condamné.* 2. *Réhabiliter (une, des constructions)* = les rénover. *Réhabiliter un quartier ancien.* Ce sens récent est aujourd'hui passé dans l'usage.

rehausser v.t. ◆ **Orth. et prononc.** Sans accent sur le premier *e* qui se prononce comme celui de *repasser.*

reine-claude n.f. ◆ **Orth.** Sans majuscule, malgré l'origine du mot (*prune de la reine Claude,* femme de François Ier) - Plur. : *des reines-claudes.*

reine-marguerite n.f. ◆ **Orth.** Plur. : *des reines-marguerites.*

reinette n.f. / **rainette** n.f. ◆ **Orth.** Attention à l'orthographe de ces deux homonymes. 1. *Reinette* (= pomme), avec un *e. Pomme de reinette, reine des reinettes* (variété de reinette). - Le mot veut dire « petite reine ». **2.** *Rainette* (= grenouille), avec un *a*. « *Vers neuf heurs, une rainette coassa* » (H. Bosco). - Du latin *rana*.

réitérer v.t. et v.i. ♦ **Conjug.** Attention à l'accent sur le deuxième *e*, tantôt grave, tantôt aigu : *je réitère, nous réitérons ; il réitérera*. → annexe, tableau 11 et R.O. 1990

reître n.m. ♦ **Orth. et prononc.** Avec un accent circonflexe sur le *i*. Se prononce [ʀɛtʀ], comme la dernière syllabe de *paraître*.

rejoindre v.t. ♦ **Conjug.** Attention à l'alternance *-n- / -gn- : je rejoins* mais *nous rejoignons*. Prendre garde également au *i* après *-gn-* aux première et deuxième personnes du pluriel, à l'indicatif imparfait et au subjonctif présent : *(que) nous rejoignions, (que) vous rejoigniez*. → annexe, tableau 62

rejointoiement n.m. ♦ **Orth.** Avec un *e* muet intérieur. *Rejointoiement* correspond à *rejointoyer,* verbe du 1er groupe (comme *aboiement* correspond à *aboyer* → **aboiement**)

rejointoyer v.t. ♦ **Conjug.** Attention, le *y* devient *i* devant *e* muet : *je rejointoie* mais *je rejointoyais*. - Bien noter le *i* après le *y* aux première et deuxième personnes du pluriel, à l'indicatif imparfait et au subjonctif présent : *(que) nous rejointoyions, (que) vous rejointoyiez*. → annexe, tableau 7

réjouir v.t. ♦ **Constr.** *Se réjouir que* (+ subjonctif), *se réjouir de ce que* (+ indicatif) : *je me réjouis que vous soyez là, de ce que vous êtes là*. Les deux constructions sont admises. **RECOMM.** Éviter la construction avec *de ce que* suivi du subjonctif : **je me réjouis de ce que vous soyez là*.

relâche n.f. ♦ **Genre.** Le mot est aujourd'hui féminin dans toutes ses acceptions : *travailler sans aucune relâche ; le théâtre ferme au mois de février, mais les répétitions continuent pendant la relâche*. **REM. 1.** Le masculin, considéré naguère comme seul correct dans ces deux sens, est aujourd'hui sorti de l'usage. **2.** Au sens maritime de « escale », le mot a toujours été employé au féminin.

relais n.m. ♦ **Orth.** Prend un *s* final, à la différence des autres substantifs issus d'un verbe en *-ayer* (*balai, déblai, délai, étai, remblai*) → R.O. 1990

relation n.f. ♦ **Orth.** On écrit plutôt au singulier : *entrer, être, mettre, rester en relation ;* mais au pluriel *obtenir par relations* (= grâce à des relations).

relax, relaxe adj. ♦ **Orth.** Les deux graphies, *relax* ou *relaxe,* sont admises. *Relax* est invariable, *relaxe* prend la marque du pluriel : *des fauteuils relax* (= conçus pour la détente) ; *des soirées relaxes* (= décontractées). ♦ **Registre.** Courant au sens de « conçu pour la détente » ; familier au sens de « décontracté, sans protocole ».

relaxation n.f. / **relaxe** n.f. ♦ **Sens.** Ne pas confondre ces deux mots qui se rattachent l'un et l'autre au latin *relaxare,* relâcher. **1.** *Relaxation* = détente. *Relaxation des muscles*. Mot courant. **2.** *Relaxe* = décision prise par un tribunal d'abandonner les poursuites contre la personne qui en était l'objet. Terme de droit. **RECOMM.** Ne pas confondre le nom féminin *relaxe* avec l'adjectif familier *relax* ou *relaxe* → **relax**

relayer v.t. et v.pr. ♦ **Conjug.** Les formes conjuguées du verbe peuvent s'écrire avec un *y* ou un *i* devant *e* muet : *il relaie* ou *il relaye , il relaiera* ou *il relayera*. - Attention au *i* après le *y* aux première et deuxième personnes du pluriel, à l'indicatif imparfait et au subjonctif présent : *(que) nous relayions, (que) vous*

relayiez. → annexe, tableau 6. ◆ **Emploi.**
RECOMM. Éviter les pléonasmes *se relayer l'un après l'autre, *se relayer successivement, *se relayer tour à tour.* L'Académie admet *se relayer l'un l'autre.*

reléguer v.t. ◆ **Conjug.** Attention à l'accent sur le deuxième *e,* tantôt grave, tantôt aigu : *je relègue, nous reléguons ; il reléguera.* → annexe, tableau 11 et R.O. 1990

relever v.t. et v.i. ◆ **Conjug.** Comme *lever.* → annexe, tableau 12. ◆ **Emploi.** On dit *relever de maladie, d'une grave maladie ; relever de couches* (et non *se relever d'une maladie, *se relever de couches*). En revanche, on dit *il a subi une grave maladie, il ne s'en relèvera pas.* REM. Ce tour naguère critiqué est devenu courant, sans doute par analogie avec l'emploi *se relever de,* sortir de (une situation difficile, pénible) : *le pays se relève de ses ruines ; c'est un coup très dur, mais vous vous en relèverez.*

relief n.m. ◆ **Orth.** On écrit : *une sculpture, un ornement en haut relief, en bas relief* sans trait d'union, mais *un haut-relief, des hauts-reliefs, un bas-relief, des bas-reliefs,* avec trait d'union (= une sculpture, des sculptures en haut relief, en bas relief). REM. *Ronde-bosse* suit une règle identique.

remailler, remmailler v.t. ◆ **Orth.** Les deux graphies, *remailler* et *remmailler,* sont admises. On peut, de même, écrire *remaillage* ou *remmaillage.* ◆ **Prononc.** *Remailler* [ʀəmɑje], avec la première syllabe prononcée *re-* ; *remmailler* [ʀɑ̃mɑje], avec la première syllabe prononcée *ran-*.

remaniement n.m. ◆ **Orth.** Avec un *e* muet intérieur. *Remaniement* correspond à *remanier,* verbe du 1er groupe (comme *aboiement* correspond à *aboyer* → **aboiement**)

remblaiement n.m. ◆ **Orth.** Avec un *e* muet intérieur. *Remblaiement* corres-

pond à *remblayer,* verbe du 1er groupe (comme *aboiement* correspond à *aboyer* → **aboiement**)

remblayer v.t. ◆ **Conjug.** Les formes conjuguées du verbe peuvent s'écrire avec un *y* ou un *i* devant *e* muet : *il remblaie* ou *il remblaye , il remblaiera* ou *il remblayera.* - Attention au *i* après le *y* aux première et deuxième personnes du pluriel, à l'indicatif imparfait et au subjonctif présent : *(que) nous remblayions, (que) vous remblayiez.* → annexe, tableau 6

remède n.m. ◆ **Constr.** Au sens propre, on dit : *un remède contre le rhume,* plutôt que *un remède pour le rhume,* et au figuré, *un remède à nos maux, un remède à l'amour.* - *Un remède de* est vieilli : *c'est un excellent remède de la douleur.*

remédier v.t.ind. ◆ **Orth.** *Remédier* s'écrit sans accent sur le premier *e,* mais on écrit *irrémédiable, irrémédiablement,* avec un accent aigu. ◆ **Constr.** *Remédier à :* *remédier à une situation fâcheuse.*

remerciement n.m. ◆ **Orth.** Avec un *e* muet intérieur. *Remerciement* correspond à *remercier,* verbe du 1er groupe (comme *aboiement* correspond à *aboyer* → **aboiement**).

remercier v.t. ◆ **Constr.** 1. *Remercier de* (+ substantif), *remercier pour* (+ substantif) : *je vous remercie de votre gentillesse ; je vous remercie pour vos fleurs.* REM. On emploie plutôt *remercier de* avec un nom abstrait, *remercier pour* avec un nom concret. *Remercier pour* est plus courant, *remercier de* plus soigné. 2. *Remercier de* (+ infinitif) : *il m'a remercié de m'être déplacé.*

remmailler v.t. → remailler

remmailloter v.t. ◆ **Orth.** Avec deux *m* et un seul *t* (comme *emmailloter*).

remmener v.t. ♦ **Conjug.** Comme *emmener*. → annexe, tableau 12. ♦ **Emploi.** *Remmener / remporter.* Les différences d'emploi entre ces deux verbes sont les mêmes qu'entre *amener* et *apporter* → **amener**

remonter v.i. et v.t. ♦ **Emploi.** On dit *remonter à la cause, à l'origine, au principe, à la source.* RECOMM. Éviter *remonter à la base.

remords n.m. ♦ **Orth.** Attention au *s* final même au singulier.

remplacer v.t. ♦ **Conjug.** Le *c* devient *ç* devant *o* et *a* : *je remplace, nous remplaçons ; il remplaça.* → annexe, tableau 9

remplir v.t. ♦ **Emploi. 1.** *Remplir* supplante aujourd'hui *emplir* dans la plupart de ses emplois, même si *emplir* reste vivant : on dit *remplir son verre, un réservoir rempli à moitié* plutôt qu'*emplir son verre, un réservoir empli à moitié.* **2.** RECOMM. Dire *atteindre un but* et non *remplir un but.* → **but**

remploi n.m. → **réemploi**

remployer v.t. → **réemployer**

remue-ménage n.m. inv. ♦ **Orth.** Plur. : *des remue-ménage* (invariable). → R.O. 1990

rémunérer v.t. ♦ **Orth. et prononc.** Attention à l'ordre des syllabes : *ré-mu-né-rer* ; ne pas prononcer comme *énumérer*. De même pour *rémunérateur, rémunération, rémunératoire.* REM. Ce mot vient du latin *munus, muneris,* don, faveur, et n'a aucun rapport avec *numéraire.* ♦ **Conjug.** Attention à l'accent sur le deuxième *e,* tantôt grave, tantôt aigu : *je rémunère, nous rémunérons ; il rémunérera.* → annexe, tableau 11 et R.O. 1990

renâcler v.i. ♦ **Orth.** Avec un accent circonflexe sur le *a.*

renaître v.i. ♦ **Conjug.** Comme *naître,* mais ce verbe n'a ni participe passé ni temps composés. Toujours un accent circonflexe sur le *i* devant le *t* : *je renais* mais *il renaît, il renaîtra.* → annexe, tableau 72

rencard n.m. → **rancard**

rendre v.t. et v.pr. ♦ **Conjug.** → annexe, tableau 59. ♦ **Constr.** *Se rendre compte* → **compte**.

rêne n.m. ♦ **Emploi.** *Rêne / guide. Rêne* s'emploie pour un cheval monté, *guide* pour un cheval attelé. → **guide**

renfoncer v.t. ♦ **Conjug.** Le *c* devient *ç* devant *o* et *a* : *je renfonce, nous renfonçons ; il renfonça.* → annexe, tableau 9

renforcer v.t. ♦ **Conjug.** Le *c* devient *ç* devant *o* et *a* : *je renforce, nous renforçons ; il renforça.* → annexe, tableau 9

rengager ou **réengager** v.t. et v.pr. ♦ **Orth.** Les deux formes, *rengager* et *réengager* sont admises. *Rengager* est plus fréquent, en particulier à la forme pronominale : *engagez-vous, rengagez-vous.* ♦ **Conjug.** Comme *engager.* → annexe, tableau 10

rengainer v.t. ♦ **Orth.** Pas d'accent circonflexe sur le *i* (comme *gaine*).

rengorger (se) v.pr. ♦ **Conjug.** Comme *regorger.* → annexe, tableau 10

reniement n.m. ♦ **Orth.** Avec un *e* muet intérieur. *Reniement* correspond à *renier,* verbe du 1er groupe (comme *aboiement* correspond à *aboyer* → **aboiement**)

renommé, e adj. ♦ **Constr.** On dit aujourd'hui *renommé pour : Marennes est renommée pour ses huîtres.* - *Renommé par* est vieilli : « *cette ville est renommée par ses fabriques de tapis* » (Littré).

renoncement n.m. / **renoncia-tion** n.f. ◆ **Emploi.** De ces deux mots qui désignent le fait de renoncer, le premier s'applique au domaine moral *(renoncement au monde, aux plaisirs)* ; c'est un synonyme de *détachement,* de *sacrifice,* souvent employé dans le domaine religieux. Le second s'emploie dans le langage courant *(renonciation à un projet)* ou dans celui du droit *(renonciation à un héritage)* ; il est synonyme d'*abandon.*

renoncer v.t.ind., v.t. et v.i. ◆ **Conjug.** Le *c* devient *ç* devant *o* et *a* : *je renonce, nous renonçons ; il renonça.* → annexe, tableau 9. ◆ **Constr. 1.** *Renoncer à qqch. : renoncer à une succession, au pouvoir.* C'est la construction la plus courante. **2.** *Renoncer un bail, un contrat* (= les résilier) n'est employé qu'en Belgique. **3.** *Renoncer,* sans complément, est un terme de jeu (= mettre une carte d'une autre couleur que la couleur demandée).

renonciation n.f. → renoncement

renouveler v.t. et v.pr. ◆ **Conjug.** Attention à l'alternance *-ll-/-l-* : *il renouvelle, nous renouvelons ; il renouvelait ; il renouvela ; il renouvellera.* → annexe, tableau 16 et R.O. 1990

renseigner v.t. ◆ **Constr.** *Se renseigner sur qqn, sur qqch. : se renseigner sur un nouveau client, sur sa solvabilité.* RECOMM. Éviter la tournure *si* (+ indicatif). Ne pas dire **renseignez-vous si le client est solvable,* mais : *renseignez-vous pour savoir s'il est solvable, assurez-vous qu'il est solvable* ou, comme ci-dessus, *renseignez-vous sur sa solvabilité.*

rentrer v.i. et v.t. ◆ **Constr. et conjug.** Intransitif, *rentrer* se conjugue aux temps composés avec l'auxiliaire *être* : *je suis rentré chez moi* ; transitif, il se conjugue avec l'auxiliaire *avoir* : *j'ai rentré les géraniums avant l'hiver.* ◆ **Emploi.** *Rentrer / entrer* → entrer

renverser v.t. et v.pr. ◆ **Emploi. 1.** *Renverser qqch.* Le complément d'objet peut désigner aussi bien le contenant que le contenu : *renverser son assiette ; renverser une assiettée de soupe.* **2.** *Se renverser.* On dit couramment *se renverser en arrière, se renverser sur le dos.* REM. Ces emplois naguère critiqués sont aujourd'hui courants. Ils sont acceptés par l'Académie. ◆ **Registre.** *Renverser,* employé au sens de « stupéfier», est familier, comme l'adjectif verbal *renversant : cette histoire les a renversés ; une nouvelle renversante.*

réouverture n.f. ◆ **Orth.** On écrit *réouverture,* avec *ré-,* mais le verbe correspondant est *rouvrir* → **rouvrir**

repaire n.m. / **repère** n.m. ◆ **Orth.** Ne pas confondre ces deux mots qui se prononcent de la même façon. **1.** *Repaire* = refuge, cachette, antre. **2.** *Repère* = marque, objet permettant de s'orienter, de localiser qqch.

repaître v.t. ◆ **Conjug.** Comme *paître,* mais *repaître* a en plus le passé simple *(je repus),* le subjonctif imparfait *(que je repusse),* le participe passé *(repu)* et les temps composés. Toujours un accent circonflexe sur le *i* devant *t* : *je me repais,* mais *il se repaît, il se repaîtra.* → annexe, tableau 71.

répandre v.t. et v.pr. ◆ **Orth.** S'écrit avec un *a,* comme *épandre,* à la différence de *rependre.* ◆ **Conjug.** → annexe, tableau 59

reparaître ou **réapparaître** v.i. ◆ **Conjug.** *Reparaître* et *réapparaître* se conjuguent avec l'auxiliaire *avoir* ou avec l'auxiliaire *être.* La conjugaison avec *avoir* présente l'action *(il a reparu* ou *il a réapparu après une longue absence),* celle avec *être* insiste davantage sur l'état : *il est reparu* ou *il est réapparu depuis quelques semaines et semble en bonne santé.*

❏ Toujours un accent circonflexe sur le *i* devant le *t* : *je reparais* ou *je réapparais* mais *il reparaît* ou *il réapparaît, il reparaîtra* ou *il réapparaîtra*. → annexe, tableau 71 et R.O. 1990.

répartie, repartie n.f. ◆ **Orth. et pronon.** Ce mot qui signifie « réponse vive, spirituelle », peut s'écrire *répartie* ou *repartie* : les deux graphies sont aujourd'hui admises. La graphie *répartie* rend mieux compte de la prononciation [repaʀti], (comme *réparti,* participe passé du verbe *répartir*), aujourd'hui majoritaire.

1. repartir, répartir v.t. ◆ **Conjug.** Avec l'auxiliaire *avoir* au sens de « répliquer avec vivacité ». Le verbe se conjugue comme *partir : vous repartez trop vivement à une plaisanterie bien innocente.* → annexe, tableau 31. ◆ **Orth. et prononc.** Les deux graphies, *repartir* et *répartir,* sont aujourd'hui admises. → répartie. ◆ **Registre.** Soutenu.

2. repartir v.i. ◆ **Conjug.** Avec l'auxiliaire *être* au sens de « partir de nouveau, retourner ». → annexe, tableau 31

répartir v.t. ◆ **Conjug.** Le verbe se conjugue comme *finir : répartissez les gains équitablement.* → annexe, tableau 21. ◆ **Sens.** Ne pas confondre *répartir,* partager, distribuer, avec *répartir,* répliquer. → 1. repartir, répartir

rependre v.t. ◆ **Orth.** S'écrit avec un *e,* comme *pendre,* à la différence de *répandre.* ◆ **Conjug.** Comme *pendre.* → annexe, tableau 59

repentir (se) v.pr. ◆ **Conjug.** Se conjugue comme *mentir : je me repens, il se repent ; elle s'est repentie, elles se sont repenties.* → annexe, tableau 26

repère n.m. → repaire

repérer v.t. ◆ **Conjug.** Attention à l'accent sur le deuxième *e,* tantôt grave, tantôt aigu : *je repère, nous repérons ; il repérera.* → annexe, tableau 11 et R.O. 1990

répertoire n.m. ◆ **Orth. et genre.** Nom masculin à finale en *-oire,* comme *auditoire, directoire, territoire,* etc.

répéter v.t. et v.pr. ◆ **Conjug.** Attention à l'accent sur le deuxième *e,* tantôt grave, tantôt aigu : *je répète, nous répétons ; il répétera.* → annexe, tableau 11 et R.O. 1990. ◆ **Emploi.** On utilise souvent dans l'expression relâchée *répéter deux fois la même chose* pour indiquer qu'une parole est dite deux fois. Dans l'expression soignée, en particulier à l'écrit, préférer *répéter, se répéter, redire la même chose* (*répéter deux fois la même chose* indique en principe que la même parole est dite trois fois). En revanche, on peut dire *répéter dix fois la même chose* pour indiquer une répétition multiple.

replet, ète adj. ◆ **Orth.** Attention à la finale du féminin en *-ète,* comme *complète. Réplétif* et *réplétion,* de la même famille, s'écrivent avec deux accents aigus.

repliement n.m. ◆ **Orth.** Avec un *e* muet intérieur. *Repliement* correspond à *replier,* verbe du 1er groupe (comme *aboiement* correspond à *aboyer* → **aboiement**)

répondre v.t. et v.t.ind. ◆ **Conjug.** → annexe, tableau 59. ◆ **Constr. 1.** *Répondre qqch., répondre que* (+ indicatif) : *répondre oui, non ; que voulez-vous répondre ? « Que répondez-vous à cela ? - Je réponds que je suis d'accord ».* REM. La tournure *répondre une lettre,* écrire une lettre en réponse à celle que l'on a reçue, est sortie de l'usage. En revanche, *répondre une requête* (= mettre au bas la décision prise) et *répondre la messe* (= répondre aux paroles prononcées par le célébrant) sont encore employés dans les domaines juridique et religieux. **2.** *Répondre de* = se porter garant de. *Je réponds de lui comme de moi-même. Le fabricant répond de la solidité de ses équipements.* Mot du vocabulaire courant. **3.** *Répondre pour qqn* = s'engager à payer ses dettes. Terme juridique.

représailles n.f. plur. ◆ **Nombre.** Toujours pluriel : *des représailles, des opérations de représailles ; la troupe, par représailles, a incendié le village.*

reprise n.f. ◆ **Emploi.** On dit, on écrit correctement : *à maintes reprises, à plusieurs reprises, à différentes reprises ; il a essayé à trois reprises.* RECOMM. Éviter l'emploi pléonastique de *à différentes reprises* avec un nombre (*il a essayé à trois reprises différentes).

république, République n.f. ◆ **Orth.** Avec une minuscule ou une majuscule selon l'emploi. **1.** Avec une minuscule quand ce mot désigne une forme d'organisation politique : *la monarchie et la république* **2.** Avec une majuscule s'il s'agit d'une période historique déterminée : *la IVe République.* **3.** Avec une majuscule quand ce mot entre dans la dénomination officielle d'un État et qu'il n'est suivi que d'adjectifs : *la République sud-africaine. La République française* (ou, absolument, *la République : le président de la République*). - Avec une minuscule si le nom propre du pays suit *république : la république populaire de Chine.* - Dans les textes non spécialisés, on peut écrire *République* avec une majuscule lorsque ce mot entre dans la dénomination officielle d'un État : *la République populaire de Chine.*

répulsion n.f. ◆ **Constr.** On dit *avoir, éprouver de la répulsion pour, à l'égard de, à l'endroit de qqn ou de qqch.* RECOMM. Éviter le pléonasme *avoir de la répulsion contre.

requérir v.t. ◆ **Conjug.** Comme *acquérir.* Attention au passé simple : *je requis, ils requirent.* → annexe, tableau 27

requiem n.m. inv. ◆ **Prononc.** [ʀekɥijɛm], le mot se prononce comme si on l'écrivait *ré-cui-ième.* ◆ **Orth.** Sans accent, malgré la prononciation. - Plur. : *des requiem.*

requin n.m. ◆ **Orth.** *Requin,* employé en composition avec un autre nom, se joint à lui par un trait d'union. On écrit : *requin-baleine, requin-citron, requin-léopard, requin-pèlerin, requin-renard, requin-roussette.* On trouve parfois *requin pèlerin, requin taupe.* Préférer la graphie avec trait d'union. - Plur. : *des requins-baleines, des requins-citrons, des requins-léopards,* etc., avec un *s* à chaque élément.

resaler v.t. ◆ **Orth. et prononc.** Un seul *s,* prononcé comme dans *saler.*

resalir v.t. ◆ **Orth. et prononc.** Un seul -*s,* prononcé comme dans *salir.*

réséquer v.t. ◆ **Orth. et prononc.** Un seul *s,* prononcé [s] et non [z], ainsi que pour le substantif *résection.* ◆ **Conjug.** → annexe, tableau 11 et R.O. 1990

réservation n.f. ◆ **Emploi.** L'emploi de *réservation* dans le sens de « action de louer à l'avance ou de retenir une chambre dans un hôtel, ou une place dans un avion, un train, un bateau, au spectacle, etc. », est aujourd'hui admis.

réserve n.f. ◆ **Orth.** On écrit au singulier *sans réserve, sous réserve de, sous réserve que.* - On écrit au pluriel ou au singulier : *sous toutes réserves* ou *sous toute réserve.* Le pluriel est plus fréquent.

résidant, e adj. et n. / **résident, e** n. ◆ **Orth. et sens.** Ne pas confondre ces deux mots qui se prononcent de la même façon. **1.** *Résidant* (avec *a*) se dit d'une personne qui réside dans un lieu quelconque (synonyme d'*habitant*) : *propriétaire résidant; parking réservé aux résidants*. **2.** *Résident* (avec *e*) se dit d'une personne qui réside dans un autre pays que le sien *(les résidents français aux États-Unis)*, ou d'un diplomate envoyé auprès d'un gouvernement étranger *(ministre résident ; le résident général au Maroc, sous le protectorat)*.

résidentiel, elle adj. ◆ **Orth.** Avec un *t* (on a *résidence / résidentiel* comme on a *confidence / confidentiel, référence / référentiel* ; etc. ; mais on écrit *révérenciel*).

résidu n.m. ◆ **Orth.** Finale en *u*, à la différence de *abus* et de *début, rebut*.

résolument adv. ◆ **Orth.** Sans accent sur le *u*, comme *absolument*, et à la différence de *assidûment*.

résonance n.f. ◆ **Orth.** Avec un seul *n* (comme dans *assonance, consonance, dissonance)*, de même que *résonateur*. Attention, le verbe correspondant, *résonner*, prend deux *n*.

résonant, e ou **résonnant, e** adj. ◆ **Orth.** Les deux graphies, *résonant*, avec un *n*, ou *résonnant*, avec deux *n*, sont admises.

résonateur n.f. ◆ **Orth.** Avec un seul *n*. → résonance

résonner v.i. / **raisonner** v.i. et v.t. ◆ **Orth.** *Résonner* et *raisonner* s'écrivent avec deux *n*. **REM.** *Résonner* s'écrit avec deux *n*, alors qu'on écrit avec un seul *n assoner, consoner, dissoner*, moins usuels. ◆ **Sens.** La similitude de prononciation entre *résonner* (= produire un son, retentir) et *raisonner* (= tenir un raisonnement) donne lieu à des jeux de mots comme *raisonner comme une pantoufle*, mal raisonner, raisonner de travers (une pantoufle ne *résonne* pas, ne fait pas de bruit quand on marche), ou *raisonner comme un tambour* (tenir des raisonnements creux, comme le tambour qui résonne, qui rend un son creux).

résoudre v.t. et v.pr. ◆ **Conjug.** *Je résous, il résout, nous résolvons, ils résolvent ; il résolvait ; il résolut ; il résoudrait ; qu'il résolve ; qu'il résolût ; résolvant ; résolu.* → annexe, tableau 68. **REM.** Le participe passé ordinaire est *résolu, ue*, mais, au sens de « transformé, changé en », on emploie encore parfois *résous, résoute : brouillard résous, vapeur résoute en pluie* (Hatzfeld et Darmesteter). Cet emploi devient rare et l'on utilise plutôt aujourd'hui dans ce sens soit le participe passé régulier *résolu*, soit les adjectifs *transformé, dissipé, réduit, précipité*, etc. ◆ **Constr.** Au sens de « décider », *résoudre* se construit avec *de* à la voix active *(j'ai résolu de l'aider)*, sauf en présence d'un nom ou d'un pronom complément direct *(on l'a résolu à parler)*. Aux voix passive et pronominale, *résoudre* se construit avec *à (il est résolu à partir; je ne me résous pas à vous quitter)*. **1.** *Résoudre de* (+ infinitif), *résoudre que* (+ indicatif ou conditionnel) : *il a résolu de venir nous voir bientôt ; j'ai résolu qu'elle viendrait avec nous*. **REM.** Dans le sens de « décider », *résoudre* est quasi inusité au présent de l'indicatif. Aussi la concordance des temps conduit-elle presque toujours à le faire suivre du conditionnel : *j'ai résolu qu'elle viendrait avec nous* est un énoncé normal ; en revanche, *je résous qu'elle vient avec nous* ou *je résous qu'elle viendra avec nous* sont des énoncés corrects, mais très improbables. **2.** *Se résoudre à* (+ infinitif) ; *se résoudre à ce que, être résolu à ce que* (+ subjonctif) : *il s'est résolu à venir nous voir bientôt ; elle s'est résolue à ce que nous ne nous voyions plus ; je suis résolu à ce que nous restions intraitables*. Constructions usuelles. **REM.** *Se résoudre de* était courant à l'époque classique : « *Sus, sans plus de discours, résous-toi de me suivre* » (Molière). Cette construction est aujourd'hui sortie de l'usage. **3.** *Résoudre qqn à* (+ infinitif) : *nous l'avons résolu à venir nous voir*. Construction correcte, mais peu usitée. On dit plutôt : *nous l'avons décidé à venir nous voir*.

respect n.m. ◆ **Prononc.** [ʀɛspɛ], le *c* de la finale *(-ect)* du substantif ne se prononce pas, alors qu'il se prononce dans le verbe *(respecter)* et les adjectifs *(respectable, respectif, respectueux)* de la même famille. ◆ **Emploi. 1.** Dans la correspondance, dans les formules de politesse qui précèdent la signature : *je vous prie de croire à mon profond respect, je vous prie d'agréer l'expression de mon profond respect.* **2.** Pour atténuer un propos qui pourrait être jugé trop libre ou déplacé : *sauf le respect que je vous dois, avec tout le respect que je vous dois* ou, plus familièrement, *sauf votre respect, sauf respect : je vous dirai, sauf votre respect, que tout cela ne me plaît guère.* **3.** Au pluriel : *Présenter ses respects.* ❑ *Mes respects* (formule utilisée dans l'armée par un subordonné qui salue un officier) : *mes respects, mon colonel.*

respectable adj. / **respectueux, euse** adj. ◆ **Emploi.** Ne pas confondre ces deux adjectifs lorsqu'ils qualifient une distance : *une distance respectable* (= assez importante), mais *se tenir à distance respectueuse* = assez loin (par déférence ou par crainte).

respectif, ive adj. ◆ **Emploi.** *Respectif* peut être employé au singulier ou au pluriel : *déterminer la position respective de deux planètes* ou *les positions respectives de deux planètes.* Le pluriel est plus fréquent.

responsable adj. ◆ **Sens et emploi. 1.** *Responsable de,* au sens de « qui est à l'origine de, qui est cause de » est suivi d'un nom de sens négatif : on est *responsable de quelque chose de plus ou moins regrettable.* **RECOMM.** Ne pas l'utiliser avec une valeur positive (*être responsable du bonheur de quelqu'un*). **2.** *Responsable,* au sens de « réfléchi, qui pèse les conséquences de ses actes », est un calque de l'anglais *responsible.* Naguère critiqué, cet emploi est aujourd'hui admis dans le registre courant : *se*

conduire en personne responsable, un homme responsable ; une attitude responsable.* **RECOMM.** Dans l'expression soignée, en particulier à l'écrit, préférer *prudent, pondéré, raisonnable, réfléchi, sérieux.*

ress-, res- préf. ◆ **Orth.** L'adjonction du préfixe *re-* à un verbe commençant par *s-* n'a pas toujours pour conséquence le redoublement de cet *s.* Ainsi, on écrit *ressaisir,* mais *resaler, ressemer* mais *resalir,* etc. S'écrivent avec deux *s* : *ressaigner, ressaisir, ressangler, ressasser, ressauter, ressayer, ressembler, ressemeler, ressemer, ressentir, resserrer, resservir, ressortir, ressouder, ressouvenir, ressuer, ressusciter, ressuyer.* ◆ **Prononc.** La première syllabe des mots commençant par *ress-* ne se prononce pas avec le son [e], comme dans *récit,* mais avec le son [ə], comme dans *reçu,* sauf pour *ressayer* et *ressuyer.* **REM.** *Ressusciter* se prononce également avec le son *é,* mais il n'a pas été formé en français avec le préfixe *re- : c'est un mot issu du latin *resuscitare.*

ressaigner v.i. → ress-

ressaisir v.t. → ress-

ressangler v.t. → ress-

ressasser v.t. → ress-

ressauter v.t. → ress-

ressayage n.m. → réessayage

ressayer, réessayer v.t. → réessayer

ressembler v.t.ind ◆ **Accord.** *Elles se sont toujours ressemblé.* Le participe est toujours invariable (le pronom est objet indirect). ◆ **Emploi.** *Se ressembler comme deux gouttes d'eau.* L'expression ne s'emploie correctement qu'au pluriel : *ils se ressemblent comme deux gouttes d'eau.* **RECOMM.** Éviter l'emploi au singulier (*il lui ressemble comme deux gouttes d'eau*), malgré sa fréquence dans l'expression orale relâchée.

ressemeler v.t. ◆ **Orth et prononc.** →
ress- **Conjug.** Attention à l'alternance -
ll-/-l- : *il ressemelle, nous ressemelons ; il res-
semelait ; il ressemela ; il ressemellera.* →
annexe, tableau 16 et R.O. 1990

ressemer v.t. ◆ **Orth et prononc.** →
ress- ◆ **Conjug.** Comme *semer.* →
annexe, tableau 12

ressentir v.t. ◆ **Orth et prononc.** →
ress- ◆ **Conjug.** → annexe, tableau 26

resserrer v.t. → ress-

resservir v.t. ◆ **Orth et prononc.** →
ress- ◆ **Conjug.** → annexe, tableau 31

ressortir v.i. et v.t. / **ressortir** v.t.ind.
◆ **Sens et registre.** Ne pas confondre les
deux verbes *ressortir,* qui n'ont ni le même
sens ni la même conjugaison. 1. *Ressortir*
v.i. et v.t = sortir de nouveau (*elle est res-
sortie aussitôt*) ; se détacher nettement sur
un fond (*le jaune ressort bien sur le noir*).
Registre courant. 2. *Ressortir à* v.t.ind. =
relever de, être du ressort de. *L'affaire res-
sortit au tribunal de grande instance.* Registre
soutenu. ◆ **Conjug.** 1. *Ressortir* v.i. et v.t.
Suit la conjugaison de *sortir : il ressort, il res-
sortait, ressortant.* - Se conjugue avec
l'auxiliaire *être* quand il est intransitif
(*Pierre était là il y a une heure, mais il est ressorti*), avec l'auxiliaire *avoir* quand il est
transitif (*il a ressorti son vieux manteau*). →
annexe, tableau 31. 2. *Ressortir (à)*
v.t.ind. Se conjugue comme *finir : il res-
sortit, il ressortissait, ressortissant.* - S'emploie
presque exclusivement à la troisième
personne, et très rarement aux temps
composés. → annexe, tableau 21

ressouder v.t. → ress-

ressource n.f. ◆ **Prononc.** [RəSURS], le
e se prononce comme dans *revers.* ◆
Orth. et sens. 1. *Sans ressource(s).* On
écrit *un homme sans ressources* (= sans
argent), au pluriel, mais, dans un

registre plus soutenu, *un homme sans
ressource* (= sans recours, sans moyen de
se tirer d'embarras) au singulier. REM.
Comme c'est souvent le cas en français,
le mot a un sens abstrait au singulier et
concret au pluriel. 2. *De ressource.* On
écrit *un homme de ressource* (= plein d'in-
géniosité, prompt à se tirer d'embarras),
au singulier (plutôt que *un homme de ressources*).

ressouvenir (se) v.pr. ◆ **Orth et prononc.** → ress- ◆ **Conjug.** Comme *se souvenir.* → annexe, tableau 28

ressuer v.i. → ress-

ressurgir v.i. → resurgir

ressusciter v.i. et v.t. ◆ **Prononc.**
[Resysite], en prononçant la première
syllabe comme celle de *réciter.* → ress- ◆
Orth. *Ressusciter,* sans accent. Attention
à la succession du groupe -*ss*- et du
groupe -*sc*-. ◆ **Conjug.** À la forme intransitive, *ressusciter* peut se conjuguer avec
avoir ou *être,* mais les deux constructions
expriment des nuances de sens différentes. Avec *avoir,* l'accent est mis sur
l'action : *le nouveau traitement est très efficace, le malade a ressuscité.* Avec *être,* l'accent est mis sur le résultat : *il était au plus
mal, il est ressuscité.* REM. Le nom qui correspond à *ressusciter* est *résurrection,* avec
un seul s (issu du verbe latin *resurgere,*
resurgir, et non du verbe *resuscitare,* ressusciter).

ressuyer v.t. ◆ **Prononc.** [Rəsyije], en
prononçant la première syllabe comme
celle de *réciter.* ◆ **Orth.** *Ressuyer,* avec
deux *s* et sans accent. ◆ **Conjug.**
Comme *essuyer.* - Attention, le *y* devient
i devant *e* muet : *je ressuie* mais *je res-
suyais.* - Bien noter le *i* après le *y* aux première et deuxième personnes du
pluriel, à l'indicatif imparfait et au subjonctif présent : (*que*) *nous ressuyions,*
(*que*) *vous ressuyiez.* → annexe, tableau 7

restant part. prés. / **restant, e** adj. ◆ **Orth. et constr.** Ne pas confondre le participe présent et l'adjectif. **1.** *Restant,* participe présent, est toujours invariable et peut avoir un complément : *les places restant inoccupées ; les postes restant à pourvoir.* **2.** *Restant, e,* adjectif, varie en genre et en nombre et n'est jamais suivi de complément : *places restantes ; poste restante.*

reste n.m. ◆ **Registre.** *Au reste / du reste.* Les deux locutions ont le même sens (= au surplus, par ailleurs) mais *au reste* appartient au registre soigné alors que *du reste* est courant. ◆ **Accord.** *Le reste de.* Quand *le reste de* est suivi d'un nom au pluriel, le verbe se met généralement au singulier (*le reste des tableaux date du XIXe s.*) mais le pluriel, plus rare, n'est pas fautif (*le reste des tableaux datent du XIXe s.*). En revanche, si après *le reste de* le verbe *être* est suivi d'un nom au pluriel, le verbe se met également au pluriel : *le reste des tableaux sont des peintures sans intérêt.*

rester v.i. ◆ **Conjug.** Avec l'auxiliaire *être* : *elle n'est restée qu'un instant.* REM. Autrefois, on pouvait conjuguer *rester* avec l'auxiliaire *avoir* quand il s'agissait d'une action brève et révolue : *elle a resté deux jours à Lyon.* Cet emploi est sorti de l'usage. ◆ **Constr.** *Rester à dîner, rester dîner.* Les deux constructions sont admises. La construction avec *à* est plus soutenue, la construction directe (*rester dîner*) plus courante. ◆ **Accord. 1.** *Reste* dans une soustraction. *Reste* est toujours invariable quand il est employé dans une soustraction : *quatre ôté de huit, reste quatre.* **2.** *Ce qui reste de.* Après *ce qui reste de* suivi d'un pluriel, le verbe se met au singulier : *ce qui reste de maisons a été détruit.* **3.** *Reste* en tête de proposition. *Reste* placé en tête de proposition s'accorde généralement avec le sujet : *restent plusieurs problèmes à résoudre ; reste la délicate question des indemnisations.* REM. *Reste,* en tête de proposition, est souvent traité

aujourd'hui comme une forme abrégée de *il reste,* et ne s'accorde pas : *reste plusieurs problèmes à résoudre.* Cette façon d'écrire n'est pas fautive. **4.** *Il reste...* Attention *reste* dans *il reste* est toujours au singulier (il s'accorde avec le pronom neutre *il* et non avec ce qui suit). *Il reste trois problèmes à résoudre.* ◆ **Emploi.** *Rester court / être à court de qqch.* Ne pas confondre *rester, demeurer court* (= rester sans réaction, manquer d'à-propos) et *être à court de* (= manquer de).

restreindre v.t. et v.pr. ◆ **Conjug.** Attention à l'alternance *-n- / -gn- : je restreins* mais *nous restreignons.* Prendre garde également au *i* après *-gn-* aux première et deuxième personnes du pluriel, à l'indicatif imparfait et au subjonctif présent : *(que) nous restreignions, (que) vous restreigniez.* → annexe, tableau 62

résulter v.i. et v. impers. ◆ **Conjug. 1.** *Résulter* ne s'emploie qu'à l'infinitif *(résulter),* au participe présent *(résultant)* et à la troisième personne (singulier et pluriel) de tous les temps. **2.** *Résulter* peut se conjuguer avec *avoir* ou *être,* mais les deux constructions expriment des nuances de sens différentes. *Avoir* marque l'action (révolue) : *il en a résulté de nombreuses difficultés, toutes résolues aujourd'hui.* *Être* marque un état (qui se prolonge généralement dans le présent) : *il en est résulté une série de difficultés qui commencent à peine à se résoudre.* ◆ **Constr.** *Il résulte que* (+ indicatif) : *de toutes ces complications, il résulte qu'elle ne pourra pas partir.*

résurgence n.f. ◆ **Prononc.** [ʀezyʀʒɑ̃s], comme *résoudre,* avec un *s* prononcé comme un *z.* Ne pas se laisser influencer par *resurgir,* bien qu'il s'agisse de mots de la même famille.

resurgir, ressurgir v.i. ◆ **Orth. et prononc.** Les deux graphies, *resurgir* et *ressurgir,* sont admises ; la graphie *resur-gir* est plus fréquente. L'une et l'autre se prononcent [ʀəsyʀʒiʀ], avec la première syllabe comme celle de *revers.*

résurrection n.f. ◆ **Prononc.** [ʀezyʀɛksjɔ̃], le *s* se prononce comme un *z.* ◆ **Orth.** *Résurrection,* avec un accent aigu, un seul *s* et deux *r.* Attention, le verbe qui correspond à *résurrection* est *ressusciter,* avec deux *s* et sans accent.

retable n.m. ◆ **Prononc.** [ʀətabl], la première syllabe se prononce *re-* comme dans *retard.* ◆ **Orth.** Sans accent sur le *e.* REM. La graphie *rétable,* avec un accent aigu, est aujourd'hui sortie de l'usage.

retarder v.t. et v.i. ◆ **Registre.** *Retarder,* avec pour sujet un nom de personne, appartient au registre familier dans tous ses emplois : *vous retardez* (= votre montre retarde, ou vous ignorez une nouvelle que tout le monde connaît, ou vous avez des idées surannées, dépassées.)

retenir v.t. et v.pr. ◆ **Conjug.** Comme *tenir.* → annexe, tableau 28. ◆ **Emploi.** RECOMM. Éviter le pléonasme **retenir d'avance,* retenir à l'avance. En revanche, on dit correctement *retenir longtemps à l'avance, un peu à l'avance,* etc.

retors, e adj. ◆ **Prononc.** [ʀətɔʀ], au masculin, le *s* final ne se prononce pas.

retour n.m. ◆ **Emploi. 1.** *Au retour de, retour de (un lieu)* = en revenant de, au moment où qqn revient, est revenu de. *À notre retour des États-Unis, nous nous sommes installés près de Marseille. Au retour du marché, je suis passé par la rue du Moulin.* - *Retour de* (même sens) : *« Le pas du cheval de Marino [...], retour de quelque ferme lointaine »* (J. Gracq). *« [...] les thoniers retour de campagne »* (H. Queffelec). *Au retour de* et *retour de* sont aujourd'hui admis. *Au*

retour de est plus soigné, *retour de* plus familier. REM. *Vin retour des Indes* était autrefois une expression consacrée pour du vin que l'on avait fait voyager aux Indes dans la cale d'un navire pour le bonifier. **2.** *De retour, de retour de* = qui est revenu (de), une fois revenu (de). *Pierre est de retour. De retour chez lui, Pierre nous a téléphoné. De retour de voyage, il a cherché à nous joindre.* **3.** *Payer quelqu'un de retour.* Attention, on dit *payer quelqu'un de retour* (= le traiter aussi bien qu'il vous traite) et non **payer quelqu'un en retour.* Ne pas se laisser influencer par la locution adverbiale *en retour* qui signifie « en échange, en compensation » : *je lui ai fait cadeau d'un livre, elle m'a offert un disque en retour.*

retourner v.t. et v.i. et v.pr. ◆ **Conjug.** Se conjugue avec *avoir* quand il est transitif *(il a retourné les matelas)* et avec *être* quand il est intransitif *(il est retourné plusieurs fois à New York).* ◆ **Emploi.** *Retourner* au sens de « renvoyer, réexpédier » *(retourner une lettre, un manuscrit),* considéré naguère comme du « style commercial » est aujourd'hui admis dans tous les registres.

rétractile adj. ◆ **Orth.** *Rétractile,* avec une finale en *-ile* (et non en *-ible*)

retrancher v.t. ◆ **Constr. 1.** *Retrancher à / de.* Au sens d'« enlever quelque chose d'un tout », *retrancher* se construit avec *à* ou *de* : *retrancher des pousses à un rosier ; retrancher un passage d'un texte.* La construction avec *de* est plus fréquente. - Au sens de « retirer qqch. à qqn », *retrancher* se construit toujours avec *à : on a retranché une partie de son salaire à mon collègue.* Tournure vieillie. **2.** *Retrancher sur* (= ôter une certaine quantité d'une autre) ne s'emploie qu'avec une quantité chiffrée : *il faut retrancher sur le total six cents francs de T.V.A.*

rétreindre v.t. ◆ **Conjug.** Comme *étreindre.* → annexe, tableau 62

rétro adj. inv. ◆ **Orth.** Invariable : *des robes rétro.*

rétro- préf. ◆ **Orth.** Les composés formés avec *rétro-* (du latin *retro,* en arrière) s'écrivent en un seul mot, sauf si le second élément commence par *i* ou *u.* On écrit *rétroaction, rétrocession, rétrograder,* etc., mais *rétro-inhibiteur, rétro-utérin.*

retrouvailles n.f. plur. ◆ **Nombre.** *Des retrouvailles, les retrouvailles,* toujours au pluriel.

retrouver v.t. → recouvrer

rets n.m. ◆ **Orth.** *Rets,* sans accent circonflexe et toujours avec un *s* final, même au singulier. ◆ **Emploi.** S'emploie ordinairement au pluriel.

réunir v.t. ◆ **Constr.** 1. *Réunir des choses, des personnes : réunir des papiers, réunir des amis chez soi.* RECOMM. Éviter le pléonasme *réunir ensemble. 2. *Réunir à, et : le comté de Nice a été réuni à la France en 1860 ; Madame Leduc réunit l'érudition et le talent.* RECOMM. Éviter le pléonasme *réunir avec.

réussir v.i., v.t.ind. et v.t. ◆ **Constr.** *Réussir qqch.* = faire avec succès. Cette construction est passée dans l'usage. On dit couramment aujourd'hui *réussir un portrait, réussir un plat.* RECOMM. Dans l'expression soignée, en particulier à l'écrit, préférer *réussir à un examen,* ou, mieux, *être reçu à un examen,* plutôt que *réussir un examen.*

revaloir v.t. ◆ **Conjug.** Comme *valoir.* Usité surtout à l'indicatif futur dans la locution familière : *je vous revaudrai ça (je lui revaudrai ça, tu me revaudras ça,* etc.). → annexe, tableau 46

revanche (en) loc. adv. → **contre (par)**

réveil n.m. / **réveille-matin** n.m. inv. ◆ **Orth.** *Un réveil,* avec un seul *l* mais *un réveille-matin* avec deux *l.* - Plur. : *des réveils,* avec *s* mais *des réveille-matin,* invariable. ◆ **Emploi.** *Réveille-matin* est vieilli.

révéler v.t. et v.pr. ◆ **Conjug.** Attention à l'accent sur le deuxième *e,* tantôt grave, tantôt aigu : *je révèle, nous révélons ; il révélera.* → annexe, tableau 11 et R.O. 1990

revenir v.i. ◆ **Conjug.** Comme *venir.* Avec l'auxiliaire *être.* → annexe, tableau 28

rêver v.i., v.t.ind. et v.t. ◆ **Constr. et sens.** 1. *Rêver (qqch. d'indéterminé), rêver que* (= voir en rêve) : *ce n'est pas réel, tu l'as rêvé ; j'ai rêvé que je volais.* 2. *Rêver qqch.* (= se représenter comme réel ce que l'on désire) : « *Quand le monde n'est pas tel qu'on le rêve, il faut le rêver tel qu'on le veut* » (A. Gide). 3. *Rêver de* (= voir en rêve) : *j'ai rêvé de vous cette nuit ; j'ai rêvé d'un accident d'avion.* RECOMM. Ne pas dire dans ce sens *rêver à.* ❏ *Rêver de qqch., rêver de* (+ infinitif) = désirer vivement, souhaiter. *Il rêve de la fortune, d'être riche.* 4. *Rêver à qqch.* (= y songer, y réfléchir, se représenter vaguement) : *rêver à un projet, à un voyage ; à quoi donc rêvez-vous ?* 5. *Rêver sur* (= laisser sa pensée vagabonder sur, méditer sur) : *rêver sur Rome, son empire et sa ruine.*

réverbérer v.t. ◆ **Conjug.** Attention à l'accent sur le troisième *e,* tantôt grave, tantôt aigu : *je réverbère, nous réverbérons ; il réverbérera.* → annexe, tableau 11 et R.O. 1990

révérenciel, elle adj. ◆ **Orth.** Formé sur le substantif *révérence,* l'adjectif *révérenciel* s'écrit avec un *c* et non avec un *t* (à la différence de *concurrence / concurrentiel, confidence / confidentiel, pestilence / pestilentiel,* etc.).

révérend, e adj. et n. ◆ **Orth.** Sans majuscule : *le révérend Smith, la révérende mère supérieure, le révérend père Dubois.* - Avec majuscule : *le (mon) Révérend Père* (le titre n'est suivi d'aucun nom), *le R.P. Dubois* (abréviation).

révérer v.t. ◆ **Conjug.** Attention à l'accent sur le deuxième *e,* tantôt grave, tantôt aigu : *je révère, nous révérons ; il révérera.* → annexe, tableau 11 et R.O. 1990

revers n.m. ◆ **Orth.** *Revers,* sans accent aigu, à la différence des autres mots de la même famille : *réversible, réversibilité* et *réversion.*

revêtir v.t. ◆ **Conjug.** Comme *vêtir : nous revêtons, vous revêtez ; il revêtait ; revêtant.* Attention, aucune forme en *revêtiss-.* → annexe, tableau 32

reviviscence n.f. ◆ **Orth.** *Reviviscence,* sans accent aigu (ne pas se laisser influencer par *réminiscence*).

révocable adj. ◆ **Orth.** *Révocable,* avec un *c,* à la différence de *révoquer* (mais comme *révocabilité, révocation* et *révocatoire*).

revoici prép. ◆ **Registre.** *Revoici, revoilà* sont légèrement familiers. RECOMM. Dans l'expression soignée, en particulier à l'écrit, préférer *voici de nouveau, voilà de nouveau.*

revoilà prép. → revoici

revolver n.m. ◆ **Orth. et prononc.** Aucun des *e* de *revolver* ne prend d'accent, bien qu'ils se prononcent, respectivement *é* pour le premier et *è* pour le second, comme dans *réverbère.* → R.O. 1990

1. rewriter n.m. ◆ **Prononc.** [ʀiʀajtœʀ], avec la première syllabe prononcée *ri-,* comme dans *riposter,* ou [ʀəʀajtœʀ], *re-,* comme dans *retourner* (la prononciation *re-* est plus fréquente aujourd'hui). La deuxième syllabe se prononce comme *rail,* la dernière *(-ter)* comme pour rimer avec *conteur.* ◆ **Anglicisme.** Ce mot désigne dans le vocabulaire technique de l'édition et de la presse une personne qui récrit, remanie un texte destiné à être publié. - RECOMM. Réserver ce mot aux emplois techniques. Dans l'expression courante, non technique, préférer *adaptateur, réviseur, relecteur-réviseur.*

2. rewriter v.t. ◆ **Prononc.** Identique à celle de *rewriter* n.m. (→ 1. **rewriter**), sauf pour la dernière syllabe, qui se prononce comme celle du verbe *conter.* ◆ **Anglicisme.** RECOMM. Dans l'expression courante, non technique, préférer *récrire, réviser, adapter.*

rewriting n.m. ◆ **Prononc.** Identique à celle de *rewriter* n.m. (→ 1. **rewriter**), sauf pour la dernière syllabe, qui se prononce comme celle de *camping.* ◆ **Anglicisme.** Ce mot désigne dans le vocabulaire technique de l'édition et de la presse l'action de réécrire, de remanier un texte destiné à être publié. RECOMM. Réserver ce mot aux emplois techniques. Dans l'expression courante, non technique, préférer *réécriture* ou *révision, révision et adaptation.*

rez-de-chaussée n.m. inv. ◆ **Orth.** *Rez-de-chaussée,* avec deux traits d'union. - Plur. : *des rez-de-chaussée* (invariable).

rez-de-jardin n.m. inv. ◆ **Orth.** *Rez-de-jardin,* avec deux traits d'union. - Plur. : *des rez-de-jardin* (invariable).

rhapsodie, rapsodie n.f. ◆ **Orth.** Les deux graphies, *rhapsodie* et *rapsodie,* sont admises. *Rhapsodie* est plus fréquent. REM. Le *h* a été ajouté au XVIIᵉ s. pour rappeler l'étymologie grecque.

rhésus n.m. ◆ **Prononc.** [ʀezys], en faisant entendre le *s* final. ◆ **Orth.** *Le fac-*

teur Rhésus, avec une majuscule à *rhésus* (mais non à *facteur*).

rhétorique n.f. et adj. ◆ **Orth.**
Attention à la place du *h* : *rhé-*. Ne pas se laisser influencer par des mots comme *pléthorique*.

ric-rac loc. adv. ◆ **Emploi.** On dit
aujourd'hui *ric-rac,* moins souvent *ric-et-rac* : *payer ric-rac* (= payer ponctuellement la somme exacte), *c'est ric-rac* (= c'est tout juste suffisant). REM. On disait autrefois *ric-à-ric, ric-à-rac. Ric-à-rac* était encore courant au début du XXᵉ s. ◆ **Registre.** Familier.

rien pron.indéf.
◆ **Sens.**
1. *Rien* employé au sens de *quelque chose, quoi que ce soit. Rien* (du latin *rem,* accusatif de *res,* chose) veut dire étymologiquement « quelque chose ». Il a gardé cette valeur positive en français dans quelques constructions, notamment :
❑ Dans les phrases interrogatives et hypothétiques : *y a-t-il rien de plus beau ? Il serait bien étonnant qu'il y comprenne rien.*
❑ Après *sans* et *sans que* : *il est resté trois mois sans que rien change ; il est parti sans rien prendre.*
❑ Après *avant de* et *avant que* : *elle est partie avant d'avoir pu rien dire ; on l'a renvoyée avant qu'elle ait pu rien dire.*
❑ Après certains verbes à valeur négative (*refuser, défendre, empêcher, craindre,* etc.) : *elle a refusé de rien prendre.*
2. *Rien* employé sans *ne* avec une valeur négative. *Rien* peut avoir une valeur négative sans être accompagné de la négation *ne* : *il est parti de rien ; et moi, je compte pour rien ?*
3. *Ne... rien de moins que / ne... rien moins que.* Ne pas confondre ces deux tournures de sens opposés. ❑ *Ne... rien de moins que* = vraiment, précisément, bel et bien. *Ce geste n'est rien de moins qu'un acte d'héroïsme* (= c'est un acte d'héroïsme). ❑ *Ne...*

rien moins que = ne... pas du tout, nullement. *Il n'est rien moins que savant* (= il n'est pas du tout savant, il est ignorant). RECOMM. Ces deux tournures prêtant à confusion, voire à contresens, il est préférable de les éviter.
◆ **Constr.** *Rien qui, rien que* (+ subjonctif). La relative qui suit *rien* se met toujours au subjonctif : *tout cela ne me dit rien qui vaille ; il n'y a rien que je ne puisse faire pour vous* (= je peux tout faire pour vous).
◆ **Registre.**
1. *Ce n'est pas rien.* Cette expression relève de l'expression orale familière : *cinq cent mille francs, ce n'est pas rien.* RECOMM. Dans l'expression soignée, en particulier à l'écrit, préférer *c'est considérable, ce n'est pas négligeable,* etc.
2. *De rien,* en réponse à un remerciement, est courant : « *Je vous remercie - De rien* ». RECOMM. Dans l'expression surveillée, préférer *je vous en prie.*
3. *Comme si de rien n'était* peut être employé dans tous les registres : *elle a continué, comme si de rien n'était* (= comme si rien n'était arrivé). RECOMM. Éviter *comme si rien n'était,* sans *de.*
4. *Ne servir à rien / ne servir de rien.* → servir
5. *Rien autre / rien d'autre.* → autre

rincer v.t. et v.pr. ◆ **Conjug.** Le *c*
devient *ç* devant *o* et *a* : *je rince, nous rinçons ; il rinça.* → annexe, tableau 9

ringard, e n. et adj. ◆ **Registre.**
Familier au sens de « médiocre, dépassé, démodé ». *Ringard* n.m. (= grand tisonnier) est un mot technique.

riquiqui, rikiki adj. inv. ◆ **Orth.** Les
deux graphies, *riquiqui* et *rikiki,* sont admises. *Riquiqui* est plus fréquent. ◆ **Accord.** *Riquiqui* est toujours invariable : *des portions toutes riquiqui.* ◆ **Registre.** Familier.

1. rire v.i., v.t, v.t.ind et v.pr. ◆ **Conjug.**
Attention au redoublement du *i* aux pré-

mière et deuxième personnes du pluriel, à l'indicatif imparfait et au subjonctif présent : *(que) nous nous riions, (que) vous vous riiez.* → annexe, tableau 75. ◆ **Accord.** Le participe passé *ri* est toujours invariable : *elle s'est ri* (et non **rie) de nous.*

2. **rire** n.m. ◆ **Orth.** *Un fou rire,* sans trait d'union. - Plur. : *des fous rires,* avec un *s* à chaque mot.

ris n.m. ◆ **Orth.** *Ris* au sens de « thymus (de veau, de mouton) », s'écrit avec un *s* : *un ris de veau à la crème.*

risotto n.m. ◆ **Orth.** *Risotto,* avec un *s* (mot italien). - Plur. : *des risottos.*

risquer v.t. et v.t.ind. ◆ **Sens.** *Risquer* ne s'applique en principe qu'à des événements malheureux ou regrettables : *il risque de pleuvoir.* Dans l'expression orale relâchée, il est fréquemment employé avec le sens de « avoir une chance de » (sans idée d'inconvénient) : *le projet risque de marcher.* **RECOMM.** Dans l'expression soignée, en particulier à l'écrit, préférer *avoir une chance, des chances, toutes les chances de : ce projet a toutes les chances de marcher.* ◆ **Constr.** 1. *Risquer de : il risque d'échouer à son examen.* 2. *Se risquer à : elle s'est risquée à lui faire quelques confidences..*

risque-tout n.m. inv. et adj. inv. ◆ **Orth.** Avec un trait d'union. - Plur. : *des risque-tout* (invariable). → R.O. 1990

riveter v.t. ◆ **Conjug.** Attention au redoublement de *t* devant *e* muet : *il rivette, il rivettera* mais *nous rivetons ; il rivetait.* → annexe, tableau 16 et R.O. 1990

roast-beef n.m. → rosbif

robe de chambre n.f. ◆ **Emploi.** *Pommes de terre en robe de chambre* ou *en robe des champs,* cuites dans leur peau sous la cendre ou dans l'eau bouillante. La variante *en robe des champs,* plus tar-

dive, représente selon toute vraisemblance une correction abusive de *en robe de chambre.* Quoi qu'il en soit, elle est passée dans l'usage et on emploie aujourd'hui l'expression indifféremment sous ses deux formes.

robinetterie n.f. ◆ **Orth.** *Robinetterie,* avec deux *t*, comme *coquetterie* et à la différence de *bonneterie.*

rococo n.m. et adj. inv. ◆ **Orth.** Le mot s'écrit comme il se prononce, avec un seul *c* à chaque fois. - Plur. : *les rococos allemand et autrichien ; des maisons rococo* (adjectif invariable). **REM.** L'emploi du nom au pluriel est rare.

roder v.t. / **rôder** v.i. ◆ **Orth. et sens.** Ne pas confondre ces deux verbes. 1. *Roder* v.t. (sans accent circonflexe) = user par frottement mutuel les pièces d'un mécanisme ; mettre progressivement un véhicule automobile en état de fonctionner . 2. *Rôder* v.i. (avec accent circonflexe) = errer, traîner çà et là.

roi, Roi n.m. ◆ **Orth.** Avec ou sans majuscule selon l'emploi. 1. **Toujours avec une majuscule.** ❏ Pour parler des Rois mages de l'Évangile : *la fête des Rois, la galette des Rois.* ❏ Dans les surnoms : *le Roi-Soleil* (= Louis XIV), *les Rois Catholiques* (Isabelle de Castille et Ferdinand II d'Aragon). ❏ Dans certains titres : *le Grand Roi* (=le roi des Perses), *le Roi Très Chrétien* (= le roi de France), *le Roi des rois* (= le souverain d'Éthiopie), *le Roi Catholique* (= le roi d'Espagne). 2. **Jamais de majuscule** quand il ne s'agit ni d'un surnom ni d'un titre particulier : *le roi d'Espagne, le roi des Belges.*

romancer v.t. ◆ **Conjug.** Le *c* devient *ç* devant *o* et *a* : *je romance, nous romançons ; il romança.* → annexe, 9

roman-feuilleton n.m. ◆ **Orth.** *Un roman-feuilleton,* avec trait d'union.

- Plur. : *des romans-feuilletons,* avec un *s* à chaque élément.

roman-fleuve n.m. ◆ **Orth.** *Un roman-fleuve,* avec trait d'union. - Plur. : *des romans-fleuves,* avec un *s* à chaque élément.

romanichel, elle n. ◆ **Orth.** Jamais de majuscule (ce n'est pas un nom de peuple). ◆ **Registre.** Mot péjoratif et discriminatoire pour désigner une personne appartenant au peuple tsigane. RECOMM. Le mot à employer aujourd'hui est *un Rom, une Rom* (dénomination que se sont choisie les Tsiganes en 1971).

roman-photo n.m. ◆ **Orth.** *Un roman-photo,* avec un trait d'union. - Plur. : *des romans-photos,* avec un *s* à chaque élément.

romantique adj. et n. ◆ **Orth.** *Les romantiques,* sans majuscule, pour désigner les écrivains, les artistes romantiques (comme pour les *précieuses* du XVIIᵉ s.).

rompre v.t., v.i. et v.t.ind. ◆ **Conjug.** Le *p* se maintient à toutes les formes : *je romps, tu romps, il rompt.* → annexe, tableau 60

romsteck, rumsteck n.m. ◆ **Orth.** Les deux graphies, *romsteck* et *rumsteck,* sont admises. *Rumsteck* est plus fréquent. REM. La finale anglaise *-steack* (*rumsteack*) a été simplifiée en *-steck* (comme pour *bifteck*) mais on continue à écrire *un steak* (et non *steck).

ronde-bosse n.f. ◆ **Orth.** On écrit *une ronde-bosse* (= une sculpture), avec un trait d'union mais *la sculpture en ronde bosse,* sans trait d'union. - Plur. : *des rondes-bosses.* REM. *Haut-relief* et *bas-relief* suivent une règle comparable.

rond-de-cuir n.m. ◆ **Orth.** Plur. : *les ronds-de-cuir.* ◆ **Emploi.** *Rond-de-cuir* (mot péjoratif pour désigner un employé de bureau) est aujourd'hui vieilli.

rond-point n.m. ◆ **Orth.** Plur. : *des ronds-points,* avec un *s* à chaque élément.

ronger v.t. ◆ **Conjug.** Le *g* devient *-ge-* devant *a* et *o* : *je ronge, nous rongeons ; il rongea.* → annexe, tableau 10. ◆ **Constr.** *Rongé par / rongé des / rongé à.* → à

rorqual n.m. ◆ **Prononc.** [RɔRkwal], comme *quoi,* avec le son *-kw-.* ◆ **Orth.** Plur. : *des rorquals,* avec un *s,* comme *des chacals.*

rosat adj. inv. ◆ **Accord.** Adjectif invariable : *des miels rosat.*

rosbif n.m. ◆ **Orth.** *Rosbif* est la seule graphie en usage aujourd'hui. REM. Les formes anglaises *roast-beef, roast beef* et *roasbeef* ne sont plus employées.

1. rose n.f. ◆ **Orth.** On écrit *de l'huile de roses, de l'essence de roses,* de la *confiture de roses,* avec *rose* au pluriel, mais de *l'eau de rose,* avec *rose* au singulier.

2. rose adj. et n.m. ◆ **Accord.** 1. *Rose,* adjectif de couleur, s'accorde : *des maillots roses.* Il reste invariable en composition avec un autre adjectif ou avec un nom qui précise la nuance : *des écharpes rose clair, vieux rose ; des foulards rose bonbon.* 2. Comme nom de couleur, *rose* s'accorde : *des roses de plusieurs nuances* → annexe, grammaire § 98

rouge adj., n.m. et adv. ◆ **Accord.** 1. *Rouge,* adjectif de couleur, s'accorde : *des cravates rouges.* Il reste invariable en composition avec un autre adjectif ou avec un nom qui précise la nuance : *des rubans rouge foncé, des étendards rouge sang.* 2. Comme nom de couleur, *rouge* s'accorde : *des rouges allant du vermillon au pourpre.* → annexe, grammaire, § 98. 3. *Se fâcher tout rouge, voir rouge.* Dans ces expressions, *rouge* est adverbe et reste invariable : *ils se sont fâchés tout rouge ; elles ont vu rouge.*

rougeoiement n.m. ◆ **Orth.** Avec un *e* muet intérieur. *Rougeoiement* correspond à *rougeoyer*, verbe du 1er groupe (comme *aboiement* correspond à *aboyer* → aboiement).

rougeoyer v.i. ◆ **Conjug.** Attention, le *y* devient *i* devant *e* muet : *le feu rougeoie* mais *il rougeoyait.* - Bien noter *i* après le *y* aux première et deuxième personnes du pluriel, à l'indicatif imparfait et au subjonctif présent : *(que) nous rougeoyions, (que) vous rougeoyiez.* → annexe, tableau 7

rouille adj. inv. ◆ **Orth.** *Rouille,* employé comme adjectif de couleur, reste invariable : *des habits rouille, des vestes rouille.* → annexe, grammaire, § 98

roulé-boulé n.m. ◆ **Orth.** *Roulé-boulé,* avec un trait d'union. - Plur. : *des roulés-boulés,* avec un *s* à chaque élément.

rouler (se) v.pr. ◆ **Accord.** *Ils se sont roulés par terre :* le participe s'accorde avec le sujet, et prend un *s*. ❑ *Ils se sont roulé les pouces :* le complément d'objet *(les pouces)* est placé après le participe *roulé,* celui-ci reste invariable. ◆ **Registre.** L'expression *se rouler les pouces* est familière.

rouspéter v.i. ◆ **Conjug.** Attention à l'accent sur le premier *e,* tantôt grave, tantôt aigu : *je rouspète, nous rouspétons ; il rouspétera.* → annexe, tableau 11 et R.O. 1990. ◆ **Registre.** Familier.

rouvrir v.t. et v.i. ◆ **Conjug.** Comme *ouvrir.* → annexe, tableau 23. ◆ **Orth.** Attention, on dit *rouvrir* et non **réouvrir : le magasin a rouvert.* En revanche, on dit *la réouverture : la réouverture du magasin* (et non la **rouverture*).

rousserolle n.f. ◆ **Orth.** *Rousserolle* (= oiseau) s'écrit avec deux *l,* à la différence de *casserole.* → R.O. 1990

royalties n.f. plur. ◆ **Prononc.** [ʀwɑjalti], comme pour rimer avec *rôti,* sans prononcer le *s* final. ◆ **Anglicisme.** RECOMM. OFF. Redevance. REM. Le mot est parfois remplacé en français par son calque *royautés : toucher de grosses royautés.*

rubaner v.t. ◆ **Orth.** *Rubaner,* avec un seul *n,* comme *rubanerie* et *rubanier* mais à la différence d'*enrubanner* qui s'écrit avec deux *n.*

rubrique n.f. ◆ **Constr.** On dit aujourd'hui *sous telle rubrique, à telle rubrique, dans telle rubrique,* indifféremment : *j'ai lu une curieuse information sous la rubrique des faits-divers,* ou *à la rubrique des faits-divers,* ou *dans la rubrique des faits-divers.* REM. Étymologiquement, *rubrique* signifie « titre en rouge » : les scribes médiévaux écrivaient en rouge les titres des différentes parties des ouvrages qu'ils copiaient. En vertu de l'étymologie, *sous la rubrique* (= sous le titre) a longtemps été considéré comme plus correct que *dans la rubrique* ou *à la rubrique.* Le sens du mot s'étant étendu depuis longtemps à « catégorie d'articles sur un sujet déterminé, dans un journal ou un livre » (on dit par exemple : *il tient la rubrique hippique, la rubrique boursière dans tel quotidien*), ce point de vue n'a plus guère de justification.

ruche n.f. ◆ **Orth.** *Ruche,* sans accent circonflexe (ne pas se laisser influencer par *bûche* qui en prend un).

rudoiement n.m. ◆ **Orth.** Avec un *e* muet intérieur. *Rudoiement* correspond à *rudoyer,* verbe du 1er groupe (comme *aboiement* correspond à *aboyer* → aboiement)

rudoyer v.t. ◆ **Conjug.** Attention, le *y* devient *i* devant *e* muet : *je rudoie* mais *je rudoyais*. - Bien noter *i* après le *y* aux première et deuxième personnes du pluriel, à l'indicatif imparfait et au subjonctif présent : *(que) nous rudoyions, (que) vous rudoyiez.* → annexe, tableau 7

rue n.f. ◆ **Emploi et orth. 1.** Les noms composés de rues et d'une manière plus générale, de voies (au sens le plus large : boulevards, avenues, passages, places, squares, ponts, etc.), s'écrivent toujours avec des traits d'union : *rue du Commandant-Mouchotte, rue des Quatre-Frères-Peignot, rue de la Grande-Chaumière, rue de la Montagne-Sainte-Geneviève, rue Pierre-Larousse, place du 14-Juillet.* **2.** Lorsqu'un nom de voie est caractérisé par un adjectif, celui-ci prend la majuscule : *porte Dauphine, rue Nationale, rue Haute, rue Royale.* **3.** Les noms de personnes ne sont pas précédés d'une préposition, sauf devant un adjectif ou un titre : *rue Réaumur, boulevard Edgar-Quinet, place Charles-de-Gaulle,* mais *rue du Bon-Pasteur, rue du Chevalier-de-la-Barre, avenue du Général-de-Gaulle.* - Les noms de lieux sont précédés de **de, du, de la** : *boulevard de Sébastopol, rue de Crimée, rue du Mont-Thabor.* ◆ **Sens.** *Dans la rue / sur la rue.* ❑ *Dans la rue* signifie « sur la voie publique ; au niveau de la chaussée, entre les bâtiments ou les terrains qui bordent la voie » : *les voitures qui passent dans la rue.* ❑ *Sur la rue* signifie « en façade d'un bâtiment bordant la rue » : *notre appartement donne sur la rue ;* elliptiquement : *un appartement sur rue.*

rugbyman n.m. ◆ **Orth.** Plur. : *des rugbymans* (pluriel français) ou *des rugbymen* (pluriel à l'anglaise). **RECOMM.** Préférer *des rugbymans.* → R.O. 1990. **REM.** Ce mot est un faux anglicisme. On dit en anglais *rugby player,* joueur de rugby.

ruine n.f. ◆ **Orth.** *Être, tomber en ruine,* s'écrivent avec *ruine* au singulier. **REM.** Le pluriel est fréquent de nos jours. Néanmoins, *en ruine* est considéré comme plus correct. ❑ *Menacer ruine : ruine* est toujours au singulier.

ruisseler v.i. ◆ **Conjug.** Attention à l'alternance *-ll-/-l-* : *il ruisselle, nous ruisselons ; il ruisselait ; il ruissela ; il ruissellera.* → annexe, tableau 16 et R.O. 1990

rush n.m. ◆ **Orth.** Plur. : *des rushs* (pluriel francisé) ou *des rushes* (pluriel à l'anglaise). ◆ **Anglicisme.** Cet anglicisme fréquemment employé peut être remplacé, selon le contexte, par les équivalents *effort final, dernier effort* (d'un sportif), ou *ruée, assaut* (d'une foule).

rushes n.m.pl. ◆ **Nombre.** Toujours au pluriel. ◆ **Anglicisme.** Ce terme de cinéma peut être remplacé par l'équivalent français *épreuves de tournage, épreuves.*

Rustine n.f. ◆ **Orth.** *Rustine,* nom déposé, s'écrit avec une majuscule. **REM.** Comme beaucoup de noms de marques très répandues, *Rustine* tend à être traité par l'usage comme un nom commun, et on le trouve souvent écrit avec une minuscule : *mettre une rustine à une chambre à air.*

rythme n.m. ◆ **Orth.** Attention au groupe *-yth-* dans *rythme* et ses dérivés *rythmer, rythmique,* etc. ❑ *Boîte à rythmes :* avec *rythmes* au pluriel.

S

S ♦ Orth. Attention à l'orthographe au singulier, souvent trompeuse, de quelques mots courants. ❑ *S'écrivent avec un s final : cabas, cas, chas* (d'une aiguille), *dais, jais, relais ; mets, entremets ; logis, puits, radis, salsifis, semis, surplus ; poids ; remords ; reclus, inclus.* ❑ *S'écrivent sans s final : balai, brai, chai, délai, déblai, étai, minerai, remblai ; salami ; conclu, exclu.*

sabbat n.m. ♦ **Orth.** Avec deux *b*, comme son dérivé *sabbatique*.

sablé, e adj. / **sableux, euse** adj. / **sablonneux, euse** adj. ♦ **Sens.** Ne pas confondre ces trois adjectifs dont les sens sont proches, mais distincts. **1.** *Sablé, e* adj. = couvert de sable. *Une allée sablée.* **2.** *Sableux, euse* adj. = mêlé de sable. *Une terre sableuse.* **3.** *Sablonneux, euse* adj. = où il y a beaucoup de sable. *Terrain sablonneux.* ♦ **Emploi.** *Sablé* et *sablonneux* sont les deux adjectifs les plus courants.

sabler v.t. / **sabrer** v.t. ♦ **Sens.** *Sabler le champagne / sabrer le champagne.* Ne pas confondre ces deux expressions. **1.** *Sabler le champagne* = boire du champagne à l'occasion de réjouissances. REM. L'expression vient du vocabulaire de la fonderie, et fait référence au métal en fusion coulé d'un jet dans le sable du moule. Au XVIIe s., *jeter un verre en sable,* c'était boire d'un trait son contenu : « [...] *un Tigillin qui* [...] *jette en sable un verre d'eau-de-vie* » (La Bruyère). **2.** *Sabrer le champagne* = ouvrir une bouteille de champagne en en faisant sauter le goulot au moyen d'une lame assez lourde (sabre ou autre).

sableux, euse adj. → sablé

sablonneux, euse adj. → sablé

sabrer v.t. → sabler

sac n.m. ♦ **Orth.** On écrit avec le complément toujours au singulier : *un sac à main, des sacs à main ; un sac à malice, des sacs à malice* - On écrit avec le complément toujours au pluriel : *un sac à provisions, des sacs à provisions.* ❑ On écrit sans trait d'union : *un sac poubelle, des sacs poubelles.*

saccager v.t. ♦ **Conjug.** Le *g* devient -*ge*- devant *a* et *o : je saccage, nous saccageons ; il saccagea.* → annexe, tableau 10

saccharine n.f. ♦ **Orth.** Attention aux deux *c* et au *h* après les deux *c* . → R.O. 1990

sache forme conjuguée → savoir

safran adj. ◆ **Accord.** Invariable comme adjectif de couleur. *Des étoffes safran.* → annexe, grammaire § 98

sage-femme n.f. ◆ **Orth.** Avec un trait d'union. → R.O. 1990. - Plur. : *des sages-femmes.* ◆ **Genre.** Pour désigner un homme exerçant cette profession, on dit *un homme sage-femme, des hommes sages-femmes.* REM. Lorsque cette profession s'est ouverte aux hommes, en 1982, l'Académie avait suggéré le nom de *maïeuticien, maïeuticienne.* Cette proposition n'a pas été retenue par le législateur.

saillir v.i / **saillir** v.t. ◆ **Sens. et conjug.** Ne pas confondre les deux verbes *saillir.* **1.** *Saillir* v.i. = s'avancer en dehors, déborder, dépasser. *Balcon qui saille sur une façade.* Le verbe est usité surtout à l'infinitif, aux troisièmes personnes des temps simples et au participe présent *(saillant).* → annexe, tableau 37. **2.** *Saillir* v.t. = couvrir, s'accoupler à, en parlant du mâle de certaines espèces domestiques. *L'étalon saillit la jument.* Le verbe se conjugue comme *finir,* mais il ne s'emploie qu'à l'infinitif, aux troisièmes personnes des temps simples et aux participes présent et passé. → annexe, tableau 21. ◆ **Emploi.** Un même nom *(saillie)* correspond à ces deux verbes : *la saillie d'une jument par un étalon ; la saillie d'un balcon sur une façade.*

saint, e adj.
◆ **Orth.** Selon les cas, *saint* s'écrit avec une minuscule ou avec une majuscule, avec ou sans trait d'union.
1. Avec une minuscule et sans trait d'union.
❑ Devant le nom d'une personne canonisée par l'Église, *saint* s'écrit avec une minuscule et sans trait d'union : *Les évangélistes saint Jean, saint Luc, saint Marc et saint Matthieu. « Le bon saint Éloi, lui dit "O mon roi" »* (chanson populaire). - Mais on écrit : *la Sainte Vierge, Saint Louis* (v. ci-dessous, 3).

❑ On écrit également *saint* avec une minuscule et sans trait d'union lorsque le mot est employé au sens de « qui fait l'objet d'une vénération particulière ; consacré, sacré » : *la sainte ampoule, les saints apôtres* (mais : *les Apôtres), le saint chrême, le saint ciboire, les saintes espèces, les saintes huiles, les saints lieux, la sainte messe, les saintes reliques, la sainte table ; la sainte Bible, la sainte Famille ; l'Écriture sainte ; les Lieux saints, la Terre sainte.*

2. Avec une minuscule et un trait d'union.
❑ Les noms communs issus de noms de lieux formés avec *saint* s'écrivent avec une minuscule et un trait d'union ; ils sont invariables : *saint-florentin, saint-marcellin, sainte-maure, saint-nectaire, saint-paulin* (fromages) ; *saint-amour, saint-émilion* (vins) ; *saint-bernard* (chien).
❑ Les noms communs issus de noms de saints s'écrivent avec une minuscule et un trait d'union. Certains sont invariables : *saint-honoré* (gâteau), *saint-pierre* (poisson), *tout le saint-frusquin* et *à la saint-glinglin* (expressions populaires sur des saints imaginaires). D'autres prennent la marque du pluriel : *sainte-barbe (des saintes-barbes ;* terme de marine ancien), *sainte-nitouche (des saintes-nitouches,* formation plaisante).
❑ Les noms communs dérivés d'un nom propre formé avec *saint-* et désignant les membres d'un groupe s'écrivent avec une minuscule et avec un trait d'union. On écrit : *un saint-cyrien, un saint-simonien.* - Plur. : *des saint-cyriens, des saint-simoniens (saint* reste invariable).
❑ Il est d'usage d'écrire : *notre saint-père le pape* (mais *le Saint-Père) ; le saint-synode* (plur. : *les saints-synodes).*
3. Avec une majuscule et sans trait d'union. Il est d'usage d'écrire avec une majuscule et sans trait d'union : *la Sainte Vierge* et *Saint Louis* (Louis IX). - On écrit également sans trait d'union *le Saint Empire romain germanique.*
4. Avec une majuscule et un trait

d'union. *Saint* s'écrit avec une majuscule et se joint au nom qui le suit par un trait d'union dans les désignations de fêtes ou d'églises, dans les noms d'ordres religieux, dans les noms de lieux et de monuments : « *Quand il pleut à la Saint-Médard, il pleut quarante jours plus tard* » (dicton populaire) ; *vous serez payé à la Saint-Michel* ; *l'église Saint-Gervais et Saint-Protais* ; *l'ordre de Saint-Benoît* ; *la société Saint-Vincent-de-Paul* ; *vivre à Saint-Dizier* ; *la rue Saint-Vincent* ; *les portes Saint-Denis et Saint-Martin, à Paris* ; *la gare Saint-Charles, à Marseille.*

❑ Il est d'usage d'écrire avec une majuscule et un trait d'union : *la Sainte-Alliance, le Saint-Esprit* ou *l'Esprit-Saint* ; *le Saint-Office* ; *le Saint-Père* (mais : *notre saint-père le pape*) ; *le Saint-Siège* ; *la Sainte-Trinité.*

saisie- élément de composition ◆ **Orth.** Les noms du vocabulaire juridique composés avec *saisie* s'écrivent tous avec un trait d'union et prennent la marque du pluriel aux deux éléments : *des saisies-arrêts, des saisies-brandons, des saisies-exécutions, des saisies-gageries, des saisies-revendications.*

salade n.f. ◆ **Orth.** *Salade de* (+ nom). Lorsque le nom complément désigne autre chose qu'une plante potagère feuillue comme la laitue, la chicorée, la romaine, etc., il se met au pluriel : *salade de concombres, de tomates, d'oranges.* - On écrit en revanche *une salade de laitue, de chicorée, de cresson, de mâche.* On écrit au singulier ou au pluriel *une salade d'endive* ou *d'endives.*

salaire n.m. ◆ **Orth.** On écrit *salaire,* avec *-ai-,* mais *salarial, salariat* et *salarier,* avec *a.* REM. *Salarial, salariat* et *salarier* sont des dérivés savants de *salaire,* refaits sur le latin *salarium* (solde pour acheter du sel). ◆ **Sens.** Au sens large, un *salaire* est ce que l'on reçoit en contrepartie d'un travail ou d'un service : *toute peine mérite*

salaire ; *salaire en nature.* Au sens strict, c'est une somme d'argent convenue d'avance et versée régulièrement à un employé par son employeur en vertu d'un contrat de travail. Certains salaires portent un nom spécifique ; c'est le cas du *traitement* (salaire d'un fonctionnaire) et de la *solde* (salaire d'un militaire). D'autres rémunérations, qui ne font pas l'objet d'un contrat de travail, ne constituent pas des salaires au sens strict du terme. C'est le cas des *cachets* de certaines professions artistiques (musiciens et comédiens, notamment), des *émoluments* des officiers ministériels, des *honoraires* des professions libérales (médecins, architectes, travailleurs indépendants), des *piges* des journalistes non salariés, des *vacations* des experts commis en justice. - *Appointements,* qui désignait naguère la rémunération d'un employé (par opposition au *salaire* d'un ouvrier), est vieilli. *Gages,* qui désignait la rémunération d'un employé de maison, est sorti de l'usage.

salami n.m. ◆ **Orth.** Attention à la terminaison *i* (pas d's au singulier). - Plur. : *des salamis.*

sale adj. ◆ **Constr. et registre.** Place de *sale.* Placé après le nom, *sale* signifie « malpropre » et s'emploie dans tous les registres : *un type sale, un chien sale, une rue sale.* Placé avant le nom, *sale* est familier et signifie « très désagréable, détestable » ou « méprisable » : *un sale chien* (hargneux, méchant), *une sale rue* (mal fréquentée, dangereuse) ; *un sale type* (antipathique, malhonnête).

salle n.f. ◆ **Orth.** *Salle de...* On écrit, avec le complément toujours au singulier : *salle d'audience, de bal, de danse, de réception* ; *salle d'eau* ; *salle d'opération* (chirurgicale) ; *salle de rédaction.* - Avec le complément toujours au pluriel : *salle d'armes* ; *salle de bains* ; *salle de conférences* ; *salle d'opérations* (militaires). - Avec le complément indifféremment au singulier ou au pluriel *salle de jeu* ou *de jeux* (le pluriel est plus fréquent), *salle de concert* ou *de concerts* (le singulier est plus fréquent).

salsifis n.m. ◆ **Orth.** Attention à la finale en *-is*, comme dans *radis, semis*.

salvateur, trice adj. et n. ◆ **Emploi.** Le masculin *salvateur* (= qui sauve) est presque inusité ; *salvatrice* sert aussi de féminin à *sauveur*. → **sauveteur**

sanatorium n.m. ◆ **Prononc.** [sanatɔrjɔm], la finale *-um* se prononce comme dans *maximum*. ◆ **Orth.** Plur. : *des sanatoriums*.

Sandow n.m. ◆ **Prononc.** [sɑ̃do], comme pour rimer avec *bandeau*. Le pluriel se prononce comme le singulier. ◆ **Orth.** Toujours avec une majuscule (nom déposé). - Plur. : *des sandows*.

sandwich n.m. ◆ **Prononc.** [sɑ̃dwitʃ], la finale se prononce comme si elle s'écrivait *-ouitche*. ◆ **Orth.** Plur. : *des sandwichs*, pluriel français, ou *des sandwiches*, à l'anglaise. **RECOMM.** Préférer le pluriel français *sandwichs*.

sang-froid n.m. inv. ◆ **Orth. et emploi.** *Sang-froid* est invariable, et ne s'emploie guère qu'au singulier de toute façon.

sangloter v.i. ◆ **Orth.** Avec un seul *t*, de même que son dérivé *sanglotement*.

sans prép. ◆ **Orth.** Le nom qui suit la préposition *sans* se met au singulier ou au pluriel, selon le sens. Ainsi, on écrit *une jupe sans ceinture* (car une jupe ne peut avoir qu'une seule ceinture) mais *un manteau sans boutons* (car un manteau possède habituellement plusieurs boutons). On écrira de même : *je viendrai sans faute* mais *une dictée sans fautes, c'est un homme sans parole* mais *une histoire sans paroles*. ◆ **Registre.** *Sans* employé sans complé-

ment (emploi dit adverbial) : « *A-t-il pris son parapluie ? - Non, il est sorti sans* ». *J'ai tellement pris l'habitude de l'ordinateur que je ne pourrais plus travailler sans. Il faudra faire sans.* Emploi courant, mais familier. **RECOMM.** Dans l'expression soignée, en particulier à l'écrit, faire suivre *sans* d'un complément, ou tourner la phrase autrement : « *A-t-il pris son parapluie ? - Non, il l'a laissé* ». *Je ne pourrais plus travailler sans ordinateur, tant j'en ai pris l'habitude. Il faudra s'en passer.* ◆ **Constr.** 1. *Sans... ni... / sans... et sans... : un jardin sans beauté ni grâce ; un jardin sans beauté et sans grâce.* Les deux constructions sont correctes. **REM.** La tournure *sans... ni sans...* est sortie de l'usage : *un jardin sans beauté ni sans grâce.* 2. *Sans que* (+ subjonctif) ou *sans* (+ infinitif) : *je l'ai fait sans qu'il s'en aperçoive ; je l'ai fait sans m'en apercevoir.* Les deux constructions sont correctes, mais l'infinitif n'est possible que si le sujet de la principale et celui de la subordonnée sont identiques. **RECOMM.** Éviter d'employer le *ne* explétif après *sans*, même si la principale est négative. (*je ne viendrai pas sans que je me sois préparé* et non **je ne viendrai pas sans que je ne me sois préparé*). 3. *Non sans* (+ infinitif), *non sans que* (+ subjonctif) : *je viendrai non sans m'être préparé* (= je ne viendrai pas sans m'être préparé). La double négation permet d'insister sur l'idée exprimée.

sans- élément de composition ◆ **Orth. Mots composés avec *sans-*.** ❑ Sont invariables : *sans-abri, sans-cœur, sans-emploi, sans-façon, sans-faute, sans-fil, sans-gêne, sans-grade, sans-le-sou, sans-logis, sans-papiers, sans-parti, sans-souci.* → R.O. 1990. ❑ Prennent la marque du pluriel : *sans-culotte, sans-filiste ; des sans-culottes, des sans-filistes.* **REM.** *Sans-filiste,* radio amateur, est vieilli.

sans domicile fixe n. inv. ◆ **Orth.** On écrit sans trait d'union *un, une sans domicile fixe,* alors qu'on écrit *un, une sans-*

abri. - Souvent abrégé en *S.D.F.* REM. L'emploi de plus en plus fréquent comme nom de cette locution adjectivale justifierait la graphie *sans-domicile-fixe,* avec trait d'union.

santé n.f. ◆ **Orth. et emploi.** On écrit *fermé pour raison* (sans *s*) *de santé* ou *pour cause de maladie* (et non **pour cause de santé*). - On dit *jouir d'une bonne santé* et *avoir une mauvaise santé* (mais non ** jouir d'une mauvaise santé*).

saoul, e adj. → soûl

sarcome n.m. ◆ **Prononc. et orth.** [saʀkom], avec un *o* fermé, comme dans *dôme,* malgré l'absence d'accent circonflexe.

sarrasin, e n. et adj. ◆ **Orth.** Avec un *s* (et non un *z*). ◆ **Sens.** Ne pas confondre les deux mots *sarrasin.* **1.** *Sarrasin, e* adj. et n. = musulman, pour les Occidentaux du Moyen Âge. *Un Sarrasin, une Sarrasine* (nom, avec une majuscule). *La flotte sarrasine* (adjectif, avec une minuscule). **2.** *Sarrasin* n.m. = céréale dite aussi *blé noir. Le sarrasin* (toujours avec une minuscule) *n'est presque plus cultivé.*

sarrau n.m. ◆ **Orth.** Sans *e.* - Plur. : *des sarraus.* REM. Le pluriel en *x, sarraux,* donné par Littré, n'est plus en usage.

satire n.f. / **satyre** n.m. ◆ **Orth. et sens.** Ne pas confondre ces deux noms. **1.** *Satire* n.f. (avec un *i*) = écrit ou dessin qui tourne qqn ou qqch. en ridicule. *Le Malade imaginaire est une satire des médecins.* L'adjectif correspondant est *satirique : une comédie satirique.* REM. *Une satyre* (avec un *y*) est un terme spécialisé d'histoire de la littérature grecque signifiant « pièce mettant en scène des satyres ». C'est un mot rare. **2.** *Satyre* n.m. (avec un *y*) = demi-dieu à jambes de bouc, dans la mythologie grecque ; de nos jours, pervers sexuel (exhibi-

tionniste, notamment). « *Le satyre, un boulanger au visage naïf, avait forcé une fillette de douze ans.* » (M. Aymé). REM. L'adjectif correspondant, *satyrique,* n'est employé que pour qualifier les poèmes et les drames mythologiques qui font apparaître des chœurs de satyres (voir ci-dessus REM.). On ne peut donc pas dire **une conduite satyrique* pour *une conduite de satyre.*

satisfaire v.t. et v.pr. ◆ **Conjug.** Comme *faire : nous satisfaisons, vous satisfaites.* → annexe, tableau 89. ◆ **Constr. et sens. 1.** *Satisfaire qqn, qqch. :* elle satisfait pleinement ses supérieurs ; satisfaire une passion. **2.** *Se satisfaire de* (+ nom ou infinitif), *se satisfaire que* (+ subjonctif) = être content de, que. *Je me satisfais de votre réussite, que vous ayez réussi.* RECOMM. La tournure *se satisfaire de ce que* est fréquente dans l'expression orale relâchée. Dans l'expression soignée, préférer *se satisfaire que.* **3.** *Satisfaire à* = répondre aux exigences de. *Ce candidat satisfait aux critères de sélection.*

satisfait, e adj. ◆ **Constr.** *Être satisfait de* (+ nom ou infinitif), *être satisfait que* (+ subjonctif) : *nous sommes satisfaits de la réussite de vos recherches, de voir vos recherches réussir, que vous ayez réussi vos recherches.* RECOMM. La tournure *être satisfait de ce que* est fréquente dans l'expression orale relâchée. Dans l'expression soignée, préférer *être satisfait que.*

satisfecit n.m. ◆ **Prononc.** [satisfesit], le *e* se prononce comme un *é,* le *c* comme un *s* et on fait entendre le *t* final. ◆ **Orth.** Sans accent sur le *e,* malgré la prononciation. → R.O. 1990

satyre n.m. → satire

saucer v.t. ◆ **Conjug.** Le *c* devient *ç* devant *o* et *a : je sauce, nous sauçons ; il sauça.* → annexe, tableau 9

sauf prép. ◆ **Constr. 1.** Si *sauf* est précédé d'un verbe dont le complément est introduit par une préposition, cette préposition est répétée après *sauf* : *je me souviens de tout sauf de cet épisode* (et non : *je me souviens de tout sauf cet épisode*) ; *je suis d'accord sur tout sauf sur le dernier point* (et non : *je suis d'accord sur tout sauf le dernier point*). **2. Sauf que** (+ indicatif) loc. conjonctive = excepté que. « *Elle est très heureuse sauf que sa maman ne la mène jamais à la promenade* » (J. Renard). **3. Sauf si** (+ indicatif) loc. conjonctive = excepté le cas où. *Nous irons faire un tour en mer, sauf si le temps est trop mauvais.* ◆ **Registre.** *Sauf à* (+ infinitif) loc. prép. = sans s'interdire de, au risque de ; quitte à. « *Il ne parle, sauf à être incomplet, que de ce qu'il a vu* » (Th. Gautier). Registre littéraire.

sauf-conduit n.m. ◆ **Orth.** Avec un trait d'union. → R.O. 1990. - Plur. : *des sauf-conduits* (pas de *s* à *sauf*).

saumoné, e adj. ◆ **Orth.** Avec un seul *n*.

saupoudrer v.t. ◆ **Constr.** *Saupoudrer de, avec* : *saupoudrer une escalope de chapelure, saupoudrer un gâteau avec du sucre glace.*

saut-de-ski n.m. ◆ **Orth.** *Saut-de-ski* (= déversoir de barrage) s'écrit avec deux traits d'union. - Plur. : *des sauts-de-ski.*

sauvage adj. et n. / **sauvagesse** n.f. / **sauvageon, onne** n.f. ◆ **Sens et registre.** Attention aux nuances de sens et d'emploi qui distinguent ces trois mots. **1. Sauvage** adj. et n. = qui fuit la société d'autrui. *C'est un vieil homme assez sauvage, qui vit seul à l'écart du village. C'est un vieux sauvage ; c'est une sauvage.* REM. *Sauvage* au sens de « qui vit en dehors de la civilisation » *(peuplades sauvages)* est ressenti aujourd'hui comme trop discriminatoire et méprisant et n'est plus guère employé. **2. Sauvagesse** n.f. = femme d'un peuple exotique dont le genre de vie est resté proche de la nature ; femme rebelle aux usages de la vie en société. « *Un petit pagne de dentelles qui la faisait ressembler à une sauvagesse élégante* » (P. Louÿs). Ce mot du registre littéraire est presque entièrement sorti de l'usage. **2. Sauvageon, onne** n. = garçon ou fille qui a grandi en liberté, sans éducation. Registre courant.

sauveteur n.m. / **sauveur** n.m. et adj. m. ◆ **Sens et genre.** Ne pas confondre ces deux noms. **1. Sauveteur** n.m. = personne qui prend part à une opération de sauvetage. Toujours masculin, même pour désigner une femme. *Martine Balto, l'un des premiers sauveteurs à avoir approché les rescapés, témoigne.* **2. Sauveur** n.m. et adj. m. = (celui) qui sauve, qui participe au salut de qqn ou qqch. Toujours masculin, même pour désigner une femme : *elle a été mon sauveur à ce moment difficile de ma vie* ; « *Le pilote qui sombre / Jette au phare sauveur un œil reconnaissant* » (V. Hugo). *Salvatrice* sert de féminin à *sauveur* : *une intervention salvatrice.*

savant n.m. ◆ **Genre.** Le plus souvent masculin, même pour désigner une femme. *Marie Curie fut un très grand savant.* Le féminin, *une savante,* se rencontre parfois.

savoir v.t. ◆ **Conjug.** À l'exception de la troisième personne du singulier *(qu'il, qu'elle sût)*, les formes du subjonctif imparfait *(que je susse, que nous sussions)* sont très rarement employées à cause de leur homophonie avec plusieurs formes de la conjugaison du verbe *sucer.* → annexe, tableau 45. ◆ **Emploi. 1.** Le verbe *savoir* n'admet comme sujet qu'un nom de personne, sauf s'il y a métaphore, métonymie ou personnification : *le pays savait que tout espoir était perdu* (*le pays* signifie ici non pas « le territoire national » mais « la population du pays ».) **2. Je ne saurais** = je ne peux. Le verbe *savoir* employé au conditionnel et à la forme négative (avec omission de *pas*) est un équivalent atténué de *pouvoir : on ne saurait accepter une telle situation* (= on ne peut l'accepter). **3. *À savoir*** loc. conjonctive = c'est-à-dire. *De nombreux chercheurs, à savoir des historiens et des linguistes, ont participé à ce projet.* **RECOMM.** Éviter d'employer *savoir* seul pour *à savoir.* **4. *Que je sache*** = dans la mesure où je peux en juger. Ce tour s'utilise soit en incise, soit en tête ou fin de phrase, et seulement avec une proposition négative. *Il n'a rien fait de si terrible, que je sache.* **REM.** L'emploi à une autre personne que la première personne du singulier (*que tu saches, que nous sachions,* etc.) est rare et littéraire. ◆ **Sens. 1.** *Savoir gré de* (+ infinitif), *savoir gré de ce que* (+ indicatif) = être satisfait, reconnaissant de. *Je vous sais gré de ce que vous êtes intervenu en ma faveur. Nous vous saurions gré de répondre au plus vite* (et non **nous vous serions gré*). **2. *Savoir qqn, qqch.*** = avoir connaissance de l'existence de qqn, de qqch. « *Je sais un paysan qu'on appelait Gros-Pierrre* » (Molière). Cet emploi est aujourd'hui sorti de l'usage. ◆ **Registre.** *Je ne sache pas que* (+ subjonctif), exprimant une affirmation atténuée, est du registre littéraire. « *Je ne sache pas que vous ayez rien à vous reprocher* » (Marivaux). ❏ *Je ne sache personne, rien... qui, que* (+ subjonctif), tour très proche du précédent, relève également de la langue littéraire : *je ne sache rien qui vaille un tel sacrifice.*

savoir-faire n.m. inv. ◆ **Orth.** Avec un trait d'union et invariable. ◆ **Emploi.** L'emploi au pluriel, bien que rare, n'est pas fautif : *ces artisans ont développé des savoir-faire spécifiques.*

savoir-vivre n.m. inv. ◆ **Orth.** Avec un trait d'union et invariable. ◆ **Emploi.** L'emploi au pluriel, bien que rare, n'est pas fautif : *les savoir-vivre de l'homme du monde et du paysan sont différents, mais l'un comme l'autre ont leurs usages.*

savonner v.t. ◆ **Orth.** Avec deux *n,* de même que les dérivés *savonnage, savonnerie* et *savonnette.*

saynète n.f. ◆ **Orth.** Attention au groupe -ay- (mot issu de l'espagnol *sainete*). ◆ **Sens.** Ce mot désigne une petit pièce comique du théâtre espagnol, ou une courte pièce à deux ou trois personnages. **REM.** Bien qu'une saynète ne comporte souvent que quelques scènes, les deux mots n'ont étymologiquement aucun rapport. *Sainete* désigne à l'origine le morceau de graisse qu'on donne à un faucon de chasse lorsqu'il revient, c'est un diminutif de *sain,* graisse (latin *saginem,* à rapprocher du français *saindoux*). Une *saynète* est ainsi un « petit morceau », une « petite pièce ».

scampi n.m. plur. ◆ **Orth.** Plur. : *des scampi.* → R.O. 1990. ◆ **Emploi.** Le mot est employé le plus souvent au pluriel, mais l'emploi au singulier est possible : *un scampi* (= une langoustine ou une grosse crevette frite, considérée indépendamment du plat où elle est servie avec d'autres).

scanner n.m. ◆ **Prononc.** [skanɛʀ], *-er* se prononce comme dans *fer.* ◆ **Orth.** Attention aux deux *n.* Mais *scanographe* et *scanographie,* mots de la même famille, s'écrivent avec un seul *n.* ◆ **Anglicisme. RECOMM. OFF.** *Scanneur* pour « appareil de télédétection » ; *scanographe* pour « appareil de radiodiagnostic ». ◆ **Emploi.** Dans l'usage courant, non technique, on dit *passer un scanner, faire un scanner* pour *passer une scanographie, faire une scanographie.* Dans l'usage scientifique et technique, *scanner* désigne l'appareil, *scanographie* l'examen qu'il permet de réaliser.

scanographie n.f. → scanner

scénario n.m. ◆ **Orth.** Plur. : *des scénarios.* → R.O. 1990. **REM.** Le pluriel à l'italienne *des scénari* ou *des scénarii,* presque entièrement sorti de l'usage, passerait aujourd'hui pour affecté dans l'expression orale courante.

sceptique adj. et n. / **septique** adj. ◆ **Sens et orth.** Ne pas confondre ces deux mots. **1.** *Sceptique* adj. et n. (avec *sc-*) = incrédule. *Votre affirmation me laisse sceptique.* **2.** *Septique* adj. (avec *s-*) = qui a rapport aux germes microbiens, aux fermentations ou aux infections qu'ils provoquent. *Fièvre septique ; fosse septique.*

schah n.m. → chah

scheik n.m. → cheik

schelem n.m. → chelem

scherzo adv. et n.m. ◆ **Prononc.** [skɛʀzo], ou [skɛʀdzo], le groupe *sch-* se prononce comme s'il était écrit *sk-,* le *z* se prononce à la française, comme dans *zoo,* ou à l'italienne, *dz-,* comme dans *dzêta.* ◆ **Emploi et orth.** Le mot est invariable quand il est employé comme adverbe : *jouez les dix dernières mesures scherzo* (= vivement et gaiement) ; il prend la marque du pluriel quand il est employé comme nom : *les deux scherzos de violon, à la fin, sont particulièrement brillants.* → R.O. 1990

scierie n.f. ◆ **Orth. et prononc.** Avec un *e* intérieur non prononcé, comme dans *soierie* (alors qu'on écrit *voirie*). REM. *Scierie* est issu de *scie,* dont il garde le *e* final.

scintillation n.f. ◆ **Prononc.** [sɛ̃tijɑsjɔ̃], avec le groupe *-ill-* prononcé comme dans *briller* ; de même pour les autres mots de la famille : *scintiller, scintillant, scintillement.* REM. *Scintillation* était naguère prononcé [sɛ̃tillɑsjɔ̃], (= scin-til-la-tion). Cette prononciation est devenue rare

scission n.f. ◆ **Orth.** Attention au groupe *-sc-* ; de même dans le dérivé *scissionniste.*

sconse, skons, skuns, skunks n.m. ◆ **Orth.** Les quatre graphies *sconse, skons, skuns* et *skunks* sont admises pour ce synonyme de *mouffette.* **RECOMM.** Préférer *sconse.* → R.O. 1990.

scotch n.m. / **Scotch** n.m. ◆ **Orth. et sens.** Ne pas confondre ces deux noms. **1.** *Un scotch* = un whisky écossais. Toujours avec une minuscule. *Un verre de scotch.* - Plur. : *des scotchs.* → R.O. 1990. **2.** *Scotch* n.m. = ruban adhésif de la marque de ce nom. Toujours avec une majuscule (nom déposé). *Un rouleau de Scotch.*

Scrabble n.m. ◆ **Prononc.** À l'anglaise, [skʀabœl], le groupe *-bble* se prononce comme s'il s'écrivait *beul,* ou à la française, [skʀabl], comme dans *table.* Les dérivés *scrabbleur* et *scrabbler* se prononcent à la française. ◆ **Orth.** Avec deux *b* ; toujours avec une majuscule (nom déposé) : *jouer au Scrabble.* En revanche, les dérivés *scrabbler* et *scrabbleur* s'écrivent avec une minuscule.

script n.m. / **scripte** n. ◆ **Orth. et sens.** Ne pas confondre ces deux noms. **1.** *Script* (sans *e* final) n.m. = scénario. *La lecture du script permet d'imaginer ce que sera le film.* **2.** *Scripte* (avec un *e* final) n. = auxiliaire du réalisateur, chargé(e) de noter tous les détails techniques et artistiques de chaque prise de vue. *Un, une scripte.*

sculpteur n. ◆ **Prononc.** [skyltœʀ], le *p* ne se prononce ni dans *sculpteur* ni dans *sculpture.* ◆ **Genre.** Le mot est le plus souvent employé au masculin, même pour désigner une femme : *la sœur de Paul Claudel, Camille Claudel, fut un grand sculpteur ; une femme sculpteur.* Il est parfois employé au féminin : *une jeune sculpteur fraîche émoulue de l'école des Beaux-Arts.* La forme *sculptrice* existe ; bien qu'en accord avec la tendance actuelle à féminiser les noms de métiers, elle reste rare.

se pron. personnel → annexe, grammaire § 76 à 80

1. **séant,e** adj. / **seyant, e** adj. / **céans** adv. ◆ **Sens.** Ne pas confondre ces trois mots. 1. *Séant* adj. = décent, convenable : *il a coupé la parole au président d'une façon fort peu séante.* Registre soutenu. → **seoir. 2.** *Seyant* adj. = qui avantage, qui sied bien, en parlant d'un vêtement ou d'une coiffure. *Cette robe est très seyante.* → **seoir. 3.** *Céans* adv. = ici, en ces lieux. → **céans**

2. **séant** n.m. ◆ **Emploi.** *Se mettre, être, se dresser,* etc., *sur son séant* = dans la posture d'une personne assise dans un lit. → aussi 1. **séant**

sécher v.i. et v.t. / **assécher** v.t. ◆ **Conjug.** Attention à l'accent, tantôt grave, tantôt aigu : *je sèche (j'assèche), nous séchons (nous asséchons) ; il séchera (il asséchera).* → annexe, tableau 11 et R.O. 1990. ◆ **Sens.** *Sécher / assécher* : Ne pas employer l'un pour l'autre ces deux verbes issus de *sec.* 1. *Sécher* = enlever l'humidité de. *Sécher ses cheveux après le bain.* 2. *Assécher* = mettre à sec. *Assécher un marécage.* → aussi **dessécher**

sèche n.f. → seiche

sécheresse, sècheresse n.f. ◆ **Orth. et prononc.** Les deux graphies, *sécheresse,* avec un accent aigu, et *sècheresse,* avec un accent grave, sont admises. Le mot se prononce le plus souvent avec le premier *e* ouvert. → R.O. 1990

sécherie, sècherie n.f. ◆ **Orth. et prononc.** Les deux graphies, *sécherie,* avec un accent aigu, et *sècherie,* avec un accent grave, sont admises. Le mot se prononce le plus souvent avec le premier *e* ouvert. → R.O. 1990

second, e adj. et n. ◆ **Prononc.** Le *c* de *second* et de ses dérivés se prononce [g], comme dans *gond.* ◆ **Orth.** On écrit *le second Empire,* avec une minuscule à *second,* mais *la Seconde Guerre mondiale,* avec une majuscule à *Seconde* et une majuscule à *Guerre.* ◆ **Emploi.** *Second, e / deuxième.* → **deuxième**

seconde n.f. ◆ **Prononc.** → second. ◆ **Orth.** Le symbole de la *seconde,* unité de mesure de temps, est *s,* sans point abréviatif : *2 h 34 min 40 s* ; le symbole de la *seconde d'angle,* unité de mesure d'angle plan, est ″. Le signe ″ est souvent employé comme symbole de l'unité de temps dans la presse sportive. Cette écriture n'est pas admise dans l'usage scientifique et technique.

secourir v.t. ◆ **Conjug.** Comme *courir.* Attention au double *r* au futur et au conditionnel : *il secourt, il secourait, il secourut, qu'il secoure,* mais *il secourra, il secourrait.* → annexe, tableau 33

secrétaire n. ◆ **Orth. et prononc.** Sans accent sur le premier *e,* qui se prononce comme celui de *secret.* De même pour les dérivés *secrétariat* et *secrétairerie.* → aussi **secrétairerie**

secrétairerie n.f. ◆ **Orth.** Noter le suffixe *-erie* (et non *-ie* comme dans *mairie* ou *seigneurie*) pour ce dérivé de *secrétaire,* qui désigne le service du cardinal secrétaire d'État, au Vatican. → aussi **seigneurie**

sécréter v.t. ◆ **Orth.** L'infinitif s'écrit avec deux accents aigus, de même que les mots apparentés *sécrétion, sécréteur, sécrétine* et *sécrétoire.* ◆ **Conjug.** Attention à l'accent, tantôt grave, tantôt aigu : *je sécrète, nous sécrétons ; il sécrétera.* → annexe, tableau 11 et R.O. 1990. ◆ **Sens et registre.** *Sécréter / secréter* Ne pas confondre ces deux verbes qui ne diffèrent que par leur première syllabe. 1. *Sécréter* v.t. = opérer la sécrétion de. *Le pancréas sécrète l'insuline.* Mot courant. 2.

Secréter v.t. = traiter (des peaux) avec un dérivé du mercure appelé *secret*. Terme technique.

sécréteur, euse ou **trice** adj. ◆ **Orth.** Le féminin a deux formes ; *sécrétrice* est la forme la plus usitée ; *des cellules sécrétrices*.

sécurité n.f. / **sûreté** n.f. ◆ **Orth.** *Sécurité.* On écrit *la Sécurité sociale* (administration) avec une majuscule, mais *assurer une sécurité sociale* (situation) avec une minuscule. ❑ *Sûreté.* Avec un accent circonflexe sur le *u*. → R.O. 1990. ◆ **Sens et emploi.** Ces mots, tous deux apparentés au latin *securus*, sûr, ont des sens très voisins. *Sécurité*, (du latin *securitas*) est le doublet savant de *sûreté* (issu de *sûr*). Dans le sens de « situation dans laquelle on ne craint aucun danger », les deux mots sont des quasi-synonymes et s'emploient presque indifféremment. Toutefois, l'usage a fixé certains emplois ; ainsi l'on dit : *la sécurité routière, la sécurité militaire, la sécurité publique* ; mais dans un contexte judiciaire, on emploie plutôt *sûreté* : *la sûreté nationale, la Cour de sûreté de l'État.* ❑ *De sécurité* ou *de sûreté* = destiné à garantir la sécurité des personnes. *Chaîne, verrou de sécurité, de sûreté ; ceinture de sécurité.* REM. *De sûreté* a également le sens de « qui est sûr, fiable, infaillible » : *dispositif de sûreté.* ❑ *En sécurité* ou *en sûreté* = à l'abri d'un danger, d'une menace éventuels. *Ses bijoux sont en sécurité* (ou *en sûreté*) *dans un coffre à la banque ; vous êtes ici en sécurité* (ou *en sûreté*).

séduire v.t. ◆ **Conjug.** Comme *conduire*. → annexe, tableau 78

seiche n.f. ◆ **Orth.** Attention au groupe *-ei-*. L'orthographe *sèche* pour désigner l'animal n'est plus en usage.

seigneurie n.f. ◆ **Orth.** Ce dérivé de *seigneur* est formé avec le suffixe *-ie* (et non *-erie,* à la différence de *secrétairerie*). → secrétairerie

seing n.m. ◆ **Orth.** On écrit au singulier et sans trait d'union *un acte sous seing privé* (= qui n'a pas été passé devant notaire), mais *un sous-seing privé* n.m. (= un acte sous seing privé), avec un trait d'union. ❑ On écrit avec un trait d'union *blanc-seing* et *sous-seing*. - Plur. : *des blancs-seings, des sous-seings*.

séisme n.m. ◆ **Orth.** *Séisme* est la seule orthographe admise. En revanche, les autres mots de la même famille prennent de préférence la forme *sism-* : *sismal, sismicité, sismique, sismographe, sismologie* (plutôt que *séismal, séismicité, séismique, séismographe, séismologie*). → aussi **sismique.** REM. Naguère critiquée (la diphtongue *ei* du grec *seismos* devrait en toute rigueur être transcrite *i,* comme dans *liturgie,* issu de *leitourgia*), la forme *séisme* est entrée dans l'usage. ◆ **Emploi.** *Séisme,* issu d'un mot grec qui signifie « choc, secousse », a pour équivalents *tremblement de terre, secousse tellurique, phénomène sismique.* RECOMM. Éviter le pléonasme **secousse sismique.* → sismique

sélect, e adj. ◆ **Orth.** Anglicisme aujourd'hui francisé, écrit avec un accent aigu et variable en genre et en nombre : *une société très sélecte ; des gens sélects.* REM. On trouve encore parfois ce mot écrit à l'anglaise, sans accent et invariable en genre : *une école select ; des réunions selects.* ◆ **Emploi.** Ce mot est aujourd'hui un peu vieilli.

sélectionner v.t. / **choisir** v.t. ◆ **Emploi.** Distinguer les nuances de sens de ces verbes qui impliquent l'un et l'autre l'idée de choix. Alors que *choisir* peut s'appliquer à des choses diverses, voire disparates, *sélectionner* marque un choix effectué entre des éléments de même nature ou de même rang, ou un tri opéré afin de conserver les éléments les meilleurs : *choisir ses relations* (= les adop-ter selon ses goûts, ses préférences) ; *sélectionner ses relations* (= n'avoir parmi ses relations que des personnes répondant à des critères déterminés, où les senti-ments peuvent n'avoir aucune part).

self n.m. ◆ **Orth.** Abréviation familière de *self-service.* - Plur. : *des selfs.* → aussi **self-** et **self-service**

self- préf. ◆ **Orth.** Dans les mots com-posés, *self-* (de l'anglais *self,* soi-même) reste toujours invariable, mais le deuxième élément varie au pluriel : *des self-inductions.*

self-service n.m. ◆ **Emploi.** *Self-service* désigne uniquement des établisse-ments de restauration ; pour les autres commerces, on dit *libre-service.* → **libre-service.** ◆ **Orth.** On écrit avec *self-service* au singulier : *des restaurants en self-service,* et, en apposition, *des cantines self-service.* ❑ *Un self-service.* - Plur. : *des self-services.* → aussi **self** et **self-**

selon prép. / **suivant** prép. ◆ **Emploi.** Ces deux prépositions de sens compa-rable ne peuvent pas toujours être employées l'une pour l'autre. **1. Devant un nom.** On emploie indifféremment *selon* ou *suivant : j'ai agi selon vos consignes,* ou *suivant vos consignes ; elle dépense selon ses moyens,* ou *suivant ses moyens ; son opi-nion varie selon son interlocuteur* ou *suivant son interlocuteur.* **2. Devant un pronom.** On emploie *selon : que dois-je faire, selon vous ?* (et non *suivant vous*). ◆ **Constr.** *Selon que, suivant que* (+ indicatif) : « *Selon que vous serez puissant ou misérable, / Les jugements de cour vous rendront blanc ou noir* » (La Fontaine). *Selon que* (ou *sui-vant que*) *j'entends ou non le train, je sais s'il fera beau ou s'il pleuvra.* ◆ **Registre.** *C'est selon* employé absolument au sens de « cela dépend des circonstances, c'est possible » est familier : « *Pensez-vous qu'il réussira ? - C'est selon* ».

semailles n.f. plur. ◆ **Nombre.** Ne s'emploie qu'au pluriel : *le temps des semailles.*

semaine n.f. ◆ **Emploi.** *En semaine* s'oppose à *le dimanche : les magasins sont ouverts en semaine et fermés le dimanche ;* dans le même sens, on dit aussi *un jour, les jours de semaine : il passera un jour de semaine ; les jours de semaine il ne porte pas de cravate.* - On dit *en début de semaine, en fin de semaine,* mais avec un article défini : *au début de la semaine, à la fin de la semaine. - Trois fois la semaine* et *trois fois par semaine* sont également corrects. → aussi **heure.** REM. Par consensus international, le premier jour de la semaine est le lundi.

semblable adj. / **similaire** adj. ◆ **Sens et emploi.** Ne pas employer l'un pour l'autre ces deux adjectifs de sens voisin. **1.** *Semblable* (du verbe *sembler*) se dit de choses qui se ressemblent : *elles ont des caractères très semblables ; tes lunettes sont semblables aux miennes.* **2.** *Similaire* (dérivé savant du latin *similis,* semblable) se dit de choses qui peuvent être assimilées l'une à l'autre ; le mot s'emploie plutôt dans le domaine commercial ou dans le domaine technique : *je cherche de la cire ou un autre produit similaire pour faire briller le marbre ; il n'a pas utilisé le même procédé que vous, mais un procédé similaire.* ◆ **Constr. 1.** *Semblable,* impliquant une comparaison avec un autre élément, s'emploie au plu-riel, ou au singulier avec la préposition *à : leurs maisons sont semblables ; sa maison est semblable à celle de son voisin.* **2.** *Similaire* s'emploie sans complément : *il est parvenu à un résultat similaire* (et non *il est parvenu à un résultat similaire au vôtre*). → aussi **analogue**

semblant (faire) loc. verbale. ◆ **Constr. 1.** *Faire semblant de* (+ infini-tif) est la construction courante : *ils font semblant de dormir ; il fait semblant d'être* *fâché.* **2. Faire semblant que** (+ indicatif), courant à l'époque classique, est aujourd'hui sorti de l'usage : « *Profitons de la leçon, si nous pouvons, sans faire semblant qu'on parle à nous* » (Molière). ♦ **Emploi.** *Ne faire semblant de rien* (= feindre l'ignorance ou l'indifférence) s'emploie avec *ne* dans l'expression soignée : *c'est un garçon qui ne fait semblant de rien, mais qui observe tout.* L'omission de *ne* est habituelle dans la langue parlée : *elle est revenue après trois jours, en faisant semblant de rien.* - *Sans faire semblant de rien* (= en ne faisant semblant de rien) : *elle est revenue sans faire semblant de rien.*

sembler v.i. ♦ **Constr. 1.** *Il semble que* (+ subjonctif) exprime une incertitude, une éventualité, ou une affirmation atténuée : *il semble qu'il se soit perdu ; il semble que vous ayez raison.* **2. Il semble que** (+ indicatif) marque une réalité que l'on constate selon toute apparence : *il semble qu'il s'est perdu ; il semble que vous avez raison.* **3. Il me (te, lui,** etc.*) semble que* (+ indicatif) exprime un avis, une impression : *il me semble que tu as grandi ; il me semble que le temps se rafraîchit.* **4. Il semble que, il me (te, lui,** etc.*) semble que* (+ conditionnel) marque une éventualité ou l'expression atténuée d'une opinion : *il semble que nous devrions partir maintenant ; il me semble que le bleu serait plus seyant.* **5. Il semble, il me (te, lui,** etc.*) semble* (+ adjectif attribut) *que* est suivi de l'indicatif ou du subjonctif selon que ce qui est énoncé est présenté comme réel ou comme probable : *il me semble certain que vous vous trompez ; il semble déraisonnable que vous vous aventuriez dans cette région.* **6. Il ne semble pas que, semble-t-il que** (+ subjonctif ou conditionnel). Après les formes négatives ou interrogatives, le verbe de la subordonnée est le plus souvent au subjonctif : *il ne semble pas qu'il se soit donné beaucoup de mal ; il ne lui semblait pas qu'on eût tout essayé ; vous semble-t-il qu'il soit*

aussi heureux qu'il le dit ? - Il peut également être au conditionnel pour exprimer une hypothèse : *ne te semble-t-il pas qu'il devrait déjà être arrivé ?* ♦ **Sens et emploi.** *Sembler / paraître.* → paraître

semer v.t. ♦ **Conjug.** Attention à l'alternance *è/e* : *je sème, il sème,* mais *nous semons ; il sèmera ; il sèmerait ; qu'il sème* mais *que nous semions.* → annexe, tableau 12. ♦ **Sens.** *Semer / planter.* → planter

semestriel, elle adj. ♦ **Sens.** Qui a lieu, qui paraît tous les six mois, tous les semestres : *revue semestrielle.* REM. Le mot était autrefois employé au sens de « qui dure six mois », notamment dans l'expression *congé semestriel,* congé de six mois accordé périodiquement aux militaires. Ce sens est sorti de l'usage.

semi- préf. ♦ **Orth.** Mots composés avec *semi-* : *semi-* est toujours invariable, et se joint par un trait d'union à l'élément qui le suit. ♦ **Emploi.** *Semi- / demi-. Semi-* est plus employé que *demi-* dans la formation des termes scientifiques et techniques. → demi-

semis n.m. ♦ **Orth.** Finale en *-is* comme dans *fouillis, hachis, salsifis.*

semoncer v.t. ♦ **Conjug.** Le *c* devient *ç* devant *o* et *a* : *je semonce, nous semonçons ; il semonça.* → annexe, tableau 9

sempiternel, elle adj. ♦ **Prononc.** [sɛ̃pitɛʀnɛl], la première syllabe se prononce en principe comme *saint,* mais [sɑ̃pitɛʀnɛl], avec la première syllabe prononcée comme *sans,* est en passe de devenir la prononciation la plus courante. De même pour l'adverbe *sempiternellement.*

sénat, Sénat n.m. ♦ **Orth.** Avec une minuscule ou une majuscule selon l'emploi. **1.** Avec un *s* minuscule pour désigner l'assemblée élue par une nation ou une ville, telle qu'elle existait dans un passé lointain : *le sénat de Sparte, d'Athènes, de Rome ; le sénat de Venise, de Gênes.* **2.** Avec un *S* majuscule pour désigner la chambre haute dans les régimes parlementaires modernes : *le Sénat forme avec l'Assemblée nationale le Parlement français ; la bibliothèque du Sénat. Le Sénat des États-Unis.*

séneçon, sèneçon n.m. ♦ **Orth. et prononc.** Les deux graphies, *séneçon,* avec un accent aigu, et *sèneçon,* avec un accent grave, sont admises. Le mot se prononce le plus souvent avec le premier *e* ouvert. → R.O. 1990

senestre, sénestre adj. ♦ **Prononc.** *Senestre.* [sənɛstʀ], le premier *e* se prononce comme celui de *semer,* le second comme le *ê* de *fenêtre. Sénestre.* [senɛstʀ], le premier *e* se prononce comme celui de *sénile,* le second comme dans *senestre.* ♦ **Orth.** S'écrit avec ou sans accent aigu, de même que ses dérivés *senestré* ou *sénestré, senestrochère* ou *sénestrochère* et *senestrogyre* ou *sénestrogyre.* → R.O. 1990

sénevé, sènevé n.m. ♦ **Orth.** Les deux graphies, *sénevé,* avec un accent aigu, et *sènevé,* avec un accent grave, sont admises. → R.O. 1990

senior n. et adj. ♦ **Prononc. et orth.** [senjɔʀ], le *e* se prononce comme un *é.* → R.O. 1990

sens n.m. ♦ **Prononc.** *Sens* se prononce toujours [sɑ̃s], en faisant entendre le *s,* sauf dans les expressions *sens dessus dessous* et *sens devant derrière* qui se prononcent respectivement [sɑ̃sydsu] et [sɑ̃dəvɑ̃dɛʀjɛʀ]. REM. *Sens dessus dessous* est une altération graphique de *sans dessus dessous,* locution qui est elle-même une altération de *cen dessus dessous* où *cen* est la contraction de *ce* et *en,* et qui a succédé à *ce dessus dessous,* c'est-à-dire « ce (qui est) dessus (étant) dessous ».

Sens devant derrière a connu la même évolution. ♦ **Orth.** On écrit au pluriel *en tous sens.* → aussi **tout.** - On écrit *un contresens* en un seul mot mais *un faux-sens,* avec un trait d'union. → aussi **contre-.** ♦ **Accord.** On peut écrire indifféremment *des mots de sens différent* (= chacun des sens est différent) ou *des mots de sens différents* (= les sens sont différents).

sensé, e adj. ♦ **Sens.** Ne pas confondre *sensé,* qui a du bon sens, raisonnable *(une fille sensée)* avec *censé,* supposé, considéré comme *(nul n'est censé ignorer la loi).* → **censé**

sensibilité n.f. / **sensiblerie** n.f. ♦ **Sens et emploi.** Ne pas employer l'un pour l'autre ces deux mots qui présentent une importante nuance de sens. **1.** *Sensibilité* = faculté de percevoir des sensations, d'éprouver des sentiments : *réagir avec intelligence et sensibilité.* Le mot ne comporte aucune nuance péjorative ou négative. **2.** *Sensiblerie* = sensibilité outrée, affectée ou déplacée ; le mot est toujours péjoratif. *La sensiblerie qui fait pleurer à la fin des mélodrames.*

sentir v.t. et v.i. ♦ **Conjug.** *Je sens, tu sens* (sans le *t* du radical), comme *mentir.* → annexe, tableau 26. ♦ **Accord.** Accord du participe passé. **1.** *J'ai senti passer la balle :* le complément d'objet direct est placé après le verbe, le participe passé ne s'accorde pas. **2.** *La balle que j'ai sentie passer :* le complément d'objet direct est placé avant le verbe, le participe passé s'accorde avec le complément d'objet. ❑ *Elle s'est sentie fatiguée, il l'a sentie fatiguée :* le complément d'objet direct *(s', l')* est placé avant le verbe, le participe passé et l'adjectif qui le suit s'accordent avec le complément d'objet. **3.** *Elle s'est sentie lâcher prise :* le sujet de *se sentir* est le même que celui de l'infinitif *lâcher,* le

participe passé s'accorde avec le sujet.
4. *Elle s'est senti mordre par le chien :* le
sujet de *se sentir* n'est pas le même que
celui de l'infinitif, le participe ne s'accorde pas. REM. On pourrait remplacer
cette phrase par une autre équivalente,
elle s'est sentie mordue par le chien, dans
laquelle le participe passé s'accorderait
(v. ci-dessus, 2) ◆ **Constr.** *Sentir bon,
mauvais, fort,* etc. Dans cet emploi
intransitif de *sentir,* les adjectifs *bon, mauvais, fort,* etc. sont employés comme
adverbes et restent invariables : *ces fleurs
sentent bon ; ces parfums sentent fort.* ◆
Registre. *Ne pas sentir qqn, ne pas pouvoir sentir qqn* (= ne pouvoir le supporter, le détester). Registre familier.

seoir v.t.ind. ◆ **Conjug. 1.** Au sens de
« convenir », *seoir* n'est usité qu'aux 3e
personnes du singulier et du pluriel de
certains temps simples, de même que
son contraire *messeoir ;* son participe présent est *seyant,* son participe passé est
inusité. → annexe, tableau 53. **2.** Au
sens de « siéger », *seoir* n'a qu'un participe présent, *séant,* et un participe passé,
sis, sise. → aussi **séant**

sépale n.m. ◆ **Genre.** Masculin,
comme *pétale : les sépales sont généralement verts, ils entourent le bouton floral.*

séparer v.t. ◆ **Constr. 1.** *Séparer de,
d'avec.* Les deux constructions sont
admises, mais *séparer de* est considéré
comme plus léger et plus élégant :
*séparer le bon grain de l'ivraie, séparer les
pommes gâtées d'avec les pommes saines.*
Cependant, *séparer d'avec* permet quelquefois d'éviter des ambiguïtés : *séparer
les mâles du troupeau* peut être compris
« éloigner les uns des autres les mâles
qui se trouvent dans le troupeau » (*de*
introduit un simple complément de
nom) ou bien « mener les mâles d'un
côté et le reste du troupeau de l'autre »,
(*de* marque la séparation). Dans ce der-

nier cas, on dira plus clairement *séparer
les mâles d'avec le troupeau.* **2.** *Séparer...
et...* Cette construction est correcte mais
elle peut être ambiguë : *séparer les haricots blancs et les haricots noirs* peut vouloir
dire « mettre à part les haricots blancs et
noirs » ou « trier les haricots en mettant
d'un côté les blancs, de l'autre les
noirs ». **RECOMM.** Préférer *séparer de :
séparer les haricots blancs des haricots noirs.*

sept adj. numéral et n.m. ◆ **Prononc.
1.** [sɛt], le *p* ne se prononce pas ; il en
est de même pour *septième* et *septième-
ment.* - En revanche le *p* se prononce
dans tous les autres dérivés : *septante*
[sɛptɑ̃t], *septembre* [sɛptɑ̃bʀ], *septennal*
[sɛptɛnal], *septuagénaire* [sɛptɥaʒenɛʀ], etc.
◆ **Orth.** *Sept* est toujours invariable,
même quand il est employé comme
nom : *avoir trois sept dans son jeu.*

septique adj. → sceptique

séquoia n.m. ◆ **Orth. et prononc.**
Avec un accent sur le *e* mais sans tréma
sur le *i* qui forme syllabe avec le *a* :
[sekɔja], comme dans *oyat.* - On trouve
aussi la prononciation [sekwaja], avec la
syllabe *-quoi-* prononcée comme le pronom *quoi.*

serein, e adj. / **serin** n.m. / **serin, e**
adj. et n. ◆ **Orth. et sens.** Ne pas
confondre *serein,* adj. et *serin,* n. et adj.
1. *Serein, e* = calme, tranquille,
confiant. *Ces difficultés sont passagères et
nous restons sereins.* **2.** *Serin* n.m. = oiseau
chanteur. *Un couple de serins des Canaries.*
3. *Serin, e* adj. et n. = niais, étourdi, naïf.
*Il est gentil, mais un peu serin. Elle n'a pas
de tête, une vraie serine !*

sérénade n.f. → aubade

sérénité n.f. ◆ **Orth.** Attention au
deuxième *é* de *sérénité* (il n' y a pas de *i*
avant le *n,* bien que le mot appartienne
à la même famille que *serein*).

serf, serve adj. et n. ♦ **Prononc.** *Serf.* Le masculin se prononce [sɛʀf], en faisant entendre le *f,* ou [sɛʀ], comme *(il) serre.* Les deux prononciations sont correctes, mais celle avec *f* permet d'éviter l'homonymie avec *cerf* (= animal).

sériciculture n.f. ♦ **Prononc.** Attention, cinq syllabes (ne pas omettre *-ci-*). REM. Mot formé du préfixe *sérici-,* du latin *sericum,* la soie, et de *culture.*

série n.f. ♦ **Accord.** *Une série de, la série de.* L'accord du verbe se fait au singulier ou au pluriel selon que l'on insiste sur l'idée d'ensemble constitué par les éléments de la série *(cette série d'erreurs a commencé dès la conception du projet)* ou sur l'idée de multiplicité ou de répétition de ces éléments *(il a commis une série d'erreurs qui lui ont fait grand tort).*

1. serin n.m. → serein

2. serin adj. inv. ♦ **Orth.** Comme adjectif désignant la couleur jaune vif, le mot reste invariable : *des chaussettes serin ; jaune serin.* → annexe, grammaire, § 98

seringa n.m. ♦ **Orth.** La graphie *seringa,* sans *t,* est la plus courante aujourd'hui. REM. On trouve encore parfois *seringat,* avec un *t.*

serpent n.m. ♦ **Orth.** *Serpent à lunettes* (= naja), avec *lunettes* au pluriel. ❏ *Serpent à sonnette* ou *à sonnettes,* avec *sonnette* au singulier ou au pluriel. RECOMM. Préférer la graphie *serpent à sonnette,* avec *sonnette* au singulier, plus fréquente aujourd'hui. ♦ **Emploi.** On dit *se faire mordre par un serpent* (et non *se faire piquer par un serpent). REM. Les serpents *mordent* en enfonçant leurs crochets, contrairement aux insectes et aux arachnides (araignées, scorpions) qui *piquent* en enfonçant leur aiguillon, leur dard ou leurs crochets. → aussi **piqûre**

serpillière n.f. ♦ **Orth.** Attention à la finale en *-illière,* avec un *i* après les deux *l.* → R.O. 1990

serre- élément de composition ♦ **Orth.** Noms composés avec *serre-* (verbe *serrer*) : *serre* est toujours invariable. Le second élément peut rester invariable ou prendre la marque du pluriel. V. tableau ci-dessous. → aussi R.O. 1990.

Graphies et pluriels des mots composés avec serre-

Invariables avec le second élément au singulier
Un, des serre-nez
Un, des serre-tête
Un, des serre-tout.

Invariables avec le second élément au pluriel
Un, des serre-bijoux
Un, des serre-livres
Un, des serre-papiers
Un, des serre-fils.

Prennent la marque du pluriel
Un serre-bouchon, des serre-bouchons
Un serre-file, des serre-files
Un serre-frein, des serre-freins
Un serre-joint, des serre-joints.

---

serrer v.t. ♦ **Emploi.** Au sens de « ranger, enfermer », le mot est littéraire ou régional : *serrer ses économies dans un coffre.*

serval n.m. ♦ **Orth.** Plur. : *des servals,* comme *des chacals.*

service n.m. ♦ **Orth.** On écrit le plus souvent *une, des offres de service,* avec *service* au singulier mais on dit *offrir ses services,* au pluriel. REM. On rencontre fréquemment aujourd'hui *offre de services,* avec *services* au pluriel ; cette orthographe n'est pas fautive lorsque plusieurs services sont effectivement offerts. ❏ *Société de services,* avec *services* au pluriel. ❏ *Rendre service* mais *rendre des services.* ❏ *Hors service,* au singulier et sans trait d'union, de même que *en service : une ligne téléphonique hors service.* ❏ *État(s) de service* ou *de services* (= liste des emplois et des activités de quelqu'un au cours de sa carrière).

serviette-éponge n.f. ♦ **Orth.** Plur. : *des serviettes-éponges.*

servir v.t., v.t.ind., v.i. et v.pr. ♦ **Conjug.** *Je sers, tu sers, il sert, nous servons* → annexe, tableau 31. ♦ **Accord.** Le participe passé *servi*, conjugué avec *avoir*, s'accorde ou non selon le sens. **1.** *Servir qqn, qqch.* Le participe passé s'accorde avec le complément d'objet direct qui précède le verbe : *le garçon nous a servis ; les plats que tu nous a servis.* **2.** *Se servir de qqch., en qqch.* (= servir soi-même avec qqch. que l'on utilise ou en qqch. que l'on consomme), le participe passé s'accorde avec le pronom réfléchi : *elle s'est servie du marteau ; elles se sont servies en viande plusieurs fois.* **3.** *Se servir qqch.* (= servir qqch. à soi-même), le pronom réfléchi est complément indirect, le participe ne s'accorde pas avec celui-ci : *elles se sont servi du vin* (= elles ont servi du vin à elles-mêmes). **4.** *Servir à qqn, à qqch.* Le participe passé reste invariable : *ces notes lui ont servi ; ces questionnaires ont servi à l'enquête.* ♦ **Constr.** *Servir à rien / servir de rien.* Les deux constructions sont admises ; *servir à rien* est courant, *servir de rien* est littéraire et vieilli.

servo- préf. ♦ **Orth.** Les composés formés avec *servo-* (du latin *servus*, esclave) s'écrivent en un seul mot : *servocommande, servofrein, servomécanisme, servomoteur,* etc.

session n.f. / **cession** n.f. ♦ **Sens.** Ne pas confondre *session,* période pendant laquelle une assemblée siège, séance (latin *sessio,* de *sedere,* être assis) et *cession,* fait de céder un bien, de le transmettre (latin *cessio,* de *cedere,* céder) : *la session d'automne du Parlement ; la cession d'un bien en toute propriété.*

seul, e adj. ♦ **Sens.** Place de seul. *Une personne seule* = une personne qui n'est pas en couple, ou une personne isolée, solitaire. *C'est aujourd'hui un homme seul* ❏ *Une seule personne* = une personne seulement, une personne sans plus. *Je ferai ce travail avec un seul homme.* ♦ **Emploi.** *Un seul et unique, ...qu'un seul :* ces pléonasmes sont couramment admis pour marquer l'insistance sur le caractère unique de qqch. : *c'est le seul et unique exemplaire que je possède ; il ne reste qu'un seul gâteau dans la boîte.* ♦ **Accord.** *Seul à seul.* L'usage est hésitant quant à l'accord en genre de *seul à seul.* Cet accord se fait souvent aujourd'hui selon le sens : *Pierre et Jacques sont restés seul à seul ; Martine et Daniel sont restés seul à seul ; Anne et Dorine sont restées seule à seule ;* mais *seul à seul* est parfois considéré comme invariable : *Julie et Éric sont restés seul à seul, Christine et Marie sont restées seul à seul.* **RECOMM.** Lorsque les deux noms ou les deux pronoms auxquels se rapporte la locution désignent respectivement un homme et une femme, garder *seul à seul* invariable : *Julie et Éric sont restés seul à seul.* Lorsque les deux noms ou les deux pronoms auxquels se rapporte la locution désignent respectivement deux hommes ou deux femmes, garder *seul à seul* invariable ou, au choix, faire l'accord en genre : *Christine et Marie sont restées seul à seul* ou *seule à seule. Jules et Éric sont restés seul à seul.* ♦ **Constr. 1.** *À seule fin de* (+ infinitif), *à seule fin que* (+ subjonctif) : *il a fait ce voyage à seule fin de la voir ; il veut la voir à seule fin qu'elle lui dise la vérité.* **2.** *Le seul, la seule à* (+ infinitif) : *vous n'êtes pas le seul à vouloir partir.* **3.** *Le seul, la seule qui* ou *que* ❏ Suivi de l'indicatif pour marquer la réalité du fait : *elle est la seule personne que nous avons rencontrée.* ❏ Suivi du subjonctif pour nuancer, atténuer une affirmation : *elle est la seule personne qui puisse garder un secret.* ❏ Suivi du conditionnel pour exprimer un fait hypothétique : *elle est la seule qui pourrait t'aider.*

seulement adv.

◆ **Emploi.**

1. *Seulement en tête de proposition.* Placé en tête de proposition, *seulement* s'emploie correctement au sens de « mais, toutefois, cependant » : *vous avez le temps de faire une petite promenade, seulement ne vous éloignez pas trop.*

2. *Seulement* s'emploie également au sens de « à l'instant, pas avant » : *je viens seulement d'avoir les résultats ; c'est seulement le soir qu'on a su la nouvelle.*

3. *Il a seulement dix francs / il n'a que dix francs.* Dire l'un ou l'autre, mais éviter l'association de *ne... que* et de *seulement,* qui forme pléonasme (ne pas dire *il n'a que dix francs seulement*). → aussi **ne** *(ne... que).*

4. *Pas seulement.* Dans une phrase négative ou interrogative, *seulement* peut s'employer au sens de « même »: *il n'a pas seulement pris le temps de se restaurer ; a-t-il seulement pris le temps de se restaurer ? il est parti sans prendre seulement le temps de se restaurer.* Dans ce sens, éviter l'inversion *seulement pas, notamment aux temps composés : *il ne nous a pas seulement salués* (et non *il ne nous a seulement pas salués*). L'inversion est tolérée aux temps simples : *je ne savais seulement pas qu'une telle chose existait.* - Ne pas confondre avec *pas seulement* employé au sens de « non seulement », appelant un renchérissement : *il n'a pas seulement trahi notre confiance, il a aussi anéanti nos espoirs.* → ci-dessous, *non seulement.*

◆ **Constr.** *Non seulement... mais.* Cette locution met en relation deux termes dont le second renchérit sur le premier ; les éléments de la locution doivent précéder symétriquement les termes qui s'opposent, et ceux-ci doivent être de même nature : *il est connu non seulement en France mais aussi dans le monde entier* (et non : *non seulement il est connu en France, mais aussi dans le monde entier*) ; *non seulement il l'a vu, mais il lui a parlé* (et non : *il l'a non seulement vu, mais il lui*

a parlé). → aussi **non** *(non seulement).*

◆ **Accord.** *Non seulement... mais.* Le verbe s'accorde souvent avec le sujet le plus proche : *non seulement sa beauté, mais aussi son talent séduisit l'assistance.* Toutefois, il est possible de l'accorder avec l'ensemble des sujets : *non seulement sa beauté, mais aussi son talent séduisirent l'assistance.* → aussi **non** *(non seulement).*

sévices n.m. plur. ◆ **Genre et nombre.** Nom masculin usité seulement au pluriel. *Des sévices brutaux.*

sevrer v.t. ◆ **Conjug.** Attention à l'alternance *è/e* : *je sèvre, il sèvre,* mais *nous sevrons ; il sèvrera ; il sèvrerait ; qu'il sèvre* mais *que nous sevrions.* → annexe, tableau 12

sexpartite adj. ◆ **Orth.** En un seul mot. Une seule finale, *-ite,* contrairement à *biparti, e* ou *bipartite, triparti, e* ou *tripartite* (v. ces mots). ◆ **Sens.** *Sexpartite* = divisé en six. Terme d'architecture dans lequel *sex* = six. Ne pas confondre avec des mots tels que *sex-symbol, sex-appeal* où *sex* = sexe.

seyant, e adj. → **séant**

shako n.m. ◆ **Orth.** Plur. : *des shakos.* REM. La graphie *schako,* avec un *c* après le *s,* est vieillie.

shampoing, shampooing n.m. ◆ **Orth.** Avec *sh-* à l'initiale, et un seul *o* (forme francisée) ou deux (forme anglaise). - Les dérivés, formés en français, s'écrivent avec *-ou-* : *shampouiner, shampouineur, shampouineuse.*

shérif n.m. ◆ **Orth.** Avec un accent sur le *e* et un seul *f,* alors que l'anglais en a deux. - Ne pas confondre avec *chérif* → **chérif**

shilling n.m. ◆ **Prononc.** [ʃiliŋ], la finale se prononce comme celle de *camping.* La prononciation à la française [ʃilɛ̃], comme dans *chemin,* n'est plus en usage. ◆ **Orth. et emploi.** *Shilling / schilling* n.m. Ne pas confondre ces deux mots qui désignent des unités monétaires différentes. **1.** *Shilling* (avec *sh-*) = ancienne monnaie divisionnaire anglaise (il y avait vingt shillings dans une livre). **2.** *Schilling* (avec *sch-*) = unité monétaire principale de l'Autriche.

shopping n.m. ◆ **Anglicisme.** Fait d'aller dans les magasins pour acheter ou regarder les étalages. **RECOMM.** Cet anglicisme est aujourd'hui passé dans l'usage. On peut le remplacer, selon le contexte, par *courses, achats, emplettes, lèche-vitrines*. - Au Québec, on emploie *magasinage* et *magasiner*.

show-biz n.m. ◆ **Registre.** Anglicisme familier, abréviation de *show-business,* industrie, métier du spectacle.

1. si adv.
◆ **Emploi.**
1. *Si,* adverbe, peut modifier un adjectif, un participe passé employé comme adjectif, ou un adverbe : *avec un si joli minois, elle ne manque pas de prétendants ; qui aurait pu penser cela d'un homme si estimé ? ; il écoute si attentivement qu'il ne vous a pas entendu venir.* En revanche, *si* ne doit pas être employé devant un participe passé conjugué avec *avoir* : *vous l'avez tant* (ou *tellement*) *brusqué qu'il ne reviendra sûrement pas* (et non : **vous l'avez si brusqué...*). Mais cet emploi est possible lorsque le participe passé est accompagné du verbe *être* : *elle est si appréciée par ses chefs que ses collègues la jalousent un peu.* **RECOMM.** Éviter les pléonasmes **si tant, *si tellement.* **REM.** Les vers de la vieille chanson populaire : *Aux marches du palais, / Y a si tant belle fille...* ne doivent pas, si charmants soient-ils, être imités dans l'expression soignée.
2. On dit couramment aujourd'hui *j'ai si faim, si soif, si peur... ; il est si en colère...* - En revanche, il reste préférable de dire :

j'ai tant (ou *tellement*) *besoin de... ; j'ai tant* (ou *tellement*) *envie de...* → **envie, faim.**
3. *Si* comparatif, suivi de *que,* peut s'employer dans une phrase négative ou interrogative : *il n'est pas si malin qu'on le dit ; est-il si malin qu'on le dit ?* La négation est omise dans les expressions familières *si peu que rien* (= très peu) et *si peu que vous voudrez* (= aussi peu que vous voudrez). ❏ *Si / aussi.* → **aussi**
4. *Si... que de, si ... de* = assez... pour. *« Es-tu toi-même si crédule / Que de me soupçonner d'un courroux ridicule? »* (Racine). *« Qui te rend si hardi de troubler mon breuvage? »* (La Fontaine). Cette construction, courante à l'époque classique, est sortie de l'usage.
◆ **Constr.** *Si ... que.*
1. *Si... que* exprimant la comparaison dans une tournure négative ou interrogative est suivi de l'indicatif ou du conditionnel : *il n'est pas si malin qu'on le croyait* (ou *qu'on l'aurait cru*) *; est-il si compétent qu'on le dit ?*
2. *Si... que,* introduisant une proposition subordonnée de conséquence, est suivi de l'indicatif ou du conditionnel lorsque la principale est affirmative : *elle est si drôle qu'on se dispute son amitié ; elle est si jolie qu'on la croirait sortie d'un magazine.* - Lorsque la principale est négative ou interrogative, *si... que* est suivi du subjonctif : *elle n'est pas si parfaite qu'elle ait toutes les qualités ; est-elle si parfaite qu'elle ait toutes les qualités ?*
3. *Si... que* introduisant une proposition concessive, ou marquant une opposition ou une restriction, est suivi du subjonctif : *si beau qu'il soit, il n'a pas toutes les qualités.* ❏ *Que* est omis lorsqu'il y a inversion du sujet : *si beau soit-il, il n'a pas toutes les qualités.*

2. si conj.
◆ **Orth.**
1. Devant *il, si* s'élide en *s'il : s'il vous plaît.*
2. *Si oui* s'écrit toujours en deux mots, contrairement à *sinon.* → **sinon**

♦ **Constr.**

1. *Si* **marquant la condition.** Avec *si* marquant la condition, le verbe de la subordonnée se met à l'indicatif mais jamais au futur ni au conditionnel. Dans la langue littéraire, le verbe de la subordonné est parfois au plus-que-parfait du subjonctif (dit parfois « conditionnel passé deuxième forme ») : « *Il eût presque passé pour un saint, si la finesse de son esprit ne l'eût fait craindre comme un démon* » (Flaubert, cité par R. Georgin).

2. *Si* **marquant la concession.** Lorsque *si* exprime non pas la condition mais la concession, la subordonnée est parfois au futur ou au conditionnel : *si cela nous étonnera toujours, il reste qu'il a accompli cet exploit ; si on souhaiterait plus de précision, son exposé est convaincant tel qu'il est.* Cette construction, qui ne se rencontre que dans le registre très soutenu, est parfois analysée comme une ellipse de *s'[il est vrai que], s'[il faut admettre que].*

3. Concordance des temps avec *si.* Dans une subordonnée introduite par *si* exprimant une condition, une éventualité, le verbe est au présent ou au passé composé, et le verbe de la principale est au présent ou au futur : *si tu fais le nécessaire, je pars tout de suite* (ou *je partirai demain*) ; *si tu as fait le nécessaire, je pars tout de suite* (ou *je partirai demain*). ❑ Dans une subordonnée introduite par *si* exprimant une hypothèse simplement envisagée, le verbe est à l'imparfait ou au plus-que-parfait, et le verbe de la principale est, respectivement, au conditionnel présent ou au conditionnel passé : *si tu pouvais faire le nécessaire, je partirais tout de suite ; si tu avais fait le nécessaire, je serais parti tout de suite.*

❑ *Si c'était... qui.* Dans le registre courant, après *si c'était... qui* ou *que,* le verbe de la proposition relative se met au plus-que-parfait de l'indicatif : *si c'était vous qui aviez dû vous déplacer, nous en aurions entendu parler* - Le conditionnel passé deuxième forme n'est plus guère

employé que dans l'expression écrite de registre soutenu : *si c'était vous qui eussiez dû vous déplacer, ...*

4. *S'il en fut* (= au moins autant que n'importe qui) est une locution figée à l'indicatif (pas d'accent circonflexe à *fut*) : *c'était un employé consciencieux s'il en fut.*

5. *Si... et que...* Dans une phrase comportant une double condition, où *que* remplace un second *si,* le verbe introduit par *si* se met à l'indicatif et celui qui est introduit par *que* se met au subjonctif : *si vous le rencontrez et qu'il veuille aborder le sujet, faites semblant de ne rien savoir.*

6. *Si tant est que* (= à supposer que, s'il est vrai que) se construit avec le subjonctif : *vous n'avez plus rien à craindre, si tant est que vous ayez jamais rien craint.*

❑ *Comme si.* → comme
❑ *Si encore.* → encore

♦ **Emploi.**

1. *Si ce n'est* (= sinon, excepté) s'emploie sans *pas* et toujours au singulier : *qui le préviendra, si ce n'est toi ? ; c'est un excellent apprentissage, si ce n'est le meilleur.* - Au passé, *si ce n'était* ou *si ce n'eût été* peuvent être remplacés par les formes elliptiques *n'était, n'eût été* : *n'était* (ou *n'eût été*) *la couleur de ses yeux, elle aurait pu* (elle *eût pu*) *passer pour sa fille.*

2. *Si* **dans certaines locutions.** *Si,* n'exprime pas la condition lorsqu'il est employé après *peu importe, qu'importe, c'est à peine, c'est tout juste*: *peu importe si tu pars avant nous ; c'est à peine si vous m'avez dérangé ; c'est tout juste s'il nous a salués.*

3. *Si... ne / si.. ne... pas.* Après *si* conditionnel ou employé au sens de « à moins que », on peut supprimer *pas* pour l'euphonie : *il partira si vous ne lui faites des excuses* (ou *si vous ne lui faites pas*) *; elle ne répondra pas si vous n'insistez* (ou *si vous n'insistez* pas). - On dit aussi, sans *pas* : *si je ne m'abuse, si je ne me trompe,* etc., mais il est toujours possible d'ajouter *pas* pour donner plus de force à l'expression.

4. *Si j'étais vous, de vous, que de vous.* → **vous, que**

sibylle n.f. / **sibyllin, e** adj. ◆ **Prononc.** *Sibylle :* [sibil], *-ylle* se prononce comme *-ile* dans *facile*. - *Sibyllin :* [sibilɛ̃], *-yllin* se prononce comme *-ilain* dans *vilain*. ◆ **Orth.** Attention aux places respectives du *i* et du *y* : le *i* est avant le *y*.

sicav n.f.inv. ◆ **Orth.** Ce sigle de *société d'investissement à capital variable* est devenu un nom commun féminin invariable : *vendre, acheter des sicav.*

sida n.m. ◆ **Orth.** Ce sigle de *syndrome immunodéficitaire acquis* est devenu un nom commun masculin : *la prévention du sida.*

side-car n.m. ◆ **Prononc.** [sajdkaʀ], avec le *i* prononcé comme *ail*, ou [sidkaʀ], avec le *i* prononcé comme dans *sidéral*. ◆ **Orth.** Avec un trait d'union. → R.O. 1990. - Plur. : *des side-cars.*

sidéen, enne adj. et n. / **sidatique** adj. et n. ◆ **Emploi.** RECOMM. Préférer *sidéen, enne,* utilisé par la communauté scientifique, à *sidatique.*

sidérer v.t. ◆ **Conjug.** Attention à l'accent, tantôt grave, tantôt aigu : *je sidère, nous sidérons ; il sidérera.* → annexe, tableau 11 et R.O. 1990

siècle n.m. ◆ **Accord.** On écrit : *les XVIe et XVIIe siècles* ou *les seizième et dix-septième siècles* (avec un *s*) ; *le XVIe et le XVIIe siècle* (sans *s*), et, sans article, *XVIe - XVIIe siècle, XVIe - XVIIIe siècle* (sans *s*), pour « du XVIe au XVIIe, du XVIe au XVIIIe siècle ».

siège n.m. ◆ **Orth.** *Le Saint-Siège.* → saint

siéger v.i. ◆ **Conjug.** Le *g* devient *-ge-* devant *a* et *o : je siège, nous siégeons ; il siégea ;* attention à l'accent, tantôt grave, tantôt aigu : *je siège, nous siégeons, vous siégez ; il siégea ; il siégera.* → annexe, tableau 15

siffler v.i. et v.t. ◆ **Orth.** Avec deux *f*, de même que *sifflement, siffleur, sifflet,* *siffloter,* et contrairement à *persifler* qui n'en a qu'un.

signaler v.t. / **signaliser** v.t. ◆ **Sens.** Ne pas employer ces deux verbes l'un pour l'autre. **1.** *Signaler* = appeler l'attention sur ; indiquer par un signal. *Je vous signale cette phrase ambiguë au troisième paragraphe.* **2.** *Signaliser* = munir d'une signalisation (une voie, une portion de voie). *Signaliser une route, un passage à niveau.*

silhouette n.f. ◆ **Orth.** Attention à la place du *h* après le *l* : *-lh-.*

s'il te plaît, s'il vous plaît v. impers. → plaire

similaire adj. → semblable

simili- préf. ◆ **Orth.** Les composés formés avec *simili-* s'écrivent en un seul mot *(similibronze, similicuir, similigravure),* sauf si le second élément commence par *i : simili-ivoire.*

singer v.t. ◆ **Conjug.** Le *g* devient *-ge-* devant *a* et *o : je singe, nous singeons ; il singea.* → annexe, tableau 10

sinon conj. ◆ **Orth.** *Sinon / si non.* Au sens de « autrement, sans quoi », *sinon* s'écrit toujours en un seul mot : *il faut laisser sécher la colle, sinon la réparation ne sera pas solide ; obéis, sinon gare !* En revanche, dans un questionnaire, en corrélation avec *si oui* (toujours en deux mots), on peut trouver *si non* en deux mots, au sens de « si la réponse est non » : *avez-vous un métier ? si oui, lequel ? si non, qu'aimeriez-vous faire ?* → **si.** ◆ **Emploi. 1.** *Sinon* est équivoque dans des phrases comme : *cet article vous sera échangé, sinon remboursé,* que l'on peut comprendre : « il sera échangé mais non remboursé » ou « il sera échangé et peut-être même même remboursé ». Pour lever l'ambiguïté, il vaut mieux dire dans le premier cas : *il sera échangé, mais non remboursé,* et dans le deuxième cas : *il sera échangé, peut-être même* (ou : *et même, voire,* etc.) *remboursé.* **2.** *Sinon / ou.* L'un et l'autre mot exprime l'alternative. On dit : *vendez au plus vite, sinon vous risquez une grosse perte* ou *vendez au plus vite, ou vous risquez une grosse perte.* **RECOMM.** Éviter le pléonasme *vendez au plus vite,* *ou sinon *vous risquez une grosse perte.* **3.** *Sinon que* (+ indicatif) est le plus souvent remplacé aujourd'hui par *si ce n'est que* ou *sauf que.* Il reste usuel après un pronom neutre et après *peu* ou *rien : que sais-tu de lui, sinon qu'il voyage beaucoup ? ; il en parle peu, sinon qu'il dit parfois qu'il regrette ; il ne dit rien, sinon qu'il faut lui faire confiance.*

siphon n.m. ◆ **Orth.** Avec un *i.* Ne pas se laisser influencer par *typhon.* - Les dérivés usuels de *siphon* prennent deux *n : siphonner, siphonné,* contrairement aux dérivés scientifiques qui n'en prennent qu'un : *siphonophore, siphonogamie, siphonaptères.*

sir n.m. ◆ **Prononc.** [sœʀ], comme *sœur.* ◆ **Emploi.** Ce titre anglais s'emploie devant le prénom seul ou devant le prénom suivi du nom, mais jamais devant le nom de famille seul : *sir Winston* ou *sir Winston Churchill* (mais jamais *sir Churchill).

sirop n.m. ◆ **Orth.** *Sirop* est suivi d'un complément au singulier : *sirop de framboise.* → aussi **confiture**

sismique ou **séismique** adj. ◆ **Orth.** → séisme. ◆ **Emploi.** On dit correctement *phénomène sismique, secousse tellurique, tremblement de terre.* **RECOMM.** Éviter le pléonasme *secousse sismique (*séisme* est issu du grec *seismos* qui signifie « choc, secousse »). → **séisme**

sitôt adv. ◆ **Orth.** *Sitôt / si tôt.* Ne pas employer ces deux graphies l'une pour l'autre. **1.** *Sitôt* = aussi vite, aussi promptement ; aussitôt. *Sitôt réveillé, il*

saute du lit. Sitôt dit, sitôt fait. **2.** *Si tôt* (en deux mots), s'emploie par opposition à *si tard, aussi tard : je ne vous attendais pas si tôt.* ◆ **Emploi.** *De sitôt* (= prochainement, si prochainement) ne s'emploie que dans des phrases négatives : *on ne m'y reprendra pas de sitôt.* ◆ **Constr.** *Sitôt que* (+ indicatif) = dès que, aussitôt que. *Il partira sitôt qu'il aura fini.* ❑ *Sitôt* (+ proposition participiale) : *il sort de table sitôt la dernière bouchée avalée* (= dès qu'il a avalé la dernière bouchée). ❑ *Sitôt* (+ nom) : *ne manquez pas de m'appeler sitôt votre arrivée* (= dès votre arrivée). ❑ *Sitôt après, avant* = immédiatement après, avant. *Il faut tourner à gauche sitôt après le carrefour.*

six adj. numéral et n.m. ◆ **Prononc. 1.** *Six,* nom masculin, se prononce toujours [sis], (finale comme celle de *lisse*) : *le six de cœur ; le six de chaque mois.* **2.** *Six,* **adjectif numéral,** se prononce selon les cas [si], [sis], ou [siz] : ❑ [si], comme dans *souci,* devant un nom ou un adjectif commençant par une consonne ou un *h* aspiré, et dans l'énoncé des nombres : *si(x) fleurs ; si(x) héros ; si(x) cents pages ; si(x) mille francs.* - Devant les noms de mois commençant par une consonne, la prononciation [si] est aujourd'hui majoritaire : *le si(x) janvier, le si(x) février, le si(x) mars.* Toutefois, la prononciation [sis], comme dans *lisse,* s'entend encore parfois ; elle était considérée naguère comme seule correcte. ❑ [siz], comme dans *brise,* devant un nom ou un adjectif commençant par une voyelle ou un *h* muet : *six* [z] *enfants ; trente-six* [z] *hommes.* - Devant les noms de mois commençant par une voyelle, la prononciation [sis], est majoritaire : *le six* [s] *avril, le six* [s] *août, le six* [s] *octobre.* On entend parfois [siz], qui n'est pas incorrect : *le six* [z] *avril, le six* [z] *août, le six* [z] *octobre.* ❑ [sis], comme dans *lisse,* devant un mot qui n'est ni un nom ni un adjectif, à la fin d'une phrase ou avant une pause : *je vous verrai de six* [s] *à sept ; nous en avons vu six* [s] *ou sept, entre six* [s] *et neuf ; j'en vois six* [sis].

Skaï n.m. **Prononc.** [skaj], comme pour rimer avec *travail.* ◆ **Orth.** Avec un *S* majuscule (nom déposé) et un tréma sur le *i.*

skateboard, skate n.m. ◆ **Orth.** : *des skateboards ; des skates.* ◆ **Anglicisme.** L'équivalent *planche à roulettes,* naguère proposé pour remplacer *skateboard* et *skate,* est de moins en moins usité.

sketch n.m. ◆ **Orth.** Plur. : *des sketchs* (pluriel français) ou *des sketches* (pluriel à l'anglaise). RECOMM. Préférer le pluriel français *des sketchs.*

ski n.m. ◆ **Orth.** On écrit *descente, promenade, randonnée, saut à skis,* au pluriel (= activités pratiquées avec des skis aux pieds). Mais on écrit au singulier : *championnat, école, tremplin de ski* (= sport) ; *aller au ski* (= à la montagne, aux sports d'hiver). ◆ **Emploi.** On dit *aller à skis* (mieux que *aller en skis*). → à

skinhead ou **skin** n. ◆ **Orth.** Plur. : *des skinheads ; des skins.*

skons, skuns, skunks n.m. → sconse

smash n.m. ◆ **Orth.** Plur. : *des smashs* (pluriel français) ou *des smashes* (pluriel à l'anglaise). RECOMM. Préférer le pluriel français *des smashs.*

snack-bar ou **snack** n.m. ◆ **Orth.** Plur. : *des snack-bars ; des snacks.*

snob adj. et n. ◆ **Genre et accord.** Le mot a la même forme au masculin et au féminin, et ne varie qu'en nombre : *un, une snob ; elles sont plutôt snobs.*

SOC n.m. ◆ **Prononc.** [sɔk], en faisant entendre le *-c* final, comme dans *bloc.*

social- élément de composition ◆ **Orth.** L'adjectif *social* est utilisé comme préfixe pour former des noms et des adjectifs ayant trait à la vie politique (tendances, partis, etc.). Il se lie par un trait d'union au mot avec lequel il entre en composition. ❑ *Social-* prend la marque du féminin et du pluriel dans : *social-chrétien, social-chrétienne,* adj. et n. (plur. : *sociaux-chrétiens, sociales-chrétiennes*) ; *social-démocrate, sociale-démocrate,* adj. et n. (plur. : *sociaux-démocrates, sociales-démocrates*) ; *social-révolutionnaire, sociale-révolutionnaire,* adj. et n. (plur. : *sociaux-révolutionnaires, sociales- révolutionnaires*). ❑ *Social-* est invariable dans : *social-démocratie,* n.f. (plur. : *social-démocraties*) ; *social-impérialisme,* n.m. (inusité au pluriel).

socio- préf. ◆ **Orth.** Les composés formés avec *socio-* s'écrivent en un seul mot, sauf si le second élément commence par *é.* On écrit : *sociobiologie, socioculturel, sociogramme, sociolinguistique,* mais : *socio-économique, socio-éducatif.*

socque n.m. ◆ **Genre.** Masculin. « *Quitter le socque pour le cothurne* » (Académie) = quitter les rôles comiques pour les rôles tragiques, en parlant d'un acteur. REM. Dans l'Antiquité, les acteurs comiques portaient des chaussures basses, ou *socques,* et les acteurs tragiques des chaussures à semelles très épaisses, ou *cothurnes.*

software n.m. ◆ **Anglicisme.** Logiciel. ◆ **Emploi.** *Logiciel* s'est aujourd'hui imposé, et *software* est de moins en moins utilisé. → hardware

soi pron. personnel ◆ **Emploi. 1.** *Soi* est souvent renforcé par *même,* auquel il se lie par un trait d'union : *charité bien ordonnée commence par soi-même.* **2.** *À part soi* (= en soi-même, dans son for intérieur) est une locution figée : *faire des réflexions à part soi. Il se demandait à part soi ce qu'il faisait là.* À la première personne du singulier, on dit *à part moi : je* pensais à part moi que je n'étais pas à ma place. **RECOMM.** Éviter d'employer cette locution avec un sujet au pluriel. Plutôt que *ils pensaient à part soi, il vaut mieux dire, au singulier : *chacun pensait à part soi.* Certains auteurs accordent *à part soi* et écrivent *à part lui, à part elle, à part nous, à part eux.* Cet accord est déconseillé. **3.** *En soi* (= de nature), *aller de soi* (= être évident) sont des locutions figées pouvant renvoyer à des sujets désignant des choses, au singulier ou au pluriel : *des choses belles en soi ; ces raisonnements vont de soi.* **4.** *Soi / lui.* → **lui.** ◆ **Registre.** *Soi-même* pour *lui-même,* après un nom de personne déterminé, est familier ou plaisant : « *Allô ! Monsieur Durand ? - Soi-même* ».

soi-disant adj. inv. et adv. ◆ **Orth.** Sans *t* à *soi* (ne pas confondre avec *soit*), et avec un trait d'union. - Invariable, comme tous les participes présents. ◆ **Emploi. 1.** Comme adjectif, *soi-disant* s'emploie en parlant des personnes : *des soi-disant médecins ; une soi-disant princesse.* En parlant de choses, il est préférable, dans l'expression soignée, d'employer son équivalent *prétendu : des prétendus diamants ; une prétendue originalité.* Dans l'expression courante, en particulier l'expression orale, l'usage admet l'emploi de *soi-disant : une soi-disant liberté ; elle est chère, ta soi-disant bonne affaire !* **REM.** *Soi-disant* est la forme archaïque du participe présent du verbe *se dire* où la forme forte *soi* pouvait être complément direct. *Soi-disant* signifie ainsi exactement « qui se prétend, qui se dit tel ou telle » et ne peut donc en principe se rapporter qu'à des personnes : une chose ne peut pas prétendre avoir une qualité. **2.** L'emploi adverbial de *soi-disant* (= à ce qu'on prétend, prétendument, censément) avec un verbe est aujourd'hui admis : *il est venu soi-disant pour m'aider.* **REM.** L'emploi adverbial avec un adjectif peut conduire à des

phrases équivoques et parfois cocasses : « *La belle et soi-disant infâme Mme de Vaubadon* » (Barbey d'Aurevilly). *Un soi-disant suicidé.* ◆ **Registre.** *Soi-disant que* appartient à la langue familière. **RECOMM.** Dans l'expression soignée, préférer les équivalents *sous prétexte que, il paraît que.*

soierie n.f. ◆ **Orth.** Attention au *e* intérieur non prononcé, comme dans *scierie* (alors qu'on écrit *voirie*). **REM.** Le mot *soierie* est formé sur le substantif *soie* dont il garde le *e* final.

soif n.f. ◆ **Emploi.** *Avoir soif, grand-soif, si soif, très soif.* → **envie, si**

soir n.m. ◆ **Orth.** *Tous les samedis soir* s'écrit avec *soir* au singulier (= tous les samedis, le soir). ◆ **Emploi.** *Hier soir / hier au soir.* L'un et l'autre sont corrects, mais *hier soir* est plus fréquent. On dit de même : *demain soir, lundi soir.* En revanche, avec une date ou *la veille,* on emploie *au soir : la veille au soir, le 10 au soir.* ◆ **Registre.** *Un beau soir, un de ces soirs* sont familiers.

1. soit adv. ◆ **Prononc.** [swat], en faisant entendre le *t* final, comme pour rimer avec *boîte.* ◆ **Emploi.** Exprime l'approbation ou la concession : *vous le voulez ? soit, il est à vous ; il y a une erreur, soit : faut-il pour autant rejeter l'ensemble ?*

2. soit conj. ◆ **Prononc.** Se prononce [swat] en liaison devant une voyelle ou un *h* muet ; [swa] devant une consonne ou un *h* aspiré. ◆ **Orth. et accord. 1.** *Soit* est toujours invariable : ❑ Quand il exprime une alternative : *soit il a vraiment oublié, soit il est de mauvaise foi.* ❑ Quand il a le sens de « c'est-à-dire » : *il a gagné le gros lot, soit deux millions de francs.* **2.** *Soit,* quand il a le sens de « étant donné, supposons », dans l'exposé d'un problème, s'écrit le plus souvent au singulier ; mais le pluriel, qu'on trouve parfois, n'est pas fautif : *soit deux* triangles opposés par le sommet ou soient deux triangles... ◆ **Emploi.** *Soit ... soit / soit... ou.* Dans une alternative à deux termes introduite par *soit* (ou *soit que*) on répète le plus souvent *soit* devant le second terme : *soit oubli, soit négligence. Soit qu'il n'ait pas pu, soit qu'il n'ait pas voulu.* On peut aussi employer *ou* devant le second terme : *soit qu'il n'ait pas pu ou qu'il n'ait pas voulu.* - Quand l'alternative comprend trois termes, *soit* doit être répété au moins deux fois : *je viendrai soit en voiture, soit en train ou en autocar.* ◆ **Constr.** *Soit que* (+ subjonctif) : *soit que j'aille vous voir, soit que vous veniez, nous pourrons toujours nous rencontrer.* - Ne pas confondre cette construction avec celle dans laquelle *soit,* exprimant l'alternative, se trouve devant une proposition subordonnée introduite par *que* : le verbe de celle-ci peut être soit à l'indicatif, soit au subjonctif, en fonction de ce qu'exige le verbe de la proposition principale : *son silence prouve soit qu'il ne peut pas me parler, soit qu'il ne le veut pas (prouver que* + indicatif) ; *j'exige soit qu'il vienne, soit qu'il m'écrive (exiger que* + subjonctif).

solde n.m. / **solde** n.f. ◆ **Genre et sens.** Ne pas confondre ces deux mots de genre et de sens différents. 1. *Solde* n.m. = différence entre le débit et le crédit d'un compte ; somme restant à payer. *Solde débiteur, créditeur ; payer le solde d'une dette.* 2. *Soldes* n.m. = vente de marchandises au rabais ; ces marchandises. *La saison des soldes ; des soldes intéressants.* on emploie le plus souvent *soldes* au pluriel dans ce sens, mais le singulier est possible : *un solde avantageux.* 3. *Solde* n.f. = traitement d'un militaire (de l'italien *soldo,* sou) : *toucher sa solde. Être à la solde de qqn* (= le défendre par intérêt et non par conviction).

soleil, Soleil n.m. ◆ **Orth.** Avec ou sans majuscule, selon le sens. 1. *Le soleil* (= le disque lumineux de l'astre ; sa lumière, sa chaleur, son rayonnement) s'écrit avec une minuscule : *rien de nou-*

veau sous le soleil ; le soleil est bas sur l'horizon ; un coup de soleil. ❑ *Le Soleil* (= l'étoile autour de laquelle tourne la Terre) s'écrit avec une majuscule : *la lumière du Soleil met environ huit minutes à nous parvenir.* - On écrit également avec une majuscule : *le Roi-Soleil* (= Louis XIV) ; *l'empire du Soleil levant* (= le Japon). 2. *Un soleil* (= une étoile quelconque) s'écrit avec une minuscule : *notre galaxie contient des milliards de soleils.* ◆ **Emploi.** *Faire du soleil, faire soleil.* Les deux expressions s'emploient pour signifier que le soleil brille, qu'il n'est caché par aucun nuage : *il fait du soleil ; il fait soleil, il fait grand soleil.*

solennel, elle adj. ◆ **Prononc.** [sɔlanɛl], le *e* de la deuxième syllabe se prononce [a] ; de même pour les dérivés *solennellement* [la], *solenniser* [la], *solennité* [la].

solidaire adj. ◆ **Emploi.** *Solidaire, solidaire de.* Cet adjectif peut être employé seul ou avec un complément introduit par *de : ils sont solidaires, ils sont solidaires de leurs camarades.* **RECOMM.** Éviter les pléonasmes : *ils sont solidaires les uns des autres, *ils sont solidaires entre eux.

solidariser (se) v.pr. ◆ **Constr.** *Se solidariser avec* = se déclarer solidaire de. *Ils se solidarisent avec leurs camarades.* → aussi **solidaire**

solliciter v.t. ◆ **Constr.** 1. *Solliciter qqn* = faire appel à lui pour obtenir qqch. *Je l'ai sollicité, mais il est resté plutôt évasif.* ❑ *Solliciter qqn de* ou *à* (+ infinitif) : *on l'avait sollicité de se joindre au groupe, à se joindre au groupe.* Tournure vieillie ou littéraire. ❑ *Solliciter à* (+ nom) : *solliciter à la révolte.* Tournure sortie de l'usage. On dit aujourd'hui *inciter à, pousser à.* 2. *Solliciter qqch.* = le demander avec instance. *Il a sollicité une entrevue.* ❑ *Solliciter qqch. de qqn : je sollicite de votre bienveillance le réexamen de ma situation.* S'emploie surtout à l'écrit dans l'expression soignée (notamment dans le registre administratif).

solo n.m. et adj. ◆ **Orth.** Plur. : *des solos.* REM. Le pluriel italien *soli* n'est plus guère employé que dans les ouvrages spécialisés sur la musique. ❑ Adj. *Un violon solo, une clarinette solo.*

solution n.f. ◆ **Sens et emploi.** Attention au sens des expressions *solution de continuité* et *sans solution de continuité.* ❑ *Solution de continuité* signifie « coupure, rupture, interruption dans la continuité » (*solution* est issu du latin *solutio,* dissolution, désagrégation : penser à des expressions comme *solution à chaud, solution dans l'alcool*) et non « manière de rétablir une continuité en dénouant une difficulté ». ❑ *Sans solution de continuité* = sans interruption ; continu.

solutionner v.t. ◆ **Emploi.** Le verbe *solutionner,* naguère critiqué, est très fréquent aujourd'hui dans l'expression orale courante. RECOMM. Dans l'expression soignée, en particulier à l'écrit, on pourra lui préférer *résoudre.* REM. *Solutionner* n'est pas à proprement parler un barbarisme, car il est régulièrement formé sur *solution,* comme *auditionner* l'est sur *audition,* et *additionner* sur *addition.* Son usage s'est répandu probablement à cause des difficultés que présente la conjugaison de *résoudre.*

sombre adj. ◆ **Emploi.** *Coupe sombre.* → coupe

sombrero n.m. ◆ **Orth. et prononc.** Le mot s'écrit avec un *e* sans accent qui se prononce comme un *é.* → R.O. 1990

sommité n.f. ◆ **Prononc.** Bien prononcer [sɔmite], comme pour rimer avec *comité* (attention, il n'y a pas de *n*). ◆ **Orth.** Avec deux *m,* comme *sommet* (même famille).

somnifère adj. et n.m. / **soporifique** adj. et n.m. ◆ **Emploi et registre.** *Somnifère* et *soporifique* sont synonymes au sens concret (= qui provoque le sommeil, en parlant d'une substance). *Soporifique* est plus soutenu, *somnifère* plus courant. Par ailleurs, *soporifique* peut être employé dans un sens figuré (*un livre soporifique,* ennuyeux), mais non *somnifère.*

somptuaire adj. / **somptueux, euse** adj. ◆ **Emploi et registre. 1.** *Somptuaire* = relatif à la dépense (latin *sumptuarius,* de *sumptus,* dépense). Le pléonasme *dépense somptuaire* est aujourd'hui fréquent dans l'expression orale relâchée. RECOMM. Dans l'expression soignée, en particulier à l'écrit, préférer *dépenses d'apparat* ou *dépenses excessives, exagérées.* REM. Dans l'Antiquité, les *lois somptuaires (leges sumptuariae)* avaient pour objet de réglementer et de restreindre les dépenses, notamment les dépenses de luxe. En France, l'*édit somptuaire* de 1660 interdisait de porter « aucune étoffe d'or ou d'argent, fin ou faux ». **2.** *Somptueux* = dont la magnificence suppose une grande dépense ; luxueux (latin *sumptuosus,* de *sumptus,* dépense). *Un cadeau somptueux.* - L'emploi au sens de « qui fait de grandes dépenses, des dépenses de luxe » (« *un prince somptueux en habits, en équipage* », Larousse du XXᵉ s.) est vieilli ou littéraire.

songer v.t.ind. et v.i. ◆ **Conjug.** Le *g* devient -ge- devant *a* et *o* : *je songe, nous songeons ; il songea.* → annexe, tableau 10

sonnant, e adj. / **sonné, e** adj. / **sonner** v.i. et v.t. → heure

soprano n. ◆ **Orth.** Plur. : *des sopranos.* REM. **1.** Le pluriel italien *soprani* n'est plus guère employé que dans les ouvrages spécialisés sur la musique. **2.** On trouve parfois la forme francisée *soprane : une soprane.* ◆ **Genre.** Le mot est masculin quand il désigne un type de voix : *un soprano velouté.* Il est le plus souvent masculin pour désigner la personne qui possède une telle voix *(cette chanteuse est un grand soprano),* mais il s'emploie également au féminin *(une jeune soprano).*

sorgho n.m. ◆ **Orth.** Attention au groupe *-gh-.* → R.O. 1990

sort n.m. ◆ **Sens et registre.** *Faire un sort à* est utilisé dans tous les registres au sens de « mettre en valeur, faire valoir » : *faites un sort à cette question dans votre compte-rendu.* En revanche, l'expression est familière au sens plus courant de « en finir avec », en particulier « manger, boire en totalité » : *et si l'on faisait un sort à cette bouteille ?*

sorte n.f. ◆ **Orth. et accord. 1.** *Toute sorte de / toutes sortes de.* Devant un nom au singulier, on emploie *toute sorte* au singulier : *je vous souhaite toute sorte de bonheur.* Devant un nom au pluriel, on emploie le plus souvent le pluriel, mais le singulier n'est pas fautif : *Toutes sortes de gens. Je vous souhaite toutes sortes* (ou *toute sorte) de plaisirs.* **2.** *De toutes sortes / de toute sorte.* S'écrit aujourd'hui le plus souvent au pluriel : *il a eu des ennuis de toutes sortes. De toute sorte* au singulier n'est pas fautif, mais vieilli : *ils fabriquent des objets de toute sorte.* **3.** *Une, cette sorte de.* L'accord de l'adjectif ou du verbe se fait souvent avec le complément de *sorte : une sorte de champignons comestibles, cette sorte d'idées sont dangereuses* ; mais il peut se faire aussi avec *sorte,* en fonction du sens : *cette sorte de serpents est très répandue dans la région.* → **espèce.** ◆ **Constr. 1.** *De (telle) sorte que.* C'est le sens qui commande le mode de la subordonnée. On emploie l'indicatif (ou le conditionnel) pour exprimer la conséquence : *il parlait fort, de sorte que*

tous l'entendaient ; elle agit de telle sorte qu'on pourrait croire qu'elle cherche à se nuire. On emploie le subjonctif pour exprimer l'intention : *il agit de sorte que nul ne puisse lui résister.* ❏ *En sorte que* (+ indicatif) : *des restes de foyers ont été exhumés, en sorte que nous sommes assurés qu'ils savaient faire du feu.* Tournure littéraire et vieillie. **2.** *Faire en sorte de* (+ infinitif), *que* (+ subjonctif) : *faire en sorte d'être remarqué ; faites en sorte qu'on vous prévienne.*

1. sortir v.i. et v.t. ◆ **Conjug.** Avec l'auxiliaire *être* lorsqu'il est employé intransitivement : *elle est sortie à cinq heures ;* avec l'auxiliaire *avoir* lorsqu'il est employé transitivement : *elle a sorti les draps de l'armoire.* → annexe, tableau 31. ◆ **Emploi et registre. 1.** *Sortir qqch.* est aujourd'hui admis : *sortir une voiture du garage ; sortir un rôti du four ; sortir la main de sa poche.* Son emploi relève du registre familier dans certaines expressions, comme *sortir des énormités* (pour « proférer »). **RECOMM.** Dans l'expression soignée, en particulier à l'écrit, préférer *faire sortir* à *sortir* lorsque l'action consiste à porter un objet hors d'un lieu : *on ne pourra faire sortir le piano que par la fenêtre* (plutôt que *on ne pourra sortir le piano que par la fenêtre).* **2.** *Sortir qqn* est familier. : *sortir un perturbateur ; il s'est fait sortir du championnat par un adversaire plus jeune.* **RECOMM.** Dans l'expression soignée, préférer *expulser* ou *éliminer : expulser un perturbateur ; il s'est fait éliminer du championnat.* **3.** *Sortir de* (+ infinitif) = terminer tout juste de, appartient à la langue orale courante : *sortir de déjeuner, de travailler.* **RECOMM.** Dans l'expression soignée, préférer des équivalents tels que *sortir de table, finir tout juste sa journée,* etc. ❏ *Sortir d'en prendre* (= avoir récemment éprouvé qqch. de désagréable) est familier. **4.** *S'en sortir.* Appartient au registre familier : *c'était difficile, mais il s'en est bien sorti ; elle a eu une mauvaise passe, mais elle a fini par s'en sortir.* **RECOMM.**

Dans l'expression soignée, préférer *s'en tirer, se tirer d'affaire : il s'en est bien tiré ; elle a fini par se tirer d'affaire.* **4.** *Sortir* v.i. = aller dehors. Éviter le pléonasme **sortir dehors.*

2. sortir n.m. ◆ **Registre.** *Au sortir de* (= en sortant de ; à la fin de) : *au sortir du lit ; au sortir de l'hiver.* Registre littéraire.

sottie, sotie ◆ **Orth.** Les deux graphies, *sottie* ou *sotie,* sont admises. → R.O. 1990

soucier v.t. et v.pr. ◆ **Conjug.** Attention au redoublement du *i* aux première et deuxième personnes du pluriel, à l'indicatif imparfait et au subjonctif présent : *(que) nous nous souciions, (que) vous vous souciiez.* ◆ **Constr. 1.** *Se soucier de qqch. : vous êtes vous souciés de l'heure du retour ?* C'est la construction la plus courante. **2.** *Soucier qqn* = lui causer du souci. *« Penses-tu que ton titre de roi / Me fasse peur ni me soucie ? »* (La Fontaine). Cette construction donnée comme littéraire ou vieillie par beaucoup de dictionnaires revient dans l'usage. Attention, il s'agit d'une construction directe : on dit *ça le soucie* (et non **ça lui soucie*). **3.** *Se soucier peu que, ne pas se soucier que* (+ subjonctif), *de* (+ infinitif) : *ils se soucient peu, ils ne se soucient pas que nous soyons lésés dans cette affaire ; il ne s'est pas soucié d'assurer l'avenir de ses enfants.* Cet emploi, courant à la forme négative, est rare à la forme affirmative : *il se soucie aujourd'hui d'assurer l'avenir de ses enfants.* ◆ **Accord.** À la forme pronominale, le participe passé s'accorde toujours avec le sujet : *elles se sont souciées de vous.*

soudoyer v.t. ◆ **Conjug.** Les formes conjuguées du verbes s'écrivent avec un *i* devant *e* muet : *je soudoie, tu soudoies, nous soudoyons.* - Attention au futur et au conditionnel : *je soudoierai ; je soudoierais.* - Attention également au *i* après le *y* aux première et deuxième personnes du pluriel, à l'indicatif imparfait et au subjonctif présent : *(que) nous soudoyions, (que) vous soudoyiez.* → annexe, tableau 7

souffler v.i. et v.t. ◆ **Orth.** Avec deux *f*, de même que les autres mots de la famille : *souffle, soufflerie, soufflet, souffleter* (à la différence de *boursoufler* et de ses dérivés, qui ne prennent qu'un *f*. → R.O. 1990).

souffleter v.t. ◆ **Conjug.** Attention au redoublement de *t* devant *e* muet : *il soufflette, il soufflettera* mais *nous souffletons ; il souffletait.* → annexe, tableau 16 et R.O. 1990

souffre-douleur n.m. inv. ◆ **Orth.** Mot invariable : *des souffre-douleur.* → R.O. 1990. ◆ **Genre.** Le nom est employé le plus souvent au masculin, même pour désigner une personne de sexe féminin : *elle a été un souffre-douleur muet, jusqu'à ce qu'elle se révolte.* Néanmoins, on le trouve parfois au féminin : *une souffre-douleur.*

souffrir v.t., v.i., v.t.ind. et v.pr. ◆ **Conjug.** → annexe, tableau 23. ◆ **Constr. et registre. 1.** *Souffrir de* (+ infinitif) : *je souffre de vous voir si malheureuse.* Emploi courant. REM. On distinguait autrefois deux constructions de ce verbe : *souffrir de,* si la souffrance était d'ordre moral, et *souffrir à,* si la souffrance était d'ordre physique *(il souffre à marcher).* Cette distinction n'a plus cours, car la construction *souffrir à* est sortie de l'usage : on dirait aujourd'hui *il souffre quand il marche, il souffre en marchant.* **2.** *Souffrir de ce que* (+ indicatif ou subjonctif) : *il souffre de ce que ses enfants n'ont pas* (ou *n'aient pas*) *réalisé les rêves qu'il avait pour eux.* Les deux constructions sont correctes. Celle avec l'indicatif insiste davantage sur la réalité du fait énoncé. **3.** *Souffrir que* (+ subjonctif) = admettre, permettre. *Souffrez, Madame, que je prenne congé.* Registre soutenu. ◆ **Accord.** Pour l'accord du participe passé, bien distinguer l'emploi intransitif du verbe (*souffrir* = avoir mal) de l'emploi transitif (*souffrir qqch.* = le tolérer) : *les mois qu'il a souffert* (= il a souffert pendant des mois), mais *les exceptions que cette règle a longtemps souffertes* (= cette règle a longtemps souffert des exceptions).

soufre n.m. ♦ **Orth.** *Soufre* et les mots de la même famille ne prennent qu'un seul *f* : *soufrer, soufrage.*

souhaiter v.t. ♦ **Constr.** 1. *Souhaiter* (+ infinitif) : *je souhaite partir le plus tôt possible.* REM. La construction *souhaiter de* (+ infinitif) est pratiquement sortie de l'usage : *je souhaite de partir le plus tôt possible.* 2. *Souhaiter à qqn de* (+ infinitif) : *je vous souhaite de passer d'excellentes vacances.* La construction avec *de* est la seule possible lorsque *souhaiter* est accompagné d'un complément indirect représentant la personne qui est l'objet du souhait. 3. *Souhaiter que* (+ subjonctif) : *je souhaite qu'elle soit heureuse dans sa nouvelle vie.*

soûl, e ou **saoul, e** adj. ♦ **Prononc.** [su], au masculin, la finale se prononce comme celle de *mou,* sans faire entendre le *l.* ♦ **Orth.** Les deux graphies, *soûl,* avec un accent circonflexe sur le *u* (→ R.O. 1990), et *saoul,* sont admises.

soulager v.t. et v.pr. ♦ **Conjug.** Le *g* devient *-ge-* devant *a* et *o* : *je soulage, nous soulageons ; il soulagea.* → annexe, tableau 10

soulever v.t. et v.pr. ♦ **Conjug.** Attention à l'alternance *è/e* : *je soulève, il soulève,* mais *nous soulevons ; il soulèvera ; il soulèverait ; qu'il soulève* mais *que nous soulevions.* → annexe, tableau 12

soumettre v.t. et v.pr. ♦ **Conjug.** Comme *mettre.* → annexe, tableau 64

soupçon n.m. ♦ **Emploi.** On dit : *un citoyen au-dessus de tout soupçon* (et non

au-dessous). Dans cette locution, *soupçon* est toujours au singulier.

soupe n.f. → potage

1. **souper** n.m. → déjeuner

2. **souper** v.i. ♦ **Constr.** 1. *Souper de / souper avec.* → avec. 2. *Rester à souper, rester souper.* → rester

soupeser v.t. ♦ **Conjug.** Attention à l'alternance *è/e* : *je soupèse, il soupèse,* mais *nous soupesons ; il soupèsera ; il soupèserait ; qu'il soupèse* mais *que nous soupesions.* → annexe, tableau 12

sourcil n.m. ♦ **Prononc.** [SURSi], comme pour rimer avec *souci,* le *l* ne se prononce pas, à la différence du *l* de *cil.*

sourcilier, ère adj. / **sourciller** v.i. ♦ **Orth. et prononc.** Attention à l'orthographe et à la prononciation de ces deux mots de formes très proches : *sourcilier, ère,* adjectif, avec un seul *l* prononcé comme dans *familier ; sourciller,* verbe, avec deux *l* prononcés comme dans *piller.*

sourd-muet, sourde-muette adj. et n. ♦ **Orth.** Plur. : *des sourds-muets, des sourdes-muettes.*

sourire v.i. et v.t.ind. ♦ **Conjug.** Comme *rire.* Attention au redoublement du *i* aux première et deuxième personnes du pluriel, à l'indicatif imparfait et au subjonctif présent : *(que) nous nous souriions, (que) vous vous souriiez.* → annexe, tableau 75

sous- élément de composition ♦ **Orth.** Les mots composés avec *sous* s'écrivent avec un trait d'union : *sous-alimentation, sous-bois, sous-brigadier,* etc. Le deuxième élément prend la marque du pluriel, sauf pour *sous-gorge* n.f., *sous-main* n.m., *sous-seing* n.m., *sous-verge* n.m. et *sous-verre* n.m., qui sont invariables. → R.O. 1990.

souscrire v.t., v.t.ind. et v.i. ♦ **Conjug.** Comme *écrire.* → annexe, tableau 79

sous-entendre v.t. ◆ **Conjug.** Comme *entendre.* → annexe, tableau 59

sous-estimer v.t. ◆ **Orth.** Avec un trait d'union, à la différence de *surestimer,* qui s'écrit en un seul mot. → **sur-**

sous-gorge n.f. inv. → sous-

sous-main n.m. inv. → sous-

sous-seing n.m. inv. → sous-

soussigné, e adj. ◆ **Orth.** On écrit sans virgule : *je soussigné reconnais avoir reçu de M. X la somme de cinq mille francs.* - On écrit avec une virgule : *je soussigné, Paul Leroy, accepte les conditions mentionnées ci-dessus.* ◆ **Accord.** *Soussigné* s'accorde avec le pronom ou le nom auquel il se rapporte : *je soussignée, Martine Balto,... ; reçu en présence des témoins soussignés... ; nous soussignés reconnaissons...* (ou, s'il s'agit du *nous* de modestie : *nous soussigné reconnaissons...*).

sous-tendre v.t. ◆ **Conjug.** Comme *tendre.* → annexe, tableau 59

soustraire v.t. ◆ **Conjug.** Comme *traire.* → annexe, tableau 92

sous-verge n.m. inv. → sous-

sous-verre n.m. inv. → sous-

soutenir v.t. et v.pr. ◆ **Conjug.** Comme *tenir.* → annexe, tableau 28

soutien-gorge n.m. ◆ Plur. : *des soutiens-gorge.*

souvenir (se) v.pr. ◆ **Conjug.** Comme *venir.* → annexe, tableau 28. ◆ **Constr. 1.** *Se souvenir de qqch. / se rappeler qqch.* Attention aux constructions différentes des deux verbes *se souvenir* et *se rappeler :* on dit *je me souviens de cela* mais *je me rappelle cela. Je m'en souviendrai* (mais : *je me le rappellerai*). → **rappeler. 2.** *Se souvenir de, se souvenir* (+ infinitif passé) : *je me souviens d'être déjà passé par là ; il se souvient avoir*

parlé mais il ne sait plus ce qu'il a dit. Les deux constructions sont aujourd'hui admises. REM. La construction sans *de* était naguère critiquée. **3.** *Se souvenir que* (+ indicatif), *ne pas se souvenir que* (+ subjonctif ou indicatif). ❏ Si la proposition principale est affirmative, *se souvenir que* se construit avec l'indicatif. ❏ Si la proposition principale est négative ou interrogative, ou si l'on souhaite marquer le doute, *se souvenir que* se construit avec le subjonctif : *je ne me souviens pas qu'il ait jamais habité à cette adresse ; vous souvenez-vous qu'il l'ait promis ?* L'indicatif est possible si l'on souhaite insister sur la réalité du fait énoncé : *vous ne vous souvenez pas qu'il est arrivé en retard ce jour-là, mais moi je me le rappelle fort bien ; te souviens-tu qu'il est arrivé en retard ce jour-là ?* **4.** *Il me (te, lui..) souvient que, de.* Cette tournure n'est plus guère employée dans l'expression orale, mais on la rencontre encore dans l'expression écrite, littéraire surtout : « *Sous le pont Mirabeau coule la Seine / Et nos amours / Faut-il qu'il m'en souvienne / La joie venait toujours après la peine* » (G. Apollinaire). « *Un soir, t'en souvient-il, nous voguions en silence...* » (A. de Lamartine). ◆ **Accord.** Le participe passé s'accorde toujours avec le sujet : *elles se sont souvenues de leurs promesses.*

soyons, soyez formes conjuguées ◆ **Orth.** Ces formes du verbe *être* ne s'écrivent jamais avec un *i* après le *y* : *il faut que nous soyons, que vous soyez prêts à tout.*

spaghetti n.m. ◆ **Orth.** Avec un *h* après le *g,* sans *u.* - Plur. : *des spaghettis* (pluriel français) ou *des spaghetti* (pluriel à l'italienne). RECOMM. Préférer le pluriel français *des spaghettis.* ◆ **Emploi.** Le mot est employé le plus souvent au pluriel, mais l'emploi au singulier est possible : *un spaghetti.*

spécimen n.m. ◆ **Prononc.** [spesimɛn], la finale se prononce comme celle de *abdomen.* ◆ **Orth.** Avec un accent aigu (mot latin francisé). - Plur. : *des spécimens.*

spéculum n.m. ◆ **Prononc.** [spekylɔm], la finale se prononce comme celle de *maximum*. ◆ **Orth.** Avec un accent aigu (mot latin francisé). - Plur. : *des spéculums.*

speech n.m. ◆ **Prononc.** [spitʃ], le groupe -*eech* se prononce comme s'il s'écrivait -*itch*. ◆ **Orth.** Plur. : *des speechs* (pluriel français) ou *des speeches,* (pluriel à l'anglaise). RECOMM. Préférer le pluriel français *des speechs.* ◆ **Registre.** Mot familier.

sphère n.f. ◆ **Genre.** Féminin, comme *atmosphère, stratosphère, hydrosphère,* à la différence de *hémisphère* et *planisphère,* qui sont masculins (v. ces mots).

sphinx n.m. ◆ **Orth.** Avec un *i* (et non un *y*). REM. Il s'agit d'un mot latin *(sphinx, sphingis)* emprunté au grec *(sphigx, sphiggos).* ◆ **Emploi.** Le mot féminin *sphinge,* sphinx femelle, se rencontre parfois.

spiral, e, aux adj., **spiral, aux** n.m. ◆ **Emploi et orth.** *Ressort spiral* ou, n.m., *un spiral* (= ressort qui, dans une montre mécanique, fait osciller le balancier). - Plur. : *des ressorts spiraux, des spiraux.*

spirale n.f. ◆ **Sens et emploi.** En géométrie, une spirale est une courbe plane décrivant des révolutions autour d'un point fixe en s'en éloignant. Dans son sens courant, le mot désigne une suite de circonvolutions plus ou moins régulières. On peut donc parler de *spirales de fumée, des spirales de la vigne,* d'un *escalier en spirale,* etc.

sport n.m. et adj. inv. ◆ **Orth. 1.** ...*de sport.* On écrit avec *sport* au singulier : *une salle de sport, des terrains de sport, des tenues de sport,* alors qu'on écrit *une salle omnisports* → aussi **omnisports. 2.** Comme adjectif, *sport* est invariable : *des vestes sport ; elles se sont montrées très sport.*

squa- ◆ **Prononc.** La syllabe initiale *squa-* se prononce [skwa], (comme dans *quoi*) dans *squale* et ses dérivés, *squame* et ses

dérivés, *square, squash, squatter,* etc. Elle se prononce [skwo] dans *squaw.*

stagner v.i. ◆ **Prononc.** Dans ce verbe et ses dérivés *stagnant, stagnation,* etc., le groupe -*gn-* se prononce [gn], en faisant sonner successivement le *g* et le *n* (et non avec *gn* mouillé comme dans *oignon).*

stalactite n.f. / **stalagmite** n.f. ◆ **Orth.** Attention au *c* devant *t* dans *stalactite* et au *g* devant *m* dans *stalagmite.* ◆ **Genre.** Féminin pour les deux mots : *une stalactite, une stalagmite.* ◆ **Emploi.** Ne pas confondre la *stalactite,* qui pend, et la *stalagmite,* qui est dressée (moyen mnémotechnique : « la stala*g*mite *m*onte et la stala*c*tite *t*ombe »).

standard adj. ◆ **Accord.** Employé comme adjectif, *standard* ne varie qu'en nombre : *des prix, des formules standards.* REM. Passé dans l'usage courant, cet adjectif n'est plus que très rarement considéré comme invariable, sur le modèle de l'anglais.

station-service n.f. ◆ **Orth.** Plur. : *des stations-service.*

statu quo n.m. inv. ◆ **Prononc.** [statykwo], en faisant entendre le *u* de *quo* comme un *ou* bref. ◆ **Orth.** En deux mots, sans trait d'union (→ R.O. 1990). Attention à l'orthographe de *statu* (ne pas confondre avec *statue* ou *statut).* - Plur. : *des statu quo* (mot invariable). REM. Ce nom est une abréviation de la locution latine *in statu quo ante,* dans l'état où (les choses étaient) auparavant.

statuaire n.f. et n. ◆ **Genre. 1.** *La statuaire,* n.f. = l'art de faire des statues. *La statuaire religieuse.* **2.** *Un, une statuaire,* n. = un, une artiste qui fait des statues.

steak n.m. ◆ **Orth.** Attention à l'orthographe anglaise *steak* (alors que l'orthographe du synonyme *bifteck* est partiellement francisée).

stèle n.f. ♦ **Genre.** Féminin : *une stèle commémorative.*

stentor n.m. ♦ **Prononc.** [stɑ̃tɔʀ], le groupe *-en-* se prononce comme dans *menteur.* ♦ **Emploi.** Ce mot n'est plus employé que dans l'expression *voix de stentor* (= voix très puissante et sonore).

steppe n.f. ♦ **Genre.** Féminin : *la steppe.* REM. Au XIXᵉ s., le mot était masculin.

stère n.m. ♦ **Genre.** Masculin : *couper un stère de bois.*

stérer v.t. ♦ **Conjug.** Attention à l'accent, tantôt grave, tantôt aigu : *je stère, nous stérons ; il stérera.* → annexe, tableau 11 et R.O. 1990

sterling adj. inv. ♦ **Orth.** Ce mot anglais est invariable : *des livres sterling.*

stilligoutte n.m. ♦ **Orth.** Attention au groupe *still-*, comme dans *distiller.* REM. Ce mot, qui signifie « compte-gouttes », est formé sur le radical du verbe latin *stillare*, tomber goutte à goutte, et sur *goutte*. Il n'a aucun rapport avec *style*, poinçon.

stomacal, e, aux adj. / **stoma-chique** adj. ♦ **Emploi et registre. 1.** *Stomacal, e, aux* (= qui concerne l'estomac) : *douleurs stomacales.* Mot vieilli ; on dit plutôt aujourd'hui *gastrique*. **2.** *Stomachique* (= qui favorise le fonctionnement gastrique) : *médicament stomachique.* Terme médical.

stopper v.i. et v.t. ♦ **Emploi.** Le mot appartient à la langue courante. Dans l'expression soignée, on emploie plutôt *arrêter, s'arrêter.*

strass, stras n.m. ♦ **Orth.** Les deux graphies, *strass* et *stras,* sont admises. *Strass* est plus courant.

strip-tease n.m. ♦ **Orth.** Avec un trait d'union (→ R.O. 1990). - Plur. : *des strip-teases.* ♦ **Prononc.** Le groupe *-ea-* se prononce *i,* comme pour rimer avec *attise.*

stupéfait, e adj. / **stupéfié, e** part. passé ♦ **Emploi.** Ne pas confondre ces deux mots proches par la forme et par le sens mais qui diffèrent dans leur emploi et leur construction. **1.** *Stupéfait,* adjectif qui indique un état (il n'y a pas de verbe *stupéfaire) : demeurer, rester stupéfait. J'en ai été stupéfait.* **2.** *Stupéfié,* participe passé du verbe *stupéfier : son audace m'a stupéfié.* ♦ **Constr. 1.** *Stupéfait de : j'étais stupéfait de cette nouvelle* (et non *stupéfait par).* **2.** *Stupéfié par : j'ai été stupéfié par cette nouvelle* (et non *stupéfié de).* RECOMM. Quoique la confusion soit courante, il ne faut pas attribuer à l'un des deux mots la construction de l'autre.

stylo n.m. ♦ **Emploi.** On dit indifféremment *stylo à bille* ou *stylo bille* (plur. : *des stylos bille). Stylo bille* peut aussi s'écrire avec un trait d'union : *un stylo-bille, des stylos-bille.* Sur ce modèle, *stylo plume* (ou *stylo-plume)* tend à remplacer *stylo à plume.* Le composé *stylo-feutre* a pour pluriel *des stylos-feutres.* REM. La forme *stylographe,* dont *stylo* a été tiré, n'est plus en usage aujourd'hui.

subi, e part. passé / **subit, e** adj. ♦ **Orth. et sens.** Ne pas confondre ces deux mots homonymes au masculin. **1.** *Subi, e,* participe passé du verbe *subir* = enduré, éprouvé. *Une évolution subie plutôt que souhaitée.* **2.** *Subit, e* = soudain, brusque. *Un changement subit de température.*

subjonctif (valeur et emploi) ♦ annexe, grammaire § 86 à 90

submerger v.t. ♦ **Conjug.** Le *g* devient *-ge-* devant *a* et *o* : *je submerge, nous submergeons ; il submergea.* → annexe, tableau 10. ♦ **Sens.** ♦ émerger

subroger v.t. ◆ **Conjug.** Le *g* devient -*ge*- devant *a* et *o* : *je subroge, nous subrogeons ; il subrogea.* → annexe, tableau 10

substantiel, elle adj. ◆ **Orth.** Bien qu'issu de *substance,* l'adjectif *substantiel* s'écrit avec un *t,* ainsi que ses dérivés *substantialisme, substantialiste, substantialité,* etc. (alors qu'on écrit *circonstanciel, tendanciel*).

substantifs (genre des) ◆ annexe, grammaire § 33, 36, 37

substituer v.t. et v.pr. ◆ **Constr.** *Substituer une chose à une autre.* Attention au sens, lié à l'ordre des compléments : *substituer un rivet à une vis,* c'est remplacer une vis par un rivet. *Se substituer à qqch. , à qqn,* c'est le remplacer : *pendant la guerre, la saccharine s'est substituée au sucre et la chicorée grillée au café.* Au passif, on dit *la saccharine est substituée au sucre,* mais on ne peut pas dire : **le sucre est substitué par la saccharine.* RECOMM. Au passif, dire *le sucre est remplacé par la saccharine.*

subvenir v.t.ind. ◆ **Conjug.** Comme *venir,* mais avec l'auxiliaire *avoir.* ◆ annexe, tableau 28. ◆ **Constr.** *Subvenir à : qui a subvenu à vos besoins pendant tout ce temps ?*

suc n.m. ◆ **Prononc.** [syk], la finale se prononce comme celle de *nuque.* Ne pas prononcer comme *sucre.* ◆ **Sens.** *Suc / sucre.* Ne pas confondre *suc,* jus végétal ou liquide organique, et *sucre,* denrée alimentaire : *le suc de la laitue, le suc gastrique* mais *du sucre de canne, de betterave.*

succéder v.t.ind. et v.pr. ◆ **Conjug.** Attention à l'accent, tantôt grave, tantôt aigu : *je succède, nous succédons ; il succédera.* → annexe, tableau 11 et R.O. 1990. ◆ **Accord.** Le participe passé ne s'accorde jamais : *les réformes se sont succédé, mais au fond rien n'a changé.*

successeur n.m. ◆ **Genre.** Toujours masculin, même pour désigner une femme : *elle est le successeur de l'ancienne directrice.* RECOMM. À propos d'une femme, il est souvent préférable de tourner la phrase autrement et d'employer *succéder à : elle a succédé à l'ancienne directrice.*

succinct, e adj. ◆ **Prononc.** Au masculin, on ne fait entendre ni le *c,* ni le *t* finals : [syksɛ̃], comme pour rimer avec *tocsin.* Au féminin, seul le *t* se prononce : [syksɛ̃kt] comme pour rimer avec *sainte.*

succion n.f. ◆ **Prononc.** [syksjɔ̃], comme pour rimer avec *action,* ou [sysjɔ̃], comme dans *nous sucions.* Cette dernière prononciation, naguère critiquée, est aujourd'hui passée dans l'usage.

succomber v.i. et v.t.ind. ◆ **Conjug.** Toujours avec l'auxiliaire *avoir.* ◆ **Constr.** **1.** *Succomber* (= mourir) : *il a succombé au champ de bataille, après une longue maladie.* **2.** *Succomber sous* (= fléchir, être accablé sous) : *succomber sous le fardeau ; succomber sous la tâche.* **3.** *Succomber à* (= ne pas résister à, céder à) : *succomber à la tentation.*

sucer v.t. ◆ **Conjug.** Le *c* devient *ç* devant *o* et *a : je suce, nous suçons ; il suça.* → annexe, tableau 9

sucre n.m. ◆ **Orth.** On écrit : *du sucre de pomme, des sucres d'orge,* sans *s* au complément. ◆ **Emploi.** *Un sucre* pour « un morceau de sucre » est aujourd'hui admis. ◆ **Sens.** *Sucre / suc.* ◆ suc

sucrer v.t. et v.pr. ◆ **Registre. 1.** *Sucrer* au sens de « retirer, supprimer, confisquer » est familier : *on lui a sucré sa prime de fin d'année.* **2.** *Se sucrer* pour « mettre du sucre dans son café, son thé, etc. » appartient à l'expression orale courante. RECOMM. Dans l'expression soignée, préférer *se servir de sucre* ou *sucrer son café,* *son thé.* **3.** *Se sucrer* au sens de « s'octroyer la plus large part » ou de « percevoir de gros bénéfices, des commissions occultes » est familier : *quelques gros bonnets se sont sucrés au passage.*

sud n.m. ◆ **Orth.** *Le sud,* point cardinal. → annexe, grammaire § 32

suffire v.t.ind. et v.pr. ◆ **Conjug.** → annexe, tableau 80. L'imparfait du subjonctif est rare, sauf à la 3ᵉ personne du singulier : *qu'il suffît.* ◆ **Constr. 1.** *Suffire à, pour* = pouvoir satisfaire (qqn) ; répondre à (une nécessité, un besoin). *Il a une petite retraite qui lui suffit ; cela suffit pour moi ; cela suffit pour vivre. Il est loin de suffire à la tâche.* **2.** *Suffire pour* = être assez grand en quantité, en intensité, pour. *Cette somme ne suffit pas pour acheter la maison dont je rêve ; elle ne suffit pas pour cet achat. Un rien suffit pour froisser les gens susceptibles.* **3.** *Il suffit de* (+ infinitif), *il suffit que* (+ subjonctif) ; *il suffit de* (+ nom) : « *Il suffit de passer le pont / C'est tout de suite l'aventure* » (G. Brassens) ; *il suffit que vous disiez un mot pour que tout s'arrange ; il suffit d'un mot.* ◆ **Emploi.** *Se suffire à soi-même.* Emploi courant dans tous les registres. REM. *Se suffire à soi-même* est un exemple de pléonasme expressif admis par l'usage. ◆ **Accord.** Le participe passé ne s'accorde jamais : *vos paroles ont suffi à le rassurer ; ils se sont toujours suffi à eux-mêmes.*

suffisamment adv. ◆ **Orth.** Avec un *a* (*suffisamment* est issu de *suffisant*) et deux *m*. ◆ **Emploi.** *Suffisamment de* (= assez de) est passé dans l'usage. REM. Cette tournure était critiquée par Littré.

suffocant, e adj. / **suffoquant** part. présent ◆ **Orth.** Ne pas confondre ces deux mots. **1.** *Suffocant, e* (avec un *c*), adjectif variable en genre et en nombre : *une chaleur suffocante* (= qui produit une suffocation). **2.** *Suffoquant* (avec *qu*),

participe présent, invariable : *elle était toute rouge, suffoquant de colère* (= elle étouffait de colère). → aussi annexe, grammaire § 57 et 58

suggérer v.t. ◆ **Prononc.** [syɡʒeʁe], en faisant sonner le premier *g* comme dans *fugue* et le second comme dans *gérer* (ne pas prononcer [syʒeʁe], comme dans *sujet*). De même pour les mots issus de *suggérer* et de ses dérivés : *suggestible, suggestibilité ; suggestion, suggestionner ; suggestif, suggestivité,* etc. ◆ **Conjug.** Attention à l'accent, tantôt grave, tantôt aigu : *je suggère, nous suggérons ; il suggérera.* → annexe, tableau 11 et R.O. 1990

suggestion n.f. ◆ **Prononc.** [syɡʒɛstjɔ̃] : *suggestion* doit être nettement distingué de *sujétion* [syʒesjɔ̃] → **sujétion.** V. ci-dessus *suggérer.* ◆ **Sens.** → sujétion

suicider (se) v.pr. ◆ **Constr.** On rencontre parfois la construction *suicider qqn,* employée par effet de style pour « tuer qqn en faisant passer le meurtre pour un suicide ».

suisse adj. et n., **Suissesse** n.f. ◆ **Genre.** Pour le nom, le féminin est parfois *Suissesse : un montagnard suisse, l'horlogerie suisse ; un Suisse, une Suisse* ou *une Suissesse.* « *Marie, en bonne Suissesse, aimait les fleurs* » (A. Gide).

suite n.f. ◆ **Accord.** On écrit, avec *suite* au singulier : *un projet qui n'a pas eu de suite ; des propos sans suite.* ◆ **Emploi. 1.** *De suite* = sans interruption, d'affilée. *Manger douze huîtres de suite ; parler deux heures de suite ; il ne peut pas dire cinq mots de suite sans ajouter « n'est-ce pas ? ».* Emploi courant dans tous les registres. RECOMM. Éviter d'employer *de suite* au sens de « tout de suite, dans l'instant qui suit » : *la concierge revient de suite.* Bien que très fréquent, y compris chez de bons écrivains, cet emploi est généralement tenu pour fautif et « populaire ». Il doit absolument être évité dans l'expression soignée, en particulier à l'écrit. **2.** *Suite à* est employé surtout dans la correspondance administrative et commerciale : *suite à votre annonce, suite à votre courrier du 10 courant.* **RECOMM.** Préférer *en réponse à.* **3.** *Par suite / par la suite.* Bien distinguer ces deux tournures. ❑ *Par suite (de)* = en conséquence (de). *Par suite d'un incident indépendant de notre volonté… ; le vote du budget a été retardé et, par suite, le financement des travaux.* ❑ *Par la suite* = ensuite, plus tard. *Le vote du budget a été retardé mais, par la suite, le financement a été trouvé.*

suivant prép. ◆ **Emploi.** *Suivant / selon* → selon

suivre v.t., v. impers., v.i. et v.pr. ◆ **Conjug.** → annexe, tableau 69. ◆ **Emploi 1.** Dans les phrases interrogatives à la première personne du singulier, la construction avec le pronom inversé (*suis-je, *suivé-je) n'est pas possible → **je.** On a recours à d'autres tournures : *est-ce que je suis ? vais-je suivre ? dois-je suivre ?* etc. **2. RECOMM.** Éviter : ❑ Le pléonasme *suivre par derrière. ❑ L'emploi de *en suivant* au sens de « d'affilée, de suite » : *il a vu deux films en suivant (pour : *il a vu deux films de suite).* **3.** *S'en suivre* → ensuivre (s'). ◆ **Constr. 1.** *Suivi de / suivi par.* Au sens de « venir après », le complément d'agent est généralement introduit par *de : la chanteuse entre en scène, suivie de ses musiciens ; les conjonctions suivies du subjonctif.* L 'emploi de la préposition *par* implique souvent une idée de poursuite ou de surveillance : *il savait qu'il était suivi par deux agents des services spéciaux.*

sujet n.m. → objet

sujétion n.f. / **suggestion** n.f. ◆ **Prononc.** → suggestion. ◆ **Sens.** Ne pas confondre ces deux mots de forme proche. **1.** *Sujétion* = état de sujet ; dépendance. *La sujétion des serfs à l'époque féodale.* **2.** *Suggestion* = ce qui

est suggéré ; avis, conseil. *Personne n'a tenu compte de mes suggestions.*

summum n.m. ◆ **Prononc.** [sɔmɔm], les deux *u* se prononcent comme le *u* de *album.* ◆ **Orth.** Le pluriel, *des summums,* est peu usité.

super adj. ◆ **Accord.** Reste invariable : *une fille super ; des vacances super.* ◆ **Registre.** Mot familier.

super- préf. ◆ **Orth.** À l'exception de *super-géant, super-huit, super-léger* et *super-lourd* (v. ces mots à leur ordre alphabétique), les mots composés avec *super-* s'écrivent sans trait d'union : *superforme, supermarché, superordinateur, superoxyde, superphosphate,* etc.

super-géant n.m., **super-g** n.m. inv. ◆ **Orth.** Avec un trait d'union. - Plur. : *des super-géants ; des super-g* (invariable).

super-huit adj. inv. et n.m. inv. ◆ **Orth.** Avec un trait d'union. On écrit aussi *super-8.* - Plur. : *des caméras super-huit* (invariable).

supérieur, e adj. et n. → inférieur

superlatif → annexe, grammaire § 74 et 75

super-léger, superléger n.m. ◆ **Orth.** Les deux graphies, *super-léger,* avec un trait d'union, ou *superléger,* en un seul mot, sont admises. - Plur. : *les super-légers, les superlégers.*

super-lourd, superlourd n.m. ◆ **Orth.** Les deux graphies, *super-lourd,* avec un trait d'union, ou *superlourd,* en un seul mot, sont admises. - Plur. : *les super-lourds, les superlourds.*

supernova n.f. ◆ **Orth.** Plur. : *des supernovæ* → R.O. 1990

suppléer v.t. et v.t.ind. ◆ **Conjug.** Attention à la succession de *é* et de *e* dans certaines formes de la conjugaison de ce verbe difficile : *une titulaire suppléée par une auxiliaire ; un manque que suppléerait ce dispositif provisoire.* → annexe, tableau 8. ◆ **Constr. et sens. 1.** *Suppléer qqn, qqch.* = le remplacer, jouer le même rôle. *L'adjoint supplée le directeur lorsque celui-ci s'absente. La navigation par satellite a suppléé l'usage du sextant.* **2.** *Suppléer à qqch.* = remédier au défaut de qqch., mettre à sa place qqch. qui en tient lieu. *Les pommes de terre ont suppléé au pain. La qualité supplée à la quantité.* **3.** *Suppléer qqch.* = ajouter (ce qui manque) ; fournir (ce qui est nécessaire pour que qqch. soit complet). *Si vous ne pouvez pas réunir les fonds dont vous avez besoin, je peux suppléer la différence.* ◆ **Registre.** Les sens 1 et 2 relèvent de l'expression soignée, le sens 3 du registre soutenu.

supposé part. passé ◆ **Accord.** *Supposé,* employé sans auxiliaire et placé avant le nom, est considéré comme une préposition et reste invariable : *supposé même sa venue prochaine…* Il s'accorde quand il est placé après le nom : *sa venue supposée, il reste bien des difficultés à résoudre.* ❑ *Supposé que,* locution conjonctive, est toujours invariable : *supposé qu'elle vienne….*

supposer v.t. ◆ **Constr. 1.** *Supposer que* (+ subjonctif) = faire une hypothèse. *Supposons un instant que cette version soit la bonne.* » **2.** *Supposer que* (+ indicatif) = présumer ; admettre comme un fait. *Je suppose qu'elle viendra à la réunion.* **3.** *À supposer que* (+ subjonctif) : *à supposer qu'il atteigne le sommet, il ne pourra pas redescendre par l'autre versant.* Registre soutenu.

supposition n.f. ◆ **Emploi.** Les tournures *une supposition que, *supposition que appartiennent à l'expression orale relâchée. **RECOMM.** Préférer *supposons que* ou *à supposer que* : *supposons qu'il arrive ce soir.*

supra- préf. ◆ **Orth.** Les mots composés avec *supra-* s'écrivent sans trait d'union : *supraconducteur, supraliminaire, supranational, suprasensible,* etc.

1. sur prép. ◆ **Emploi. 1.** On dit : *aller sur soixante-treize ans, sur ses soixante-treize ans* → **aller.** *S'asseoir sur une chaise* mais *dans un fauteuil* → **dans, fauteuil.** *La clé est sur la porte* (et non *après la porte*) → aussi **après.** *Crier contre ses enfants* (et non *sur ses enfants*) → aussi **après.** *Être sur le pas de sa porte, sur le seuil de sa porte* (et non *sur sa porte*) → aussi **porte.** *Un appartement qui donne sur la rue,* mais *les voitures qui passent dans la rue* → aussi **rue.** *Lire dans le journal* (et non *sur le journal*) → aussi **dans.** *Les véhicules se dirigeant vers Lille* (et non *sur Lille*). **2.** *De sur,* considéré naguère comme populaire, est passé dans l'usage courant : « *J'enlevai le linge de sur les meubles* » (A. Gide). « *Il ne levait jamais les yeux de sur son journal* ». (P. Hamp). **RECOMM.** Dans l'expression soignée, en particulier à l'écrit, préférer *de : enlever le linge des meubles ; lever les yeux de son journal.* **3.** *Sur / en.* → en

2. sur, e adj. ◆ **Orth. et sens.** L'adjectif *sur* (= un peu acide, aigrelet) s'écrit sans accent circonflexe : *un vin sur, des pommes sures.* Ne pas le confondre avec la préposition *sur,* ni avec l'adjectif *sûr* (voir ce mot). Les dérivés *surir* (= s'aigrir) et *suret* (= un peu aigre) ne prennent pas non plus d'accent circonflexe.

sur- élément de composition ◆ **Orth.** Les mots composés avec *sur-* s'écrivent toujours en un seul mot : *surabonder, surélever surintendant, surréaliste,* etc.

sûr, e adj. ◆ **Orth.** L'adjectif *sûr* (= digne de confiance, incontestable ou sans danger) s'écrit avec un accent circonflexe, à la différence de la préposition *sur* et de *sur* (=aigrelet) : *un abri sûr, des informations sûres.* Les dérivés *sûrement* et *sûreté* prennent également un accent circonflexe, qui disparaît en revanche dans *assurance, assurément, assurer,* etc. → R.O. 1990 ◆ **Registre. 1.** *Bien sûr que, pour sûr que : bien sûr qu'il viendra.* Registre familier. *Pour sûr que,* familier également, est légèrement vieilli. **2.** *Sûr et certain.* Cette tournure d'insistance est courante dans l'expression orale familière. RECOMM. Dans l'expression soignée, en particulier à l'écrit, préférer *tout à fait sûr, absolument sûr : je suis tout à fait sûre qu'il viendra.* ◆ **Sens.** *Rien n'est moins sûr :* attention au sens de cette expression qui signifie « c'est très douteux » (et non « c'est certain »).

suraigu, uë adj. ◆ **Orth.** Prend un tréma sur le *e* au féminin, comme *aigu : une voix suraiguë, des voix suraiguës.* → R.O. 1990

surcharger v.t. ◆ **Conjug.** Comme *charger.* → annexe, tableau 10

surcroît n.m. ◆ **Orth.** Avec un accent circonflexe sur le *i.* → R.O. 1990 ◆ **Emploi.** On dit indifféremment *de surcroît* ou *par surcroît : c'est un avantage qui ne m'était pas dû et qu'on m'accorde de surcroît,* ou *par surcroît.*

surélever v.t. ◆ **Conjug.** Comme *élever.* → annexe, tableau 12

sûrement adv. ◆ **Orth.** Attention à l'accent circonflexe. → **sûr** et R.O. 1990. ◆ **Registre.** *Sûrement* suivi de *que.* Cette tournure relève de l'expression relâchée. RECOMM. Préférer *il a sûrement oublié* à **sûrement qu'il a oublié.*

suret adj. → 2. sur

sûreté n.f. → sécurité

surfacer v.t. et v.i. ◆ **Conjug.** Le *c* devient *ç* devant *o* et *a : je surface, nous surfaçons ; il surfaça.* → annexe, tableau 9

surfaire v.t. ◆ **Conjug.** Comme *faire.* → annexe, tableau 89. ◆ **Emploi.** Ce verbe est usité surtout au participe passé : *surfait, surfaite.*

surgeler v.t. ◆ **Conjug.** Comme *geler.* → annexe, tableau 12

surir v.i. → 2. sur

surjeter v.t. ◆ **Conjug.** Comme *jeter.* → annexe, tableau 16

sur-le-champ adv. ◆ **Orth.** Avec deux traits d'union.

surmener v.t. ◆ **Conjug.** Comme *mener.* → annexe, tableau 12

surnager v.i. ◆ **Conjug.** Le *g* devient -*ge-* devant *a* et *o : je surnage, nous surnageons ; il surnagea.* → annexe, tableau 10

surpayer v.t. ◆ **Conjug.** Comme *payer.* → annexe, tableau 6

surplis n.m. ◆ **Orth.** Toujours avec un *s* final, même au singulier, à la différence de *pli : un surplis brodé.*

surplomber v.t. et v.i. ◆ **Constr.** Se construit le plus souvent avec un complément d'objet direct : « *...une jardinière, dont les fleurs, s'inclinant comme des panaches, surplombaient la tête des femmes assises en rond* » (G. Flaubert). L'emploi intransitif, plus rare, est littéraire : « *Le balcon surplombe au-dessus des jardins Jericot* » (Cl. Farrère).

surplus n.m. ◆ **Prononc.** [syʀply], le *s* final ne se prononce pas. ◆ **Orth.** On écrit sans trait d'union : *au surplus* (= du reste, en outre), *en surplus* (= en supplément ou en excédent), *de surplus* (= en plus). ◆ **Accord.** *Le surplus de* (+ nom au pluriel) : *le surplus de marchandises sera échangé ou remboursé.* Le verbe et le participe s'accordent avec *surplus,* et restent au singulier.

surprendre v.t. ◆ **Conjug.** Comme *prendre.* → annexe, tableau 61

surpris, e part. passé et adj. ◆ **Constr.**
1. *Surpris de, par : j'étais surpris de sa présence ; elle a été surprise par sa réaction.* **2.** *Être surpris de* (+ infinitif) : *nous sommes surpris de vous voir.* **3.** *Être surpris que* (+ subjonctif), *si* (+ indicatif) : *je suis surpris qu'il réagisse ainsi ; il sera bien surpris si j'accepte.* ❑ *Être surpris de ce que* (+ indicatif) : *je suis surpris de ce qu'il n'est pas venu.* Cette construction est moins courante que les autres. Elle est également tenue pour moins élégante, et peut en outre être ambiguë dans certains cas (*je suis surpris de ce qu'il a manqué* peut vouloir dire « je suis surpris par ce qu'il a manqué » ou « je suis surpris qu'il ait été absent »).

surprise n.f. ◆ **Orth.** *Surprise,* en emploi adjectif, n'est pas lié par un trait d'union au mot auquel il se rapporte : *une attaque surprise, une visite surprise, un cadeau surprise.* On écrit en revanche avec un trait d'union *pochette-surprise* (substantif passé dans l'usage) et *surprise-partie* (calque de l'anglais *surprise-party*).

surseoir v.t.ind. ◆ **Conjug.** Attention au *e* muet, présent à l'infinitif, à l'indicatif futur et au conditionnel présent. → annexe, tableau 52 et R.O. 1990. ◆ **Constr.** *Surseoir à* (+ nom ou infinitif) : *surseoir au jugement, surseoir à statuer.*

surtout adv. ◆ **Registre.** *Surtout que* appartient à l'expression orale familière. RECOMM. Dans l'expression soignée, en particulier à l'écrit, préférer *d'autant plus que, d'autant que : il est inutile que vous vous dérangiez, d'autant que tout se passe bien.*

survenir v.i. ◆ **Conjug.** Comme *venir.* Toujours avec l'auxiliaire *être : l'hiver est survenu brusquement.* → annexe, tableau 28

survivre v.i. et v.t.ind. ◆ **Conjug.** Comme *vivre.* → annexe, tableau 70

sus adv. ◆ **Prononc.** [sy], sans faire entendre le *s* final, ou [sys], en l'articulant. ◆ **Emploi.** Le mot n'est plus guère employé que dans les locutions *en sus (de)* et *courir sus à.* **1.** *En sus (de)* = en plus (de) : *service 15 % en sus.* **2.** *Courir sus à qqn* = l'attaquer, ou le poursuivre avec des intentions hostiles. L'expression est surtout employée par effet de style (plaisant, épique, etc.) : *dès la troisième minute, l'avant-centre court sus à la défense adverse, la déborde et marque.*

sus- préf. ◆ **Orth.** Les mots composés avec *sus-* s'écrivent avec un trait d'union : *sus-dénommé, sus-dominante, sus-jacent, sus-maxillaire.* Mais on écrit en un seul mot : *susdit, susmentionné, susnommé, susvisé.* REM. C'est la règle appliquée pour le contraire *sous-*

susceptible adj. / **capable** adj. ◆ **Sens.** Ne pas employer l'un pour l'autre ces deux adjectifs de sens proche. **1.** *Susceptible de* marque une possibilité latente, une virtualité : *c'est une personne susceptible de vous aider* (= elle pourra éventuellement vous aider, peut-être pourra-t-elle vous aider). **2.** *Capable de* indique une capacité reconnue, une aptitude certaine : *c'est une personne capable de vous aider* (= elle peut à coup sûr vous aider).

susdit, e adj. ◆ **Orth.** → sus-

suspect, e adj. ◆ **Prononc.** Au masculin, [syspɛ], comme pour rimer avec *parapet.* La prononciation [syspɛkt], comme pour rimer avec *correct,* s'entend encore au masculin, mais elle est plus rare que naguère. Elle est de règle au féminin.

suspendre v.t. ◆ **Conjug.** Comme *pendre.* → annexe, tableau 59. ◆ **Sens.** *Suspendre / pendre.* → pendre

suspens n.m. ◆ **Prononc.** [syspɑ̃], le *s* final ne se prononce pas. ◆ **Emploi.** *Suspens* n'est usité que dans l'expression *en suspens,* en attente. Ne pas confondre avec le mot anglais *suspense* (v. ce mot).

suspense n.m. ◆ **Prononc.** Mot emprunté à l'anglais, que l'on prononce à l'anglaise, soit entièrement : [sœspɛns], le *u* se prononçant comme dans *seul ;* soit partiellement : [syspɛns], le *u* étant prononcé à la française, comme dans *suce.* La seconde prononciation est plus courante. Dans les deux cas, on fait entendre le *n* et le *s* final, comme dans *Penns(ylvanie).* ◆ **Sens.** *Suspense* = moment d'un spectacle, d'un film, d'une œuvre littéraire, où l'action tient le spectateur ou le lecteur dans l'attente angoissée de ce qui va se produire. *Hitchcock est le maître du suspense.* Ne pas confondre avec *suspense,* n.f., terme de droit canon désignant l'interdiction faite à un clerc d'exercer ses fonctions : *la suspense et l'interdit sont deux sanctions sévères.*

susurrer v.t. et v.i. ◆ **Prononc.** [sysyʀe], le *s* qui se trouve entre les deux *u* se prononce [s]. ◆ **Orth.** Attention : un seul *s* intérieur, mais deux *r.*

symptôme n.m. ◆ **Orth.** Avec un *y* et un accent circonflexe sur le *o.* En revanche, les dérivés *symptomatique* et *symptomatologie* ne prennent pas d'accent circonflexe. ◆ **Sens.** → syndrome

syndicat n.m. ◆ **Orth.** On écrit *un syndicat d'initiative, des syndicats d'initiative,* avec *initiative* au singulier. ◆ **Sens.** Un *syndicat d'initiative* est un organisme fondé grâce au concours de volontés privées, alors qu'un *office du tourisme* dépend de la commune ou de la région.

syndrome n.m. ◆ **Prononc. et orth.** [sɛ̃dʀom], avec un *o* fermé, comme dans *dôme,* malgré l'absence d'accent circonflexe. Attention au *y.* ◆ **Sens.** *Syndrome / symptôme.* Ne pas confondre *syndrome,* ensemble des signes qui caractérisent une affection, avec *symptôme,* phénomène subjectif qui révèle un trouble ou une lésion.

synopsis n.m. ◆ **Prononc.** [sinɔpsis], le *s* final se prononce. ◆ **Orth.** Attention aux places respectives du *y* et du *i : y* d'abord, *i* ensuite. ◆ **Genre.** Masculin : *lire un synopsis.* REM. Le mot était autrefois féminin.

T

-t- / t' ◆ **Orth.** Ne pas confondre *-t-* (*t* euphonique ou analogique) et *t'*, forme élidée du pronom *toi.* **1. -t-.** Lorsqu'une forme verbale se terminant par une voyelle est suivie de *il, elle, on,* on place un *t* (dit *t euphonique* ou *t analogique*) entre le verbe et le pronom : *sans doute a-t-il oublié notre rendez-vous ; va-t-il revenir ? s'imagine-t-on les conséquences d'une telle décision ?* Les formes verbales se terminant par un *c* non prononcé précédé d'une voyelle (voyelle pour l'oreille) obéissent à la même règle : *comment convainc-t-on une personne aussi têtue ?* Le *t* euphonique n'est pas employé après une forme verbale terminée par un *d* ou un *t* qui se fait entendre en liaison : *qu'apprend-il dans ce cours ? s'imaginait-on les conséquences d'une telle décision ?* **2. t'** est la forme élidée du pronom *toi* devant *en* et *y : va-t'en, souviens-t'en, mets-t'y, jette-t'y.*

tabou, e adj. et n.m. ◆ **Accord.** En tant qu'adjectif, *tabou* s'accorde en genre et en nombre : *des sujets tabous ; des questions taboues.*

tac n.m. ◆ **Orth.** *Répondre du tac au tac.* On écrit *tac au tac* sans trait d'union, à la différence de *tic-tac.*

tache n.f. / **tâche** n.f. ◆ **Orth.** Attention à la présence ou à l'absence d'ac-cent circonflexe, qui change le sens. **1.** *Tache,* sans accent = marque, salissure, souillure. *Une tache d'encre.* **2.** *Tâche,* avec un accent circonflexe sur le *a* = travail à exécuter. *Une tâche ardue.* Même distinction pour les verbes dérivés *tacher,* salir par une tache, et *tâcher,* essayer.

tâcher v.t. ◆ **Orth.** Avec un accent circonflexe, à la différence de *tacher* (= salir). → tache. ◆ **Constr. 1.** *Tâcher de* (+ infinitif) : *tâchez d'y penser la prochaine fois ; je tâcherai de passer vous voir.* Registre courant. ❑ *Tâcher à* (+ infinitif) : *« Je disais qu'il faut se résigner à sa tristesse, et je tâchai à faire de tout cela de la vertu »* (A. Gide). Cette construction qui marque l'effort, la difficulté de l'action à accomplir, n'est plus guère employée que dans le registre littéraire. **2.** *Tâcher que* (+ subjonctif) : *tâchez que nous puissions être là le moment venu.* REM. Dans l'usage courant, *tâcher* n'admet plus pour compléments les groupes nominaux ou les pronoms. On dit aujourd'hui : *« Sois là à l'heure. – Oui, je vais tâcher »,* alors que la langue classique admettait *« – Oui, je vais y tâcher ».* ◆ **Registre.** *Tâcher moyen, tâcher moyen de* ou *que* est populaire. RECOMM. Dire ou écrire *tâcher de, que* ou *trouver le moyen de, que.*

taffetas n.m. ◆ **Orth.** Avec deux *f* et finale avec *s* (comme *tas, amas*).

taie n.m. ◆ **Prononc.** [tɛ], comme dans *il tait* (ne pas dire *tête d'oreiller ; on dit en revanche correctement *tête de lit* pour désigner le chevet ou la partie du lit qui se trouve derrière la tête du dormeur).

taille- élément de composition ◆ **Orth.** Noms composés avec *taille-* (verbe *tailler*). *Taille-* ne prend jamais la marque du pluriel. → R.O. 1990

**Graphies et pluriels
des mots composés avec *taille-***

**Composé invariable
avec le second élément au singulier**
Un taille-mer, des taille-mer

**Composé invariable
avec le second élément au pluriel**
Un taille-ongles, des taille-ongles (mot moins usité que *coupe-ongles*)

**Composé prenant le -s du pluriel
au second élément**
Un taille-haie, des taille-haies

**Composés avec le second élément
au singulier, considérés soit comme
invariables, soit comme prenant le -s
du pluriel au second élément**
Un taille-blé, des taille-blé ou *des taille-blés*
Un taille-crayon, des taille-crayon ou *des taille-crayons*
Un taille-pré, des taille-pré ou *des taille-prés*.

---

taille-douce n.f. ◆ **Orth.** Toujours avec un trait d'union : *gravure en taille-douce* (contrairement à *en bas relief, en ronde bosse*). - Plur. : *des tailles-douces*, avec un *s* aux deux éléments. Dans *taille-douce,* l'élément *taille-* ne représente pas le verbe *tailler,* mais le substantif féminin *taille* (= entaille).

tain n.m. ◆ **Orth.** Ne pas confondre ce mot (qui est une altération de *étain*) avec son homophone *teint : une glace sans tain.*

taire v.t. et v.pr. ◆ **Conjug.** *Il tait* (sans accent circonflexe, à la différence de *il plaît*) → annexe, tableau 91. ◆ **Accord.** 1. Le participe passé s'accorde avec le complément d'objet placé avant le verbe : *les raisons qu'il a tues.* 2. À la forme pronominale réciproque, le participe passé s'accorde avec le complément d'objet s'il est placé avant le verbe : *les secrets qu'elles s'étaient tus* (mais : *elles s'étaient tu bien des secrets*). 3. À la forme pronominale sans complément d'objet, le participe passé s'accorde avec le sujet : *les rumeurs de la ville se sont tues.*

talus n.m. ◆ **Orth. et prononc.** Avec un *s* final non prononcé (comme dans *abus*). REM. La finale *-s* a longtemps été incertaine et, au XVIIIᵉ siècle, on écrivait *talut, talus* ou *talud. Talut*, comme le note Littré, est plus proche de l'étymologie (latin *talutium*, d'origine gauloise) et du dérivé *taluter* « mettre, construire en talus ». La forme *talus* a subi l'influence du latin *talus*, talon, qu'on retrouve dans l'adjectif masculin qualifiant un pied bot dont le talon est le seul point d'appui : *pied talus.*

talweg n.m. ◆ **Orth.** On écrit aujourd'hui *talweg,* sans *h.* La graphie *thalweg* est sortie de l'usage.

tambour n.m. ◆ **Orth.** Toujours au singulier dans les expressions *sans tambour ni trompette* et *tambour battant.*

tam-tam, tamtam n.m. ◆ **Orth.** Les deux graphies, *tam-tam* et *tamtam,* sont admises. *Tamtam,* en un seul mot, est aujourd'hui plus courant. → R.O. 1990. - Plur. : *des tam-tams, des tamtams.*

tan n.m. ◆ **Orth.** Ce mot d'origine gauloise (radical *tann-,* chêne) a donné de nombreux dérivés. On écrit avec un *n* ou deux : *tanin* ou *tannin, tanisage* ou *tannisage, taniser* ou *tanniser* ; on écrit avec deux *n* le verbe *tanner* et tous les mots qui en sont issus *(tannage, tannée, tannerie, tanneur, tanneuse)*, ainsi que l'adjectif *tannique.*

tancer v.t. ◆ **Conjug.** Le *c* devient *ç* devant *o* et *a* : *je tance, nous tançons ; il tança.* → annexe, tableau 9

tandis que loc.conj. ◆ **Prononc.** [tãdikə] ou [tãdsikə], en faisant entendre ou non le *s* final de *tandis.*

tangentiel, elle adj. ◆ **Orth.** Attention au groupe *-an-* avant le groupe *-en-*, et à la finale en *-tiel* (*tangentiel* est issu de *tangente*).

tango adj. inv. ◆ **Accord.** *Tango,* adjectif de couleur, est invariable : *des écharpes tango* (= d'un orangé foncé). → annexe, grammaire § 98

tanière n.f. ◆ **Orth.** Avec un seul *n.*

tanin, tannin n.m., **tanner** v.t., **tannerie** n.f. → tan

tant adv.
◆ **Emploi.**
1. *Tant,* adverbe de quantité, s'emploie avec un verbe, jamais avec un adjectif ou un adverbe : *je l'aime tant ; nous avons tant marché !* → si, **tellement.** En revanche, *tant* peut être employé devant une forme verbale : *un mari tant chéri.* Devant un adjectif, on emploie *si* : *il était si pâle qu'il nous a effrayés* (et non *il était tant pâle*). REM. L'emploi de *tant* devant un adjectif est aujourd'hui un archaïsme de style : « *Je trouvai la philosophie tant sotte, tant inepte* » (A. France).
2. *Tant* entre dans de nombreux tours figés. On dit : *tant s'en faut (que) ; tant et plus ; tant il y a que* ou *tant y a que* (= quoi qu'il en soit, enfin, bref) ; *tant et si bien que ; tant vaut..., tant vaut... (tant vaut le maître, tant vaut le chien) ; tant qu'on veut, on peut ; tant qu'il vous plaira ; tant bien que mal ; tous tant que nous sommes.*

3. *Tant qu'à faire* (= puisqu'il faut le faire de toute façon), considéré naguère comme familier, est maintenant admis. RECOMM. Attention, l'expression est bien *tant qu'à faire* (et non *quant à faire*). ❏ *À tant faire.* Le tour littéraire *à tant faire,* que l'on conseillait d'employer à la place de *tant qu'à faire,* paraîtrait aujourd'hui affecté dans l'usage courant, surtout à l'oral. ❏ *Tant qu'à* (+ infinitif) (= pour ce qui est de) est également admis : *tant qu'à modifier cette partie, autant tout changer.* RECOMM. Éviter en revanche *tant qu'à* (+ nom ou pronom). Dire *quant à* : *quant à moi, je suis pleinement satisfait.*
4. *Tant pis.* RECOMM. Ne pas dire *tant pire.*
5. *Tant que* (= aussi longtemps que) est correct dans tous les registres : *il travailla tant qu'il en eut la force.* ❏ *Tant que* (= pendant que) est familier : *tant que j'y suis ; tant que vous y êtes.* RECOMM. Dans l'expression soignée, on dit plutôt : *puisque j'y suis, pendant que vous y êtes.*
◆ **Constr.**
1. *En tant que* peut être suivi soit d'un nom (au sens de « en qualité de ») : *il a agi en tant que représentant du personnel,* soit d'un verbe (au sens de « dans la mesure où, pour autant que ») : *nous ne réussirons qu'en tant que nous resterons unis.*
2. *Si tant est que* (+ subjonctif) : *si tant est qu'il puisse s'exprimer.*
3. *Tant... que...* Dans ce tour comparatif, la symétrie de la construction doit être respectée : *il traite la question tant du point de vue économique que du point de vue politique* (et non : *tant du point de vue économique que politique*).
◆ **Accord.** *Tant de.* L'accord du verbe ou de l'adjectif se fait avec le nom qui suit *tant de* : *tant de soldats y ont laissé la vie, tant de crimes restés impuni,* mais *tant de générosité confond.*

tantôt adv. ◆ **Emploi.** L'emploi adverbial de *tantôt* (= cet après-midi) est correct : *je repasserai tantôt ; à tantôt.* L'emploi substantif, en revanche, est populaire ou régional : *il est resté avec nous tout le tantôt du dimanche.* ◆ **Constr.** *Tantôt... tantôt...* Dans ce tour, la symétrie de la construction doit être respectée : *tantôt vous regrettez le passé, tantôt vous le dénigrez* (et non : *vous regrettez tantôt le passé, tantôt vous le dénigrez*). ◆ **Accord.** Dans le tour *tantôt... tantôt,* le verbe reste au singulier si les deux sujets en corrélation sont au singulier : *tantôt un client, tantôt un voisin entrait dans la boutique ;* si l'un des sujets est au pluriel, le verbe prend la marque du pluriel : *tantôt des clients, tantôt un voisin entraient...*

taon n.m. ◆ **Prononc.** [tɑ̃], comme *tan.*

tapant, e adj. ◆ **Orth.** On écrit indifféremment : *à trois heures tapantes* ou *tapant,* mais toujours : *à midi, à minuit, à une heure tapant* → heure. ◆ **Registre.** Familier.

tapecul n.m. ◆ **Orth.** En un seul mot. REM. On trouve encore parfois la graphie vieillie *tape-cul,* avec un trait d'union.

tapoter v.t. ◆ **Orth.** Avec un seul *p* (comme *taper*) et un seul *t* (comme *suçoter*).

tarder v.i. ◆ **Constr. 1.** *Tarder à* (+ infinitif) : *il tarde à parler.* ❑ *Tarder de* (+ infinitif) n'est plus employé aujourd'hui que par archaïsme de style : « *Je ne tardai pas d'aller mieux* » (A. Gide). **2.** *Il me (te, lui,* etc.*) tarde de* (+ infinitif), *que* (+ subjonctif) : *il lui tarde d'agir ; il me tarde que nous soyons arrivés.*

tartufe, tartuffe n.m. et adj. ◆ **Orth.** Au sens de « faux dévot » ou d' « hypocrite », les deux graphies, *tartufe* et *tartuffe,* sont admises ; de même pour le dérivé *tartuferie* ou *tartufferie.* Mais le nom du personnage de Molière, *Tartuffe,* s'écrit avec deux *f.*

tâter v.t. → tâtonner

tatillon, onne adj. et n. ◆ **Orth.** Sans accent circonflexe sur le *a,* bien que ce mot dérive de *tâter.* ◆ **Accord.** On dit aussi bien *elle est tatillon* que *elle est tatillonne.*

tâtonner v.i. ◆ **Orth.** Avec un accent circonflexe sur le *a* (comme *tâter*) et deux *n.* De même pour *tâtonnant* et *tâtonnement.*

tâtons (à) loc. adv. ◆ **Orth.** Avec un accent circonflexe sur le *a* (comme *tâter*) et un *s* final (comme dans *à reculons*).

taveler v.t. ◆ **Conjug.** Attention à l'alternance *-ll-/-l- : la moisissure tavelle les murs ; elle les tavelait, les tavela, les tavellera.* → annexe, tableau 16 et R.O. 1990

taxe n.f. ◆ **Orth.** S'écrit avec un *s* dans l'expression *hors taxes : ce prix s'entend hors taxes.*

taxer v.t. ◆ **Constr.** *Taxer de* (= accuser de) se construit toujours avec un nom (mais jamais avec un adjectif, à la différence de *traiter*) : *taxer qqn de sottise* (mais : *traiter qqn de sot*).

Te Deum n.m. ◆ **Prononc.** [tedeɔm], le *u* se prononce comme dans *maximum.* ◆ **Orth.** En deux mots avec majuscules, sans trait d'union (mots latins non francisés, début du cantique *Te Deum laudamus,* Dieu, nous te louons). - Plur. : *des Te Deum* (invariable).

Teflon n.m. ◆ **Prononc.** [teflɔ̃], le mot se prononce comme s'il était écrit *téflon.* ◆ **Orth.** Avec une majuscule (nom déposé) et un *e* sans accent, en dépit de la prononciation.

teindre v.t. / **teinter** v.t. ◆ **Conjug.** *Teindre :* comme *craindre.* → annexe, tableau 62. ◆ **Sens.** *Teindre,* c'est « imprégner d'un colorant », alors que *teinter,* c'est « donner une teinte, une coloration légère à ».

tel, telle adj. et pron. indéfini ◆ **Accord. 1.** *Tel* (+ nom ou pronom). *Tel* s'accorde normalement avec le nom ou le pronom qui suit : *telle est ma volonté ; il est l'auteur de plusieurs beaux ouvrages, telles les* Méditations littéraires *; quelques-uns de ses collègues, tel Jacques Dupuy, l'ont sollicité ; les écoliers s'égaillèrent telle une volée de moineaux.* **2.** *Tel que. Tel* s'accorde avec le substantif qui précède : *de beaux ouvrages tels que les* Méditations littéraires *; quelques-uns de ses collègues tels que Jacques Dupuy...* **3.** *Tel quel* (= tel qu'il est, sans changement). Les deux éléments, *tel* et *quel*, s'accordent avec le nom auquel ils se rapportent : *j'ai laissé la chambre telle quelle.* **4.** *Comme tel, en tant que tel. Tel* s'accorde avec le nom, exprimé ou sous-entendu, auquel il se rapporte : *des personnalités considérées comme des invités d'honneur et traitées comme tels* (= comme des invités d'honneur) *; ces objections en tant que telles ne sont pas infondées mais elles sont exprimées au mauvais moment.* **5.** *Tel et tel, tel ou tel* s'emploient le plus souvent au singulier : *tel et tel instrument, telle ou telle hypothèse.* - Toutefois, l'emploi au pluriel est possible si l'on envisage plusieurs choses ou plusieurs êtres : « *La présence de tels et tels hommes* » (Fr. Mauriac). ❑ Après *tel et tel,* le verbe est en général au pluriel : *tel et tel personnage restent muets.* - Toutefois, le singulier est possible lorsque la locution marque le caractère vague ou indéterminé de ce dont on parle : *telle et telle issue à la crise est envisageable, mais le problème doit être réglé.* ❑ Après *tel ou tel,* le verbe est toujours au singulier : *si telle ou telle solution vous paraît meilleure, dites-le.* ◆ **Constr.** *Tel,* employé comme attribut en tête de proposition, entraîne l'inversion du sujet : *puisque tel est votre désir.* ◆ **Orth.** *Un tel, une telle.* → **untel**. ◆ **Registre.** L'emploi de *tel que* pour *tel quel* est familier et relève de l'usage oral : *ses paroles étaient reproduites telles que.*

télé- préf. ◆ **Orth.** Les composés formés avec *télé-* (du grec *têle,* loin, au loin, loin de) s'écrivent en un seul mot, même si le radical commence par une voyelle : *téléachat, téléécriture, téléinformatique, téléobjectif,* etc. REM. Beaucoup de mots commençant par *télé-* ont été formés, non pas directement avec cet élément, mais à partir d'un mot français formé avec lui : *télécarte* (de *téléphone* et *carte*), *téléfilm* (de *télévision* et *film*), *téléport* (de *télécommunication* et *port*), *télésiège* (de *téléphérique* et *siège*), par exemple.

Téléfax n.m. ◆ **Orth.** Avec une majuscule (nom déposé). → aussi **fax**

téléphérique n.m. ◆ **Orth.** Avec *-ph-*. La graphie *téléférique* est vieillie.

télescope n.m. ◆ **Orth.** *Télescope* ne prend pas d'accent sur le deuxième *e,* de même que *télescoper, télescopage, télescopique.*

télétexte n.m. / **télex** n.m. ◆ **Orth. et sens.** Ne pas confondre ces deux mots de forme proche. **1.** *Télétexte* = vidéographie diffusée, transmission de messages sur l'écran d'un téléviseur à partir d'un signal de télévision ou d'une ligne téléphonique. RECOMM. Ne pas confondre *télétexte* avec *Télétex,* nom déposé d'un service télématique de transmission de textes. **2.** *Télex* = service télégraphique permettant la transmission de messages écrits par téléimprimeurs.

tellement adv. ◆ **Emploi. 1.** *Tellement / si. Tellement* peut remplacer *si,* en particulier devant *que* introduisant une subordonnée de conséquence : *il est tellement absorbé par sa lecture qu'il n'a pas entendu.* **2.** *Tellement / tant. Tellement* peut être mis pour *tant* avec un verbe : *elle a tellement souffert !* **3.** *Tellement quellement* (= tant bien que mal) est aujourd'hui sorti de l'usage : « *Le nuage flottant*

au-dessus de nos têtes nous garantissait tellement quellement de la piqûre des maringouins »
(Chateaubriand). **4.** *Avoir tellement envie
(faim, peur, soif, etc.).* → envie. ◆ **Constr. 1.**
Tellement... que est suivi de l'indicatif ou
du conditionnel dans une phrase affirmative *(j'ai tellement insisté qu'il a fini par
céder)* et du subjonctif dans une phrase
négative ou interrogative *(ça n'est pas tellement grave qu'il faille l'opérer).* **2.** *Tellement,*
introduisant une subordonnée expri-
mant la cause, s'emploie sans *que : il dut
s'arrêter tellement il était épuisé* (et non *tellement qu'il était épuisé).*

témoigner v.t et v.i. ◆ Constr. 1.
Témoigner qqch. à qqn = montrer, manifester. *Il m'a témoigné son amitié.* **2.**
Témoigner que (+ indicatif), *témoigner* (+
infinitif passé) = certifier. *Je témoigne qu'il
était présent ; je témoigne l'avoir vu.* **3.**
Témoigner de qqch. = se porter garant de ;
manifester, être le signe de. *Nous témoi-
gnons de sa bonne foi ; ces paroles témoignent
d'un grand courage.* **4.** *Témoigner* v.i. =
faire une déclaration, une déposition en
tant que témoin. On dit *témoigner en
faveur de qqn* plutôt que *pour qqn.*

témoin n.m. et adj. ◆ Genre. Toujours
masculin, même pour désigner une
femme : *elle était mon témoin à notre
mariage.* ◆ **Orth. 1.** Toujours au pluriel
dans l'expression *sans témoins : je souhaite
vous parler sans témoins.* **2.** *Témoin,*
employé comme une conjonction en
tête d'une proposition, reste toujours
invariable : *« Témoin ces deux mâtins qui,
dans l'éloignement, / Virent un âne mort qui
flottait sur les ondes »* (La Fontaine). ◆
Accord. 1. *Témoin,* employé en fonction d'épithète, s'accorde en nombre
avec le nom auquel il se rapporte : *des
appartements témoins, des buttes témoins*
(sans trait d'union). **2.** *Témoin* reste
invariable dans la locution *prendre à
témoin* (= invoquer le témoignage de) : *je
vous prends tous à témoin.* ❑ En revanche,

dans la locution *prendre pour témoin,*
témoin s'accorde avec le complément : *ils
ont pris pour témoins deux employés de la
mairie.*

tempérer v.t. ◆ Conjug. Attention à
l'accent, tantôt grave, tantôt aigu : *je
tempère, nous tempérons ; il tempérera.* →
annexe, tableau 11 et R.O. 1990

temporaire adj. / temporel, elle
adj. ◆ **Sens.** Ne pas confondre ces deux
adjectifs de forme proche. **1.** *Temporaire*
= provisoire, qui ne dure qu'un temps.
Emploi temporaire. **2.** *Temporel* = relatif au
temps (par opposition, notamment, à
spatial et à *éternel* ou *spirituel). Mémoire tem-
porelle et mémoire spatiale ; biens temporels et
biens spirituels.*

temps n.m. ◆ Orth. 1. On écrit au sin-
gulier : *de tout temps, en tout temps, quelque
temps, en temps et lieu, en temps utile, de
temps à autre, à temps perdu.* - On dit, on
écrit, indifféremment au singulier ou au
pluriel : *par le temps qui court, par les temps
qui courent.* **2.** *Entre-temps,* avec un trait
d'union. **3.** *Au temps / autant.* Le commandement *au temps* indique (dans les
exercices militaires, en gymnastique, en
escrime, etc.) un retour au mouvement
(temps) précédent. Au figuré, *au temps
pour moi* se dit pour reconnaître qu'on
s'est trompé et qu'on est prêt à revenir
au point de départ pour reconsidérer les
choses. *« Il avait dit gaiement "Au temps
pour moi !" »* (J.-P. Sartre). **RECOMM.** Écrire
au temps pour moi plutôt que *autant pour
moi,* que l'on rencontre parfois. ◆ **Emploi.**
1. *Dans le temps / du temps / au temps.*
On dit : *dans le temps où,* ou, plus soutenu et légèrement vieilli, *dans le temps
que ; du temps où (de),* ou, plus soutenu
et légèrement vieilli, *du temps que ; au
temps où (de) ; de mon temps* (= à l'époque
de ma jeunesse, lorsque j'exerçais encore
telle activité, etc.) ; *dans le temps* (= autrefois). **2.** *Le temps matériel.* Cette locution,

fréquente dans l'usage oral courant, est critiquée (le temps étant immatériel). Dans l'expression soignée, préférer *le temps nécessaire : je n'aurai jamais le temps nécessaire pour finir mon travail* (et non *le temps matériel de finir mon travail).* ◆ **Constr.** 1. *Le temps de* (+ infinitif), *que* (+ subjonctif) : *le temps de m'habiller et j'arrive ! ; le feu avait pris, et le temps que les pompiers soient là, tout avait brûlé.* **2.** *Il est temps de* (+ infinitif), *que* (+ subjonctif) : *il est temps de rentrer chez vous ; il était temps que nous nous mettions à l'abri.*

temps (concordance des) → annexe, grammaire, § 91

temps surcomposés → annexe, grammaire, § 92.

tenace adj. ◆ **Orth.** *Tenace* s'écrit sans accent, à la différence de son dérivé *ténacité,* qui prend deux accents aigus.

tenaille n.f. ou n.f. plur. ◆ **Nombre.** S'emploie le plus souvent au pluriel *(des tenailles)* mais le singulier *(une tenaille)* n'est pas fautif. REM. La plupart des mots qui désignent un objet composé de deux parties hésitent entre le pluriel (alors qu'il n'y a qu'un seul objet) et le singulier : c'est le cas pour *cisaille (une cisaille* ou, plus fréquemment, *des cisailles), haltère (un haltère* ou, plus fréquemment, *des haltères), moustache (une moustache* ou *des moustaches),* etc. Certains de ces mots se sont définitivement fixés au pluriel, comme *jumelles (des jumelles* et non *une jumelle).*

tendant part. présent → tendre

tendre v.t. et v.t.ind. ◆ **Conjug.** Comme *vendre.* → annexe, tableau 59. ◆ **Accord.** *Tendant à.* Participe présent, donc toujours invariable : *des mesures tendant à* (et non *tendantes à) réduire le déficit budgétaire.* ◆ **Constr.** *Tendu de.* Il faut dire *une pièce tendue de noir* (= tapissée de noir) avec la préposition *de* et non *tendue en noir.*

tendresse n.f. / **tendreté** n.f. ◆ **Emploi.** Ne pas employer *tendresse* pour *tendreté,* bien qu'à ces deux noms corresponde un seul adjectif, *tendre.* 1. *Tendresse* concerne le domaine des sentiments : *la tendresse d'une mère pour son enfant ; un élan de tendresse.* **2.** *Tendreté* concerne les matières (notamment les denrées) : *la tendreté d'un calcaire ; la tendreté d'un gigot.*

tendron n.m. ◆ **Genre.** Toujours au masculin, bien que le mot désigne une très jeune femme : *il s'est amouraché d'un tendron, bien qu'il approche la cinquantaine.* ◆ **Accord.** L'accord de l'adjectif se rapportant à *tendron* se fait au masculin : *« Près d'elle un joli tendron / La belle digue digue / La belle digue don »* (*Aux oiseaux,* vieille chanson populaire). Toutefois, l'accord pour le sens, au féminin, se rencontre également : *un tendron de dix-sept ans, mignonne comme un cœur.* ◆ **Registre.** Familier.

ténèbres n.f. plur. ◆ **Nombre et registre.** Toujours au pluriel dans le registre courant : *marcher dans les ténèbres, être environné d'épaisses ténèbres.* On rencontre parfois le singulier dans la langue littéraire : *« L'immuable ténèbre d'un incompréhensible ciel »* (J.-K. Huysmans).

ténia, tænia n.m. ◆ **Orth.** Les deux formes sont correctes. La forme francisée avec *é, ténia,* est beaucoup plus fréquente que la forme latine *tænia.* - Plur. : *des ténias, des tænias.*

tenir v.t., v.i., v.t.ind. et v.pr. ◆ **Conjug.** Comme *venir.* → annexe, tableau 28. ◆ **Accord.** *Se tenir,* v.pr. : l'accord du participe passé dépend du sens et de la place du complément d'objet. **1. Accord avec le sujet :** *elles s'en sont tenues à ce que nous avions décidé ; elles se sont tenues loin du bord ; elles se sont tenues l'une à l'autre, elles se sont tenues par les poignets.*

2. Accord avec le complément d'objet placé avant le verbe : *les harangues qu'ils se sont tenues* (= les harangues qu'ils ont tenues l'un à l'autre).

3. Participe invariable (complément d'objet placé après le verbe) : *elles se sont tenu les poignets.*

◆ **Constr.**

1. *Tenir qqn, qqch. pour* (+ attribut) : *je la tiens pour une collaboratrice très consciencieuse ; les experts tiennent cette œuvre pour authentique.* Cette construction est courante dans tous les registres. En revanche, la construction sans *pour,* naguère courante, n'est plus employée que dans le registre soutenu : *la plupart des observateurs tiennent désormais battu le candidat sortant.*

2. *Il tient à* (+ pronom) *que* (+ subjonctif) : *il tient à vous que nous partions demain ou que nous devions différer notre départ.* - On n'emploie plus le *ne* explétif naguère en usage après les formes négative et interrogative : *il ne tenait pas à vous que l'affaire ne réussît* (Larousse du XXe s.) ; *à quoi tenait-il que l'affaire ne réussît ?* On dirait aujourd'hui : *il ne tenait pas à vous que l'affaire réussît* (ou *réussisse,* avec le subjonctif présent) ; *à quoi tenait-il que l'affaire réussisse ?*

3. *Tenir à ce que.* Au sens de « souhaiter vivement que », l'expression se construit avec le subjonctif : *elle tient absolument à ce que vous veniez dîner.* - Au sens de « provenir de », elle se construit avec l'indicatif : *ses échecs tiennent à ce qu'il prend ses souhaits pour la réalité.*

4. *Être tenu de* (+ infinitif) : *vous êtes tenu d'assister à toutes les réunions.* - La construction avec *à,* quoique correcte, est beaucoup moins fréquente : *vous n'êtes pas tenu à venir tous les jours.*

5. *Être tenu à* (+ nom) : *il est tenu au devoir de réserve.*

◆ **Emploi.** *Tenir que* (= affirmer, soutenir que), courant dans la langue classique, ne se dit plus. « *Petit poisson deviendra grand* [...] *Mais le lâcher en attendant, / Je tiens pour moi que c'est folie* » (La Fontaine).

tennisman n.m. ◆ **Orth.** Plur. : *des tennismans*, à la française, ou *des tennismen* à l'anglaise. ◆ **Anglic.** Ce faux anglicisme (on dit en anglais *tennis player*) est de plus en plus souvent remplacé aujourd'hui par son équivalent français *joueur de tennis.*

tension n.f. ◆ **Emploi.** *Avoir de la tension.* Dans le registre non surveillé, *avoir de la tension* est souvent employé au sens de « avoir de l'hypertension, avoir une tension artérielle trop élevée ». Cet emploi est abusif en médecine : la tension, ou pression exercée par le sang sur les artères, est un phénomène normal ; il n'est pathologique que lorsque la valeur de la pression est trop élevée. **RECOMM.** Dans l'expression soignée, préférer *avoir de l'hypertension, avoir trop de tension.*

tentacule n.m. ◆ **Genre.** Masculin : *un tentacule.*

tente-abri n.f. ◆ **Orth.** Avec un trait d'union. - Plur. : *des tentes-abris.*

Tergal n.m. ◆ **Orth.** Toujours avec une majuscule (nom déposé) : *un Tergal clair.* - Plur. : *des Tergals.*

terme n.m. ◆ **Orth.** 1. On écrit *terme,* au singulier, dans : *marché à terme ; à court terme, à moyen terme, à long terme.* - On écrit *termes,* au pluriel, dans : *en termes de* (*en termes de droit, de médecine,* etc.) ; *en d'autres termes, en termes choisis ; il s'est exprimé en propres termes.* - *Être en bons, en mauvais termes avec qqn.* 2. *Au terme de / aux termes de.* Attention à l'orthographe de ces deux expressions, qui change selon le sens. ❑ *Au terme de* (= à la fin de) : *terme* est au singulier. *Il espère être titularisé au terme de son stage.* ❑ *Aux termes de* (= d'après les mots de, selon le sens de) : *termes* est au pluriel. *Aux termes du Code pénal, cette infraction est un délit.*

terre, Terre n.f. ◆ **Orth.** 1. *La Terre* (= planète du système solaire habitée par l'homme), toujours avec une majuscule : *la Terre tourne autour du Soleil ; l'atmosphère de la Terre comparée à celles de Mars et de Vénus.* - Avec une minuscule dans tous les autres sens : *il a parcouru la terre et les mers, les animaux qui vivent sous terre, cultiver une terre grasse et fertile, des terres argileuses,* etc. **2.** *Terre à terre* (= qui ne s'intéresse qu'aux aspects matériels de la vie courante) s'écrit sans trait d'union et reste invariable : *elles sont très terre à terre.* ❑ On écrit *mettre pied à terre,* sans trait d'union, mais *un pied-à-terre* (= un logement que l'on occupe occasionnellement), avec un trait d'union. ◆ **Sens et registre.** *À terre / par terre.* Les deux expressions sont équivalentes pour le sens ; *par terre* est plus courant, *à terre* plus soutenu. REM. Littré distinguait entre *à terre,* employé pour les objets qui, avant une chute, n'ont pas de contact avec le sol, et *par terre,* employé pour les objets reposant sur le sol : *le tableau est tombé à terre,* mais *la chaise est tombée par terre.* Cette distinction n'a plus cours.

terre-neuvas n.m. inv. ou **terre-neuvier** n.m. / **terre-neuvien, enne** adj. et n. ◆ **Prononc.** *Terre-neuvas :* [tɛʀnœva], *neuvas* se prononce avec le son *eu,* comme dans *beurre,* et sans faire entendre le *s* final. ◆ **Sens.** Ne pas confondre. **1.** *Les terre-neuvas* ou *terre-neuviers* (avec des minuscules) = les bateaux équipés pour la pêche sur les bancs de Terre-Neuve ; les marins de ces bateaux. *Un terre-neuvas, un terre-neuvier.* **2.** *Terre-neuvien, enne* (avec des minuscules) = de Terre-Neuve. *Les ressources terre-neuviennes.* ❑ *Les Terre-Neuviens, ennes* (avec des majuscules) = les habitants, les habitantes de Terre-Neuve. ◆ **Orth.** Dans tous ces mots, *terre* reste invariable.

terre-neuve n.m. inv. ◆ **Orth.** *Terre-neuve* (= chien) s'écrit avec des minuscules et avec un trait d'union. - Plur. : *des terre-neuve* (invariable).

terre-plein n.m. ◆ **Orth.** Attention au trait d'union et au pluriel : *des terre-pleins* (avec un *s* à *plein*). → R.O. 1990

terril, terri n.m. ◆ **Prononc.** *Terril :* [tɛʀi], sans faire entendre le *l* final, ou [tɛʀil], en faisant sonner le *l*. La première prononciation est celle du nord de la France, d'où le mot est originaire. ◆ **Orth.** Les deux graphies, *terril* et *terri,* sont admises ; *terril* est aujourd'hui plus fréquent.

testament n.m. ◆ **Orth.** Toujours avec majuscule dans *l'Ancien Testament, le Nouveau Testament.*

tête n.f. ◆ **Orth. 1.** *À tue-tête.* Attention au trait d'union. **2.** *En tête à tête* loc. adv., s'écrit sans trait d'union : *se voir en tête à tête, dîner en tête à tête.* Mais on écrit *avoir un tête-à-tête.* → **tête-à-tête,** ci-dessous. REM. *Tête à tête,* sans *en* et sans trait d'union, considéré naguère comme seul correct, est aujourd'hui vieilli : *nous avons longuement parlé tête à tête.* ◆ **Emploi. 1.** On dit, on écrit : *garder son chapeau sur la tête, avoir mal à la tête, se laver la tête* (et non : *garder son chapeau sur sa tête, avoir mal à sa tête, laver sa tête*). - En revanche, on dit : *garder sa tête, avoir toute sa tête* (= conserver intactes toutes ses facultés mentales). **2.** *Mauvaise tête* (= personne volontaire et obstinée, d'un caractère difficile) est une expression figée. On dit *il n'y a pas plus mauvaise tête que lui* (et non : *il n'y a pas plus mauvaise tête que la sienne*).

tête-à-queue n.m. inv. ◆ **Orth.** Avec deux traits d'union. - Plur. : *des tête-à-queue* (invariable).

tête-à-tête n.m. inv. ◆ **Orth.** *Tête-à-tête* (= situation, entretien de deux personnes seule à seule) s'écrit avec deux traits d'union : *les deux chefs d'État ont eu un tête-à-tête d'environ une heure.* → aussi **tête,** ci-dessus. - Plur. : *des tête-à-tête* (invariable).

tête-bêche loc. adv. ◆ **Orth.** Avec un trait d'union et toujours invariable : *elles ont dormi tête-bêche.*

tête-de-clou n.f. ◆ **Orth.** Avec deux traits d'union. - Plur. : *des têtes-de-clou* (*s* à *tête* uniquement).

tête-de-loup n.f. ◆ **Orth.** Avec deux traits d'union - Plur. : *des têtes-de-loup* (*s* à *tête* uniquement).

tête-de-Maure n.f. et adj. inv. ◆ **Orth.** Avec deux traits d'union. Attention à la majuscule. - Plur. : *des têtes-de-Maure* (= des fromages de Hollande), avec un *s* à *tête* uniquement. ◆ **Accord.** *Tête-de-Maure,* adjectif de couleur (= d'une couleur brun foncé), reste invariable : *des habits tête-de-Maure.*

1. **tête-de-nègre** n.f ◆ **Orth.** *Tête-de-nègre* (= champignon ; gâteau) s'écrit avec deux traits d'union. - Plur. : *des têtes-de-nègre* (*s* à *tête* uniquement).

2. **tête-de-nègre** n.m. inv. et adj. inv. ◆ **Orth.** *Tête-de-nègre* (= couleur brun foncé) s'écrit avec deux traits d'union. - Plur. : *des tête-de-nègre* (invariable) *obtenus avec des pigments de synthèse ; des chemises tête-de-nègre* (invariable).

téter v.t. et v.i. ◆ **Orth.** Avec un accent aigu comme ses dérivés *téterelle, tétin, tétine, téton.* Ne pas se laisser influencer par *tête.* REM. *Téter* et *tête* n'ont aucun rapport. *Téter* est issu de *tette,* sein, mamelle ou tétine. ◆ **Conjug.** Attention à l'accent, tantôt grave, tantôt aigu : *je tète, nous tétons ; il tétera.* → annexe, tableau 11 et R.O. 1990

texto adv. → textuel

textuel, elle adj. / **textuellement** adv. ◆ **Registre. 1.** *Textuel, textuellement,* employés elliptiquement au sens de « mot pour mot », à propos de paroles que l'on cite (et non d'un texte écrit), sont populaires : *on m'a répondu que les bureaux fermaient à trois heures. Textuel !* En revanche, *textuel* et *textuellement* sont corrects dans tous les registres lorsqu'ils sont employés dans des constructions non elliptiques et concernent un texte, un écrit : *traduction textuelle ; « Les bureaux ferment à trois heures », voilà textuellement ce que l'on pouvait lire.* **2.** *Texto,* souvent employé au sens de « mot pour mot » pour *textuellement* ou pour *textuel,* est toujours familier.

T.G.V. n.m. ◆ **Orth.** Sigle avec majuscules et points abréviatifs. Le nom développé, *train à grande vitesse,* s'écrit sans majuscules et sans traits d'union.

thalasso- préf. ◆ **Orth.** Avec *th-* (du grec *thalassa,* la mer). Les composés formés avec *thalasso-* s'écrivent en un seul mot : *thalassocratie, thalassothérapie.*

thalweg n.m. ◆ **Orth.** → talweg

thé n.m. ◆ **Emploi.** Le *thé* provient de l'*arbre à thé* ou *théier : cultiver le théier ; récolter le thé.*

thermo- préf. ◆ **Orth.** Les composés formés avec *thermo-* (du grec *thermos,* chaud) s'écrivent tous en un seul mot : *thermochimie, thermoélectrique.* Attention au *i* tréma de *thermoïonique.*

Thermos n.f. ◆ **Orth.** Toujours avec une majuscule (nom déposé).

thésauriser v.t. ◆ **Orth.** Avec *th-* et *-au-* (ne pas se laisser influencer par le *o* de *trésor,* malgré la parenté d'étymologie et de sens des deux mots). REM. *Trésor* et *thésauriser* sont issus l'un et l'autre du latin *thesaurus* (du grec *thêsauros,* dépôt d'argent, d'objets précieux), mais *thésauriser,* emprunt savant tardif (fin du XIVe s.), a gardé une forme plus proche du latin.

thèse n.f. ◆ **Accord.** On écrit *un film à thèse, un roman à thèse,* avec *thèse* au singulier.

tic n.m. / **tique** n.f. ◆ **Orth. et sens.** Ne pas confondre *un tic* (= un geste machinal et répétitif) et *une tique* (= un parasite des animaux domestiques et de l'homme)

ticket n.m. → billet

tic-tac n.m. inv. ◆ **Orth.** Le substantif s'écrit avec un trait d'union, l'onomatopée sans trait d'union : *le tic-tac d'une montre mécanique* (mais *ma montre fait tic tac*). - Plur. : *des tic-tac* (invariable).

tiède adj. ◆ **Orth.** Attention, *tiède* ainsi que *tièdement* s'écrivent avec un accent grave, alors que *tiédeur* et *tiédir* s'écrivent avec un accent aigu.

tiers n.m. ◆ **Accord.** *Le tiers de, des (le tiers des présents s'est déclaré hostile au projet ; le tiers des gens étaient opposés au projet ; le tiers de l'assemblée était opposée au projet).* → moitié

tiers, tierce adj. ◆ **Orth. 1.** *Tiers* fait *tierce* (avec un *c*) au féminin : *une tierce personne.* REM. On retrouve le radical *tierc-* dans *tiercé* et *tiercer.* **2.** On écrit sans trait d'union et sans majuscule : *le tiers état, le tiers ordre , le tiers parti.*

tiers-monde n.m. ◆ **Orth.** Avec un trait d'union. De même pour les dérivés *tiers-mondisme* et *tiers-mondiste.* - Plur. : *tiers-mondes* (quasi inusité).

tiers-point n.m. ◆ **Orth.** Avec un trait d'union. - Plur. : *des tiers-points.*

tigron, tiglon n.m. ◆ **Orth.** Les deux formes, *tigron* et *tiglon,* sont admises. *Tigron* est plus fréquent.

timbale n.f. ◆ **Orth.** Avec un *i.* ◆ **Sens.** Ne pas confondre avec *cymbale.* → cymbale

timbre n.m. ◆ **Orth.** On écrit avec un trait d'union : *timbre-amende, timbre-poste, timbre-quittance.* - Plur. : *des timbres-amendes, des timbres-poste,* sans s à *poste* (= des timbres de la poste), *des timbres-quittances.*

time-sharing n.m. ◆ **Anglicisme.** Temps partagé, en informatique. RECOMM. Préférer *temps partagé.*

timing n.m. ◆ **Anglicisme.** Ce mot est fréquemment employé comme un synonyme de *calendrier, chronologie, chronométrage, synchronisation, minutage,* en fonction du contexte. RECOMM. Préférer les équivalents français.

timonier n.m. ◆ **Orth.** Avec un seul *n,* de même que le dérivé *timonerie.*

tintouin n.m. ◆ **Orth.** Avec un *u.*

tique n.f. → tic

tire- élément de composition ◆ **Orth.** Noms composés avec *tire-* (verbe *tirer*). *Tire-* ne prend jamais la marque du pluriel. V. tableau ci-dessous et R.O. 1990

Graphies et pluriels des mots composés avec *tire-*

Composés invariables avec le dernier élément au singulier

Un tire-au-cul, des tire-au-cul
Un tire-au-flanc, des tire-au-flanc
Un tire-fond, des tire-fond
Un tire-laine, des tire-laine
Un tire-lait, des tire-lait

Composé invariable avec le second élément au pluriel

Un tire-fesses, des tire-fesses

Composés prenant le -s du pluriel au second élément

Un tire-bonde, des tire-bondes
Un tire-botte, des tire-bottes
Un tire-bouchon, des tire-bouchons
Un tire-clou, des tire-clous
Un tire-ligne, des tire-lignes
Un tire-nerfs, des tire-nerfs

Composé avec le second élément au singulier, considéré soit comme invariable soit comme prenant le -s du pluriel au second élément

Un tire-braise, des tire-braise ou des tire-braises.

tire-bouchonner, tirebouchonner v.i. ◆ **Orth.** Les deux graphies, *tirebouchonner,* avec un trait d'union, ou *tirebouchonner,* en un seul mot, sont admises aujourd'hui. *Tirebouchonner,* en un seul mot, est de plus en plus fréquent.

tire-d'aile (à) loc. adv. ◆ **Orth.** On écrit *à tire-d'aile,* sans *s* à *aile*

tire-larigot (à) loc. adv. ◆ **Orth.** On écrit *à tire-larigot,* avec un trait d'union. ◆ **Registre.** Familier.

tirelire n.f. ◆ **Orth.** En un seul mot.

tirer v.t. ◆ **Registre.** 1. *Se tirer d'affaire / s'en tirer.* Les deux expressions sont admises. *Se tirer d'affaire* appartient à l'expression soignée, *s'en tirer* est plus courant. 2. *Se tirer* (= partir, s'en aller) est familier. ◆ **Emploi.** *Tirer avantage, satisfaction, profit de qqch. :* dans ces locutions figées, les substantifs *avantage, satisfaction, profit* ne sont pas précédés de l'article et sont toujours au singulier.

tiret → annexe, ponctuation § 18

tiroir-caisse n.m. ◆ **Orth.** Avec un trait d'union. - Plur. : *des tiroirs-caisses.*

tissu-éponge n.m. ◆ **Orth.** Avec un trait d'union. - Plur. : *des tissus-éponges.*

titan n.m. ◆ **Orth.** Ne prend pas de majuscule, sauf quand le mot, pris au sens propre, désigne les personnages de la mythologie : *un travail de titan,* mais *selon les anciens Grecs, les Titans gouvernaient le monde avant Zeus.*

titillation n.f. ◆ **Prononc.** [titijasjɔ̃], avec le son *ya* comme dans *paillasson* ou [titilasjɔ̃], avec le son *la* comme dans *salade.* La prononciation avec le son *ya* est beaucoup plus fréquente.

titiller v.t. ◆ **Prononc.** [titije], la finale -*iller* se prononce comme dans *piller.*

titre d'ouvrage → annexe, grammaire § 104 à 106

toast n.m. ◆ **Prononc.** [tost], sans faire entendre le *a.*

toboggan n.m. ◆ **Orth.** Avec un seul *b* et deux *g.*

tocade n.f. → toquade

tocard, toquard adj. et n.m. ◆ **Orth.** Les deux graphies, *tocard* et *toquard,* sont admises. *Tocard,* avec un *c,* est plus fréquent. Noter la finale en *d,* comme dans *bavard, veinard, ringard.*

toccata n.f. ◆ **Orth.** Plur. : *des toccatas ;* le pluriel à l'italienne, *des toccate,* n'est guère usité que dans les ouvrages savants.

tohu-bohu n.m. inv. ◆ **Orth.** Avec un trait d'union. → R.O. 1990. - Plur. : *des tohu-bohu* (invariable). REM. L'emploi du mot au pluriel est rare.

toi pron. personnel ◆ **Accord.** *Toi qui.* L'accord se fait à la deuxième personne, comme avec *tu : toi qui aimes Mozart* (et non **toi qui aime*). ◆ **Emploi.** Après un verbe à l'impératif ayant pour complément *en* ou *y, toi* s'élide en *t' : souviens-t'en, mets-t'y, jette-t'y* (et non : **souviens-toi-z-en, *mets-toi-z-y, *jette-toi-z-y*). → aussi **t**

toiletter v.t. ◆ **Emploi.** *Toiletter* signifie au sens propre « nettoyer, brosser, tondre, etc., un animal domestique (en particulier un chien) ». - Au sens figuré, le mot est souvent employé aujourd'hui pour « modifier légèrement qqch. (un texte législatif, en particulier) pour l'améliorer, le moderniser » ; considéré naguère comme familier, cet emploi tend à passer dans l'usage courant : *toiletter la Constitution.*

toit n.m. ◆ **Orth.** *Toit* s'écrit sans accent circonflexe. De même : *toiture.*

tokaj, tokay, tokaï n.m. / **tokay** n.m.
♦ **Prononc. 1.** *Tokaj, tokay, tokaï* (= vin
de Hongrie) : [tɔkaj], avec le son *-ail*
comme dans *ail*. **2.** *Tokay* (= cépage alsacien) : [tɔkɛ], avec le son *ai*, comme dans
quai.

tolérer v.t. ♦ **Conjug.** Attention à l'accent, tantôt grave, tantôt aigu : *je tolère,*
nous tolérons ; il tolérera. → annexe, tableau
11 et R.O. 1990. ♦ **Constr.** *Tolérer que*
(+ subjonctif), *de* (+ infinitif) : *les proprié-*
taires tolèrent qu'on vienne dans le parc ; il ne
tolère pas d'être contredit.

tombe n.f. / **tombeau** n.m. ♦ **Sens.**
Ne pas employer l'un pour l'autre ces
deux mots que sépare une importante
nuance de sens. **1.** *Tombe* n.f. = endroit
où un mort est enterré ; fosse recouverte
ou non d'une dalle de pierre, de marbre,
etc. **2.** *Tombeau* n.m. = monument funéraire plus ou moins imposant élevé sur
une tombe. « *Il faut de grands tombeaux aux*
petits hommes et de petits tombeaux aux
grands » (Chateaubriand).

tomber v.i. et v.t. ♦ **Conjug.** Avec
l'auxiliaire *être* dans ses emplois intransitifs : *je suis tombé.* Avec l'auxiliaire *avoir*
dans ses emplois transitifs : *j'ai tombé la*
veste. ♦ **Registre.** L'emploi transitif de
tomber, admis dans la langue du sport *(le*
club de N. a tombé dimanche son plus dange-
reux concurrent pour le titre) est, dans les
autres domaines, familier *(tomber la veste)*
ou très familier (*elle tombe tous les garçons*
qu'elle veut, elle les séduit). ♦ **Constr.**
Tomber d'accord que (+ indicatif) : *ils sont*
tombés d'accord qu'il fallait partir très tôt.

tome n.m. ♦ **Orth.** *Tome* (= division
d'un ouvrage, volume) s'écrit toujours
avec un seul *m*, à la différence de *tomme*
ou *tome* (= fromage), que l'on peut écrire
indifféremment avec un ou deux *m* (v.
ci-après).

tomme, tome n.f. ♦ **Orth.** Les deux
graphies, *tomme* et *tome*, sont admises

pour désigner le fromage : *de la tomme* (ou
de la tome) de Savoie. Tomme, avec deux *m,*
est plus fréquent. - Ne pas confondre
avec *tome* (= division d'un ouvrage). V. ci-
dessus

tommette, tomette n.f. ♦ **Orth.**
Les deux graphies, *tommette* et *tomette,*
sont admises. *Tommette,* avec deux *m,*
est plus fréquent

ton n.m. ♦ **Emploi.** *Sur un ton / d'un*
ton. Sauf dans quelques expressions
figées *(sur tous les tons, sur ce ton),* on peut
employer indifféremment *sur* ou *de* : *il*
dit tout cela sur un ton sentencieux, d'un ton
sentencieux.

ton, ta, tes adj. possessif ♦ **Prononc.**
et orth. *Ton action. Ta* devient *ton*
devant une voyelle ou un *h* muet : *ton*
action, ton habitation.

tonal, e, als adj. ♦ **Orth.** Attention au
masculin pluriel : *des systèmes tonals.*

tondre v.t. ♦ **Conjug.** Comme *vendre.*
→ annexe, tableau 59

tonner v.i. ♦ **Orth.** Attention, *tonner*
s'écrit avec deux *n* comme *tonnerre.* Ne
pas se laisser influencer par *détoner*
(= exploser) qui n'en prend qu'un.

tonnerre n.m. / **foudre** n.f. ♦ **Emploi.**
Le *tonnerre* est le bruit de la *foudre,* c'est-
à-dire de la décharge électrique dont
l'éclair est la manifestation lumineuse.
REM. On employait autrefois *tonnerre* au
sens de « foudre » : « *La chute du tonnerre*
qui siffle en s'éteignant dans les eaux »
(Chateaubriand). Cet emploi est sorti
de l'usage.

top élément de composition ♦
Anglicisme. Cet élément emprunté à
l'anglais (*top* = sommet, plus haut
niveau), est employé aujourd'hui comme
premier élément, toujours invariable,
de quelques mots composés : *top model,*
top niveau, top secret.

top model, top-modèle n.m. ◆ **Orth.** Les deux graphies, *top model* ou *top-modèle* sont admises. La graphie à l'anglaise *top model* est plus fréquente. - Plur. : *des top models ; des top-modèles* (*top* reste toujours invariable).

top niveau n.m. ◆ **Orth.** Attention au pluriel : *des top niveaux*. ◆ **Registre.** Familier. RECOMM. Dans l'expression soignée, préférer, en fonction du contexte : *plus haut niveau, meilleur niveau* (*être au plus haut niveau, être à son meilleur niveau*), *élite* (*faire partie de l'élite*), *excellence*, etc.

top secret adj. inv. ◆ **Orth.** Toujours invariable : *des dossiers top secret*. ◆ **Registre.** Légèrement familier. RECOMM. Dans l'expression soignée, préférer *ultra confidentiel*.

toquade, tocade n.f. ◆ **Orth.** Les deux graphies, *toquade* et *tocade*, sont admises. *Toquade*, avec -*qu*-, est plus fréquent. → R.O.1990. REM. *Toquade*, formé sur *toquer, se toquer de qqch.*, est le seul mot se terminant par le son *kad* qui peut s'écrire avec -*qu*-. ◆ **Registre.** Familier.

toquard adj. et n.m. → tocard

torchis n.m. ◆ **Orth.** [tɔʀʃi], sans prononcer le *s* final (comme dans *radis, marquis, salsifis*, etc.).

tordre se) v.pr. ◆ **Conjug.** Comme *vendre*. → annexe, tableau 59. ◆ **Accord.** 1. Pas de complément d'objet direct. Le participe s'accorde avec le sujet : *elles se sont tordues de douleur.* 2. Complément d'objet direct placé après le verbe. Le participe reste invariable : *elle se sont tordu la jambe.* 3. Complément d'objet direct placé avant le verbe. Le participe s'accorde avec le complément d'objet direct : *la jambe qu'elles se sont tordue.* ◆ **Registre.** *Se tordre* (= rire beaucoup) est

familier, de même que *se tordre de rire, rire à se tordre* ou *à se tordre les côtes, tordant* (= drôle).

toréador n.m. → torero

toréer v.i. ◆ **Conjug.** Attention à la succession de *é* et de *e* dans certaines des formes de la conjugaison de ce verbe difficile : *elle torée magnifiquement ; il était prévu qu'il toréerait à Séville le mois suivant.* → annexe, tableau 8.

torero n.m. ◆ **Orth.** Pas d'accent sur le *e*, bien qu'il se prononce comme *é* (mot espagnol). - Plur. : *des toreros*. ◆ **Emploi.** *Torero* a remplacé *toréador* qui ne s'emploie plus aujourd'hui.

torrent n.m. ◆ **Orth.** *À torrents.* Toujours au pluriel : *il pleut à torrents.*

torrentiel, elle adj. ◆ **Orth.** Avec un *t* (*torrentiel* est issu de *torrent*). ◆ **Emploi et registre.** *Torrentiel* (= qui appartient aux torrents ; qui tombe à torrents) s'emploie dans tous les registres : *eaux torrentielles ; pluie torrentielle.* À ne pas confondre avec *torrentueux* (= qui a l'impétuosité, l'irrégularité d'un torrent), qui ne s'emploie guère que dans le registre littéraire : *une passion torrentueuse.*

torrentueux, euse adj. → torrentiel

tort n.m. ◆ **Emploi.** Attention, on dit *à tort et à travers,* avec *et,* mais *à tort ou à raison,* avec *ou.*

torticolis n.m. ◆ **Orth.** Avec un *s* final, qui ne se prononce pas.

tory n.m. ◆ **Prononc. et orth.** Plur. : *les torys* (pluriel français) ou *les tories* (pluriel à l'anglaise). L'un et l'autre se prononcent [tɔʀi], sans articuler le *s*. RECOMM. Préférer le pluriel français *les torys.*

tôt adv. ◆ **Prononc.** *Tôt ou tard :* on peut faire entendre ou non la liaison en *t* :

[totutaʀ] ou [toutaʀ]. ◆ **Emploi.** *Aussi tôt / aussitôt.* → aussitôt. ❏ *Bien tôt / bientôt.* → bientôt. ❏ *Si tôt / sitôt.* → sitôt

total n.m. ◆ **Emploi.** *Total,* employé au sens de « en définitive », « tout compte fait », est populaire : *je lui ai fait confiance, total, j'ai perdu toutes mes économies.* RECOMM. Dire *au total,* ou, mieux, *en définitive, finalement, au bout du compte, tout compte fait.*

totalité n.f. ◆ **Accord.** *La totalité de.* Après *la totalité de,* le verbe se met au singulier ou au pluriel suivant le sens. Au singulier, si l'on veut insister sur l'idée d'ensemble, de globalité, ou si celle-ci prédomine : *la totalité des vivres sera acheminée par avion.* Au pluriel, si l'on veut insister sur l'idée de nombre ou si celle-ci prédomine : *la totalité des gens ont voté.*

totem n.m. ◆ **Orth.** Attention, s'écrit sans accent *(totem)* à la différence de *totémique* et *totémisme.*

touareg, ègue ou **targui, e** adj. et n. ◆ **Emploi et orth.** Dans les textes non spécialisés et dans l'usage oral courant, on emploie la forme *touareg, ègue : un campement touareg, des bijoux touaregs ; la population touarègue, les mœurs touarègues. Un Touareg, une Touarègue, les Touaregs.* - Dans les textes spécialisés (ouvrages de géographie, d'ethnologie, récits de voyages, etc.) et dans l'usage oral des spécialistes, on rencontre souvent les formes calquées de l'arabe (elles-mêmes issues du berbère) *targui* (singulier) et *touareg* (pluriel) : *un campement targui, des bijoux touareg ; la population targuie, les mœurs touareg. Un Targui, une Targuie, les Touareg.*

touchant prép. ◆ **Registre.** *Touchant,* employé comme préposition (= au sujet de, concernant), appartient à l'expression soignée : *quelques mots touchant votre intérêt.*

touche-à-tout n. inv. ◆ **Orth.** Avec deux traits d'union. Attention : *une touche-à-tout, des touche-à-tout* (mot invariable).

toucher v.t. et v.t.ind. ◆ **Constr.** *Être touché.* 1. *Être touché de, par* (+ nom) : *je suis très touché de votre offre amicale ; elle a été touchée par votre gentille lettre.* 2. *Être touché de* (+ infinitif) : *nous avons été touchés de le voir dans cet état.* 3. *Être touché que* (+ subjonctif) : *elle est touchée que vous ayez pensé à elle.* RECOMM. Sauf dans le cas où *que* est employé non pas comme conjonction, mais comme pronom relatif (comme dans *je suis touché de ce qu'il a fait pour moi*), éviter la construction *être touché de ce que* suivie de l'indicatif ou du subjonctif, tenue pour peu élégante. ◆ **Emploi.** *Toucher* = jouer (d'un instrument à clavier). On disait autrefois *toucher du piano, de l'orgue, du clavecin* (ou *toucher le piano, l'orgue, le clavecin*), par opposition à *pincer de la guitare, de la mandoline, du luth.* On dit aujourd'hui *jouer* pour tous ces instruments.

tour n.m. ◆ **Orth.** 1. *Tour à tour.* Sans trait d'union et invariable. 2. *Tour par minute, par seconde.* S'abrègent en *tr/min, tr/s* (sans point abréviatif). 3. *À tour de bras.* Avec *tour* au singulier : *frapper à tour de bras.* ◆ **Emploi.** 1. *En un tour de main / en un tournemain.* On dit plutôt aujourd'hui *en un tour de main.* 2. *Chacun à son tour / chacun son tour.* Chacun son tour est aujourd'hui admis dans l'expression orale courante. RECOMM. Dans l'expression soignée, en particulier à l'écrit, préférer *chacun à son tour : vous passerez chacun à votre tour ; c'est chacun à son tour.* 3. *À mon (ton, son,* etc.) *tour de.* On dit : *c'est à mon tour de distribuer* (à préférer à : *c'est à mon tour à distribuer*).

tourne- élément de composition ◆ **Orth.** Noms composés avec *tourne-* (verbe *tourner*). L'élément *tourne-* reste toujours invariable et la plupart des composés prennent un trait d'union. **1.** Prennent la marque du pluriel : *un tourne-disque, des tourne-disques ; un tourne-oreille, des tourne-oreilles ; un tourne-pierre, des tourne-pierres.* **2.** Restent invariables : *un tourne-à gauche, des tourne-à-gauche ; un tourne-vent, des tourne-vent.* **3.** S'écrivent en un seul mot : *tournebroche, tournedos, tournemain, tournesol, tournevis* et *tournebouler* (familier). → R.O. 1990

tournemain n.m. ◆ **Emploi.** *En un tournemain.* → tour

tournoiement n.m. ◆ **Orth.** Avec un *e* muet intérieur. *Tournoiement* correspond à *tournoyer,* verbe du 1er groupe (comme *aboiement* correspond à *aboyer* → **aboiement**).

tournoyer v.i. ◆ **Conjug.** Les formes conjuguées du verbes s'écrivent avec un *i* devant *e* muet : *je tournoie, tu tournoies, nous tournoyons.* - Attention au futur et au conditionnel : *je tournoierai ; je tournoierais.* - Attention également au *i* après le *y* aux première et deuxième personnes du pluriel, à l'indicatif imparfait et au subjonctif présent : *(que) nous tournoyions, (que) vous tournoyiez.* → annexe, tableau 7

tour-opérateur n.m. ◆ **Orth.** Attention au pluriel : *des tour-opérateurs* (avec *s* à *opérateur* uniquement). ◆ **Anglicisme. RECOMM. OFF.** Préférer à ce calque de l'anglais *tour-operator* l'équivalent français *voyagiste.*

tout adj., pron., adv., n.m.
◆ **Emploi.** Il est important de bien distinguer entre les différents emplois de ce mot pour savoir, notamment, comment il s'accorde. **1.** *Tout* adjectif. *Tout* est adjectif indéfini dans : *toute peine mérite salaire ; rouler à toute vitesse ; il n'a eu qu'un geste pour toute réponse ; tous les hommes sont mortels ; toutes affaires cessantes.* - Il est adjectif qualificatif dans : *toute la ville en parle ; une fortune consacrée*

toute à aider la recherche médicale. **2.** *Tout* pronom. *Tout* est pronom dans : *tout est prêt ; tous sont venus ; j'ai touché les radiateurs, tous chauffent.* **3.** *Tout* adverbe. *Tout* est adverbe dans : *il est tout étonné, elle est toute contente.* **4.** *Tout* nom masculin. *Tout* est nom masculin dans : *l'ensemble forme un tout compact.*
V. ci-dessous les règles de prononciation, d'accord, etc., pour chacun de ces emplois.

1. tout, toute , tous , toutes adj.
◆ **Prononc.**
1. *Tout* se prononce [tu] (comme dans *mou*) devant une consonne, [tut] (comme dans *doute*) devant une voyelle ou un *h* muet : *tout contribuable* [tukɔ̃tʀibɥabl], *tout administré* [tutadministʀe], *tout habitant* [tutabitɑ̃].
2. *Tous* se prononce [tu] (comme dans *mou*) devant une consonne, [tuz] (comme dans *douze*) devant une voyelle ou un *h* muet : *tous les matins* [tulɛmatɛ̃] ; *à tous égards* [atuzegaʀ] ; *des hommes venus de tous horizons* [dətuzɔʀizɔ̃].
◆ **Orth.** Locutions et expressions.
❏ Avec *tout* au singulier : *à toute allure, à tout bout de champ, à toute force, à tout hasard, à toute heure, à tout prix, à tout propos, à toute vitesse ; de tout cœur, de toute façon, de tout genre, de tout temps ; en tout cas, en tout temps ; en toute saison, en toute hâte.*
❏ Avec *tout* au pluriel : *à tous égards, à toutes jambes ; de tous côtés, de toutes pièces ; en toutes lettres, en tous sens ; toutes proportions gardées ; toutes choses égales par ailleurs.*
❏ Avec *tout* au singulier ou au pluriel : *à tout moment* ou *à tous moments ; de toute manière* ou *de toutes manières ; de toute part* ou *de toutes parts ; de toute sorte* ou *de toutes sortes ; en tout genre* ou *en tous genres* (le singulier est plus fréquent ; de même pour *en tout lieu* ou *en tous lieux, en tout point* ou *en tous points*) ; *en toute chose* ou *en toutes choses ; tout compte fait* ou *tous comptes faits.*

◆ **Accord.**

1. *Tout autre.* ❑ Dans *tout autre*, **tout** est adjectif et variable quand il se rapporte au nom et signifie « n'importe quel » ; le nom peut alors s'intercaler entre *tout* et *autre : citez-moi toute autre chose qui vous ferait plaisir* (= toute chose autre) ; *toute autre personne en aurait fait autant* (= toute personne autre). ❑ *Tout* est adverbe et invariable s'il modifie l'adjectif *autre : c'est tout autre chose qui m'aurait fait plaisir* (= tout à fait autre chose) ; *je vous demande tout autre chose.* - Il également adverbe et invariable dans *un tout autre, une tout autre : c'est une tout autre affaire* (= une affaire bien différente) ; *ce modèle présente de tout autres caractéristiques.*

2. *Tout répété.* Si une phrase comporte plusieurs sujets au singulier précédés chacun de *tout* (au sens de « chaque »), le verbe s'accorde avec le dernier sujet : *toute bicyclette, tout cyclomoteur, toute motocyclette doit emprunter le passage réservé aux deux-roues.*

3. *Tout* devant un titre d'œuvre. *Tout* reste invariable quand il précède l'article masculin *le* ou *les* ou un déterminant masculin faisant partie du titre, ou quand le titre ne contient pas d'article : *j'ai relu tout l'Assommoir, tout* Un tramway nommé désir, *tout* les Misérables, *tout* Mes Prisons, *tout* Madame Bovary. - Devant l'article ou un déterminant féminin, l'accord se fait généralement, surtout au singulier : *relire toute* la Chartreuse de Parme, *toute* la Porte étroite ; au pluriel, l'accord est aujourd'hui le plus fréquent, mais on trouve encore parfois *tout* invariable : *connaître toutes* les Fleurs du mal (ou *tout* les Fleurs du mal) *par cœur.* - Quand le titre ne commence pas par un article ou un déterminant, *tout* reste invariable : *je ne me rappelle pas tout* Crimes et Châtiments ; *je dois apprendre tout* Andromaque. ❑ *Tout* devant un nom d'auteur employé par métonymie pour désigner l'œuvre. *Tout* reste invariable, que le nom désigne un homme ou une femme : *elle avait lu tout Voltaire* (toute l'œuvre de Voltaire)*, tout Yourcenar* (toute l'œuvre de Marguerite Yourcenar).

4. *Tout* devant un nom de ville. Placé immédiatement avant un nom de ville féminin, *tout* reste invariable, ainsi que les mots qui s'y rapportent, si le nom de la ville désigne les habitants : *tout La Rochelle soutenait son maire* (= la population entière) ; il s'accorde si le nom de la ville désigne le lieu, les constructions, etc. : *le soir, toute La Rochelle est illuminée* (= toutes les rues, tous les monuments).

5. *Tout ce qu'il y a de* (+ nom au pluriel). L'accord du verbe se fait aujourd'hui au singulier : *tout ce qu'il y a de diplomates à Paris a été convié à l'Élysée.* REM. Dans la langue classique et jusqu'au XIXe s., l'accord se faisait au pluriel.

6. *Tout ce qu'il y a de plus* (+ adjectif) = extrêmement, très. L'accord se fait le plus souvent au masculin singulier : *ces ustensiles sont tout ce qu'il y a de plus utile ; elle est tout ce qu'il y a de plus naïf.* Mais l'accord en genre et en nombre est également assez fréquent : *elles sont tout ce qu'il y a de plus sérieuses.* ❑ *Tout ce qu'il y a de plus* est souvent considéré comme une locution figée dans laquelle *a* reste au présent, même si le verbe de la principale est à un autre temps : *maquillée comme ça, vous serez tout ce qu'il y a de plus jolie ; il semblait tout ce qu'il y a de plus content de lui.*

◆ **Emploi.**

1. Répétition de *tout.* Lorsqu'une phrase contient plusieurs sujets précédés chacun de *tout* (= chaque), dont le premier est féminin, *tout* doit être répété devant le nom masculin qui suit immédiatement, et accordé : *toutes factures, tous documents, formulaires, états manquant au dossier devront être immédiatement fournis* (et non : *toutes factures, documents..., *tous factures, documents...).

2. *Le Tout-Paris.* *Tout* est employé en composition avec des noms de ville pour former des noms masculins singuliers : *le Tout-Paris, le Tout-Vienne, le Tout-Boston*

(= les gens du monde, la haute société de Paris, de Vienne, de Boston).

3. *Tous deux / tous les deux.* → **deux**

◆ **Registre. 1.** *Tout ce qu'il y a de* (+ adjectif) est familier. **2.** *Tout un chacun.* → **chacun**

2. tout, toute, tous pron. ◆ **Prononc.** Le masculin pluriel *tous* se prononce [tus], comme dans *mousse,* en faisant entendre le *s.*

3. tout adv.

◆ **Orth.** *Tout à fait, tout à l'heure* s'écrivent sans trait d'union.

◆ **Accord.**

1. *Tout* modifiant un adjectif. *Tout* est invariable, sauf quand il est placé devant un adjectif féminin commençant par une consonne ou un *h* aspiré : *il est tout étonné, ils sont tout contents ; elle est tout étonnée* mais *elle est toute contente, elles sont toutes contentes.* REM. La langue littéraire moderne montre une tendance marquée à reprendre l'usage en vigueur dans la langue classique et à accorder *tout* avec l'adjectif qu'il modifie : *« Si Dieu tenait enfermé dans sa main droite la Vérité toute entière »* (A. Gide).

2. *Tout* modifiant un nom. ❑ *Tout* renforçant un nom épithète ou attribut reste invariable dans un certain nombre de locutions figées : *elles sont tout feu, tout flamme ; une assistance tout yeux, tout oreilles ;* dans la locution de la langue courante *les tout débuts ;* dans la locution de la langue commerciale *tout* (+ nom d'une matière) : *une valise tout cuir, des tapis tout laine.* ❑ En dehors de ces locutions, l'usage est hésitant et l'on rencontre tantôt l'accord (*« Maman était toute indulgente »,* R. Martin du Gard), tantôt l'invariabilité, même devant un nom féminin commençant par une consonne ou un *h* aspiré (*« Comme un être tout vie »,* P. Valéry). RECOMM. Suivre la règle de *tout* adverbe devant un adjectif : *il est tout abandon et toute spontanéité,*

à la différence de sa femme qui est tout intelligence et toute réflexion. REM. Le sens peut être ambigu lorsque le sujet et le nom en fonction d'épithète ou d'attribut sont de même genre, la distinction étant alors impossible entre *tout* adjectif et *tout* adverbe : *elle est toute réflexion* peut signifier « elle se consacre entièrement à la réflexion » ou « elle est la réflexion même ».

3. *Tout à, tout de.* Avec un nom ou un pronom féminin singulier, on fait généralement accorder *tout* devant *à* et *de :* *il est tout à son travail, elle est toute à son travail ; un récit tout de mémoire, une relation toute de mémoire.* REM. Distinguer, si c'est une femme qui parle, *je suis toute à vous,* qui exprime la passion amoureuse, de *je suis tout à vous,* formule de politesse. ❑ Avec un nom ou un pronom pluriel, *tout* reste invariable : *ils sont tout à leur travail, elles sont tout à leur travail ; elles sont tout de blanc vêtues.* REM. L'accord de *tout* au féminin pluriel créerait une équivoque : *elles sont toutes à leur travail* peut signifier « toutes sont à leur travail » ou « elles se consacrent entièrement à leur travail ».

4. *Tout en.* Avec un nom pluriel, *tout en* reste invariable : *des chemisiers tout en soie ; des vestes tout en broderies.* Avec un nom féminin singulier, on peut faire ou non l'accord : *de la lingerie tout en dentelle* ou *toute en dentelle ; elle est tout en blanc* ou *toute en blanc ; la ville est tout en flammes* ou *toute en flammes ; une aubépine tout en fleurs* ou *toute en fleurs.* ❑ *Tout en larmes, tout en pleurs.* Dans ces emplois, *tout* est toujours invariable : *elle est tout en larmes.*

5. *Tout d'une pièce, tout de travers, tout d'un bloc* loc. adv. et adj. Lorsqu'elles modifient le sens d'un verbe, ces locutions restent invariables : *elle s'est levée tout d'une pièce ; ils vont tout de travers ; la troupe s'est déportée tout d'un bloc sur la droite.* - Lorsqu'elles se rapportent à un nom, elles restent le plus souvent invariables : *des châssis tout d'une pièce, des bâtiments tout de travers, des stèles tout d'un* *bloc.* Toutefois, avec un nom ou un pronom féminin, on rencontre parfois l'accord : *la stèle est toute d'une pièce ; vous avez là-dessus des idées toutes d'un bloc.*

6. *Tout... que.* Dans cette locution, *tout* reste invariable avec un nom ou un adjectif masculin pluriel : *tout rusés que vous êtes, vous n'avez pas pensé qu'ils pourraient vous tromper ; tout philosophes qu'ils se prétendent, il leur arrive de s'emporter.* Il varie avec un nom féminin commençant par une consonne : *toutes religieuses qu'elles sont, elles aiment la gaieté.* De même avec un adjectif : *toutes bienveillantes qu'elles sont...*

7. *Tout autre / toute autre.* → tout, adj.

♦ **Emploi et registre.** *Tout à coup / tout d'un coup.* → coup. ◻ *Tout de même.* → même. ◻ *Tout plein.* → plein. ◻ *Comme tout.* → tout. ♦ **Constr.** *Tout... que* se construit le plus souvent avec l'indicatif : *tout malin qu'il est, il ne s'est pas moins trompé.* - La construction avec le subjonctif, plus rare, se rencontre également : « *Tout redoutable cependant que soit un pareil rival, je suis peu disposé à en être jaloux* » (Th. Gautier). « *Tout familiers et agréables que me fussent devenus ces lieux...* » (L.-F. Céline). REM. La construction avec le subjonctif, naguère critiquée, est aujourd'hui admise.

4. tout n.m. ♦ **Emploi et accord.** *Tout,* employé comme nom, prend un *s* au pluriel : *ces agglomérations de matériaux variés forment des touts compacts.*

tout-petit n.m. ♦ **Orth.** On écrit avec un trait d'union : *un tout-petit* (= un bébé, un très jeune enfant), mais *il est encore tout petit,* sans trait d'union.

tout-puissant, toute-puissante adj. et n. ♦ **Orth. 1.** Avec un trait d'union : *l'argent est tout-puissant, dans ce milieu ; au Moyen Âge, l'Église était toute-puissante..* - Plur. *tout-puissants* (*tout* ne varie pas)*, toutes-puissantes.* - À ne pas confondre avec l'orthographe de *tout*

puissant qu'il soit (= si puissant soit-il), sans trait d'union. **2.** *Le Tout-Puissant* (= Dieu), avec deux majuscules.

tout-terrain adj. inv. et n.m. inv. ♦ **Orth.** Avec un trait d'union : *une bicyclette tout-terrain ; un tout-terrain* (= un véhicule tout-terrain). - Plur. : *des bicyclettes tout-terrain* (invariable) *; des tout-terrain* (invariable).

trace n.f. ♦ **Orth.** Au singulier dans : *il n'en reste pas trace, pas de trace ; disparu sans laisser de trace.*

tracer v.t. et v.i. ♦ **Conjug.** Le *c* devient *ç* devant *o* et *a* : *je trace, nous traçons ; il traça.* → annexe, tableau 9

trachée n.f. ♦ **Prononc.** [tRaʃe], *ch* se prononce comme dans *tranchée.* Mais dans les autres mots de la même famille, *ch* se prononce *k* : *trachéen, enne ; trachéite, trachéo-bronchite, trachéotomie.*

traditionalisme n.m. ♦ **Orth.** Avec un seul *n,* de même que *traditionaliste* (comme *nationalisme, nationaliste*), alors qu'on écrit *traditionnel, elle.*

traduire v.t. ♦ **Conjug.** Comme *conduire :* → annexe, tableau 78. ♦ **Sens.** *Traduire / transcrire.* Ne pas employer l'un pour l'autre ces deux verbes de sens différents. **1.** *Traduire un énoncé, un texte* = le faire passer d'une langue dans une autre. *Elle a traduit du russe plusieurs romans.* **2.** *Transcrire un texte* = le reproduire exactement par l'écriture *(transcrire un entretien)* ; le reproduire dans un système d'écriture différent *(transcrire un mot grec en caractères latins).*

trafic n.m. ♦ **Orth. 1.** Avec un seul *f.* **2.** On écrit *trafic d'influence,* avec *influence* au singulier.

trafiquant, e n. ♦ **Orth.** Avec *-qu-,* comme pour le participe présent de *trafiquer.*

train n.m. ◆ **Emploi. 1.** *Voyager en train / par le train.* On dit aussi bien *voyager en train* ou *voyager par le train ; arriver par le train.* RECOMM. Dans l'expression soignée, en particulier à l'écrit, dire *arriver par le train de 22 h 10* plutôt que *arriver au train de 22 h 10,* qui appartient à l'usage oral relâché. **2.** *Le train de Marseille / le train pour Marseille.* Les professionnels du transport ferroviaire distinguent *le train de Marseille* (= en provenance de Marseille) et *le train pour Marseille* (= qui va à Marseille). Dans l'usage courant, non technique, *le train de Marseille* peut vouloir dire aussi bien « le train qui se dirige vers Marseille » que « le train qui vient de Marseille ». **3.** *En train / entrain.* → entrain. **4.** *Boute-en-train.* → boute-en-train

traîner v.t. et v.i. ◆ **Orth.** *Traîner* et les mots de la même famille s'écrivent avec un accent circonflexe : *traînage, traînailler, traînard,* etc. ; *entraîner, entraînement,* etc. → R.O. 1990

train-train, traintrain n.m. inv. ◆ **Orth.** Les deux graphies, *train-train* et *traintrain,* sont admises. → R.O. 1990. REM. La graphie *trantran* est aujourd'hui presque entièrement sortie de l'usage.

traire v.t. ◆ **Conjug.** Comme *extraire.* Ce verbe n'a ni passé simple ni subjonctif imparfait. → annexe, tableau 92

trait n.m. / **traite** n.f. ◆ **Emploi. 1.** *Trait* (= gorgée) : *boire à grands, à longs traits ; boire un verre d'un (seul) trait,* d'un seul coup. Au figuré : *il a récité sa tirade d'un seul trait.* **2.** *Traite* (= étendue de chemin qu'on parcourt sans se reposer) : *faire une longue traite ; il a fait la route d'une (seule) traite,* sans s'arrêter. - Au figuré : *il a dormi d'une seule traite jusqu'au matin.* - Au figuré, *d'un trait* et *d'une traite* ont des sens très proches, et peuvent dans certains cas être employés l'un pour l'autre : *vider son verre tout d'un trait, tout d'une traite.*

traitement n. m. → salaire

traître, traîtresse n. et adj. ◆ **Orth.** Avec un accent circonflexe. → R.O. 1990. ◆ **Accord. 1.** Lorsque le mot est adjectif, il peut ou non s'accorder : *ici, les vagues sont traîtres* ou *sont traîtresses.* **2.** *En traître,* loc. adv., est invariable : *elles m'ont pris en traître.* ◆ **Emploi et sens.** La forme féminine *traîtresse* est généralement employée pour désigner ou qualifier une femme dont la trahison est d'ordre sentimental, affectif : *la traîtresse l'a trompé avec son meilleur ami.* Dans ce sens, le mot est vieilli et n'est plus guère employé que par plaisanterie. - Pour désigner ou qualifier une femme dont la trahison relève du domaine militaire ou politique, on emploie plutôt la forme masculine *traître* : *Mata-Hari, considérée comme un traître, fut fusillée dans les fossés de Vincennes ; elle est tenue pour un traître par les militants de son ancien parti ; elle a été traître à sa patrie.*

tranche n.f. ◆ **Orth. 1.** On écrit *un livre doré sur tranche* (= sur *la* tranche, sur l'ensemble des bords rognés du livre) plutôt que *doré sur tranches* (= sur chacun de ces trois bords). **2.** On écrit *couper en tranches, répartir par tranches d'âge.*

trans- préf. ◆ **Orth.** Les composés formés avec le préfixe *trans-* (du latin *trans,* au-delà de, par-delà, à travers) s'écrivent toujours en un seul mot, même quand le radical commence par un *s* : *transatlantique, transgénique ; transsexuel, transsibérien.*

transcendant, e adj. ◆ **Orth.** Attention au groupe -*sc*- et à la succession -*an*-, -*en*-, -*an*- (comme dans *transcendance, transcendantal, transcendantalisme*).

transcrire v.t. ◆ **Conjug.** Comme *écrire.* → annexe, tableau 79. ◆ **Sens.** *Transcrire / traduire* → traduire

transfèrement n.m. → transfert

transférer v.t. ♦ **Conjug.** Attention à l'accent, tantôt grave, tantôt aigu : *je transfère, nous transférons ; il transférera.* → annexe, tableau 11 et R.O. 1990

transfert n.m. / **transfèrement** n.m. / **translation** n.f. ♦ **Emploi.** Ces trois mots ont le sens général de « déplacement de qqn ou de qqch. d'un lieu à un autre ». Mais, alors que *transfert* (terme de finance au XIXᵉ s.) est employé aujourd'hui dans un grand nombre de cas comme substantif correspondant au verbe *transférer, translation* relève surtout des vocabulaires spécialisés (principalement scientifique et technique) et *transfèrement* ne se dit plus que de l'action de transférer un prévenu ou un détenu.

transir v.t. ♦ **Prononc.** On prononce aujourd'hui le plus souvent [trãzir], en faisant sonner le *s* comme un *z*. La prononciation [trãsir], avec le *s* prononcé comme dans *ainsi*, tend à disparaître. ♦ **Conjug.** Ce verbe n'est guère employé qu'à l'infinitif, à la troisième personne du singulier de l'indicatif présent et aux temps composés, ainsi qu'au participe passé, *transi*.

translation n.f. → transfert

translucide adj. → transparent

transmettre v.t. et v.pr. ♦ **Conjug.** Comme *mettre*. → annexe, tableau 64

transmuer ou **transmuter** v.t. ♦ **Emploi.** Ces deux formes verbales équivalentes (du latin *transmutare,* faire changer de place), ont donné les adjectifs *transmuable* et *transmutable,* auxquels correspondent les substantifs *transmutation* et *transmutabilité.*

transparaître v.i. ♦ **Conjug.** Comme *paraître.* Toujours un accent circonflexe sur le *i* devant *t : je transparais,* mais *il transparaît, il transparaîtra.* → annexe, tableau 71 et R.O. 1990

transparent, e adj. / **translucide** adj. ♦ **Sens.** Ne pas confondre ces deux mots que sépare une importante nuance de sens. **1.** *Transparent* = qui se laisse traverser par la lumière et permet de distinguer nettement les objets à travers son épaisseur. **2.** *Translucide* = qui laisse passer la lumière sans permettre de distinguer nettement ce qui se trouve derrière.

transpercer v.t. ♦ **Conjug.** Le *c* devient *ç* devant *o* et *a : je transperce, nous transperçons ; il transperça.* → annexe, tableau 9

trappe n.f. ♦ **Orth.** Avec deux *p,* ainsi que les autres mot de la même famille : *trappeur, trappiste, trappistine.* → aussi **chausse-trape.** Attention à ne pas confondre les orthographes *trappe* (un *t,* deux *p*) et *attrape* (deux *t,* un *p*).

trapu, e adj. ♦ **Orth.** Avec un seul *p.*

travail n.m. ♦ **Sens et orth.** Au sens courant de « activité, effort, métier », *travail* a pour pluriel *travaux,* mais au sens technique de « appareil servant à maintenir les grands animaux domestiques pour les ferrer ou les soigner », *travail* fait au pluriel *travails.*

travers n.m. ♦ **Constr. 1.** *À travers : vous pouvez couper à travers le bois par un chemin forestier.* RECOMM. Ne pas employer *à travers* avec *de* (*couper à travers de la forêt), sauf s'il s'agit de l'article indéfini ou partitif : « *le chemin contournait le village à travers des prairies* » (Fr. Mauriac). **2.** *Au travers de* : « *Des routes rares et mal entretenues le relient à la capitale au travers d'une région à demi désertique* » (J. Gracq). RECOMM. Ne pas employer *au travers* sans *de* (*au travers une région désertique). REM. On considérait naguère que *au travers de* comportait une idée de difficulté, d'obstacle à vaincre que n'impliquait pas *à travers.* Ainsi disait-on : *ils progressaient au travers d'une jungle épaisse* mais *marcher à travers champs.* Cette nuance est de moins en moins sentie de nos jours. ♦ **Registre.** *Passer au travers,* employé absolument au sens de « échapper à un danger, à des difficultés », est familier : *tout le monde a eu la grippe, mais lui est passé au travers.*

traverser v.t. ♦ **Emploi.** *Traverser un pont,* naguère critiqué, est aujourd'hui passé dans l'usage. REM. La critique de *traverser un pont* est fondée sur l'idée que la locution ne peut s'appliquer qu'à un mouvement dans le sens de la largeur, d'un parapet à l'autre. Pour un mouvement dans le sens de la longueur, on ne pourrait dire ou écrire, selon les puristes, que *passer un pont, traverser un cours d'eau sur un pont,* etc.

tréfonds n.m. ♦ **Orth.** Avec un *s* final → aussi fond

treillager v.t. ♦ **Conjug.** Le *g* devient *-ge-* devant *a* et *o* : *je treillage, nous treillageons ; il treillagea.* → annexe, tableau 10

trembler v.i. ♦ **Constr.** *Trembler que... ne* (+ subjonctif) : *je tremble qu'elle ne l'apprenne* ou, dans un registre moins soigné, *qu'elle l'apprenne.* (Pour l'emploi du *ne* explétif avec *trembler que* aux formes négative, interrogative et interro-négative → **craindre.**)

trembloter v.i. ♦ **Orth.** Avec un seul *t,* comme *tapoter* et à la différence de *grelotter.*

trépasser v.i. ♦ **Conjug.** Aux temps composés, *trépasser* se conjugue avec l'auxiliaire *avoir* pour exprimer l'action : *elle a trépassé dans la nuit,* et avec l'auxiliaire *être* pour exprimer l'état : *elle est*

depuis longtemps trépassée. REM. Le quasi-synonyme *mourir* se conjugue avec l'auxiliaire *être* dans tous les cas.

très adv. ♦ **Emploi. 1.** *Très* marque le superlatif absolu et modifie normalement un adverbe, un adjectif ou un participe passé employé adjectivement, parfois un nom (v. ci-après, 3) : *il court très vite ; elle est très belle ; des murs très abîmés.* **2.** Avec un participe passé élément d'une forme conjuguée, on emploie *beaucoup,* et non *très* : *il a beaucoup plu ; nous avons beaucoup marché.* De même à la forme pronominale : *il s'est beaucoup entraîné.* → **beaucoup. 3.** *Très* s'emploie aujourd'hui couramment dans certaines locutions verbales avec un nom sans article, comme : *avoir faim, envie, besoin, mal, peur, sommeil : j'ai eu très peur ; cela m'a fait très plaisir ; il est très en retard.* → **envie. 4.** *Très* peut être employé devant un nom en fonction d'épithète ou d'attribut : *un style très comédie musicale ; elle est très femme.*

trésor n.m. ♦ **Orth.** Avec un *o* et sans *h* (de même que ses dérivés *trésorerie* et *trésorier*), à la différence du verbe *thésauriser* et de ses dérivés *thésaurisation* et *thésauriseur, euse.*

tressaillir v.i. ♦ **Conjug.** Attention à l'indicatif futur et au conditionnel présent : *je tressaillirai, je tressaillirais* (comme *je finirai, je finirais*), ainsi qu'au groupe *-illi-* aux première et deuxième personnes du pluriel, à l'indicatif imparfait et au subjonctif présent : *(que) nous tressaillions, (que) vous tressailliez.* → annexe, tableau 35

trêve n.f. ♦ **Orth.** Avec un accent circonflexe.

tri- préf. ♦ **Orth.** Les mots formés avec l'élément *tri-* (trois) s'écrivent soudés : *trithérapie, tripartite, trisomique.* Devant une voyelle, on trouve les formes *tri- (triacide)* et *tris-*, avec un *s* intercalaire *(trisaïeul, trisannuel)*. ◆ **Prononc.** Le *s* de *trisaïeul* et de *trisannuel* se prononce comme un *z*. Dans les mots formés avec *tri-* dont le radical commence par un *s*, celui-ci se prononce le plus souvent *s : trisecteur, trisection, trisoc, trisyllabe, trisyllabique* ; il se prononce *z* dans *trisomie* et *trisomique*.

tribu n.f. / **tribut** n.m. ◆ **Orth. 1.** Ne pas confondre *une tribu* (= un groupe ethnique), sans *t*, et *un tribut* (= ce qui doit être fourni, payé ; hommage)*, avec un *t*. **2.** *Tribu* est l'un des quatre noms féminins *(bru, glu, tribu, vertu)* avec finale en *u*.

tricentenaire n.m. et adj. → centenaire

triennal, e adj. / **trisannuel, elle** adj. ◆ **Prononc.** *Trisannuel, elle :* [tʀizanɥɛl], le *s* se prononce comme un *z*. ◆ **Sens et emploi.** Ces deux adjectifs sont synonymes et signifient l'un et l'autre « qui a lieu tous les trois ans » ou « qui dure trois ans ». On dit plutôt : *assolement triennal, plan triennal, mandat triennal* et *fête trisannuelle, plante trisannuelle* (= dont le cycle de vie est de trois ans).

trimbaler, trimballer v.t. ◆ **Orth.** Les deux graphies, *trimbaler* et *trimballer,* sont admises. *Trimbaler,* avec un seul *l,* est plus fréquent.

trimestriel, elle adj. ◆ **Sens.** Qui dure trois mois, ou qui a lieu, qui paraît tous les trois mois (et non trois fois par mois) : *bulletin trimestriel.*

trinité n.f. / **trilogie** n.f. / **triade** n.f. ◆ **Sens.** Ne pas confondre ces termes désignant des groupes de trois éléments. **1.** *Trinité* = réunion de trois éléments formant un tout : *cette trinité de romans forme un récit unique* ; en particu-lier, dans la religion chrétienne, réunion en un seul Dieu du Père, du Fils et du Saint-Esprit : *la Sainte Trinité* (avec une majuscule dans ce sens). **2.** *Trilogie* = ensemble de trois tragédies grecques sur un même thème, puis de trois pièces de théâtre, ou d'œuvres dont les sujets sont liés ou se font suite. *La trilogie de Beaumarchais* (le Barbier de Séville, le Mariage de Figaro, la Mère coupable). **3.** *Triade* = ensemble de trois personnes ou de trois choses étroitement asso-ciées, en particulier de trois divinités d'un même culte. *La triade capitoline* (Jupiter, Junon, Mercure).

trinôme n.m. ◆ **Orth.** Avec un accent circonflexe sur le *o*, comme dans *binôme, monôme.*

triomphal, e adj. / **triomphant, e** adj. ◆ **Emploi.** Ne pas employer l'un pour l'autre ces deux mots de sens dis-tincts. **1.** *Triomphal* = qui a rapport à un triomphe, à un succès éclatant (ne se dit guère que des choses). *Marche triom-phale, succès triomphal, entrée triomphale.* **2.** *Triomphant* = qui triomphe ; qui marque la joie et la fierté d'un grand succès (se dit des choses et des per-sonnes). *Un air triomphant, une démarche triomphante ; un chef de guerre triomphant.*

triparti, e ou **tripartite** adj. ◆ **Orth.** Les deux formes, *triparti* ou *tripartite,* sont admises. Attention, le féminin de *triparti* est *tripartie* → **biparti**

triptyque n.m. ◆ **Orth.** Attention à l'ordre des voyelles : *i,* puis *y* (du grec *triptukhos,* plié en trois). → aussi **dip-tyque, polyptyque**

trisaïeul, e n. ◆ **Orth.** Avec un tréma sur le *i*. - Plur. : *trisaïeul, trisaïeules.* → aussi **aïeul**

trisannuel, elle adj. → triennal

trisecteur, trice adj. → tri-

trisection n.f. → tri-

triste adj. **Constr. et sens.** *Triste* prend des sens différents selon qu'il est placé après ou avant le nom. **1.** Après le nom, *triste* signifie « qui n'est pas gai, qui manifeste ou inspire la tristesse » : *une histoire triste, un personnage triste.* **2.** Avant le nom, *triste* signifie « déplorable, lamentable » ou « qui inspire la pitié ou le mépris » : *une triste histoire, un triste personnage.*

trisyllabe adj. et n.m. → tri-

trisyllabique adj. → tri-

troène n.m. ♦ **Orth.** Avec un accent grave sur le *e* (et non un tréma).

trombone n.m. ♦ **Orth.** Avec un seul *n*, de même que *tromboniste.*

trompe-l'œil n.m. inv. ♦ **Orth. 1.** Avec un trait d'union. - Plur. : *des trompe-l'œil* (invariable). → R.O. 1990. **2.** Le trait d'union se maintient dans la locution *en trompe-l'œil* (à la différence de *en bas relief, en ronde bosse*).

trompeter v.i. et v.t. ♦ **Orth. et prononc.** Bien qu'issu de *trompette,* le verbe ne prend qu'un seul *t,* et se prononce à l'infinitif [tʀɔ̃pete], avec le *e* articulé comme un *é.* ♦ **Conjug.** Attention à l'alternance *-tt-/-t-* : *il trompette, nous trompetons ; il trompetait ; il trompeta ; il trompettera.* → annexe, tableau 16 et R.O. 1990

trompette n.f. / **trompette** n.m. ♦ **Genre et sens. 1.** *Une trompette* = un instrument de musique. **2.** *Un trompette* = un trompettiste (en particulier, dans une musique militaire ou dans une fanfare ; pour un instrumentiste jouant dans un orchestre classique, de jazz ou de variétés, on dit plutôt *un trompettiste*).

trop adv. ♦ **Emploi. 1.** *Trop* (+ négation) = guère. *Il ne sait trop comment faire. Faites*

attention, l'escalier n'est pas trop éclairé.* **2.** *De trop, en trop* sont correctement employés dans : *il y en a deux de trop, deux en trop ; un mot de trop ; un verre de trop ; être de trop ; son dernier combat a été le combat en trop.* **RECOMM.** Éviter l'emploi de *de trop, en trop,* là ou *trop* suffit (*en avoir de trop ; *en faire de trop ; *travailler de trop ; *un peu de trop).* ❑ *De trop bonne heure.* Attention à l'ordre des mots ; on dit : *vous arrivez de trop bonne heure* (et non *trop de bonne heure*). **3.** *Par trop* (pour *trop*) est littéraire et vieilli : *c'est par trop ennuyeux.* **4.** *Trop* peut être employé devant un nom en fonction d'épithète ou d'attribut : *il est trop rond-de-cuir pour avoir envie de changer de métier.* **5.** *Trop faim, trop envie, trop mal,* etc. → envie. **6.** *Trop* est employé dans un sens atténué, proche de *très,* dans quelques locutions figées ou semi-figées d'usage courant : *vous êtes trop aimable ; c'est trop gentil à vous d'être venu.* ❑ *Trop* est également employé pour *très* dans l'usage familier, avec une forte valeur affective : *la petite avec son nounours, elle est vraiment trop mignonne.* ♦ **Accord.** *Trop de* (+ nom). Lorsque *trop* est suivi d'un complément, l'accord se fait le plus souvent avec ce complément : *trop de foyers manquent même du nécessaire.* Néanmoins, si *trop de* est mis pour « une quantité excessive de », l'accord au singulier est possible : *trop de sucreries fait grossir.* ♦ **Constr.** *Trop... pour que* (+ subjonctif) : *c'est trop insignifiant pour qu'on en tienne compte.*

trophée n.m. ♦ **Genre.** Masculin : *remporter le trophée.* Mot masculin à finale en *-ée,* comme *apogée, mausolée, musée, périnée, périgée,* etc.

trop-perçu n.m. ♦ **Orth.** Plur. : *des trop-perçus* (*trop* reste invariable).

trop-plein n.m. ♦ **Orth.** Plur. : *des trop-pleins* (*trop* reste invariable).

trouble-fête n. ◆ **Genre.** Ce mot s'emploie aujourd'hui aux deux genres : *un trouble-fête, une trouble-fête.* ◆ **Orth.** Plur. : *des trouble-fêtes* ou *des trouble-fête* (invariable). → R.O. 1990

troupe n.f. ◆ **Orth.** On écrit : *un homme de troupe (la troupe* = l'ensemble des soldats); *un corps de troupes (les troupes* = les forces armées) ; *marcher en troupe, par troupes.* ◆ **Accord.** *La troupe* (+ complément au pluriel) commande l'accord du verbe au singulier : *la joyeuse troupe des noctambules braillait une chanson à boire.* ❑ *Une troupe* (+ complément au pluriel) commande le plus souvent l'accord du verbe au pluriel : *une troupe de touristes débarquaient du car ;* mais on trouve aussi l'accord du verbe au singulier : *une troupe de touristes débarquait du car.*

trou-trou n.m. ◆ **Orth.** Plur. : *trou-trous* (avec *s* uniquement au deuxième élément). → R.O. 1990

trouvaille n.f. ◆ **Sens.** Découverte heureuse : *une excellente trouvaille.* RECOMM. Pour qqch. que l'on découvre et qui est déplaisant ou indifférent, préférer *découverte.*

trouver v.t. ◆ **Constr.** 1. *Trouver que* (+ indicatif ou conditionnel dans une phrase affirmative) : *je trouve que c'est (que ce serait) une bonne idée.* ❑ *Trouver que* (+ subjonctif ou conditionnel dans une phrase interrogative ou négative) : *trouvez-vous que ce soit (que ce serait) une bonne idée ? je ne trouve pas que ce soit (que ce serait) une bonne idée.* 2. *Trouver bon, juste, normal... que* (+ subjonctif) : *je trouve normal qu'il se mette en colère.* 3. *Il se trouve que* (+ indicatif) : *il se trouve que je suis d'accord.* ◆ **Registre.** *Si ça se trouve* (= peut-être que) est familier : *si ça se trouve, elle n'est même pas au courant.*

trublion n.m. ◆ **Orth.** Avec un *u* (et non *ou,* bien que le mot signifie « fauteur de troubles »). REM. Créé par Anatole

France vers 1899, ce mot, formé sur le latin *trublium,* écuelle, désignait à l'origine les agitateurs partisans de Philippe d'Orléans, prétendant au trône de France, qui avait pour surnom *Gamelle.*

trucage, truquage n.m. ◆ **Orth.** Les deux graphies, *trucage* et *truquage,* sont admises. L'orthographe usuelle est *truquage,* mais les professionnels de l'audiovisuel écrivent le plus souvent *trucage,* avec un *c.*

trucider v.t. ◆ **Registre.** *Trucider* (= faire périr de mort violente, assassiner) est familier.

truquage n.m. → trucage

tsar, tzar n.m. ◆ **Orth.** Les deux graphies, *tsar* et *tzar,* sont admises (*czar* est la forme polonaise de ce mot slave, issu du latin *Cæsar*), de même que *tsarévitch* ou *tzarévitch, tsarine* ou *tzarine. Tsar* est l'orthographe la plus courante, comme en témoignent les dérivés *tsarisme* et *tsariste* qui n'ont pas de variante avec *z.*

tsé-tsé n.f. inv. ◆ **Orth.** Plur. : *des (mouches) tsé-tsé* (invariable). → R.O. 1990

tsigane, tzigane adj. et n. ◆ **Orth.** 1. Les deux graphies, *tsigane* et *tzigane,* sont admises. *Tsigane,* avec un *s,* est plus courant. 2. *Un, une Tsigane* (avec une majuscule) : une personne appartenant au peuple tsigane. - *Le tsigane* (avec une minuscule) : la langue parlée par les Tsiganes.

tubercule n.m. ◆ **Genre.** Masculin, comme *opercule : un tubercule oblong.*

tuer v.t. ◆ **Conjug.** Attention à l'imparfait et au subjonctif présent : *(que) nous tuions, (que) vous tuiez ;* au futur et au conditionnel : *je tuerai, je tuerais.* ◆ **Accord.** À la forme pronominale, le participe passé s'accorde avec le sujet : *elles se sont tuées à la tâche.*

tuerie n.f. ♦ **Orth.** Avec un *e* muet intérieur.

tue-tête (à) loc. adv. ♦ **Orth.** *À tue-tête,* avec un trait d'union.

tumulus n.m. ♦ **Prononc.** [tymylys], on prononce le *s* final. ♦ **Orth.** Plur. : *des tumulus.* Le pluriel latin *des tumuli* n'est guère usité que par les spécialistes (historiens, archéologues, etc.).

tuner n.m. ♦ **Prononc.** [tynɛʀ], avec le *e* prononcé comme dans *fer,* ou [tjunœʀ], avec le *e* prononcé comme le *eu* de *beurre.* ♦ **Anglicisme.** Récepteur radio d'une chaîne haute-fidélité. **RECOMM. OFF.** : *syntoniseur,* mais ce mot reste presque inusité.

turbo- préf. ♦ **Orth.** Les composés formés avec *turbo-* (du latin *turbo,* tourbillon) s'écrivent en un seul mot : *turboalternateur, turbocompresseur, turboforage, turbomachine, turbopompe,* etc.

turc, turque adj. et n. ♦ **Orth.** *Turc* fait au féminin *turque* (à la différence de *grec,* qui conserve le *c* au féminin : *grecque*).

turf n.m. ♦ **Prononc.** [tœʀf], à l'anglaise, avec le *u* prononcé comme *eu* dans *beurre,* ou [tyʀf], à la française, avec le *u* prononcé comme dans *turc.*

tutoiement n.m. ♦ **Orth.** Avec un *e* muet intérieur. *Tutoiement* correspond à *tutoyer,* verbe du 1er groupe (comme *aboiement* correspond à *aboyer* → **aboiement**)

tutoyer v.t. ♦ **Conjug.** Les formes conjuguées du verbes s'écrivent avec un *i* devant *e* muet : *je tutoie, tu tutoies, nous tutoyons.* - Attention au futur et au conditionnel : *je tutoierai ; je tutoierais.* - Attention également au *i* après le *y* aux première et deuxième personnes du pluriel, à l'indicatif imparfait et au subjonctif présent : *(que) nous tutoyions, (que) vous tutoyiez.* → annexe, tableau 7

tuyau n.m. ♦ **Prononc.** [tɥijo], le groupe *tuy-* se prononce comme *tui-* dans le mot *tuile.*

type n.m. ♦ **Orth.** En apposition, au sens de « modèle », sans trait d'union : *une phrase type, des listes types, des écarts types.* ♦ **Accord.** Après *un type de* (+ nom), l'accord se fait avec *type* : *ce type d'erreurs est fréquent.* ♦ **Registre.** *Un type* (= un individu quelconque) est familier. REM. Le mot péjoratif *typesse* sert parfois de féminin à *type* (au sens de « individu quelconque ») : *il y avait surtout des habitués, quelques types et une typesse.*

tyran n.m. ♦ **Genre.** Toujours au masculin, même pour désigner une femme : *Monique est un tyran.* ♦ **Orth.** Les mots de la famille de *tyran* s'écrivent avec deux *n* : *tyranneau, tyrannicide, tyrannie, tyrannique, tyranniquement, tyranniser* et *tyrannosaure.*

tzar n.m. → tsar

tzigane adj. et n. → tsigane

U V

ubiquité n.f. ◆ **Prononc.** [ybikɥite], en faisant entendre le *u* de *-qu-*. De même pour *ubiquiste,* de la même famille.

uhlan n.m. ◆ **Orth. et prononc.** Noter la place du *h* devant le *l* : *-hl-*. - On ne fait pas la liaison et il n'y a pas d'élision avec *uhlan* : *le uhlan ; un capitaine de uhlans.*

ulcère n.m. ◆ **Genre.** Masculin : *un ulcère.*

ulcérer v.t. ◆ **Conjug.** Attention à l'accent, tantôt grave, tantôt aigu : *j'ulcère, nous ulcérons ; il ulcérera.* → annexe, tableau 11 et R.O. 1990

ultérieur, e adj. ◆ **Emploi.** *Ultérieur* (= qui vient après, plus tard) n'admet ni comparatif ni superlatif.

ultimatum n.m. ◆ **Orth. et prononc.** [yltimatɔm], le *u* se prononce comme dans *maximum*. - Plur. : *des ultimatums.*

ultime adj. ◆ **Emploi.** *Ultime* (= dernier, final) n'admet ni comparatif ni superlatif.

ultra- préf. ◆ **Orth. 1.** Les composés formés avec *ultra-* (du latin *ultra,* au-delà) qui sont passés dans l'usage s'écrivent en un seul mot, sauf si le second élément commence par *a, i* ou *u* : *ultracourt, ultramoderne, ultrapression, ultrason* mais *ultra-aigu, ultra-indépendant, ultra-uniforme.* - Toutefois, *ultra-marin,* adjectif dérivé de l'adverbe *outre-mer,* s'écrit avec un trait d'union. → **outre-mer. 2.** Les composés librement formés (mots « de circonstance ») qui n'appartiennent pas au fonds commun de la langue) s'écrivent avec un trait d'union : *elle est ultra-dépensière ; ils sont ultra-snobs ; les ultra-libéraux.* REM. *Ultra-* est un élément très productif, que l'on utilise avec une valeur voisine de celle de *très* pour former des mots composés.

ululer, hululer v.i. ◆ **Orth.** Les deux graphies, *ululer* et *hululer,* sont encore admises, mais *hululer* avec un *h* est vieilli et ne se rencontre plus guère. De même pour le dérivé *ululement,* qui ne s'écrit plus que rarement *hululement* (la variante *ululation* ne prend jamais de *h*). RECOMM. Préférer la graphie sans *h.*

un article indéfini, pron. indéfini, adj. numéral, n.m.
◆ **Prononc.** Devant une voyelle ou un *h* muet, *un* se prononce nasalisé, [œ̃], comme dans *brun,* mais en faisant la liaison avec *n* : *un[n]écolier ; un[n]homme.* On ne fait pas d'élision ni de liaison devant *un* dans les cas suivants.
1. Quand *un,* n.m., désigne le chiffre ou

le numéro 1 : *elle habite rue du Débarcadère, au un ; j'ai le dossard numéro deux, tu as le un ; j'ai confondu le sept et le un.*

2. Quand *un,* adjectif numéral, est le premier terme d'une énumération : *compter de un à vingt.*

3. Quand *un* est adjectif numéral et qu'on veut souligner sa valeur numérique : *des intervalles de un centimètre ; une pièce de un franc ; il est près de une heure.*

◆ **Orth.**

1. On écrit *vingt et un, trente et un, quarante et un,* etc., sans trait d'union.

2. On écrit : *chapitre un, acte un, tome un,* etc., mais on écrit généralement en toutes lettres, en tête d'un chapitre, d'un acte, etc. : *Chapitre premier, Acte premier,* etc.

3. Employé au sens de « premier » et placé après un nom, *un* est normalement invariable : *page un ; ligne vingt et un.* **RECOMM.** Se conformer à cet usage dans l'expression soignée, en particulier à l'écrit, bien qu'on entende fréquemment dans l'expression orale familière *page une, ligne vingt et une.*

4. Comme nom masculin, *un* est invariable : *il fait les sept comme des un.* **RECOMM.** Dans cet emploi, on écrit plutôt en chiffres : *il fait les 7 comme des 1.*

◆ **Emploi.**

1. *D'un,* suivi d'un adjectif, s'emploie dans la langue familière comme forme d'insistance (= très) : *les murs sont d'un sale ! ; elle est d'un vulgaire !*

2. *Un / l'un* pron.

❑ *Un* ne s'emploie plus guère comme pronom que devant *seul,* après *pas,* ou avec le complément *en : un seul a répondu ; pas un n'a répondu ; il en manque un.*

❑ *Un qui, un que* au sens de « quelqu'un qui, quelqu'un que » est aujourd'hui familier : : *une qui a de la chance, c'est Martine ! Un que je ne suis pas près d'oublier, c'est bien lui !* **REM.** Cet emploi était courant au XVIIe s. : « *Un qui n'avait jamais sorti de Corinthe commençait ainsi son histoire...* » (Racine). → aussi ci-dessous, Constr.

❑ *L'un* s'emploie sans complément quand on fait référence à deux choses seulement : *j'ai acheté deux livres, l'un coûte vingt francs* (mais : *j'ai acheté plusieurs livres, l'un d'eux coûte vingt francs*).

❑ *Un de / l'un de.* On emploie indifféremment *un de (un des, une de, une des)* ou *l'un de (l'un de, une de, l'une des)* : *c'est un de mes films préférés* ou *l'un de mes films préférés ; ce cinéaste est un des plus doués,* ou *l'un des plus doués de sa génération.* Toutefois, avec *nous, vous, eux* comme complément, on emploie plus souvent *l'un de : l'une de vous viendra-t-elle avec moi ?* Si le complément est placé avant, dans un contexte où il n'est question que de deux choses, on emploie toujours *l'un* ou *l'une : de deux choses l'une.* **REM.** La règle qui voulait que l'on emploie *un de* en parlant de deux, et *l'un de* en parlant de plus de deux, n'est plus en usage.

3. *L'un* employé avec *l'autre.*

❑ *L'un de l'autre / les uns des autres. L'un (l'une) de l'autre* se dit en parlant de deux choses ou deux êtres, alors que *les uns (les unes) des autres* se dit de préférence en parlant de plusieurs : *deux arbres espacés de trois mètres l'un de l'autre ; des arbres espacés de trois mètres les uns des autres* (plutôt que *l'un de l'autre,* néanmoins correct).

❑ *L'un l'autre, l'un à l'autre* (= mutuellement) s'emploient pour renforcer ou préciser la réciprocité : *aimez-vous les uns les autres ; ils se mentent les uns aux autres* (ou, avec omission de la préposition : *ils se mentent les uns les autres.*) **RECOMM.** Éviter d'employer *l'un l'autre* ou *l'un et l'autre* avec des verbes pronominaux de sens réciproque, avec lesquels ils forment pléonasme : *ils se saluent* (et non *ils se saluent l'un l'autre*).

❑ *L'un dans l'autre* (= le bon compensant le mauvais, tout compte fait) est une locution figée, toujours au singulier : *ces achats ne m'ont pas coûté grand-chose l'un dans l'autre* (et non *les uns dans les autres*).

❏ *L'un, l'autre,* peuvent se joindre par *et, ou, ni, à, comme,* etc. : *je verrai l'un et l'autre ; vous pouvez choisir l'un ou l'autre ; il ne désire ni l'un ni l'autre ; il possède l'une et l'autre maison ; il n'acceptera ni l'une ni l'autre solution.* (V. aussi ci-dessous, Accord.) - Quand ces expressions sont précédées d'une préposition, celle-ci est habituellement répétée devant *autre : il a parlé à l'un et à l'autre témoin ; je ne compte ni sur l'un ni sur l'autre.* Toutefois, si l'on considère globalement les êtres ou les choses désignés par l'expression, on ne répète pas la préposition : *dans l'un et l'autre cas, il refusera* (= quel que soit le cas). - La préposition *entre* n'est jamais répétée : *choisir entre l'un et l'autre.*

❏ *L'un ou l'autre* employé pronominalement ou adjectivement exprime habituellement le choix, l'alternative : *il vous faut choisir entre l'une ou l'autre solution ; le gagnant sera l'un ou l'autre.* Mais *l'un ou l'autre* s'emploie aussi au sens indéterminé de « tel ou tel » : *tu pourrais rencontrer l'un ou l'autre de tes amis ; il est souvent invité dans l'une ou l'autre famille du quartier.* V. aussi ci-dessous, Accord.

4. *Un* est employé adjectivement dans *la République est une et indivisible.*

◆ **Constr.**

1. *Un,* employé comme pronom avec un adjectif ou un participe attribut, se construit avec la particule *de : il y en a un de cassé ; pas un seul de libre.*

2. *Pas un* se construit avec *ne : pas un ne sortit.*

3. *Pas un qui* se construit avec le subjonctif mais n'est pas suivi de *ne,* sauf si le verbe de la subordonnée est pris négativement : *pas un qui se soit dévoué ; il n'y a pas une maison sur dix qui ait le téléphone* (= au moins neuf sont sans téléphone) ; *il n'y a pas une maison sur dix qui n'ait le téléphone* (= au moins neuf ont le téléphone).

◆ **Accord.**

1. Accord de *un.*

❏ Comme adjectif numéral, *un* fait *une* au féminin : *vingt et une heures ; quatre-vingt-une pages* mais *vingt et un mille lignes* (car *un* se rapporte ici à *mille* et non à *lignes*). Avec un nombre terminé par *un* (*vingt et un, trente et un,* etc.), le nom qui suit se met au pluriel : *trente et un jours.* **REM.** Jusqu'au XVIIe s., on l'écrivait au singulier.

❏ *Un* ne se met au pluriel qu'en tant que pronom : *les uns partiront, les autres resteront ; quelques-uns viendront.*

❏ *L'un* dans les expressions formées avec *l'un, l'autre.* Lorsque l'expression renvoie à deux noms féminins, *l'un* se met généralement au féminin : « *Avez-vous rencontré ses sœurs ? – Ni l'une ni l'autre* ». Si l'un des noms est au masculin, *l'un* reste au masculin : « *Avez-vous vu son père et sa mère ? – Ni l'un ni l'autre* ». **REM.** On peut toutefois trouver *l'une* représentant le nom féminin : *ils étaient partis avec une boussole et un couteau, je n'avais ni l'une ni l'autre.* Si l'expression renvoie à des adjectifs, *l'un* reste invariable : « *Sont-ils bleus ou blancs ? – Ni l'un ni l'autre, ils sont rouges* ».

2. Accord du verbe.

❏ **Après** *un des... qui.* Le verbe qui suit se met généralement au pluriel : *c'est un des hommes qui comptent le plus en matière de littérature ; elle est l'une des actrices françaises qui ont fait carrière à l'étranger.* Toutefois, le verbe peut être au singulier si l'on veut insister sur l'individualité, *un* ou *une* ayant alors la valeur de *celui* ou de *celle : c'est une des choses qui me donne le plus de joie.*

❏ **Après** *un de ces.* Le verbe se met au pluriel : *c'est un de ces hommes qui ont toujours une idée à vous proposer.* - Cet exemple est à distinguer d'une phrase comme : *il a observé un de ces phénomènes, qu'il a d'ailleurs décrit dans son dernier ouvrage,* dans laquelle la virgule (à l'oral, une courte pause) montre que le pronom relatif a pour antécédent *un* et non pas *phénomènes.*

❏ Après *un de ceux... qui,* le verbe se met au pluriel : *tu es une de celles qui m'ont le plus aidé.* Mais après *un de ceux-là,* le verbe se met le plus souvent au singulier : *c'est un de ceux-là qui m'a le plus aidé.*

❑ *L'un et l'autre.* Avec *l'un* (*l'une*) et *l'autre* (adjectif), suivi d'un nom au singulier, le verbe se met normalement au singulier : *l'une et l'autre robe lui ira ; il se rendra dans l'une et l'autre ville.* On trouve toutefois le pluriel quand l'idée de conjonction, de réunion l'emporte : *l'un et l'autre livre lui plairont.* Il arrive aussi que l'on trouve *l'un et l'autre* suivi d'un nom au pluriel ; dans ce cas, le verbe se met au pluriel : *l'un et l'autre véhicules sont chenillés.* - Avec *l'un* (*l'une*) et *l'autre* employé comme pronom, l'accord est facultatif, mais se fait le plus souvent au pluriel : *l'une et l'autre ont protesté ; l'un et l'autre se dit ou se disent.* Mais le pluriel est de règle si le verbe précède : *ils sont partis l'un et l'autre.*

❑ *L'un ou l'autre.* Avec *l'un ou l'autre* suivi d'un nom ou employé comme pronom, le verbe se met au singulier : *l'une ou l'autre solution est envisageable ; l'un ou l'autre viendra.* *L'un ou l'autre* est quelquefois pris dans un sens indéterminé marquant la conjonction, la réunion ; le verbe se met alors au pluriel : *l'une ou l'autre de ces mauvaises habitudes finiront par te nuire.*

❑ *Ni l'un ni l'autre. Ni l'un ni l'autre* demande le plus souvent le verbe au singulier, mais le pluriel est possible, en particulier si l'expression est prise dans un sens collectif : *ni l'un ni l'autre n'est resté ; ni l'un ni l'autre n'accepta* ou *n'acceptèrent ; ni l'une ni l'autre proposition ne me convient* ou *ne me conviennent ; ni l'un ni l'autre n'étaient français.*

Ni l'un ni l'autre est toujours suivi d'un verbe au singulier quand l'un des sujets exclut manifestement l'autre : *ni l'un ni l'autre ne sera élu.*

Si le verbe précède, le pluriel est de règle : *ils n'ont parlé ni l'un ni l'autre.*

❑ *Plus d'un.* → plus.

3. Accord du nom. *Un de ces,* employé familièrement au sens de « un... peu commun », « un... remarquable », est nor-

malement suivi d'un nom au pluriel : *j'ai une de ces soifs !* Toutefois, cette expression tend à perdre sa valeur partitive au profit d'une valeur intensive et emphatique et le nom qui suit se met de plus en plus souvent au singulier : *il a un de ces travail ! ; Idéal du Haras, c'est un de ces cheval ! ; j'ai un de ces mal de tête !* C'est notamment le cas quand le nom a une forme du pluriel différente, pour l'oreille, de la forme du singulier, comme dans les trois exemples précédents *(travail / travaux, cheval / chevaux, mal / maux).*

unanimité n.f. ♦ **Sens et emploi.** *Unanimité* = accord de toutes les opinions, de tous les suffrages. **RECOMM.** Éviter d'employer *unanimité* (et l'adjectif *unanime*) avec des mots comme *tous, total,* qui font pléonasme. Dire : *ils votèrent le projet à l'unanimité ; tous votèrent le projet ; ils sont unanimes* (et non *tous à l'unanimité ; *à l'unanimité totale ; *tous unanimes).

uniment adv. ♦ **Orth.** Pas de *e* intérieur, comme dans *infiniment, joliment.*

unir v.t. ♦ **Constr. 1.** *Unir* demande un complément pluriel : *unir deux choses ; unir une chose et une autre.* **2.** *Unir à / avec.* Dans un sens concret, on emploie indifféremment l'une ou l'autre préposition : *unir un mot à un autre, avec un autre.* Dans un sens abstrait, on dit plutôt *unir à : unir l'utile à l'agréable ; unir la beauté au talent.* - À la forme pronominale, on dit plutôt *s'unir avec : s'unir avec un voisin, s'unir d'amitié avec qqn.* Toutefois, il n'est pas rare de trouver *s'unir à : « Le pâle hortensia s'unit au myrte vert »* (G. de Nerval). ♦ **Emploi. RECOMM.** Éviter *unir ensemble,* qui fait pléonasme.

unisexe adj. ♦ **Prononc.** Le *s* se prononce [s] (et non [z]), car il appartient au radical, comme dans *bisexuel.*

untel, unetelle ♦ **Orth.** *Untel, unetelle.* On écrit le plus souvent aujourd'hui en un seul mot : *j'ai vu untel et unetelle,*

M. Untel et Mme Unetelle. La graphie *un tel, une telle,* en deux mots, est vieillie.

urbanisation n.f. → urbanisme

urbanisme n.m. / **urbanisation** n.f./ **urbanité** n.f. ◆ **Sens.** Ne pas confondre ces mots, tous trois dérivés de l'adjectif *urbain* qui signifie à la fois « de la ville » et « poli, civil » (du latin *urbs, urbis,* ville). 1. *Urbanisme* = science et technique de l'aménagement des villes. 2. *Urbanisation* = action d'aménager, de transformer en ville, en zone urbaine : *l'urbanisation des campagnes.* 3. *Urbanité* = politesse qui résulte de l'usage du monde ; courtoisie, civilité. ◆ **Registre.** *Urbanité* appartient au registre soutenu. *Urbanisme* et *urbanisation* sont usités dans le registre technique et dans le registre courant.

uretère n.m. ◆ **Orth.** Avec un accent grave ; mais les dérivés de *uretère* s'écrivent avec deux accents aigus : *urétéral, urétérite,* etc. ◆ **Sens.** *Uretère / urètre* n.m. Ne pas confondre ces deux mots de forme proche, mais de sens distincts. 1. *Uretère* = canal qui va de chacun des deux reins à la vessie. 2. *Urètre* = canal qui va de la vessie au méat urinaire.

urètre n.m. ◆ **Orth.** Avec un accent grave ; mais les dérivés de *urètre* s'écrivent avec un accent aigu : *urétral, urétrite,* etc. ◆ **Sens.** → uretère

urgent, e adj. ◆ **Emploi.** *Très urgent, extrêmement urgent* sont aujourd'hui admis pour marquer l'insistance. REM. Les expressions *très urgent, extrêmement urgent* ont été critiquées, car *urgent* ayant le sens absolu de « qui ne souffre aucun retard » semble ne pouvoir admettre aucun degré. Il s'agit en fait d'un renforcement expressif, couramment admis aujourd'hui.

urger v.i. ◆ **Registre.** Familier. RECOMM. Dans l'expression soignée, en particulier à l'écrit, préférer *être urgent, presser.* ◆ **Emploi.**

Urger s'emploie le plus souvent à la forme impersonnelle : *dépêchez-vous, ça urge !*

urinal n.m. ◆ **Orth.** Plur. : *des urinaux.*

urticaire n.f. ◆ **Genre.** Féminin : *une urticaire localisée au visage.*

urticant, e adj. ◆ **Orth.** Avec un *c,* comme *urticaire.* REM. *Urticant* est un dérivé savant du latin *urtica,* ortie, mais ne correspond à aucun verbe.

us n.m. plur. ◆ **Prononc.** [ys], en faisant entendre le *s.* ◆ **Emploi.** *Us* (= mœurs, usages) ne se rencontre guère que dans l'expression figée *les us et coutumes : les us et coutumes de la campagne* (et non *les us et les coutumes*). Il est employé aussi parfois par plaisanterie dans l'expression vieillie *avoir des us* (= connaître les usages du monde, le savoir-vivre).

usagé, e adj. / **usé,e** adj. / **usité,e** adj. ◆ **Sens.** Ne pas confondre ces trois mots de forme proche. 1. *Usagé* = qui a servi et qui a perdu l'aspect du neuf (mais qui peut être encore en bon état) : *vêtements neufs et vêtements usagés.* 2. *Usé* = qui a subi une certaine détérioration du fait de l'usure : *tapis usé jusqu'à la corde.* 3. *Usité* = qui est en usage (le plus souvent en parlant d'un mot, d'une tournure) : *un mot usité, très usité, peu usité.*

usager n.m. ◆ **Orth.** Au sens de « personne qui utilise un service, qui fait usage de qqch. », finale en *-er.* Ne pas confondre avec l'adjectif *usagé* (v. ce mot).

user v.t. et v.t.ind. ◆ **Sens.** 1. *User* = détériorer par l'usage. *Il use vite ses chaussures.* L'adjectif correspondant est *usé, e : des semelles usées.* 2. *User de* = se servir de. *Il a usé de ses relations pour obtenir le marché.* L'adjectif correspondant est *usité, e : une tournure usitée.*

usité, e adj. ◆ **Emploi.** *Usité* est l'adjectif correspondant au verbe *user de* : il n'existe pas de verbe *usiter. Néanmoins, la tournure *usité par* est passée dans l'usage : « *Enfin "de vrai" est usité par les meilleurs auteurs* » (Littré). REM. Quelques grammairiens persistent à critiquer la tournure *usité par,* mais ce purisme paraît aujourd'hui bien dépassé. ◆ **Sens.** → usagé

utiliser v.t. / **employer** v.t. ◆ **Sens.** On distinguait naguère entre ces deux verbes, *employer* signifiant simplement « faire usage, se servir de » et *utiliser* « employer utilement, tirer parti de ». Cette nuance de sens n'est plus que rarement perçue aujourd'hui.

va forme verbale ◆ **Orth. 1.** On écrit *va-t-il* (inversion du sujet) mais *va t'en, vas-y* (impératifs). **2.** → va-t-en-guerre

vacances n.f. plur. / **vacance** n.f. ◆ **Nombre. 1.** *Vacances* (= congé) est toujours au pluriel : *vacances d'été, d'hiver ; être en vacances.* **2.** *Vacance* (= situation d'un poste dépourvu momentanément de titulaire) s'emploie au singulier ou au pluriel. *Déclarer la vacance d'une chaire ; les vacances de trois postes ont désorganisé le service.*

vacant, e adj. / **vaquant** part. présent ◆ **Orth. et emploi.** Ne pas confondre. **1.** *Vacant,* avec un *c,* adjectif = non occupé, libre. S'accorde : *une place vacante, des logements vacants.* **2.** *Vaquant,* avec *-qu-,* participe présent du verbe *vaquer.* Invariable : *les tribunaux vaquant en été, cette affaire ne pourra être plaidée qu'à la rentrée ; je l'ai vue vaquant à ses occupations.*

vacation n.f. → salaire

vacillation n.f. ◆ **Prononc.** [vasijɑsjɔ̃], avec le groupe *-ill-* prononcé comme dans *(il) pilla.* REM. La prononciation [vasilɑsjɔ̃], avec le groupe *-ill-* prononcé comme dans *(il) pila,* est presque entièrement sortie de l'usage.

vacuité n.f. → viduité

vade-mecum n.m. inv. ◆ **Prononc.** [vademekɔm], les deux *e* se prononcent comme s'ils s'écrivaient *é,* et le *u* se prononce comme dans *maximum.* ◆ **Orth.** *Vade-mecum* (= guide, aide-mémoire) s'écrit avec un trait d'union, mais ne prend pas d'accent malgré la prononciation et reste invariable. → R.O. 1990. - Plur. : *des vade-mecum.*

va-et-vient n.m. inv. ◆ **Orth.** Avec deux traits d'union. - Plur. : *des va-et-vient* (invariable).

vain (en) loc. adv. ◆ **Constr. et registre.** Dans l'expression soignée, *en vain* est souvent utilisé en tête de proposition et entraîne alors l'inversion du sujet : *en vain avons-nous essayé de l'en dissuader.*

vaincre v.t. ◆ **Conjug.** Le *c* du radical se maintient au singulier de l'indicatif et de l'impératif : *je vaincs, tu vaincs, il vainc* (à la forme interrogative : *vainc-t-il ?*). *Vaincs !* Le *c* devient *-qu-* devant *a, e, i* et *o : nous vainquons, vous vainquez, il vainquent* (mais : *j'ai vaincu*). → annexe tableau 94.

vainqueur n.m. et adj. m. ◆ **Genre.** Toujours masculin, même pour désigner une femme : *c'est elle le grand vainqueur du tournoi ; elle est sortie vainqueur.*

vaisseaux (genre des noms de) → annexe, grammaire § 34

vaisselier n.m. ◆ **Prononc.** [vɛsɛlje], en prononçant le *e* intérieur comme s'il s'écrivait *è,* ou [vɛsəlje], en prononçant le *e* intérieur comme dans *petit.* La première prononciation est aujourd'hui la plus fréquente. ◆ **Orth.** Avec un seul *l* (mais *vaisselle* en prend deux).

val n.m. ◆ **Orth.** Plur. : *des vals,* sauf dans l'expression *par monts et par vaux* (= de tous côtés, à travers tout le pays) et dans quelques noms de lieux : *les Vaux-de-Cernay, Vaux-le-Vicomte.*

valable adj. ♦ **Emploi.** L'emploi de *valable* au sens de « qui a une certaine valeur, une certaine importance » est fréquent dans l'expression orale courante (sous l'influence de l'anglais *valuable,* précieux, de valeur) : *un travail valable, une œuvre valable.* RECOMM. Dans l'expression soignée, en particulier à l'écrit, préférer *de valeur, de qualité, estimable, intéressant, remarquable,* etc. : *un travail de qualité ; une œuvre intéressante, remarquable.*

vallonner v.t. ♦ **Orth.** Avec deux *n,* comme les autres mots de la famille de *vallon : vallonné, vallonnement.*

valoir v.i., v.t., v. impers. et v.pr. ♦ **Conjug.** Attention au subjonctif présent : *que je vaille* (et non *que je vale*) ; mais : *que nous valions, que vous valiez, qu'ils vaillent.* → annexe, tableau 46. ♦ **Accord.** Lorsque *valoir* est employé transitivement (= procurer), le participe passé s'accorde : *les soucis que cette démarche lui a valus* (accord avec le complément d'objet direct placé avant *avoir*). Lorsque *valoir* est employé intransitivement (= avoir telle valeur), le participe passé reste invariable : *les cent francs que ce livre a valu.* → aussi **coûter.** ♦ **Emploi.** *Valoir / falloir.* Ne pas confondre les formes impersonnelles *il vaut mieux* et *il faut.* **1.** *Il vaut mieux* = il est préférable de. *Il vaut mieux tenir que courir.* **2.** *Il faut* = il est nécessaire de. *Il faut manger pour vivre.* RECOMM. Éviter le solécisme *il faut mieux.* ♦ **Constr.** 1. *Il vaut mieux que* (+ subjonctif) : *il vaut mieux que nous en riions.* ❏ *Il vaut mieux* (+ infinitif) : *il vaut mieux en rire.* **2.** *Mieux vaut… que de… / mieux vaut… que… (mieux vaut entendre cela que d'être sourd* ou *mieux vaut entendre cela qu'être sourd)* → **de, mieux**

vanillier n.m. ♦ **Orth.** Attention à la finale en *-illier-,* avec un *i* après les deux *l,* comme dans *groseillier.*

vantail n.m. ♦ **Orth. et sens.** *Vantail* (= battant de porte), s'écrit avec un *a.* Ne pas confondre avec *ventail,* partie de la visière d'un casque clos par laquelle passait l'air. - Plur. : *des vantaux.*

vantard n.m. et adj. ♦ **Orth.** Avec un *d* final, comme pour *roublard, veinard.*

va-nu-pieds n.m. inv. ♦ **Orth.** Avec deux traits d'union. → R.O. 1990. - Plur. : *des va-nu-pieds.*

vaquant part.présent → vacant

varappe n.f. ♦ **Orth.** Avec un seul *r* et deux *p,* de même que ses dérivés *varapper, varappeur.*

varech n.m. ♦ **Prononc.** [varɛk], comme pour rimer avec *sec.* ♦ **Orth.** Attention au groupe *-ch* à la finale.

variante n.f. / **variation** n.f. ♦ **Sens et emploi.** Ne pas confondre ces deux mots de forme proche mais de sens distincts. **1.** *Variante* = chose qui diffère légèrement d'une autre de la même espèce : « *yaourt* » et « *yogourt* » sont deux *variantes du même mot ; son histoire est une variante de la mienne.* **2.** *Variation* = état de ce qui varie ; changement, modification, fluctuation : *variations de température ; les variations du cours d'une monnaie ; composer des variations à partir d'un thème musical.*

vassal n.m. ♦ **Orth.** Plur. : *des vassaux.*

vat forme verbale ♦ **Orth.** *À Dieu vat* → aller

va-t-en-guerre adj. inv. et n.inv. ♦ **Orth.** Avec trois traits d'union. - Plur. : *des va-t-en-guerre, elles sont assez va-t-en-guerre* (invariable). RECOMM. Attention aux traits d'union : ne pas se laisser influencer par l'impératif *va-t'en,* qui s'écrit avec apostrophe après *t,* forme élidée du pronom *toi.*

va-tout n.m. inv. ◆ **Orth.** Plur. : *des va-tout* (invariable). ◆ **Emploi.** Hors de son sens technique de « mise sur un seul coup de tout l'argent qu'on a devant soi, au jeu », le mot ne s'emploie guère que dans l'expression *jouer son va-tout* (= risquer sa dernière chance).

vaudou, e adj. ◆ **Orth.** Au féminin avec *e*, au pluriel avec *s*, comme *tabou : rites vaudous, cérémonies vaudoues.*

vau-l'eau (à) loc. adv. ◆ **Orth.** Avec un seul trait d'union. REM. *À vau-l'eau* veut dire au sens concret « au fil de l'eau, au gré du courant » : le mot est formé de *avau,* variante de *aval,* de *l',* article élidé et de *eau.* ◆ **Emploi.** *À vau-l'eau* s'emploie surtout avec les verbes *aller, partir : ses affaires vont à vau-l'eau* (= périclitent, se dégradent).

Vauvert (au diable) loc. adv. → diable

vaux n.m. plur. → val

va-vite (à la) loc. adv. ◆ **Orth.** Avec un trait d'union.

vécu part. passé → vivre

végétarien, enne adj. et n. / **végétalien, enne** ou **végétaliste** adj. et n. ◆ **Sens. 1.** *Végétarien, enne* = adepte d'un système d'alimentation (végétarisme) supprimant toute viande. **2.** *Végétalien, enne* ou *végétaliste* = adepte d'un système d'alimentation (végétalisme) supprimant non seulement toute viande, mais également tout produit d'origine animale (œufs, lait, beurre, etc.).

végéter v.i. ◆ **Conjug.** Attention à l'accent, tantôt grave, tantôt aigu : *il végète, nous végétons ; il végétera.* → annexe, tableau 11 et R.O. 1990

veille n.f. ◆ **Emploi.** On dit, on écrit *la veille du jour où, la veille de : la veille du jour où nous nous sommes rencontrés ; la veille de* mon arrivée. RECOMM. Éviter : **la veille que* (**la veille que nous nous sommes rencontrés*), **la veille du jour de* (**la veille du jour de mon arrivée*).

veiller v.i., v.t.ind. et v.t. ◆ **Constr. 1.** *Veiller à ce que* (+ subjonctif) : *veillez à ce qu'elle s'habille chaudement.* (et non **veillez qu'elle s'habille chaudement*). **2.** *Veiller à* (+ nom ou infinitif) : *veiller à la bonne marche d'une opération ; veiller à ne pas faire de fautes.* **3.** *Veiller sur* (+ nom ou pronom) : *veillez mieux sur vos affaires.* **4.** *Veiller qqn : veiller un malade* (= rester la nuit à son chevet).

veinard, e adj. et n. ◆ **Orth.** Avec un *d* final, comme pour *roublard, vantard.* ◆ **Registre.** Familier.

veine n.f. ◆ **Orth.** *Veine* et les mots de la même famille *(veiner ; veineux, euse ; veinule, veinure)* s'écrivent avec *ei.*

vélin n.m. ◆ **Orth.** Avec un *e* accent aigu.

vélo n.m. ◆ **Constr.** *Aller à vélo / aller en vélo.* → à

vélum, velum n.m. ◆ **Prononc.** [velɔm] pour l'une et l'autre graphie, avec le *e* prononcé *é* et le *u* prononcé comme dans *maximum.* → R.O. 1990. - Plur. : *des vélums ; des velums.*

vendanger v.t. et v.i. ◆ **Conjug.** Le *g* devient *-ge-* devant *a* et *o : je vendange, nous vendangeons ; il vendangea.* → annexe, tableau 10

vendeur, euse n. / **vendeur, eresse** n. ◆ **Emploi.** Attention à l'emploi des féminins *vendeuse* et *venderesse.* **1.** *Vendeur* (= personne dont le métier est de vendre) a pour féminin *vendeuse : les vendeurs et les vendeuses d'un grand magasin.* Mot courant. **2.** *Vendeur* (= personne qui fait un acte de vente) a pour féminin *venderesse : la susnommée, agissant en qualité de venderesse...* Terme de droit.

vendre v.t. et v.pr. ◆ **Conjug.** →
annexe, tableau 59

vendredi n.m. ◆ **Orth.** *Tous les vendre-dis* (avec un *s*). ❏ *Le Vendredi saint,* avec un *V* majuscule et un *s* minuscule, sans trait d'union.

vénéneux, euse adj. / **venimeux, euse** adj. ◆ **Sens et emploi.** Ces deux mots de sens proche n'ont pas les mêmes emplois. **1.** *Vénéneux* se dit des substances ou des organismes qui, ingérés, peuvent causer un empoisonnement : *le phosphore, l'arsenic sont vénéneux ; champignons vénéneux ; certains poissons des mers chaudes sont vénéneux.* **2.** *Venimeux* se dit d'animaux ou d'organes qui produisent un venin : *araignée, serpent venimeux ; dard venimeux.* Au sens figuré, il signifie aussi « malveillant, méchant » : *parole, critique venimeuse.*

vénérer v.t. ◆ **Conjug.** Attention à l'accent, tantôt grave, tantôt aigu : *il vénère, nous vénérons ; il vénérera.* → annexe, tableau 11 et R.O. 1990

venger v.t. et v.pr. ◆ **Conjug.** Le *g* devient *-ge-* devant *a* et *o* : *je venge, nous vengeons ; il vengea.* → annexe, tableau 10

vengeur, eresse n. et adj. **Registre.** Le féminin *vengeresse* ne s'emploie que dans le registre soutenu : *pamphlet écrit d'une plume vengeresse.*

venir v.i. ◆ **Conjug.** Toujours avec l'auxiliaire *être.* → annexe, tableau 28. ◆ **Emploi.** *Venir / aller.* Les deux verbes marquent une idée de « déplacement vers », mais *venir* ajoute une référence à la personne qui parle ou à celle à qui on parle. Ainsi peut-on dire : *je vais au marché, voulez-vous venir avec moi ?* mais on dit aussi bien : *je vais au marché, voulez-vous y aller avec moi ?* Dans *voulez-vous venir avec moi,* le mouvement est indiqué par rapport à *moi,* alors que dans *voulez-vous y aller avec moi,* c'est *y* (= le marché)

qui est pris pour repère. ◆ **Accord.** *Vienne...* Employé au subjonctif, sans *que,* en début de proposition, *venir* s'accorde avec le sujet : *viennent les beaux jours, il oubliera son mal de vivre.* « *Vienne la nuit sonne l'heure / Les jours s'en vont je demeure* » (G. Apollinaire). Registre soutenu. ◆ **Constr.** *D'où vient que, de là vient que :* avec l'indicatif, le conditionnel ou le subjonctif selon le sens. ❏ Avec l'indicatif pour marquer la réalité du fait : *de là vient que je ne dis à personne où je vais.* ❏ Avec le conditionnel pour marquer l'éventualité : *d'où vient que vous pourriez changer d'avis ?* ❏ Avec le subjonctif pour marquer que ce qui est envisagé ne se réalise pas (et donc, selon les contextes, l'étonnement, l'hypothèse, etc.) : *d'où vient que je ne puisse me faire comprendre ?*

vent n.m. ◆ **Orth.** *Contre vents et marées,* au pluriel, ou plus rarement, *contre vent et marée* (= malgré tous les obstacles).

ventail n.m. ou **ventaille** n.f. ◆ **Orth.** *Ventail* n.m. ou *ventaille* n.f. (= partie de la visière d'un casque clos par laquelle passait l'air, le « vent ») s'écrit avec un *e,* à la différence de *vantail,* battant de porte. → R.O. 1990. - Plur. : *des ventaux ; des ventailles.*

venu, e adj. et n. ◆ **Orth.** *Les nouveaux venus, les nouvelles venues, les premiers venus, les premières venues,* sans trait d'union. ◆ **Emploi.** *Bien venu / bienvenu* → bienvenu

ver n.m. ◆ **Emploi.** *Mangé aux vers* → à

véranda n.f. ◆ **Orth.** Avec *-an-* et la finale en *-a.* REM. Ce mot, emprunté à l'hindi par l'intermédiaire de l'anglais, a connu plusieurs variantes graphiques (dont *vérandah,* aujourd'hui inusité).

verdoiement n.m. ◆ **Orth.** Avec un *e* muet intérieur. *Verdoiement* correspond à *verdoyer,* verbe du 1er groupe (comme *aboiement* correspond à *aboyer* → **aboiement**).

verdoyer v.i. ◆ **Conjug.** Les formes conjuguées du verbe s'écrivent avec un *i* devant *e* muet : *je verdoie, tu verdoies,* mais *nous verdoyons.* - Attention au futur et au conditionnel : *je verdoierai ; je verdoierais.* - Attention également au *i* après le *y* aux première et deuxième personnes du pluriel, à l'indicatif imparfait et au subjonctif présent : *(que) nous verdoyions, (que) vous verdoyiez.* → annexe, tableau 7

vergeure n.f. ◆ **Prononc.** [vɛRʒyR], le groupe *-eu-* se prononce *u,* comme dans *gageure.* ◆ **Orth.** → R.O. 1990

verglacer v. impers. ◆ **Orth.** Avec un *c,* bien que formé sur *verglas.* ◆ **Conjug.** Le *c* devient *ç* devant *a* : *il verglace, il verglaçait, il verglaça. Verglaçant, verglacé.* → annexe, tableau 9

verglas n.m. ◆ **Orth.** Le nom s'écrit avec un *s* final, alors que le verbe correspondant s'écrit avec un *c.*

véridique adj. / **véritable** adj. / **vrai, e** adj. ◆ **Sens.** Attention aux nuances de sens qui séparent ces adjectifs. **1.** *Véridique* = qui dit la vérité ; qui est conforme à la vérité. *Histoire véridique.* **2.** *Véritable* = qui est conforme à la réalité ; qui est réellement ce qu'on dit qu'il est, qui n'est pas imité. *Cuir véritable.* **3.** *Vrai* = conforme à la réalité.

véritable adj. → véridique

vérité n.f. / **véracité** n.f. ◆ **Emploi.** *Vérité* s'emploie de manière générale pour désigner le caractère de ce qui est vrai, conforme à la réalité : *vous êtes le seul à connaître la vérité* (= les faits tels qu'ils se sont réellement passés). *Véracité* s'applique surtout au discours (parole, récit, écrit, témoignage, etc.) : *je crois à la véracité de ce témoignage* (= ce que dit le témoin est vrai, il rapporte les faits tels qu'ils sont réellement passés).

vermouth n.m. ◆ **Orth.** Avec un *h* final (la graphie *vermout* est aujourd'hui sortie de l'usage).

vernir v.t. / **vernisser** v.t. ◆ **Conjug.** *Vernir* se conjugue comme *finir,* et *vernisser* comme *aimer,* mais attention à certaines formes de ces deux verbes, qui sont identiques : *vernissant, il vernissait, qu'il vernisse,* etc. ◆ **Sens.** Ne pas employer l'un pour l'autre ces deux verbes de sens différents. **1.** *Vernir* = recouvrir de vernis. *Vernir un tableau, un meuble.* **2.** *Vernisser* = recouvrir (une poterie) d'une substance vitreuse et colorée, dite *glaçure. Tuiles vernissées.*

vernis n.m. ◆ **Orth. et prononc.** Avec un *s* final qui ne se prononce pas. RECOMM. Bien distinguer : *le vernis d'un meuble* (vernis, n.m.) et *un meuble verni* (verni, e, participe passé du verbe *vernir*).

vernisser v.t. → vernir

verrou n.m. ◆ **Orth.** Plur. : *des verrous,* avec un *s.*

vers prép. ◆ **Emploi.** *Vers* indique la direction ou l'approximation dans le temps ou dans l'espace. ❑ La direction, avec ou sans mouvement : *se diriger vers la frontière ; maison tournée vers le midi.* ❑ L'approximation dans le temps : *je l'ai rencontré vers la fin du mois de juillet.* ❑ L'approximation dans l'espace. V. ci-après, Registre, 2. ◆ **Registre. 1.** *Vers où* (= vers quel lieu, avec mouvement) est fréquent dans l'usage oral courant : *vers où couriez-vous ?* RECOMM. Dans l'expression soignée, en particulier à l'écrit, préférer *où : où couriez-vous ?* **2.** *Vers,* marquant l'approximation dans l'espace, sans mouvement, est aujourd'hui admis : *leur maison se trouve vers le carrefour des Quatre-Chemins.* RECOMM. Cette tournure était naguère critiquée. Dans l'expression soignée, en particulier à l'écrit, on pourra lui préférer *du côté de, près de : leur maison se trouve du côté du carrefour des Quatre-Chemins.*

verse (à) loc. adv. → averse

vert, e adj. ◆ **Orth.** *Des feuilles vertes,* mais *des yeux vert émeraude, des tissus vert foncé, vert pomme, vert bouteille, vert-jaune* → annexe, grammaire § 97, 98, 99

vert-de-gris n.m. inv. et adj. inv. ◆ **Accord.** Invariable : *des vert-de-gris* (rare), *des uniformes vert-de-gris.*

vert-de-grisé, e adj. ◆ **Accord.** S'accorde en genre et en nombre (attention, seul *grisé* varie) : *des lampadaires vert-de-grisés, des statues vert-de-grisées.*

vertu n.f. ◆ **Orth.** *Vertu* est l'un des quatre noms féminins *(bru, glu, tribu, vertu)* avec finale en *u.*

vestiaire n.m. ◆ **Emploi.** *Vestiaire* est l'équivalent officiellement recommandé pour remplacer l'anglicisme *dressing-room.*

vêtir v.t. ◆ **Conjug.** *Je vêts, il vêt, nous vêtons, vous vêtez ; je vêtais, il vêtait, nous vêtions ; vêtant.* → annexe, tableau 32. REM. On rencontre sous la plume de certains écrivains des formes en *vêtiss-* (indicatif imparfait et participe présent, notamment) : « *Les plus larges feuilles vêtissaient les arbres* » (Sainte-Beuve). ◆ **Constr.** *Se vêtir de : se vêtir de rouge, de coton* (plutôt que **en rouge, *en coton*). ◆ **Emploi. 1.** *Vêtir qqn* = l'habiller, le couvrir avec un ou des vêtements. *Vêtir un enfant.* **2.** *Vêtir un habit* = le mettre sur soi. *Il a vêtu pour l'occasion son plus beau costume.* Cet emploi est plus rare que le précédent ; dans ce sens, on emploie plutôt *revêtir.* ◆ **Registre.** *Vêtir* appartient à un registre plus soutenu que *habiller.*

veto n.m. inv. ◆ **Prononc.** [veto], le *e* se prononce comme un *é.* ◆ **Orth.** Plur. : *des veto* (invariable). → R.O. 1990

vice- ◆ **Orth.** Particule invariable signifiant « en second, suppléant » ; les composés s'écrivent avec un trait d'union, le deuxième élément prend la marque du pluriel : *des vice-amiraux, des vice-présidentes.*

vice versa loc. adv. ◆ **Orth. et prononc.** En deux mots, sans trait d'union. Peut se prononcer [visvɛrsa] avec le premier *e* restant muet, ou [visevɛrsa], avec le premier *e* prononcé comme *é.* RECOMM. Atttention, la seconde prononciation est à l'origine de la faute d'orthographe fréquente : **vice et versa.*

vicomté n.f. ◆ **Genre.** Mot resté féminin, contrairement à *comté, duché.* → comté

vidanger v.t. ◆ **Conjug.** Le *g* devient *-ge-* devant *a* et *o* : *je vidange, nous vidangeons ; il vidangea.* → annexe, tableau 10

vidéo adj. inv. et n.f. ◆ **Orth.** Employé comme adjectif, *vidéo* est invariable : *des bandes vidéo ;* employé comme nom, il prend la marque du pluriel : *des vidéos* (= des films, des émissions tournés en vidéo).

viduité n.f. / **vacuité** n.f. ◆ **Sens.** Ne pas confondre ces deux mots proches pour l'oreille. **1.** *Viduité* = veuvage. *Délai de viduité.* Terme de droit. REM. Mot issu du latin *viduitas,* de *vidua,* veuve (comparer à l'anglais *widow*). **2.** *Vacuité* = état de ce qui est vide ou, au figuré, vide de sens. *Estomac à l'état de vacuité ; la vacuité d'un discours.* Le mot n'est pas un terme technique, mais il relève de l'expression soignée. REM. Mot issu du latin *vacuitas,* de *vacuus,* vide.

vieil adj. → vieux

vieillard, e n. ◆ **Genre et nombre.** Au masculin singulier, *un vieillard* = un homme très âgé. Au masculin pluriel, *les vieillards* = les personnes très âgées (hommes et femmes). ◆ **Emploi et registre.** *Vieillarde* n.f. = femme marquée par le grand âge, est littéraire et péjoratif : « *Une vieillarde hideuse qui tient une horrible auberge* » (V. Hugo). La nuance péjorative

591

est absente chez beaucoup d'auteurs contemporains : « *Mme Vincent et deux autres vieillardes dont je ne sais plus le nom* » (A. Gide). ❑ Dans le registre courant, c'est *vieille* qui tient lieu d'équivalent féminin à *vieillard* : « *Pourriez-vous me dire pourquoi il y a de beaux vieillards et point de belles vieilles* » (Diderot). Mais voir aussi *vieux, vieille,* ci-après.

vieux ou **vieil, vieille** adj. / **vieux, vieille** n. ◆ **Emploi. 1.** *Vieux / vieil,* adjectif. Ce mot a deux formes au masculin singulier, *vieux* et *vieil. Vieil* s'emploie devant un nom masculin singulier commençant par une voyelle ou un *h* muet. *Un vieil ami, un vieil habit* (mais : *un vieux camarade, un vieux costume*). **2.** *Un vieux, une vieille.* Ce substantif, souvent considéré aujourd'hui comme trop familier ou trop condescendant (voir par exemple les expressions : *les petits vieux, une pauvre vieille*) tend à être remplacé, dans l'expression soignée, par des euphémismes : *un ancien, une personne âgée,* etc. De même, pour *les vieux : les personnes âgées, le troisième âge, les cheveux blancs, les anciens,* etc.

vilebrequin n.m. ◆ **Prononc.** [vilbʀakɛ̃], le premier *e* n'est pas prononcé.

vilenie n.f. ◆ **Prononc.** [vileni], en prononçant le premier *e* comme *é,* ou [vilni], en ne le prononçant pas. La première prononciation est aujourd'hui beaucoup plus fréquente.

village n.m. → hameau

villes (genre des noms de) → annexe, grammaire, § 35

vin n.m. ◆ **Orth. 1.** *Marchand de vin / de vins.* On distinguait autrefois entre le *marchand de vin,* qui tenait un établissement où l'on consommait du vin sur place et où l'on vendait également du vin à emporter, et le *marchand de vins,* négociant en vins. Les « *marchands de* *vin* » à l'ancienne ayant à peu près disparu, on n'écrit plus guère aujourd'hui que *marchand de vins* (= commerçant qui tient une boutique de vins fins à emporter, caviste). **2.** *Marchand de vin* loc. adj. inv. (= cuit avec du vin rouge et des échalotes, en parlant d'une préparation culinaire) s'écrit sans trait d'union et reste invariable : *des entrecôtes marchand de vin.*

vingt adj. et n.m. ◆ **Prononc.** [vɛ̃] ou [vɛ̃t], le *g* ne se prononce pas, le *t* final ne se prononce qu'en liaison, devant une voyelle ou un *h* muet : *vingt[t]espèces, vingt[t]heures, le vingt[t]août,* ainsi que dans les nombres de *vingt-deux* à *vingt-neuf.* Il ne se prononce pas devant une consonne (*vingt moutons, vingt mille*) ou un *h* aspiré (*vingt hiboux*). ◆ **Orth. 1.** *Vingt,* en composition. S'écrit avec un trait d'union dans les nombres de *vingt-deux* à *vingt-neuf* et de *quatre-vingts* à *quatre-vingt-dix-neuf.* Mais on écrit *vingt et un, vingt et unième* sans trait d'union. **2.** *Vingt* invariable. *Vingt* s'écrit sans *s* dans trois cas. ❑ S'il est employé seul, non multiplié *(vingt kilomètres, vingt bouteilles).* ❑ Si, multiplié dans un nombre, il est suivi d'un autre nombre : *quatre-vingt-trois.* ❑ S'il est multiplié dans un adjectif numéral ordinal : *page quatre-vingt* (= quatre-vingtième page). **3.** *Vingt* variable. *Vingt* prend un *s* dans les nombres où il est multiplié et non suivi d'un autre nombre : *quatre-vingts.* - Cette règle s'applique dans le nom propre de *l'hospice des Quinze-Vingts,* à Paris (fondé par Louis IX pour accueillir quinze fois vingt – c'est-à-dire trois cents – aveugles).

vinicole adj. / **viticole** adj. ◆ **Emploi et sens.** Ne pas confondre ces deux adjectifs relatifs à des activités voisines. **1.** *Vinicole* (*vini-,* du latin *vinum,* vin) se rapporte à la production du vin, de même que *viniculture.* **2.** *Viticole* (*viti-,* du latin *vitis,* vigne) se rapporte à la culture de la vigne, de même que *viticulture.* REM.

On notera que le *viticulteur* (tout comme le *vigneron*) est celui qui cultive la vigne en vue de la production de vin (*viniculteur n'existe pas).

violacer (se) v.pr. ◆ Conjug. Le *c* devient *ç* devant *o* et *a* : *il se violace, nous nous violaçons ; il se violaça.* → annexe, tableau 9

violenter v.t. ◆ Emploi et sens. Dans le registre courant, *violenter* est le plus souvent employé aujourd'hui au sens de « commettre sur qqn un viol ou une tentative de viol ». Son emploi dans le sens plus neutre de « faire violence à qqn, le contraindre par la force » est littéraire.

violoniste n. ◆ Orth. Avec un seul *n* (comme *accordéoniste, orphéoniste,* etc.).

VIP, V.I.P. n. ◆ Prononc. [veipe], en prononçant le nom des trois lettres qui composent le sigle. ◆ Anglicisme. Personnalité de marque (de l'anglais *very important person,* personne très importante). ◆ Orth. En majuscules, avec ou sans points abréviatifs. ◆ Registre. Familier.

virginal, e, aux adj. / virginal, als n.m. ◆ Orth. Attention aux pluriels de ces deux mots, l'un adjectif, l'autre substantif. 1. *Virginal,* adjectif, fait *virginaux* au masculin pluriel : *des émois virginaux.* 2. *Virginal,* nom masculin (= instrument de musique) fait *virginals* au pluriel : *des virginals anglais du XVIIe siècle.*

virgule → annexe, ponctuation § 11 à 14

virtuose n. ◆ Genre. S'emploie aux deux genres : *un virtuose, une virtuose.*

vis n.f. ◆ Genre. Toujours féminin. ◆ Sens. Ne pas confondre *vis* (= tige cylindrique filetée munie d'une tête), *écrou* (= pièce percée destinée à recevoir une vis) et *boulon* (= ensemble constitué par une vis et par l'écrou qui s'y adapte).

vis-à-vis loc. prép., loc. adv. et n.m. ◆ Orth. *Vis-à-vis* s'écrit avec deux traits d'union dans tous ses emplois (préposition, adverbe ou nom), à la différence de *face à face* et de *tête à tête* (v. ces mots). ◆ Emploi. et registre. 1. *Vis-à-vis de qqch., de qqn* (= en face de). *Vis-à-vis,* au sens concret, s'emploie avec la préposition *de : l'hôtel est vis-à-vis de la gare ; j'étais placé vis-à-vis de Lola ; j'étais placé vis-à-vis d'elle.* REM. L'emploi de *vis-à-vis* sans *de* devant un nom de chose est littéraire et vieilli : « *Il demeure vis-à-vis le château* » (Littré). 2. *Vis-à-vis de qqn* (= à l'égard de, envers). L'emploi de *vis-à-vis de,* au sens figuré, devant un nom ou un pronom désignant une personne est aujourd'hui admis : *il est injuste vis-à-vis de son père, il est injuste vis-à-vis de lui ; ils témoignent de l'estime vis-à-vis l'un de l'autre* ou *l'un vis-à-vis de l'autre.* RECOMM. Dans l'expression soignée, en particulier à l'écrit, préférer *à l'égard de, envers : l'attitude qu'elle a eue à votre égard, qu'elle a eue envers vous ; ils manifestent de l'estime l'un envers l'autre.* 3. *Vis-à-vis de qqch.* (= eu égard à, compte tenu de). L'emploi de *vis-à-vis de,* au sens figuré, devant un nom de chose est fréquent dans l'expression orale courante. : *il reste modeste vis-à-vis de sa réussite.* RECOMM. Dans l'expression soignée, en particulier à l'écrit, préférer, selon les contextes, les équivalents *à l'égard de, compte tenu de, au regard de, eu égard à,* notamment dans les tournures comparatives : *leurs résultats sont satisfaisants eu égard à leurs objectifs* (plutôt que : *vis-à-vis de leurs objectifs*). 4. *Vis-à-vis,* adverbe, est admis dans tous les registres : *nous nous tenions debout l'un et l'autre, vis-à-vis.* 5. *Vis-à-vis,* n.m. (= personne, chose qui se trouve en face d'une autre) est admis dans tous les registres : *son vis-à-vis à la table de conférence était un diplomate argentin.*

viser v.t., v.i. et v.t.ind. ◆ Emploi. 1. *Viser qqn, qqch.* v.t. = diriger le coup

vers ; chercher à atteindre. *Viser le centre de la cible ; viser un sanglier, viser le cœur. Il vise la présidence du groupe.* ❏ **Viser** v.i. : *il vise juste ; vous avez visé trop bas.* **2. Viser à qqch.** v.t.ind. = porter le coup vers (une partie du corps) ; avoir en vue, poursuivre (tel résultat). *Visez au défaut de l'épaule. Il vise à un destin national.* ◆ **Constr.** *Viser à* (+ infinitif) : *cette mesure vise à mieux protéger les mineurs.* ❏ *Viser à ce que* (+ subjonctif) : *cette mesure vise à ce que les mineurs soient mieux protégés.*

Visitation n.f. ◆ Orth. *Visitation*

(= visite faite par la Vierge Marie à sainte Élisabeth ; fête catholique qui commémore cette rencontre ; peinture, image qui la représente) prend toujours une majuscule.

visite n.f. / **visiter** v.t. ◆ **Emploi. 1.** *Rendre visite à qqn* (= aller le voir chez lui) n'implique pas nécessairement l'idée de réciprocité. Pour indiquer que l'on rend à qqn la visite qu'il vous a faite, on dit plutôt : *rendre à quelqu'un sa visite.* **2.** *Visiter qqn* (= lui rendre visite) n'est plus guère usité de nos jours, sauf dans quelques emplois, comme *médecin qui visite ses malades, représentant de commerce qui visite ses clients,* et en français d'Afrique. REM. Le mot s'est employé à propos des activités charitables : on disait *visiter les pauvres, les prisonniers.*

vite adv. et adj. ◆ **Emploi et registre. 1.** *Vite,* adverbe. C'est l'emploi le plus courant : *aller vite, il court vite. Vite* est alors invariable. **2.** *Vite,* adjectif. *Vite* est également employé dans le domaine sportif comme un synonyme de *rapide.* Dans ce cas, il s'accorde : *les deux nageuses les plus vites de leur génération.* RECOMM. Dans l'expression courante et surtout dans l'expression soignée, préférer *rapide : les deux nageuses les plus rapides de leur génération.* REM. L'emploi de *vite* au sens de « rapide » était usuel dans la langue classique : *« J'ai vu que l'on*

ne commet pas ordinairement ni la course aux plus vites, ni les affaires au plus sages, ni la guerre aux plus courageux » (Bossuet).

viticole adj. → vinicole

vitrail n.m. ◆ **Orth.** Plur. : *des vitraux.*

vitupérer v.t. et v.t.ind. ◆ **Conjug.** Attention à l'accent, tantôt grave, tantôt aigu : *il vitupère, nous vitupérons ; il vitupérera.* → annexe, tableau 11 et R.O. 1990. ◆ **Constr 1.** *Vitupérer* v.t. (= blâmer, récriminer avec force contre) : *vitupérer le percepteur, les impôts, le fisc.* **2.** *Vitupérer contre* v.t.ind (même sens) : *vitupérer contre les ministres, contre les réformes.* Naguère critiqué, *vitupérer contre* est aujourd'hui admis. ◆ **Registre.** Littéraire ou soutenu.

vivat interj. et n.m. ◆ **Orth et prononc.** Avec un *t* final qui ne se prononce pas.

vive interj. ◆ **Orth.** Devant un nom pluriel, l'accord peut se faire ou non, selon que l'on considère le mot comme une interjection ou comme la forme conjuguée du verbe : *vive les vacances ! vivent les vacances.* Les deux orthographes sont admises, mais *vive* est le plus souvent considéré aujourd'hui comme une interjection invariable : *vive les vacances !*

vivoter v.i. ◆ **Orth.** Avec un seul *t.*

1. vivre v.i. et v.t. ◆ **Conjug.** → annexe, tableau 70. ◆ **Accord. 1.** Le participe passé s'accorde quand *vivre* est employé transitivement au sens de « mener telle vie ; éprouver par l'expérience » : *la triste expérience qu'il a vécue ; les heures sombres que nous avons vécues.* En revanche, si le complément est un complément circonstanciel de temps, *vivre* est employé intransitivement, et l'accord ne se fait pas : *durant les trois ans que j'ai vécu à Paris.* **2.** *Vive…!* interjection → vive. ◆ **Sens et constr.** *Vivre de / sur.* On dit : *vivre de ses rentes, de son travail* en parlant d'un moyen d'assurer sa subsistance ; *vivre sur un héritage* suppose l'idée d'un prélèvement. Au figuré, on dit : *vivre sur sa réputation* (= profiter sans plus d'effort de) ; *vivre sur des idées fausses* (= fonder sa vie sur).

2. **vivre** n.m. ◆ **Emploi.** 1. *Le vivre,* au singulier, n'est employé que dans l'expression *le vivre et le couvert* (= la nourriture et le logement). 2. *Les vivres,* au pluriel, désigne l'ensemble des aliments qui assurent la subsistance : *le navire a relâché à Valparaiso pour embarquer des vivres.*

vocal, e, aux adj. ◆ **Orth.** *Vocal* fait au masculin pluriel *vocaux : des ensembles vocaux.*

vociférer v.i., v.t.ind et v.t. ◆ **Conjug.** Attention à l'accent, tantôt grave, tantôt aigu : *il vocifère, nous vociférons ; il vociférera.* → annexe, tableau 11 et R.O. 1990

vœu n.m. ◆ **Registre.** On dit, on écrit : *mes meilleurs vœux* ou, elliptiquement, *meilleurs vœux,* qui est plus familier. REM. La forme elliptique *meilleurs vœux* a été critiquée comme pouvant prêter à confusion (*meilleur* pourrait être interprété comme un comparatif, comme dans *meilleure santé*). Cette critique semble peu fondée, car aucun doute n'est possible quant à la nature du souhait ainsi formulé. Néanmoins, *meilleurs vœux* relève d'une expression moins soignée que *mes meilleurs vœux.*

voici prép. et adv. / **voilà** prép. et adv. ◆ **Emploi et registre.** Le principe qui régit le choix entre *voici* et *voilà* est le même que pour *ici* et *là, celui-ci* et *celui-là, ceci* et *cela.*
1. *Voici.* Dans l'expression soignée, *voici* s'applique soit à une personne ou à une chose relativement proche de la personne qui parle, soit à ce qui va être dit ou fait : *voici ma fille ; « Et puis voici mon cœur qui ne bat que pour vous »* (Verlaine) ; *voici ce que je vous propose.*

2. *Voilà* s'applique soit à une personne ou à une chose éloignée de la personne qui parle, soit à ce qui a été dit ou fait : *voilà les bateaux qui rentrent au port ; voilà ce que j'ai compris.* - Dans l'expression orale courante, *voilà* est souvent employé pour *voici* : *nous y voilà ; voilà la pluie ; en voilà une idée !*
3. *Voici* et *voilà* dans la même phrase. Cet emploi marque souvent une opposition : *voici ma place, voilà la vôtre.*
4. *Voici venir.* Cette expression marque la proximité dans le futur : *voici venir l'hiver* (= nous voilà bientôt en hiver, l'hiver approche). Elle appartient au registre soutenu.
◆ **Constr.**
1. *Voici que, voilà que* entraîne souvent (mais non nécessairement) l'inversion du sujet : *voici qu'arrivent les premiers coureurs ; voilà que se présentent les troupes qui marchent en tête du défilé.*
2. *Voici, voilà une semaine que je ne l'ai vu / que je ne l'ai pas vu.* L'omission de *pas* est admise aux temps composés : *voici trois mois que je ne l'ai vu* ; au présent, on emploie la négation complète : *voilà une semaine que je ne le vois pas.*
3. *Voilà ce que c'est que de / que* (+ infinitif) : les deux tournures sont admises ; la première est la plus fréquente : *voilà ce que c'est que de trop boire ; voilà ce que c'est que partir tout seul.*
4. *Ne voilà-t-il pas que.* Forme d'insistance (souligne le propos ou marque une distance de celui qui parle par rapport à ce qu'il dit) : *ne voilà-t-il pas qu'il s'avise de nous narrer par le menu toute l'aventure.* Registre soutenu. REM. *Voilà-t-il pas que,* sans *ne* explétif, est parfois employé à l'écrit pour rendre la spontanéité de l'expression orale, mais ne se rencontre guère en réalité dans l'usage courant.
5. *Revoici, revoilà* → revoici

voie n.f. ◆ **Constr.** On dit, on écrit : *être en bonne voie ; s'engager dans la bonne voie ;*

être en voie de réussir ; être sur la voie du succès. **RECOMM.** Ne pas confondre avec *voix,* en particulier dans *les voies du Seigneur, de la Providence.*

voilà prép. et adv. → **voici**

voile n.f. ◆ **Orth.** Au singulier dans : *marine à voile* (= dont les navire marchent à la voile, opposée autrefois à la *marine à vapeur*) ; *navigation à voile ; faire voile vers.* Au pluriel dans : *à pleines voiles , à toutes voiles ; toutes voiles dehors. - Bateau à voiles,* (ou *bateau à voile,* plus rare, si le bateau n'a qu'une voile). ◆ **Sens.** Ne pas confondre *mettre à la voile* (= appareiller, en parlant d'un voilier) et *mettre les voiles* (= s'en aller), très familier.

voir v.t., v.t.ind et v.pr.
◆ **Conjug.** Attention à la première personne du futur *(je verrai)* et du conditionnel présent *(je verrais),* ainsi qu'au *i* après le *y* à la première et à la deuxième personne du pluriel de l'indicatif imparfait et du subjonctif présent : *(que) nous voyions, (que) vous voyiez.* → annexe, tableau 48
◆ **Emploi et registre.**
1. *Comme on voit / comme on le voit :* le pronom *le* est facultatif. On dit aussi bien *il est là, comme vous voyez* que *il est là, comme vous le voyez.*
2. *Il ferait beau voir que* (+ subjonctif), *il ferait beau voir* (+ infinitif) = il ne manquerait plus que (de), appartient au registre soutenu. *Il ferait beau voir qu'il vienne me demander un service, après cela ; il ferait beau voir quelqu'un d'aussi désintéressé jouer les hommes d'affaires.*
3. *Voir* marquant l'insistance. Dans l'expression orale familière, *voir* est souvent employé après certains verbes à l'impératif *(attendre, dire* et certains verbes de perception, notamment) pour marquer l'insistance : *attendez voir, regarde voir, écoutez voir, dites voir, voyons voir.*
4. *Voir à ce que* (+ subjonctif), *voir à* (+ infinitif) = veiller à, songer à. *Voyez à ce*

qu'ils aient tout ce qui leur est nécessaire ; il faudrait voir à terminer à l'heure. - La formule plaisante *il faudrait voir à voir* (= il faut tâcher d'être vigilant, attentif, sérieux, etc.) est familière.
5. *Pour voir,* employé seul en fin de phrase exclamative, avec diverses nuances de plaisanterie, d'ironie, de défi, etc., est familier : *fais-le toi-même, pour voir ; essaye un peu, pour voir.*
6. **RECOMM.** Éviter *voir après au sens de « venir chercher, demander, chercher à rencontrer ». Dire : *il est venu me chercher, il m'a demandé, il voulait me voir* (et non *il voulait voir après moi).
◆ **Accord.** *Vu* (+ infinitif) : *je l'ai vue recevoir l'averse ; elle s'est vu refuser une subvention.* → annexe, grammaire, § 109
◆ **Constr.** *Vu,* participe passé. On omet toujours *pas* dans des tours tels que : *il y a longtemps que je ne l'ai vu ; depuis plus de deux ans que je ne l'ai vu* (comparer avec : *il y a longtemps que je ne l'ai pas entendu*).

voire adv. et conj. ◆ **Emploi. 1.** *Voire* (= et même) est le plus souvent employé aujourd'hui comme mot de liaison, pour renchérir sur ce qui vient d'être dit : *il est rusé, voire retors.* **2.** *Voire même.* On rencontre également la forme d'insistance *voire même* : « *Si quelques-uns, voire même beaucoup, ont voulu prendre leur part à sa gloire...* » (P. Mérimée). *Voire même* a été critiqué comme formant pléonasme (= et même même). La locution est devenue si courante que l'interdit qu'avaient jeté sur elle quelques puristes paraît aujourd'hui dépassé. Si l'on souhaite néanmoins s'y conformer, on peut dire simplement *voire* ou *et même : il est rusé, et même retors.* **3.** *Voire* est également employé seul, pour marquer le doute en réponse à une affirmation jugée trop catégorique : « *Il réussira très facilement. - Voire ! ».*

voirie n.f. ◆ **Orth.** *Voirie,* sans *e* intérieur. **REM.** *Voirie* n'est pas issu de *voie* (comme *soierie* de *soie*), mais de l'ancien nom *voyer* (du latin *vicarius*), qui désignait un officier de justice, puis, sous l'influence de *voie*, un seigneur qui avait droit de justice sur les chemins.

voiture n.f. ♦ **Orth.** *Voiture*, au sens de « véhicule ferroviaire » entre en composition avec d'autres mots précisant la nature du véhicule : *voiture-bar, voiture-lit, voiture-restaurant ; voiture-poste.* Sauf pour *voiture-poste*, les deux éléments des composés ainsi formés prennent un *s* au pluriel : *des voitures-bars, des voitures-lits, des voitures-restaurants* mais *des voitures-poste* (sans *s* à *poste*). REM. La S.N.C.F. écrit au singulier : *une voiture-lits.* ♦ **Emploi.** *Voiture / wagon* → wagon

voiture-balai n.f. ♦ **Orth.** Plur. : *des voitures-balais.*

volatil, e adj. / **volatile** n.m. ♦ **Orth.** L'adjectif s'écrit sans *e* au masculin : *un liquide volatil* (= qui s'évapore facilement). En revanche, le nom, bien que masculin, prend un *e* final : *un curieux volatile* (= oiseau)..

vol-au-vent n.m. inv. ♦ **Orth.** Plur. : *des vol-au-vent* (invariable).

volcanologue n. ♦ **Orth.** On écrit aujourd'hui *volcanologue*. On écrit de même *volcanologie* et *volcanologique*, avec un *o* : les formes *vulcanologie, vulcanologique, vulcanologue* sont sorties de l'usage. Seul l'adjectif *vulcanien* reste usité un géologie. - En revanche, les termes techniques *vulcaniser* et *vulcanisation* (de l'anglais *to vulcanize*, de *Vulcain*), employés à propos d'une opération de traitement du caoutchouc, sont toujours usités.

voleter v.i. ♦ **Orth.** Ne pas oublier à l'écrit le *e* qui reste muet à l'oral : écrire *il voletait* (et non **il voltait*). ♦ **Conjug.** Attention au redoublement du *t* devant *e* muet : *il volette, il volettera* mais *nous voletons ; il voletait.* → annexe, tableau 16 et R.O. 1990

voliger v.t. ♦ **Conjug.** Le *g* devient *-ge-* devant *a* et *o* : *je volige, nous voligeons ; il voligea.* → annexe, tableau 10

volley-ball n.m. ♦ **Prononc.** [vɔlɛbɔl], on prononce *ball* comme *bol*. ♦ **Orth.** Avec un trait d'union. → R.O. 1990. - Plur. : *volley-balls* (peu usité).

volonté n.f. ♦ **Emploi.** *Bonne volonté / meilleure volonté.* On dit : *avec la meilleure volonté du monde, cela m'est impossible* (et non : **avec la meilleure bonne volonté*).

volontiers adv. ♦ **Orth.** Avec un *s* final non prononcé. ♦ **Emploi.** S'emploie à propos de personnes dans le sens « de plein gré, avec plaisir » : *je serai volontiers resté plus longtemps parmi vous.* S'emploie également à propos de choses dans le sens « facilement, habituellement » : *en été, ces nuages donnent volontiers de violents orages.*

volte-face n.f. ♦ **Orth.** Plur. : *des volte-face* (invariable). ♦ **Genre.** Féminin : *une imprévisible volte-face.*

voltiger v.i. ♦ **Conjug.** Le *g* devient *-ge-* devant *a* et *o* : *je voltige, nous voltigeons ; il voltigea.* → annexe, tableau 10

votre, vos adj. possessif / **vôtre, vôtres** pron. possessif, adj. possessif et n. ♦ **Emploi et orth. 1.** *Votre,* sans accent, est adjectif possessif. Il se place devant le nom. Son pluriel est *vos. Je vous rends votre stylo, votre montre et vos lunettes.* **2.** *Vôtre,* avec un accent circonflexe sur le *o*, est pronom et adjectif possessif. ❑ Comme pronom, il est précédé de l'article défini *le, la, les : j'étudierai tout d'abord votre cas, puis celui de votre voisine ; le vôtre est en effet plus simple. Ce sont mes lunettes, les vôtres sont sur le bureau.* ❑ Comme adjectif, il n'est employé qu'en fonction d'attribut *(cette idée est vôtre ; ce projet, vous l'avez fait vôtre)* ainsi que dans les formules finales de la correspondance familière : *cordialement vôtre, amicalement* *vouloir*

vôtre. REM. *Vôtre* en fonction d'épithète est vieux : *j'ai rencontré l'autre jour un vôtre cousin* (= un cousin à vous). **3.** *Vôtre* est employé comme nom masculin dans **mettez-y du vôtre** (= faites preuve de bonne volonté, montrez-vous conciliant, coopératif) et dans *les vôtres* (= les personnes de votre famille, vos amis, etc.) : *j'espère que la présente vous trouvera, vous et les vôtres, en bonne santé.* ◆ **Registre. 1.** *Des vôtres,* dans *vous avez fait des vôtres* (= des fredaines, des sottises) est familier. **2.** *À la vôtre* (= à votre santé) est familier, sauf en réponse à *à votre santé.*

vouloir v.t., v.t.ind. et v.pr.
◆ **Conjug.** → annexe, tableau 43
1. *Vouloir* possède à l'impératif deux séries de formes : *veuille, veuillons, veuillez* et *veux, voulons, voulez.*
❑ Les formes de la première série sont employées surtout dans les formules de politesse et pour exprimer de manière courtoise une requête ou un ordre : *veuillez agréer mes sentiments respectueux ; veuillez vous asseoir ; veuille m'excuser auprès de nos amis. Veuillons* reste pratiquement inusité : *veuillons maintenant passer au premier point de l'ordre du jour.*
❑ Les formes de la seconde série sont employées en particulier dans deux cas.
- Pour engager quelqu'un à faire preuve de volonté et de détermination : *tu aimerais devenir champion, c'est possible : veux-le vraiment ; vous voulez arriver ? voulez avec force.* Cet emploi est rare.
- Dans la locution *en vouloir à qqn : ne lui en voulez pas, il n'était pas au courant.* Cet emploi est beaucoup plus courant que le précédent. Dans l'expression soignée, on peut se servir également de la première forme, plus soutenue : *ne lui en veuille pas, ne lui en veuillons pas, ne lui en veuillez pas.*
2. Au subjonctif présent, aux 1ʳᵉ et 2ᵉ personnes du pluriel, *vouloir* présente également deux formes doubles : *que nous voulions / que nous veuillons* et *que vous vou-*

liez / que nous veuillez. Les premières sont courantes : *il faudrait que nous voulions bien nous mettre d'accord ; tout est possible à condition que vous le vouliez.* Les secondes ne sont plus utilisées que dans le registre très soutenu : *il demande que nous veuillions donner notre accord ; je suis bien aise que vous veuilliez admettre que ce que je dis n'est pas infondé.*
◆ **Emploi.** Pour exprimer une demande avec courtoisie, on emploie *vouloir* au conditionnel plutôt qu'à l'indicatif : *je voudrais cinq carottes et deux poireaux ; nous voudrions vous demander un renseignement ; il voudrait que nous soyons là à huit heures* (plutôt que : *je veux cinq carottes..., nous voulons vous demander..., il veut que nous soyons là...,* considérés comme trop impérieux).
◆ **Registre.** *Je veux,* employé pour *oui* ou renforçant une affirmation, appartient à la langue parlée très familière : « *C'est bon ? — Je veux !* » ; « *Il va venir ? Je veux, qu'il va venir !* ». → aussi **peu**
◆ **Constr.**
1. *Vouloir, le vouloir.* On peut dire, avec ou sans le pronom neutre *le : je resterai là si tu veux* ou *si tu le veux ; nous sommes restés moins longtemps qu'il ne voulait* ou *qu'il ne le voulait.*
2. *Bien vouloir / vouloir bien.* La première formule est tenue pour plus déférente que la première. On dit ou on écrit en s'adressant à une personne à qui l'on doit le respect ou à un supérieur hiérarchique : *je vous prie de bien vouloir...* En revanche, *je vous prie de vouloir bien* (et a fortiori *vous voudrez bien*) ne peut être employé qu'en s'adressant à un subordonné : *je vous prie de vouloir bien déférer à la convocation ci-jointe ; vous voudrez bien à l'avenir tenir compte de cette remarque.*
3. *Vouloir que* (+ subjonctif ou indicatif). Le verbe de la subordonnée est au subjonctif : *je veux qu'il vienne ; que veux-tu que j'y fasse ?* Cependant, l'indicatif est possible après *vouloir que* si *vouloir* a pour sujet *la destinée, le hasard, le destin,* etc. : *le malheur veut qu'il fait pleine lune*

cette nuit-là. ❏ *Vouloir bien que* (+ sub-jonctif ou indicatif). Le verbe de la subor-donnée est au subjonctif. Cependant, lorsque *vouloir bien* est pris au sens de « admettre, concéder que », il peut être suivi de l'indicatif : *je veux bien qu'il faut un capital pour se lancer, mais il faut surtout de la volonté et du travail.*
4. *Vouloir de* = recevoir, accepter pour sien, est employé surtout en tournure négative. *Je ne veux pas de sa pitié. En aucun cas elle ne voudra de votre aide.* Dans une phrase affirmative, on dit dans le même sens *vouloir bien de : elle veut bien de votre aide, de votre don.* REM. Ne pas confondre la tournure *vouloir de* et la construction avec *de* partitif : *vouloir de l'argent, vouloir du sucre,* etc.
5. *S'en vouloir de* (+ infinitif), *que* (+ subjonctif) : *elle s'en est voulu de ne pas lui avoir répondu plus tôt* (ou, avec un com-plément substantif : *elle s'en est voulu de son retard à lui répondre*). La construction *s'en vouloir que* (+ subjonctif) est pos-sible, mais elle est littéraire et beaucoup plus rare : *je m'en veux qu'il ait pu croire que je l'avais oublié.*

vous pron. personnel ♦ **Accord. 1.** Quand *vous* représente une seule per-sonne (*vous* de courtoisie), l'accord du participe et de l'adjectif se fait au singu-lier : *madame, je vous ai rencontrée le mois dernier ; vous êtes très beau dans ce costume ; vous seule, chère amie, savez ce qu'il lui faut.* **2.** *Vous-même, vous-mêmes.* On écrit au singulier, *vous-même,* lorsque l'on s'adresse à une seule personne (*vous avez vous-même demandé ces responsabilités*) et *vous-mêmes,* au pluriel, lorsque l'on s'adresse à plusieurs : *vous avez vous-mêmes, chers amis, évoqué cette question.* **3.** *Certains d'entre vous, la plupart d'entre vous,* etc. *Vous* est en fonction de complément dans des expressions telles que *certains d'entre vous, la plupart d'entre vous,* etc. L'accord du verbe se fait à la 3e per-sonne : *certains d'entre vous ont été admis*

(et non *certains d'entre vous avez été admis). De même pour *quelques-uns d'entre vous, combien d'entre vous, beaucoup d'entre vous,* etc. ♦ **Emploi.** *Vous* reprend, en fonction de complément, le pronom *on* déjà exprimé en fonction de sujet lorsque celui-ci a valeur d'indéfini : *on ne saurait refuser une occasion qui s'offre ainsi à vous.* Lorsque *on* est mis pour *nous,* il est repris par *nous* en fonction de com-plément : *on le rencontrera s'il veut bien nous recevoir.* ♦ **Registre. 1.** *C'est à vous que je parle / à qui je parle.* On dit aujourd'hui *c'est à vous que je parle. C'est à vous à qui je parle,* courant à l'époque classique appartient aujourd'hui au registre sou-tenu, de même que *c'est vous à qui je parle.* **2.** *Si j'étais vous / de vous / que de vous.* On dit aujourd'hui *si j'étais vous. Si j'étais de vous* est vieilli, *si j'étais que de vous* est sorti de l'usage. **3.** *C'est à vous à / c'est à vous de.* → à

voussoiement n.m. → vouvoiement

voûte n.f. ♦ **Orth.** Avec un accent cir-conflexe sur le *u.* De même pour le dérivé *voûter* (participe passé *voûté*). → R.O. 1990

vouvoiement ou **voussoiement** n.m. ♦ **Orth.** Avec un *e* muet intérieur. *Vouvoiement* et *voussoiement* correspon-dent respectivement à *vouvoyer* et à *voussoyer,* verbes du 1er groupe (comme *aboiement* correspond à *aboyer* → **aboiement**). ♦ **Emploi et registre.** On dit aujourd'hui couramment *vouvoiement* et *vouvoyer. Voussoiement* et *voussoyer* sont vieillis et ne se disent plus guère que dans le registre très soutenu.

vouvoyer v.t. ♦ **Conjug.** Les formes conjuguées du verbes s'écrivent avec un *i* devant *e* muet : *je vouvoie, tu vouvoies, nous vouvoyons.* - Attention au futur et au conditionnel : *je vouvoierai, je vouvoierais.* - Attention également au *i* après le *y* aux première et deuxième personnes du

pluriel, à l'indicatif imparfait et au subjonctif présent : *(que) nous vouvoyions, (que) vous vouvoyiez.* → annexe, tableau 7.
♦ **Emploi et registre.** *Vouvoyer / voussoyer.* → vouvoiement

voyage n.m. ♦ **Orth.** On écrit *voyages* au pluriel dans *agent de voyages, agence de voyages* ; au singulier dans *un récit de voyage, partir en voyage.*

voyager v.i. ♦ **Conjug.** Le *g* devient -ge-devant *a* et *o : je voyage, nous voyageons ; il voyagea.* → annexe, tableau 10. ♦ **Constr.** Avec *à* : *voyager à pied, à vélo.* - Avec *en* : *voyager en train, en auto, en bus.* - Avec *par* : *voyager par mer, par bateau, par avion.*

voyagiste n. ♦ **Emploi.** *Voyagiste* est l'équivalent officiellement recommandé pour remplacer l'anglicisme *tour-opérateur.*

voyou n.m. ♦ **Orth.** Plur. : *des voyous.*
♦ **Accord.** En emploi adjectif, *voyou* prend la marque du pluriel, mais non celle du féminin : *des allures voyous.* REM. Le féminin *voyoute,* employé surtout par plaisanterie, est familier.

vrac (en) loc. adj. et loc. adv. ♦ **Accord.** *En vrac* reste toujours invariable : *des lots en vrac ; déposer les marchandises en vrac.*

vrai, e adj. ♦ **Constr. 1.** Les expressions *aussi vrai que, il est vrai que, il n'en est pas moins vrai que* sont suivies de l'indicatif : *il est vrai que c'est mieux ainsi ; aussi vrai que deux et deux font quatre…* **2.** On dit indifféremment *à dire vrai* ou *à vrai dire.*
♦ **Registre. 1.** Les expressions *pour de vrai* et *pas vrai ?* sont familières. RECOMM. Dans l'expression soignée, préférer *pour de bon* et *n'est-ce pas ?* **2.** *La vérité vraie* est une redondance familière qui marque l'insistance : *c'est la vérité vraie, je l'ai vu, de mes yeux vu.* ♦ **Sens.** *Vrai / véridique / véritable.* → véridique

vraiment adv. ♦ **Orth.** S'écrit sans *e* intérieur ni accent circonflexe sur le *i.*

vraisemblable adj. ♦ **Orth.** Un seul *s,* même si l'on prononce [s], comme s'il y en avait deux : *vraisemblable* est un adjectif composé (*vrai* + *semblable*) dans lequel chacun des éléments garde sa prononciation. ♦ **Constr.** *Il est vraisemblable que* (+ indicatif ou conditionnel), *il n'est pas vraisemblable que, est-il vraisemblable que* (+ subjonctif). La locution impersonnelle *il est vraisemblable que* est suivie de l'indicatif ou du conditionnel selon que l'on souligne la réalité de ce qui est affirmé dans la subordonnée ou son caractère hypothétique : *il est vraisemblable que nous atteindrons le sommet en six heures ; il est vraisemblable que nous atteindrions le sommet en six heures par beau temps.* Lorsque la locution est à la forme négative ou interrogative, le verbe de la subordonnée est au subjonctif : *il n'est pas vraisemblable que nous atteignions le sommet ; est-il vraisemblable que nous atteignions le sommet ?*

vrombir v.i. ♦ **Prononc.** Attention aux positions respectives des deux premières consonnes : *vr-* (penser à l'onomatopée *vroum*), de même que dans *vrombissement.* RECOMM. Ne pas prononcer *vombrir.

VRP, V.R.P. n. ♦ **Prononc.** [veɛʀpe], on prononce le nom des lettres qui composent le sigle. ♦ **Orth.** En majuscules, avec ou sans points abréviatifs. ♦ **Registre.** Courant (mais non familier) pour désigner un représentant ou une représentante de commerce (sigle de *voyageur représentant placier*).

vu prép. / **vu** n.m. ♦ **Accord.** *Vu* prép. (= compte tenu de, eu égard à) reste invariable : *vu les circonstances… ; on ne pouvait pas avancer, vu la foule qui se pressait sur le boulevard.* ❑ *Vu que* loc. conj. (= étant donné que) est invariable. ♦ **Emploi. 1.** *Vu* n.m. n'est employé que dans les locutions *au vu et au su de* ou *sur le vu de* : *il se livrait à ce trafic au vu et au su de tout le monde* (= ouvertement, sans se cacher) ; *au vu de ses blessures, il m'a semblé que c'était grave* (= en voyant) ; *sur le vu des pièces soumises à notre appréciation* (= en voyant). *Sur le vu de* appartient à la langue juridique et administrative. **2. *Au vu de / en vue de.*** Ne pas confondre *au vu de* avec *en vue de* (= dans l'intention de) : *nous aviserons au vu des résultats de l'enquête ; des informations plus précises en vue d'une meilleure prévention.*

vue n.f. ◆ **Orth.** On écrit avec *vue* au singulier : *à première vue, à perte de vue, des points de vue* ; avec *vues* au pluriel : *échange de vues, prise de vues.* ◆ **Emploi.** 1. *En vue de / au vu de* → vu. 2. *Point de vue* → point de vue

vulcanologie n.f. → volcanologue

vulcaniser v.t. → volcanologue

W-Z

W ♦ **Prononc.** La plupart des mots s'écrivant avec un *w* sont des mots empruntés à des langues étrangères *(wapiti, wagon, wallaby, willaya...)*, ou formés sur des noms propres d'origine étrangère *(wagnérien, wahhabisme wisigothique, wurtembourgeois...)*.

On prononce avec un [v], comme dans *valise*, les mots empruntés à l'allemand ou formés sur des noms propres allemands : *walkyrie, wergeld, wehnelt, wienerli, würmien, wurtembourgeois...*

Les mots empruntés à l'anglais se prononcent le plus souvent avec [w], comme *ou-* dans *ouistiti* ou *ouate : warning, week-end, whisky, whist, white-spirit, wishbone...* Il en va de même pour les mots empruntés par l'intermédiaire de l'anglais aux langues autochtones de différentes parties du monde : *wallaby, wombat* (Australie), *wapiti, wigwam* (Amérique), *wolof* (Afrique). Cependant, certains mots courants ont été francisés et se prononcent avec [v] : c'est le cas, notamment, de *wagon* et de *warrant*. Les mots d'origine néerlandaise ou flamande se prononcent le plus souvent avec [w] : *watergang, wateringue, waterzoi*. *Wassingue* présente une double prononciation, avec [v] ou avec [w]. *Wallon*, mot d'origine francique, se prononce aujourd'hui le plus souvent avec [w], parfois encore avec [v].

wagon n.m. ♦ **Orth.** *Wagon* entre en composition avec d'autres mots précisant l'utilisation du véhicule ferroviaire ainsi dénommé : *wagon-citerne, wagon-foudre, wagon-lit, wagon-poste, wagon-réservoir, wagon-restaurant, wagon-tombereau, wagon-trémie*. Sauf pour *wagon-poste* (plur. : *des wagons-poste*), les deux éléments des composés ainsi formés prennent la marque du pluriel : *wagons-citernes, wagons-foudres, wagons-lits, wagons-réservoirs, wagons-restaurants, wagons-tombereaux, wagons-trémies*. ♦ **Emploi.** *Wagon / voiture.* Les professionnels du transport ferroviaire distinguent entre le *wagon*, destiné au transport des marchandises ou des animaux, et la *voiture*, réservée au transport des voyageurs. Dans l'usage courant, non technique, on emploie souvent *wagon* pour *voiture : nos couchettes sont dans le troisième wagon ; wagon-lit, wagon-restaurant* (les termes techniques sont *voiture-lit, voiture-restaurant*).

Walkman n.m. ♦ **Orth.** Toujours avec une majuscule (nom déposé). - Plur. : *des Walkmans*. ♦ **Anglicisme.** La recommandation officielle *baladeur* tend à remplacer *Walkman*, sans pouvoir l'éliminer totalement (*baladeur* est un nom commun, alors que *Walkman* est un nom déposé).

wallon, onne adj. et n. ◆ **Prononc.** [walɔ̃], en prononçant la première syllabe comme celle de *ouate*. La prononciation [valɔ̃], comme *vallon*, est aujourd'hui moins fréquente.

wargame n.m. ◆ **Prononc.** [waʁgɛm], avec le *w* prononcé comme le *ou-* de *ouate*, et le second *a* comme le *é* de *guépard*. Le *s* du pluriel *(des wargames)* ne se fait pas entendre. ◆ **Anglicisme.** Ce mot anglais (« jeu de guerre ») n'a pas d'équivalent français.

warning n.m. ◆ **Anglicisme. RECOMM.** Préférer l'équivalent français, *feux de détresse*.

water-closets n.m. plur. ◆ **Prononc.** [watɛʁklɔzɛt], avec le *w* prononcé comme le *ou-* de *ouate*. ◆ **Emploi.** S'emploie aujourd'hui le plus couramment sous la forme réduite *waters* ou sous la forme abrégée *W.-C.* REM. Si, en France, le pluriel est le plus courant *(les waters)*, en Belgique on utilise plus fréquemment le singulier *le water, le W.-C.*, tout comme on dit d'ailleurs : *la toilette*.

wattheure n.m. ◆ **Orth.** En un seul mot. - Plur. : *des wattheures*. - Symbole *Wh* (avec *W* majuscule et *h* minuscule). → aussi **kilowattheure**

week-end n.m. ◆ **Orth.** Plur. : *des week-ends*. → R.O. 1990. ◆ **Emploi.** *Week-end* est d'un usage correct et très répandu. REM. Cet emprunt à l'anglais est aujourd'hui intégré au fonds de la langue. L'équivalent *fin de semaine* n'a jamais pu s'imposer en France.

whisky n.m. ◆ **Orth.** Plur. : *des whiskys* (pluriel français) ou *des whiskies* (pluriel à l'anglaise). RECOMM. Préférer *des whiskys*.

white-spirit n.m. ◆ **Orth.** Plur. : *des white-spirits* (avec *s* uniquement à *spirit*).

wilaya, willaya n.f. ◆ **Prononc.** [vilaja], les deux premières syllabes se prononcent comme *villa*. (Mot arabe désignant une division administrative, en Algérie.) ◆ **Orth.** Plur. : *des wilayas, des willayas*.

x ◆ **Prononc. 1. En début de mot.** *X* se prononce [gz] en début de mot : *xénophobe, xylophone.* REM. On prononçait naguère [ks], comme dans *axe*, le *x* initial. Cette prononciation n'est pas incorrecte, mais elle est de plus en plus rare. **2. À l'intérieur des mots.** ◻ *X* se prononce [ks] à l'intérieur des mots et quand *ex-* est suivi d'une consonne : *axe, vexer, mixer, excéder.* ◻ Il se prononce [gz] : dans le préfixe *hexa-* ; dans les mots commençant par *ex-* suivi d'une voyelle, *examen, exercice,* etc., sauf dans *exécrable* qui se prononce avec [ks], dans *deuxième* [z] et dans *soixante* [s]. REM. On dit, selon l'usage local, *Bruxelles* et *Auxerre* avec [s] et non [ks]. **3. En fin de mot.** ◻ *X* se prononce [ks] *(lynx, index, silex)* ou reste muet *(crucifix, perdrix, flux).* Lorsque *x* est une marque de flexion (c'est-à-dire quand il constitue la marque d'un pluriel ou d'une personne dans la conjugaison, par exemple), il ne se prononce pas : *choux, chevaux, je veux…, heureux (heureux / heureuse).* ◻ *X* se prononce [s] dans trois mots : *coccyx, dix* et *six.*

Xérocopie n.f. ◆ **Orth.** Avec une majuscule (nom déposé).

Xérographie n.f. ◆ **Orth.** Avec une majuscule (nom déposé).

xipho- préf. ◆ **Orth.** Le préfixe *xipho-*, du grec *xiphos*, épée, s'écrit avec un *i* : *xiphoïde, xiphophore.*

xylo- préf. ◆ **Orth.** Le préfixe *xylo-*, du grec *xylon*, bois, s'écrit avec un *y- : xylocope, xylographie, xylophage, xylophone.*

1. y ◆ **Prononc.** Il n'y a pas de liaison ni d'élision pour les mots commençant par *y* suivi d'une voyelle (on dit : *le yoga, la Yougoslavie*), sauf pour *yeuse (l'yeuse)* et pour le pluriel de *œil (les yeux).*

2. y pron. ◆ **Orth.** Lorsque *y* est complément d'un verbe à l'impératif, il s'y joint par un trait d'union, et le verbe prend toujours un *s* : *penses-y bien, regardes-y à deux fois, vas-y.* REM. Dans *va y faire un tour* (= là-bas), *y* est complément de lieu *faire un tour.* ◆ **Constr.** Le pronom *y* représente le plus souvent des noms de choses ou d'animaux. Il correspond généralement à un complément introduit par *à* : *je vais à la poste, j'y vais ; il n'a pas répondu à ma question, il n'y a pas répondu.* (Mais on dit, avec un complément nom de personne : *il a répondu à son client, il lui a répondu*). ❏ Y peut également représenter un adverbe ou un complément de lieu introduit par une préposition autre que *à* : *j'y suis, j'y reste ; laisse-moi cette feuille, je veux lire ce qui y est écrit* (= ce qui est écrit dessus). ❏ Dans l'expression orale courante, *y* représente souvent un nom de personne, notamment lorsqu'il est repris par un nom : *il y pense encore, à Mona ?* Ou : *il y pense encore, à cette fille ?* ◆ **Emploi. 1.** Devant le futur et le conditionnel de *aller*, on supprime le pronom *y* : *iras-tu au festival ? — Oui, j'irai* (et non : **j'y irai*). **2.** *Y compris* → **compris**

yacht n.m. ◆ **Prononc.** [jɔt], le groupe *ya-* se prononce comme *io-* dans *iota,* et le groupe *-ch-* reste muet. En revanche, on articule le *t* final. La première syllabe des dérivés *yachtman* et *yachting* se prononce de la même manière. REM. La prononciation [jak], comme *yak,* plus conforme à l'origine néerlandaise du mot, était naguère en concurrence avec le prononciation [jɔt]. Elle est aujourd'hui sortie de l'usage.

yachtman n.m. ◆ **Prononc.** → yacht. ◆ **Emploi.** Le mot *yachtman* tend à vieillir. On dit plutôt aujourd'hui *plaisancier, skipper* (pour un chef de bord) ou *coureur* (dans la course au large).

yaourt, yogourt, yoghourt n.m. ◆ **Orth. et prononc.** Les trois formes *yaourt, yogourt* et *yoghourt* sont admises pour ce mot issu du turc. On prononce ou non le *t* final : [jaur] ou [jaurt], [jogur] ou [jogurt]. Le dérivé *yaourtière,* formé sur *yaourt,* n'a pas de variante.

ypérite n.f. ◆ **Prononc.** Le *y* initial, étant suivi d'une consonne et non d'une voyelle, se comporte comme un *i.* L'élision et la liaison sont possibles : *l'ypérite* → 1. **y**

zapper v.i. ◆ **Orth.** Avec deux *p,* de même que le dérivé *zappeur.* ◆ **Emploi.** Cet anglicisme sans équivalent français est souvent employé aujourd'hui au sens figuré de « passer sans esprit de suite d'une chose à une autre, d'une occupation à une autre ». ◆ **Registre.** Familier.

zénith n.m. ◆ **Orth. et prononc.** [zenit], le *-th* final se prononce *t,* comme pour rimer avec *granit.*

zéphyr n.m. ◆ **Orth.** Attention au groupe *-phy-* (mot issu du grec *zephuros*). REM. La graphie *zéphir* est sortie de l'usage.

zéro n.m. ◆ **Accord.** Contrairement aux autres numéraux cardinaux, *zéro* prend la marque du pluriel quand il est employé comme nom : « *C'est le tango du temps des zéros* » (J. Brel). ◆ **Emploi.** On dit *recommencer à zéro* et *partir* (ou *repartir*) *de zéro* (plutôt que *repartir à zéro*).

zézaiement n.m. ◆ **Orth.** Avec un *e* muet intérieur. *Zézaiement* correspond à *zézayer,* verbe du 1ᵉʳ groupe (comme *bégaiement* correspond à *bégayer* et *déblaiement* à *déblayer*).

zigzag n.m. ◆ **Orth.** En un seul mot, sans trait d'union. De même pour le dérivé *zigzaguer.* On écrit au singulier *aller en zigzag ; route en zigzag.*

zinc n.m. ◆ **Prononc.** Le *c* final se prononce [g] comme pour rimer avec *dingue.* REM. Les dérivés de *zinc* appartenant au vocabulaire courant s'écrivent avec un *g* : *zinguer, zingueur.* Les dérivés appartenant au vocabulaire scientifique s'écrivent avec un *c* : *zincate, zincifère.*

Zip n.m. ◆ **Orth.** Toujours avec une majuscule (nom déposé). REM. Le dérivé *zipper* (= munir d'une fermeture à glissière) s'écrit sans majuscule et avec deux *p* : *jupe zippée sur le côté.*

zone n.f. ◆ **Orth.** Le *o* ne prend pas d'accent circonflexe, bien qu'il se prononce fermé, comme le *o* de *dôme.* De même pour les mots dérivés ou apparentés : *zonage, zonal, zonard, zoner, zonier, zoning, zonure.*

ZOO n.m. ◆ **Prononc.** On prononce aujourd'hui [zo], en ne faisant entendre qu'un *o,* ou [zoo], en articulant distinctement les deux *o.* La première prononciation est plus courante, la seconde plus soutenue.

LA PONCTUATION

1. La ponctuation relève, d'une part, du libre choix de celui qui écrit, et, d'autre part de certaines règles d'usage ; celles-ci ne doivent pas être négligées, car la ponctuation est porteuse d'information.

– La ponctuation correspond le plus souvent aux pauses à l'oral, ou plus exactement aux changements d'intonation (les «pauses» ne se faisant pas toujours entendre nettement).

> *Non seulement la ville organise un festival, et un festival de qualité, mais il y a également une vie musicale très active pendant l'année.*

– La ponctuation est porteuse de sens.

> *Le chien, qui jappe, a faim.*
> *Le chien qui jappe a faim.*

La première phrase signifie qu'il y a un seul chien, qu'il a faim et qu'il jappe. La seconde, signifie que, parmi plusieurs chiens, il y en a un qui a faim : celui qui jappe.

– La ponctuation permet de mettre en évidence la structure d'une phrase : énumération, épithète détachée ou mise en relief, etc.

> *Dès le lever du soleil, bergers, troupeaux et chiens se mettaient en route.*

– La ponctuation donne enfin des indications sur la nature globale de la phrase (marquée à l'oral par l'intonation : unie, montante, explosive, etc.).

> *Il viendra avec nous.* (phrase déclarative)
> *Il viendra avec nous ?* (phrase interrogative)
> *Il viendra avec nous !* (phrase exclamative)

2. Inventaire

❏ Les signes de ponctuation proprement dits sont le point, le point d'interrogation, le point d'exclamation, les points de suspension, le point-virgule, les deux points et la virgule.
❏ Outre ces signes, les guillemets, les parenthèses, les crochets et le tiret se rattachent au système de la ponctuation..

Dans l'usage courant, et sauf quelques exceptions concernant les points de suspension (→ § 8), les signes de ponctuation ne se combinent pas entre eux : on ne termine pas une phrase par trois points d'interrogation, pas plus qu'on ne fait suivre un point d'exclamation d'un point d'interrrogation. Toutefois, ces procédés sont utilisés dans certains moyens d'expression, comme la bande dessinée, où le signe de ponctuation joue souvent un rôle proche de l'idéogramme.

Le point (.)

3. Le point en fin de phrase.

Le point est un signe de ponctuation forte : il marque la fin d'une phrase, le début étant marquée par la majuscule.

> *Nous nous sommes levés à huit heures. Le soleil brillait. Notre départ était prévu à dix heures. Nous nous sommes tous préparés et nous étions prêts à l'heure dite.*

Le plus souvent, la phrase correspond à une unité de type « sujet + groupe verbal », comme dans l'exemple ci-dessus. Mais une phrase peut se composer d'un seul mot. C'est un procédé stylistique fréquent dans la littérature :

> « *Du lieutenant au Khédive. Du Khédive au lieutenant. Les allées et venues d'un agent double. Épuisant. Souffle court.* » (P. Modiano, *la Ronde de nuit*).

❏ Les phrases comportant un verbe à l'impératif se terminent par un point (et non par un point d'exclamation, contrairement à une pratique courante, mais fautive).

> *Faites bien attention à ne pas manquer votre train.*
> *Prenez place.*

❏ Le premier mot après un point commence par une majuscule ; ce n'est pas toujours le cas, en revanche, pour les mots placés après un point d'exclamation, un point d'interrogation ou des points de suspension (voir ci-dessous).

4. Le point dans les titres.

Il est d'usage de terminer les titres de paragraphes par un point, sauf s'ils sont centrés sur la ligne.

Le romantisme à la fin du XIXᵉ siècle
1° Introduction : la naissance du romantisme.

5. Le point abréviatif.

❏ Les abréviations se terminent par un point lorsque leur dernière lettre n'est pas la dernière lettre du mot abrégé (→ grammaire abrégée § 4). Si une abréviation se trouve à la fin d'une phrase, le point abréviatif se confond avec le point de fin de phrase.

Le chœur avait interprété des œuvres de Vivaldi, Mozart, Bach, Schubert, etc.
Merci de la rappeler pour prendre R.-V.

❏ Les symboles et les troncations (→ grammaire abrégée § 10 et § 45) ne sont jamais suivis d'un point abréviatif.

C'est un prof qui enseigne à la fac depuis une dizaine d'années.

La ponctuation forte

On appelle « ponctuation forte » un signe pouvant marquer la fin d'une phrase : point (→ § 3), point d'interrogation, point d'exclamation et points de suspension.

6. Le point d'interrogation (?)

❏ Toute phrase exprimant l'interrogation directe se termine par un point d'interrogation.

Pourquoi refuserait-il de nous accompagner ?
Avez-vous réussi à le joindre avant son départ ?
Quels seront les invités à cette soirée ?
Sais-tu quels seront les invités à cette soirée ?

❏ L'interrogation indirecte, en revanche, n'est jamais suivie d'un point d'interrogation.

Je ne sais pas quels seront les invités à cette soirée.

❏ Il arrive que le point d'interrogation marque la fin d'une question qui ne coïncide pas avec la fin de la phrase. Le mot suivant s'écrit alors avec une minuscule.

Que voulez-vous obtenir ? une révision du procès ?

❏ Contrairement au point (→ § 4), le point d'interrogation est maintenu dans les titres centrés.

Le romantisme est-il décadent à la fin du XIXᵉ siècle ?
1° Introduction : la naissance du romantisme.

7. Point d'exclamation (!)

❏ Le point d'exclamation se place :
– à la fin d'une phrase exclamative

Comme il fait beau aujourd'hui !

– Immédiatement après les interjections. Lorsqu'il suit l'interjection, il est souvent repris en fin de phrase.

Chut ! laissez-le dormir ou Chut ! laissez-le dormir !

❏ On écrit avec une majuscule le premier mot qui suit une phrase se terminant par un point d'exclamation (ponctuation forte), mais on laisse en minuscule le mot qui suit le point d'exclamation employé avec une interjection.

Ah ! quelle surprise de le voir ici ! Je ne m'attendais pas à sa venue.

❏ Lorsqu'une interjection est répétée, on ne met le point d'exclamation qu'à la suite de la dernière.

Oh oh ! vous voilà dans de beaux draps !

8. Les points de suspension (...).

❏ Les points de suspensions (appelés également «trois points») marquent une hésitation, un sous-entendu, une interruption ou une suppression.

Je ne sais plus comment il s'appelle... Dumont ou Dupont... Quelque chose dans ce genre.
Je vous laisse imaginer la suite...

❑ L'interruption peut concerner une énumération dont on ne souhaite pas donner tous les éléments ; les points de suspension ont alors la même valeur que *etc.* On n'emploie donc pas ensemble *etc.* et les points de suspension.

> *Nous développerons nos contacts avec la Grèce, l'Espagne, le Portugal, l'Italie… ou avec la Grèce, l'Espagne, le Portugal, l'Italie, etc.*

– Les points de suspension peuvent être combinés avec les autres signes de ponctuation, sauf avec le point simple, auquel ils se substituent.

> *Quand pars-tu ? Pourquoi ? Quand reviens-tu ?…*
>
> *Il voulait savoir quand je partais, pourquoi, quand je revenais…*

❑ Dans une citation, on note par des points de suspension entre crochets les passages supprimés.

> *Voici un extrait de sa lettre : « Je vous écris de Marseille. […] Il fait un temps superbe. »*

❑ Les points de suspension se placent immédiatement après l'initiale d'un nom propre (en général, nom de personne ou nom de lieu) que l'on ne souhaite pas révéler.

> *Il a vait rencontré F… dans un café de P…*

9. Le point-virgule (;)

❑ Le point virgule se place à la fin d'une phrase qui a un lien étroit, pour le sens, avec la phrase suivante.

> *« Alors, on voit les deux tornades sulfureuses bondir au fond de la vue ; elles aspirent des paquets entiers d'eau saline, soufflent des trombes d'écume qui se mettent à circuler vertigineusement »* (P. Grainville, *les Flamboyants*).

Le point-virgule peut terminer une phrase, mais il ne termine jamais un texte.

Le mot qui suit le point-virgule ne s'écrit jamais avec une majuscule, sauf s'il s'agit d'un nom propre.

❑ On met un point-virgule après chaque terme d'une énumération disposée en alinéas et annoncée par les deux points.

> *Le dossier comprend :*
> *– un rapport de quinze pages sur la question ;*
> *– un plan détaillé du quartier ;*
> *– une étude comparative du coût de chacune des solutions proposées.*

Les deux points

10. Les deux points servent à annoncer une énumération ou une citation encadrée par des guillemets (→ § 15).

> *Alfred de Musset affirme : « Tout le réel pour moi n'est qu'une fiction. »*
>
> *Les sept notes de la gamme sont : do, ré, mi, fa, sol, la et si.*

– Lorsque la citation fait partie intégrante de la phrase, elle n'est pas introduite par les deux points.

> *Le renard «par l'odeur alléché» fit tout pour flatter le corbeau.*

❑ Les deux points servent également à marquer un lien logique entre deux propositions (cause, conséquence…).

> *Il arrivera en retard : son train a eu un incident technique.*

On évite d'utiliser les deux points deux fois dans la même phrase. Ainsi, dans l'exemple suivant, on préférera l'emploi des parenthèses à celui des deux points après *façade.*

> *Votre permis de construire doit comprendre les pièces suivantes : le formulaire complété et deux plans de la façade (un plan avant travaux et un plan après travaux).*

La virgule (,)

11. La virgule dans la coordination

La virgule sépare des mots ou des groupes de mots juxtaposés sans conjonction de coordination.

> *Le chœur a déjà interprété des œuvres de Mozart, de Schubert, de Vivaldi.*

Il garde les mêmes exigences quant à la qualité de ce qu'il entreprend quelles que soient les personnes avec lesquelles il travaille, quelles que soient les conditions dans lesquelles il travaille, quel que soit le lieu où il travaille.

Les mots ou groupes de mots coordonnés par les conjonctions *et, ou, ni* ne sont pas séparés par une virgule.

Le chœur a déjà interprété des œuvres de Mozart, de Schubert et de Vivaldi.

12. Avec les relatives

Le pronom relatif est précédé d'une virgule s'il est séparé de son antécédent par un mot ou un groupe de mots, ou s'il introduit une proposition relative donnant une information, une explication.

Il admirait l'étendue des connaissances de cet homme, qui semblait n'avoir aucune limite.
(c'est l'étendue des connaissances qui n'a pas de limites et non l'homme).
Ces animaux, qui sont importés des pays tropicaux, restent de dix à vingt jours dans la zone de quarantaine de l'aéroport.

Dans les autres cas, il n'y a pas de virgule.

13. Avec les sujets et les compléments

On ne sépare pas par une virgule le verbe de son sujet ni de ses compléments (et cela quelle que soit la longueur de l'ensemble qu'ils forment).

Un sondage réalisé auprès de mille jeunes des banlieues dites « difficiles » est publié cette semaine dans votre hebdomadaire.

Lorsqu'un complément est mis en relief par sa position en début de phrase, il peut être suivi d'une virgule. C'est le cas également lorsque le sujet est repris par un pronom.

Cette semaine, vous trouverez dans votre hebdomadaire un sondage…
Moi, je préfère la mer.

14. La virgule encadrant des éléments de phrase

Les éléments de phrase qui apportent une information secondaire (les propositions incises, les épithètes détachées, les appositions,…) sont encadrés par des virgules.

Sa sœur, avocate de grand renom, a plaidé dans cette affaire (apposition).
Il faudrait, nous dit-il, approfondir davantage la question (proposition incise).

Les signes de ponctuation doubles

Certains signes de ponctuation vont par deux, un élément ouvrant et un élément fermant. Il s'agit des guillemets, des parenthèses, des crochets et, dans une certaine mesure, du tiret.

15. Les guillemets («»)

❑ Les guillemets délimitent les paroles rapportées, les citations, les extraits d'ouvrage, etc., qui sont annoncés par les deux points.

Il nous a écrit : « Nous sommes arrivés hier et repartons demain. »
La Fontaine termine sa fable par la morale : « Tout flatteur vit aux dépens de celui qui l'écoute. »

– Si la citation est une phrase complète, elle commence par une majuscule. On met alors un point, un point d'interrogation ou un point d'exclamation avant les guillemets fermants. Si la citation n'est pas une phrase complète, la ponctuation se met après les guillemets fermants.

Il nous a posé la question : « Êtes-vous satisfaits ? »
Selon les propos de l'auteur, il vaut mieux « une vie mouvementée qu'une vie sans histoire ».

– On ne met entre guillemets que les citations rigoureusement fidèles. Pour ajouter ou supprimer un élément dans une citation, → § 17.

– On mettait autrefois des guillemets ouvrants au début de chacun des paragraphes d'une citation en comportant plusieurs. Cet usage est aujourd'hui presque entièrement abandonné.

❑ Les guillemets servent également à indiquer qu'un mot ou un groupe de mots ont un emploi spécial (registre, sens, connotation…).

Il lui reprochait de l'avoir traité « par-dessous la jambe ».

16. Les parenthèses ()

Elles servent à encadrer un élément annexe de la phrase : digression, complément d'information, etc.

> *« Dois-je me soucier de l'universalité de l'écriture, d'universalité de la langue (réalité au demeurant douteuse, entre mythe, fantasme et sabir) ? » (R. Millet, le Sentiment de la langue).*

La virgule se place, s'il y a lieu, après la parenthèse fermante (et non avant la parenthèse ouvrante).

> *Auteur de plusieurs romans (le Lecteur, les Escaliers de Chambord), Pascal Quignard a également écrit des essais.*

17. Les crochets ([])

❑ Les crochets sont utilisés pour mettre en évidence dans une citation un élément extérieur à la citation.

> *« Maître Renard par l'odeur [du fromage] alléché » (J. de La Fontaine).*

❑ Lorsqu'on fait une coupure à l'intérieur de la citation, on la note par des points de suspension entre crochets.

> *Il m'a écrit : « Nous sommes arrivés hier [...] et nous rentrons demain. »*

18. Le tiret (—)

❑ Le tiret peut avoir le même emploi que les parenthèses avec un mot ou avec un groupe de mots annexes. Dans ce cas, il est double, un tiret au début, un tiret à la fin.

> *Auteur de plusieurs romans — le Lecteur, les Escaliers de Chambord —, Pascal Quignard a également écrit des essais.*

Le point final tient lieu de deuxième tiret.

> *On lui a beaucoup reproché quelques erreurs — erreurs sans réelle gravité, à mon avis.*

❑ Le tiret employé seul se met au début de chaque alinéa dans une énumération et au début de chaque réplique dans un dialogue.

> *Vous trouverez dans ce colis :*
> *– une notice de montage ;*
> *– trente-quatre éléments à assembler ;*
> *– dix-sept écrous et boulons ;*
> *– une clé de dix.*
> *— Où vas-tu ? — Je pars au marché. — À quelle heure rentres-tu ?*

Ponctuation et espaces

Lorsqu'un texte est dactylographié ou saisi à l'aide d'un logiciel de traitement de texte, on observe les règles de la typographie française concernant les espaces avant et après chaque signe de ponctuation.

19. Virgule et point (signes composés d'une seule unité) : aucun espace avant, un espace après.

20. Point-virgule, point d'interrogation, point d'exclamation, deux points (signes composés de deux unités) : un espace avant, un espace après.

21. Parenthèses, crochets, guillemets : un espace avant les signes ouvrants, mais aucun espace après ; aucun espace avant les signes fermants, un espace après.
❑ Cette règle s'impose avec les guillemets français («»). Les guillemets anglais ("") , en revanche, ne sont pas séparés par un espace du texte qu'ils encadrent.

23. Points de suspension : toujours un espace après. Un espace avant si les points remplacent un mot unique ; aucun espace avant s'ils indiquent une phrase ou un mot incomplets.
Il ne savait plus que dire…
Que venait-il faire dans cet … endroit ?

GRAMMAIRE ABRÉGÉE

La coupure des mots

Lorsqu'il n'y a pas la place nécessaire pour écrire un mot en entier à la fin d'une ligne, on le coupe par un tiret de division (plus petit que le tiret de ponctuation) et on reporte à la ligne suivante la partie du mot qui suit la coupure. Cette coupure ne se fait pas au hasard, elle obéit à quelques règles simples. Dans les exemples qui suivent, le crochet *([)* indique les coupures possibles.

1. Mots simples. Les mots simples sont coupés selon la division syllabique. On ne sépare jamais deux voyelles, la division se fait toujours devant une consonne :

> *di[vi[sion, sa[la[rié, trou[ve[rez, jo[lie, eu[ro[péen, ré[gu[liè[re[ment*

❏ Dans les groupes de deux consonnes, la division se fait entre les deux consonnes :

> *es[poir, aban[don[ner, ap[pel, meil[leur,*

sauf dans deux cas :
- lorsque la seconde consonne, différente de la première, est *l* ou *r* :

> *ta[bleau, fé[vrier ;*

- lorsque les deux consonnes notent un seul son *(ch, ph, th, gn)* :

> *fau[cher, élé[phant, forsy[thia, éloi[gner.*

❏ Dans les groupes de trois ou quatre consonnes, la coupure se fait après la deuxième consonne :

> *domp[teur, abs[tention, ex[trait, abs[trus,*

sauf si celle-ci fait partie d'un groupe de deux consonnes notant un seul son *(ch, ph, th, gn)*, ou si la troisième consonne est un *l* ou un *r ;* dans ce cas, la coupure se fait avant la deuxième consonne :

> *exem[plaire, em[phase, épar[gnant, an[thracite ;*

mais *hémi[sphère, strato[sphère* (coupes selon l'étymologie).
Le tiret de division se place toujours à la fin de la ligne, jamais au début.
On ne laisse jamais une lettre seule ni une apostrophe en fin de ligne :

apeu[rer (et non *a[peurer), *éva[cuer* (et non *é[vacuer), *aujour[d'hui* (et non *aujourd'[hui), *pres[qu'île* (et non *presqu'[île).
On évite dans toute la mesure du possible de renvoyer en début de ligne une syllabe muette seule :

sur[prise (et non *surpri[se), *imagi[nable* (et non *imagina[ble), *matéria[lisent* (et non *matériali[sent) ;

mais ces coupes sont tolérées lorsque le texte se présente en colonnes.

2. Mots composés. Les mots composés avec un trait d'union se coupent après le trait d'union :

> *après-[midi* (et non *après-mi[di), *micro-ordinateur*
> (et non *micro-ordi[nateur).

Du point de vue de la coupure, on considère comme des mots composés les mots écrits soudés mais dont on peut distinguer clairement les éléments (*portefeuille*, par exemple). On préfère alors la division qui sépare les constituants du mot à la division syllabique :

> *porte[feuille* (plutôt que *por[tefeuille), bio[logie* (plutôt que *biolo[gie), auto[critique* (plutôt que *autocri[tique), ré[adapter* (plutôt que *réa[dapter), sub[mersion* (plutôt que *submer[sion).*

Lorsque les éléments constituant le mot ne se distinguent plus clairement, que le mot est perçu comme une seule unité, on applique les règles exposées au § 1 :

> *manus[crit* (du latin *manu scriptus,* écrit à la main), *téles[cope* (du grec *têle,* au loin, et *skopein,* observer),

3. Cas particuliers

– Lorsqu'un verbe conjugué est suivi de *-t-* (*t* dit « analogique » ou « euphonique ») et d'un pronom personnel, le groupe est coupé avant le *t,* et ce dernier est rejeté en début de ligne :

> *souhaite-[t-il.*

– On ne coupe un mot ni avant ni après *x* ou *y* s'ils sont placés entre des voyelles :
fixa[tion (et non **fi[xation* ou **fix[ation), *bé[gayer* (et non **béga[yer* ou **bégay[er).

– On évite de couper les noms propres (de même, on évite d'aller à la ligne entre le prénom et le nom).

– On ne coupe jamais ni un sigle, ni un nombre écrit en chiffres (de même, on évite d'aller à la ligne entre un nombre écrit en chiffres et le nom qui le suit).

Les abréviations et les symboles

L'abréviation consiste à n'écrire qu'une partie des lettres d'un mot. Elle se distingue de la *troncation* (→ § 45), dans laquelle un nouveau mot est créé par la suppression d'une ou plusieurs syllabes.

4. Les principes de l'abréviation.

L'abréviation suit quelques principes simples. On peut abréger un mot de plusieurs façons.

❑ Le mot est réduit à sa seule initiale suivie d'un point :

M. (Monsieur), *p.* (page), *s.* (siècle), *v.* (voir).

L'usage français applique ce principe pour *monsieur*. On doit donc écrire *M. Dupont* (et non *Mr*, qui est l'abréviation de l'anglais *Mister*).

❑ Le mot est réduit à ses premières lettres ; l'abréviation se termine toujours par une consonne, jamais par une voyelle, et cette consonne est suivie d'un point :

av. (avant), *apr.* (après), *env.* (environ), *suppl.* (supplément), *vol.* (volume).

❑ Le mot est réduit à sa lettre initiale suivie de la ou des lettres finales, écrites au-dessus de la ligne (en exposant) ; dans ce cas, l'abréviation n'est pas suivie d'un point :

Mme (Madame), Mlle (Mademoiselle), D^r (Docteur), M^e (Maître).

Dans les textes manuscrits ou tapés à la machine, les lettres finales peuvent être sur la ligne, mais on évite cette façon d'écrire si elle risque de prêter à confusion :

Mme, Dr, mais *n°* (plutôt que *no*), C^e (plutôt que *Cie*).

❑ Certaines abréviations font apparaître, par tradition, une lettre intermédiaire (ni initiale ni finale) du mot abrégé. Si la dernière lettre de l'abréviation est la lettre intermédiaire du mot abrégé, cette lettre est suivie d'un point : *ms.* (manuscrit). En revanche, si la dernière lettre de l'abréviation est aussi la dernière lettre du mot abrégé, celle-ci n'est pas suivie d'un point : *Mgr* (Monseigneur).

5. Mots composés et expressions.
Dans les mots composés et les expressions, chaque terme s'abrège selon les règles exposées aux § 1 et 2. Les traits d'union sont maintenus :

ch.-l. (chef-lieu) ; *p. ex.* (par exemple) ; *c.-à-d.* (c'est-à-dire) ; *b. à t.* (bon à tirer).

6. Prénoms.
Pour abréger les prénoms, on ne donne que la première lettre, même si elle n'est pas immédiatement suivie d'une voyelle :

V. Hugo ; E. Poe ; E. Labiche ; A. Camus ; P.-É. Victor.

On note les deux premières lettres lorsqu'elles correspondent à un son unique. C'est le cas avec les groupes contenant *h* :

Ch. Baudelaire ; Th. Gautier.

Pour les prénoms commençant par une consonne suivie d'un *l* ou d'un *r*, on a le choix entre donner seulement la première lettre ou donner les deux premières :

F. Mauriac ou *Fr. Mauriac ; C. Bernard* ou *Cl. Bernard.*

7. Numéraux ordinaux.
Les numéraux ordinaux à partir de *deuxième* s'abrègent en écrivant le chiffre suivi d'un *e* sans point (et non **ème*, **è*, **me*, etc.) :

3e, 4e, ; le XIXe siècle.

Premier, première et *second, seconde* s'abrègent respectivement en 1er, 1re, 2nd, 2nde. Au pluriel : 1ers, 1res, 2^{ds}, 2des.

Le *e* abréviatif n'est employé que pour les numéraux ordinaux, jamais pour les fractions.

Une échelle au 1/5 000 (et non **au 1/5 000e*).

1°, 2°, 3°..., abréviations de *primo, secundo, tertio...*, sont couramment utilisés comme abréviations de *premièrement, deuxièmement, troisièmement...*

8. Pluriel des abréviations. Quand l'abréviation conserve la dernière lettre du mot abrégé, le pluriel se marque comme s'il s'agissait du mot entier :

Mmes (mesdames) ; M^{aux} (maréchaux).

Pour les mots dont l'abréviation se réduit à l'initiale, le pluriel peut être marqué par le redoublement de cette lettre. Le point abréviatif n'apparaît pas entre les deux lettres, mais après :

pp. (pages) ; *MM. (messieurs)*.

9. Liste des abréviations usuelles.

A. M.	*ante meridiem*, avant midi	Mgr *ou* Mgr	monseigneur	
av.	avant	Mlle *ou* Mlle	mademoiselle	
apr.	après	MM.	messieurs	
bd	boulevard	Mme *ou* Mme	madame	
c.-à-d.	c'est-à-dire	ms.	manuscrit	
c/o	*care of*, chez (dans une adresse ;	*N. B.*	*nota bene*, notez bien	
	préférer *aux bons soins de*)	n. d. l. r.	note de la rédaction	
cf.	*confer*, se reporter à	n. d. t.	note du traducteur	
ch.-l.	chef-lieu	n°, n°s	numéro, numéros	
chap.	chapitre	*op. cit.*	*opere citato*, dans l'ouvrage cité	
Cie	compagnie	P.-D.G.	président-directeur général	
D^r *ou* Dr	docteur	P. J.	pièce(s) jointe(s)	
d°	*dito*, de même (langue commerciale)	*P. M.*	*post meridiem*, après midi	
env.	environ	p., pp.	page, pages	
etc.	*et cetera*, et le reste	p. c. c.	pour copie conforme	
ex.	exemple	p.p.m.	parties pour mille	
fasc.	fascicule	*p. s.*	*post scriptum*, ajouté	
fg	faubourg	R.-V.	rendez-vous	
$f°$	folio	R.S.V.P.	répondre s'il vous plaît	
hab.	habitant	*sq., sqq.*	*sequiturque*, et suivant(e),	
H.T.	hors taxes		*sequentiaque*, et suivant(e)s	
i. e.	*id est*, c'est-à-dire	s^t *ou* st, s^{te} *ou* ste	saint, sainte	
ibid.	*ibidem*, au même endroit	suiv.	suivant	
id.	*idem*, pareil	*sup.*	*supra*, ci-dessus	
inf.	*infra*, ci-dessous	S. V. P.	s'il vous plaît	
J.-C.	Jésus-Christ	t.	tome	
loc. cit.	*loco citato*, à l'endroit cité	T. S. V. P.	tournez s'il vous plaît	
M.	monsieur	T.T.C.	toutes taxes comprises	
M^e *ou* Me	maître	*vs*	*versus*, par opposition à	

10. Les symboles. Un symbole est un signe ou une lettre représentant l'expression d'une unité, d'une grandeur, etc. Beaucoup de symboles peuvent être compris quelle que soit la langue dans laquelle ils sont lus :

= (égal), % (pour cent), $ (dollar), £ (livre sterling).

Le symbole, contrairement à l'abréviation, n'est jamais suivi du point abréviatif :

Il les vend 30 F les 100 g.

(et non *3 F. ; le point après le *g*, symbole du gramme, est le point de fin de phrase).

Le symbole du franc est *F* : une seule lettre, en majuscule et sans point abréviatif (éviter les graphies telles que *Fr., *fr, *frs, *frc) :

Nous portons la somme de 7 000 F au crédit de votre compte.

Le symbole est invariable ; il ne prend pas la marque du pluriel :

Marseille se trouve à 700 km de Paris (et non *à 700 kms).

11. Symboles des principales mesures.

are : **a**	hectare : **ha**	minute (angle) : **'**
centilitre : **cl**	hectolitre : **hl**	minute (temps) : **min**
centimètre : **cm**	hectomètre : **hm**	octet : **o**
centime : **c**	heure : **h**	quintal : **q**
décilitre : **dl**	kilogramme : **kg**	seconde (angle) : **''**
décamètre : **dam**	kilomètre : **km**	seconde (temps) : **s**
décimètre : **dm**	kilowatt : **kW**	tonne : **t**
degré (angle) : **°**	litre : **l**	volt : **V**
degré Celsius : **°C**	mètre : **m**	watt : **W**
franc : **F**	millilitre : **ml**	
gramme : **g**	millimètre : **mm**	

On associe à ces unités d'autres symboles pour exprimer les multiples et sous-multiples.

giga : **G**	kilo : **k**	déca : **da**	centi : **c**	micro : **μ**
méga : **M**	hecto : **h**	déci : **d**	milli : **m**	nano : **n**

2 Go (deux gigaoctets)
1 000 kF (mille kilofrancs)
20 dal (vingt décalitres)
5 μs (cinq microsecondes)

L'accent

L'accent est un signe de l'écriture qui surmonte certaines lettres pour en préciser la prononciation, ou pour distinguer certains mots les uns des autres (*du,* article contracté, et *dû,* participe passé du verbe *devoir,* par exemple).
Les règles assez complexes qui régissent la présence des accents sont souvent source d'erreurs. Trois accents sont utilisés en français : l'accent aigu, l'accent grave et l'accent circonflexe.

12. L'accent aigu.
L'accent aigu ne se trouve que sur le *e.* Utilisé d'abord sur les *é* finals pour les différencier des *e* muets (et distinguer, par exemple, *passé* de *passe*), il a ensuite été employé pour noter les [e] fermés (*son é*) quelle que soit leur position dans le mot : *accélérer, décidément.* Ces [e] fermés se trouvent devant une syllabe contenant une voyelle autre que *e* muet, sauf dans les mots de la liste ci-dessous.

afféterie	crénelure	réglementation
allégement	empiétement	réglementer
allégrement	féverole	sécheresse
céleri	hébétement	sécherie
crémerie	médecin	sénevé
crénelage	réglementaire	vénerie
créneler	réglementairement	

Les R.O. 1990 proposent d'écrire tous ces mots, à l'exception de *médecin,* avec un accent grave (→ R.O. 1990).

13. L'accent grave.
L'accent grave peut se trouver sur le *e,* sur le *a* et sur le *u.*
❑ Sur le *e,* il sert à noter un [ɛ] ouvert. Il est donc utilisé notamment :
– sur les *e* suivis d'une consonne et d'un *e* muet en fin de mot (*mère, pèle*) ;
– sur les *e* suivis d'un *s* en dernière syllabe d'un mot (*accès, près*).
❑ Sur le *a* et sur le *u,* l'accent grave permet de distinguer certains homonymes très courants : *ou* (conjonction) et *où* (adverbe) , *a* (verbe *avoir*) et *à* (préposition), *la* (article) et *là* (adverbe), *ça* (pronom) et *çà* (adverbe) :
écris-moi où tu pars ou laisse-moi un message sur mon répondeur.
L'Académie a apporté quelques modifications à l'usage de l'accent grave dans la conjugaison (→ tableau des conjugaisons et R.O. 1990).

14. L'accent circonflexe. Il n'y a pas de correspondance régulière entre l'accent circonflexe et la prononciation : la seule règle à observer si on n'est pas sûr de soi est de consulter un dictionnaire. Certains mots ne prennent pas d'accent circonflexe mais font, plus que d'autres, l'objet d'erreurs. En voici la liste :

atome	cyclone	gracier
bateau	dévot	havre
boiteux	diffamer	pédiatre
brèche	drainer	prèle
brème	drolatique	psychiatre
chalet	égout	pupitre
chapitre	emblème	racler
chrome	faine	ruche
chute	gaine	toit
cime	goitre	zone

15. L'accent circonflexe des participes passés en -û. On écrit avec un accent circonflexe les participes passés *dû, redû, mû, crû* (de *croître*), *recrû* (de *recroître*). Cet accent disparaît au féminin et au pluriel :

cette somme reste due ; les arriérés dus doivent être réglés au plus tôt.

(→ aussi R.O. 1990).

16. L'accent circonflexe des adverbes en -ûment. On écrit avec un accent circonflexe :

assidûment	crûment	incongrûment
congrûment	dûment	indûment
continûment	goulûment	nûment

Les autres adverbes en *-ument* s'écrivent sans accent :

personne n'adhérait à ces théories prétendument scientifiques.

(→ aussi R.O. 1990).

17. L'accent circonflexe dans la conjugaison. L'accent circonflexe est utilisé dans la conjugaison pour marquer les terminaisons des première et deuxième personnes du pluriel au passé simple, de la troisième personne du singulier à l'imparfait et au plus-que-parfait du subjonctif :

nous partîmes, vous fûtes ; qu'il vînt, qu'elle apparût ; qu'elle eût préféré.

❏ Il n'y a jamais d'accent circonflexe sur la terminaison de la troisième personne du singulier au passé simple :

à peine eut-il dix-huit ans qu'il fut chef de famille.

❏ À l'imparfait du subjonctif, à la troisième personne du singulier, tous les verbes s'écrivent avec un accent circonflexe sur la voyelle de la terminaison. L'accent circonflexe est, à cette personne et pour les verbes des deuxième et troisième groupes, la seule différence entre l'imparfait du subjonctif et le passé simple :

elle courut longtemps mais *il aurait fallu qu'elle courût plus longtemps ;*

quand il eut vingt ans et qu'il fut majeur, il quitta la France mais *bien qu'il eût vingt ans et qu'il fût majeur, il manquait de maturité.*

Le tréma

18. Le tréma se place essentiellement sur le *i*, parfois sur le *u* ou sur le *e*, lorsque ces voyelles sont précédées d'une autre voyelle : il indique alors que les deux voyelles doivent être articulées séparément, et ne servent pas à transcrire un seul son (comme par exemple *eu, ai* ou *ou* dans *beurre, maison* et *douche*) :

coïncidence, baïonnette, carpharnaüm, ciguë.

On écrit notamment avec un tréma les féminins et les dérivés en *-ité* des adjectifs qui se terminent par *-gu* :

aiguë, ambiguïté, ambiguë, exiguë, exiguïté.

(→ aussi R.O. 1990).

La cédille

19. La cédille se place sous le *c* lorsqu'il précède *a, o* ou *u* pour indiquer qu'il se prononce [s] comme dans *sa, sot* ou *sur* et non [k] comme dans *cadeau, code* ou *culot*. *C* ne se prononçant jamais [k] devant *e* ou *i, ç* ne précède jamais l'une de ces deux voyelles : *prononçable* mais *prononciation ; reçu* mais *réception*.

❑ On ne met pas de cédille dans les mots scientifiques écrits avec *æ* et *œ*.
   cæcum (appendice), *cœlacanthe* (poisson).
Dans ces mots, le *c* se prononce *s*. On dit [sekɔm] *(sé-komm)*, [selakãt] *(sé-la-kantt)*.
❑ La cédille est maintenue lorsque le *C* est une majuscule.
   Ça n'a pas de prix.

Le trait d'union

Le trait d'union sert à marquer un lien entre deux mots, soit pour former un mot nouveau, soit pour indiquer un rapport syntaxique.

20. Le trait d'union lexical. Bien que l'emploi du trait d'union dans les composés ne soit pas très cohérent (on écrit *coffre-fort* mais *château fort, bec-de-lièvre* mais *chemin de fer*), on peut dégager quelques grands principes. On met un trait d'union :
- quand la suite de mots change de nature grammaticale. C'est notamment le cas pour les composés formés d'un verbe et d'un nom, et ceux formés d'une préposition ou d'un adverbe et d'un nom :
   ce cas peut être envisagé mais *elle viendra peut-être ;*
   un sèche-cheveux ; des après-skis ; un rouge-gorge ; une arrière-pensée ;
- dans les composés empruntés et dans les calques de locutions étrangères :
   le basket-ball ; un week-end ; un osso-buco ; un fac-similé ;
   le libre-échange ; nord-américain.
❑ Les noms composés avec un ou plusieurs éléments savants s'écrivent parfois avec un trait d'union → § 47 et R.O. 1990.

21. Noms propres composés ; prénoms doubles. Les noms composés de monuments, de villes, de départements, de régions administratives et les prénoms doubles s'écrivent avec un trait d'union :
   la basilique Notre-Dame-de-Lourdes ; le lycée Louis-le-Grand ; Aix-en-Provence ; Domrémy-la-Pucelle ; le Val-de-Marne ; le Languedoc-Roussillon ; Jean-Jacques Rousseau.
❑ Les noms des rues sont écrits avec un trait d'union :
   avenue du Maréchal-Foch, place Henri-Martin.
Dans l'usage courant, on écrit le plus souvent : *avenue du Maréchal Foch, place Henri Martin.*

22. Le trait d'union syntaxique.
❑ On met un trait d'union entre le verbe et le pronom personnel complément ou sujet qui le suit. On met deux traits d'union s'il y a deux compléments :
   sans doute ont-ils eu raison de refuser l'offre ;
   « Viendras-tu à sa soirée ? — Non ; dis-le-lui de ma part. » ;
   quand doit-on le prévenir ?
❑ On écrit entre deux traits d'union le *t* analogique placé entre le verbe et son sujet (à ne pas confondre avec *t'*, pronom élidé de la deuxième personne) :
   se rappelle-t-elle notre rendez-vous ?
   rappelle-t'en.
❑ Le trait d'union peut marquer la coordination : il remplace alors la conjonction *et :*
   un café-restaurant (= un établissement qui est à la fois un café et un restaurant) ;
   aigre-doux (= à la fois aigre et doux).

C'est le rôle du trait d'union dans les adjectifs de couleur composés et les numéraux inférieurs à cent :

> *un feuillage bleu-vert* (= d'un ton intermédiaire entre le bleu et le vert) ;
> *cinquante-quatre* (= cinquante et quatre).

Quand *et* est exprimé, il n'y a pas de trait d'union :

> *soixante et onze* (et non **soixante-et-onze*).

(→ aussi R.O. 1990).

❑ Les noms de fraction s'écrivent sans trait d'union :

> *les trois cinquièmes de la population ont répondu oui au référendum.*

❑ On écrit avec ou sans trait d'union l'expression du dénominateur (ce qui est sous la barre de fraction) s'il s'agit d'un composé de *centième, millième, millionième...* :

> *chacun reçut un trois-centième de part* ou *un trois centième* (= 1/300).

L'apostrophe et l'élision

L'apostrophe sert à marquer à l'écrit certains cas d'élision : elle remplace la voyelle non prononcée. L'élision est toujours notée pour *a* et *i* (*l'île, s'il vient*), mais ce n'est pas le cas pour *e*.

23. En remplacement du *e*.

❑ Il y a élision avec apostrophe pour *le* (pronom ou article), *je, me, te, se, ce, de, ne, que* et *jusque* :

> *personne n'a su l'écouter si bien qu'il s'est plaint jusqu'à minuit d'être incompris.*

Si *je* et *ce* suivent le verbe, on ne note pas d'élision, bien qu'à l'oral le *e* de *je* ou de *ce* ne soit pas prononcé :

> *ai-je été bien compris ? est-ce clair ?* (mais : *j'ai été compris ; c'est clair*).

❑ On ne marque pas l'élision du *e* final de *quelque* et de *presque* sauf dans *presqu'île* et *quelqu'un(e)* :

> *il aura été retardé par quelque incident ; elle a presque immédiatement réagi.*

❑ Selon l'Académie, on doit toujours noter l'élision pour *lorsque, puisque* et *quoique*. Toutefois, la réalité de l'usage est moins tranchée. (V. ces mots à leur ordre alphabétique.)

24. Lettres de l'alphabet ; mots cités.
Avec les lettres de l'alphabet et les mots cités, on peut choisir de faire ou de ne pas faire l'élision. L'absence d'élision est plus fréquente, surtout avec les mots cités d'une ou deux syllabes :

> *le* r *de* art, *le* a *de* ami (plutôt que *l'*r *d'*art, *l'*a *d'*ami).

25. Titres.
Avec les titres, le choix est également possible :

> *L'auteur de* Au bonheur des dames (ou *d'*Au bonheur des dames).

26. Noms propres de personnes.
Avec les noms propres de personnes, on fait l'élision. Mais on constate dans l'usage une tendance à ne pas la faire, surtout s'il s'agit de noms courts :

> *le théâtre d'Hugo* (mais on dit souvent aujourd'hui *le théâtre de Hugo*) ;
> *il ne voit personne d'autre qu'Anne* (souvent : *que Anne*).

Majuscules et minuscules

On met toujours une majuscule au premier mot d'une phrase : outre cette règle, la plus simple de toutes, quelques principes régissent l'usage des majuscules et des minuscules.

27. Les noms propres.
❑ Les noms propres de personnes, de divinités, d'animaux, de lieux, etc., s'écrivent avec une majuscule. C'est ce qui, à l'écrit, les distingue immédiatement des noms communs :

> *Toulouse, la Méditerranée, les Invalides, Trenet, Toto, Zeus, Minou.*

❏ Certaines choses, notamment celles qui sont conçues selon un modèle ou un type, reçoivent un nom qui s'écrit avec majuscule :
> *un Airbus, un Concorde, une Clio.*

Dans un tel cas, la majuscule marque que le modèle ou le type et le nom qui le désigne ont fait l'objet d'un ou plusieurs brevets, d'un dépôt de marque, etc. : c'est un des éléments qui signalent la propriété industrielle.

❏ Les noms de lieux et les noms ou surnoms de personnes comportant plusieurs éléments prennent la majuscule à chacun de leurs composants, à l'exception des prépositions, conjonctions et articles :
> *Bar-le-Duc ; Cagnes-sur-Mer ; le Loir-et-Cher ; Colombey-les-Deux-Églises ;*
> *Jean sans Peur ; Charles le Téméraire ; Poil de Carotte.*

Si le nom propre détermine un nom commun qui forme avec lui l'appellation complète, ce nom commun ne prend pas de majuscule :
> *la cordillère des Andes ; l'île d'Elbe ; la mer Rouge ; la tour Montparnasse ;*
> *la reine Élisabeth II d'Angleterre ; le docteur Knock.*

❏ Seuls les noms d'habitants et les noms dynastiques issus d'un nom de personne s'écrivent avec une majuscule :
> *les Européens, les Marseillais, un Auvergnat, les Capétiens.*

❏ Les autres dérivés de noms propres s'écrivent avec une minuscule :
> *les mozartiens apprécieront ce nouvel enregistrement de* la Flûte enchantée ;
> *un ouvrage très instructif sur l'art de vivre des bouddhistes.*

On écrit ces dérivés avec une minuscule s'ils sont adjectifs ou s'ils désignent une langue, un patois, un dialecte :
> *les capitales européennes ; la cuisine marseillaise ; les rois capétiens ;*
> *les Allemands parlent souvent très bien l'anglais.*

28. Les titres d'œuvres. Le nom donné à un ouvrage, un journal, un film, une œuvre musicale, etc., est considéré comme un nom propre. Il s'écrit avec la majuscule :
> *le phénomène est analysé dans la revue* Esprit ;
> *nous vous recommandons* Microcosmos, *un remarquable film sur la vie des insectes.*

❏ Si le titre commence par l'article défini et qu'il ne forme pas une phrase, on met une minuscule à l'article et une majuscule au premier nom du titre et aux adjectifs qui le précèdent :
> *le Monde ; le Figaro ; le Grand Dictionnaire encyclopédique Larousse ; la Guerre des Gaules.*

❏ Quand le titre se compose de noms coordonnés, on met une majuscule à chacun des noms et éventuellement aux adjectifs qui les précèdent.
> *le Diable et le Bon Dieu ; le Rouge et le Noir.*

❏ Dans les autres cas, on met toujours une majuscule au premier mot du titre. Les autres mots s'écrivent avec une minuscule :
> *Un dimanche à la campagne ; Bonjour tristesse ; J'accuse ; La guerre de Troie n'aura pas lieu.*

❏ Les titres doubles suivent les règles ci-dessus :
> *Candide ou l'Optimisme ; Émile ou De l'éducation.*

29. Jours et mois. Les noms de jour et de mois s'écrivent avec une minuscule :
> *nous l'avons vu lundi dernier ;*
> *notre prochaine réunion aura lieu le mardi 31 septembre à 20 h 30.*

❏ En revanche, les noms de fête s'écrivent avec une majuscule :
> *la Toussaint ; Noël ; la Pentecôte ; nous avons fêté le Nouvel An avec des amis.*

30. Les noms d'institutions. Quand un nom commun sert à désigner une institution, une société, une association, un groupe doté d'une existence singulière, on écrit ce nom avec une majuscule ; mais les adjectifs qui, le cas échéant, qualifient ce nom, ou les autres noms qui lui servent de complément s'écrivent avec une minuscule :
> *l'Académie française ; la Bibliothèque nationale ; la Sécurité sociale ; l'Éducation nationale ;*

la Cour des comptes ; le Parlement ; la Compagnie générale des eaux ;
le Conseil d'État (institution unique) mais le conseil municipal (institution qui existe dans toutes les communes).

Cette règle vaut également pour les noms qui donnent lieu à un sigle :

l'Agence nationale pour l'emploi (et non *l'Agence Nationale Pour l'Emploi).

31. Les fonctions et les titres civils. Les noms de titres ou de fonctions s'écrivent normalement sans majuscule :

nous avons rencontré le directeur ;
il a obtenu un rendez-vous auprès de madame Dupont.

Mais les usages de courtoisie demandent qu'on mette la majuscule au titre d'une personne à qui l'on s'adresse par écrit, notamment dans la correspondance :

Veuillez recevoir, Monsieur le Préfet, mes sentiments respectueux.
Je me permets, Monsieur le Président, de vous faire parvenir une note sur la situation actuelle de nos succursales.

32. Points cardinaux.

❏ Quand les noms des points cardinaux servent à exprimer une direction, une orientation, une position par rapport à un autre point, ils s'écrivent avec une minuscule :

ils marchaient dans la direction du nord-est ;
le vent du nord est plus froid ;
une maison orientée au midi est bien éclairée.

Ils s'écrivent également avec une minuscule quand ils ont la valeur d'un adjectif :

l'hémisphère sud ; 80° de latitude nord ; l'axe sud-est.

❏ Quand le nom d'un point cardinal désigne une région, il s'écrit avec une majuscule s'il n'est pas déterminé par un complément :

ils se sont acheté une maison dans le Midi mais *dans le midi de la France ;*
la société a ouvert des succursales dans les ex-pays de l'Est ;
le pôle Nord ; le pôle Sud.

Le genre des noms

33. Mots difficiles.

Le genre des noms est arbitraire. Il est tributaire à la fois de l'étymologie et de l'usage. Certains noms ont changé de genre au cours des siècles ; ainsi *comté,* aujourd'hui masculin, était autrefois féminin (le féminin a survécu dans le nom propre *Franche-Comté).*

Toutefois, on peut remarquer que les noms terminés par *-age, -ment, -oir, -ier* sont généralement masculins, et que les noms terminés par *-tion, -ssion, -ie, -ise, -ase, -oire, -té* sont généralement féminins.

On hésite parfois sur le genre de certains noms.

❏ Sont masculins :

abaque	aparté	colchique	globule	opuscule
acrostiche	aphte	décombres	haltère	ovule
aéronef	apogée	éclair	hémisphère	pénates
agrume	arcane	effluve	hémistiche	pétale
air	armistice	élytre	intermède	planisphère
amalgame	aromate	emblème	interstice	poulpe
ambre	arpège	en-tête	intervalle	rail
amiante	asphalte	entracte	ivoire	schiste
anathème	astérisque	épilogue	jade	tentacule
anchois	augure	équinoxe	jute	termite
antidote	balustre	esclandre	méandre	tubercule
antipode	basalte	exode	obélisque	
antre	chrysanthème	exorde	opprobre	

❏ Sont féminins :

absinthe	atmosphère	échappatoire	gemme	omoplate
acné	autoroute	écritoire	glaire	orbite
alcôve	azalée	encaustique	hécatombe	orge (plante)
algèbre	bakélite	éphémérides	hypallage	oriflamme
alluvion	campanule	épigramme	immondices	patère
anagramme	câpre	épithète	mandibule	silicone
apostrophe	clepsydre	épître	météorite	volte-face
argile	dartre	équivoque	nacre	
arrhes	ébène	escarre	octave	

❏ Certains mots présentent l'un ou l'autre genre selon qu'ils sont au singulier ou au pluriel *(amour, délice, orgue...)* ou selon qu'ils sont pris dans un sens ou dans un autre *(espace, foudre, hymne...)* ; certains mots peuvent être employés, au choix, au masculin ou au féminin *(alvéole, après-midi...)* ; certains homonymes, enfin, ne se distinguent que par le genre *(voile, manche...)*.

34. Noms de bateaux. Le genre des noms de bateaux pose une difficulté particulière, dans la mesure où la règle édictée par le ministère de la Marine diffère de l'usage courant. En effet, deux circulaires ministérielles datant de 1934 et 1955 et approuvées par l'Académie française stipulent que les noms d'usage courant gardent leur genre lorsqu'ils servent de noms de bateaux. Ainsi devrait-on dire la *Normandie*, la *Liberté*, la *France*.
Cette règle est assez peu suivie et on rencontre l'article masculin aussi bien dans l'usage courant que dans l'usage littéraire, sous l'influence des mots *navire, bateau, paquebot* considérés le plus souvent comme sous-entendus :
> le France *pouvait transporter plus de deux cents passagers.*

Dans une phrase, lorsque l'article précède le nom du bateau sans en faire partie, il ne prend pas de majuscule.

35. Noms de villes. Il n'y a pas de règle quant au genre des noms de villes et les hésitations sont nombreuses. Dans l'usage courant, le masculin l'emporte, mais, dans l'usage littéraire, le féminin est fréquent, trace sans doute d'un usage ancien qui faisait des noms de villes des noms féminins :
> le *Paris d'autrefois photographié par Atget* mais *Venise la belle.*

36. Lettres de l'alphabet. Aujourd'hui, les noms des lettres de l'alphabet sont tous masculins :
> *un* f *mal dessiné ; un* h *aspiré.*

37. Personnes. Les noms désignant des personnes sont généralement masculins ou féminins selon qu'il s'agit d'hommes ou de femmes : *maître* est un nom masculin qui désigne un homme, *maîtresse* est un nom féminin qui désigne une femme.
Cependant, un certain nombre de noms n'ont qu'un seul genre, qu'ils s'emploient à propos d'un homme ou à propos d'une femme.

❏ Notamment, sont **masculins**, qu'ils se rapportent à des hommes ou à des femmes :

acolyte	assassin	écrivain	médecin
acquéreur	assesseur	fossoyeur	modèle
agent	auteur	génie	professeur
agresseur	cadre	gourmet	sauveur
amateur	censeur	imposteur	sculpteur
ange	charlatan	imprimeur	successeur
antagoniste	chef	juge	témoin
apôtre	commissaire	magistrat	usager
armateur	défenseur	mannequin	voyou

❏ Notamment, sont **féminins**, qu'ils se rapportent à des femmes ou à des hommes :

altesse	estafette	ordonnance (militaire)	star
baderne	frappe (voyou)	personne	vedette
canaille	fripouille	recrue	victime
crapule	idole	sentinelle	vigie

Formation des féminins

38. Règles générales. Le plus souvent, on forme le féminin d'un nom ou d'un adjectif en ajoutant un *e* à la forme du masculin :

un Français, une Française ; un ami, une amie.

❑ L'ajout du *e* s'accompagne dans certains cas d'un doublement de la consonne finale. C'est le cas des finales *-el, -eil, -en, -on, -et* :

actuel, actuelle ; pareil, pareille ; lycéen, lycéenne ; breton, bretonne ; cadet, cadette.

De même : *gentil, gentille ; nul, nulle ; paysan, paysanne ; chat, chatte ; sot, sotte ; vieillot, vieillotte ; pâlot, pâlotte.*

❑ Les masculins terminés par la consonne *c* ont un féminin en *-que* :

public, publique.

Fait exception *grec* qui donne *grecque*, avec la finale *-cque*.

39. Suffixation. De nombreux féminins sont formés par adjonction d'un suffixe à un nom masculin. Ainsi le suffixe *-esse*, très productif, a-t-il donné entre autres *ânesse* (formé sur *âne*), *comtesse* (sur *comte*), *diablesse* (sur *diable*), etc.

40. Suffixes à forme masculine et féminine. Beaucoup de suffixes présentent une forme masculine et une forme féminine.
Le suffixe *-eur*, par exemple, s'ajoute à une base verbale pour former des noms désignant des personnes de sexe masculin ayant telle activité ou exerçant tel métier (*chanteur*, celui qui chante ; *coiffeur*, celui qui coiffe ; *fumeur*, celui qui fume, etc.). Sous sa forme féminine, *-euse*, il permet de former des noms féminins : *chanteuse, coiffeuse, fumeuse.*
De même *-teur, -trice* (*conducteur, conductrice ; instituteur, institutrice ; producteur, productrice*), *-er, -ère* (*boucher, bouchère*), *-ier, -ière* (*banquier, banquière ; façonnier, façonnière*), etc.

41. Paires trompeuses. De nombreux mots masculins et féminins sont associés sans pour autant constituer des paires au même titre que celles qui sont citées au paragraphe précédent. À cet égard, les désignations du mâle et de la femelle des espèces animales sont trompeuses : si l'étymologie et la régularité morphologique manifeste de *chat* et de *chatte*, de *chien* et de *chienne* permettent de présenter les deux formes sous la même entrée du dictionnaire et donc de les considérer comme le masculin et le féminin du même « mot », il en va tout autrement pour les paires dont les constituants sont étymologiquement et morphologiquement différents : *chèvre* n'est pas plus le féminin de *bouc* que *taureau* n'est le masculin de *vache*.

Les néologismes

42. Le besoin de nommer des réalités nouvelles, mais aussi les caprices du temps et de la mode ou le besoin qu'éprouve une génération d'affirmer son identité par rapport à celles qui la précèdent conduisent à utiliser des mots nouveaux. Ces mots nouveaux, dits aussi *néologismes*, peuvent être empruntés à d'autres langues : c'est actuellement l'anglais qui est le plus souvent mis à contribution. Ils peuvent également résulter de l'emploi dans un sens nouveau d'un mot existant, c'est la néologie de sens : ainsi *environnement*, qui dans les années 1950 n'était que rarement utilisé, et avec le sens très vague de « ce qui environne », a-t-il acquis aujourd'hui le sens nouveau d'« ensemble des éléments physiques, chimiques ou biologiques, naturels et artificiels, qui entourent un être humain, un animal ou un végétal, ou une espèce ». Les mots nouveaux peuvent enfin être créés, selon différentes voies : dérivation, composition, troncation, formation de sigles et d'acronymes.

43. La dérivation.
❑ On peut dériver un mot d'un autre en lui ajoutant un suffixe. Ainsi, sur *Maastricht*, on forme *maastrichtien* avec le suffixe *-ien*. Sur *R.M.I.* on forme *Rmiste*.

❑ On peut dériver un mot d'un autre en lui ajoutant un préfixe. Ainsi, sur *cassable*, on fabrique *autocassable* en ajoutant le préfixe *auto-*. (On réservait naguère le terme de *dérivation* à la dérivation au moyen d'un suffixe, la dérivation au moyen d'un préfixe étant rattachée à la composition. Beaucoup d'auteurs conservent cette distinction.)
❑ On peut former un nouveau mot en ajoutant à la fois un préfixe et un suffixe à une base. Ainsi, *inusable* est formé sur *user*, avec le préfixe *in-* et le suffixe *-able*, sans passer par l'intermédiaire de *inuser ou de *usable.

44. La composition.
❑ On peut former des mots nouveaux en assemblant des mots français existants (noms, verbes, adjectifs, adverbes, prépositions) :

> *ramasse-poussière, avant-veille, bracelet-montre, sourd-muet, pot-de-vin.*

❑ Beaucoup de mots techniques et scientifiques sont formés à partir d'éléments latins et grecs :

> *télévision, dactylographie, anthropomorphe.*

On évite en principe d'assembler dans un même mot un élément d'origine latine et un élément d'origine grecque, bien que certains mots ainsi formés soient passés dans l'usage : *cartographie, monolingue, quadrichromie.*

45. La troncation.
La troncation consiste dans l'abrègement d'un mot par suppression d'une ou plusieurs syllabes. La ou les syllabes supprimées sont le plus souvent à la finale (*prof* pour *professeur, diapo* pour *diapositive*), parfois à l'initiale (*car* pour *autocar, pitaine* pour *capitaine*) ; beaucoup plus rarement à l'intérieur du mot (*margis-chef* pour *maréchal des logis-chef*).
La langue orale use abondamment de ce procédé (*restau* pour *restaurant, sympa* pour *sympathique, télé* pour *télévision*, etc.) ; nombre de mots ainsi créés, exclus à l'origine de l'expression soignée, deviennent si courants qu'ils perdent à la longue toute connotation familière : *ciné*, issu de *cinéma*, est encore ressenti comme familier, mais *cinéma*, issu de *cinématographe*, est neutre et peut être utilisé aujourd'hui dans le registre soutenu. De même *moto* (de *motocyclette*), *pneu* (de *pneumatique*), etc.

46. Sigles et acronymes.
❑ Un sigle est un mot formé d'une suite épelée de lettres initiales :

> *C.S.G., H.L.M., R.M.I., V.R.P.*

Les sigles ne prennent pas la marque du pluriel :

> *les H.L.M. de la ville ; on recherche des V.R.P. multicartes.*

– Certains sigles sont empruntés, notamment à l'anglais, ce qui justifie leur prononciation : *C.B.* [sibi], *O.K.* [ok].
– Les habitudes typographiques françaises exigent en principe un point abréviatif après chacune des lettres d'un sigle : *un V.R.P.* Sous l'influence des sigles empruntés à l'anglais, on observe cependant depuis quelques années une tendance de plus en plus marquée à omettre les points abréviatifs : *le salon d'attente des VIP.*
❑ Un acronyme est un mot formé le plus souvent d'une suite de lettres initiales lues ou prononcées comme la suite des lettres d'un mot ordinaire (et non pas épelées, à la différence des lettres d'un sigle) :

> *C.A.P.E.S.* (certificat d'aptitude pédagogique à l'enseignement secondaire, prononcé [kapɛs], comme le début de *capétiens*) ;
> *O.T.A.N.* (Organisation du traité de l'Atlantique nord, prononcé [ɔtɑ̃], comme *autant*).

– Quelquefois, l'acronyme est construit à l'aide de syllabes :

> *Benelux* (**Bel**gique-**Ne**derland-**Lux**embourg).

– Les acronymes s'écrivent généralement avec des majuscules, avec ou sans points abréviatifs (*O.N.U., NASA*), mais parfois avec une seule majuscule à l'initiale et sans points abréviatifs (*Cedex, Unesco*).

– Certains acronymes deviennent si communs qu'ils finissent par être traités comme des noms ordinaires ; on les écrit alors en minuscules et sans points abréviatifs, et ils prennent la marque du pluriel : *des radars ; des sidas.*

Les mots composés

47. La graphie des mots composés. Les mots composés s'écrivent le plus souvent avec un trait d'union :

> *haut-parleur, plateau-repas, semi-fini.*

❑ Il arrive fréquemment, lorsqu'un mot composé devient très commun, qu'on finisse par l'écrire en un seul mot : *tournevis,* par exemple, s'écrivait naguère *tourne-vis*. (→ § 20 et R.O. 1990).

❑ Certains mots composés s'écrivent sans trait d'union. C'est le cas, notamment, de *pomme de terre* et de *chemin de fer.*

❑ On écrit soudés les mots composés à l'aide d'éléments savants :

> *autocritique ; autoévaluation ; antidépresseur ; microprocesseur.*

Cependant, le trait d'union est conservé lorsque la rencontre de deux voyelles rendrait la lecture difficile, ou conduirait à l'articulation d'un son unique là où l'on doit normalement en entendre deux :

> *anti-inflammatoire, micro-ordinateur, auto-immunité* (et non *antiinflammatoire, *microordinateur, *autoimmunité).

48. Le pluriel des mots composés. Le pluriel des mots composés est tributaire de l'usage bien plus que de règles simples et cohérentes (voir ces mots à leur ordre alphabétique dans le corps du dictionnaire, ainsi que les R.O. 1990).

Les emprunts

49. Le vocabulaire du français moderne est, pour l'essentiel, issu du latin. Au cours des siècles, la langue qui devenait le français s'est enrichie d'apports germaniques. À partir du Moyen Âge et surtout de la Renaissance, d'autres éléments d'origines diverses (grecs, arabes, italiens, espagnols...) sont venus s'ajouter au fonds français. Les échanges commerciaux, les voyages d'exploration, les campagnes militaires contribuèrent à la connaissance de réalités nouvelles. Pour les désigner, des mots furent empruntés à toutes les langues de l'Europe et des autres parties du monde : portugais, hollandais, langues d'Amérique, d'Asie, d'Afrique. La plupart de ces emprunts sont complètement assimilés : comment reconnaître un mot arabe dans *amiral,* un mot aztèque dans *chocolat,* un mot italien dans *saccager ?* D'autres, en revanche, et notamment les plus récents, gardent la trace de l'appartenance à leur langue d'origine, et peuvent constituer autant de pièges orthographiques. (→ aussi R.O. 1990).

50. Mots d'origine italienne. Les mots d'origine italienne présentent essentiellement deux difficultés : le pluriel ; la présence ou l'absence d'un accent aigu pour marquer le timbre du *é.*

❑ En italien, le pluriel des mots masculins en *o* se fait en *i,* celui des féminins en *a* se fait en *e.* Beaucoup de mots italiens empruntés ont longtemps gardé un pluriel double, pluriel à l'italienne et pluriel français :

> *un scenario, des scenarii* ou *des scenarios ; un impresario, des impresarii* ou *des impresarios.*

Aujourd'hui, le pluriel français s'est généralisé, et, dans l'usage courant, on écrit *des scénarios, des imprésarios*. La généralisation du pluriel en *s* est allée de pair avec celle de l'accent aigu (v. ci-dessous). Le pluriel à l'italienne *des impresarii, des scenarii...* n'est pas complètement abandonné, mais c'est désormais une graphie savante, réservée aux ouvrages spécialisés.

grammaire abrégée

□ Certains mots ont été importés sous la forme du pluriel (*gnocchi, graffiti, salami...,* et presque tous les noms de pâtes alimentaires : *macaroni, ravioli, spaghetti,* etc.). Le français traite ces mots comme autant de singuliers, et on écrit au pluriel : *des salamis, des graffitis, des gnocchis, des macaronis, des raviolis, des spaghettis.* L'emploi au singulier est possible, notamment pour désigner une pâte considérée isolément :

> *un spaghetti, un macaroni, un ravioli.*

□ L'emploi du *é* pour noter le [e] fermé (sans accent) des mots italiens s'est généralisé en même temps que le pluriel en *s ;* dans l'usage courant, on écrit aujourd'hui :

> *un imprésario, un scénario...*

Les graphies sans accent ne se trouvent plus que dans les ouvrages spécialisés. C'est le cas, en particulier, pour les termes de musique servant à noter le mouvement des morceaux *(moderato, allegretto, allegro...).* Employés en tant qu'adverbes, ces termes se rencontrent surtout dans les partitions musicales, au-dessus des portées. Ils gardent alors leur orthographe italienne.

En tant que noms, ils font partie de l'usage courant ; ils prennent alors, s'il y a lieu, l'accent aigu notant la prononciation fermée de *e,* et la marque du pluriel :

> *des allégrettos, des allégros, des largos...* (= des morceaux joués *allegretto, allegro, largo*).

51. Mots d'origine anglaise.

Outre leur prononciation (les sons de l'anglais sont souvent difficiles à prononcer pour un Français), les mots d'origine anglaise posent des problèmes de graphie : le système de l'orthographe anglaise est au moins aussi complexe et aussi peu régulier que celui de l'orthographe française.

Les pluriels anglais sont pour la plupart marqués par la présence d'un *s,* comme les pluriels français ; mais l'adjonction du *s* s'accompagne parfois d'autres modifications : les mots en *-ch, -x, -ss,* par exemple, font leur pluriel, respectivement en *-ches, -xes, -sses* (*match, matches ; sandwich, sandwiches ; box, boxes ; boss, bosses*), ceux en *-y* font leur pluriel en *-ies (garden-party, garden-parties).* Les mots composés avec *-man* (« homme », qui joue en anglais un rôle comparable à celui de nos suffixes *-eur* ou *-iste*) font leur pluriel en *-men (jazzman, jazzmen).*

Comme pour les mots italiens, le français a longtemps conservé pour certains mots un pluriel double, pluriel à l'anglaise *(des matches, des sandwiches, des garden-parties)* et pluriel français *(des matchs, des sandwichs, des garden-partys)* ; d'autres mots, *box* et *boss,* par exemple, se sont alignés dès l'origine sur le pluriel des mots français en *-x* et en *-s* et on a toujours écrit *des box, des boss ;* en revanche, on a longtemps hésité à écrire *des jazzmans.* Le pluriel double reste en usage pour beaucoup de mots d'origine anglaise ; néanmoins, la tendance actuelle est à l'alignement sur le français. On incline aujourd'hui à écrire plutôt *des matchs, des sandwichs, des gardens-partys, des jazzmans.*

52. Mots d'origine latine.

Les emprunts directs au latin ont été faits surtout à partir de la fin du XIIIᵉ siècle et se sont multipliés du XIVᵉ au XVIᵉ siècle ; à partir du XVIIᵉ siècle, ils ont connu une certaine défaveur. Les emprunts au latin entretiennent avec les autres emprunts et avec le reste du vocabulaire français un rapport particulier, dans la mesure où ils représentent souvent une forme savante qui double une forme populaire issue du latin par évolution phonétique. Ainsi le mot latin *clavicula* s'est-il transformé au cours des siècles en notre moderne *cheville.* Au XVIᵉ siècle, les anatomistes ont emprunté au latin le mot *clavicule,* avec le sens que nous lui connaissons aujourd'hui. Ainsi, deux mots français n'ayant entre eux aucun rapport de sens ou presque, sont issus du même mot latin, *clavicula ;* ils forment ce que les historiens de la langue nomment des « doublets ».

□ Les accents n'existaient pas en latin. Pendant longtemps, on a écrit sans accents les mots latins comportant un [e] fermé : *artefact, criterium, deleatur...*

Aujourd'hui, beaucoup de ces emprunts ne s'écrivent plus que sous la forme francisée : *critérium, duodénum, fac-similé ;* d'autres ont une forme double : française *(artéfact)* et latine *(artefact).* (→ aussi R.O. 1990).

624

53. Emprunts à d'autres langues. La tendance est actuellement à assimiler au système graphique du français les emprunts aux autres langues, du moins en ce qui concerne le pluriel et les accents. On écrit de plus en plus fréquemment : *des lieds* (et non plus *des lieder*), *des lands* (et non plus *des länder*), *des leitmotivs* (et non plus *des leitmotive*).

❑ Les signes auxiliaires nécessaires aux transcriptions des langues écrites dans des alphabets non latins restent utilisés dans les ouvrages spécialisés, mais on tend de plus en plus à en limiter l'emploi dans l'usage courant (par exemple, on écrit *nirvana* et non plus *nirvâna*).

Le pluriel des noms propres

54. Les noms de personnes. Les noms qui désignent les personnes appartenant à une même famille sont invariables :

hier, nous avons dîné avec les Dupont.

❑ Les noms désignant des personnes homonymes sont également invariables :

en France, il y a beaucoup de Lefèvre ; les deux Mamadou N'Diaye que je connais.

❑ Toutefois, certains noms de familles célèbres de l'histoire s'écrivent avec un *s* au pluriel s'ils sont français ou francisés :

les Curiaces, les Horaces, les Gracques, les Tarquins, les Flaviens, les Ptolémées ; les Stuarts, les Tudors, les Plantagenets ; les Bourbons.

Les noms qui ne sont pas francisés restent invariables : *la fin des Romanov.*

❑ Lorsqu'un nom de personne désigne la personne elle-même mais est précédé d'un article au pluriel (dans un effet de style), ce nom reste invariable :

les Mirabeau, les Danton, les Robespierre sont exemplaires de l'art oratoire révolutionnaire.

❑ Lorsqu'un nom de personne désigne non pas la personne qui porte ce nom ou l'a porté, mais un type, il prend la marque du pluriel :

des Mozarts, il n'en naît pas tous les jours.

❑ Lorsqu'un nom de personne est utilisé pour désigner ce que cette personne a produit (notamment une œuvre artistique ou littéraire, une production de l'esprit, etc.), l'invariabilité est la plus fréquente :

plusieurs Sisley, deux Gauguin et trois Picasso.

Toutefois, le nom peut prendre la marque du pluriel : *une vente où étaient proposés plusieurs Sisleys, deux Gauguins et trois Picassos.*

55. Les noms géographiques.

❑ Les noms de lieux prennent la marque du pluriel s'ils désignent des entités géographiques distinctes :

la réunification des deux Allemagnes ; le département des Deux-Sèvres ; le royaume des Deux-Siciles.

Mais on écrit : *les prochaines élections seront à nouveau l'occasion de voir les deux France s'affronter* (c'est-à-dire les électeurs de deux familles de pensée, et non pas deux pays portant chacun le nom de *France*).

❑ Les noms désignant des lieux homonymes sont invariables : *il y a en France sept Nogent.*

❑ Lorsqu'un nom de lieu désigne non pas le lieu qui porte ce nom ou l'a porté, mais un type, il prend la marque du pluriel :

ces nouvelles Romes que sont New York et Los Angeles fascinent la jeunesse.

56. Noms déposés. Les noms déposés (noms de marques, en particulier) s'écrivent avec une majuscule et sont invariables :

il a bu trois Ricard ; ce garage ne vend que des Renault.

❑ Certains noms très répandus sont traités dans l'usage courant comme des noms communs. Ils sont utilisés sans majuscule, pour désigner tous les produits comparables, même ceux qui sont fabriqués sous une autre marque, et s'accordent au pluriel. Ces emplois abusifs sont en général combattus, dès qu'ils sortent du domaine privé, par les firmes propriétaires des marques, car ils portent atteinte à leur image et au droit de propriété industrielle.

Adjectif verbal et participe présent

Le participe présent peut être employé comme un verbe ou comme un adjectif (il est alors appelé « adjectif verbal »). En tant que verbe, il est invariable : *ces eaux, stagnant dans la plaine, y forment un marécage.* En tant qu'adjectif, il s'accorde : *des eaux stagnantes.*

Les adjectifs verbaux ont pour la plupart la même forme au masculin singulier que le participe présent correspondant. Néanmoins, certains adjectifs verbaux diffèrent des participes présents dont ils sont issus.

57. Adjectifs verbaux en *-ent.*

adhérent	déférent	émergent	influent	somnolent
affluent	détergent	équivalent	négligent	urgent
coïncident	différent	excellent	précédent	
convergent	divergent	expédient	résident	

❏ Certain de ces mots sont aussi des noms : *un* ou *une adhérent(e), un affluent, un détergent, un équivalent, un expédient, un précédent, un* ou *une résident(e).*

58. Les adjectifs verbaux en *-cant* et en *-gant.*

Certains adjectifs verbaux issus de verbes en *-quer* et en *-guer* ont une finale en *-cant* ou en *-gant,* et non en *-quant* ou en *-guant* comme le participe présent.

communicant	fatigant	navigant	vacant
convaincant	fringant	provocant	zigzagant
extravagant	intrigant	suffocant	

La conjugaison

59. Imparfait du subjonctif.
À l'imparfait du subjonctif, la troisième personne du singulier se distingue de celle du passé simple par :
- la présence d'un accent circonflexe sur la voyelle de la terminaison pour tous les verbes ;
- l'ajout d'un *-t* final pour les verbes du premier groupe :

> *qu'il chantât ; qu'il finît ; qu'il sût ; qu'il obtînt.*

60. Verbes en *-ier* et *-yer.*
Les verbes en *-ier* s'écrivent avec *-ii-* aux deux premières personnes du pluriel de l'indicatif imparfait et du subjonctif présent. Il en est de même pour *rire* et *sourire :*

> *(que) nous riions ; (que) nous souriions ; (que) vous publiiez ; (que) nous nous méfiions ; (que) vous appréciiez.*

❏ Les verbes en *-yer* s'écrivent avec *-i* après le *-y* à ces mêmes personnes. Il en est de même pour les verbes du troisième groupe qui comportent un *y* dans leur conjugaison :

> *nous payions ; vous croyiez ; que nous voyions ; que vous fuyiez.*

61. Le conditionnel.
À la première personne du singulier, le présent du conditionnel ne se distingue du futur que par la présence d'un *-s* final non prononcé. Pour savoir si on a affaire au futur ou au conditionnel, on remplace *je* par *il :*

> *J'aimerais venir* devient *il aimerait venir,* le verbe est au conditionnel, il prend un *s.*
> *Je viendrai sûrement demain* devient *il viendra sûrement demain,* le verbe est au futur, il ne prend pas d'*s.*

62. L'impératif.
Lorsqu'un verbe qui ne comporte pas de *s* à l'impératif singulier est suivi des pronoms *en* ou *y,* on ajoute un *s,* sauf si *en* ou *y* sont eux-mêmes suivis d'un infinitif :

> *Donnes-en quelques-uns à tes amis* (mais *donne-leur quelques œufs*).
> *Penses-y* (mais *pense à prendre ton maillot de bain*)
> *Vas-y* (mais *va vite*)
> *Retournes-en quelques-uns et garde les autres* (mais *retourne tout l'envoi*)

En revanche, on écrit :
> *Va y chercher tout ce que tu pourras y trouver.*
> *Retourne en porter quelques-uns.*

❑ Les pronoms *moi* et *toi* s'élident devant les pronoms *en* et *y*. On écrit, avec une apostrophe :
> *Renvoie-m'en un exemplaire* (et non *renvoie-moi-z-en).

De même, avec les verbes *mettre* et *mener* :
> *Mets-t'y, menez m'y.*

Néanmoins, ces deux dernières formes, quoique grammaticalement correctes, restent pratiquement inusitées. Dans l'usage courant, on dit plutôt *mets-toi là* et *mènes-y moi*.

63. Les verbes en *-eler* et en *-eter*. La plupart des verbes en *-eler* et en *-eter* doublent la consonne de leur radical lorsque celle-ci se trouve devant une syllabe contenant un *e* muet :
> *j'appelle ; nous renouvellerons ; il jettera ; vous étiquetteriez.*

❑ Mais certains verbes s'écrivent avec un accent grave sans doubler leur consonne :

Verbes en -eler			Verbes en -eter	
celer	dégeler	modeler	fureter	haleter
ciseler	démanteler	peler	acheter	racheter
congeler	écarteler	receler	béguéter	
déceler	encasteler	recongeler	corseter	
décongeler	geler	regeler	crocheter	
	marteler	surgeler	fileter	

(Pour les propositions d'harmonisation de la conjugaison de ces verbes, voir les R.O. 1990.)

64. Les verbes en *-aître* et en *-oître*. Ces verbes gardent l'accent circonflexe sur le *i* lorsque celui-ci est placé devant un *-t*. Le verbe *plaire* observe la même règle :
> *nous connaîtrons ; il accroît ; cela me plaît beaucoup.*

(→ aussi R.O. 1990).

65. Les verbes du premier groupe qui ont un *-é-* à l'infinitif dans l'avant-dernière syllabe. Les verbes du type *céder, abréger…* gardent le *-é-* au futur et au conditionnel, même devant une syllabe contenant un *-e* muet ; aux autres temps, le *-é-* devient *-è-* :
> *je céderai ; il abrégerait ; mais je cède ; il abrège.*

(→ aussi R.O. 1990).

66. Les verbes en *-indre* et en *-soudre*. Contrairement aux autres verbes en *-dre*, les verbes en *-indre* et en *-soudre* ne gardent pas le *d* du radical au présent singulier de l'indicatif ni à l'impératif singulier. La troisième personne se termine par *-t* et non par *-d* :
> *je plains ; tu peins ; elle rejoint ; il résout.*

67. Les verbes en *-yer*. Sauf les quelques rares verbes en *-eyer*, les verbes en *-yer* changent le *-y-* en *-i-* devant un *-e-* muet :
> *il s'ennuie ; tu balaieras ; ils aboieraient ; mais la voile faseye.*

Les formes avec *-y-* font entendre le son [j], mais non celles avec *-i-* :
> *ils aboyaient* [abwajɛ].
> *ils aboient* [abwa] (et non *[abwaj].

❑ Les verbes en *-ayer* peuvent garder le *-y-* dans toute la conjugaison, mais ces formes tendent à vieillir : *il paiera* ou (plus rare) *il payera*.

68. Les temps surcomposés. Les temps surcomposés (passé surcomposé, futur antérieur surcomposé, etc.) se construisent en conjuguant l'auxiliaire au temps composé (passé composé, futur antérieur…) et en le faisant suivre du participe passé du verbe :
> *quand il a été mort* (*a été* : passé composé de *être*) ;
> *il aura eu fini* (*aura eu* : futur antérieur de *avoir*).

Pour l'emploi des temps surcomposés → § 85.

grammaire abrégée

La place de l'adjectif épithète

L'adjectif épithète est placé soit immédiatement avant ou après le nom, soit séparé par une virgule. Quand il est à proximité immédiate du nom, il vient le plus souvent après lui :
un pari impossible ; un climat doux et humide,
mais c'est l'usage plus que des règles qui fixe la place de l'épithète.

❑ Certains adjectifs se placent indifféremment avant ou après le nom :
un vaste terrain ou *un terrain vaste.*

❑ Avec certains noms, certains adjectifs se placent obligatoirement avant le nom :
j'ai fait un bon repas (et non pas *un repas bon).
Ces adjectifs se placent après le nom s'ils ont un complément :
ce n'est pas un mauvais garçon ; mais *ce n'est pas un garçon plus mauvais qu'un autre.*

❑ Avec d'autres noms, les adjectifs se placent obligatoirement après le nom :
c'est un homme bon (et non pas *un bon homme).

❑ On peut presque toujours mettre après le nom un adjectif épithète normalement placé avant et réciproquement. C'est un procédé fréquemment utilisé en littérature pour mettre un mot en relief et faire un effet de style :
une douloureuse expérience ; un tragique événement ; un homme vieux.

69. Changement du sens de l'adjectif selon sa place. Selon qu'il est placé avant ou après le nom, le sens de certains adjectifs peut être légèrement différent :
un nouveau film (un film qui vient de sortir) ;
un film nouveau (ce peut être un film qui apporte quelque chose de neuf à l'art cinématographique).
Voici des exemples avec les principaux adjectifs qui ont des sens différents selon qu'ils sont placés avant ou après le nom :
un **ancien** pétrin (qui a perdu sa fonction primitive) ; un pétrin **ancien** (une antiquité) ;
un homme **brave** (courageux) ; un **brave** homme (bon);
un âge **certain** (avancé) ; un **certain** âge (moyen) ;
ma **chère** amie(à qui je tiens) ; une voiture **chère** (onéreuse) ;
un homme **grand** (de taille élevée) ; un **grand** homme (célèbre, qui a réalisé de grandes choses) ;
la **même** semaine ; la semaine **même** ;
un **pauvre** type (pitoyable) ; un type **pauvre** (sans argent) ;
un **sale** type (un voyou) ; un type **sale** (malpropre) ;
un **seul** enfant (unique) ; un enfant **seul** (abandonné) ;
un mécanisme **simple** (non complexe) ; un **simple** mécanisme (rien d'autre qu'un mécanisme) ;
une forêt **sombre** (obscure) ; un **sombre** pressentiment (funeste) ;
un **triste** personnage (sans valeur) ; un personnage **triste** (qui n'est pas gai).

70. Les adjectifs numéraux ordinaux. Ils se placent généralement devant le nom :
il habite au troisième étage ;
c'est leur deuxième fille.

❑ *Dernier* est généralement assimilé à un numéral ordinal et on le place également avant le nom :
c'est leur dernière fille.

❑ *Premier* suit le nom lorsqu'il accompagne le nom d'un roi ou quand il signifie « originel, primitif » :
François premier (François Ier) ; des matières premières.
– *Premier* et *dernier* suivent le nom quand ils s'emploient avec *semaine, jour, année...* pour situer un événement par rapport au moment où l'on parle :
il est venu la semaine dernière ; mais *il est venu la dernière semaine de novembre.*

grammaire abrégée

L'adjectif numéral

71. Emploi de l'adjectif numéral ordinal ou du déterminant numéral cardinal.
❑ Avec les noms de jours, d'années, de rois, on emploie souvent un numéral cardinal *(un deux, trois...)* au lieu d'employer un numéral ordinal *(premier, deuxième, troisième...)* :

> *le 25 avril,* pour le vingt-cinquième (jour) d'avril ;
> *Louis XIV,* pour *Louis le quatorzième.*

❑ Avec les noms désignant des parties d'ouvrages littéraires *(chapitre, tome, acte...)*, on peut employer indifféremment le numéral cardinal ou le numéral ordinal, celui-ci pouvant être placé avant ou après le nom :

> *j'en suis au chapitre trois ; j'en suis au chapitre troisième ; j'en suis au troisième chapitre.*

❑ Quand les cardinaux qui normalement varient (un, vingt, cent) ont valeur d'ordinal, ils restent invariables.

> *ouvrez votre livre page quatre-vingt puis page deux cent ;*
> *pour aller à la Bastille, prenez le métro, ligne un.*

Le comparatif

72. Les adjectifs sans comparatif. Les adjectifs qui sont en eux-mêmes des comparatifs ne peuvent être accompagnés des adverbes de comparaison *plus, moins, aussi.* C'est le cas de :

antérieur	intérieur	mineur	postérieur
extérieur	majeur	moindre	supérieur
inférieur	meilleur	pire	ultérieur

❑ On peut cependant exprimer l'idée du comparatif à l'aide d'autres adverbes :

> *c'est **bien meilleur** ainsi* (et non **c'est plus meilleur*) ; *c'est **encore pire**.*

❑ De même, on n'emploie pas *plus, moins, aussi* avec des adjectifs qui indiquent une relation (un conseil municipal ne peut pas être « plus municipal » ou « moins municipal » qu'un autre) ou avec des adjectifs dont le sens exclut toute idée de comparaison (un groupe est « entier » ou ne l'est pas ; il ne peut pas l'être plus ou moins).
Mais, quand ils sont pris dans un sens figuré ou dans un sens atténué, certains de ces adjectifs peuvent être modifiés par un adverbe comparatif :

> *Paul était beaucoup **plus entier** il y a quelques années ; il est plus pondéré maintenant.*

73. Le complément du comparatif. Il peut y avoir ellipse du verbe dans la proposition complément introduite par *que.* S'il n'y a pas ellipse, généralement, on reprend la proposition principale par le pronom neutre *le* et on emploie le *ne* explétif dans la proposition complément.

> *C'est plus difficile que prévu* (ou *C'est plus difficile qu'il ne l'avait prévu*).

Le superlatif

74. Les adjectifs sans superlatif. Certains adjectifs ne peuvent pas être accompagnés de *le plus, le moins.* Ce sont les mêmes que les adjectifs sans comparatif → § 72.

75. Le complément du superlatif. Le complément du superlatif est un nom introduit par *de* (parfois aussi *entre* ou *parmi*) ou une proposition généralement au subjonctif (→ § 88) introduite par *que* :

> *Natacha est la plus âgée **de ses filles** ; c'est le meilleur ami **que je lui connaisse*** (ou *que je lui connais*).

Le pronom personnel

76. Reprise ou omission du pronom personnel sujet. Lorsque plusieurs verbes se succèdent dans une phrase, la reprise ou l'omission du pronom personnel sujet dépend du lien qui existe entre les différentes propositions.

❏ Si les propositions sont juxtaposées, on répète le pronom personnel :
> *ils ont entendu un bruit, **ils** sont sortis, **ils** n'ont rien vu.*

Cependant, si on recherche un effet de style, on peut ne pas reprendre le pronom personnel :
> *elle s'assit, réfléchit un instant, prit une feuille et se mit à écrire.*

❏ Si les propositions sont coordonnées, la reprise du pronom personnel n'est pas obligatoire, sauf avec les conjonctions *car* et *or* :
> *ils ont entendu un grand vacarme et ont senti la maison trembler ; mais ils ne se regardaient pas et ne disaient rien car ils avaient peur.*

❏ Si le sujet est un pronom personnel inversé, il est systématiquement répété :
> *avaient-**ils** peur ou étaient-**ils** simplement curieux ?*

❏ On répète également le sujet s'il s'agit de *il* impersonnel ou de *on* :
> *il pleuvait et il ventait ; on entendit la pluie et on vit des éclairs.*

77. Reprise ou omission du pronom personnel complément.

❏ Si deux verbes juxtaposés ou coordonnés ont un même pronom complément, la répétition est obligatoire aux temps simples des verbes :
> *ce magazine, ils **le** lisent et **le** jettent.*

❏ Aux temps composés, la répétition du pronom n'est obligatoire que si l'auxiliaire lui-même est répété :
> *ils **l'**ont lu et jeté ; mais ils **l'**ont lu et **l'**ont jeté.*

Si les mêmes pronoms ont des fonctions différentes dans la phrase, il faut les répéter. Dans l'exemple ci-dessous, le premier *m'* est complément d'objet direct, le second correspond à un complément indirect :
> *il m'a appelé puis m'a rendu visite.*

78. Omission du pronom personnel réfléchi avec les verbes pronominaux.

❏ Si plusieurs verbes pronominaux sont coordonnés, le pronom est obligatoirement repris :
> *les enfants se taquinent, se chamaillent et se poursuivent en s'appelant.*

❏ Le pronom personnel réfléchi d'un verbe à l'infinitif peut être omis après les verbes *faire, envoyer, laisser, mener* et *emmener* :
> *j'ai rallumé le feu qu'il a laissé éteindre* (ou *qu'il a laissé s'éteindre*) ;
> *on l'envoyait coucher de bonne heure* (ou *on l'envoyait se coucher...*).

79. Place du pronom personnel complément d'un infinitif.

❏ Le pronom personnel complément d'un infinitif se place généralement entre le verbe conjugué et l'infinitif, alors qu'un groupe nominal se place après l'infinitif :
> *je passerai **vous** <u>chercher</u> à la gare puis j'irai <u>apporter</u> le **paquet** à la poste.*

❏ Lorsque l'infinitif est construit avec un verbe tel que *faire, laisser, entendre, voir, regarder,* le pronom se place avant le verbe conjugué :
> *ce paquet, je **le** ferai <u>porter</u> à la poste ;*
> *il aime beaucoup ce requiem ; il **l'**a entendu <u>interpréter</u> par différents chœurs ;*
> *il **vous** a envoyé <u>chercher</u>, mais vous étiez absent.*

Cependant, si ce verbe est lui-même construit avec un complément d'objet direct (COD), le pronom est obligatoirement placé après le verbe si le COD est un groupe nominal :
> *vous réaliserez l'expérience, puis vous laisserez les enfants **la** décrire.*

Si le COD est un pronom personnel, l'autre pronom complément peut être placé avant le verbe ; il prend alors la forme *lui, leur* :
> *vous **la leur** laisserez décrire* ou, plus courant, *vous **les** laisserez **la** décrire.*

80. Place du pronom personnel complément d'un impératif.
Lorsque l'impératif est à la forme affirmative, les pronoms personnels se placent après le verbe, auquel ils sont joints par un trait d'union. Le pronom complément d'objet direct précède toujours le complément d'objet indirect :
> *donne-**le-moi*** (et non **donne-moi-le*) ; *apporte-**le-lui**.*

❏ Les pronoms *en* et *y* se placent en dernier :
> *apporte-nous-en* (et non *apportes-en-nous) ; *fiez-vous-y*.

Devant *en* et *y*, les pronoms des première et deuxième personnes du singulier s'élident :
> *donne-m'en ; fie-t'y*.

❏ Lorsque l'impératif est à la forme négative, les pronoms se placent toujours avant le verbe :
> *ne **me le** donne pas maintenant ;*
> *ne **m'en** donne pas maintenant ;*
> *ne **le lui** apporte pas, je m'en chargerai ;*
> *ne **vous y** fiez pas.*

La préposition

81. Omission et répétition des prépositions. Lorsque plusieurs compléments introduits par la même préposition sont coordonnés, la préposition est répétée s'il s'agit des prépositions *à*, *de* ou *en* :
> *il se consacrait **au** modélisme, **au** jardinage et **à** la pêche.*

❏ S'il s'agit d'une autre préposition, on l'omet généralement dans la coordination :
> *il s'engagea **dans** des enfilades de pièces sombres, des couloirs interminables et des successions d'escaliers sans lumière ;*
> *elle est très appréciée **par** ses collègues et ses supérieurs hiérarchiques.*

La répétition peut se faire en vue d'obtenir un effet de style, soit pour insister sur chacun des compléments, soit pour marquer une opposition ou une alternative :
> *elle insista **pour** y aller, **pour** s'occuper de tout, **pour** en finir vite ;*
> *allait-il mourir **par** le fer ou **par** le feu ?*

Inversion du sujet

82. Inversion du groupe nominal sujet dans les phrases affirmatives. Dans les phrases affirmatives, le sujet qui, le plus souvent, précède le verbe, peut être rejeté après celui-ci dans la langue écrite soutenue quand la phrase commence par l'attribut, le verbe, un complément, ou un adverbe ou un adjectif épithète détaché :
> *tel fut **son étonnement** qu'il resta coi ;*
> *« Vienne **la nuit**, sonne **l'heure** »* (Apollinaire) ;
> *en février partiront **les oies bernaches** ;*
> *seuls seront pris en compte **les progrès effectués**.*

83. Inversion du groupe nominal sujet dans les phrases interrogatives. Dans les phrases interrogatives totales non introduites par *est-ce-que,* le sujet n'est pas inversé, mais il est repris par un pronom personnel placé après le verbe :
> **le train** *partira-t-**il** à l'heure ?*

❏ Quand ces phrases sont introduites par *est-ce-que,* le sujet n'est ni inversé ni repris par un pronom personnel :
> *est-ce-que **le train** partira à l'heure ?*

❏ Dans les phrases interrogatives partielles, si la phrase commence par une interrogation portant sur le sujet, le sujet n'est jamais repris :
> **quel salarié** *accepterait ces conditions ?* (et non * quel salarié accepterait-il ces conditions ?)
> **combien de personnes** *seront présentes ?* (et non *combien de personnes seront-elles présentes ?)

❏ Si la phrase commence par *que* ou *quel* attributs, il y a inversion du sujet :
> **que** *deviendront tous ces jeunes ?*
> **quel** *est leur avenir ?*

❏ Avec *pourquoi*, le sujet est placé avant le verbe, mais il est repris par un pronom personnel :

> *pourquoi les spectateurs rient-ils ?*

❏ Avec tous les autres mots introduisant une interrogation partielle, on peut indifféremment faire l'inversion du sujet, ou laisser celui-ci avant le verbe et le reprendre ensuite par un pronom :

> *où va le train ? où le train va-t-il ?*

84. Inversion des pronoms personnels et de *ce* ou *on* sujets. Dans les phrases affirmatives, à l'écrit, on fait généralement l'inversion du pronom quand la phrase commence par *à peine, encore moins, et encore, peut-être, sans doute, tout au plus* :

> *peut-être aura-t-**elle** oublié notre rendez-vous.*

L'inversion peut également se faire après *ainsi, aussi, aussi bien, au moins, du moins, pour le moins, à plus forte raison, a fortiori, en vain* :

> *il n'aime pas les légumes ; encore moins les supporte-t-**il** bouillis.*

❏ L'inversion est obligatoire dans *toujours est-il* :

> *toujours est-**il** que le temps a passé.*

❏ Elle est également obligatoire après *encore* quand *encore* a une valeur de restriction :

> *elle a le choix ; encore faut-**il** qu'elle se décide rapidement.*

❏ Dans les phrases interrogatives, le pronom est normalement inversé, sauf si la phrase est introduite par *est-ce-que* :

> *veux-**tu** y aller ? quand peut-**on** partir ? à quelle période est-**ce** le mieux ? mais est-ce que tu peux y aller ? quand est-ce qu'on peut partir ? À quelle période est-ce que c'est le mieux ?*

Infinitif sans préposition

Les verbes suivants peuvent se construire avec un infinitif sans préposition :

accourir	devoir	penser
adorer	dire	pouvoir
affirmer	écouter	préférer
aimer	entendre	présumer
aller	envoyer	prétendre
apercevoir	espérer	se rappeler
assurer	estimer	reconnaître
avoir beau	être (au sens de « aller »)	regarder
avouer	faillir	rentrer
compter	faire	retourner
confesser	falloir	revenir
courir	se figurer	savoir
croire	s'imaginer	sentir
daigner	laisser	supposer
déclarer	mener	venir
descendre	monter	voir
désirer	oser	vouloir
détester	partir	

Emploi des temps surcomposés

85. Les temps surcomposés sont utilisés dans la langue parlée, avec une connotation régionale ou populaire assez sensible, ou, à l'inverse, dans la langue littéraire.

Les temps surcomposés indiquent que l'action s'est passée avant une autre exprimée elle-même à un temps composé :

> *dès que j'**ai eu fini** les travaux, j'ai emménagé dans la maison.*

Remarque : Pour la formation des temps surcomposés → 68.

Emploi du subjonctif

Le subjonctif sert à exprimer l'incertitude, le doute, l'éventualité, la possibilité, la volonté, la crainte, la supposition, etc. Il s'emploie dans des propositions subordonnées (conjonctives ou relatives), mais aussi dans des propositions principales.

86. Emploi du subjonctif dans les propositions principales. Le verbe principal se met au subjonctif :
- à la place de l'impératif, pour exprimer un ordre aux troisièmes personnes du singulier et du pluriel :
> *qu'ils entrent !*
- pour exprimer un souhait, un vœu :
> *que le temps vous donne raison !*

❑ On emploie également le subjonctif pour marquer une condition ou une concession :
> *qu'il se mette à pleuvoir et je fais un malheur.*

87. Emploi du subjonctif dans les propositions subordonnées conjonctives. L'emploi le plus fréquent du subjonctif se fait dans les subordonnées. Cet emploi est commandé soit par le verbe (ou la locution verbale) de la principale, ou encore par la conjonction ou la locution conjonctive qui introduit la proposition :
> *il faut que tu y **ailles** ;*
> *j'ai tout prévu afin qu'il n'y **ait** pas d'histoires.*

❑ Lorsque le verbe de la proposition principale est à la forme négative ou interrogative, le subjonctif de la subordonnée exprime une nuance d'incertitude ou de doute:
> *je ne crois pas qu'il vienne demain ; penses-tu que ce soit à toi de le lui dire ?*

❑ Certains verbes et locutions sont obligatoirement construits avec le subjonctif (quand ils ne le sont pas avec l'infinitif) :
> *ils s'étonnent que ce soit si facile ; nous craignons qu'il ne pleuve.*

Il s'agit des verbes suivants :

aimer	demander	être d'accord pour	interdire	refuser
approuver	déplorer	exiger	ordonner	regretter
attendre	désirer	faire attention	permettre	souhaiter
avoir envie	douter	falloir	préférer	tenir à
craindre	s'étonner	importer	prendre garde	vouloir

❑ Certaines conjonctions et locutions conjonctives entraînent obligatoirement l'emploi du subjonctif :
> *il est parti sans que tu aies été prévenu.*

Il s'agit de :

à condition que	de crainte que	jusqu'à ce que	quoique
à moins que	de façon que	non pas que	sans que
à supposer que	de peur que	pour éviter que	si tant est que
afin que	en admettant que	pour peu que	soit que... soit que...
avant que	en attendant que	pour que	
bien que	encore que	pourvu que	

❑ *Après que,* contrairement à *avant que,* demande l'indicatif et non le subjonctif, puisque l'état ou l'action sont réalisés :
> *il a répondu après qu'elle lui **a expliqué** l'ensemble du problème.*

88. Emploi du subjonctif dans les propositions relatives. Le mode utilisé dans la proposition relative dépend du sens de la phrase. Si la relative exprime le souhait, la conséquence, le but, ou toute autre idée non réalisée, la relative est au subjonctif :
> *elle cherche quelqu'un qui ne **puisse** pas se tromper.*

Sinon, elle est à l'indicatif :
> *elle connaît quelqu'un qui ne **peut** pas se tromper.*

❑ Dans les propositions relatives compléments de superlatifs ou de mots comparables, comme *le (la) seul(e), l'unique*, le verbe est en général au subjonctif :

*voici le lac le plus profond que l'on **connaisse** ; il est le seul qui ne **puisse** pas se tromper.*

89. Emploi du subjonctif dans les propositions sujets. Lorsque le sujet d'un verbe est constitué par une proposition introduite par *que*, le verbe de celle-ci est obligatoirement au subjonctif :

*qu'il ne **sache** pas cela est inconcevable.*

90. Emploi de l'imparfait du subjonctif. L'imparfait du subjonctif s'emploie de moins en moins, tant dans la langue écrite (sauf dans le registre très soutenu) que dans la langue parlée. Si son emploi reste légitime, il est rarement spontané ; on le remarque toujours, alors que son absence passe inaperçue. Il en est de même pour le plus-que-parfait du subjonctif.

Il indique que l'action de la subordonnée se passe en même temps que ou après celle de la principale. Si on veut l'éviter, il faut le remplacer par le présent du subjonctif (→ § 91) :

*j'aurais aimé qu'il **vînt*** (ou, plus courant, *j'aurais aimé qu'il **vienne**).*

La concordance des temps

La concordance des temps consiste à employer dans une subordonnée un temps en relation avec celui qui est employé dans la principale, indépendamment du sens.

La concordance joue dans les subordonnées au subjonctif (→ § 91), dans celles introduites par *si* (→ § 92) et dans le discours indirect (→ § 116 et 117).

91. Concordance entre le verbe principal et une subordonnée au subjonctif.
❑ Quand le verbe principal est au présent (indicatif ou conditionnel) ou au futur, le verbe de la subordonnée se met au présent :

*nous souhaitons que le responsable **soit** présent à la réunion ;*
*nous souhaiterions que le responsable **soit** présent à la réunion.*

Pour exprimer un fait antérieur, on emploie le passé du subjonctif :

*le professeur doute que les élèves **aient appris** leurs leçons.*

❑ Quand le verbe principal est à un temps du passé (indicatif ou conditionnel), le verbe de la subordonnée se met en principe à l'imparfait du subjonctif :

*nous avions souhaité que le responsable **fût** présent à la réunion ;*
*nous aurions souhaité que le responsable **fût** présent à la réunion.*

❑ Pour exprimer un fait antérieur à celui exprimé par le verbe de la proposition principale, on emploie le plus-que-parfait du subjonctif :

*le professeur doutait que les élèves **eussent appris** leurs leçons.*

❑ Dans les deux cas ci-dessus, il est admis (→ § 90) d'employer un présent du subjonctif, notamment pour des formes peu courantes :

*il voulait que vous **assistiez** à la réunion* (plus courant que : *que vous assistassiez*).

92. Concordance entre le verbe principal et une subordonnée de condition introduite par *si*.
❑ Quand le verbe de la proposition principale est au présent ou au futur, la subordonnée introduite par *si* est au présent de l'indicatif :

*nous résorberons le déficit si les ventes **augmentent**.*

❑ Quand il est au conditionnel présent, la subordonnée est à l'imparfait de l'indicatif :

*nous résorberions le déficit si les ventes **augmentaient**.*

❑ Quand il est au conditionnel passé (formé avec l'auxiliaire au présent du conditionnel et le participe passé), la subordonnée est au plus-que-parfait de l'indicatif :

*nous aurions résorbé le déficit si les ventes **avaient augmenté**.*

❑ La subordonnée de condition introduite par *si* n'est jamais au futur ni au conditionnel :

*si j'**avais su*** (et non **si j'aurais su*).

Les règles ci-dessus peuvent être formulées du point de vue de la proposition subordonnée : quand le verbe de la subordonnée est au présent de l'indicatif, le verbe de la principale est au présent ou au futur, etc.

Accord de l'adjectif

93. Accord en genre. L'adjectif s'accorde en genre avec le ou les noms auxquels il se rapporte :

> *il porte une veste verte ; il porte une veste et une chemise vertes.*

Mais, si un même adjectif qualifie plusieurs noms de genres différents, il se met au masculin pluriel :

> *il porte une veste et un pantalon* **verts.**

❑ L'adjectif peut être employé avec plusieurs noms, mais ne se rapporter qu'à un seul. Dans ce cas, l'accord se fait avec ce nom :

> *il porte une veste et un pantalon vert* (seul le pantalon est vert, la couleur de la veste n'est pas précisée).

(Pour l'accord en genre des adjectifs employés avec un nom construit à l'aide d'un complément introduit par *de* → § 94.)

94. Accord en nombre. L'adjectif s'accorde en nombre avec le nom auquel il se rapporte :

> *les joueurs les plus* **sagaces** *ont été récompensés.*

❑ Lorsque l'adjectif est employé avec plusieurs noms coordonnés (qu'ils soient au singulier ou au pluriel), il se met au pluriel :

> *il a encore sa grand-mère et son grand-père* **maternels.**

Mais, si l'adjectif ne qualifie qu'un seul nom parmi ces noms coordonnés, il s'accorde alors avec ce seul nom :

> *les joueurs et l'arbitre grisonnant couraient sur le stade.*

❑ Un nom pluriel peut être qualifié par deux (ou plus) adjectifs singuliers :

> *le phénomène est apparu aux* **dix-neuvième** *et* **vingtième** *siècles.*

❑ Si l'ensemble des noms est constitué de plusieurs noms singuliers désignant la même chose, l'adjectif s'accorde avec le dernier nom :

> *ils découvrirent un manoir, un château, une bâtisse* **importante.**

❑ Si le nom a un complément introduit par *de,* l'accord de l'adjectif se fait avec le nom ou avec son complément selon que l'adjectif se rapporte à l'un ou à l'autre :

> *les joueurs de l'équipe néerlandaise* (c'est l'équipe qui est néerlandaise) ;
> *les joueurs de l'équipe épuisés* (ce sont les joueurs qui sont épuisés).

95. Adjectif employé comme adverbe.

On peut employer certains adjectifs comme adverbes. En principe, ils sont alors invariables :

> *des cheveux coupés* **court** *;*
> *ces voitures sont vendues beaucoup plus* **cher** *que l'année dernière.*

Les principaux adjectifs s'employant fréquemment comme adverbes sont les suivants :

bas	clair	dur	juste	ras
bon	court	faux	mauvais	triste
chaud	creux	fin	menu	
cher	droit	froid	plein	
chic	dru	haut	raide	

❑ Certains, comme *bon, frais, grand, large,* sont cependant traditionnellement accordés dans des locutions figées :

> *il avait laissé la fenêtre* **grande** *ouverte ;*
> *ses invités lui offrirent un bouquet de fleurs* **fraîches** *écloses.*

96. Nom pris adjectivement. Un nom peut être juxtaposé à un autre pour le qualifier. On parle alors parfois d'apposition.

On accorde cette apposition avec le premier nom si les deux noms représentent la même chose, c'est-à-dire si on peut ajouter *qui est* ou *qui sont* entre les deux :

*des cas **limites*** (= des cas qui sont des limites) ;

*des appartements **témoins*** (= des appartements qui sont des témoins).

En revanche, on ne fait pas l'accord si le deuxième nom est complément du premier :

*des ingénieurs **maison*** (= des ingénieurs formés par la maison) ;

*des promotions **anniversaire*** (= des promotions à l'occasion de l'anniversaire).

L'accord des adjectifs de couleur

Les adjectifs de couleur suivent des règles d'accord différentes selon leur origine.

97. Les adjectifs simples. Comme tous les adjectifs, ils s'accordent en nombre et en genre avec le nom auquel ils se rapportent :

*une lumière **blanche** ; des pommes **vertes** ; les joues **rouges**.*

Outre les adjectifs de couleur très courants tels que *vert, jaune, rouge,* etc., on compte parmi les adjectifs : *beige, vermeil, incarnat, fauve, écru, bai,* etc.

*des roses **incarnates** ; une bouche **vermeille**.*

❏ Les adjectifs d'origine étrangère restent invariables. C'est notamment le cas de *kaki* et de *auburn* :

*des cheveux **auburn** ; des tenues de combat **kaki**.*

❏ *Châtain* est un adjectif qui prend un s au pluriel, mais dont le féminin est le plus souvent sous la forme *châtain* (rarement, *châtaine*) :

*une jeune fille **châtain**.*

98. Les noms de couleur employés comme adjectifs. Certains noms communs, désignant le plus souvent une plante, un minéral, etc., sont employés adjectivement pour évoquer une couleur. Dans ce cas, ils ne s'accordent pas :

*des yeux **noisette** ; des tissus **paille** ; une paire de gants **crème**.*

C'est notamment le cas pour *marron* et *orange* employés très couramment avec une valeur d'adjectif de couleur et qui ne doivent jamais s'accorder :

*une veste **marron** ; des vestes **marron** ; des complets **marron** ;*

*des dossards **orange**.*

Les principaux noms qui restent invariables quand ils sont employés comme adjectifs de couleur sont les suivants :

abricot	caramel	feuille-morte	nacarat
absinthe	carmélite	framboise	nacre
acajou	carmin	garance	noisette
amarante	céladon	gorge-de-pigeon	ocre
améthyste	cerise	grenat	olive
anthracite	chair	groseille	or
ardoise	chamois	havane	orange
argent	champagne	indigo	outremer
aubergine	chocolat	isabelle	paille
aurore	ciel	ivoire	pastel
azur	citron	jade	pastèque
banane	cobalt	jonquille	pêche
bistre	coquelicot	lavande	perle
bitume	corail	lie-de-vin	pervenche
brique	crème	marengo	pétrole
bronze	crevette	marine	pie
cachou	cuivre	marron	pistache
café	cyclamen	mastic	pivoine
café-au-lait	ébène	miel	poivre et sel
capucine	émeraude	moutarde	pomme

ponceau	sang-de-boeuf	tango	topaze
prune	saphir	terre-de-Sienne	turquoise
puce	saumon	tête-de-Maure	vanille
réséda	sépia	tête-de-nègre	ventre-de-biche
rouille	serin	thé	vermillon
sable	soufre	tilleul	vert-de-gris
safran	tabac	tomate	

99. Cas de la couleur exprimée par plusieurs mots. Si l'expression de la couleur se fait à l'aide de plusieurs mots, tous restent invariables :

> *des rideaux **bleu foncé** ; des affiches **bleu-vert** ; des coussins **jaune citron** ; des bas **caca d'oie** ; de la peinture **vieux rose**.*

❏ Quand des adjectifs de couleur sont coordonnés par *et*, on fait ou non l'accord selon que l'ensemble est constitué de plusieurs couleurs (on fait l'accord) ou que l'ensemble constitue une seule teinte (on laisse invariable) :

> *des drapeaux bleus, blancs, rouges* (des drapeaux bleus, des blancs et des rouges) ;
>
> *des drapeaux bleu, blanc, rouge* (des drapeaux tricolores).

L'accord des formes en -*ant*

100. Pour savoir si l'on doit ou non accorder une forme en -*ant,* il faut distinguer l'adjectif verbal du participe présent. En effet, seuls les adjectifs verbaux s'accordent ; les participes présents sont invariables.

❏ L'adjectif verbal exprime un état, une qualité. Il peut être modifié par des adverbes qui le précèdent :

> *cochez d'une croix la case **correspondante** ; elle est très **aimante**.*

❏ Le participe présent est un verbe : il exprime une action et peut avoir les mêmes compléments qu'un verbe conjugué, notamment un complément d'objet direct pour les verbes transitifs. Il peut être modifié par des adverbes qui le suivent :

> *cochez d'une croix la case **correspondant** à votre choix ;*
>
> *les personnes **venant** souvent recevront une carte de fidélité ;*
>
> *vous vous reporterez au chapitre **précédant** la conclusion.*

Accord du verbe

101. Accord du verbe en personne. Lorsqu'un sujet représente deux personnes différentes, le verbe se met toujours au pluriel, en accord avec la personne (1re personne, 2e personne, 3e personne) du rang le plus petit.

> *toi et moi **partirons*** (2ᵉ et 1ʳᵉ personne => 1ʳᵉ personne) ;
>
> *lui et moi **partirons*** (3ᵉ et 1ʳᵉ personne => 1ʳᵉ personne) ;
>
> *toi et lui **partirez*** (2ᵉ et 3ᵉ personne => 2ᵉ personne) ;
>
> *vous et moi **partirons*** (2ᵉ et 1ʳᵉ personne => 1ʳᵉ personne) ;
>
> *eux et moi **partirons*** (3ᵉ et 1ʳᵉ personne => 1ʳᵉ personne) ;
>
> *vous et eux **partirez**.* (2ᵉ et 3ᵉ personne => 2ᵉ personne).

102. Accord du verbe en nombre s'il y a plusieurs sujets. Si le verbe a plusieurs sujets, on le met au pluriel, même si chacun des sujets est au singulier :

> *ma voisine et son mari **sont** venus nous voir.*

❏ Si le sujet est constitué de plusieurs groupes au singulier désignant la même chose, le verbe reste au singulier :

> *un air, un chant lointain et inconnu, une mélodie infiniment douce s'éleva.*

❏ Après plusieurs sujets introduits chacun par *aucun, chaque, nul* ou *tout* répétés, le verbe s'accorde avec le dernier sujet :

> *nulle route, nulle bâtisse, nul aménagement ne troublait le paysage.*

103. Accord du verbe après un nom collectif. Un nom collectif est un nom singulier qui désigne un ensemble de personnes ou de choses. Il est le plus souvent suivi d'un complément au pluriel.

❑ Quand le sujet est constitué d'un nom collectif précédé de *un, une,* on hésite souvent entre faire l'accord avec le nom (selon la syntaxe, donc au singulier), et le faire avec le complément (selon le sens, donc au pluriel). Les deux accords sont le plus souvent possibles :

> *une douzaine de sacs manquaient* (ou *une douzaine de sacs manquait*) ;
> *une foule de touristes se pressaient sur la place* (ou *se pressait*).

❑ Quand le nom collectif est précédé de *le, la* ou de *ce, cette*, l'accord se fait généralement au singulier :

> *la foule des curieux se pressait sur la place ; cette foule de curieux fut dispersée par la pluie.*

❑ On fait toujours l'accord avec le complément quand le sujet est construit avec un mot ou une locution exprimant la quantité :

> *nombre de retraités s'ennuient, mais la plupart ne se sont pas préparés à la retraite ;*
> *force ouvriers furent employés, trop y laissèrent leur santé.*

Voici une liste des mots commandant l'accord avec le complément.

la plupart (des)	peu (de)	tant (de)	force
beaucoup (de)	assez (de)	combien (de)	quantité (de)
bien des	trop (de)	nombre (de)	

Accords avec un titre d'ouvrage

104. Accord du verbe et du participe avec un titre d'ouvrage.
❑ Si le titre est un nom commun avec déterminant ou un groupe nominal, l'accord se fait souvent avec ce nom, mais on peut aussi choisir l'accord au masculin singulier :

> Les Oiseaux *est un film d'Hitchcock* ou les Oiseaux *ont marqué leur temps ;*
> Les Fleurs du mal, *publiées en 1857,* ont *fait scandale* ou les Fleurs du mal, *publié en 1857,* a *fait scandale.*

❑ Si le titre est constitué de deux noms singuliers coordonnés, l'accord se fait avec le premier nom :

> Le Rouge et le Noir *est un roman de Stendhal.*

❑ Si le titre est un nom propre, un nom commun sans déterminant, ou une proposition, le verbe ou l'adjectif restent en général au masculin singulier :

> Patate *fut écrit par Marcel Achard ;*
> Les Oiseaux se cachent pour mourir *est un best-seller.*

L'accord peut aussi se faire avec le premier nom de la proposition :

> Les Oiseaux se cachent pour mourir *furent un grand succès.*

105. *Tout* suivi d'un titre d'ouvrage.
❑ Si le titre commence par *le* ou *les* masculin, on garde *tout*.

> *Elle a lu* **tout** Les Trois Mousquetaires.

❑ Si le titre commence par *la* ou *les* féminin, on accorde *tout*.

> *Elles ont lu* **toute** La Guerre des boutons.
> *La troupe interprétera* **toutes** les Trois Sœurs.

❑ Si le titre ne commence pas par l'article défini, on emploie dans tous les cas *tout* :

> *le chœur ne chantera pas* **tout** Jeanne d'Arc au bûcher ;
> *nous étudierons tout* Provinciales *de Giraudoux.*

106. Contraction de l'article dans un titre précédé de *à* ou de *de*.
La contraction se fait si le titre est composé d'un groupe nominal simple, c'est-à-dire sans coordination :

> *je lis la fin du* Temps retrouvé ;
> *elle s'attaque aux* Affinités électives.

❏ Quand le titre est complexe, on peut soit ne pas faire de contraction du tout, soit la faire avec le premier article du titre :

> *nous parlons de* le Rouge et le Noir (ou *nous parlons du* Rouge et le Noir).

L'accord du participe passé

107. Le participe passé employé sans auxiliaire.

❏ Le participe passé employé sans auxiliaire est considéré comme un adjectif et s'accorde en genre et en nombre avec le nom ou le pronom auquel il se rapporte :

> *confortablement **installée** dans un fauteuil, elle lisait le journal ;*
> *nous savourions ces beaux jours **ensoleillés.***

❏ Quelques participes employés sans auxiliaire présentent des particularités quant à leur accord. C'est le cas :

– de *approuvé, lu* et *vu* qui sont invariables quand ils figurent au bas d'un document (contrat, lettre, etc.) :

> *lu et approuvé le 15 mars à Paris ;*

– des participes et locutions suivants, qui prennent la valeur d'une préposition lorsqu'ils précèdent immédiatement le nom. Ils sont alors invariables :

> ***approuvé** les ajouts en marge ;*
> *elles sont toutes mariées, **excepté** la cadette ;*
> ***passé** les derniers jours de vacances, il n'y a plus un seul touriste ;*
> ***étant donné** les circonstances, il a dû s'abstenir ;*

approuvé	ci-inclus*	entendu	non compris	reçu
attendu	ci-joint*	étant donné	ôté	supposé
certifié	communiqué	excepté	ouï	vu
ci-annexé*	compris	lu	passé	y compris

* Ces participes peuvent s'accorder : voir *ci-joint* à son ordre alphabétique.

❏ Lorsque ces participes suivent le nom, ils s'accordent normalement :

> *les ajouts en marge **approuvés** ;*
> *elles sont toutes mariées, la cadette **exceptée** ;*
> *les derniers jours de septembre **passés**… ;*
> *vous trouverez votre nouvelle police d'assurance **ci-jointe** ;*
> *les circonstances **étant données**, il a dû s'absenter.*

108. Le participe passé des verbes conjugués avec *être*.
Les participes passés conjugués avec *être* s'accordent en genre et en nombre avec le sujet :

> *Alice, à quelle heure es-tu **sortie** ?*
> *elle était confortablement **installée** dans son fauteuil et lisait ;*
> *ses parents avaient été **ravis** de la revoir.*

❏ Cette règle ne s'applique pas aux verbes pronominaux qui, bien que conjugués avec *être,* suivent des règles d'accord particulières → § 110.

❏ Si le sujet est un *nous* de modestie ou un *vous* de politesse (*nous* et *vous* désignent une seule personne), le participe passé reste au singulier :

> *dans cette étude, nous sommes **parti** d'une simple observation ;*
> *vous serez naturellement tout **excusé** (il s'agit d'un homme).*

❏ Le participe passé se met au pluriel s'il a deux sujets, et au masculin si l'un au moins des sujets est au masculin :

> *Pierre et Marie sont **partis** ce matin ;*
> *la jupe et le jupon sont **cousus** ensemble.*

109. Le participe passé des verbes conjugués avec *avoir.*

❏ Si le verbe n'a pas de complément d'objet direct (COD) ou si le COD est placé après le verbe, le participe reste invariable :

> *tous les enfants ont **sauté** de joie en apprenant la nouvelle ;*

> *les nouveaux locataires ont **emménagé** aujourd'hui ;*
> *ils avaient **apporté** tous les documents nécessaires au dossier.*

❑ Si le verbe est précédé de son COD, le participe passé s'accorde en genre et en nombre avec ce COD :

> *quels problèmes as-tu **rencontrés** ?*
> *ces œuvres, je les ai toutes **lues** ;*
> *je ferai un résumé des œuvres que j'aurai **lues** ;*
> *quelle énergie il aura **dépensée** pour ce projet !*

❑ Le participe passé des verbes intransitifs, transitifs indirects et impersonnels reste toujours invariable puisque ces verbes n'ont jamais de COD :

> *quelles tempêtes il y a **eu** dans cette région !*

C'est le cas, entre autres, des participes passés suivants.

abondé	daigné	gémi	persisté	scintillé
abouti	déjeuné	grelotté	pivoté	séjourné
aboyé	délibéré	grimacé	pleuvoté	semblé
accédé	déplu	grincé	plu (plaire)	songé
agi	dérapé	hésité	plu (pleuvoir)	soupé
agonisé	dérogé	insisté	procédé	souri
appartenu	détoné	intercédé	profité	stationné
atterri	dîné	jailli	progressé	subsisté
bâillé	divagué	jasé	prospéré	subvenu
bavardé	divorcé	jeûné	pu	succédé
boité	dormi	joui	pué	succombé
bondi	douté	langui	pullulé	sué
brillé	duré	larmoyé	raffolé	suffi
bronché	émigré	lésiné	rampé	surgi
bruiné	erré	lui	réagi	sursauté
capitulé	été	marché	rebondi	survécu
chancelé	éternué	menti	régné	sympathisé
circulé	étincelé	miaulé	rejailli	tâché
clignoté	évolué	navigué	relui	tardé
coexisté	existé	neigé	remédié	tonné
coïncidé	faibli	nui	résidé	toussé
commercé	failli	obtempéré	résisté	transpiré
comparu	fallu	opté	résonné	trébuché
complu	flâné	oscillé	resplendi	tremblé
concouru	foisonné	pâli	ressemblé	triché
contribué	fonctionné	participé	retenti	trinqué
conversé	fourmillé	pataugé	ri	triomphé
convolé	fraternisé	pâti	rôdé	trotté
coopéré	frémi	patienté	ronflé	vivoté
correspondu	frisonné	péri	rugi	vogué
croassé	fructifié	persévéré	ruisselé	voyagé

❑ Les verbes tels que *courir, valoir, coûter, peser...* restent invariables s'ils sont accompagnés d'un complément circonstanciel indiquant une mesure, un poids, une durée... (à ne pas confondre avec un COD) et s'accordent si le complément est un véritable COD :

> *les mille francs qu'a **valu** cette bague ;*
> *les récompenses que m'ont **values** ces efforts.*

❑ Le fait que le COD soit accompagné d'un attribut n'empêche pas le participe de s'accorder avec le COD qui le précède :

> *ces motifs, ils les avaient **trouvés** peu convaincants.*

❑ Lorsque le participe est suivi d'un infinitif, il y a lieu de distinguer deux cas .

– Si le COD qui précède le participe est COD de l'infinitif, il n'y a pas accord :

> *les fruits que j'avais **espéré** manger (fruits = COD de manger) ;*
> *la pièce que j'ai **vu** interpréter (pièce = COD de interpréter) ;*
> *les airs qu'elle a **choisi** de chanter (airs = COD de chanter).*

– Si le COD qui précède le participe est à la fois COD du verbe conjugué et COD de l'infinitif (dans ce cas, ce COD représente celui qui fait l'action désignée par l'infinitif), il y a accord avec le COD :

> *l'actrice que j'ai **vue** jouer* (c'est l'actrice qui fait l'action de jouer) ;
> *nous les avions **empêchés** de commettre une erreur.*

– Les participes *dit, supposé, affirmé...* et *cru, jugé, pensé...* sont invariables, car c'est la proposition infinitive qui est leur COD et non le pronom :

> *ces candidats qu'on a **supposé** être les meilleurs ;*
> *on les avait **dit** être infaillibles.*

– Si l'infinitif est sous-entendu, le participe est invariable :

> *je lui ai accordé toutes les réductions que j'ai **pu*** (sous-entendu *lui accorder*).

– Le participe de *faire* est toujours invariable (voir *faire*, à son ordre alphabétique).

❑ Pour l'accord du participe avec *en,* voir *en* à son ordre alphabétique ; avec le pronom neutre *l',* voir *le* ; avec *le peu,* voir *peu.*

110. Le participe passé des verbes pronominaux. L'accord du participe passé des verbes pronominaux dépend de la valeur du pronom réfléchi.

❑ Le pronom des verbes essentiellement pronominaux (c'est-à-dire ceux qui n'auraient aucun sens sans le pronom) et celui des pronominaux de sens passif n'ayant pas de véritable fonction, le participe passé s'accorde en genre et en nombre avec le sujet :

> *elles se sont longtemps **souvenues** de cette aventure ;*
> *les produits électroménagers se sont mieux **vendus** cette année.*

– Le participe de *s'arroger* reste invariable si le COD ne le précède pas :

> *elles se sont **arrogé** certains droits ;* mais *les droits qu'elles se sont **arrogés**.*

– Le participe de *se rendre compte* est toujours invariable :

> *ils ne s'étaient rendu compte de rien.*

❑ Pour les pronominaux de sens réciproque (action mutuelle) et pour ceux de sens réfléchi (action sur soi-même), il y a lieu de se demander quelle est la fonction du pronom réfléchi (en transformant éventuellement la phrase à l'aide d'une construction avec *avoir*).

– Si le pronom est COD, le participe s'accorde avec ce pronom (donc avec le sujet, puisque le pronom représente la même personne que le sujet) :

> *les enfants se sont **lavés** après le dîner* (ils ont lavé eux) ;
> *ils ne se sont pas **vus** depuis très longtemps* (ils ont vu eux).

– Si le pronom n'est pas COD, le participe ne s'accorde que si un autre COD le précède.

> *elle s'est **offert** de belles vacances* (elle a offert à elle de belles vacances : *se* n'est pas COD et *de belles vacances,* COD, est placé après le verbe) ;
> *les vacances qu'elle s'est **offertes*** (elle a offert à elle des vacances : *se* n'est pas COD et *les vacances,* COD, est placé avant le verbe).

❑ Les verbes pronominaux suivis d'un infinitif suivent la même règle que celle énoncée au paragraphe 109 :

> *Magali s'est **laissée** tomber* (c'est Magali qui fait l'action de tomber) ;
> *Aude s'est **laissé** prendre au piège* (Aude est COD de l'infinitif).

Passage du discours direct au discours indirect

Il existe plusieurs façons de rapporter ce que quelqu'un a dit :
– on peut citer les paroles telles qu'elles ont été prononcées : c'est ce qu'on appelle le « discours direct » ou « style direct » ;
– on peut les intégrer à ses propres phrases ; elles subissent alors des modifications ; c'est ce qu'on appelle le « discours indirect » ou « style indirect ». Le discours indirect est dit « libre » si les paroles rapportées sont dans une ou plusieurs phrases indépendantes. Il est dit « lié » si celles-ci se trouvent dans une ou plusieurs propositions subordonnées.

111. Le discours direct. Dans un texte écrit, le discours direct se reconnaît au fait qu'il est introduit par deux points, et encadré par des guillemets :

> *je lui ai dit : « N'hésite pas à venir me voir. ».*

Si plusieurs répliques se succèdent, chacune est précédée d'un tiret et les guillemets encadrent l'ensemble du dialogue :

> *il l'interrompit : « Où vas-tu ? — Au marché. — Et quand reviens-tu ? »*

112. Le discours indirect libre. Le discours indirect libre se rencontre surtout à l'écrit :

> *il l'interrompit. Où allait-elle ? — Au marché. — Et quand reviendrait-elle ?*

Les deux points et les guillemets disparaissent, l'emploi des tirets est facultatif. Chaque proposition garde sa fonction.

113. Le discours indirect lié. On le trouve à l'oral comme à l'écrit :

> *je lui ai dit de ne pas hésiter à venir me voir ;*
> *il lui demanda où elle allait et quand elle reviendrait.*

❑ Comme dans le discours indirect libre, il n'y n'a ni deux points ni guillemets ; les tirets disparaissent. Les pronoms personnels et les temps du verbe sont modifiés. De plus, les paroles rapportées sont intégrées au récit, elles ne constituent plus des propositions indépendantes.

114. La proposition incise. C'est une proposition placée entre virgules à l'intérieur d'une phrase en discours direct. Elle indique quelle est la personne qui parle. La proposition incise peut se trouver au milieu ou à la fin de la phrase :

> *Pourtant, **dit-il avec insistance**, tu me l'avais promis.*
> *Pourtant, tu me l'avais promis, **dit-il avec insistance**.*

Généralement, le verbe de la proposition incise est *dire*. Mais ce peut être un autre verbe de sens équivalent :

> *« Luc, **fit** la maîtresse, à toi. — Le ba... ba... bateau, **ânonna** l'enfant.»*

TABLEAU DES CONJUGAISONS

	1 avoir	2 être	3 chanter
Ind. présent	j'ai	je suis	je chante
Ind. présent	tu as	tu es	tu chantes
Ind. présent	il, elle a	il, elle est	il, elle chante
Ind. présent	nous avons	nous sommes	nous chantons
Ind. présent	vous avez	vous êtes	vous chantez
Ind. présent	ils, elles ont	ils, elles sont	ils, elles chantent
Ind. imparfait	il, elle avait	il, elle était	il, elle chantait
Ind. passé s.	il, elle eut	il, elle fut	il, elle chanta
Ind. passé s.	ils, elles eurent	ils, elles furent	ils, elles chantèrent
Ind. futur	j'aurai	je serai	je chanterai
Ind. futur	il, elle aura	il, elle sera	il, elle chantera
Cond. présent	j'aurais	je serais	je chanterais
Cond. présent	il, elle aurait	il, elle serait	il, elle chanterait
Subj. présent	que j'aie	que je sois	que je chante
Subj. présent	qu'il, elle ait	qu'il, elle soit	qu'il, elle chante
Subj. présent	que nous ayons	que nous soyons	que nous chantions
Subj. présent	qu'ils, elles aient	qu'ils, elles soient	qu'ils, elles chantent
Subj. imparfait	qu'il, elle eût	qu'il, elle fût	qu'il, elle chantât
Subj. imparfait	qu'ils, elles eussent	qu'ils, elles fussent	qu'ils, elles chantassent
Impératif	aie	sois	chante
Impératif	ayons	soyons	chantons
Impératif	ayez	soyez	chantez
Part. présent	ayant	étant	chantant
Part. passé	eu, eue	été	chanté, e

	4 arguer (1)	5 copier
Ind. présent	j'argue	je copie
Ind. présent	tu argues	tu copies
Ind. présent	il, elle argue	il, elle copie
Ind. présent	nous arguons	nous copions
Ind. présent	vous arguez	vous copiez
Ind. présent	ils, elles arguent	ils, elles copient
Ind. imparfait	il, elle arguait	il, elle copiait
Ind. passé s.	il, elle argua	il, elle copia
Ind. passé s.	ils, elles arguèrent	ils, elles copièrent
Ind. futur	j'arguerai	je copierai
Ind. futur	il, elle arguera	il, elle copiera
Cond. présent	j'arguerais	je copierais
Cond. présent	il, elle arguerait	il, elle copierait
Subj. présent	que j'argue	que je copie
Subj. présent	qu'il, elle argue	qu'il, elle copie
Subj. présent	que nous arguions	que nous copiions
Subj. présent	qu'ils, elles arguent	qu'ils, elles copient
Subj. imparfait	qu'il, elle arguât	qu'il, elle copiât
Subj. imparfait	qu'ils, elles arguassent	qu'ils, elles copiassent
Impératif	argue	copie
Impératif	arguons	copions
Impératif	arguez	copiez
Part. présent	arguant	copiant
Part. passé	argué, e	copié, e

(1) Certains auteurs mettent un tréma sur le *e* ou sur le *i* (*j'argüe, nous argüions*).

	6 payer (1)		7 essuyer
Ind. présent	je paie	je paye	j'essuie
Ind. présent	tu paies	tu payes *	tu essuies
Ind. présent	il, elle paie	il, elle paye	il, elle essuie
Ind. présent	nous payons	nous payons	nous essuyons
Ind. présent	vous payez	vous payez	vous essuyez
Ind. présent	ils, elles paient	ils, elles payent	ils, elles essuient
Ind. imparfait	il, elle payait	il, elle payait	il, elle essuyait
Ind. passé s.	il, elle paya	il, elle paya	il, elle essuya
Ind. passé s.	ils, elles payèrent	ils, elles payèrent	ils, elles essuyèrent
Ind. futur	je paierai	je payerai	j'essuierai
Ind. futur	il, elle paiera	il, elle payera	il, elle essuiera
Cond. présent	je paierais	je payerais	j'essuierais
Cond. présent	il, elle paierait	il, elle payerait	il, elle essuierait
Subj. présent	que je paie	que je paye	que j'essuie
Subj. présent	qu'il, elle paie	qu'il, elle paye	qu'il, elle essuie
Subj. présent	que nous payions	que nous payions	que nous essuyions
Subj. présent	qu'ils, elles paient	qu'ils, elles payent	qu'ils, elles essuient
Subj. imparfait	qu'il, elle payât	qu'il, elle payât	qu'il, elle essuyât
Subj. imparfait	qu'ils, elles payassent	qu'ils, elles payassent	qu'ils, elles essuyassent
Impératif	paie	paye	essuie
Impératif	payons	payons	essuyons
Impératif	payez	payez	essuyez
Part. présent	payant	payant	essuyant
Part. passé	payé, e	payé, e	essuyé, e

(1) Pour certains grammairiens, le verbe *rayer* (et ses composés) garde le *y* dans toute sa conjugaison.

	8 créer	9 avancer	10 manger
Ind. présent	je crée	j'avance	je mange
Ind. présent	tu crées	tu avances	tu manges
Ind. présent	il, elle crée	il, elle avance	il, elle mange
Ind. présent	nous créons	nous avançons	nous mangeons
Ind. présent	vous créez	vous avancez	vous mangez
Ind. présent	ils, elles créent	ils, elles avancent	ils, elles mangent
Ind. imparfait	il, elle créait	il, elle avançait	il, elle mangeait
Ind. passé s.	il, elle créa	il, elle avança	il, elle mangea
Ind. passé s.	ils, elles créèrent	ils, elles avancèrent	ils, elles mangèrent
Ind. futur	je créerai	j'avancerai	je mangerai
Ind. futur	il, elle créera	il, elle avancera	il, elle mangera
Cond. présent	je créerais	j'avancerais	je mangerais
Cond. présent	il, elle créerait	il, elle avancerait	il, elle mangerait
Subj. présent	que je crée	que j'avance	que je mange
Subj. présent	qu'il, elle crée	qu'il, elle avance	qu'il, elle mange
Subj. présent	que nous créions	que nous avancions	que nous mangions
Subj. présent	qu'ils, elles créent	qu'ils, elles avancent	qu'ils, elles mangent
Subj. imparfait	qu'il, elle créât	qu'il, elle avançât	qu'il, elle mangeât
Subj. imparfait	qu'ils, elles créassent	qu'ils, elles avançassent	qu'ils, elles mangeassent
Impératif	crée	avance	mange
Impératif	créons	avançons	mangeons
Impératif	créez	avancez	mangez
Part. présent	créant	avançant	mangeant
Part. passé	créé, e	avancé, e	mangé, e

	11 céder (1)	12 semer	13 rapiécer (1)
Ind. présent	je cède	je sème	je rapièce
Ind. présent	tu cèdes	tu sèmes	tu rapièces
Ind. présent	il, elle cède	il, elle sème	il, elle rapièce
Ind. présent	nous cédons	nous semons	nous rapiéçons
Ind. présent	vous cédez	vous semez	vous rapiécez
Ind. présent	ils, elles cèdent	ils, elles sèment	ils, elles rapiècent
Ind. imparfait	il, elle cédait	il, elle semait	il, elle rapiéçait
Ind. passé s.	il, elle céda	il, elle sema	il, elle rapiéça
Ind. passé s.	ils, elles cédèrent	ils, elles semèrent	ils, elles rapiécèrent
Ind. futur	je céderai	je sèmerai	je rapiécerai
Ind. futur	il, elle cédera	il, elle sèmera	il, elle rapiécera
Cond. présent	je céderais	je sèmerais	je rapiécerais
Cond. présent	il, elle céderait	il, elle sèmerait	il, elle rapiécerait
Subj. présent	que je cède	que je sème	que je rapièce
Subj. présent	qu'il, elle cède	qu'il, elle sème	qu'il, elle rapièce
Subj. présent	que nous cédions	que nous semions	que nous rapiécions
Subj. présent	qu'ils, elles cèdent	qu'ils, elles sèment	qu'ils, elles rapiècent
Subj. imparfait	qu'il, elle cédât	qu'il, elle semât	qu'il, elle rapiéçât
Subj. imparfait	qu'ils, elles cédassent	qu'ils, elles semassent	qu'ils, elles rapiéçassent
Impératif	cède	sème	rapièce
Impératif	cédons	semons	rapiéçons
Impératif	cédez	semez	rapiécez
Part. présent	cédant	semant	rapiéçant
Part. passé	cédé, e	semé, e	rapiécé, e

(1) Dans la 9ᵉ édition de son dictionnaire (1992), l'Académie écrit au futur et au conditionnel *je cèderai, je cèderais ; je rapiècerai, je rapiècerais*.

	14 acquiescer	15 siéger (1 et 2)	16 appeler
Ind. présent	j'acquiesce	je siège	j'appelle
Ind. présent	tu acquiesces	tu sièges	tu appelles
Ind. présent	il, elle acquiesce	il, elle siège	il, elle appelle
Ind. présent	nous acquiesçons	nous siégeons	nous appelons
Ind. présent	vous acquiescez	vous siégez	vous appelez
Ind. présent	ils, elles acquiescent	ils, elles siègent	ils, elles appellent
Ind. imparfait	il, elle acquiesçait	il, elle siégeait	il, elle appelait
Ind. passé s.	il, elle acquiesça	il, elle siégea	il, elle appela
Ind. passé s.	ils, elles acquiescèrent	ils, elles siégèrent	ils, elles appelèrent
Ind. futur	j'acquiescerai	je siégerai	j'appellerai
Ind. futur	il, elle acquiescera	il, elle siégera	il, elle appellera
Cond. présent	j'acquiescerais	je siégerais	j'appellerais
Cond. présent	il, elle acquiescerait	il, elle siégerait	il, elle appellerait
Subj. présent	que j'acquiesce	que je siège	que j'appelle
Subj. présent	qu'il, elle acquiesce	qu'il, elle siège	qu'il, elle appelle
Subj. présent	que nous acquiescions	que nous siégions	que nous appelions
Subj. présent	qu'ils, elles acquiescent	qu'ils, elles siègent	qu'ils, elles appellent
Subj. imparfait	qu'il, elle acquiesçât	qu'il, elle siégeât	qu'il, elle appelât
Subj. imparfait	qu'ils, elles acquiesçassent	qu'ils, elles siégeassent	qu'ils, elles appelassent
Impératif	acquiesce	siège	appelle
Impératif	acquiesçons	siégeons	appelons
Impératif	acquiescez	siégez	appelez
Part. présent	acquiesçant	siégeant	appelant
Part. passé	acquiescé	siégé	appelé, e

(1) Dans la 9ᵉ édition de son dictionnaire (1992), l'Académie écrit au futur et au conditionnel *je siègerai, je siègerais*.
(2) *Assiéger* se conjugue comme *siéger*, mais son participe passé est variable.

	17 interpeller	18 dépecer	19 envoyer
Ind. présent	j'interpelle	je dépèce	j'envoie
Ind. présent	tu interpelles	tu dépèces	tu envoies
Ind. présent	il, elle interpelle	il, elle dépèce	il, elle envoie
Ind. présent	nous interpellons	nous dépeçons	nous envoyons
Ind. présent	vous interpellez	vous dépecez	vous envoyez
Ind. présent	ils, elles interpellent	ils, elles dépècent	ils, elles envoient
Ind. imparfait	il, elle interpellait	il, elle dépeçait	il, elle envoyait
Ind. passé s.	il, elle interpella	il, elle dépeça	il, elle envoya
Ind. passé s.	ils, elles interpellèrent	ils, elles dépecèrent	ils, elles envoyèrent
Ind. futur	j'interpellerai	je dépècerai	j'enverrai
Ind. futur	il, elle interpellera	il, elle dépècera	il, elle enverra
Cond. présent	j'interpellerais	je dépècerais	j'enverrais
Cond. présent	il, elle interpellerait	il, elle dépècerait	il, elle enverrait
Subj. présent	que j'interpelle	que je dépèce	que j'envoie
Subj. présent	qu'il, elle interpelle	qu'il, elle dépèce	qu'il, elle envoie
Subj. présent	que nous interpellions	que nous dépecions	que nous envoyions
Subj. présent	qu'ils, elles interpellent	qu'ils, elles dépècent	qu'ils, elles envoient
Subj. imparfait	qu'il, elle interpellât	qu'il, elle dépeçât	qu'il, elle envoyât
Subj. imparfait	qu'ils, elles interpellassent	qu'ils, elles dépeçassent	qu'ils, elles envoyassent
Impératif	interpelle	dépèce	envoie
Impératif	interpellons	dépeçons	envoyons
Impératif	interpellez	dépecez	envoyez
Part. présent	interpellant	dépeçant	envoyant
Part. passé	interpellé, e	dépecé, e	envoyé, e

	20 aller (1)	21 finir (2)	22 haïr
Ind. présent	je vais	je finis	je hais
Ind. présent	tu vas	tu finis	tu hais
Ind. présent	il, elle va	il, elle finit	il, elle hait
Ind. présent	nous allons	nous finissons	nous haïssons
Ind. présent	vous allez	vous finissez	vous haïssez
Ind. présent	ils, elles vont	ils, elles finissent	ils, elles haïssent
Ind. imparfait	il, elle allait	il, elle finissait	il, elle haïssait
Ind. passé s.	il, elle alla	il, elle finit	il, elle haït
Ind. passé s.	ils, elles allèrent	ils, elles finirent	ils, elles haïrent
Ind. futur	j'irai	je finirai	je haïrai
Ind. futur	il, elle ira	il, elle finira	il, elle haïra
Cond. présent	j'irais	je finirais	je haïrais
Cond. présent	il, elle irait	il, elle finirait	il, elle haïrait
Subj. présent	que j'aille	que je finisse	que je haïsse
Subj. présent	qu'il, elle aille	qu'il, elle finisse	qu'il, elle haïsse
Subj. présent	que nous allions	que nous finissions	que nous haïssions
Subj. présent	qu'ils, elles aillent	qu'ils, elles finissent	qu'ils, elles haïssent
Subj. imparfait	qu'il, elle allât	qu'il, elle finît	qu'il, elle haït
Subj. imparfait	qu'ils, elles allassent	qu'ils, elles finissent	qu'ils, elles haïssent
Impératif	va	finis	hais
Impératif	allons	finissons	haïssons
Impératif	allez	finissez	haïssez
Part. présent	allant	finissant	haïssant
Part. passé	allé, e	fini, e	haï, e

(1) *Aller* fait à l'impér. *vas* dans *vas-y. S'en aller* fait à l'impér. *va-t'en, allons-nous-en, allez-vous-en.* Aux temps composés, le verbe *être* peut se substituer au verbe *aller : avoir été, j'ai été,* etc. Aux temps composés du pronominal *s'en aller, en* se place normalement avant l'auxiliaire : *je m'en suis allé(e),* mais la langue courante dit de plus en plus *je me suis en allé(e).*
(2) *Maudire* (tableau 84) et *bruire* (tableau 85) se conjuguent sur *finir,* mais le participe passé de *maudire* est *maudit, maudite,* et *bruire* est défectif.

	23 ouvrir	24 fuir	25 dormir (1)
Ind. présent	j'ouvre	je fuis	je dors
Ind. présent	tu ouvres	tu fuis	tu dors
Ind. présent	il, elle ouvre	il, elle fuit	il, elle dort
Ind. présent	nous ouvrons	nous fuyons	nous dormons
Ind. présent	vous ouvrez	vous fuyez	vous dormez
Ind. présent	ils, elles ouvrent	ils, elles fuient	ils, elles dorment
Ind. imparfait	il, elle ouvrait	il, elle fuyait	il, elle dormait
Ind. passé s.	il, elle ouvrit	il, elle fuit	il, elle dormit
Ind. passé s.	ils, elles ouvrirent	ils, elles fuirent	ils, elles dormirent
Ind. futur	j'ouvrirai	je fuirai	je dormirai
Ind. futur	il, elle ouvrira	il, elle fuira	il, elle dormira
Cond. présent	j'ouvrirais	je fuirais	je dormirais
Cond. présent	il, elle ouvrirait	il, elle fuirait	il, elle dormirait
Subj. présent	que j'ouvre	que je fuie	que je dorme
Subj. présent	qu'il, elle ouvre	qu'il, elle fuie	qu'il, elle dorme
Subj. présent	que nous ouvrions	que nous fuyions	que nous dormions
Subj. présent	qu'ils, elles ouvrent	qu'ils, elles fuient	qu'ils, elles dorment
Subj. imparfait	qu'il, elle ouvrît	qu'il, elle fuît	qu'il, elle dormît
Subj. imparfait	qu'ils, elles ouvrissent	qu'ils, elles fuissent	qu'ils, elles dormissent
Impératif	ouvre	fuis	dors
Impératif	ouvrons	fuyons	dormons
Impératif	ouvrez	fuyez	dormez
Part. présent	ouvrant	fuyant	dormant
Part. passé	ouvert, e	fui, e	dormi

(1) *Endormir* se conjugue comme *dormir*, mais son participe passé est variable.

	26 mentir (2)	27 acquérir	28 venir
Ind. présent	je mens	j'acquiers	je viens
Ind. présent	tu mens	tu acquiers	tu viens
Ind. présent	il, elle ment	il, elle acquiert	il, elle vient
Ind. présent	nous mentons	nous acquérons	nous venons
Ind. présent	vous mentez	vous acquérez	vous venez
Ind. présent	ils, elles mentent	ils, elles acquièrent	ils, elles viennent
Ind. imparfait	il, elle mentait	il, elle acquérait	il, elle venait
Ind. passé s.	il, elle mentit	il, elle acquit	il, elle vint
Ind. passé s.	ils, elles mentirent	ils, elles acquirent	ils, elles vinrent
Ind. futur	je mentirai	j'acquerrai	je viendrai
Ind. futur	il, elle mentira	il, elle acquerra	il, elle viendra
Cond. présent	je mentirais	j'acquerrais	je viendrais
Cond. présent	il, elle mentirait	il, elle acquerrait	il, elle viendrait
Subj. présent	que je mente	que j'acquière	que je vienne
Subj. présent	qu'il, elle mente	qu'il, elle acquière	qu'il, elle vienne
Subj. présent	que nous mentions	que nous acquérions	que nous venions
Subj. présent	qu'ils, elles mentent	qu'ils, elles acquièrent	qu'ils, elles viennent
Subj. imparfait	qu'il, elle mentît	qu'il, elle acquît	qu'il, elle vînt
Subj. imparfait	qu'ils, elles mentissent	qu'ils, elles acquissent	qu'ils, elles vinssent
Impératif	mens	acquiers	viens
Impératif	mentons	acquérons	venons
Impératif	mentez	acquérez	venez
Part. présent	mentant	acquérant	venant
Part. passé	menti	acquis, e	venu, e

(2) *Démentir* se conjugue comme *mentir*, mais son participe passé est variable.

	29 cueillir	30 mourir	31 partir
Ind. présent	je cueille	je meurs	je pars
Ind. présent	tu cueilles	tu meurs	tu pars
Ind. présent	il, elle cueille	il, elle meurt	il, elle part
Ind. présent	nous cueillons	nous mourons	nous partons
Ind. présent	vous cueillez	vous mourez	vous partez
Ind. présent	ils, elles cueillent	ils, elles meurent	ils, elles partent
Ind. imparfait	il, elle cueillait	il, elle mourait	il, elle partait
Ind. passé s.	il, elle cueillit	il, elle mourut	il, elle partit
Ind. passé s.	ils, elles cueillirent	ils, elles moururent	ils, elles partirent
Ind. futur	je cueillerai	je mourrai	je partirai
Ind. futur	il, elle cueillera	il, elle mourra	il, elle partira
Cond. présent	je cueillerais	je mourrais	je partirais
Cond. présent	il, elle cueillerait	il, elle mourrait	il, elle partirait
Subj. présent	que je cueille	que je meure	que je parte
Subj. présent	qu'il, elle cueille	qu'il, elle meure	qu'il, elle parte
Subj. présent	que nous cueillions	que nous mourions	que nous partions
Subj. présent	qu'ils, elles cueillent	qu'ils, elles meurent	qu'ils, elles partent
Subj. imparfait	qu'il, elle cueillît	qu'il, elle mourût	qu'il, elle partît
Subj. imparfait	qu'ils, elles cueillissent	qu'ils, elles mourussent	qu'ils, elles partissent
Impératif	cueille	meurs	pars
Impératif	cueillons	mourons	partons
Impératif	cueillez	mourez	partez
Part. présent	cueillant	mourant	partant
Part. passé	cueilli, e	mort, e	parti, e

	32 revêtir	33 courir	34 faillir (1)
Ind. présent	je revêts	je cours	je faillis, faux
Ind. présent	tu revêts	tu cours	tu faillis, faux
Ind. présent	il, elle revêt	il, elle court	il, elle faillit, faut
Ind. présent	nous revêtons	nous courons	nous faillissons, faillons
Ind. présent	vous revêtez	vous courez	vous faillissez, faillez
Ind. présent	ils, elles revêtent	ils, elles courent	ils, elles faillissent, faillent
Ind. imparfait	il, elle revêtait	il, elle courait	il, elle faillissait, faillait
Ind. passé s.	il, elle revêtit	il, elle courut	il, elle faillit
Ind. passé s.	ils, elles revêtirent	ils, elles coururent	ils, elles faillirent
Ind. futur	je revêtirai	je courrai	je faillirai, faudrai
Ind. futur	il, elle revêtira	il, elle courra	il, elle faillira, faudra
Cond. présent	je revêtirais	je courrais	je faillirais, faudrais
Cond. présent	il, elle revêtirait	il, elle courrait	il, elle faillirait, faudrait
Subj. présent	que je revête	que je coure	que je faillisse, faille
Subj. présent	qu'il, elle revête	qu'il, elle coure	qu'il, elle faillisse, faille
Subj. présent	que nous revêtions	que nous courions	que nous faillissions, faillions
Subj. présent	qu'ils, elles revêtent	qu'ils, elles courent	qu'ils, elles faillissent, faillent
Subj. imparfait	qu'il, elle revêtît	qu'il, elle courût	qu'il, elle faillît
Subj. imparfait	qu'ils, elles revêtissent	qu'ils, elles courussent	qu'ils, elles faillissent
Impératif	revêts	cours	faillis, faux
Impératif	revêtons	courons	faillissons, faillons
Impératif	revêtez	courez	faillissez, faillez
Part. présent	revêtant	courant	faillissant, faillant
Part. passé	revêtu, e	couru, e	failli

(1) La conjugaison de *faillir* la plus employée est celle qui a été refaite sur *finir*. Les formes conjuguées de ce verbe sont rares.

	35 défaillir (1)	36 bouillir	37 saillir (2)
Ind. présent	je défaille	je bous	
Ind. présent	tu défailles	tu bous	
Ind. présent	il, elle défaille	il, elle bout	il, elle saille
Ind. présent	nous défaillons	nous bouillons	
Ind. présent	vous défaillez	vous bouillez	
Ind. présent	ils, elles défaillent	ils, elles bouillent	ils, elles saillent
Ind. imparfait	il, elle défaillait	il, elle bouillait	il, elle saillait
Ind. passé s.	il, elle défaillit	il, elle bouillit	il, elle saillit
Ind. passé s.	ils, elles défaillirent	ils, elles bouillirent	ils, elles saillirent
Ind. futur	je défaillirai	je bouillirai	
Ind. futur	il, elle défaillira	il, elle bouillira	il, elle saillera
Cond. présent	je défaillirais	je bouillirais	
Cond. présent	il, elle défaillirait	il, elle bouillirait	il, elle saillerait
Subj. présent	que je défaille	que je bouille	
Subj. présent	qu'il, elle défaille	qu'il, elle bouille	qu'il, elle saille
Subj. présent	que nous défaillions	que nous bouillions	
Subj. présent	qu'ils, elles défaillent	qu'ils, elles bouillent	qu'ils, elles saillent
Subj. imparfait	qu'il, elle défaillît	qu'il, elle bouillît	qu'il, elle saillît
Subj. imparfait	qu'ils, elles défaillissent	qu'ils, elles bouillissent	qu'ils, elles saillissent
Impératif	défaille	bous	*inusité*
Impératif	défaillons	bouillons	
Impératif	défaillez	bouillez	
Part. présent	défaillant	bouillant	saillant
Part. passé	défailli	bouilli, e	sailli, e

(1) On trouve aussi *je défaillerai, tu défailleras*, etc., pour le futur, et *je défaillerais, tu défaillerais*, etc., pour le conditionnel, de même pour *tressaillir* et *assaillir*.
(2) Il s'agit ici du verbe *saillir* au sens de « dépasser », « s'avancer en dehors ».

	38 ouïr	39 recevoir	40 devoir
Ind. présent	j'ouïs, ois	je reçois	je dois
Ind. présent	tu ouïs, ois	tu reçois	tu dois
Ind. présent	il, elle ouït, oit	il, elle reçoit	il, elle doit
Ind. présent	nous ouïssons, oyons	nous recevons	nous devons
Ind. présent	vous ouïssez, oyez	vous recevez	vous devez
Ind. présent	ils, elles ouïssent, oient	ils, elles reçoivent	ils, elles doivent
Ind. imparfait	il, elle ouïssait, oyait	il, elle recevait	il, elle devait
Ind. passé s.	il, elle ouït	il, elle reçut	il, elle dut
Ind. passé s.	ils, elles ouïrent	ils, elles reçurent	ils, elles durent
Ind. futur	j'ouïrai, orrai	je recevrai	je devrai
Ind. futur	il, elle ouïra, orra	il, elle recevra	il, elle devra
Cond. présent	j'ouïrais, orrais	je recevrais	je devrais
Cond. présent	il, elle ouïrait, orrait	il, elle recevrait	il, elle devrait
Subj. présent	que j'ouïsse, oie	que je reçoive	que je doive
Subj. présent	qu'il, elle ouïsse, oie	qu'il, elle reçoive	qu'il, elle doive
Subj. présent	que nous ouïssions, oyions	que nous recevions	que nous devions
Subj. présent	qu'ils, elles ouïssent, oient	qu'ils, elles reçoivent	qu'ils, elles doivent
Subj. imparfait	qu'il, elle ouït	qu'il, elle reçût	qu'il, elle dût
Subj. imparfait	qu'ils, elles ouïssent	qu'ils, elles reçussent	qu'ils, elles dussent
Impératif	ouïs, ois	reçois	dois
Impératif	ouïssons, oyons	recevons	devons
Impératif	ouïssez, oyez	recevez	devez
Part. présent	oyant	recevant	devant
Part. passé	ouï, e	reçu, e	dû, due, dus, dues

	41 mouvoir	42 émouvoir	43 vouloir
Ind. présent	je meus	j'émeus	je veux
Ind. présent	tu meus	tu émeus	tu veux
Ind. présent	il, elle meut	il, elle émeut	il, elle veut
Ind. présent	nous mouvons	nous émouvons	nous voulons
Ind. présent	vous mouvez	vous émouvez	vous voulez
Ind. présent	ils, elles meuvent	ils, elles émeuvent	ils, elles veulent
Ind. imparfait	il, elle mouvait	il, elle émouvait	il, elle voulait
Ind. passé s.	il, elle mut	il, elle émut	il, elle voulut
Ind. passé s.	ils, elles murent	ils, elles émurent	ils, elles voulurent
Ind. futur	je mouvrai	j'émouvrai	je voudrai
Ind. futur	il, elle mouvra	il, elle émouvra	il, elle voudra
Cond. présent	je mouvrais	j'émouvrais	je voudrais
Cond. présent	il, elle mouvrait	il, elle émouvrait	il, elle voudrait
Subj. présent	que je meuve	que j'émeuve	que je veuille
Subj. présent	qu'il, elle meuve	qu'il, elle émeuve	qu'il, elle veuille
Subj. présent	que nous mouvions	que nous émouvions	que nous voulions
Subj. présent	qu'ils, elles meuvent	qu'ils, elles émeuvent	qu'ils, elles veuillent
Subj. imparfait	qu'il, elle mût	qu'il, elle émût	qu'il, elle voulût
Subj. imparfait	qu'ils, elles mussent	qu'ils, elles émussent	qu'ils, elles voulussent
Impératif	meus	émeus	veux, veuille
Impératif	mouvons	émouvons	voulons, veuillons
Impératif	mouvez	émouvez	voulez, veuillez
Part. présent	mouvant	émouvant	voulant
Part. passé	mû, mue, mus, mues	ému, e	voulu, e

	44 pouvoir (1)	45 savoir	46 valoir
Ind. présent	je peux, puis	je sais	je vaux
Ind. présent	tu peux	tu sais	tu vaux
Ind. présent	il, elle peut	il, elle sait	il, elle vaut
Ind. présent	nous pouvons	nous savons	nous valons
Ind. présent	vous pouvez	vous savez	vous valez
Ind. présent	ils, elles peuvent	ils, elles savent	ils, elles valent
Ind. imparfait	il, elle pouvait	il, elle savait	il, elle valait
Ind. passé s.	il, elle put	il, elle sut	il, elle valut
Ind. passé s.	ils, elles purent	ils, elles surent	ils, elles valurent
Ind. futur	je pourrai	je saurai	je vaudrai
Ind. futur	il, elle pourra	il, elle saura	il, elle vaudra
Cond. présent	je pourrais	je saurais	je vaudrais
Cond. présent	il, elle pourrait	il, elle saurait	il, elle vaudrait
Subj. présent	que je puisse	que je sache	que je vaille
Subj. présent	qu'il, elle puisse	qu'il, elle sache	qu'il, elle vaille
Subj. présent	que nous puissions	que nous sachions	que nous valions
Subj. présent	qu'ils, elles puissent	qu'ils, elles sachent	qu'ils, elles vaillent
Subj. imparfait	qu'il, elle pût	qu'il, elle sût	qu'il, elle valût
Subj. imparfait	qu'ils, elles pussent	qu'ils, elles sussent	qu'ils, elles valussent
Impératif	*inusité*	sache	vaux
Impératif		sachons	valons
Impératif		sachez	valez
Part. présent	pouvant	sachant	valant
Part. passé	pu	su, e	valu, e

(1) À la forme interrogative, avec inversion du sujet, on a seulement *puis-je* ?

	47 prévaloir	48 voir	49 prévoir
Ind. présent	je prévaux	je vois	je prévois
Ind. présent	tu prévaux	tu vois	tu prévois
Ind. présent	il, elle prévaut	il, elle voit	il, elle prévoit
Ind. présent	nous prévalons	nous voyons	nous prévoyons
Ind. présent	vous prévalez	vous voyez	vous prévoyez
Ind. présent	ils, elles prévalent	ils, elles voient	ils, elles prévoient
Ind. imparfait	il, elle prévalait	il, elle voyait	il, elle prévoyait
Ind. passé s.	il, elle prévalut	il, elle vit	il, elle prévit
Ind. passé s.	ils, elles prévalurent	ils, elles virent	ils, elles prévirent
Ind. futur	je prévaudrai	je verrai	je prévoirai
Ind. futur	il, elle prévaudra	il, elle verra	il, elle prévoira
Cond. présent	je prévaudrais	je verrais	je prévoirais
Cond. présent	il, elle prévaudrait	il, elle verrait	il, elle prévoirait
Subj. présent	que je prévale	que je voie	que je prévoie
Subj. présent	qu'il, elle prévale	qu'il, elle voie	qu'il, elle prévoie
Subj. présent	que nous prévalions	que nous voyions	que nous prévoyions
Subj. présent	qu'ils, elles prévalent	qu'ils, elles voient	qu'ils, elles prévoient
Subj. imparfait	qu'il, elle prévalût	qu'il, elle vît	qu'il, elle prévît
Subj. imparfait	qu'ils, elles prévalussent	qu'ils, elles vissent	qu'ils, elles prévissent
Impératif	prévaux	vois	prévois
Impératif	prévalons	voyons	prévoyons
Impératif	prévalez	voyez	prévoyez
Part. présent	prévalant	voyant	prévoyant
Part. passé	prévalu, e	vu, e	prévu, e

	50 pourvoir	51 asseoir (1)	
Ind. présent	je pourvois	j'assieds	j'assois
Ind. présent	tu pourvois	tu assieds	tu assois
Ind. présent	il, elle pourvoit	il, elle assied	il, elle assoit
Ind. présent	nous pourvoyons	nous asseyons	nous assoyons
Ind. présent	vous pourvoyez	vous asseyez	vous assoyez
Ind. présent	ils, elles pourvoient	ils, elles asseyent	ils, elles assoient
Ind. imparfait	il, elle pourvoyait	il, elle asseyait	il, elle assoyait
Ind. passé s.	il, elle pourvut	il, elle assit	il, elle assit
Ind. passé s.	ils, elles pourvurent	ils, elles assirent	ils, elles assirent
Ind. futur	je pourvoirai	j'assiérai	j'assoirai
Ind. futur	il, elle pourvoira	il, elle assiéra	il, elle assoira
Cond. présent	je pourvoirais	j'assiérais	j'assoirais
Cond. présent	il, elle pourvoirait	il, elle assiérait	il, elle assoirait
Subj. présent	que je pourvoie	que j'asseye	que j'assoie
Subj. présent	qu'il, elle pourvoie	qu'il, elle asseye	qu'il, elle assoie
Subj. présent	que nous pourvoyions	que nous asseyions	que nous assoyions
Subj. présent	qu'ils, elles pourvoient	qu'ils, elles asseyent	qu'ils, elles assoient
Subj. imparfait	qu'il, elle pourvût	qu'il, elle assît	qu'il, elle assît
Subj. imparfait	qu'ils, elles pourvussent	qu'ils, elles assissent	qu'ils, elles assissent
Impératif	pourvois	assieds	assois
Impératif	pourvoyons	asseyons	assoyons
Impératif	pourvoyez	asseyez	assoyez
Part. présent	pourvoyant	asseyant	assoyant
Part. passé	pourvu, e	assis, e	assis, e

(1) L'usage tend à écrire avec -eoi- les formes avec oi : j'asseois, il, elle asseoira, que tu asseoies, ils, elles asseoiraient.

	52 surseoir	53 seoir (2)	54 pleuvoir (1)
Ind. présent	je sursois		
Ind. présent	tu sursois		
Ind. présent	il, elle sursoit	il, elle sied	il pleut
Ind. présent	nous sursoyons		
Ind. présent	vous sursoyez		
Ind. présent	ils, elles sursoient	ils, elles siéent	
Ind. imparfait	il, elle sursoyait	il, elle seyait	il pleuvait
Ind. passé s.	il, elle sursit	*inusité*	il plut
Ind. passé s.	ils, elles sursirent		
Ind. futur	je surseoirai		
Ind. futur	il, elle surseoira	il, elle siéra	il pleuvra
Cond. présent	je surseoirais		
Cond. présent	il, elle surseoirait	il, elle siérait	il pleuvrait
Subj. présent	que je sursoie		
Subj. présent	qu'il, elle sursoie	qu'il, elle siée	qu'il pleuve
Subj. présent	que nous sursoyions		
Subj. présent	qu'ils, elles sursoient	qu'ils, elles siéent	
Subj. imparfait	qu'il, elle sursît	*inusité*	qu'il plût
Subj. imparfait	qu'ils, elles sursissent		
Impératif	sursois	*inusité*	*inusité*
Impératif	sursoyons		
Impératif	sursoyez		
Part. présent	sursoyant	seyant	pleuvant
Part. passé	sursis	*inusité*	plu

(2) *Seoir* a ici le sens de « convenir ». Aux sens de « être situé », « siéger », *seoir* a seulement un participe présent *(séant)* et un participe passé *(sis, e)*.
(1) *Pleuvoir* connaît au figuré une troisième personne du pluriel : les injures *pleuvent, pleuvaient, pleuvront, plurent, pleuvraient...*

	55 falloir	56 échoir	57 déchoir
Ind. présent			je déchois
Ind. présent			tu déchois
Ind. présent	il faut	il, elle échoit	il, elle déchoit
Ind. présent			nous déchoyons
Ind. présent			vous déchoyez
Ind. présent		ils, elles échoient	ils, elles déchoient
Ind. imparfait	il fallait	il, elle échoyait	*inusité*
Ind. passé s.	il fallut	il, elle échut	il, elle déchut
Ind. passé s.		ils, elles échurent	ils, elles déchurent
Ind. futur			je déchoirai
Ind. futur	il faudra	il, elle échoira, écherra	il, elle déchoira
Cond. présent			je déchoirais
Cond. présent	il faudrait	il, elle échoirait, écherrait	il, elle déchoirait
Subj. présent			que je déchoie
Subj. présent	qu'il faille	qu'il, elle échoie	qu'il, elle déchoie
Subj. présent			que nous déchoyions
Subj. présent		qu'ils, elles échoient	qu'ils, elles déchoient
Subj. imparfait	qu'il fallût	qu'il, elle échût	qu'il, elle déchût
Subj. imparfait		qu'ils, elles échussent	qu'ils, elles déchussent
Impératif	*inusité*	*inusité*	*inusité*
Impératif			
Impératif			
Part. présent	*inusité*	échéant	*inusité*
Part. passé	fallu	échu, e	déchu, e

	58 choir	59 vendre	60 rompre
Ind. présent	je chois	je vends	je romps
Ind. présent	tu chois	tu vends	tu romps
Ind. présent	il, elle choit	il, elle vend	il, elle rompt
Ind. présent	*inusité*	nous vendons	nous rompons
Ind. présent	*inusité*	vous vendez	vous rompez
Ind. présent	ils, elles choient	ils, elles vendent	ils, elles rompent
Ind. imparfait	*inusité*	il, elle vendait	il, elle rompait
Ind. passé s.	il, elle chut	il, elle vendit	il, elle rompit
Ind. passé s.	ils, elles churent	ils, elles vendirent	ils, elles rompirent
Ind. futur	je choirai, cherrai	je vendrai	je romprai
Ind. futur	il, elle choira, cherra	il, elle vendra	il, elle rompra
Cond. présent	je choirais, cherrais	je vendrais	je romprais
Cond. présent	il, elle choirait, cherrait	il, elle vendrait	il, elle romprait
Subj. présent	*inusité*	que je vende	que je rompe
Subj. présent		qu'il, elle vende	qu'il, elle rompe
Subj. présent		que nous vendions	que nous rompions
Subj. présent		qu'ils, elles vendent	qu'ils, elles rompent
Subj. imparfait	qu'il, elle chût	qu'il, elle vendît	qu'il, elle rompît
Subj. imparfait	*inusité*	qu'ils, elles vendissent	qu'ils, elles rompissent
Impératif	*inusité*	vends	romps
Impératif		vendons	rompons
Impératif		vendez	rompez
Part. présent	*inusité*	vendant	rompant
Part. passé	chu, e	vendu, e	rompu, e

	61 prendre	62 craindre	63 battre
Ind. présent	je prends	je crains	je bats
Ind. présent	tu prends	tu crains	tu bats
Ind. présent	il, elle prend	il, elle craint	il, elle bat
Ind. présent	nous prenons	nous craignons	nous battons
Ind. présent	vous prenez	vous craignez	vous battez
Ind. présent	ils, elles prennent	ils, elles craignent	ils, elles battent
Ind. imparfait	il, elle prenait	il, elle craignait	il, elle battait
Ind. passé s.	il, elle prit	il, elle craignit	il, elle battit
Ind. passé s.	ils, elles prirent	ils, elles craignirent	ils, elles battirent
Ind. futur	je prendrai	je craindrai	je battrai
Ind. futur	il, elle prendra	il, elle craindra	il, elle battra
Cond. présent	je prendrais	je craindrais	je battrais
Cond. présent	il, elle prendrait	il, elle craindrait	il, elle battrait
Subj. présent	que je prenne	que je craigne	que je batte
Subj. présent	qu'il, elle prenne	qu'il, elle craigne	qu'il, elle batte
Subj. présent	que nous prenions	que nous craignions	que nous battions
Subj. présent	qu'ils, elles prennent	qu'ils, elles craignent	qu'ils, elles battent
Subj. imparfait	qu'il, elle prît	qu'il, elle craignît	qu'il, elle battît
Subj. imparfait	qu'ils, elles prissent	qu'ils, elles craignissent	qu'ils, elles battissent
Impératif	prends	crains	bats
Impératif	prenons	craignons	battons
Impératif	prenez	craignez	battez
Part. présent	prenant	craignant	battant
Part. passé	pris, e	craint, e	battu, e

	64 mettre	65 moudre	66 coudre
Ind. présent	je mets	je mouds	je couds
Ind. présent	tu mets	tu mouds	tu couds
Ind. présent	il, elle met	il, elle moud	il, elle coud
Ind. présent	nous mettons	nous moulons	nous cousons
Ind. présent	vous mettez	vous moulez	vous cousez
Ind. présent	ils, elles mettent	ils, elles moulent	ils, elles cousent
Ind. imparfait	il, elle mettait	il, elle moulait	il, elle cousait
Ind. passé s.	il, elle mit	il, elle moulut	il, elle cousit
Ind. passé s.	ils, elles mirent	ils, elles moulurent	ils, elles cousirent
Ind. futur	je mettrai	je moudrai	je coudrai
Ind. futur	il, elle mettra	il, elle moudra	il, elle coudra
Cond. présent	je mettrais	je moudrais	je coudrais
Cond. présent	il, elle mettrait	il, elle moudrait	il, elle coudrait
Subj. présent	que je mette	que je moule	que je couse
Subj. présent	qu'il, elle mette	qu'il, elle moule	qu'il, elle couse
Subj. présent	que nous mettions	que nous moulions	que nous cousions
Subj. présent	qu'ils, elles mettent	qu'ils, elles moulent	qu'ils, elles cousent
Subj. imparfait	qu'il, elle mît	qu'il, elle moulût	qu'il, elle cousît
Subj. imparfait	qu'ils, elles missent	qu'ils, elles moulussent	qu'ils, elles cousissent
Impératif	mets	mouds	couds
Impératif	mettons	moulons	cousons
Impératif	mettez	moulez	cousez
Part. présent	mettant	moulant	cousant
Part. passé	mis, e	moulu, e	cousu, e

	67 absoudre (1)	68 résoudre (2)	69 suivre
Ind. présent	j'absous	je résous	je suis
Ind. présent	tu absous	tu résous	tu suis
Ind. présent	il, elle absout	il, elle résout	il, elle suit
Ind. présent	nous absolvons	nous résolvons	nous suivons
Ind. présent	vous absolvez	vous résolvez	vous suivez
Ind. présent	ils, elles absolvent	ils, elles résolvent	ils, elles suivent
Ind. imparfait	il, elle absolvait	il, elle résolvait	il, elle suivait
Ind. passé s.	il, elle absolut	il, elle résolut	il, elle suivit
Ind. passé s.	ils, elles absolurent	ils, elles résolurent	ils, elles suivirent
Ind. futur	j'absoudrai	je résoudrai	je suivrai
Ind. futur	il, elle absoudra	il, elle résoudra	il, elle suivra
Cond. présent	j'absoudrais	je résoudrais	je suivrais
Cond. présent	il, elle absoudrait	il, elle résoudrait	il, elle suivrait
Subj. présent	que j'absolve	que je résolve	que je suive
Subj. présent	qu'il, elle absolve	qu'il, elle résolve	qu'il, elle suive
Subj. présent	que nous absolvions	que nous résolvions	que nous suivions
Subj. présent	qu'ils, elles absolvent	qu'ils, elles résolvent	qu'ils, elles suivent
Subj. imparfait	qu'il, elle absolût	qu'il, elle résolût	qu'il, elle suivît
Subj. imparfait	qu'ils, elles absolussent	qu'ils, elles résolussent	qu'ils, elles suivissent
Impératif	absous	résous	suis
Impératif	absolvons	résolvons	suivons
Impératif	absolvez	résolvez	suivez
Part. présent	absolvant	résolvant	suivant
Part. passé	absous, oute	résolu, e	suivi, e

(1) Le passé simple et le subjonctif imparfait, admis par Littré, sont rares.
(2) Il existe un participe passé *résous, résoute* (rare), avec le sens de « transformé » (*un brouillard résous en pluie*)

	70 vivre (1)	71 paraître	72 naître
Ind. présent	je vis	je parais	je nais
Ind. présent	tu vis	tu parais	tu nais
Ind. présent	il, elle vit	il, elle paraît	il, elle naît
Ind. présent	nous vivons	nous paraissons	nous naissons
Ind. présent	vous vivez	vous paraissez	vous naissez
Ind. présent	ils, elles vivent	ils, elles paraissent	ils, elles naissent
Ind. imparfait	il, elle vivait	il, elle paraissait	il, elle naissait
Ind. passé s.	il, elle vécut	il, elle parut	il, elle naquit
Ind. passé s.	ils, elles vécurent	ils, elles parurent	ils, elles naquirent
Ind. futur	je vivrai	je paraîtrai	je naîtrai
Ind. futur	il, elle vivra	il, elle paraîtra	il, elle naîtra
Cond. présent	je vivrais	je paraîtrais	je naîtrais
Cond. présent	il, elle vivrait	il, elle paraîtrait	il, elle naîtrait
Subj. présent	que je vive	que je paraisse	que je naisse
Subj. présent	qu'il, elle vive	qu'il, elle paraisse	qu'il, elle naisse
Subj. présent	que nous vivions	que nous paraissions	que nous naissions
Subj. présent	qu'ils, elles vivent	qu'ils, elles paraissent	qu'ils, elles naissent
Subj. imparfait	qu'il, elle vécût	qu'il, elle parût	qu'il, elle naquît
Subj. imparfait	qu'ils, elles vécussent	qu'ils, elles parussent	qu'ils, elles naquissent
Impératif	vis	parais	nais
Impératif	vivons	paraissons	naissons
Impératif	vivez	paraissez	naissez
Part. présent	vivant	paraissant	naissant
Part. passé	vécu, e	paru, e	né, e

(1) *Survivre* se conjugue comme *vivre*, mais son participe passé est toujours invariable.

	73 croître	74 accroître (1)	75 rire
Ind. présent	je croîs	j'accrois	je ris
Ind. présent	tu croîs	tu accrois	tu ris
Ind. présent	il, elle croît	il, elle accroît	il, elle rit
Ind. présent	nous croissons	nous accroissons	nous rions
Ind. présent	vous croissez	vous accroissez	vous riez
Ind. présent	ils, elles croissent	ils, elles accroissent	ils, elles rient
Ind. imparfait	il, elle croissait	il, elle accroissait	il, elle riait
Ind. passé s.	il, elle crût	il, elle accrut	il, elle rit
Ind. passé s.	ils, elles crûrent	ils, elles accrurent	ils, elles rirent
Ind. futur	je croîtrai	j'accroîtrai	je rirai
Ind. futur	il, elle croîtra	il, elle accroîtra	il, elle rira
Cond. présent	je croîtrais	j'accroîtrais	je rirais
Cond. présent	il, elle croîtrait	il, elle accroîtrait	il, elle rirait
Subj. présent	que je croisse	que j'accroisse	que je rie
Subj. présent	qu'il, elle croisse	qu'il, elle accroisse	qu'il, elle rie
Subj. présent	que nous croissions	que nous accroissions	que nous riions
Subj. présent	qu'ils, elles croissent	qu'ils, elles accroissent	qu'ils, elles rient
Subj. imparfait	qu'il, elle crût	qu'il, elle accrût	qu'il, elle rît
Subj. imparfait	qu'ils, elles crûssent	qu'ils, elles accrussent	qu'ils, elles rissent
Impératif	croîs	accrois	ris
Impératif	croissons	accroissons	rions
Impératif	croissez	accroissez	riez
Part. présent	croissant	accroissant	riant
Part. passé	crû, crue, crus, crues	accru, e	ri

(1) *Recroître* se conjugue comme *accroître*, mais son participe passé est *recrû, recrue, recrus, recrues*.

	76 conclure (2)	77 nuire (3)	78 conduire
Ind. présent	je conclus	je nuis	je conduis
Ind. présent	tu conclus	tu nuis	tu conduis
Ind. présent	il, elle conclut	il, elle nuit	il, elle conduit
Ind. présent	nous concluons	nous nuisons	nous conduisons
Ind. présent	vous concluez	vous nuisez	vous conduisez
Ind. présent	ils, elles concluent	ils, elles nuisent	ils, elles conduisent
Ind. imparfait	il, elle concluait	il, elle nuisait	il, elle conduisait
Ind. passé s.	il, elle conclut	il, elle nuisit	il, elle conduisit
Ind. passé s.	ils, elles conclurent	ils, elles nuisirent	ils, elles conduisirent
Ind. futur	je conclurai	je nuirai	je conduirai
Ind. futur	il, elle conclura	il, elle nuira	il, elle conduira
Cond. présent	je conclurais	je nuirais	je conduirais
Cond. présent	il, elle conclurait	il, elle nuirait	il, elle conduirait
Subj. présent	que je conclue	que je nuise	que je conduise
Subj. présent	qu'il, elle conclue	qu'il, elle nuise	qu'il, elle conduise
Subj. présent	que nous concluions	que nous nuisions	que nous conduisions
Subj. présent	qu'ils, elles concluent	qu'ils, elles nuisent	qu'ils, elles conduisent
Subj. imparfait	qu'il, elle conclût	qu'il, elle nuisît	qu'il, elle conduisît
Subj. imparfait	qu'ils, elles conclussent	qu'ils, elles nuisissent	qu'ils, elles conduisissent
Impératif	conclus	nuis	conduis
Impératif	concluons	nuisons	conduisons
Impératif	concluez	nuisez	conduisez
Part. présent	concluant	nuisant	conduisant
Part. passé	conclu, e	nui	conduit, e

(2) *Inclure* se conjugue comme *conclure,* mais son participe passé est *inclus, incluse.*
(3) *Luire* et *reluire* connaissent une autre forme de passé simple : *je luis, je reluis,* etc.

	79 écrire	80 suffire	81 confire (1)
Ind. présent	j'écris	je suffis	je confis
Ind. présent	tu écris	tu suffis	tu confis
Ind. présent	il, elle écrit	il, elle suffit	il, elle confit
Ind. présent	nous écrivons	nous suffisons	nous confisons
Ind. présent	vous écrivez	vous suffisez	vous confisez
Ind. présent	ils, elles écrivent	ils, elles suffisent	ils, elles confisent
Ind. imparfait	il, elle écrivait	il, elle suffisait	il, elle confisait
Ind. passé s.	il, elle écrivit	il, elle suffit	il, elle confit
Ind. passé s.	ils, elles écrivirent	ils, elles suffirent	ils, elles confirent
Ind. futur	j'écrirai	je suffirai	je confirai
Ind. futur	il, elle écrira	il, elle suffira	il, elle confira
Cond. présent	j'écrirais	je suffirais	je confirais
Cond. présent	il, elle écrirait	il, elle suffirait	il, elle confirait
Subj. présent	que j'écrive	que je suffise	que je confise
Subj. présent	qu'il, elle écrive	qu'il, elle suffise	qu'il, elle confise
Subj. présent	que nous écrivions	que nous suffisions	que nous confisions
Subj. présent	qu'ils, elles écrivent	qu'ils, elles suffisent	qu'ils, elles confisent
Subj. imparfait	qu'il, elle écrivît	qu'il, elle suffît	qu'il, elle confît
Subj. imparfait	qu'ils, elles écrivissent	qu'ils, elles suffissent	qu'ils, elles confissent
Impératif	écris	suffis	confis
Impératif	écrivons	suffisons	confisons
Impératif	écrivez	suffisez	confisez
Part. présent	écrivant	suffisant	confisant
Part. passé	écrit, e	suffi	confit, e

(1) *Circoncire* se conjugue comme *confire,* mais son participe passé est *circoncis, circoncise.*

	82 dire	83 contredire	84 maudire
Ind. présent	je dis	je contredis	je maudis
Ind. présent	tu dis	tu contredis	tu maudis
Ind. présent	il, elle dit	il, elle contredit	il, elle maudit
Ind. présent	nous disons	nous contredisons	nous maudissons
Ind. présent	vous dites	vous contredisez	vous maudissez
Ind. présent	ils, elles disent	ils, elles contredisent	ils, elles maudissent
Ind. imparfait	il, elle disait	il, elle contredisait	il, elle maudissait
Ind. passé s.	il, elle dit	il, elle contredit	il, elle maudit
Ind. passé s.	ils, elles dirent	ils, elles contredirent	ils, elles maudirent
Ind. futur	je dirai	je contredirai	je maudirai
Ind. futur	il, elle dira	il, elle contredira	il, elle maudira
Cond. présent	je dirais	je contredirais	je maudirais
Cond. présent	il, elle dirait	il, elle contredirait	il, elle maudirait
Subj. présent	que je dise	que je contredise	que je maudisse
Subj. présent	qu'il, elle dise	qu'il, elle contredise	qu'il, elle maudisse
Subj. présent	que nous disions	que nous contredisions	que nous maudissions
Subj. présent	qu'ils, elles disent	qu'ils, elles contredisent	qu'ils, elles maudissent
Subj. imparfait	qu'il, elle dît	qu'il, elle contredît	qu'il, elle maudît
Subj. imparfait	qu'ils, elles dissent	qu'ils, elles contredissent	qu'ils, elles maudissent
Impératif	dis	contredis	maudis
Impératif	disons	contredisons	maudissons
Impératif	dites	contredisez	maudissez
Part. présent	disant	contredisant	maudissant
Part. passé	dit, e	contredit, e	maudit, e

	85 bruire (1)	86 lire	87 croire
Ind. présent	je bruis	je lis	je crois
Ind. présent	tu bruis	tu lis	tu crois
Ind. présent	il, elle bruit	il, elle lit	il, elle croit
Ind. présent	*inusité*	nous lisons	nous croyons
Ind. présent		vous lisez	vous croyez
Ind. présent		ils, elles lisent	ils, elles croient
Ind. imparfait	il, elle bruyait	il, elle lisait	il, elle croyait
Ind. passé s.	*inusité*	il, elle lut	il, elle crut
Ind. passé s.		ils, elles lurent	ils, elles crurent
Ind. futur	je bruirai	je lirai	je croirai
Ind. futur	il, elle bruira	il, elle lira	il, elle croira
Cond. présent	je bruirais	je lirais	je croirais
Cond. présent	il, elle bruirait	il, elle lirait	il, elle croirait
Subj. présent	*inusité*	que je lise	que je croie
Subj. présent		qu'il, elle lise	qu'il, elle croie
Subj. présent		que nous lisions	que nous croyions
Subj. présent		qu'ils, elles lisent	qu'ils, elles croient
Subj. imparfait	*inusité*	qu'il, elle lût	qu'il, elle crût
Subj. imparfait		qu'ils, elles lussent	qu'ils, elles crussent
Impératif	*inusité*	lis	crois
Impératif		lisons	croyons
Impératif		lisez	croyez
Part. présent	*inusité*	lisant	croyant
Part. passé	bruit	lu, e	cru, e

(1) Traditionnellement, *bruire* ne connaît que les formes de l'indicatif présent, imparfait (*je bruyais, tu bruyais*, etc.), futur, et les formes du conditionnel ; *bruisser* (conjugaison 3) tend de plus en plus à supplanter *bruire*, en particulier dans toutes les formes défectives.

	88 boire	89 faire
Ind. présent	je bois	je fais
Ind. présent	tu bois	tu fais
Ind. présent	il, elle boit	il, elle fait
Ind. présent	nous buvons	nous faisons
Ind. présent	vous buvez	vous faites
Ind. présent	ils, elles boivent	ils, elles font
Ind. imparfait	il, elle buvait	il, elle faisait
Ind. passé s.	il, elle but	il, elle fit
Ind. passé s.	ils, elles burent	ils, elles firent
Ind. futur	je boirai	je ferai
Ind. futur	il, elle boira	il, elle fera
Cond. présent	je boirais	je ferais
Cond. présent	il, elle boirait	il, elle ferait
Subj. présent	que je boive	que je fasse
Subj. présent	qu'il, elle boive	qu'il, elle fasse
Subj. présent	que nous buvions	que nous fassions
Subj. présent	qu'ils, elles boivent	qu'ils, elles fassent
Subj. imparfait	qu'il, elle bût	qu'il, elle fît
Subj. imparfait	qu'ils, elles bussent	qu'ils, elles fissent
Impératif	bois	fais
Impératif	buvons	faisons
Impératif	buvez	faites
Part. présent	buvant	faisant
Part. passé	bu, e	fait, e

	90 plaire	91 taire
Ind. présent	je plais	je tais
Ind. présent	tu plais	tu tais
Ind. présent	il, elle plaît	il, elle tait
Ind. présent	nous plaisons	nous taisons
Ind. présent	vous plaisez	vous taisez
Ind. présent	ils, elles plaisent	ils, elles taisent
Ind. imparfait	il, elle plaisait	il, elle taisait
Ind. passé s.	il, elle plut	il, elle tut
Ind. passé s.	ils, elles plurent	ils, elles turent
Ind. futur	je plairai	je tairai
Ind. futur	il, elle plaira	il, elle taira
Cond. présent	je plairais	je tairais
Cond. présent	il, elle plairait	il, elle tairait
Subj. présent	que je plaise	que je taise
Subj. présent	qu'il, elle plaise	qu'il, elle taise
Subj. présent	que nous plaisions	que nous taisions
Subj. présent	qu'ils, elles plaisent	qu'ils, elles taisent
Subj. imparfait	qu'il, elle plût	qu'il, elle tût
Subj. imparfait	qu'ils, elles plussent	qu'ils, elles tussent
Impératif	plais	tais
Impératif	plaisons	taisons
Impératif	plaisez	taisez
Part. présent	plaisant	taisant
Part. passé	plu	tu, e

	92 extraire	93 clore (1)
Ind. présent	j'extrais	je clos
Ind. présent	tu extrais	tu clos
Ind. présent	il, elle extrait	il, elle clôt
Ind. présent	nous extrayons	nous closons
Ind. présent	vous extrayez	vous closez
Ind. présent	ils, elles extraient	ils, elles closent
Ind. imparfait	il, elle extrayait	*inusité*
Ind. passé s.	*inusité*	*inusité*
Ind. passé s.		
Ind. futur	j'extrairai	je clorai
Ind. futur	il, elle extraira	il, elle clora
Cond. présent	j'extrairais	je clorais
Cond. présent	il, elle extrairait	il, elle clorait
Subj. présent	que j'extraie	que je close
Subj. présent	qu'il, elle extraie	qu'il, elle close
Subj. présent	que nous extrayions	que nous closions
Subj. présent	qu'ils, elles extraient	qu'ils, elles closent
Subj. imparfait	*inusité*	*inusité*
Subj. imparfait		
Impératif	extrais	clos
Impératif	extrayons	*inusité*
Impératif	extrayez	
Part. présent	extrayant	closant
Part. passé	extrait, e	clos, e

(1) Le verbe *enclore* possède les formes *nous enclosons, vous enclosez* et *enclosons, enclosez*.

	94 vaincre	95 frire
Ind. présent	je vaincs	je fris
Ind. présent	tu vaincs	tu fris
Ind. présent	il, elle vainc	il, elle frit
Ind. présent	nous vainquons	*inusité*
Ind. présent	vous vainquez	
Ind. présent	ils, elles vainquent	
Ind. imparfait	il, elle vainquait	*inusité*
Ind. passé s.	il, elle vainquit	*inusité*
Ind. passé s.	ils, elles vainquirent	
Ind. futur	je vaincrai	je frirai
Ind. futur	il, elle vaincra	il, elle frira
Cond. présent	je vaincrais	je frirais
Cond. présent	il, elle vaincrait	il, elle frirait
Subj. présent	que je vainque	*inusité*
Subj. présent	qu'il, elle vainque	
Subj. présent	que nous vainquions	
Subj. présent	qu'ils, elles vainquent	
Subj. imparfait	qu'il, elle vainquît	*inusité*
Subj. imparfait	qu'ils, elles vainquissent	
Impératif	vaincs	fris
Impératif	vainquons	*inusité*
Impératif	vainquez	
Part. présent	vainquant	*inusité*
Part. passé	vaincu, e	frit, e

Composition : Études et Réalisations Éditoriales
Flashage : I.G.S. - Charente-Photogravure à l'Isle-d'Espagnac
Imprimerie LA TIPOGRAFICA S.p.A. - Italie
Dépôt légal : mai 1998
Imprimé en Italie *(Printed in Italy)*
340908.01 - Mai 1998